中华传世藏书

續資治通鑒

[清]毕沅◎著

线装書局

续资治通鉴卷第一百三十四

【原文】

宋纪一百三十四　起重光大荒落【辛巳】正月，尽九月，凡九月。

高宗受命中兴全功至德　圣神武文昭仁宪孝皇帝

绍兴三十一年　金正隆六年【辛巳，1161】　春，正月，甲戌朔，日有食之。

壬午，金主以将如南京，命司徒、御史大夫萧玉为大兴尹，司徒如故。

癸未夜，风雷雨雪交作。侍御史汪澈言："《春秋》鲁隐公时，大雷震电，继以雨雪。孔子以八月之间再有大变，谨而书之。今一夕之间，二异交至，愿陛下饬大臣常谨备边。"

殿中侍御史陈俊卿言："周之三月，今正月也。鲁隐公八月之间，再有大异，今一日而两异见，比《春秋》抑有甚焉。今边防之策，圣谟深远，讲之熟矣，然而将未得人，兵未核实，器械未精，储蓄未备。臣愿陛下与二三大臣因灾而惧，谨其藩篱，常若寇至，不可一日而弛。至于臣下，则有官居保傅，手握兵符，而广殖货财，专事交结，夺民利，坏军政，朝廷不言，道途侧目，养之不已，其患将有不可胜言者。此诚臣忧国惓惓至意，惟陛下采纳。"

癸巳，名通化军汉相国萧何庙曰怀德。

贺金正旦使徐度将还，金主使参知政事李通谕之曰："朕昔从梁王军，乐南京风土，常欲巡幸。今营缮将毕功，期以二月末先往河南。帝王巡狩，自古有之，以淮右多隙地，欲校猎其间，从兵不逾万人。况朕祖宗陵庙在此，安能久于彼乎！汝等归告汝主，令有司宣谕朕意，使淮南之民无怀疑惧。"

甲午，集英殿修撰、知鼎州凌景夏权尚书吏部侍郎。丙申，秘书少监汪应辰权尚书吏部侍郎。

己亥，诏："特进、提举江州太平兴国宫和国公张浚，湖南路任便居住。"

时浚尚责居永州，殿中侍御史陈俊卿，间为上言："浚忠义，且兼资文武，可付以阃外。臣素不识浚，虽闻其尝失陕服，散淮师，而许国之心白首不渝。今杜门念咎，老而练事，非前日浚也。愿陛下勿惑谗谤，虽未付以大柄，且与以近郡，以系人心，庶缓急可以相及。"帝纳其言。

诏："衡州编管人胡铨放逐便。"

又诏："昨缘事一时编管居住命官，刑部开具职位姓名并元犯因依，申尚书省。"

庚子，金主命自中都至河南所过州县，调从猎骑士二千。诸处统军，择其精于射者得五

千人，分作五军，皆用茸丝联甲，紫茸为上，青茸次之，号“硬军”，亦曰“细军”。每自诧曰：“取江南，此五千人足矣！”

二月，甲辰朔，日有晕珥戴背。金主问司天监马贵中曰：“近日天道何如？”贵中曰：“前年八月二十九日，太白入太微右掖门；九月二日，至端门；九日，左掖门出，并历左右执法。太微为天子南宫，太白兵将之象，其占，兵入天子之廷。”金主曰：“今将南伐，正其事也。”贵中曰：“当端门而出，其占为受制，历左右执法为受事。此当有出使，或为兵，或为贼。”金主曰：“兵兴之际，小盗固不能无也。”

甲寅，少师、宁远军节度使、领殿前都指挥使职事杨存中为太傅、充醴泉观使，赐玉带，奉朝请。

存中领殿〔岩〕几三十年，至是王十朋、陈俊卿、李浩，相继讼言存中之过，帝惑其言。存中闻北事有萌，乃上疏言金人年来规画有异，虽信好未渝，而荐食之心已露，宜及未然，于沿边冲要之地，置堡列戍，峙粮聚财，滨海沿江，预具斗舰。至于选将帅，缮甲兵，谨关梁，固疆塞，明斥堠，训郡县之卒，募乡闾之勇，申戒吏士，指授方略，条为十事以献。会赵密谋夺其权，因指为喜功生事。存中闻之，乃累章丐免。

金以参知政事李通为尚书右丞。

乙卯，閤门祗候、御前忠锐第五副将刘舜谟为东南第二副将，庐州驻劄。

己未，金禁扈从纵猎扰民。庚申，征诸道水手运战船。

辛酉，诏：“侍从、台谏荐士各二人，帅臣、监司各一人。”

癸丑，金主发中都。

乙丑，诏：“经义、诗赋，依旧分为两科以取士。”

先是谏议大夫何溥，疏论经义、词赋合为一科之弊，以为：“两场俱优者百无一二，而韦布之士，皓首穷经，扼于声病之文，卒无以自见于世。望将经义得免解举人及应举进士年五十以上，许兼一大经，于诗赋场引试，其不愿兼经者亦听，庶几宿学有以自展。议者多以为经义、词赋不能兼精，又减策二道而并于论场，故策问太寡，无以尽人。且一论一策，穷日之力不足以致其精，虽有实学，无以自见。愿复经义、诗赋分科之旧。”诏礼部、国子监、太学官看详，申尚书省。

三月，甲戌朔，诏起复左武大夫、兴州刺史、殿前司破敌军统制陈敏，以所部千六百人往太平驻劄，寻改隶马军司。

己卯，右谏议大夫何溥为翰林学士兼权吏部尚书。

金改河南北邙山为太平山，称旧名者以违制论。

壬午，兵部尚书兼权翰林学士兼侍读杨椿参知政事。

庚寅，尚书右仆射、同中书门下平章事陈康伯迁左仆射，参知政事朱倬守右仆射，并同中书门下平章事。

辛卯，故左〔朝奉〕大夫致仕李光，追复左中大夫，官其子二人。

癸巳，金主次河南府，因出猎，如汝州温汤，视行宫地。自中都至河南，所过麦皆为空。复禁扈从毋辄离次及游赏、饮酒，犯者罪皆死，而莫有从者。

诏内地诸明安赴山后牧马，俟秋并发。

夏，四月，癸卯朔，诏潭州观察使、利州西路驻劄御前中军都统制、新知襄阳府吴拱以西兵三千人戍襄阳。

朝议因金人决欲败盟，乃令两淮诸将各画界分，使自为守，措置民社，增壁积粮。是时御前诸军都统制吴璘戍武兴，姚仲戍兴元，王彦戍汉阴，李道戍荆南，田师中戍鄂渚，戚方戍九江，李显忠戍池阳，王权戍建康，刘锜戍镇江，壁垒相望，而襄阳独未有备，故命拱以所部戍之。

辛酉，复升扬州高邮县为军。

辛未，同知枢密院事周麟之为金奉表起居称贺使，贺迁都也。

初，朝廷闻金主欲移居于汴，且屯兵宿、亳间，议遣大臣奉使，宰执共议遣参知政事杨椿行。其所议者，如大金皇帝只欲到洛阳观花，则不须屯兵于边；若果欲迁都于汴，屯兵于宿、亳，则本国亦不免屯兵于淮上；非敢故渝盟约，盖为国之道，不得不然。或欲巡幸汴都，即还燕京，则本国亦无一人一骑渡淮。麟之闻其议，乃见帝慷慨请行，帝大喜。麟之请自择副，且荐洪州观察使、知閤门事苏华可用，许之。华寻卒，乃命武翼大夫、贵州刺史、知閤门事张抡假保信军节度使以行。

丁未，金主诏百官先赴南京治事。尚书省、枢密院、大宗〔正〕府、〔劝农司、太府〕、少府皆从行，吏、户、兵、刑部、四方馆、都水监、大理司官各留一员。

以签书枢密院事高景山为宋生日使，右司员外郎王全副之。金主谓全曰："汝见宋主，即面数其罪，索其大臣及淮、汉之地。如不从，即厉声诋责之，彼必不敢害汝。"谓景山曰："回日，以全所言奏闻。"

戊申，金主命汝州百五十里内州县量遣商贾赴温汤置市。

诏有司移问宋人蔡、颍、寿诸州对境创置堡屯者。

庚戌，金主发河南府；丁卯，次温汤，诫扈从，毋得辄过汝水。金主出猎，遇奔鹿突之，堕马，呕血数日。遣使征诸道兵。

五月，丙子，金国贺生辰使高景山、副使王全入境。

景山等举止倨傲，又遣人量牐面阔狭，沿淮顾盼，意若相视水面者。时上下泄泄，至是始知其有渝盟之意。

庚辰，金太师、尚书令温都思忠卒。

契丹诸部反，遣右将军萧图喇等讨之。

甲申，礼部郎中王普言取士分科之弊，以谓："后生举子，竞习词章，而通经老儒，存者无几。恐自今以往，经义又当日销，而《二礼》《春秋》必先废绝。窃惟国初至治平，虽以诗赋取士，又有明经、学究等诸科。当时惟明经略通大义，其它徒诵其书而不知其说，非今日经义比也。然犹且别立解额，多于诗赋，而不相侵紊。逮熙宁后，应举者莫不治经，故解额可以混而为一。今经义、诗赋既分为两科，而解额犹未分。夫取易舍难，人之常情，故此盛彼衰，势所不免。望诏有司追效旧制，将国学及诸州解额各以三分为率，其二以取经义，其一以取诗赋。若省试，即以累举过省，酌中人数，立为定额而分之，仍于经义之中，优取《二礼》《春秋》，庶几两科可以永久并行，而无偏废之患矣。"诏礼部、国子监看详，申尚书省。

辛卯，金使高景山、副使王全见于紫宸殿。景山奉国书跪进。景山当奏事，自称语呐，不

能敷奏，乞令副使王全代奏，帝许之。景山招全，全欲升殿，侍卫及阁门官止之，帝传旨令升。

全升殿之东壁，面北，厉声奏曰："皇帝特有圣旨，昨自东昏王时，两国讲和，朕当时虽年小，未任宰执，亦备知得。自朕即位后一二年间，曾差祈请使巫伋等来，言及宗属及增加帝号等事，朕以即位之初，未暇及此，当时不曾允许。其所言亲属中，今则惟天水郡公昨以风疾身故外，所祈请似亦可从。又念岁贡钱绢数多，江南出产不甚丰厚，须是取自民间，想必难备。朕亦别有思度，兼为淮水为界，私渡甚多，其间往来越境者，虽严为诫禁，亦难杜绝，又，江以北，汉水以东，虽有界至，而南北叛亡之人，互相扇诱，适足引惹边事，不知故梁王当日何由如此分画来。朕到南京，方欲遣人备谕此意。近有司奏言，欲遣使来贺行幸南京，灼知意甚勤厚。若只常使前来，缘事理稍重，恐不能尽达。兼南京宫阙初秋毕工，朕以河南府龙门以南地气稍凉，兼放牧水草亦广，于此坐夏，拟于八月初旬内到南京，当于左仆射汤思退、右仆射陈康伯及或闻王纶知枢密院，此三人内可差一员；兼殿前太尉杨存中最是旧人，谙练事务，江以北山川地理，备曾经历，可以言事，亦当遣来。又如郑藻辈及内臣中选择所委信者一人，共四人，同使前来，不过八月十五日以前到南京，朕当宣谕此事。若可从朕言，缘淮南地理，朕昔在军颇曾行历，土田往往荒瘠，民人不多，应有户口，尽与江南，朕所言者惟土田而已。务欲两国界至分明，不生边事。朕以向来止曾经有泗、寿州外，陈、蔡、唐、邓边面不曾行历，及知彼处围场颇多，约于九月末旬前去巡猎，十一月或十二月，却到南京，于差来正旦使处，当备细道来，朕要知端的。于次年二三月间，又为京兆，亦未曾至，欲因幸温汤，经由河东路分，却还中都去。"奏讫，全复曰："赵桓今已死矣。"帝色变，遽起。全在殿下扬言曰："我来理会者两国事。"哓哓不已。带御器械李横约全曰："不得无礼，有事朝廷理会。"

百官班未退，带御器械刘炎白陈康伯曰："使人在廷，有茶酒之礼，宜奏免之。"康伯曰："君自奏闻。"炎遂转屏风而入，见帝哭泣。炎奏其事，帝然之。炎出，传旨曰："今为闻渊圣皇帝讣音，圣躬不安，阁门赐茶酒宜免，使人且退班。"遂退。

既而诏全曰："适所未奏事因，可具奏状以闻。"于是馆伴使、翰林学士何溥等录其语进，故得知者一二焉。

宰执聚殿庐，议举哀典故。或谓帝不可以凶服见使者，欲俟其去乃发丧。权工部侍郎黄中闻之，驰白康伯曰："此国家大事，臣子至痛之节，一有失礼，谓天下后世何？且使人问焉，将何以对？"于是始议行礼及调兵守江、淮之策。

壬辰，同知枢密院事周麟之言："敌意可卜，宜练甲申警，静以观变，使不当遣。"帝曰："卿言是也。彼欲割地，今何应之？"麟之曰："讲信之始，分画封圻，故应有载书存。愿出以示使者，厥请将自塞矣。"

甲午，宰执召三衙帅赵密、成闵、李捧及太傅、醴泉观使、和义郡王杨存中至都堂，议举兵。既又请侍从、台谏凌景夏、汪应辰、钱端礼、金安节、张运、黄祖舜、杨(拜)〔邦〕弼、虞允文、汪澈、刘度、陈俊卿集议。陈康伯传上旨云："今日更不问和与守，直问战当如何。"执政欲遣闵全将禁卫兵御襄江上流，允文言："不必发兵如此之多，敌必不从上流而下。恐发禁卫则兵益少，朝廷内虚，异时无兵可为两淮之用。"执政以金主在汝州，恐其涉汉而南，不听。

日午，下诏发丧。宰相常服、金带，率百官入和宁门，诣天章阁南隙地举哀，仍进名奉慰。是时禁中亦设举哀之礼，哀动于外。为大行渊圣仁孝皇帝立重，即学士院为几筵殿，用神帛。

帝诏持斩衰三年，以申哀慕。权礼部侍郎金安节请庶人禁乐百日，从之。

翰林学士兼权吏部尚书、充馆伴使何溥等奏："缴录到大金副使王全于殿上口奏事，因诏诸路都统制并沿边帅守、监司照应。今来事体随宜应变，疾速措置，务要不失机会。"时朝论汹汹，入内内侍省都知张去为阴沮用兵之议，且陈退避闽、蜀之计，人情惶惑。陈康伯言曰："敌国败盟，天人共愤。今日之事，有进无退，若圣意坚决，则将士之气自倍。愿分三衙禁旅，助襄、汉兵力，待其先发，然后应之。"

权工部侍郎黄中自使还，每进见，未尝不以边事为言，至是又率同列请对，论决策用兵，莫有同者。中乃奏曰："朝廷与金通好二十馀年，我未尝一日言战，彼未尝一日忘战。取我岁币，啖彼士卒。今幸天褫其魄，使先坠言以警陛下，惟圣慈留心焉！"

乙未，少保、奉国军节度使、领御前诸军都统制职事、判兴州吴璘为四川宣抚使，仍命敷文阁直学士、四川安抚制置使兼知成都府王刚中同措置应干事务。时有诏："夔路遣兵五百人往峡州屯驻，俟荆南有警，则令夔路安抚使李师颜亲往援之。"

丙申，侍御史汪澈为御史中丞。

起复庆远军节度使、主管侍卫马军司公事成闵对于内殿。

朝议以上流重地，边面阔远而兵力分，宜遣大将。帝乃面谕闵，俾以所部三万人往武昌控扼，先命湖北漕臣同鄂州守臣建寨屋三万间以待之。后二日，遂发江西折帛、湖广常平米钱及末茶长短引共一百四十馀万缗，湖北常平义仓及和籴米六十三万石，料十万石，赴湖广总领所备军用。

戊戌，帝成服于几筵殿。

己亥，金贺生辰使高景山等辞行。

庚子，诏："浙东五郡禁军、弓弩手，并起发赴判明州兼沿海制置使沈该，浙西诸郡及衢、婺二州并赴平江府驻劄浙西副总管李宝，江东诸郡赴池州驻劄都统制李显忠，福建诸郡赴太平州驻劄破敌军统制陈敏，江西诸郡赴江州驻劄都统制戚方，湖南、北非沿边诸郡赴荆南府驻劄都统制李道军，并听候使唤。"

辛丑，百官朝临毕，三上表请听政，诏答宜允。自是日一临，至小祥止。

六月，壬寅朔，殿中侍御史陈俊卿权尚书兵部侍郎。

先是俊卿复言张浚可用，帝曰："卿欲用浚为何官？"俊卿曰："此在陛下。"帝曰："浚才疏，使之帅一路，或有可观，若再督诸军，必败事。"俊卿曰："人皆以浚为可，陛下何惜不一试之？"帝首肯。俊卿又言："张去为窃威权，挠成筭，乞斩之以作士气。"帝曰："卿可谓仁者之勇。"

癸卯，以渊圣皇帝升遐，降诸路流罪以下囚，释杖以下。

金主自汝州如南京。

丙午，小祥；帝御几筵殿行礼。

丁未，出宫人三百十九人。

己酉，御史中丞汪澈为湖北、京西宣谕使，置司鄂州，仍节制两路军马。澈辞节制，许之。

右朝奉郎、通判楚州徐宗偃遗镇江都统制刘锜书云："近闻肃膺宸命，进师广陵，先声所至，士气贾勇。窃惟今日之事，非它事比，安危成败，在兹一举。古人有云，唇亡则齿寒，盖言

表里之相依也。今欲保长江,必先守淮。顷岁韩宣抚驻军山阳,山东之兵不敢一日窥伺,几至成功,而奸臣误国,莫遂其志。今清河口去本州五十里,地名八里庄,相望咫尺,若不遣精锐控扼,万一有缓急,顷刻可至城下。彼得地利,两淮之民悉为其用,则高邮、广陵岂足以捍其冲! 宜遣偏师屯本州,彼既不敢长驱,山东诸郡怨其暴敛,不忘戴宋,一呼响应,势若破竹矣。"锜亦以为然。

辛亥,北使高景山还,至盱眙军,未就宴,泗州遣人报守臣周淙,称有金牌使来。邦人惊惧,谓金牌不时来,昨绍兴十一年有来传宣者,以军继之,即倾城奔走。宴罢,来使大怀正入馆,白袍红绶,腰悬金牌,乘马直造厅事,索香案,呼送伴使右司员外郎吕广问等令跪听,遂道金主旨,谓:"本欲八月迁都,今大臣奏宫殿修毕,欲以六月中旬前去南京,令送伴回,奏知本国也。"军民闻之,始释疑。然亦有夤夜提携奔窜,官司弗能禁。会朝廷亦下转运副使杨抗相度清野,民尤恐惧,自是淮南官吏老幼,悉往江南矣。

癸丑,诏罢教坊乐工,许自便。

乙卯,太尉、威武军节度使、镇江府驻劄御前诸军都统制刘锜为淮南、江南、浙西制置使,节制诸路军马。

锜自顺昌之胜,金人畏之,下令,有敢言其姓名者,罪不赦。帝亦知其能,故有是命。

丙辰,不视朝,百官临于几筵殿,以次赴几筵殿门外进名奉慰。自是朔望皆如之。

浙西马步军副总管李宝入奏事,翼日,帝谓辅臣曰:"宝非常骁勇,兼其心术可以仗倚。朕素识其人,它日未易量。"

先是宝言:"连江接海,便于发舶,无若江阴,臣请守之。万有一不任,甘死无赦。"帝从之。宝即遣其子公佐与将官边士宁潜入金境伺动静。至是金谋益泄,复召问方略,宝言:"海道无险要可守,敌舰散入诸洋,则难以荡灭。臣止有一策出百全。"帝问:"何如?"对曰:"兵之道,自战其地与战人之地不同。自战其地者,必生之兵也;战人之地者,必死之兵也;必生者易破,而必死者难却。今敌未离巢穴,臣仰凭天威,掩出不意,因其惊扰而疾击之,可以得志。"帝曰:"善!"问:"所总舟几何?"曰:"坚全可涉风涛者,得百二十,皆旧例所用防秋者。""所总人几何?"曰:"三千。止是二浙、福建五分弓弩手,非正兵也。旗帜器甲,亦已粗备。事急矣,臣愿亟发。"陛辞,赐宝带、鞍马、尚方弓刀戈甲之属及银绢万数,以为军实。

戊午,渊圣皇帝大祥,帝易禫服。

庚申,禫祭。

夜,彗出于角。

壬戌,金主次南京近郊,左丞相张浩率百官迎谒。是夜,大风坏承天殿鸱尾。癸亥,金主备法驾入南京,奉太后居宁德宫。太后使侍婢高福娘问金主起居,金主幸之,使伺太后动静,凡太后动止,事无大小,悉以告,福娘复增饰其言,由是嫌隙益深。

丙寅,诏许淮南诸州移治清野。

戊辰,右朝散大夫徐嘉为敷文阁待制、枢密都承旨、假资政殿大学士、左大中大夫、醴泉观使,充金起居称贺使。庚午,武翼大夫、贵州刺史、权知阁门事、充金起居称贺副使张抡,落阶官,为文州刺史。

是月,金使枢密使布萨思恭等将兵一万讨契丹诸部。

秋，七月，(壬申)〔癸酉〕朔，温州进士工宪，特补承节郎，充温州总辖海船。

先〔是〕降空名告身六十道，下温、福诸郡造海舟，宪献策请用平阳莆门寨所造巡船为式，每舟阔二丈有八尺，其上转板坦平，可以战斗。诏用其言，遂有是命。

癸未，宰相陈康伯率百官为孝慈渊圣皇帝请谥于南郊，谥曰恭文顺德仁孝，庙号钦宗。

丙戌，右朝奉郎、通判楚州徐宗偃献书宰执，言："山阳俯临淮海，清河口去郡五十里，实南北必争之地。我得之，则可以控制山东；一或失守，彼即长驱先据要害，深沟高垒，运山东累年积聚，调拨重兵，使两淮动摇，我将何以捍御！自北使奏〔请〕，意欲败盟，人情汹惧，莫知死所。及朝廷除刘锜为五路制置，分遣军马渡江，边陲肃静，民赖以安。山东之人，日有归附之意，沿淮一带，自北而来者，昼夜不绝，不容止约。若朝廷速遣大兵，且命刘锜或委本州守选差有心力人，明示德音，诱以官爵，谓得一州或一县与官资，使之就守其地，其馀招诱自百人、千人至万人，受赏有差，将见一呼响应，山东悉为我有。若大军未至，彼怀疑贰，未肯就招，招之亦未必能守，适足以贻边患。至于合肥、荆、襄，命大将分占形势，觇逻其实，随机应变，以为进讨之计，恢复中原，可立而待。"

先是涟水县弓手节级董臻者，私渡淮见宗偃，言山东人久困暴敛，日欲归正，若士马一动，悉皆南来，宗偃出己俸厚赠之。是月初，臻果率老幼数百人来归。宗偃言于朝，未至，会知枢密院事叶义问遣武义郎焦宣来谕意，俾招收之。守臣王彦容怒不自己出，乃言臻不愿推恩。宗偃因遗义问书，言："旬日以来，渡淮之人，昼夜不止，涟水为之一空，临淮县民亦源源而来不绝。泗州两遣人谕盱眙，令关报本州约回，有死不肯复去数万人，理宜优恤。然非有大军弹压，得之亦不为用。"乃补臻承节郎，仍令淮东副总管李横以镇江都司两将之兵往楚州屯驻。

丁亥，金以左丞相张浩为太师、尚书令，以司徒大兴尹萧玉为尚书左丞相，吏部尚书白彦恭为枢密副使，枢密副使赫舍哩志宁为开封尹，武安军节度使图克坦恭为御史大夫。

戊子，左中大夫、同知枢密院事周麟之与在外宫观。宰执进呈台谏疏章，帝曰："为大臣，临事辞难，何以率百僚！"乃有是命。庚寅，复责授左朝奉大夫、秘〔书〕监、分司南京，筠州居住。

初，帝命池州诸军都统制李显忠，择淮西地利为固守之计。至是显忠言："淮北平夷，别无险阻，惟枞杨镇北二十五里中坊净严寺依峡山口一带，地里冲要，可以屯驻。请于八月初，分遣半军，过江屯驻。显忠躬亲往来，伺其动息，即全军渡江，观敌所向，随机决战。"从之。

壬辰，徐嘉等至盱眙军，金主已遣翰林侍讲学士韩汝嘉至泗州待之。是日，平旦，泗守臣富察图穆遣人至盱眙，言："韩侍讲带金牌到，欲见国信使副宣谕。"巳刻，嘉遣通事传告，中流相见。俄而汝嘉已登舟渡淮，嘉欲就岸口亭子相见，汝嘉即与徒八人驰马径入宴馆，嘉与副使张抡皆大惊，朝服以待。汝嘉入馆，阖其扉，守臣周淙即馆外穴壁以窥。

汝嘉令嘉、抡跪于庭下，声称有敕，遂言曰："自来北边有蒙古达勒达等，从东昏时数犯边境，自朕即位，已久宁息。近准边将屡申，此辈又复作(祸)〔过〕，比前生聚尤甚，众至数十万，或说仍与夏通好。若〔不〕即行诛戮，恐致滋蔓。重〔念〕祖宗山陵尽在中都，密迩彼界，是以朕心不安。以承平日久，全无得力宿将可委专征，须朕亲往以平寇乱，故虽宫室始建，方此巡幸，而势不可留。已拟定十一月间亲临北边，用行讨伐，然一二年却当还此。今闻有使

称贺，本欲差人远迓，如期入见。缘近者国信使副高景山、王全等传旨，召一二近上官位，有所宣谕。今卿等非所召之人，可便归国，即令元指官〔位〕人等前来，一就称贺，仍须九月初到阙。故兹宣示。”言毕，升堂，分宾主而坐。

嘉战栗，张抡稍进而问曰：“蒙古小邦，何烦皇帝亲行？”汝嘉不能对。抡曰：“侍讲（前）〔远〕来，口言有敕，本国君相何以为凭？乞书于纸，以俟闻奏。”汝嘉即索纸笔，书毕而去，嘉等（遣）〔遗〕以缬帛、香茶，皆不受。

丙申，命参知政事杨椿恭篆圣文仁德显孝皇帝谥宝。

是月，金大括境内骡马，杀亡辽耶律氏、宋赵氏子男凡百三十馀人。

金主尝因赐群臣宴，顾谓左丞相萧玉曰：“卿尝读书否？”玉曰：“亦尝观之。”中宴，金主起，即召玉至内阁，以《汉书》一册示玉。既而掷之曰：“此非所问也。朕欲与卿议事，今欲伐江南，卿以为何如？”玉曰：“不可。”金主曰：“朕视宋国，犹掌握间耳，何为不可？”玉曰：“天以长江限南北，舟楫非我所长。苻坚以百万伐晋，不能以一骑渡，是以知其不可。”金主怒，叱之使出。既而尚书令张浩因人奏事，金主杖浩，并杖玉，谓群臣曰：“浩大臣，不面奏，因人达语，轻易如此！玉以苻坚比朕，朕欲钉其舌而磔之，以玉有功，故隐忍耳。”八月，辛丑朔，忠义人魏胜复海州。胜素负气，尝潜渡淮为商，至是率其徒数百人至海州，自称制置司前军，大兵且继至，海州遂降。

癸丑，金主弑其母太后图克坦氏。

初，布萨师恭赐第邻宁德宫，师恭屡得见太后。及师恭奉命讨契丹诸部，入辞太后，言：“国家世居上京，既徙中都，又自中都至汴京。今又兴兵涉江、淮伐宋，疲弊中国。我尝劝止之，不见听。契丹事复如此，奈何？”侍婢高福娘以告金主。金主疑太后有异图，召点检（太）〔大〕怀忠等，戒之曰：“汝等见太后，但言有诏，令太后跪受，即击杀之。”太后方摴蒱，怀忠至，令太后跪受诏，太后愕然，方下跪，遽从后击之，仆而复起者再，乃缢杀之。金主命焚尸于宫中，弃其骨于水。封福娘为郧国夫人，且许立为妃。

甲寅，浙西马步军副总管李宝，以舟师三千人发江阴。

先是宝自行在还，即谋进发，军士争言西北风力尚劲，迎之非利，宝下令：“大计已定，不复可摇，敢有再出一语者斩！”遂发，徽猷阁直学士、知平江府洪遵竭资粮器械济之。放苏州大洋，行三日，风怒甚，舟散漫不得收。宝慷慨谓左右曰：“天欲以试李宝耶？此心如铁石不变矣！”即酹酒自誓，风亦随止。退泊明州关澳，追集散舟，不浃旬复故。而裨将边士宁自密州还，言魏胜已得海州矣，宝大喜，促其下乘机速发，而大风复作，波涛如山者经月，未得进。

乙卯，江淮制置使刘锜引兵屯扬州。

锜将渡江，以军礼久不讲，乃建大将旗鼓以行，军容整肃，江浙人所未见也。时锜方病，不能乘马，乃以皮穿竹为肩舆。镇江城中，香烟如云雾，观者填拥。

右奉义郎、通判楚州徐宗偃见锜，力陈两淮要害：“山阳密迩清河口，实为控扼之地，合肥扞蔽寿春。自古北军悉由涡口渡淮，彼或长驱，则两淮皆非我有。宜速遣精锐列戍，勿使敌得冲突。”锜疑未决。浙东副总管李横、浙西副总管贾和仲适白其事，皆共赞之。乃遣殿前司策应右军统制王刚以五千人屯宝应。

丙辰，金主杀其翰林直学士韩汝嘉。汝嘉自盱眙归，谏寝兵议和，金主曰：“汝与南宋为游说耶?”遂赐死。

丁巳,诏鄂州驻劄御前诸军都统制田师中赴行在奏事。殿中侍御史杜莘老,言师中老而贪,士卒致怨,偏裨不服,临敌恐误国事,御史中丞、湖北、京西宣谕使汪澈亦言于帝,乃召之。寻以潭州观察使、知襄阳府吴拱为鄂州诸军都统制。

壬戌,徐嘉、张抡自盱眙还行在。

徐宗偃之在淮阴也,有宿迁孙一者自北来,言尝为金差往滨州充水手,暨逃归而家属已渡淮,偶相值于此。备陈海道曲折,谓舟船虽大且多,然皆松木平底,不可涉洋。水军虽多,悉签乡夫,朝夕逃遁,一有警急,必致溃散,及有愿募人往焚烧其舟船者。宗偃因条具边防利便,遂并以其事白庙堂,附疾置以达,至奏邸,特空函耳。朝廷乃札付仲偃,根究沿路盗拆。后数日,乃知递过山阳城下,为郡中窃匿,宗偃复条画附嘉、抡以闻。

癸亥,金杀布萨师恭,以其党于太后也。

先是金主使萧图喇等讨契丹萨巴,连战无功,既而萨巴闻师恭以大军至,乃遁。师恭追之垂及,金主使师恭之子以传逆之,至则戮于市。师恭临刑,以绳枚塞口,但仰视天日而已。遂族灭之,并杀图喇等。

己巳,起复庆远军节度使、主管侍卫马军司公事成闵充湖北、京西制置使,节制两路军马。

金主分诸道兵为神策、神威、神捷、神锐、神毅、神翼、神勇、神果、神略、神锋、武胜、武定、武威、武安、武捷、武平、武成、武毅、武锐、武扬、武翼、武震、威定、威信、威胜、威捷、威烈、威毅、威震、威略、威果、威勇三十二军,置都总管、副总管各一员,分隶左右领军大都督及三道都统制府,置诸军巡察使、副各一员。以太保、枢密使昂为左领军大都督,尚书右丞李通副之;尚书左丞赫舍哩良弼为右领军大都督,判大宗正事富里珲副之;御史大夫图克坦贞为左监军,同判大宗正事图克坦永年为右监军;皆从金主出寿春。以工部尚书苏保衡为浙东道水道都统制,益都尹程嘉副之,由海道趋临安;太原尹刘萼为汉南道行营都统制,济南尹布萨乌哲副之,进自蔡州;以河南尹图克坦哈喜为西蜀道行营都统制,平阳尹张宗彦副之,由凤翔取散关。金主以昂为旧将,使帅诸军以从人望,实使通专其事。遂宴诸将于尚书省,亲授方略。金主曰:“太师梁王,连年南伐,淹延岁月。今举兵必不如彼,远则百日,近止旬月。惟尔将士,无以征行为劳,戮力一心,以成大功,当厚加旌赏。其或弛慢,刑兹无赦。”以武胜、武平、武捷三军为前锋,图克坦贞将兵二万入淮阴。金主恐粮运不继,命诸军渡江,无以僮仆从行,行者莫不嗟怨。

九月,庚午朔,命辅臣朝飨太庙。

辛未,宗祀徽宗皇帝于明堂,以配上帝。建王亚献,嗣濮王士輵终献,乐备而不作。

初,礼官以行礼殿隘,欲祀五天帝于朵殿,五人帝于东西厢。太常少卿王普,言有熊氏乃圣祖之别号,因引皇祐故事,并升于明堂,各依其隅铺设,五人帝在五〔天〕帝之左,稍退五官神位于东厢,皆遣官分献。罢从祀诸神位,用元丰礼也。

先是权礼部侍郎金安节,以渊圣皇帝未祔庙,请宫庙皆以大臣摄事,权工部侍郎黄中请毋新幄帟,毋设四路,以节浮费,皆从之。

祭之日,用卤簿万一百有四十人。礼毕,宣制,赦天下。

癸酉，渊圣皇帝百日，上诣几筵殿行礼。

甲戌，金人至凤州之黄牛堡。

先是统军张中彦与其陕西都统完颜喀齐喀将五千馀骑自凤翔大散关入川界三十里，分为三寨，至是游骑攻黄牛堡。守将李彦(仙)〔坚〕告急，四川宣抚使吴璘方受贺，即肩舆上杀金坪，彦(仙)〔坚〕督官军用神臂弓射敌，却之。璘遣将官高崧为之援，仍与本堡管队官张操同力拒敌，遂扼大散关，深沟高垒以自固。璘驻青野原，顾谓其下曰："金自守之兵，不足虑也。"益调内郡兵分道而进，面受方略。

时四川安抚制置使王刚中，被旨往军前见璘计事，刚中乘皮舆，避矢石，人皆哂之。

辛巳，定江军节度使、开府仪同三司田师中自鄂州至行在，乞奏祠，乃除万寿观使、奉朝请，以王继先第赐之。

甲申夜，楚州刺探使臣苟道至临淮之新店，遇银牌金使，夺其所持革囊，归以示通判徐宗偃。启缄，乃金国御宝，封送泗州，令"誊录关报本朝，催督称贺使徐嘉、张抡于十月二十日以前须到得来；如敢依前不遣，自今以后，更不须遣使前来，当别有思度"。其言多指斥，宗偃不敢白，即缴纳转运副使杨抗，而录其副以达辅臣。

乙酉，诏："刘锜、王权、李显忠、戚方各随地方措置沿淮三处河口，严为堤备。"

先是锜亦檄权引兵迎敌，权受檄，与其姬妾泣别，又声言犒军，悉以舟载其家金币泊新河为遁计，筑和州城居之。锜再檄权往寿春，权不听命，以威胁江东转运判官李若川固请于朝。乞留权守和州江面。锜又督行，权逼不得已，每三日遣一军往庐州屯戍。

丁亥，四川宣抚使吴璘遣将彭清直至宝鸡渭河，夜，劫桥头寨，胜之。

时金人集陕西诸路兵，分屯于陇州之方山原及秦州、凤翔境，将分军四川，与散关之兵犄角相应。璘乃命前军统领刘海、同统领王中正、左军统领贾士元，合所部三千人骑趣秦州。戊子，海受檄，即引兵而出。

己丑，显仁皇后大祥，帝服素纱巾，白罗袍，亲行撤几筵之祭；百官常服黑带，进名奉慰。

壬辰，枢密院请两淮、京西、四川沿边知州军，各带沿边都巡检使，庶可以专一措置边事，从之。

浙西马步军副总管李宝，以舟师发明州关嶼。

忠翊郎、监盱眙军淮河渡夏俊复泗州。

俊见金败盟，遂有占泗州之意，寓居武功大夫张政者与其议；政聚众，得百八十人。时守臣周淙退保在天长，俊等议定，阴备渡船，夜漏未尽，遂渡淮，未据西城，西城人觉知，皆称愿归大宋。俊转至城东，见汴口有空舟，取得六十馀航。金人所命知泗州富察徒穆、同知州大周仁闻之，率麾下数十骑弃东城遁走，俊入东城抚定。江淮制置使刘锜以俊知泗州。

癸巳，金人攻通化军。

先是通未有守臣，鄂州都统制吴拱，以游奕军统制张超权军事。超才入城，忽报金铁骑数百入门，超闭谯门，令从者率邦人巷战。金人死者数十，乃引去。

甲午，兴州驻劄御前前军统领刘海复秦州。

先是金州既破，金人徙城北山地，最径险，守将萧济，素狎南军，弗为备。先是敌军戍寨者三千，打粮傍郡，弱者守室，刘海引兵至城下，济弗之觉也。海与左军统领贾士元、统领王中正计曰："秦城险而坚，未易拔也。今城守似怠，当以火攻之。"遂积藁纵火，烟蔽城寨，海因登焉。济乃开门降，得粮十馀万斛，遂以正将刘忠知州事。

是日，金主发自南京，诏："皇后及太子光英居守，张浩、萧玉、敬嗣晖留治省事。"临发，后与光英挽衣号恸，金主亦泣下，曰："吾行归矣。"

乙未，金人攻信阳军。

先是荆湖制置使成闵，遣中军统制赵撙屯德安。撙至之五日，信阳告急，撙曰："信阳虽小，实为德安表里，不可失也。"乃留游奕军统制宋奕守德安府，自将所部骑赴之。敌骑径去，侵蒋州。时江州都统制戚方在淮西，即引其兵南渡。

江、淮制置使刘锜，命楚州以海舟数十艘往淮阴军前，分布守御。时金军已至清河口，地名桃源，锜犹在扬州，未发也。

鄂州诸军都统制吴拱发兵戍襄阳者尽绝。时拱被朝命，襄阳或有变，不能自保，则令退守荆渚。拱以书遗大臣言："荆南为吴、蜀之门户，襄阳为荆州之藩篱，屏翰上流，号为重地。若弃之不守，是自撤其藩篱也。况襄阳依山阻汉，沃壤千里，设若侵略，据山以为巢穴，如人扼其咽喉，守其门户，则荆州果得高枕而眠乎？若欲保守荆州，自合以襄阳为捍守之计，当得军马一万，使拱修置小寨，保护御敌，营辟屯田，密行间探。"然议者谓："拱言襄阳形势虽善，而所谓修置小寨者，其意在于退守方山，而弃城不守，阖关自固，而不以兵接战也。"

先是御史中丞、湖北、京西宣谕使汪澈道出九江，右奉议郎、新通判湖州王炎见澈，谈边事，澈即辟炎为属，自鄂渚偕至襄阳抚诸军。澈闻议者欲置襄阳而并力守荆南，亦奏襄阳重地，为荆、楚门户，不可弃。至是秋高，澈乃还鄂州以调兵食。既而拱至襄阳，首置南山寨，寨无水无薪，师徒劳役，时人不以为便。

丙申，太白昼见。

权尚书工部侍郎黄中移礼部侍郎，司农少卿许尹权工部侍郎。

四川宣抚使吴璘遣将官曹洣复洮州。

先是金人所命知洮州阿林哲往北界军前未还，璘至城下，其妻包氏率同知、昭武大将军鄂啰延济与官吏军民来降，诏封包氏为令人。既而阿林哲来归，璘即命同知洮州，赐姓赵氏。

戊戌，吴璘及四川安抚制置使王刚中，奏金兵入黄牛堡。诏："金人无厌，背盟失信，军马已侵川界。今率精兵百万，躬行天讨，措置招谕事件，令三省、枢密院降敕榜晓谕。"

江、淮、浙西制置使刘锜发扬州。锜在扬州病，帝遣中使将医往视，锜曰："锜本无疾，但边事如此，至今犹未决用兵。俟敌人来侵，然后使锜当之，既失制敌之机，何以善后！此锜所以病也。"中使以奏，锜遂行，日发一舍。时锜已病甚，不能食，啜粥而已。

己亥，兴州都统司后军第二正将彭清、左军第一副将张德破陇州。

清以是月乙未出师，遂进兵城下，击之，克其城。守将奉国上将军卢某，同知、昭武大将军刘某，巷战不胜，走凉楼不下，清积薪焚之，军民乃降。四川宣抚使吴璘以清知陇州，寻令将军谈德守方山原，俾清引其兵赴凤州军前。德至良原县，遇敌，接战，自卯至午，官军不敌，遂溃而逃。初，德与其徒请兵出梁泉鱼龙川，往攻方山原，清从之，既行，德乃改道经良原县界，遂失利，清复引兵还方山原。

兰州汉军千户王宏，杀其刺史、安远大将军温敦乌页以降。

宏尝为秉义郎,后为金人所获,俾部押兰州军马。宏闻南师克秦州,乃诱汉军使,降人多从之,惟北官不听。宏遂与其徒鲁孝忠等率所部官合斗,杀乌页及镇国上将军、同知兰州富察纳等,将骑兵五百、步兵二百来归。宣抚使吴璘,承制授宏武功大夫、知兰州、统领熙河军马,孝忠秉义郎、同知兰州。

金太子光英,颇警悟,尝读《孝经》,问人曰:"经言'三千之罪莫大于不孝',何为不孝?"对者曰:"今民家子博弈饮酒,不养父母,皆不孝也。"光英嘿然良久曰:"此岂足为不孝耶!"盖指言金主弑太后事也。

金将士自军中亡归者相属于道。哈斯罕明安福寿、东京穆昆金珠始授甲于大名,即举部亡归,从者众至万馀,皆公言于路曰:"我辈今往东京立新天子矣。"

【译文】

宋纪一百三十四　起辛巳年(公元1161年)正月,止九月,共九月。

绍兴三十一年　金正隆六年(公元1161年)

春季,正月,甲戌朔(初一),发生日食。

壬午(初九),金国主因为准备去南京,任命司徒、御史大夫萧玉为大兴府尹,仍旧担任司徒的职务。

癸未(初十)夜间,风雷雨雪交加。侍御史汪澈说:"《春秋》记载鲁隐公时,惊雷闪电,接着又下了雨雪。孔子因为在八天之间出现了两次大变,慎重地加以记载。现在一夜之间,两种异常情况同时发生,希望陛下提醒大臣经常严密防备边境意外变化。"

殿中侍御史陈俊卿说:"周代的三月,即是现在的正月。鲁隐公时在八月之间,两次出现异变,现在一日之间就出现两次变异,比《春秋》记载的情况还要严重。现在边境防御之策,陛下谋略深远,已策划得很周密,然而没有得到有才能的将帅,没有核实部队的实力,没有精良的武器装备,没有储蓄完备的军需物质。臣希望陛下与几位朝臣因为天灾而警醒,严密加强边境防御,在平常之时也要保持像敌人进犯时的战备状态,不能有一天的松懈。至于臣下,甚至有官居太保太傅的高位,手中掌握着兵权,却广泛地聚敛财物,专门结党营私,夺取百姓的利益,破坏军令政策,朝廷无人弹劾,路途之人对他们侧目而视,对这种人姑息不止,其带来的灾难将是无法用语言来表达的。这些确实是臣忧国忧民的拳拳之心,希望陛下采纳。"

癸巳(二十日),位于通化军的汉朝相国萧何庙命名为怀德庙。

贺金正旦使徐度准备回国,金国主派参知政事李通告谕他说:"朕过去跟从梁王的军队南行,喜欢南京的风土人情,常想巡幸。现在营建修缮即将完工,打算在二月底先到河南。帝王巡狩,自古就有,因为淮右有许多旷野之地,想到那里打猎,随从的军队不超过一万人。况且朕祖宗陵庙都在此地,怎能长久地呆在那里呢!你们回国后告诉你们的君主,下令有关部门宣谕朕的心意,让淮南的百姓不要心怀疑虑感到恐惧。"

甲午(二十一日),集英殿修撰、知鼎州凌景夏任权尚书吏部侍郎。丙申(二十三日),秘书少监汪应辰任权尚书吏部侍郎。

己亥(二十六日),诏令:"特进、提举江州太平兴国宫和国公张浚,允许在湖南路任便居住。”

当时张浚还被贬黜责居住永州，殿中侍御史陈俊卿，乘便对宋高宗说：“张浚忠诚节义，且文武双全，可以承担御敌重任。臣与张浚素不相识，虽听说他曾经丢失了关陕地区，溃散了淮师，但报国之心至老不改。现在闭门思过，年老而练达事体，已经不是以前的张浚。希望陛下不要被谗言诽谤所迷惑，虽然不授予他大权，且让他居住在离京城近的地方，以此维系人心，这样如果遇到紧急情况就可以召用他。”宋高宗采纳了他的意见。

诏令：“在衡州被编管的胡铨，解除编管，可以随意行动。”

又诏令：“以前因事被暂时编管和限制居住的朝廷命官，由刑部开列出职位姓名连同犯罪的原因，申报尚书省。”

庚子（二十七日），金国主下令从中都到河南所有路过的州县，各征调从猎骑士两千人。各处统军，从中选择出擅长骑射的五千人，分作五军，都穿用茸丝织成的甲衣，穿紫茸甲衣的为上等，穿青茸甲衣的次之，号称“硬军”，也可称“细军”。常常自我夸口说：“夺取江南，这五千人就够了。”

二月，甲辰朔（初一），日有晕珥戴背。金国主询问司天监马贵中说：“近日天道如何？”马贵中说：“前年八月二十九日，太白星进入太微垣的右掖门；九月二日，到达端门；九日，从左掖门出来，同时经过了左右执法星座。太微垣是天子的南宫，太白星是兵将的象征，这种天象表明，军队入侵天子内廷。”金国主说：“现在将南下征伐，正好符合天象。”马贵中说：“正当端门而出，是受制约的征兆，经过左右执法星座是受事所拘牵的征兆。这时应当有出使之事，或者是兵变，或者是盗贼。”金国主说：“起兵兴师的时候，小股盗贼本来不能避免的。”

甲寅（十一日），少师、宁远军节度使、领殿前都指挥使职事杨存中任太傅、充醴泉观使，赐予玉带，享受朝请的资格。

杨存中领殿前都指挥使之职将近三十年，此时王十朋、陈俊卿、李浩，相继弹劾杨存中的过失，宋高宗被这些进言所迷惑。杨存中听说北边战事有了征兆，于是上奏说近年来金人行为异常，虽信守和约没有毁弃，但吞食之心已经流露出来，应当在战事未发生之前，在边境沿线军事要害之处，设置堡垒屯列戍兵，聚集钱粮，在滨海沿江之地，预先准备战舰。至于选择将帅，修理武器装备，严守关隘桥梁，明确侦察的目的，训练郡县的士卒，招募乡闾勇士，申明告诫吏士，指挥作战的策略，归纳为十事进献。正碰上赵密图谋夺取他的权力，于是指责他是喜功生事。杨存中听说了这件事，就多次上疏请求免职。

金国任命参知政事李通为尚书右丞。

乙卯（十二日），阁门祗候、御前忠锐第五副将刘舜谟任东南第二副将，驻扎庐州。

己未（十六日），金国下令禁止扈从将士打猎扰民。庚申（十七日），征调各道的水手运送战船。

辛酉（十八日），诏令：“侍从、台谏各举荐二名有才之士，帅臣、监司各举一名有才之士。”

癸丑（疑误），金国主从中都启程。

乙丑（二十二日），诏令：“经义、诗赋，依旧分为两科以选拔人才。”

在此之前谏议大夫何溥,上疏谈论经义、辞赋合为一科的弊病,认为:“两场考试都成绩优秀的人一百人也没有一两个,而布衣寒士,皓首穷经,却困于讲究平仄韵律的词赋,最终不能将自己的见解展示于世。希望把获准免试经义的举人以及五十岁以上的应举进士,允许他们加考一部大经,代替诗赋的考试,其中不同意加考经义的人也可考诗赋,这样有学问的经义家就能展现自己的才华了。议者大多认为经义、辞赋不能同时精通,又减少两道策问合并在考‘论’的一场中,所以策问太少,不能尽展才华。况且一论一策,用完了一天的气力也不足以使其精美,虽有真才实学,也无法表现出来,希望恢复经义、诗赋分科的旧例。”诏令礼部、国子监、太学官研究讨论后申报尚书省。

三月,甲戌朔(初一),诏令起用左武大夫、兴州刺史、殿前司破敌军统制陈敏,率部下一千六百人前往太平驻扎,不久改为隶属于马司军统辖。

己卯(初六),右谏议大夫何溥任翰林学士兼权吏部尚书。

金国将河南北邙山改名为太平山,称呼旧名的人以违制罪论处。

壬午(初九),兵部尚书兼权翰林学士兼侍读杨椿任参知政事。

庚寅(十七日),尚书右仆射、同中书门下平度事陈康伯升任左仆射,参知政事朱倬改任守右仆射,都为中书门下平章事。

辛卯(十八日),已故左朝奉大夫致仕李光,追认复官为左中大夫,任用他的两个儿子做官。

癸巳(二十日),金国主驻扎河南府,借出猎的机会,到汝州的温泉,巡视行宫。从中都到河南,所经过的麦地都被践踏一空。又下令禁止扈从不许擅自离开驻地以及游赏、饮酒,违犯的人一律处以死罪,却无人遵守这些禁令。

金国主诏令内地的各明安赴山后牧马,等到秋天同时进发。

夏季,四月,癸卯朔(初一),诏令潭州观察使、利州西路驻扎御前中军都统制、新任襄阳府知州吴拱派西兵三千人戍守襄阳。

朝廷议论因为金人决意破坏盟约,于是下令两淮各将各自划分自己的驻防范围,让他们各自坚守阵地,设置民社,增修壁垒积蓄军粮。这时御前诸军都统制吴璘戍守武兴,姚仲戍守兴元,王彦戍守汉阴,李道戍守荆南,田师中戍守鄂渚,戚方戍守九江,李显忠戍守池阳,王权戍守建康,刘锜戍守镇江,壁垒相望,而唯独襄阳没有设防,所以下令吴拱率所部戍守。

辛酉(十九日),又将扬州高邮县升格为军。

辛未(二十九日),同知枢密院事周麟之出任金奉表起居移贺使,是祝贺金国迁都。

当初,朝廷听说金国主想移居汴京,而且在宿州、亳州之间屯兵、议定派大臣出使金国,宰相和执政大臣共同商议派参知政事杨椿出使。他们议定说,如果大金皇帝只打算在洛阳赏花,就不必在边境屯兵;如果真的迁都汴京,而且屯兵于宿、亳之间,那么本国也不免在淮上屯兵;这并非故意违背盟约,是因为立国之道,不能不这样做。如果只想巡幸汴都,立即返回燕京,那么本国也无一人一骑渡过淮河。周麟之听到这些议论,于是朝见宋高宗慷慨请求出使,宋高宗非常高兴。周麟之请求允许他自己选择副使,同时举荐洪州观察使、知閤门事苏华可以任用,宋高宗同意了。苏华不久去世了,于是命令武翼大夫、贵州刺史、知閤门事张抡,以假保信军节度使的职衔出任副使。

丁未(初五),金国主诏令百官先赴南京处理政务。尚书省、枢密院、大宗正府、劝农司、太府、少府都跟随前往,吏、户、兵、刑部、四方馆、都水监、大理司官员各留守一人。

金国主任命签书枢密院事高景山为宋生辰使,右司员外郎王全为副使。金国主对王全说:"你见到宋主,就当面数落他的罪行,索要与我国为敌的大臣以及淮河、汉水之间的土地。如果不答应,就厉声痛骂他,他们一定不敢加害于你。"又对高景山说:"回国的那天,把王全所说的话奏报上闻。"

戊申(初六),金国主下令在汝州一百五十里范围内的州县官府分派商贾赴温泉设置集市进行贸易。

金国主诏令有关官员责问宋人在蔡州、颍州、寿州等州对面境内设置壁垒屯守军营的目的。

庚戌(初八),金国主从河南府出发;丁卯(二十五日),驻扎温泉,告诫扈从,不得擅自渡过汝水。金国主外出狩猎,遇到奔跑的鹿撞到了他,掉下马,吐血数日。金国主派使征调各道兵力。

五月,丙子(初四),金国贺生辰使高景山、副使王全进入宋境。

高景山等人举止傲慢,又派人测量河道闸面的宽窄,沿淮河到处观察,用意好像是在观察水面。当时朝野上下一片松懈局面,至此才开始确信金人渝盟之意。

庚辰(初八),金国太师、尚书令温都思忠去世。

契丹各部造反,金国主派遣右将军萧图喇等人前去讨伐。

甲申(十二日),礼部郎中王普谈科举取士划分两科的弊病,他说:"青年举子,竞相研习辞赋章法,而精通经义的老儒,所存无几。恐怕从今以后,经义又会逐日减少,而《二礼》《春秋》必定首先废绝。臣想到开国初年至治平年间,虽以诗赋取士,又设立了明经、学究等各科。当时只有明经考试要求略通大义,其他的只是诵其书而不懂其学说,不是今日的经义科目所能比。然而还另立通晓经义的解额,比因诗赋而中选的人还多,而不相互影响。等到熙宁年以后,应举人莫不研习经义,所以解额可以和其他各科混合为一科。现在经义、诗赋已分为两科,而解额还没有划分。取容易的舍困难的,是人之常情,所以此盛彼衰,势所难免。希望诏令有司恢复和效法旧制,将国学和各州解额都分成三份,以二份的名额录取通经义的人,以一份的名额录取善诗赋的人。如果尚书省主持考试,就以历届科举中通过考试的人数,酌情折中定一个数额,确定划分为定额,仍然在经义考试中,择优录取考《二礼》《春秋》的举子,这样两科才能永久并行,而没有偏废经义的隐患。"诏令礼部、国子监研究讨论,向尚书省申报意见。

辛卯(十九日),金国使者高景山、副使王全在紫宸殿朝见宋高宗。高景山手捧国书跪着进献宋高宗。高景山应当奏报事情,自称不善言辞,不能陈述奏报,乞求让副使王全代他奏报,宋高宗同意了。高景山招王全上前,王全想上殿,侍卫和阁门官制止他,宋高宗传旨让他上殿。

王全来到殿的东面墙壁前,面向北方,厉声奏报说:"皇帝特颁圣旨,以前从东昏王在位时,两国开始讲和,朕当时虽然年幼,未曾出任宰执,也得知全部详情。自朕即位后一二年间,你们曾差派祈请使巫伋等来,谈到请求放还亲属和增加帝号等事,朕因为即位不久,无暇

顾及此事,当时没有答应。在所提到的亲属中,现在只有天水郡公不久前因中风病故外,所祈请的这些人似乎都可以放还。又考虑到每年上贡的钱绢数量大,江南的出产也不很丰厚,必须从民间征取,想必也难于备齐。朕另外也有一些考虑,加上以淮水为界,私自偷渡的人很多,其间往来越境的人,虽然严令禁止,也难以杜绝。另外,长江以北,汉水以东,虽有界线,但南北叛亡之人,互相扇动引诱,确容易引惹边界争端。不知道已故梁王当年为什么如此划分国界。朕到南京,正想派人告谕此事。近来有司奏报说,宋国准备派遣使者前来庆贺朕行幸南京,清楚地知道你们的心意很勤勉厚道。如果只派一般的使臣来,因为事理很重要,恐怕不能尽行代理。加上南京宫阙初秋才完工,朕因为河南府龙门以南的地方气候稍为凉爽,加上可放牧的水草也广大,在此消夏,准备在八月上旬内到达南京,你们应当在左仆射汤思退、右仆射陈康伯以及传闻担任知枢密院事的王伦这三个人中派一名前来;兼殿前太尉杨存中资历最老,熟悉练达事务,长江以北的山川地理,都曾亲身经历过,可以谈论国事,也应当派来。又如郑藻等人以及从内臣中选择可信任的一人,一共四人,让他们一起来,在八月十五日以前到达南京,朕当向他们宣谕此事。如果能听从朕的建议,因为淮南地理情况,朕过去在军营中曾多次经历了解,那里土田往往荒芜贫瘠,百姓不多,所有的户口人数,全部归于江南,朕所说的只是土田而已。必须让两国国界分明,不滋生边境事端。朕因为以前只到过泗州、寿州外,陈州、蔡州、唐州、邓州等边境各州不曾到过,等知道那里可狩猎的地方很多,约定于九月下旬前,去巡视狩猎,十一月或十二月,回到南京,接见派来的贺正旦使,应当详细说明,朕要知道你们的答复。在来年的二三月间,又因为京兆府,也未曾去过,想乘巡幸温泉的机会,经过河东路境内,返回中都去。"奏报完毕,王全又说:"赵桓现在已经死了。"宋高宗脸色大变,猛然站起。王全在殿下高声说:"我来办理的是两国之间的事情。"喋喋不休。带御器械李横斥责王全说:"不得无礼,有事由朝廷处理。"

百官朝班尚未退出,带御器械刘炎向陈康伯报告说:"使臣到达朝廷,有设茶酒的礼仪,应当奏请免掉。"陈康伯说:"你自己去奏报皇上。"刘炎于是转过屏风进入殿中,看见宋高宗正在哭泣。刘炎奏报免除茶酒礼仪的事,宋高宗同意了。刘炎出殿,传达旨意说:"今天因为听到渊圣皇帝驾崩的讣音,圣上身体欠安,阁门赐给使臣茶酒的礼仪应当免除,使臣暂且退出。"于是就退出了。

不久又诏令王全说:"刚才没有奏报的事情,可以写成文书呈报皇上知道。"于是馆伴使、翰林学士何溥等记录下王全说的话进呈,所以才得以了解渊圣皇帝驾崩的点滴情况。

宰相和执政大臣聚集在殿中,议定举哀的礼仪。有人说宋高宗不能穿丧服接见使臣,想等使臣离开后再发丧。权工部侍郎黄中听说这件事,赶快告诉陈康伯说:"这是国家大事,是臣子最悲痛的时刻,一旦有失礼仪,如何向天下后世交代?况且如果使臣询问此事,又将如何回答?"于是开始议定举行丧礼以及调兵戍守江、淮的策略。

壬辰(二十日),同知枢密院事周麟之说:"敌人的意图已很明显,应当训练军队严令警戒,静观事变,不应当派遣使臣。"宋高宗说:"你的话有理。他们想让我们割地,现在如何答复?"周麟之说:"在讲和的初期,划定了两国边境,所以应该有记载此事的文书存着。希望拿出来给金国使臣看,这样他们的请求就自然行不通了。"

甲午(二十二日),宰执召集三衙帅赵密、成闵、李捧及太傅、醴泉观使、和义郡王杨存中

到都堂，讨论举兵的事情。不久又请侍从、台谏凌景夏、汪应辰、钱端礼、金安节、张运、黄祖舜、杨邦弼、虞允文、汪澈、刘度、陈俊卿举行集议。陈康伯传达圣旨说："现在不再问是和是守，直接问如何作战。"执政打算派成闵统帅全部禁卫军去防御襄江上游地区，虞允文说："不必调遣这么多的兵力，敌人必定不会从上游而下。恐怕调走禁卫军那么京城守兵更少，朝廷内部虚空，到时候没有兵力可投入两淮地区使用。"执政认为金国主在汝州，担心他们渡过汉水南下，不听从虞允文的意见。

这天中午，下诏发丧。宰相穿常服、金带，率领百官进入和宁门，到天章阁南面的空地上举哀，然后通报姓名恭奉安慰。这时宫中也行举哀之礼，哀声震动到宫外。为已经逝世的渊圣仁孝皇帝设立灵位，在学士院中建成几筵殿，张挂神帛。宋高宗下诏自己穿斩衰丧服三年，以表达哀悼思慕之情。权礼部侍郎金安节请求禁止百姓在一百日内用乐，宋高宗同意了。

翰林学士兼权吏部尚书、充馆伴使何溥等奏报："已呈缴记录的大金副使王全在殿上口头奏报的事情，应就此给各路都统制和边界沿线的帅守、监司下达诏令。近来事体应随机应变，快速处理，一定要不失去机会。"当时朝廷议论纷纷，入内内侍省都知张去为暗中破坏用兵计划，而且陈述逃避到闽、蜀的计划，人心惶恐。陈康伯进言说："敌国败盟，天人共愤。今日之事，有进无退，如果陛下意志坚定，那么将士的士气就会自然成倍增长。希望分调三衙的禁兵，协助襄、汉的兵力，等待敌人先发兵，然后就迎战。"

权工部侍郎黄中自从出使归国后，每次进见，未尝不是谈论边境战事，至此又率领同僚请求当面回答皇上的询问，力论决策用兵，没有人同意他的意见。黄中就上奏说："朝廷与金通好二十多年，我方未曾一日言战，他方未曾一日忘战。取用我方每年进贡的钱币，养肥了他们的士卒。现在幸亏上天剥夺了他们的魂魄，让他们先失言以警醒陛下，只望圣上留心！"

乙未（二十三日），少保、奉国军节度使、领御前诸军都统制职事、判兴州吴璘出任四川宣抚使，还任命敷文阁直学士、四川安抚制置使兼知成都府王刚中共同处理所有事务。当时诏令："夔州路派遣五百人的兵力前往峡州屯守驻防，等到荆南府遇到紧急情况，就令夔州路安抚使李师颜亲自率兵前往援助。"

丙申（二十四日），侍御史汪澈任御史正丞。

起用庆远军节度使、主管侍卫马军司成闵在内殿与皇帝商议国事。

朝臣认为长江上游重地，地面辽阔而兵力分散，应当派大将镇守。宋高宗就当面告诉成闵，让他率领所部三万人前往武昌控制扼守，事先命令湖北漕臣和鄂州守臣修建营寨三万间待用。两天后，就征调江西折帛，湖广常平米钱及末茶长短引共一百四十多万缗，湖北常平义仓及和籴米六十三万石，马料十万石，送赴湖广总领所，以备军用。

戊戌（二十六日），宋高帝在几筵殿穿上丧服。

己亥（二十七日），金国贺生辰使高景山等辞行。

庚子（二十八日），诏令："浙东五郡的禁军，弓弩手，全部调往判明州兼沿海制置使沈该的辖区，浙西各郡及衢、婺三州的军队全部调往平江府驻扎浙西副总管李宝的辖区，江东各郡的军队调往池州驻扎都统制李显忠的辖区，福建各郡的军队调往太平州驻扎破敌军统制陈敏的辖区，江西各郡的军队调往江州驻扎都统制戚方的辖区，湖南、湖北不靠边境的各郡

的军队调往荆南府驻扎都统制李道的军中，并各自听从他们的指挥。”

辛丑（二十九日），百官朝拜完毕，三次上表请求宋高宗在服丧期间听政，诏令答复应允。从此每日到几筵殿哭吊一次，到小祥时为止。

六月，壬寅朔（初一），殿中侍御史陈俊卿出任权尚书兵部侍郎。

在此之前陈俊卿又进言说张浚可以任用，宋高宗说：“你打算任用张浚做什么官？”陈俊卿说：“此事由陛下定。”宋高宗说：“张浚才学疏浅，让他做一路之帅，或许可观，如果再总督诸军，必定坏事。”陈俊卿说：“人们都认为张浚可以任用，陛下为何舍不得试用一下？”宋高宗点头答应了。陈俊卿又说：“张去为窃弄威权，阻挠既定方针，乞请斩了他以鼓舞士气。”宋高宗说：“你可谓是仁者之勇。”

癸卯（初二），因为渊圣皇帝驾崩升天，诏令各路流罪以下的囚犯减轻处罚，释放判处杖刑以下的囚犯。

金国主从汝州到南京。

丙午（初五），小祥祭祀日；宋高宗亲自到几筵殿行礼。

丁未（初六），放出宫女三百一十九人。

己酉（初八），御史中丞汪澈出任湖北、京西宣谕使，在鄂州设置官署，仍担任节制两路军马职。汪澈请求辞去节制两路军马的职务，宋高宗同意了。

右朝奉郎、通判楚州徐宗偃送给镇江都统制刘锜信说：“近来听说你接受朝廷命令，进军广陵，先声所至之处，士气鼓舞。我认为现在的事，非其他事可比，安危成败，在此一举。古人说，唇亡则齿寒，大概说表里之间互相的依赖关系。现在想守住长江，必须先守住淮河。往年韩世忠任宣抚处置使时驻军山阳，山东之兵不敢一日有窥伺之心，几乎达到了成功，然而奸臣误国，没有实现他的志向。现在清河口离本州五十里，有个名叫八里庄的地方，与州府咫尺相望，如果不派精锐兵力控制扼守，万一发生紧急情况，敌兵顷刻之间就可兵临城下。他们得到了地利，两淮的百姓全部被他们役使，那么高邮、广陵怎能足以抵挡敌人的进攻！应当派偏师屯守本州，敌人就不敢长驱直入，山东各郡百姓恨金人横征暴敛，不忘拥戴宋国，一声号召群起反应，攻破敌人就会势若破竹。”刘锜也认为是这样。

辛亥（初十），北使高景山回国，路过盱眙军时，还未入宴席，泗州派人来向守臣周淙报告，说有执金牌的使者来了。邦人惊恐害怕，说金牌使者突然来到，以前在绍兴十一年有执金牌使者来传达金主旨意，随后军队就来了，于是百姓满城奔跑。宴席完毕时，金牌使者大怀正进入馆舍，穿着白袍红绶，腰间悬挂着金牌，乘马直接到了大厅，索要香案，招呼送伴使右司员外郎吕广问等人下跪听旨，于是公布金国主的诏旨，说：“本来打算在八月迁都，现在大臣奏报宫殿修建完工，准备在六月中旬以前去南京，令送伴使返回，奏报本国君主知道。”军民听说这个消息，才开始不疑心。然而也有人连夜携家带口逃走，官府无法禁止。正巧朝廷也下令让转运副使杨抗负责清野备战，百姓更加恐惧，从此淮南的官吏和老幼百姓，全部逃往江南了。

癸丑（十二日），诏令解散教坊乐工，允许自由行动。

乙卯（十四日），太尉、威武军节度使、镇江府驻扎御前诸军都统制刘锜出任淮南、江南、浙西制置使，统领各路军马。

刘锜自顺昌大捷后，金人害怕他，下令如有敢说刘锜姓名的人，严惩不赦。宋高宗也了解他的能力，所以有了这样的任命。

丙辰（十五日），宋高宗不上朝，百官来到几筵殿，按次序到几筵殿门外通报姓名恭奉安慰。从此开始每月的初一、十五都如此。

浙西马步军副总管李宝入朝奏事，第二天，宋高宋对辅政大臣说："李宝非常骁勇，加上他的心术可以依靠倚仗。朕一向赏识他，前途不可限量。"

在此之前李宝说："连江连海，便于通行船舶，像这样的地理条件，没有任何地方能比得过江阴，臣请求驻守那里。万一失职，宁愿死无赦。"宋高宗答应了他的请求。李宝立即派他的儿子李公佐与将官边士宁潜入金境观察动静。至此金国的阴谋更加泄露，又召见他询问方略，李宝说："海道没有险要之地可以防守，敌舰分散到各个海域，就难以扫荡消灭。臣只有一个计策就可保百全。"宋高宗问："什么计策？"李宝回答说："用兵之道，在本土作战与在敌国作战不同。在自己的领土上作战，必定是心怀求生的军队；在他国的领土作战，必定是抱定必死之心的军队；心怀求生的军队容易攻破，而抱必死之心的军队却难以退却。现在敌人尚未离开巢穴，臣仰凭天威，出其不意，乘其惊扰而快速进攻他们，可以取胜。"宋高宗说："好！"又问："你指挥的船总共有多少？"李宝说："坚固完整可承受风浪的船只，有一百二十，都是以前用来预防秋汛的。""你指挥的士兵有多少？"回答说："三千。只是两浙、福建一半的弓弩手，不是正规部队。旗帜武器，也已初步具备。事情紧急，臣希望立即行动。"向皇帝辞行时，宋高宗赐给他宝带、鞍马、尚方弓刀戈甲之类以及银绢数万，以充实军队经费。

戊午（十七日），灵渊圣皇帝大祥祭祀日，宋高宗换成禫服。

庚申（十九日），举行禫祭。

夜间，彗星出现在角宿的星区内。

壬戌（二十一日），金国主驻扎在南京近郊，左丞相张浩率领百官迎接拜谒。这天夜里，大风吹坏了承天殿顶上的鸱尾。癸亥（二十二日），金国主盛排法驾进入南京，恭奉皇太后居住在宁德宫。太后派侍婢高福娘询问金国主的起居生活，金国主宠幸了她，派她观察太后的动静，凡是太后的行动，无论大小，一律告诉金国主，高福娘又从中挑拨言辞，由此两人的隔阂越来越深。

丙寅（二十五日），下诏允许淮南各州转移治所以清野备战。

戊辰（二十七日），右朝散大夫徐嘉出任敷文阁待制、枢密都承旨、假资政殿大学士、左大中大夫、醴泉观使、充金起居称贺使。庚午（二十九日），武翼大夫、贵州刺史、权知阁门事、充金起居称贺副使张抡，撤销阶官职务，出任文州刺史。

这个月，金国主派遣枢密使布萨思恭等领兵一万人征讨契丹各部。

秋季，七月，壬申朔（初一），温州进士王宪，特补为承节郎，充温州总辖海船。

在此之前，下达空名委任状六十道，下令由温州、福州各郡修造海船，王宪进献策略请以平阳莆门寨所造巡船为式样，每只船宽二丈八尺，其上船面平坦，可以战斗。诏令采用他的建议，于是有了这道诏令。

癸未（十二日），宰相陈康伯率百官在南郊奏请议定孝慈渊圣皇帝的谥号，定谥号为恭文顺德仁孝，庙号钦宗。

丙戌(十五日),右朝奉郎、通判楚州徐宗偃送信给宰执,说:"山海府面临淮海,清河口离州府五十里,确实是南北必争之地。我们占据了它,就可以控制山东地区;一旦失守,敌人就会长驱直入首先占据要害之地,挖涤沟垒高壁,运来山东多年的积聚,调拨重兵,使两淮动摇,我将如何捍卫防御!自从北使奏请划界割地,意在毁约,人心纷乱惊惧,不知会死在哪里。到朝廷任命刘锜为五路制置使,分派军马渡江镇守,边陲才肃静,百姓赖以安定。山东之人,一天比一天有归附的心思,沿淮河一带,从北方逃来的人,昼夜不断,无法禁止。如果朝廷速派大兵,并且命令刘锜或者委任本州守臣中有勇有谋的人,向北方百姓公开显示宋朝的德音,用官爵地位诱导他们,说获得一州或一县之地就给予官职,让他们就地驻守,其余招诱从一百人、一千人以至一万人,都会受到不同等级的奖赏,将会见到一呼百应的局面,山东全部被我占有。如果大军未去,他们心怀疑虑,不肯立即响应招集,即使召集了也未必能守住,却足以留下边境祸患。至于合肥、荆州、襄阳一带,命令大将分占有利地形,侦察敌人虚实,随机应变,作为进攻征讨的计划,恢复中原故土,则立等可待。"

在此之前涟水县弓手节级董臻,私自渡过淮河求见徐宗偃,说山东人长期困苦于横征暴敛,每天都想归正,如果军队一旦出动,全部都会南来,徐宗偃拿出自己的俸禄丰厚地赠予他礼物。本月初,董臻果然率领老幼数百人前来归附。徐宗偃奏报朝廷,信使未到京城,正巧知枢密院事叶义问派武义郎焦宣来告知朝廷的旨意,让他们招收北方投奔而来的百姓。守臣王彦容因为这条建议不是出自自己而恼怒,于是说董臻不愿接受朝廷的推恩任用。徐宗偃于是送信给叶义问,说:"十多天来,渡淮河南下的人,昼夜不绝,涟水县为之一空,临淮县的百姓也源源不断地来归。泗州官府两次派人来告诉盱眙军官员,命令他们申报本州长官驱逐百姓返回,其中有宁死也不愿回去的人数万人,按理应当优待抚恤。然而如果没有弹压,得到这些人也不能使用。"于是任命董臻为承节郎,仍令淮东副总管李横率领镇江都司两将之兵前往楚州屯守驻防。

丁亥(十六日),金国主任命左丞相张浩为太师、尚书令,任命司徒大兴尹萧玉为尚书左丞相,吏部尚书白彦恭任枢密副使,枢密副使赫舍哩志宁任开封尹,武安军节度使图克坦恭任御史大夫。

戊子(十七日),左中大夫、同知枢密院事周麟之被贬为在外宫观官。宰执进呈了台谏上疏的奏章,宋高宗说:"作为大臣,临事推辞畏难,如何做百官的表率!"于是有了这道诏令。庚寅(十九日),又责授周麟之为左朝奉大夫、秘书监、分司南京,限定在筠州居住。

当初,宋高宗命令池州诸军都统制李显忠,选择淮西的有利地形做好固守的准备。至此李显忠说;"淮北土地平坦,没有险阻之地,只有枞杨镇北面二十五里的中坊净严寺依倚峡山口一带,地理重要,可以屯驻。请求在八月初,分派一半的军队,过江屯驻。显忠亲自来往,伺探敌军出兵消息,立即全军渡江,观察敌人的动向,随机应变与敌决战。"宋高宗同意了。

壬辰(二十一日),徐嘉等人到达盱眙军,金国主已派翰林侍讲学士韩汝嘉到泗州等待他。这天,清晨,泗州守臣富察图穆派人至盱眙军,说:"韩侍讲带着金牌来了,想见国信使和副使宣告谕旨。"巳刻,徐嘉派通事传告说,在淮河中流相见。不久韩汝嘉已乘舟渡过淮河,徐嘉算在岸口的亭子里相见,韩汝嘉却与随从八人驰马径直进入宴馆,徐嘉与副使张抡都大吃一惊,穿朝服迎接。韩汝嘉进入馆中,关上了门,守臣周淙就在馆外的墙壁上挖了一个洞

观察他们。

韩汝嘉命令徐嚞、张抡在庭下跪着，声称有敕令，于是说道："自古以来北边有蒙古、达勒达等族，从东昏在位时就多次进犯边境，自朕即位以来，已经宁息了很久。近来根据边将的多次申报，他们又重新作乱，比以前聚集的人更多，众至数十万，有人说仍旧和夏国通好。如果不立即消灭他们，恐怕导致灾祸蔓延。更念祖宗山陵都在中都，紧靠他们的国界，因此朕心中不安。因为太平盛世已久，完全没有得力的老将可以委任专门征讨，必须朕亲自前往以平定寇乱，所以虽然宫室刚建，正在此巡幸，而形势所迫不能留下。已拟定十一月间亲临北边，进行讨伐，然而一二年后却还要返回这里。现在听说派来了称贺使，本来想派人远迎，按期入见。只因前不久派国信使高景山和副使王全等传旨，召一二名高级官员前来，告诉他们有关事宜。现在你们不是所召之人，可乘便归国，立即让原来指定的官员前来，同时称贺，仍须九月初到京城。特此宣示。"说完，升堂，分宾主而坐。

徐嚞战栗害怕，张抡稍微向前问道："蒙古是个小国，何必烦劳皇帝亲自前往？"韩汝嘉不能回答。张抡说："侍讲远道而来，口说有敕令，本国君主宰相拿什么作凭证？乞请写在纸上，以待奏报。"韩汝嘉立即索要纸笔，写完就走了，徐嚞等送给他们绢帛、香茶，都不接受。

丙申（二十五日），下令参知政事杨椿恭敬地篆刻圣文仁德显孝皇帝谥号印宝。

这个月，金国大规模征调境内骡马，杀了已亡辽国皇室耶律氏、宋国赵氏男子共一百三十多人。

金国主曾借赐群臣宴饮之机，回头对左丞相萧玉说："你曾读过书吗？"萧玉说："也曾读过。"宴会中间，金国主起身，就召萧玉到内室，拿出一册《汉书》给萧玉看。过一会儿就扔掉书说："这不是朕想问的事。朕想与你商议国事，现在打算征伐江南，你以为如何？"萧玉回答说："不行。"金国主说："朕看宋国，就像掌握在手中一样，为什么不行？"萧玉说："上天以长江限制南北，舟楫不是我们的特长。苻坚率领百万人马讨伐晋国，不能使一骑过江，由此可知不行。"金国主大怒，斥责他退出。一会儿尚书令张浩通过别人奏报事情，金国主杖责张浩，同时杖责萧玉，对群臣说："张浩是大臣，不当面奏报，通过别人传话，轻浮如此！萧玉用苻坚来比朕，朕想钉他的舌头让他分尸，因为萧玉曾经立功，所以才极力忍耐。"

八月，辛丑朔（初一），忠义人魏胜收复海州。魏胜一向以意气自负，曾经偷渡淮河做生意，至此率领部下数百人到海州，自称率制置司前军，大兵马上就会到来，海州于是归降了。

癸丑（十三日），金国主杀了他的母亲太后图克坦氏。

当初，布萨师恭被赏赐的宅第紧邻宁德宫，师恭多次得见太后。等到师恭奉命讨伐契丹各部，入宫向太后辞行，说："我国世代居住在上京，后迁徙中都，又从中都到汴京。现在又举兵渡江、淮讨伐宋国，使中原地区疲惫。我曾劝止他，不听从。契丹的事又是如此，怎么办？"侍婢高福娘把这些话告诉金国主，金国主怀疑太后有异常图谋，召见点检大怀忠等，告诫他们说："你们见到太后，只说有诏令，令太后下跪受旨，立即打死她。"太后正在玩游戏，怀忠到，令太后跪下受诏，太后惊愕，正在下跪时，突然从后面打她，她两次仆倒了又起来，于是勒死了她。金国主下令在宫中焚尸后，将她的骨头扔在水里。封高福娘为郧国夫人，并且答应立她为妃子。

甲寅（十四日），浙西马步军副总管李宝，率领舟师三千人从江阴出发。

在此之前李宝从京城返回，立即谋划进发，军士争先恐后地说西北风力很强劲，迎风不利，李宝下令："大计已定，不能再有动摇，敢有多说一句话的人，斩！"于是出发，徽猷阁直学士、知平江府洪遵竭尽资财粮食器械资助他。到了苏州海面，行驶三天，风很大，舟船分散无法集中。李宝慷慨对左右说："上天想以此来试探李宝吗？此心如铁石不会改变！"就将祭酒洒入大海向天发誓，风也随之而止。退回停泊在明州关澳，追寻召集分散的船只，不到十天就恢复如故。裨将边士宁从密州返回，说魏胜已经夺取海州了，李宝大喜，催促部下乘机迅速进发，而大风又起，波涛汹涌如山，这种情况持续了一个月，未能进发。

乙卯（十五日），江淮制置使刘锜率兵屯驻扬州。

刘锜准备渡江，因为军礼很久以来没有讲习，就设立大将旗鼓以引进，军容整齐严肃，江浙人从未见过这种军礼。当时刘锜正在生病，不能骑马，就坐在用皮条穿竹子做成的肩舆上。镇江城中，香烟如云雾，观看的人前呼后拥。

右奉义郎、通判楚州徐宗偃拜见刘锜，极力陈述两淮要害："山阳紧靠清河口，实在是必须控制扼守的地方，合肥屏蔽着寿春。自古以来北方的军队都从涡口渡过淮河，他们如果长驱直入，那么两淮之地都不属我有了。应当快速派遣精锐部队布防戍守，不要让敌人横冲直撞。"刘锜犹疑不决。浙东副总管李横、浙西副总管贾和仲正好来报告两淮的事情，都一起称赞徐宗偃的主意。于是派遣殿前司策应右军统制王刚率领五千人屯守宝应。

丙辰（十六日），金国主杀死金国翰林直学士韩汝嘉。韩汝嘉从盱眙归国，进谏止兵议和，金国主说："你做了南宋国的说客吗？"于是赐他死。

丁巳（十七日），诏令鄂州驻扎御前诸军都统制田师中赴临安奏报政事。殿中侍御史杜莘老，说田师中年老而且贪婪，士卒有怨气，偏裨部将心中不服，大敌当前恐怕耽误国家大事，御史中丞、湖北、京西宣谕使汪澈也向皇上进言此事，于是召见田师中。不久，任命潭州观察使，知襄阳府吴拱为鄂州诸军都统制。

壬戌（二十二日），徐嘉、张抡从盱眙军返回京城。

徐宗偃在淮阴时，有宿迁县一名叫孙一的人从金国来，说曾经被金人差使到滨州做水手，等他逃跑回来而家属已经渡过了淮河，偶尔在此相遇。他详细说明海道曲折路线，说金国的舟船虽然大而且多，然而都是用松木做成的船底，不能远涉海洋，水军虽然很多，全部是征发来的乡夫，朝夕都有人逃跑，一碰到危急，一定四处逃散，甚至有人愿意招募人去焚烧金国的舟船。徐宗偃于是逐条陈述边防的有利条件，就把此事一起奏报朝廷，附在加急文书中传递，文书送到进奏院，只是一个空函罢了。朝廷于是给徐宗偃下达命令，追查沿路偷偷拆看文书的人。几天后，就查清了驿递路过山阳城下时，被郡中官员私自藏匿起来，徐宗偃又重新整理上报文书交付徐嘉、张抡向朝廷奏报。

癸亥（二十三日），金国杀死布萨师恭，因为他是太后的党羽。

在此之前金国主派遣萧图喇等征讨契丹萨巴，接连几战都失败了，不久萨巴听说师恭率领大军来到，就逃跑了。师恭追击萨巴快要追到的时候，金国主派师恭的儿子乘坐驿车让师恭回来，一回来就被杀在市区。师恭被杀之时，被用绳枚堵塞住了口，只能仰头看着天日。于是全族诛灭，同时还杀了萧图喇等。

己巳（二十九日），起用庆远军节度使，主管侍卫马军司公事成闵充湖北、京西制置使，节

制两路军马。

金国主将各道的军队分为神策、神威、神捷、神锐、神毅、神翼、神勇、神果、神略、神锋、武胜、武定、武威、武安、武捷、武平、武成、武毅、武锐、武扬、武翼、武震、威定、威信、威胜、威捷、威烈、威毅、威震、威略、威果、威勇三十二军,设置都总管、副总管各一名,分别隶属左右领军大都督和三道都统制府,设置诸军巡察使、副使各一名。任命太保、枢密使完颜昂为左领军大都统,尚书右丞李通担任副职;任命尚书左丞赫舍哩良弼为右领军大都督,判大宗正事富里珲担任副职;任命御史大夫图克坦贞为左监军,同判大宗正事图克坦永为右监军;都跟从金国主出征寿春。任命工部尚书苏保衡为浙东道水道都统制,益都尹程嘉担任副职,由海道赴临安;任命太原尹刘萼为汉南道行营都统制,济南尹布萨乌哲担任副职,从蔡州进攻;任命河南尹图克坦哈喜为西蜀道行营都统制,平阳尹张宗彦担任副职,从凤翔攻取散关。金国主因为完颜昂是老将,让他统帅诸军是顺应人望,实际上让李通专门负责。于是在尚书省宴请诸将,亲自授予作战方略。金国主说:“太师梁王,连年南下征伐,拖延了很多时间。现在举兵一定不会像以前那样,时间长则一百天,时间短则十天半月。希望你们各位将士,不要以从征作战为劳累,齐心协力,以成功立业,应当给以优厚的奖赏。如果有人松弛怠慢,严惩不赦。”以武胜、武平、武捷三军为前锋,图克坦贞率兵二万进入淮阴地区。金国主恐怕军粮运输不能保证供应,命令各军渡江,不要带僮仆跟随出征,出征作战的人没有不嗟叹抱怨的。

九月,庚午朔(初一),命令辅政大臣在太庙举行朝飨祭祀。

辛未(初二),宗族在明堂祭祀徽宗皇帝,作为祭祀上帝的配飨。建王赵玮主持第二次献酒祭祀,嗣濮王赵士辐主持最后一次献酒祭祀,乐器完备而未动用。

当初,礼官认为行礼殿狭窄,想在朵殿祭祀五天帝,在东西厢祭祀五人帝。太常少卿王普,说有熊氏是圣祖皇帝的别号,援引皇祐年间的故事,都升到明堂,各自依据其方位布置,五人帝在五天帝的左边,把五官神的神位退入东厢,都派官员分别祭献。不摆设从祀的各神位,引用的元丰年间祭祀的礼仪。

在此之前权礼部侍郎金安节,因为渊圣皇帝的神位没有祔入宗庙的缘故,奏请宫庙祭祀都由大臣代为行礼,权工部侍郎黄中奏请不要更新幄帐帘幕,不要设置四方路祭,以节省不必要的费用,宋高宗都听从了这些建议。

祭祀之日,使用仪仗队一万一百四十人。祭祀结束后,宣布制诏,大赦天下。

癸酉(初四),是渊圣皇帝驾崩百日祭祀日,宋高宗到几筵殿举行祭礼。

甲戌(初五),金军到达凤州的黄牛堡。

在此之前金国统军张中彦与金陕西都统完颜喀齐喀率领五千多骑兵从凤翔大散关进入四川境内三十里,分为三个营寨,到此时骑兵进攻黄牛堡。宋国守将李彦坚告急,四川宣抚使吴璘正在接受庆贺,立即乘坐肩舆小轿到达杀金坪,李彦坚指挥官兵用神臂弓箭射击敌人,打退了金军。吴璘派遣将官高嵩前去增援,就与黄牛堡管队官张操共同抗敌,于是金兵扼守大散关,挖深沟垒高壁来自守防御。吴璘驻扎青野原,看着他的部下说:“金国自守之兵,不足以忧虑。”增调内地兵力分路挺进,吴璘面授作战方略。

当时四川安抚制置使王刚中,受旨前往军前和吴璘商量事情,王刚中乘坐用皮做的舆轿,以躲避箭矢和飞石,人们都嘲笑他。

辛巳(十二日),定江军节度使、开府仪同三司田师中从鄂州到行在,乞请做宫观官,于是任命他为万寿观使、奉朝请,把王继先的宅第赐给他。

甲申(十五日)夜间,楚州刺探使臣到达临淮的新店,遇到了手执银牌的金国使臣,夺了他所带的皮囊,回来交给通判徐宗偃。启开封口,原来是印有金国皇帝大印的文书,密封送往泗州,令"誊录报知本朝,催督称贺使徐嘉、张抡在十月二十日以前必须到来;如果敢依前次那样不派遣,从今以后,就不须再派使者前来,自当另有打算。"其语言大多指责呵斥,徐宗偃不敢奏报,就把这封文书送给转运副使杨抗,而抄录了副本以送达辅政大臣。

乙酉(十六日),诏令:"刘锜、王权、李显忠、戚方各自在驻防地区安排沿淮河一线的三处河口的防御,严加设防。"

在此之前刘锜曾檄令王权率兵迎敌,王权接受檄令后,与他的姬妾哭泣离别,又声称犒劳军队,用舟船装载他家全部的金银财宝停泊在新河做好逃遁的准备,修筑和州城居住。刘锜第二次檄令王权前往寿春,王权不听从命令,而威胁江东转运判官李若川极力向朝廷奏请,乞求留下王权防守和州江面。刘锜又督促出兵,王权不得已,每三天派遣一支军队前往庐州驻守。

丁亥(十八日),四川宣抚使吴璘派部将彭清率兵直达宝鸡的渭河,夜间,攻劫金兵在桥头的营寨,打了胜仗。

当时金人调集陕西各路兵力,分别驻扎在陇州的方山原以及秦州、凤翔境内,准备分派军队进攻四川,与散关的军队构成犄角之势互相策应。吴璘于是命令前军统领刘海、同统领王中正、左军统领贾士元,集合他们所率领的三千骑兵直趋秦州。戊子(十九日),刘海接到檄令,立即率兵出征。

己丑(二十日),显仁皇后大祥祭祀日,宋高宗穿着素纱巾,白罗袍,亲自主持撤除几筵殿的祭祀;百官穿着常服佩黑带,通报姓名恭奉慰问。

壬辰(二十三日),枢密院奏请两淮、京西、四川等边境地区的知州、知县,各自加带沿边都巡检使职位,使他们能够专门管理边界事务,宋高宗同意了。

浙西马步军副总管李宝,率领水军从明州关屿出征。

忠翊郎、监盱眙军淮河渡夏俊收复泗州。

夏俊见金人破坏盟约,于是产生了占领泗州的意图,当地一个叫张政的武功大夫与他谋议;张政召集部众,召来了一百八十人。当时守臣周淙退守在天长,夏俊等谋议商定,暗中准备渡船,天亮之前,就渡过淮河,还未占据西城,西城人发觉知道后,都说愿意归顺大宋。夏俊转到城东,看见汴口泊有空船,取得了六十多只。金人所任命的知泗州事富察徒穆、同知州事大周仁听说消息,率领部下数十名骑兵抛弃东城逃跑,夏俊进入东城安抚百姓安定局面。江淮制置使刘锜任命夏俊为泗州知州。

癸巳(二十四日),金人进攻通化军。

在此之前通化军没有守臣,鄂州都统制吴拱,任命游奕军统制张超任权知军事。张超刚入城,忽闻报告说金国铁骑数百人已入城门,张超下令关闭谯门,命令随从率领城中百姓展开巷战。金人死亡数十人,于是撤退了。

甲午(,二十五日),兴州驻扎御前前军统领刘海收复秦州。

在此之前金州被攻破后，金人将州城迁到城北山地，山路最为险要，守将萧济，一向轻视南宋军队，不做防备。原来敌军戍守营寨的兵力只有三千人，到附近州郡抢劫粮食，剩下老弱兵力守营，刘海率兵到达城下，萧济还没有发觉。刘海与左军统领贾士元、统领王中正商议说："秦城地势险要城墙坚固，不易攻取。现在城中防守似乎松怠，应当用火攻。"于是堆积藁草纵火，浓烟遮蔽城寨，刘海乘机登上城头。萧济于是打开城门投降，收缴粮食十万多斛，于是任命正将刘忠为秦州知州。

这一天，金国主从南京出发，诏令："皇后及太子光英留守南京，张浩、萧玉、敬嗣晖留在南京处理三省事务。"出发之际，皇后与太子光英扯着金国主的衣服放声痛哭，金国主也流下眼泪，说："我很快就回来。"

乙未（二十六日），金人进攻信阳军。

在此之前荆湖制置使成闵，派遣中军统制赵撙屯驻德安。赵撙到达德安的第五天，信阳告急，赵撙说："信阳虽小，实际上与德安互为表里，不能丢失。"于是留下游奕军统制宋奕驻守德安府，亲自率领骑兵赶赴信阳。敌骑径直撤退，入侵蒋州。当时江州都统制戚方在淮西，立即率兵南渡淮河。

江、淮制置使刘锜，命令楚州官员率领海船数十艘前往淮阴军前，分布守御。当时金军已到达清河口，地名为桃源的地方，刘锜还在扬州，没有出发。

鄂州诸军都统制吴拱调去戍守襄阳的人都死完了。当时吴拱接到朝廷的命令，襄阳如果有意外情况，不能自保，就让他退守荆渚。吴拱写信给大臣说："荆南是吴、蜀的门户，襄阳是荆州的藩篱，屏障保卫长江上游，号称为重地。如果抛弃它而不加防守，是自己撤除自己的藩篱。况且襄阳背依山险前临汉水，沃壤千里，假若被敌侵占，占据山险作为巢穴，如同敌人扼住我们的咽喉，把守我们的门户，那么荆州果真能高枕而眠吗？如想保守荆州，自然应该把襄阳作为捍卫防守的谋略，如有一万军马，让我设置小营寨，保护地方防御敌人，开辟屯田，暗中派人侦探敌情。"然而议论的人说："吴拱分析襄阳的形势虽然很有道理，但所谓设置小营寨，其目的在于退守方山，而弃城不守，关营自保，而不是直接与金敌交战。"

在此之前御史中丞、湖北、京西宣谕使汪澈经过九江，右奉议郎、新通判湖州王炎拜见汪澈，谈论边界事务，汪澈立即聘王炎为部属，从鄂渚陪同到襄阳安抚各军。汪澈听说朝廷议论要放弃襄阳而全力防守荆南，也上奏说襄阳是军事重地，是荆、楚门户，不能抛弃。此时秋高气爽，汪澈就返回鄂州以调运军粮。接着吴拱到达襄阳，首先设置南山寨，寨内无水无柴，军队只感到劳累，当时人们不认为有什么便利。

丙申（二十七日），太白星在白天出现。

权尚书工部侍郎黄中调任礼部侍郎，司农少卿许尹调任权工部侍郎。

四川宣抚使吴璘派遣将官曹洙收复洮州。

在此之前金人所任命的洮州知州阿林哲前去北界军前尚未回来，吴璘已到城下，阿林哲的妻子包氏率领同知、昭武大将军鄂啰延济与官吏军民来归降，下诏封包氏为令人。不久阿林哲回来归降，吴璘立即任命他为同知洮州事，宋高宗赐他姓赵。

戊戌（二十九日），吴璘及四川安抚制置使王刚中，奏报金兵攻入黄牛堡。宋高宗诏令："金人贪得无厌，背盟失信，军马已侵入四川境内。现在朕率百万精锐兵力，亲自替天讨伐金

兵，处理招谕事件，命令三省、枢密院下达敕令张榜晓谕。”

江、淮、浙西制置使刘锜从扬州出发。刘锜在扬州生病，宋高宗派宦官带着医生前去探视，刘锜说：“我本来没有病，但是边界战事已经如此，到现在还没有决策用兵。等敌人南来侵犯，然后派我去抵御，既然已经失去制服敌人的时机，如何善后！这才是我生病的原因。”宦官奏报以上情况，刘锜就出征，每日行军三十里路。当时刘锜已病重，不能吃东西，只能喝一点粥。

己亥（三十日），兴州都统司后军第二正将彭清、左军第一副将张德攻克陇州。

彭清在本月乙未（二十六日）出兵，很快就进兵城下，发起攻击，攻克此城。守将奉国上将军卢某，同知、昭武大将军刘某，指挥巷战没有取胜，逃进凉楼不降，彭清堆积柴火焚烧凉楼，军民才投降。四川宣抚使吴璘任命彭清为陇州知州，不久又令将军谈德驻守方山原，让彭清率领他的军队赶赴凤州军前。谈德走到良原县，遇到金兵，双方交战，从卯时到午时，官军不敌金兵，于是溃散逃跑。当初，谈德与他的部下请求经过梁泉的鱼龙川，前往进攻方山原，彭清同意了，出发之后，谈德就改道经过良原县境，于是失利，彭清又率兵返回方山原。

兰州的汉军千户王宏，杀了兰州刺史、安远大将军温敦乌页来归降。

王宏曾是秉义郎，后来被金人俘获；让他指挥兰州军马。王宏听说南宋军队攻克了秦州，于是劝诱汉军将领降宋，原来归降金国的宋人大多同意，只有来自北方的官员不听指挥。王宏于是与他的部下鲁孝忠等人率领所指挥的官兵与金人搏斗，杀了温敦乌页及镇国上将军、同知兰州富察纳等，率领五百骑兵、二百步兵前来归顺。宣抚使吴璘，以皇上的名义任命王宏为武功大夫、知兰州、统领熙河军马，任命鲁孝忠为秉义郎、同知兰州。

金国太子完颜光英，很机警聪明，曾读《孝经》，问人说：“《孝经》中说‘三千之罪莫大于不孝’，什么为不孝？”回答的人说：“现在农家子弟博戏弈棋饮酒，不养父母，都属不孝。”光英沉默良久说；“这些哪里够得上不孝呢！”大概是说金国主杀害皇太后的事情。

金国将士从军中逃亡回来的人在路上相接不断。哈斯罕明安福寿、东京穆昆金珠开始在大名府发放武器时，就率领部下逃亡返回，跟从的人数达一万多，都在路上公开说：“我们现在到东京拥立新天子。”

续资治通鉴卷第一百三十五

【原文】

宋纪一百三十五　起重光大荒落【辛巳】十月，尽十二月，凡三月。

高宗受命中兴全功至德　圣神武文昭仁宪孝皇帝

绍兴三十一年　金大定元年【辛巳，1161】　冬，十月，诏曰："朕履运中微，遭家多难。八陵废祀，可胜抔土之悲；二帝蒙尘，莫赎终天之痛。皇族尚沦于沙漠，神京犹陷于草莱，衔恨何穷，待时而动。未免屈身而事小，庶期通好以弭兵。属强敌之无厌，曾信盟之弗顾，怙其篡夺之恶，济以贪残之凶，流毒遍于陬隅，视民几于草芥。赤地千里，谓暴虐为无伤；苍天九重，以高明为可侮。辄因贺使，公肆嫚言，指求将相之臣，坐索汉、淮之壤。皆朕威不足以震叠，德不足以绥怀，负尔万邦，于兹三纪，抚心自悼，流涕无从。方将躬缟素以启行，率貔貅而薄伐，取细柳劳军之制，考澶渊却敌之规。诏旨未颁，欢声四起。岁星临于吴分，冀成淝水之勋；斗士倍于晋师，当决韩原之胜。尚赖股肱爪牙之士，文武大小之臣，戮力一心，捐躯报国，共雪侵凌之耻，各肩恢复之图。播告迩遐，明知朕意。"

四川宣抚使吴璘以檄告契丹、西夏、高丽、渤海、达勒达诸国及河北、河东、陕西、京东、河南等路官吏军民。

江、淮制置使刘锜至盱眙军。

浙西副总管李宝以舟师至东海县。

先是魏胜既得海州，久之，官军不至，城中之人始知其无援，然业已背金，不敢有贰心。胜惧，乃推宝之子承节郎公佐领州事，自出募兵，得数千人，往攻沂州。有女真万户之妻王夫人者，阳引兵避之；胜入城，遇伏，与战，大败，仅以身免。胜复还海州，金兵围之。宝闻，麾兵登岸，以剑画地曰："此敌界，非复吾境，当力战！"因握槊前行，接敌奋击，士无不一当十。金人惊出意外，亟引去，于是胜出城迎宝。宝维舟犒士，遣辩者四出招纳降附。时山东豪杰开赵、明椿、刘异、李机、李仔、郑云等，各以义旗聚众。赵与耿京所部（军马）〔马军〕将王世隆合共攻城阳军。城阳军者，密州之莒县，陷后改焉。赵等闻宝来，遣使至军前纳款，宝以为修武郎。会金人自汴州遣五百骑至城阳军解围，赵等散去，世隆以其军屯日照县境。宝舟至胶西县，遣提举一行事务曹阳佯借民马，与小吏徐坚往迎之，世隆以其众降。后数日，开赵亦至。宝以世隆、赵并为山后都统制，以待官军进攻，且为声援。

辛丑，金人自涡口系桥渡淮。

先是池州都统制李显忠提兵在寿春、安丰之间，欲回军庐州，徐观其变。至谢步，谍报敌自正阳渡淮矣，参议官刘光辅曰："若欲寻战地，岂可退却！宜据形势之地，结垒以待之。见利则进，策之上也。"显忠从之，得低山深林，可以设伏。显忠率心腹百馀骑，转山取路。敌直掩显忠之背，显忠觉之，率诸将邀截，获数人。俄闻敌大至，遂自峡山路渡大江以归。显忠军中有中侍大夫至小使臣官告付身仅二十道，是役也，书填悉尽，中侍大夫王光辅及统制官孔福等受之。

癸卯，少保、四川宣抚使吴璘兼陕西、河东招讨使，太尉、江淮浙西制置使刘锜兼京东、河北东路招讨使，起复宁远军节度使、主管侍卫马军司公事、湖北、京西制置使成闵兼京西、河北西路招讨使。

金主至安丰军，又破蒋州。

秘阁修撰、淮南等路制置使司参议官陈桷，直敷文阁、荆湖北路转运副使李植，并兼逐路招讨司随军转运副使，应办刘锜、成闵军钱粮。

乙巳，刘锜自盱眙军引兵次淮阴县，留中军统制刘汜、左军统制员锜守盱眙。

时金人将自清河口放船入淮，锜列诸军于运河岸以扼之，数十里不断，望之如锦绣。金人以铁骑列于淮之北，望之如银。

右文林郎曹伯达，改右宣议郎。

伯达初权知虹县簿，焚金诏不拜，上命改京秩，秦桧抑之不行。至是自陈而有是命。

丙午，金人立其东京留守曹国公褒为皇帝。

时金人困于虐政，汹汹欲为变。完颜默音询以拥立留守，众皆曰："是太祖之孙，当立。"于是入府求见。褒才出，则庭下悉呼万岁，遂即位。丁未，改元大定，大赦。数前主过恶，弑皇太后图克坦氏，杀太宗及宗翰、宗弼子孙及宗本诸王，毁上京宫殿，杀辽豫王、宋天水郡公子孙等数十事。以完颜默音为右副元帅，高忠建为元帅左监军，完颜福寿为右监军。

〔戊申〕，三省、枢密院奏招纳归附正人赏格：应接纳金人万户或蕃军千人者，补武翼郎，下至蕃军五人、汉军十人者，补进勇副尉，凡十等。如蕃、汉签军自能归附者，并优补官资。有官人优加升转，仍不次擢用。降黄榜晓谕。

金主亮率师渡淮。是夜，漏下二鼓，王权自庐州引兵遁，屯昭关。

初，金主亮在寿春，欲渡淮，系浮桥已成。逻者获权军摆铺数人，中有一曹司，金主亮见之，问权所在，曹司曰："在庐州。"又问："有兵几何？"曰："五万。"金主亮曰："是也，吾知之矣。"乃以金十馀两遣曹司，且令附书与权。

权闻金已渡淮，遂自庐州退兵，沿路作虚寨以疑敌。有游骑为权军所执，权与之酒，问其虚实，有都壕寨者曰："大金起兵六十万，以十万出清河口，不战，但为疑兵以当淮东之军；以二十万分往西京；三十万随国主来，其十万人出战，十万人护驾，十万人夺淮渡江。"权曰："不可当也，宜引避之。"遂退保和州。

己酉，金主褒以新立，犒将士，赐官赏各有差，仍给复三年。会尚书省请以从军来者补诸局承应人及官吏阙员，金主曰："旧人南征者即还，何以处之？必不可阙者，量用新人可也。"

庚戌，直秘阁、知庐州、主管淮西安抚司公事龚涛弃城走。

时谍报敌兵至北门外二十里，涛声言将本州人马往无为军等处措置捍御，委修武郎、添差本州驻泊兵马都监杨春权州事。

辛亥，江淮制置使刘锜，令淮东副总管张荣选所部战船六十五艘，民兵千人，赴淮阴军前使唤。

先是有诏调淮东丁壮万人付荣，于射阳湖等处缓急保聚。时淮东遭水灾，民多乏食，锜请日给民兵钱米及借补首领官资以为激劝，而转运使杨抗令荣分其兵之半归农，半给钱米。至是调赴军前者，皆溃逸不归，荣卒不能军。

金人破滁州。

初，金主亮既渡淮，令万户萧琦以十万骑自花靥镇由定远县取滁阳路至扬州。琦至藉塘，驻军数日，先以百馀骑攻清流关，南军无与敌者。又二日，遂长驱入关，直抵滁州，右朝奉大夫、知州事陆廉弃城去。金兵所过，皆不杀掠，或见人，则善谕之使各安业。有军人遗火焚民居草屋一间者，立斩之，乃揭榜以令过军。

初，淮南转运副使杨抗，令州县乡村临驿路十里置一烽火台，其下积草数千束；又令乡民各置长枪，催督严切，人甚苦之。至是金入滁州界，方以乏马刍为患，而所得积草甚众，又乡民皆弃枪而去，尽为金人所取。琦之深入也，每过险阻，忧必有备，至则全无守御，如蹈无人之境，金甚笑其失计焉。

壬子，皇子宁国军节度使、开府仪同三司建王玮为镇南节度使，以明堂恩也。

江淮制置使刘锜得金字牌，递报淮西敌势甚盛，令锜退军备江。时锜在淮阴，与金人隔淮相持已数日。至是清河口有一小舟顺流而下，锜使人邀取之，有粟数囊而已。锜曰："此探水势者也。"俄顷，金人各抱草一束作马头以过舟，舟约数百艘，有载粮往濠州者，有载激犒之楚州、扬州者，溯流牵挽，其势甚速。锜募善没者凿舟沈之，金人大惊。

先是淮南转运副使杨抗，聚民为水寨，以土豪胡深充都统领。抗在淮阴，见锜与金人相持，自言欲守水寨，且催督钱粮，应副大军，乃弃其军而去，遂渡江，居江阴军。

癸丑，金人围庐州，修武郎、添差兵马都监、权州事杨春，勒兵乘势突阵以出，过中派河，率乡兵守焦湖水寨。

甲寅，刘锜遣兵渡淮，与金人战。

先是锜遣前司策应右军统制王刚等间以兵数百渡淮，金人退却，官军小胜。既而金人悉众来战，锜不遣援，节次战没者以千数；至是又遣刀斧手千人渡淮，或进或却，以退无归路，死者什七八。

金主亮至庐州城北之五里，筑土城居之，道获白兔，语李通曰："武王白鱼之兆也。"

江州都统司将官张宝复入蒋州。

蒋州既为金人所破，(仿)〔诏〕戚方措置收复。金闻南军且至，遂退去。

金人侵樊城。

先是都统制吴拱至襄阳，欲屯万山小寨，或襄阳失利则西入蜀，诸军皆汹汹不定。时荆南军新创，金将刘萼拥众十万，扬声欲取荆南，又欲分军自光、黄捣武昌。朝廷以金昔尝由此入江西，虑摇根本，令拱遣兵护武昌一带津渡。拱将引兵回鄂，宣谕使汪澈闻之，驰书止拱，而自发鄂之馀兵进戍黄州。拱还襄阳，尝褊躁不自已。会刘蕚取通化军，前一夕，牛首镇庄家三人缒城入襄阳，告以金人且至，拱疑之，不为备。翼日，金骑三千忽至樊城，欲夺浮桥，径至城下。自讲好后，樊城不修筑，多缺坏，副将翟贵，部将王进，时以兵二百戍焉。统制官张顺通，以百骑巡逴，与敌遇，击之。会系浮桥未成，敌不得济。二将引兵出战，拱登城，渐出兵御之，敌少却。金人三却至竹林下，铁骑突出，官兵遂败。拱以四舟渡师助之，阻风不至，二将俱死，士卒半掩入水中。至晚，金兵退。是役也，以大捷闻；武功大夫张平未尝出兵，亦以奇功迁中卫大夫。军中谓之"樊城功赏"。

乙卯，命学士院撰祝文，具述国家与金和二十馀年，备存载书，今无故渝盟，师出诚非得已之意，以告天地、宗庙、社稷、诸陵及岳渎诸神。

江淮制置使刘锜闻王权败，乃自淮阴引兵归扬州。淮甸之人，初恃锜以为安，及闻退军，仓卒流离于道，死者十六七。

锜之未退也，檄淮东副总管张荣以所部人船尽赴淮阴，是日，荣被檄即发泰州，至楚州则大军已退，其所统民兵皆惊溃。荣收散亡仅千人，至邵伯埭，决运河水入湖以自保焉。

金主亮入庐州，召城外被掳百姓数十人，亲自拊循，使之归业，人赐银十两。

兴元府都统制姚仲遣忠义统领王俊率官兵义士至盩厔县，遇金人于东洛谷口，破之。

侍卫马军司右军统制邵宏渊以左右二军至真州。

金州都统制王彦遣统制官任天锡、郭谌等领精兵出洵阳，至商州丰阳县，克之。

侍卫马军司中军统制赵撙引兵至蒋州。

先是江州都统制戚方，奏以武德大夫、本司副将张存权知蒋州，以所部三百守之。撙既至，以本军将官兰秉义权知州事，存力争，不听，遂与其众之沙窝。

左武大夫、建康府驻劄、御前破敌军统制姚兴，与金人战于尉子桥，死之。

先是王权既屯昭关，将士犹有欲战之心。权引兵先遁，金以铁骑追及尉子桥，兴以所部三千人力战。权置酒仙山上，以刀斧自卫，殊不援兴。自辰至申，兴出入三四，杀敌数百。统制官戴皋下道避敌，敌遂假立权帜以诱，兴奋入，与其徒拱卫大夫、忠州防御使郑通等五十人俱陷，死之。事平，赠兴容州观察使，即其地立庙。

中书舍人、权直学士院虞允文，闻王权至濡须，知事急，度权与刘锜必俱退，遂率侍从数人同见辅臣，言权退师，已临江口，必败国事。尚书右仆射朱倬、参知政事杨椿皆曰："权自言退师以导敌深入，身当其冲，令步军司左军统制邵宏渊出其右，池州都统制李显忠出其左，夹攻之。"允文等力辩其不然，且言权为走计，倬等犹以为不然。丁巳，果得王权败归报，中外大震。

帝召太傅和义郡王杨存中，同宰执对于内殿。帝谕以欲散百官浮海避敌，左仆射陈康伯曰："不可。"存中言："敌空国远来，已临淮甸，此正贤知驰骛不足之时，愿率将士北首死敌。"帝喜，遂定亲征之议。

少保、奉国军节度使、四川宣抚使吴璘，封成国公，以明堂恩也。

閤门宣赞舍人、知均州武钜，遣总辖民兵荀琛、将官李元等领兵进取，右奉议郎，知房州司马倬，遣乡兵二千为援，且济其军食。琛等复邓州。

金主褒出东京内府之器物金银赡军吏。

戊午，知枢密院事叶义问督视江、淮军马；中书舍人兼直学士院虞允文参谋军事；枢密院检详诸房文字洪迈，秘书省校书郎冯方，并参议军事。

权礼部侍郎黄中请为钦宗作主祔庙，从之。

侍卫步军司左军统制邵宏渊，及金统军萧琦战于真州胥浦桥西。

琦自滁州引兵至瓦梁，扼滁河不得渡，执乡民欧大者问之。大以绍兴十一年韩世忠以数百骑往定远县，虚惊而回，至瓦梁，尽毁民居以为浮桥，恐金人效之，乃答以有路，自竹冈镇可径至六合县，琦从之，俾为乡导，遂迂路半日，故六合居人皆得逃去。

宏渊在真州，方饮酒，有报金人且至者，亟率众，相遇于胥浦桥。宏渊命将官三人拒于桥上，金人弓矢如雨，我师多死。城中老弱皆窜避，惟守家强壮犹登城以观。正争桥间，敌实草以渡河，三将皆死。宏渊率亲随军入城，掩关以拒，军民皆奔江上，得舟渡江以免。宏渊毁闸板，退屯于扬子桥，真州遂破。金人得城不入，径自山路攻扬州。

江淮制置使刘锜军还至邵伯埭，闻金攻真州，疑扬州已不守，未敢发。会探者报扬州城上旗帜犹是官军，锜曰："真州虽失，扬州犹为国家守，当速进。"乃自北门入，见安抚使刘泽。泽以城不可守，劝锜退屯瓜洲，锜令诸军憩歇，徐图所向。

金州统制官任天锡复商洛县。

己未，铸枢密行府之印。

诏翰林学士何(傅)〔溥〕祠马祖，又命招讨使祃祭于军中。

侍卫马军司中军统制赵撙，引兵渡淮，攻蔡州。撙在信阳军，闻金人已至淮右，曰："此可以进兵捣其虚矣。"遂行。

金州统制官任天锡等复商州，获其守将昭毅大将军完颜守能；同知州、武骑尉马彦降。

时关陕空虚，华州密迩商、邓，人心惊摇，金所命蒲城令与尉皆遁去。丞乔扆召耆老告之曰："事势若此，南军且至，尔等何以御之？"皆曰："有降而已。"扆曰："即偏师至，南军奔溃不暇，从之而去者死于蹂躏；其不能出者，责以背叛，孥戮之。莫若一心固守，此万全策也。"既而有谋翻城内附者，扆执而戮之，众乃止。

庚申，太傅、宁远军节度使、醴泉观使和义郡王杨存中为御营宿卫使。

初，王权之未败也，权礼部侍郎黄中为帝言："淮西将士不用命，请择大臣督诸军。"至是又率同列言存中不可遣状甚力，不听。

赵撙破褒信县。

建康府都统制王权自和州遁归。

权闻敌且至，给其众曰："已得旨，弃城守江矣。"遂引兵登车船渡江，屯于东采石。

金人入和州。

初，金兵至近郊，犹未知王权弃军而归也。后军统制韩霖最后出城，乃纵火，城中喧乱，金人闻之曰："南军遁矣！"遂进兵入城。城中糗粮、器械，并委于路。敌势奔突，军民自相蹂践及争渡溺死者，莫知其数。将士愤怒号呼，指船诋詈，皆以权不战误国为言。统制官时俊

殿后,以弩伏道傍,敌骑稍止。溃兵往往弃甲,抱芦苇浮江而渡,得生者什四五。

壬戌,诏以金人背盟好,劳我将士,蒙犯矢石,自今月二十四日,当避正殿,减常膳。

尚书户部侍郎刘岑兼御营随军都转运使,先往沿江措置。宁国军节度使、池州驻劄御前诸军都统制李显忠为御营先锋都统制,随州观察使、主管侍卫步军司公事李捧为前军都统制,右武大夫、高州刺史苗定为右军统制,武经郎、阁门宣赞舍人、殿前司摧锋军统制郭振为左军统制,翊卫大夫、利州观察使刘锐为中军统制,仍命显忠屯芜湖以扼裕溪口之冲,且为王权声援。

捧尝请断吴江桥以扼金,或又欲堑常熟之福山以断其骑军,徽猷阁直学士、知平江府洪遵曰:"审尔,是弃吴以西邪?"凡堂帖、监司符移,皆收不行。

成忠郎、阁门祗候、东南第二副将都遇知濠州。召降授武显大夫、吉州刺史、知濠州刘光时还行在。时州已不守,光时寓治横(间)〔涧〕山寨。

殿中侍御史杜莘老,请令勋臣、戚里、内侍之家,献家财以助国,仍加优赏,从之。

资政殿学士、知建康府张焘始至视事。先是建康居民惊移而去者十五六,及焘至,人情稍安。

侍卫马军司中军统制赵撙至新蔡县。金人所命令佐率众迎敌,撙一鼓破之。

江、淮、浙西等路制置使刘锜,退军瓜洲镇。金破扬州。

初,邵宏渊既失利,金人径攻扬州,屯于平山堂下。宏渊亦退在扬子桥南,毁闸板而渡,扬州军民皆倾城而奔。锜乃退军,自南门外拆民屋,〔为〕浮桥,诸军过绝,即毁桥,由东门而去。守臣武功大夫、荣州刺史刘泽亦奔泰州,往通州渡江,入平江府。

金主褒以前临潢尹完颜晏为左丞相。旋以诏谕南京太傅、尚书令张浩。

癸亥,诏侍从百官更互赴行在所供职。先令翰林学士何溥、吏部侍郎凌景夏、张运、给舍金安节、刘珙、台谏梁仲敏、杜莘老、吴芾、礼官王普、尚书郎徐度、薛良朋、余时言、柳大节、姚宽从行,仍命景夏等分摄六曹职事。时权兵部侍郎陈俊卿措置海道,而户部侍郎刘岑、中书舍人虞允文先往建康,从官两省留临安者,惟汪应辰、徐嘉、黄中、路彬、许尹、唐文若六人而已。宽,舜明子也。

始,有司辨严,用绍兴七年故事。杜莘老为帝言:"今亲征与曩日事异,宜皆从简以幸所过郡县。"帝曰:"此行中宫及内人不往,止与建王行,欲令遍识诸将耳。"乃命王府直讲史浩从行。自金人侵攻江、淮,一时宿将,莫不震怖惕息,独王处之恬然不惧,廷臣有奏请王为元帅者。及扈行,边遽日至,王预料某所可守,某所可攻,某人可用,后率如所言。

王权自采石夜还建康,既而复如采石。时金主亮率大军临西采石杨林渡已数日,权与左朝请大夫、知太平州王傅,犹庇匿不以闻,州学谕汪徐庆与教授蒋继周同往见傅责之,傅气夺,一日发八奏。初奏言金人已攻采石而不言东西,朝廷大惊,三省、枢密院吏皆挈家出,都人惊疑不可止。次报金人已到杨林而不言杨林渡,朝廷莫知其在江之南北,益惧;因遣人于闾巷间求当涂、历阳人,问杨林所在,夜二鼓,乃得一士人,言杨林,西采石之渡口也,于是惊疑稍定。

甲子,特进、提举江州太平兴国宫和国公张浚,复观文殿大学士、判潭州;左大中大夫、提

举临安府洞霄宫汤鹏举，复资政殿学士，知太平州。

赵撙下平兴县。

忠义统领柳万克伏羌城。

右武大夫、兴州前军统制兼主管中军军马吴挺，邵州防御使、知文州、节制军马向起，败金人于德顺军之治平寨。

先是金遣兵之泾原，宣抚招讨使吴璘，命起、挺率所部捍御，过德顺，遇金游骑二千馀与官军接，遂驻于治平。统领官刘海，将官曹建，以数百骑掩击之，斩其将泼察，生俘数百人，入其郭，金恐，乃得去。宣抚司第赏，首先出陈破敌者为奇功，进官四等，其下各有差。挺，璘之子也。

金主褒遣伊喇扎巴招契丹部耶律(幹)〔斡〕罕。

乙丑，镇江府左军统领员琦，及金人战于扬州皂角林，败之。

初，金人既得扬州，即遣兵逐刘锜，与南军相尾。至是全军来争瓜洲渡，锜命统制官贾和仲、吴超等拒之于皂角林。琦陷重围，下马死战数十合。中军第四将王佐以步卒百有四人往林中设伏，金兵既入，强弩俄发。金人以运河岸狭，非骑兵之利，稍引去，遂大败之，斩统军高景山，俘数百人。

时诸处以捷旗报行在者络绎于道，市人语曰："日闻报捷可喜，但一报近如一报亦可忧。"督视军马叶义问读锜捷报，至金兵又添生兵，顾谓侍吏曰："生兵是何物?"闻者皆笑。当时谓之"兔园枢密"。

丙寅，浙西马步军副总管李宝，与金舟师遇于密州胶西县陈家岛，大败之。

初，金主亮用降人倪询、商简、梁三儿等计，造战船数百，使工部尚书苏保衡等统之，约以十月十八日至海门山，入钱塘江，事毕，来江上迎报。

金舟泊唐家岛，宝舟泊石臼山，相距三十馀里，而北风日起，宝忧之。有大汉军水手数百来降，大汉军，所签上等户也，皆富豪子弟，宝问之，得北军事实。裨将曹洋请逆战，知朐山县高敞曰："不可。彼众我寡，宜避之。"洋曰："彼虽众，皆不谙海道。且降人云女真在船中惟匍匐而睡，略不能动，虽众何为？况我深入至此，前逆大敌，欲退，其可得乎?"宝伺金人未觉，遣洋与裨将黄端祷于石臼神祈风，夜漏将尽起碇，南风渐应，众喜，争奋。俄顷，薄敌船，鼓声震垒，金人失措。金帆皆以油缬为之，舒张如锦绣，绵亘数里，忽为波涛卷聚一隅，窘蹶无复行次。船中有火起者，宝命以火箭射之，著其油帆，烟焰随发，延烧数百艘。火不及者犹前拒，宝进军跃登其舟，短兵击刺，殪之舟中，其签军脱甲而降者三千馀人。获其副都统、骠骑上将军、益都府总管完颜正嘉努等五人，斩之。保衡舟未发，亟引去；获倪询等三人及金诏书印记，与器甲、粮斛以万计。

江淮制置使刘锜在瓜洲四日，无日不战。锜恐人心不固，乃遣人自镇江取妻子以安人心。至是有诏令锜专防江上。会锜病已剧，遂肩舆渡江，留其从子中军统制官汜，以千五百人塞瓜洲渡。

知均州武钜遣将与忠义军复卢氏县。侍卫马军司中军统制赵撙出金人不意，于宿草间乘风纵火，鼓噪而进，金兵披靡。撙率亲兵冲击，斩其总管杨寓，遂整众入城，秋毫无犯。宣谕使汪澈以撙提举诸军。

先是朝命湖北、京西制置使成闵统诸军为王权之援，武昌令薛季宣献策于汪澈，谓："闵军已得蔡，有破竹之势，宜守便宜勿遣，令闵乘虚下颍昌，趋汴京，金人内顾，必惊溃。"澈不果用。

丁卯，诏："蔡京、童贯、岳飞、张宪子孙家属见拘管州军，并放令逐便。"用中书门下省请也。于是飞妻(季)〔李〕氏与其子霖等皆得生还焉。

知枢密院事叶义问至镇江，权立行府。

中书舍人兼参谋军事虞允文见太尉刘锜，问兵败状，锜曰："锜当上还制置、招讨二印耳。"允文曰："国事如此，公持是印欲安所归乎？"锜惭不能答。

金州统制官任天锡自商州遣兵会虢州忠义首领辛傅等取朱阳县，降其知县事、奉议大夫刘楫、商洛都监、供奉班祗应王元宾，俘女真九人。

初，金主褎既立，遣通事萧恭持赦诏抚定州县。及中都，权留守拒而不从，恭立诛之，大兴尹李天言惧而听命。于是自黄河以北皆下之。

左丞相张浩自汴京录赦诏，驰以报金主亮，亮叹曰："朕欲候江南平，复取一戎衣大定之义以纪元，是子乃先我乎！"即遣右议军郭瑞孙回众还攻，令尽诛黄河以北之叛己者。

十一月，己巳朔，诏："枢密院招效用二千人，令忠锐第五将张耘措置。"

是日，金州统制官任天锡攻虢州。金守臣萧信迎敌不胜，遁去，遂复虢州。

知枢密院事叶义问在镇江，得知建康府张焘状，言金人侵采石为渡江计，势甚危，乞急保江、淮。时制置使刘锜还屯镇江，病已剧。义问乘大舟，以二校执器械，立马门左右，至镇江，闻瓜洲军与金人相持，惶遽失措。时江水低浅，沙洲皆露，义问役民夫掘沙为沟，深尺许，沿沟栽木枝为鹿角数重，曰："金人若渡江，姑此障之。"乡民执役，且笑曰："枢密肉食者，其识见乃不逮我辈食糠籺人。一夜潮生，沙沟悉平，木枝皆流去矣。"会建康告急，义问乃遵陆而进。

金主褎以左丞相晏兼都元帅；辛未，以尚书李石参知政事。

壬申，观文殿大学士、新判潭州张浚，改判建康府兼行宫留守。召资政殿学士、知建康府张焘赴行在。

宁国军节度使、池州驻劄御前诸军都统制李显忠为建康府驻劄御前诸军都统制，亲卫大夫、常德军承宣使、侍卫步军司右军统制邵宏渊为池州驻劄御前诸军都统制。

诏："进纳授官人，并损其直十分之二，与免铨试，仍作上书献策名目，理为官户，永不冲改。"自下鬻爵令半年，愿就初品文阶者才一人，言者请损其直以招来之。

镇江府中军统制刘汜，及金人战于瓜洲镇，败绩。

时金人以重兵捣瓜洲，权都统制李横引诸军迎战。叶义问督镇江驻劄后军渡江，众皆以为不可，义问强之。未著北岸，义问惧怯见于颜色，即令向西去，曰："欲往建康府催诸军起发。"市人皆媟骂之。汜提本部兵先走，诸军皆不进。横以孤军不可当，亦遁，失其都统制印。金人铁骑掩至江上，左军统制魏俊，后军统制王方，战死柳林中，皆金疮被体。汜性骄惰，不习军事，至是卒败。

义问离镇江三十里，至下蜀镇，有急递云：“官军败退，瓜洲渡为金人所据。”义问大惊，问：“山路可通浙东否？”诸将皆喧沸曰：“枢密不可回，回则不测。”左右亦惧，乃请义问速趋建康。

江州右军统制李贵引兵至颍河，焚金人粮舟，获金帛甚众，遂进攻颍昌。

金人以百骑至无为军，左朝奉大夫、知军事韩髦先遁去，井邑悉为恶少所爇。

癸酉，淮宁陈亨祖执金同知陈州完颜耶噜，以城来归。亨祖，州大豪也，诏以为武翼大夫、忠州刺史、知淮宁府。

侍卫马军司中军统制官赵撙去蔡州以援成闵，留从义郎、鄂州驻劄御前军正将李询知州事。询，蔡州人也。于是金人所命刺史萧懋德，复入城据之。

甲戌，罢王权赴行在，以李显忠代之；命中书舍人、参谋军事虞允文往芜湖，趣显忠交权军，且犒师采石。

时知建康府张焘，至府才十馀日，夜漏下二鼓，允文扣府门求见曰：“此何时，而公欲安寝乎？”焘曰：“日来人情汹汹，太守不镇之以静，必不安。虽然，舍人何以见教？”允文曰：“谍者言敌以明日渡江，约晨炊玉麟堂，公何以策之？”曰：“焘以死守留钥，遑恤其它！舍人平日以名节自任，正当建奇功以安社稷。”允文曰：“此允文之素志，特决公一言耳。”

先是金主亮为内变所挠，自将细军驻和州之鸡笼山，用内侍梁汉臣议，将自采石济。乃携千馀骑谒西楚霸王祠，叹曰：“如此英雄，不得天下，诚可惜也！”

乙亥，金主亮临江筑坛，刑白、黑马各一以祭天，以一羊一豕投于江中，召都督昂、副都督富里珲谓之曰：“舟楫已具，可以济江矣。”富里珲曰：“臣观宋舟甚大，我舟小而行迟，恐不可济。”金主亮怒曰：“尔昔从梁王追赵构入海，岂皆大舟耶？明日汝与昂先济！”昂闻欲令之渡江，悲惧，欲亡去。及暮，金主亮遣人谕之曰：“前言，一时之怒耳，不令先过江也。”

丙子，中书舍人、督视江淮军马府参谋军事虞允文，督舟师败金兵于东采石。

允文未至采石十馀里，闻鼓声振野。允文见官军十十五五坐路傍者，问之，众曰：“王节使在淮西声鼓，令弃马渡江。我曹皆骑士，今已无马，我曹不解步战也。”

从者皆劝允文还建康，曰：“事势至此，皆为它人坏之。且督府直委公犒师耳，非委督战也，奈何代人任责！”允文不听，策马至采石，趋水滨，望江北敌营，不见其后，而权馀兵才万八千人，马数百而已。

金主亮遣武平军都总管阿林、武捷军副总管阿萨率舟师先济，宿直将军温都沃喇、国子司业梁钦等皆从战。金主亮登高台，张黄盖，被金甲以观战。

南师已为遁计，允文召其统制张振、王琪、时俊、戴皋、盛新等与语，谓之曰：“敌万一得济，汝辈走亦何之？今前控大江，地利在我，孰若死中求生？且朝廷养汝辈三十年，顾不能一战报国？”众曰：“岂不欲战，谁主者？”允文曰：“汝辈止坐王权之缪至此，今朝廷已别选将将此军矣。”众愕立曰：“谁也？”允文曰：“李显忠。”众皆曰：“得人矣！”允文曰：“今显忠未至而敌已过江，我当身先进死，与诸军戮力决一战。且朝廷出内帑金帛九百万缗，给节度、承宣、观察使告身皆在此，有功即发帑赏之，书告授之。”众皆曰：“今既有主，请为舍人一战！”允文即与俊等谋，整步骑陈于江岸，而以海鳅及战船载兵驻中流击之。时水军将蔡甲、韩乙各有

战舰，皆唯唯不动，乃急命当涂民兵登海鳅船踏车。军人说谕民兵曰：“此是必死之地，若齐心求生，万一有得归之理。”民兵皆然之。

布陈始毕，风大作。金主亮自执小红旗，麾舟自杨林口尾尾相衔而出。金所用舟，皆撤和州民居屋板以造，及掠江兵渡舟，舟中之指可掬。敌始谓采石无兵，且诸将尽伏山崦，未之觉也，一见，大惊，欲退不可。敌舟将及岸，南军小却。允文往来行间，顾见时俊，抚其背曰：“汝胆略闻四方，今立陈后，则儿女子耳。”俊回顾曰：“舍人在此。”即手挥双长刀出陈。江风忽止，南军以海鳅船冲敌舟，舟分为二。南军呼曰：“王师胜矣！”遂并击金人。金人所用舟，底阔如箱，行动不稳，且不谙江道，皆不能动，其能施弓箭者，每舟十数人而已，遂尽死于江中。有一舟漂流至薛家湾。薛家湾者，采石之下数里，有王琪军在焉，以劲弓齐射，舟不得著岸，舟中之人往往缀尸于板而死。是役也，战舰终不出，允文追蔡、韩二将，各鞭之百。金士卒不死于江者，金主亮悉敲杀之，怒其舟不能出江也。

初，金主亮问：“顷年梁王何以得渡江？”或答曰：“梁王自马家渡过江，江之南虽有兵，望见我军即奔走，船既著岸，已无一人一骑。”金主亮曰：“吾渡江亦犹是矣。”

杨林口出舟，当涂之民在采石上下登山以观者，十数里不断。金主亮望之曰：“吾放舟出江，而山上人皆不动，何也？”

方敌舟未退，会淮西溃卒三百人自蒋州转江而至，允文授以旗鼓，使为疑兵。敌既败去，允文即具捷以闻，且椎牛酒以劳军。夜半，复布陈待敌。

琪，德子。新，亳州人。张俊下亳州，新挈家来归，（俟）〔嗣〕奏授正使兼阁职，渐升为正将，隶中军，至是为水军统制。

金州统制官任天锡取商洛、丰阳诸县。

丁丑旦，虞允文、盛新引舟师直杨林河口，戒曰：“若敌船自河出，即齐力射之，必与争死，毋令一舟得出。如河口无敌船，则以克敌神臂弓射北岸。”新即驻舟江心，齐力射敌，敌骑望见舟师，遽却，其上岸者悉陷泥中毙，南军复于上流以火焚其馀舟。允文再具捷奏，且言：“敌军鼎来，臣不当便引去，且留此与统制官同谋战守，须俟一大将至，乃敢还建康。”

金主亮既不得济，乃口占诏书，命参（政）〔知〕政事李通书之，以贻王权曰：“朕提兵南渡，汝昨望风不敢相敌，已见汝具严天威。朕今至江上，见南岸兵亦不多，但朕所创舟，与南岸大小不侔，兼汝舟师进退有度，朕甚赏爱。若尽陪臣之礼，举军来降，高爵厚禄，朕所不吝。若执迷不返，朕今往瓜洲渡江，必不汝赦！”遣瓜洲所掠镇江军校尉张千，拏舟持书至军前，将士皆变色，允文亟曰：“此反间也，欲携我众耳。”时新除都统制李显忠亦自芜湖至，谓允文曰：“虽如此，亦当以朝廷罪王权之事答之，庶绝其冀望。”允文以为然，遂作檄曰：“昨王权望风退舍，使汝鸱张至此。朝廷已将权重置典宪。今统兵乃李世辅也，汝岂不知其名？若往瓜洲渡江，我固有以相待。无虚言见怵，但奋一战以决雌雄可也！”遣所获女直二人赍往。

金主亮得书，大怒，遂焚宫人所乘龙凤车，斩梁汉臣及造舟者二人，于是始有瓜洲之议。

戊寅，诏殿前司差官兵千人往江阴军，马步军司各差五百人往福山，并同民兵防拓江面。

己卯，观文殿大学士、醴泉观使兼侍读汤思退为行宫留守。

三省、枢密院上将士战死推恩格：横行遥节九资，横行遥刺八资，遥郡七资，遥刺正使、横行副使皆六资，副使五资，大使臣三资，小使臣二资，校副尉及兵级皆一资。诏以黄榜晓谕诸军。

金主亮以其军趋淮东。

辛巳，金主褒以如中都期日诏群臣。壬午，诏中都转运使左渊曰："凡宫殿张设，毋得增置，毋役一夫以扰百姓。"

癸未，四川宣抚使吴璘自仙人原还兴州。

时西路之军已得秦、陇、洮、兰州，而金州王彦军东取商、虢，金人以重兵据大散关不下。会璘疾病，乃暂归，留保宁军节度使、兴元诸军都统制姚仲在原上节制。

初，金主亮既往淮东，中书舍人虞允文谓建康都统制李显忠曰："京口无备，我今欲往，公能分兵见助否？"显忠曰："惟命。"即分主管侍卫步军司公事李捧军一万六千人及戈船来会京口。

允文至建康，留守张焘谓曰："金约八日来此会食，使焘安往？"众议孰可以往镇江者，皆有难色。焘曰："虞舍人已立大功，可任此责。"允文欣然从之。至镇江，谒招讨使刘锜问疾，锜执允文手曰："疾何必问！朝廷养兵三十年，大功乃出书生手，我辈愧死矣！"

〔甲申〕，威武军承宣使、知舒州张渊权主管淮西安抚司公事，拱卫大夫、和州防御使淮南东路马步军副都总管贾和仲权知扬州兼主管淮东安抚司公事，候收复日续赴本任，皆用叶义问奏也。

扬、庐既失守，义问言："东路通、泰州，密迩盐汤，利源所在，见有忠义寨三二万人。西路舒、蕲州，流民所聚，正可广行招募以壮军声。"乃以便宜选用二人，仍令和仲权于泰州置司。

金主亮至扬州。

〔乙酉〕，武略郎、阁门宣赞舍人、镇江府驻劄御前中军统制刘汜，特贷命，除名，英州编管。

王权及汜既败军，乃先罢权为在外宫观。及吴芾奏权罪，帝怒甚，将按诛权以厉诸将。同知枢密院事黄祖舜密言于帝曰："权罪当诛，然权诛则汜不可贷，若贷汜而诛权，是谓罪同罚异。顾锜有大功，今闻其病已殆，汜诛，锜必愧忿以死。是国家一败而自杀三大将，得毋为敌所快乎？"帝纳其言，二人得不死。

金州都统制王彦所遣第七将邢进复华州。

彦既得商、虢，乃进屯虢州，令统制官兼知巴州吴琦以其军应援。琦至虢州之板桥，遇敌，与战，其子汉臣死之。统制官任天锡引兵至，击华阴，杀其县令，进攻华州，不克，彦更遣进以所部往。时金兵分屯渭南，城中兵少，进乘胜克之，获其同知、昭武大将军韩端愿等二十馀人。

（甲申）金主褒追尊其父豳王宗辅为皇帝，谥简肃，庙号睿宗，改名宗尧；妣富察氏曰钦宪皇后，李氏曰贞懿皇后。群臣上尊号曰仁明圣孝皇帝。

丙戌，权礼部侍郎黄中言："本朝仿唐之制，创为九庙，今日宗庙，自僖、宣二祖以及祖宗，凡九世而十一室，请遵已行典故，迁翼祖神主而祔钦宗。"诏恭依。

丁亥，太尉、威武军节度使、镇江府驻劄御前诸军都统制、江南、淮南、浙西路制置使兼京

东、河北路招讨使刘锜，提举万寿观，以疾自请也。

翊卫大夫、利州观察使、御营宿卫中军统制刘锐，权镇江府驻劄御前诸军都统制。

湖北、京西制置使成闵，自京西还，见叶义问于建康，翼日，至镇江。闵在京西，承金字牌令策应建康江面。闵喜于得归，兼程疾驰，士卒冒大雨，粮食不时，多死于道路。闵率马军出戍，沿途犒劳之物不可胜计，尽以归己，不散士卒。及还至镇江，军士有因醉出怨言于市者，闵斩之。

戊子，四川宣抚使吴璘，复力疾上仙人原。

御营宿卫使杨存中，建康府都统制李显忠，言见率将士戮力一心，期于克敌，乞少缓进发之期，从之。

初，上以瓜洲失利，亟命存中往镇江措置守江，且命官埋鹿角暗桩，自镇江至于江阴境上。时江岸才有车船二十四艘，既而虞允文与李显忠所遣戈船亦至。

浙西副总管李宝以所部泛海南归。

宝既捷于胶西，会闻金主亮已渡淮，乃还军驻东海县。既而山后统制官王世隆、开赵皆来会，宝命赵率其众傍海而行，而与世隆同舟赴行在。

己丑，金主褎如中都，次小口，使中都留守宗宪先往。

庚寅，金主亮在瓜洲镇。御营宿卫使杨存中，中书舍人、督视府参谋军事虞允文，以敌骑瞰江，恐车船临期不堪驾用，乃与淮东总领朱夏卿、镇江守臣赵公偁临江拽试，命战士踏车船径趋瓜洲，将泊岸，复回，金兵皆持满以待。其船中流上下，三周金山，回转如飞。金人骇愕，亟遣人报金主亮，亮观之，笑曰："此纸船耳！"因列坐诸将，一将前跪曰："南军有备，不可轻。且采石渡方此甚狭，而我军犹不利，愿驻于扬州，力农训兵，徐图进取。"金主震怒，拔剑数其罪，命斩之。哀谢良久，乃杖半百，释之。

〔癸巳〕，庆远军节度使、龙神卫四厢都指挥使、主管侍卫马军司公事、充湖北、京西制置使成闵，兼镇江府驻劄御前诸军都统制、充淮南东路制置使、京东西路、河北东路、淮北泗、宿州招讨使；以宁国军节度使、建康府驻劄御前诸军都统制李显忠为淮南西路制置使、京畿、河北西路、淮北寿、亳州招讨使；以潭州观察使、捧日天武四厢都指挥使、鄂州驻劄御前诸军都统制吴拱为湖北、京西制置便、京西北路招讨使。

甲午，金人分兵侵泰州。

初，金主亮军令惨急，迫欲渡江，骁骑高僧欲诱其党以亡，事觉，命众刀剉之。乃下令："军士亡者杀其领队，部将亡者杀其主帅。"由是众益危惧。是日，期以明日渡江，敢后者死。众欲亡归，决计于浙西路都统耶律元宜，于是明安唐古乌页曰："前阻淮水，过渡即成擒矣，不若共行大事。"元宜曰："待吾子旺祥至，谋之。"时旺祥为骁骑都指挥使，在别军，元宜密召之至，遂相与定约，诘旦卫军番代即为变。元宜先给其众曰："有令，尔辈皆去马渡江。"众曰："奈何？"元宜曰："新天子已立于辽阳，今当共行大事，然后举军北还。"众许诺。

乙未，黎明，元宜、旺祥与武胜军总管图克坦守素、明安唐古乌页等率众犯御营。金主亮闻乱，以为南师奄至，近侍大庆善曰："事急矣，当出避之。"金主亮曰："避将安往？"方取弓，已中箭仆地，乱兵进刃，手足犹动，遂缢杀之。骁骑指挥使大磐整兵来救，旺祥出，语之曰：

“无及矣。”大磐乃止。军士攘取行营服用皆尽，乃取大磐衣巾，裹其尸焚之。元宜行左领军副大都督事，以南伐之谋皆起于尚书右丞李通、近侍局使梁珫，而监军图克坦永年乃通之姻戚，浙西路副都统郭安国众所共恶，皆杀之，并杀大庆善。

金人破泰州。

先是泰州守臣请祠去，通判王涛权州事。九月，涛以移治为名而去，留州印付兵马都监赵福。金人侵淮甸，水寨都统领胡深与其副臧珪弃水寨，率乡兵二千入泰州，以兵势凌福。福具申于叶义问，以深权知州，深以珪权通判，福权本路军马都监。淮南转运副使、提领诸路忠义军马杨抗，又以其右军统领、成节郎沙世坚权海陵县丞兼知县。深闻金人欲攻泰州，与世坚率其众弃城先遁。珪掘断姜堰，尽泄运河水。至是金细军至城下，遂径登其城，纵火卤掠，福死于乱兵。城中子女强壮，尽被金兵驱而去。

戊戌，显仁皇后禫祭，帝行礼于别殿。

金都督府遣人持檄来镇江军议和。

初，金主亮既殒，诸军喧嚣不定。户部尚书梁球闻乱，驰入，曰：“已如此，固无可奈何。然方与敌国相持，不知何以善后？”众皆不言。球曰：“当抚定诸军，勿使嚣乱，徐思计策可也。”众稍定，球乃取纸笔草檄，言班师讲好事。檄成而未有人，访得瓜洲所俘成忠郎张真，即遣之南渡。

十二月，(乙)〔己〕亥朔，侍卫马军司中军统制赵撙复蔡州。

初，撙自蔡州引兵南归后三日，至麻城县，复被诏与鄂州都统制吴拱、荆南都统制李道并力攻取。二人未至，撙疾趋城下。金人所命刺史萧懋德闻撙至，披城为寨，相距两月，不出战。至是夜漏未尽，撙命将士潜师入城。城无楼橹，不可守，懋德遁去。

成忠郎张真自扬州金寨至镇江，出所持金檄云：“大金国大都督府牒大宋国三省、枢密院：国朝太祖皇帝创业开基，奄有天下，迄今四十馀年，其间讲信修睦，兵革寝息，百姓安业。不意正隆失德，师出无名，使两国生灵，枉被涂炭。奉新天子明诏，已行废殒。大臣将帅，方议班师赴阙，各宜戢兵以敦旧好。须至移牒。大定元年十一月三十日牒。”

督视行府回牒金人军前云：“今月一日承来文，照验正隆废殒事，除已缴奏外，须移文牒照会。绍兴三十一年，十二月一日。侍卫马军都指挥使、御前诸军都统制成闵，太傅、御营宿卫使、和义郡王杨存中。”

右武大夫、吉州刺史、知通州崔邦弼，闻泰州破，欲弃城去，恐百姓不从，夜二鼓，遣人于城内纵火，乘喧闹径出，渡江之福山。

庚子，诏：“淮东制置使成闵，元带到鄂州军马，日下发还。”言者论：“金人自拥重兵，身临淮东，日生奸计，意欲渡江，故朝廷督责诸帅，严为捍御。今镇江已有元来屯驻军马，见系都统刘锐所管，并步军李捧、都统邵宏渊及殿前司诸军精锐，尽集京口一带。近日制置〔使〕成闵又自襄、汉率军来赴镇江防遏，及摘带鄂州所屯人马同来镇江。既有诸帅军马凑集在彼，今又益以成闵之军，则军势不为不盛；据天险以拒金人，自足以制敌取胜。然闻金人见有十馀万众屯聚汴京，深虑敌人知我重兵尽集镇江，则襄、汉一带必虚。倘以精兵袭我上流，吴拱虽有军马在彼，势力单弱，仓卒冲突，我虽欲应援，溯流数千里之远，岂能旦夕而至！请将

成闵带到鄂州军马速发还本处，仍戒谕吴拱明远斥堠，严切捍御，常为待敌之策，庶几首尾不落敌人变诈。”故有是诏。

先是闵以鄂州水军及胜捷军统制张成、后军统制华旺所部偕行，乃令成等还鄂州屯驻。

太傅、御营宿卫使、和义郡王杨存中，淮东制置使成闵，中书舍人、督视江淮军马府参赞军事虞允文，司农少卿、总领淮东军马钱粮朱夏卿等奏报金兵已杀其主亮，帝曰：“此人篡君弑母，背盟兴戎，自采石与海道败后，知本国已为人所据，乃欲力决一战。今遽灭亡，朕当择日进临大江，洒扫陵寝，肃清京都，但戒诸将无杀，此朕志也。”

初，金骑阚江，朝臣震怖，争遣家逃匿。权礼部侍郎黄中独谓其家人曰：“天子六宫在是，吾为侍臣，若等欲安适耶？”比金兵退，独中与左仆射陈康伯家属在城中，众皆惭服。

时存中与允文议偕至江北岸以察敌情，将士惮行，允文、存中独以轻舟绝江而北。帝尝谓康伯及留守汤思退曰：“杨存中忠无与二，朕之郭子仪也。”

金人以舟师攻茨湖，官军击却之。茨湖在汉水之南，与光化军相对，有鄂州副都统制李胜、荆南副统制张进之军在焉。至是金人以舟渡师，欲攻襄阳，会风势不利，不得著岸。鄂州(府)〔前〕军旗头史俊麾旗涉水，直登一舟，呼曰：“前军得功矣，诸军宜速进！”金人初不虞其登舟，遂大惊失措，行队不整，有坠水而死者。诸军继进，俊杀其千户一人，夺舟数十，金人乃还。

辛丑，右武大夫、宣州观察使、添差两浙西路马步军副总管兼提督海船李宝为靖海军节度使、两浙西路、通、泰、海州沿海制置使、京东东路招讨使。

诏御营宿卫使杨存中以右军统制苗定所管步军前来扈从。

初，帝将如建康抚师，而钦宗神主未祔庙，行宫留守汤思退欲省虞速祔而释服以行，既十日矣，至是权礼部侍郎黄中言不可，帝纳焉。议者犹谓凶服不可以即戎，帝曰：“吾固以缟素诏天下矣。”卒从之。

枢密行府议遣兵过江，乃檄淮西制置使李显忠速选精锐甲军至镇江府会合，所有采石一带留下军马，令池州都统制邵宏渊权管。

金统军刘萼，闻茨湖军败，遂班师，军无行陈，多失路，为乡民所杀。细军之在泰州者，亦弃而去。

壬寅，观文殿大学士、醴泉观使兼侍读、充行宫留守汤思退，乞铸行宫留守印，仍就尚书省置司，行移如都省体式，合行事务从权便宜，施行讫奏。又请以敷文阁待制、知临安府赵子潚兼充参谋官，尚书右司员外郎吴广文充参议官，秘书省正字芮晔主管机宜文字，枢密院编修官郑樵、诸王宫大小学教授吴祇若，司农寺主簿韩元吉并干办公事，皆从之。

崇信军节度使、开府仪同三司、领殿前都指挥使职事赵密为行宫在城都总管，利州观察使、殿前司策选锋军统制张守忠为行宫在城都巡检，武功大夫、侍卫马军司右军统制、权主管本司职事张仔为行宫城北巡检，右武大夫、忠州团练使、侍卫步军司神勇军同统制、权主管本司公事王存为行宫城南巡检。

是日，主管侍卫马军司公事、淮东制置使成闵，自镇江引兵之扬州，御营宿卫使杨存中，亦遣右武大夫、权殿前司右军统领李伋自江阴军引所部渡江之石庄进发。时叶义问遣使臣李彪伺金人回军动静,闵令报曰:“成太尉大军在杨子桥相持,来日当大战矣。”道路喧言金人已去,扬州空虚,闵计不行,乃以马军司之兵自天长追袭,主管侍卫步军司公事李捧亦以神勇军袭之。敌军凡数万,其行如林,军皆不敢与相近,但遥护之出境而已。

癸卯,诏:“金人渝盟,侵攻上界,属兹进发,躬往视师,文武群臣,各扬厥职,辑宁中外,共济大功。”

诏:“四川宣抚司统率军马随路进讨,恢复州县,虽曰分路调发,亦仰常相关报,互相应援,不得辄分彼此,务要协力,共成大功。诸路招讨使司准此。”

诏枢密行府行下沿江诸大帅,各条陈进讨恢复事宜。资政殿学士、知建康府张焘首陈十事,大率欲预备不虞,持重养威,观衅而动,期于必胜。

拱卫大夫、和州防御使、权知扬州贾和仲闻敌去,乃以单骑入城,犹未有官吏。

池州都统制邵宏渊自芜湖以亲兵至采石。

甲辰,省臣进呈金都督府牒。帝曰:“金主亮既已被杀,馀皆南北之民,驱迫而来,彼复何罪!今即日袭逐,固可使只轮不返,然多杀何为!但檄诸将迤逦进师会京畿,收复故疆,抚定吾人足矣。”左仆射陈康伯请率百僚称贺,帝曰:“未须尔,候到汴京,与群臣共庆。”

殿前司右军统制、权知泰州王刚,以所部至本州。

均州忠义统领昝朝等复据邓州。

初,敌将刘萼之败于茨湖也,还军及邓州,驻于城北八里,其武胜军节度使、威略军都总管萧中一亦挈属出城,驻于萼军之南,其同知、节副皆以属去。中一以留州事付监仓王直,中一与白千户、三户穆昆言曰:“今日邓州屯驻之兵,悉为都统带去。城中之兵皆土人,万一为宋兵内应,如何?”众皆知中一有顺南之意,唯唯而已。坐中忽不见白千户者,中一疑走告于萼矣,乃率其奴婢将家属南走,迷失道,中夜,屡遭乡村土豪惊散。至州北百馀里,中一被杀,翼旦,金人皆北去。

录事参军高通闻萼兵已退,乃集军民谓曰:“今南兵已近,此时不决,城中之人皆不可保,请遂决之。”众请通权节度副使,通曰:“邓州本大宋所有,今金国已弃我官吏、军民矣,与诸公同归大宋,如何?”众皆听命。忽报城下有十馀骑至,问之,则昝朝也,遂纳款。朝,本邓州射士,聚众在山中,投均州守臣武钜。

乙巳,淮西制置使李显忠自芜湖引兵渡江。

时金人尚屯鸡笼山,而显忠兵在沙上。观文殿大学士、判建康府张浚,自长沙闻命,即日首涂,过池阳往劳,以建康激赏犒之,一军见浚,以为从天而下。浚谕显忠曰:“圣驾将巡幸,至而敌未退,得无虞乎?”显忠乃以大军济江,去和州三十里,与之相持,然金兵亦未退。

池州都统制邵宏渊,自采石复还芜湖,仍于大信、裕溪河口措置捍御。

丙午,淮东制置司统制王(迈)〔选〕等复楚州。

丁未,鄂州统制官王宣至邓州。

先是昝朝既入城,遣人告捷,京湖制置使吴拱俾宣以七百骑赴之,拱继至,又遣训练官朱宏、王彦忠等率忠义人入汝州。

均州乡兵总辖庄隐等入河南府。

先是金人以兵二千驻长水县，金州都统制王言遣将官杨坚、党清引兵会忠义人往击破之，杀其将二人，获部将王保以归，遂复长水县，坚以深入陈，死之。清引其兵进攻嵩州，克之，又克永宁、寿安二县，遂进兵入河南府，吏民皆迎降。

戊申，帝发临安府。

江南东路转运判官李若川、柳大节言："金人反盟黩武，上天降殃，其主被弑，兵众遁走。乃传其子见留京东，军马颇众，有亲信以统之，势须邀击，以报擅杀之仇。今过淮敌兵，败亡虽多，尚有十馀万众，宁肯束手就死，亦须穷斗。及金人巢穴，多有完颜族类，岂无守国军马，必不能奉旧主之子，亦不肯助弑主之众，定图自立，更相攻杀，尽而后已。当此衅隙，契丹起而乘之，过于五单于争国，各自救不暇，岂暇尚占中原！百姓被祖宗德泽之深，日思箪食壶浆以迎王师，此诚天启恢复之时，不可失之机会也。然王师大举，尤务慎重，以成万全之功。一乞少憩将士，以养锐气；二乞预备钱粮，无致少阙；三乞添器甲，以备分给中原义兵，缘义兵虽众，唯阙器甲使用；四乞敌人欲敦旧好，诱以好言以款之；五乞多遣人密结中原义兵，以为应援；六乞厚赏募人探知敌情，以便进取；七乞召集诸大帅共议军事，勿致临时异同。然后诸路并进，非特恢复中原有反掌之易，亦可一举而空朔庭也。"

左朝奉大夫、提举江南东路常平茶盐公事洪适言："金主亮既殒，大定改元，未必诸国服从。若能仰顺天时，遣使归(强)〔疆〕，则王师不血刃而得土宇，实天下之幸。万一敌众尚强，自淮以北，别无争立之人，则宜多遣有胆力人，密传召檄，使中原义士，各取州县，因以畀之。王师但留屯淮、泗，募兵积粟以为声援，不必轻涉其地以务力争。俟汉、蜀、山东之兵数道聚集，见可而进，迟以岁月，必有机会可乘，恢复故地，何翅破竹！庶几兵力不顿，可以万全。"

庚戌，帝次秀州。

是日，金人大军自盱眙度淮，尽绝。

初，淮东制置使成闵以所部追袭金师。阁门宣赞舍人、知泗州夏浚闻敌归，遂焚其城而南，金人乃遣千户先至泗州，撤桴为三浮桥，顷刻而成，翼日军到，皆下马乘桥而过。既渡绝，闵军至盱眙，排列于岸之南，金人笑曰："寄声成太尉，有劳相送。"是时龟山路途，金人遗弃粟米山积，往往有科山东、河北民户，令赴平江府、秀州送纳者，官军粮运方不继，赖以自给。

辛亥，帝次平望。壬子，帝泊姑苏馆。权枢密院事叶义问自建康，太傅、御营宿卫使杨存中自镇江还，皆入见。守臣徽猷阁直学士洪遵献洞庭柑，帝不受，自是所过无入献者。

癸丑，帝乘马至平江府行宫。时御营宿卫使司右军统制苗定以所部至平江，乃以定兼权主管行在殿前司职事。

鄂州水军统制杨钦以舟师追金人，至洪泽镇，败之。夜，镇江府统制官吴超，遣部将段温等追金人至淮阴县，又败之，获其舟船粮食甚众。

是夜，淮东制置司刘锐、陈敏等引兵入泗州。

金人既渡淮，有三百(馀)〔人〕长告其千户曰："三百人皆有归心，不可弹压，奈何？"千户曰："主虽死，岂无王法！"其弟曰："兄言失矣，彼有父母，人心难留，岂可以法绳之！"千户默然，各上马，即驰去，由是西城之兵皆上马驰，不可遏，俄而东城之人亦去。成闵闻金人尽去，乃遣锐等自东城之东渡淮,又令统领官左士渊等自南门入,以收复告。金人所掠老弱在泗者,皆委之而去。

甲寅,帝至无锡县,宰执奏敌人已去淮西,尚馀三万众据和州。

陈康伯等依旨撰到招安旗榜,不惟诸国之人,虽女直亦一概与补官。内万户许以节钺,其馀视爵秩高下更超等换授,白身特命以官,奴婢亦优赏,示之生路,庶使束手来归。帝曰:“彼亦人也,比引见所招捉到金人,朕亦悉贷死,送诸军役使。若尽杀之,则不胜其多,朕不忍也。”

是日,淮西制置使李显忠,与金人战于杨林渡,却之,将士死者千四百人,杀伤相当。翼日,金人乃去。

乙卯,帝次常州。

金主次三河县,左副元帅完颜固云来朝。

金人破汝州。

先是京西制置使吴拱,遣训练官牛宏等率忠义人据汝州,会统军刘萼自邓州北归,宏等邀之于七里河。敌兵甚盛,忠义人皆无甲,遂败走。金兵围之五日,及城破,杀戮殆尽。拱在邓州,遣统制官周赟将八千人往援之,已不及。

丙辰,帝次吕城镇。

金主次通州。

丁巳,帝次丹阳县。

淮西制置使李显忠,遣统制官张荣逐敌至全椒县,败之,得敌所获老弱万馀口。日暮,显忠入和州。

金主至中都。

戊午,帝至镇江府,未就舍,先乘马幸江下观划船。

金主谒太祖庙。

己未,帝幸镇江府行宫。

兴州左军统制王中正等引兵再攻治平寨,拔之。

初,刘海既去治平,金以兵坚守。中军统制吴挺遣中正及知秦州刘忠共击之,杀其知寨,降其招信校尉张季甫等四人。既而金人谋复据治平,中正引兵于千家堡迎敌,战十馀合,敌败走,官军进击,大获其俘,中正为飞枪中其左颊者二。

金主御贞元殿,受群臣朝。

壬戌,金主诏:“军士自东京扈从至京师者,复三年。”

同知河间尹高昌福上书陈便宜,金主览之再三,命内外大小职官陈便宜。

甲子,释淮南、京西、湖北路杂犯死罪以下囚。

武信军承宣使、淮南东路马步军副都(统)总管李横移(两)江南〔西〕路,常州驻劄。

金颍、寿二州巡检高显率所部民兵千馀人据寿春府,遂来降。

丙寅,金主诏左副元帅完颜固云规措南边及陕西等路事。

丁卯,金河北安抚制置使王任,天雄军节度使王友直,自寿渡淮来归。任,东平人,尝以

罪亡命，敌重赏捕之急，友直方聚众往大名，归之。友直喜，假契丹以举事，遂破大名。金主既立，下令友直之众，并放罪归业为平民，其众闻之，皆散去，友直乃与任等自山东寻路来奔，比入境，有众三十馀，遂自淮西赴行在。

初，金主亮既为其下所杀，参知政事敬嗣晖欲立其太子光英于南京，左丞相张浩不可。耶律元宜遣人害光英。亮之后图克坦氏後归于母家。

金伊喇扎巴之招谕耶律斡罕也，斡罕约降，已而复谓扎巴曰："若降，尔能保我辈无事乎？"扎巴曰："我知招降耳，其它岂能必哉！"扎巴见斡罕兵强，车帐满野，意其可以有成，因说之曰："我之始来，以汝辈不能有为。今观兵势强盛如此，汝等欲如群羊为人所驱去乎？将欲待天时乎？若果有大志，我亦不复还矣。"贼党或曰："往者古绅丞相，神人也，尝言西北部族当有事。今日正合此语，恐不可降也。"于是斡罕决意不降，扎巴亦留贼中。斡罕攻临潢，败其守兵，进围之，众至五万。是月，斡罕遂称帝，改元天正，复攻泰州，屡败援师，势益振。

【译文】

宋纪一百三十五　起辛巳年(公元1161年)十月，止十二月，共三个月。

绍兴三十一年　金大定元年(公元1161年)

冬季，十月，宋高宗诏令说："朕经历国运中衰，家族多难。八位祖宗的陵寝无法祭祀，怎能忍受思念陵墓的悲痛；二位皇帝蒙受风尘，无法挽回这终天的仇恨。皇族还沦陷在沙漠之地，神京还沦没在荒草之中，饮恨无穷，待时而动。不免屈尊而事奉小小的金国，以求两国通好而停止战争。又恰遇强敌贪得无厌，不顾以前的议和盟约，依恃他篡位夺权的险恶，加上他贪婪凶残的本性，其流毒遍及各地，对待百姓如同草芥一般。赤地千里，将暴虐说成是没有伤害；苍天九重，以为高明可以欺侮。经常乘派贺使之机，公然放肆谩骂，指名索要将相之臣，安坐索要汉水、淮水的土地。都是因为朕的威力不足以震慑，德不足以安抚，辜负天下百姓，至此已三十多年，扪心自悼，泪涕纵横。正准备身穿孝服出发亲征，率领精兵强将而讨伐敌人，参考细柳劳军的方法，研究澶渊之役打退敌人的谋略。诏旨尚未颁发，欢声四起。岁星已到吴地，希望能成就淝水之战的功勋；官兵的斗志是晋国军队的两倍，必须取得韩原之战的胜利。还要依靠谋略亲信之士，文武大小之臣，齐心合力，捐躯报国，共同洗雪受金人侵凌之耻，各自肩负恢复国土的重任。广泛地告知远近各地，使其明晓朕的旨意。"

四川宣抚使吴璘用檄文告知契丹、西夏、高丽、渤海、达勒达各国以及河北、河东、陕西、京东、河南等路的官吏军民。

江、淮制置使刘锜到达盱眙军。

浙西副总管李宝率领水军到达东海县。

在此之前魏胜已经夺取海州，很长时间，宋朝军队未来，城中的百姓才知道魏胜没有后援，然而已经背叛金国，不敢再有二心。魏胜害怕，于是就推奉李宝的儿子承节郎李公佐领州事，自己出城招募兵力，召集了几千人，前去进攻沂州。有位女真万户官的妻子王夫人，表面上率兵逃避；魏胜入城，遇到埋伏之兵，与之交战，大败，仅只身逃脱。魏胜又返回海州，被金兵包围。李宝闻讯，率兵登岸，用剑画地说："此处是敌界，不再是我国境内，应当全力作

战!”接着手握长槊向前冲击,奋力迎敌,士兵们无不以一当十。金人格外吃惊,急忙撤退,于是魏胜出城迎接李宝。李宝停船犒赏将士,派遣能说会道的人四处招纳投降归附的人。当时山东豪杰开赵、明椿、刘异、李机、李仔、郑云等,各树义旗聚集部众。开赵与耿京所指挥的部下马军将王世隆共同进攻城阳军。城阳军,是密州的莒县,沦陷金人后改成这个名称。开赵等人所说李宝来了,就派使到军前表示归顺,李宝任命开赵为修武郎。正巧金人从汴州派遣五百骑兵到城阳军解围,开赵等散去,王世隆率领他的军队屯驻在日照县境。李宝的水军到达胶西县,派遣提举一行事务曹阳假装去民间借马,与小吏徐坚前往迎接,王世隆率领他的部下归降。几天以后,开赵也来了。李宝任命王世隆、开赵并列任山后都统制,以等待官军进攻时,互为声援。

辛丑(初二),金人从涡口架桥渡过淮河。

在此之前池州都统制李显忠领兵在寿春、安丰之间,想回师庐州,慢慢观察形势的变化。到达谢步,侦探报告敌人从正阳渡过淮河了,参议官刘光辅说:“如果打算寻找战场交战,岂能退却!应当根据地理形势,筑垒以等待敌兵。遇见有利的形势则进攻,这是上策。”李显忠同意了这个建议,找到了低山密林的地方,设下埋伏。李显忠率领心腹一百多骑兵,绕山寻找道路。敌人直捣李显忠的背后而来,李显忠发觉了他们,率领各将阻截,俘获数人。一会儿听说敌人大队人马来了,于是从峡山路渡过大江回到江南。李显忠军中有中侍大夫到小使臣的官员委任状仅二十道,在这次战役中,全部填写发放完了,中侍大夫王光辅及统制官孔福等人接受了任职。

癸卯(初四),少保、四川宣抚使吴璘兼任陕西、河东招讨使,太尉、江淮浙西制置使刘锜兼任京东、河北东路招讨使,起用恢复宁远军节度使、主管侍卫马军司公事、湖北、京西制置使成闵兼任京西、河北西路招讨使。

金国主到达安丰军,又攻破蒋州。

秘阁修撰、淮南等路制置使司参议官陈桷,直敷文阁、荆湖北路转运副使李植,一并兼任逐路招讨司随军转运副使,负责办理刘锜、成闵军队的钱粮。

乙巳(初六),刘锜从盱眙军出发率兵驻扎在淮阴县,留下中军统制刘汜、左军统制员琦驻守盱眙。

当时金人准备从清河口放船进入淮河,刘锜在运河岸边排列各军以阻扼敌人,几十里连接不断,看上去如同一片锦绣。金人将铁骑排列于淮河的北岸,看上去如同一片白银。

右文林郎曹伯达,改任右宣议郎。

曹伯达当初担任权知虹县主簿,焚烧了金国的诏书拒不拜受,皇上下令让他改做京官,秦桧积压命令没有执行。至此曹伯达自我陈请才有此次任命。

丙午(初七),金人拥立金国的东京留守曹国公完颜褒为皇帝。

当时金人被虐政所困,民情汹汹打算发动政变。完颜默音询问拥立留守的事,众人都说:“他是太祖的孙子,应当立为皇帝。”于是进入留守府中求见。完颜褒刚出来,在庭下的人都呼万岁,完颜褒于是即位。丁未(初八),改年号大定,大赦天下。历数前国主的过错罪恶:弑杀皇太后图克坦氏,杀太宗及宗翰、宗弼子孙以及宗本等诸王,毁坏上京宫殿,杀辽国豫

王、宋国天水郡公的子孙等数十件事。任命完颜默音为右副元帅,任命高忠建为元帅左监军,任命完颜福寿为右监军。

戊申(初九),三省、枢密院奏报招纳归附人员的奖赏标准:所有接纳金人万户官或者蕃军一千的人,任命为武翼郎,下到招纳蕃军五人、汉军十人的人,任命为进勇副尉,总共十等。如果被征发的蕃、汉军主动归附的,都优先任命官职。有官职的人优先晋升,还能破格提升,颁降黄榜晓谕百姓。

金国主完颜亮率领军队渡过淮河。这天夜里,二更时分,王权从庐州领兵逃遁,屯驻在昭关。

当初,金国主完颜亮在寿春,打算渡过淮河,浮桥已经架好。巡逻兵抓获了王权军中驿站的几个差役,其中有一个是曹司官,金国主完颜亮召见他,问王权在什么地方,曹司说:"在庐州。"又问:"有多少兵力?"回答说:"五万。"金国主完颜亮说:"这件事,我知道了。"于是送给曹司黄金十多两,又让他带信给王权。

王权听说金人已经渡过淮河,于是从庐州撤兵,沿途建假寨疑惑敌人。有金国的巡逻骑兵被王权的部下捉住,王权给他们酒喝,询问金军的虚实,有一个都壕寨的人说:"大金发兵六十万,以十万兵力出发清河口,不作战,只作为疑兵用来对付淮东的宋军;以二十万兵力分别前往京西;三十万的兵力跟随国主而来,其中十万人出战,十万人护驾,十万人夺取淮河以渡长江。"王权说:"不能抵挡,应当率兵回避金兵。"于是退保和州。

己酉(初十),金国主完颜褒因为刚刚立为皇帝,犒劳将士,按不同等级赏赐官员,还免除百姓徭役三年。正遇尚书省奏请以从军队中归来的人填补各局承应人以及官吏的空缺官位,金国主说:"南征的原来的官员很快返回,如何安排他们?必不可缺的职位,可以考核任用新人。"

庚戌(十一日),直秘阁、知庐州、主管淮西安抚司公事龚涛弃城逃跑。

当时侦察兵报告敌兵到达北门外二十里的地方,龚涛声称率领本州人马前往无为军等处负责捍卫防御,委任修武郎、添差本州驻泊兵马都监杨春权知州事。

辛亥(十二日),江淮制置使刘锜,命令淮东副总管张荣挑选所部战舰六十五艘,民兵一千人,赶赴淮阴军前听候安排。

在此之前曾诏令调集淮东壮丁一万人交付张荣指挥,在射阳湖等处发生紧急情况时驻守防御。当时淮东遭受水灾,民众大多缺乏粮食,刘锜奏请每天供应民兵钱米以及预先授予首领官资作为激励,但转运使杨抗命令张荣分出一半的兵力解甲归田,供应一半的钱米。至此调赴军前的士兵,都溃散逃跑不回来,张荣最终不能组军。

金人攻破滁州。

当初,金国主完颜亮渡过淮河后,命令万户官萧琦率领十万骑兵从花靥镇出发经过定远县取道滁阳路到扬州。萧琦到藕塘,驻军数日,先用一百多骑兵进攻清流关,宋军无人迎战。又过了两天,就长驱入关,直抵滁州,右朝奉大夫、知州事陆廉弃城逃跑。金兵所经之地,都不杀人抢掠,如果见到宋人,就好言相劝使他们各自安居乐业。有一个军人遗落火种烧了百姓居住的一间草屋,当场被斩,还张榜命令过往的军队引为鉴戒。

当初，淮南转运副使杨抗，下令各州县乡村沿驿路每十里设置一个烽火台，台下积草数千捆，又下令乡民各自配置长枪，催督严厉急切，百姓为此很困苦。至此金人攻入滁州境内，正在担心缺乏马草，而得到的积草很多，加上乡民都弃枪逃跑，全部被金人所取得。萧琦率兵深入内地，每过险阻的地方，担忧一定会有宋军设防，到达后却全然没有人守御，如进入无人之境，金人大笑宋军的失策。

壬子（十三日），皇子宁国军节度使、开府仪同三司建王赵玮担任镇南节度使，这是因为祭祀明堂的恩赐。

江淮制置使刘锜得到朝廷金字牌令，传递的报告说淮西敌人气势很盛，命令刘锜退军守御长江。当时刘锜在淮阴，与金人隔淮河相持已经数日。这时清河口有一只小船顺流而下，刘锜派人截取了小船，只有几只装米的袋子。刘锜说："这是测探水势的。"一会儿，金人各抱一束草建成码头以登船，船只大约数百艘，有装载粮食前往濠州的，有的装载犒劳品前往楚州、扬州的，逆流牵引船只，其行动很迅速。刘锜招募擅长潜水的人凿穿船只将船沉没，金人大惊。

在此之前淮南转运副使杨抗，聚集民众建立水寨，任命土豪胡深充都统领。杨抗在淮阴，看见刘锜与金人相持，自己声称想守御水寨，并且催督钱粮，供应大军，因此离开军队逃跑了，很快渡过长江，住在江阴军。

癸丑（十四日），金人包围庐州，修武郎、添差兵马都监、权州事杨春，指挥军队乘势突围而出，渡过中派河，率领乡兵守御焦湖水寨。

甲寅（十五日），刘锜派兵渡过淮河，与金人交战。

在此之前刘锜派遣前司策应右军统制王刚等暗中率领几百兵力渡过淮河，金人后退，宋军取得小胜利。不久金人调遣所有的军队来作战，刘锜不派遣援兵，相继战死的人数以千计；这时又派遣刀斧手一千人渡过淮河，有的进攻有的退却，因为退无归路，十之七八的人战死。

金国主完颜亮到达庐州城北五里的地方，修筑土城居住在那里，在路上捕获了一只白兔，对李通说："这是周武王白鱼跃入舟中的征兆。"

江州都统司将官张宝又进入蒋州。

蒋州被金人攻破以后，诏令戚方负责收复。金人听说南军将至，于是撤退。

金人侵犯樊城。

在此之前都统制吴拱到达襄阳，打算屯驻万山小寨，如果襄阳失利就向西进入蜀地，各军都人心惶惶不定。当时荆南军刚刚组建，金国将领刘萼拥兵十万，扬言要夺取荆南，又打算分派军队从光州、黄州直捣武昌。朝廷因为金人过去曾经由此进入江西，担心动摇根本，下令吴拱派兵守护武昌一带的渡口要津。吴拱准备率兵回鄂州，宣谕使汪澈听说了这件事，急忙派人送信给吴拱劝止他的行为，而自己征发鄂州的剩余兵力戍守黄州。吴拱返回襄阳，曾情绪暴躁不能自已。恰巧金军将领刘萼攻取通化军，在前一夜晚，牛首镇的三个百姓用绳子爬墙进入襄阳城，报告说金人将到，吴拱怀疑这个消息，未做防备。第二天，金人骑兵三千人忽然到达樊城，打算夺取浮桥，径直进入城下。自从两国讲和以来，樊城没有重新修筑，大

多缺损毁坏,副将翟贵,部将王进,当时率领二百士兵屯守在这里。统制官张顺通,率领一百骑兵巡逻,与敌人相遇,进攻他们。正好浮桥尚未架成,敌军无法过桥。翟贵、王进领兵出战,吴拱登上城墙,陆续调遣军队抗御敌人,敌人稍退。金人第三次退到竹林下,铁骑突然出击,官兵就吃了败仗。吴拱指挥四艘船只运送援兵,因为逆风未能到达,翟贵、王进二将都战死,士兵有半数的人淹死在水中。到晚上,金兵撤退。这场战役,吴拱以大获全胜奏报;武功大夫张平未曾领兵出战,也以"奇功"升迁中卫大夫。军中称之为"樊城功赏"。

乙卯(二十六日),宋高宗命令学士院撰写祝文,详细陈述国家与金国讲和二十多年来,完备保存和好盟书,现在金国无故违反盟约,派兵出战的确是迫不得已,以此敬告天地、宗庙、社稷、各祖宗陵寝以及山河诸神。

江淮制置使刘锜听说王权打了败仗,就从淮阴领兵返回扬州。淮东一带的人,当初依恃刘锜以为安全,等听说刘锜撤军,仓皇沿路逃难,十分之六七的人死亡。

刘锜没有撤退的时候,命令淮东副总管张荣率领所指挥的全部人船赶赴淮阴,这一天,张荣接到命令立即从泰州出发,到达楚州时大军已经撤退,他所统辖的民兵都惊慌逃散。张荣收集散兵只有一千人,到达邵伯埭,决开运河水引入湖中在此以求自保。

金国主完颜亮进入庐州,召见在城外被俘虏的百姓数十人,亲自安抚劝导,让他们安居乐业,每个人赏赐白银十两。

兴元府都统制姚仲派遣忠义统领王俊率领官兵义士到达盩厔县,在东洛谷口遇到金人,打败了金人。

侍卫步军司右军统制邵宏渊率领左右二军到达真州。

金州都统制王彦派遣统制官任天锡、郭谌等率领精锐兵力出征洵阳,到达商州丰阳县,攻克了县城。

侍卫与军司中军统制赵撙率兵到达蒋州。

在此之前江州都统制戚方,奏请任命武德大夫、本司副将张存担任权知蒋州,率领所部三百人戍守蒋州。赵撙到蒋州后,任命本军将官兰秉义为权知州事,张存力争,赵撙不听从,于是张存和他的部下到沙窝驻守。

左武大夫、建康府驻扎、御前破敌军统制姚兴,与金人在尉子桥作战,战死在这里。

在此之前王权屯驻昭关之后,将士还怀有奋战的决心。王权率兵首先逃跑,金人派铁骑追赶到尉子桥,姚兴率领部下三千人奋力作战。王权在仙山上设置酒席,派刀斧手保护自己,根本不去援助姚兴。从辰时战斗到申时,姚兴杀出杀进三四次,杀死数百敌人。统制官戴皋择路逃跑,敌人于是假立王权的旗帜以引诱姚兴,姚兴奋力杀入,与他的部下拱卫大夫、忠州防御使郑通等五十人都陷入包围,战死在战场。事平之后,朝廷追赠姚兴为容州观察使,就在此地为他立庙。

中书舍人、权直学士院虞允文,听说王权到达濡须,知道战事紧急,估计王权与刘锜一定都会撤退,于是率领侍从数人一同去见辅政大臣,说王权退军,已临近长江口,必定败坏国家大事。尚书右仆射朱倬、参知政事杨椿都说:"王权自己声称退军是为了诱敌深入,自身抵御金军的主力冲击,命令步军司左军统制邵宏渊在他的右边出击,池州都统制李显忠在他的左

边出击,夹攻金军。”虞允文等人极力辨析王权的话不可相信,并且说王权实行的逃跑计策,朱倬等人还认为不是这样。丁巳(十八日),果然得到王权失败返回的报告,朝廷内外大为震惊。

宋高宗召集太傅和义郡王杨存中,同宰执官员在内殿商议。宋高宗告谕他们准备分散百官乘船渡海以避敌人,左仆射陈康伯说:“不能。”杨存中说:“敌人空国远道而来,已临近淮东,这正是贤人智士驰骋拼搏的时候,愿率领将士向北拼死抗敌。”宋高宗很高兴,于是定下了御驾亲征的决策。

少保、奉国军节度使、四川宣抚使吴璘,受封成国公,这是祭祀明堂的恩赐。

阁门宣赞舍人、均州知州武钜,派遣总辖民兵荀琛、将官李元等领兵发动进攻,右奉议郎、房州知州司马倬,派遣乡兵二千人作为声援,并且供应他们军粮。荀琛等人收复邓州。

金国主完颜褒拨出东京内府的器物金银供养军中官吏。

戊午(十九日),知枢密院士叶义问担任督视江、淮军马职务;中书舍人兼直学士院虞允文担任参谋军事;枢密院检详诸房文字洪迈,秘书省校书郎冯方,一并担任参议军事。

权礼部侍郎黄中奏请为钦宗皇帝立神主灵位奉安宗庙,宋高宗批准了。

侍卫步军司左军统制邵宏渊,与金国统军萧琦在真州胥浦桥西面交战。

萧琦从滁州领兵到达瓦梁,被滁河阻隔不能渡过,捉了一个叫欧大的乡民问路。欧大因为在绍兴十一年韩世忠率领数百名骑兵前往定远县,受了虚惊而返回,到了瓦梁,将民居全部拆毁用来架设浮桥,恐怕金人也像这样做,就回答说有路,从竹冈镇可直达六合县,萧琦相信了他的话,让他做向导,于是迂回走了半天路,所以六合县的居民都得以逃跑。

邵宏渊在真州,正在饮酒,有一个人报告说金人将到,急忙率众迎敌,在胥浦桥与金军相遇。邵宏渊命令三名将官在桥上阻击敌人,金人弓箭如雨,宋军战死很多。城中的老弱都四处逃避,只有留守家中的强壮人员还登上城墙观战。正在争夺桥梁时,敌军用草填河渡过了河,守桥的三名将官都战死。邵宏渊率领亲兵随军入城,关闭城门以抗御,军民都奔向江边,乘船渡江以逃难。邵宏渊毁坏闸板,退守于扬子桥,真州于是被攻破。金人得城而不入城,直接抄山路进攻扬州。

江淮制置使刘锜的军队退到邵伯埭,听说金军进攻真州,担心扬州已经失守,不敢发兵。恰遇侦探报告说扬州城上的旗帜还是官军的,刘锜说:“真州虽然失守,扬州还在为国家防守,应当迅速进兵。”于是从北门入城,会见安抚使刘泽。刘泽认为扬州城守不住,劝刘锜退守瓜洲,刘锜下令各军暂时休整,慢慢图谋今后的打算。

金州统制官任天锡收复商洛县。

己未(二十日),宋铸刻枢密行府的印章。

诏令翰林学士何溥祭祀马祖,又命令招讨使在军中举行祃祭。

侍卫马军司中军统制赵撙,领兵渡过淮河,进攻蔡州。赵撙在信阳军,听说金军已到达淮东地区,说:“此时可以发兵直捣敌人空虚的地方。”于是发兵。

金州统制官任天锡等收复商州,俘获了金国守将昭毅大将军完颜守能;同知州、武骑尉马彦投降。

当时关陕一带兵力空虚，华州紧靠商州、邓州，人心惊慌动摇，金国所任命的蒲城县令和尉官都逃跑了。县丞乔扆召集年老者告诉他们说："事态已经如此，宋军将到，你们用什么来防御呢?"都说："只有投降。"乔扆说："等偏师来到，宋军就会奔跑溃散不及，跟随宋军而去的人会在乱军中死去；那么不能出逃的人，又会因为背叛的罪名受到斥责，予以杀戮。不如一心固守，这是万全之计策。"不久有人策划翻越城墙投归宋军，乔扆捉住杀了，众人才停止逃离。

庚申(二十一日)，任命太傅、宁远军节度使、醴泉观使和义郡王杨存中为御营宿卫使。

当初，王权还没有失败的时候，权礼部侍郎黄中对宋高宗说："淮西将士不听指挥，请选派大臣监督各军。"至此又率领同僚极力陈述不能派遣杨存中的理由，宋高宗不采纳。

赵撙攻破褒信县。

建康府都统制王权从和州逃回。

王权听说敌人将至，欺骗他的部众说："已接到圣旨，要放弃和州城去驻守长江。"于是率兵登上车船渡过长江，屯守在东采石。

金人攻入和州城。

当初，金兵到达和州城近郊。还不知道王权已经放弃守地逃回了。后军统制韩霖最后出城，于是放火烧城，城中喧哗纷乱，金人听到后说："宋军逃跑了!"于是进兵入城。城中的粮食、器械，都扔在路上。敌军乘势追击，军民自相蹂践以及争抢渡江而淹死的人，不知其数。将士们愤怒呼喊，指着王权乘坐的船痛骂，都说王权不战而退误了国事。统制官时俊做后卫军，将弓箭手埋伏在道旁，敌人骑兵才慢慢停止追击。溃兵往往扔掉甲衣，抱着芦苇浮水渡江，能活着的人只十分之四五。

壬戌(二十三日)，诏令因为金人违背盟约，使我将士受到劳累、蒙犯矢石，从本月二十四日起，应当避开正殿，减少日常膳食。

尚书户部侍郎刘岑兼任御营随军都转运使，先往沿长江一线负责设防。宁国军节度使、池州驻扎御前诸军都统制李显忠担任御营先锋都统制，随州观察使、主管侍卫步军司公事李捧担任前军都统制，右武大夫、高州刺史苗定担任右军统制，武经郎、阁门宣赞舍人、殿前司摧锋军统制郭振担任左军统制，翊卫大夫、利州观察使刘锐担任中军统制，还命令李显忠屯守芜湖以扼守裕溪口的要冲，并且作王权的声援。

李捧曾奏请拆断吴江桥以阻挡金兵，有人又打算在常熟的福山挖壕沟以阻断金国的骑兵，徽猷阁直学士、知平江府洪遵说："想想你们说的话，这不是抛弃吴地以西的土地吗?"于是凡是有关的中书省以及地方监司的文书，都收回不予执行。

成忠郎、阁门祗候、东南第二副将都遇任濠州知州。召降授武显大夫、吉州刺史、濠州知州刘光时返回京都。当时濠州已经失守，刘光时在横涧山寨设州衙。

殿中侍御史杜莘老，奏请下令勋臣、戚里、内侍之家，贡献家里的财物以资助国家，并加优赏，宋高宗同意了。

资政殿学士、知建康府张焘开始到任处理公务。在此之前建康府的居民因惊恐迁移离开的人有十分之五六，等到张焘到任，人心稍为安定。

侍卫马军司中军统制赵撙到达新蔡县。金人所任命的县令县佐率众迎战,赵撙一鼓作气攻破县城。

江、淮、浙西等路制置使刘锜,退军到瓜洲镇。金人攻破扬州。

当初,邵宏渊失利之后,金人直攻扬州,驻扎在平山堂下。邵宏渊也退守在扬子桥南边,毁坏闸板渡过长江,扬州军民都倾城出逃。刘锜就退军,在南门外拆民房,架浮桥,各军过完后,就毁掉浮桥,从东门离开。守臣武功大夫、荣州刺史刘泽也奔往泰州,经过通州渡过长江,进入平江府。

金国主完颜褒任命前临潢尹完颜晏为左丞相,不久下诏告知南京太傅、尚书令张浩。

癸亥(二十四日),宋高宗诏令侍从百官轮流赴皇帝所在地任职。先令翰林学士何溥、吏部侍郎凌景夏、张运、给事中与中书舍人金安节、刘珙、台谏梁仲敏、杜莘老、吴芾、礼官王普、尚书郎徐度、薛良朋、余时言、柳大节、姚宽随从前往,还命令凌景夏等分别代理六部职事。当时权兵部侍郎陈俊卿负责海道防务,而户部侍郎刘岑、中书舍人虞允文先去建康府,两省随从官员留在临安的,只有汪应辰、徐嘉、黄中、路彬、许尹、唐文若六人而已。姚宽,是姚舜明的儿子。

起初,有司置办皇帝亲征行装,沿用绍兴七年的成例。杜莘老对宋高宗说:“现在亲征与过去的情况不同,应当都用从简的方式经过沿途郡县。”宋高宗说:“此行中宫及内人不随往,只与建王同行,想让他全部认识各位将领。”于是命令建王王府直讲史浩随从前行。自从金人侵略攻打江、淮各地,一时间所有老将,莫不感到震惊恐惧,只有建王处之恬然不害怕,朝廷大臣中有人奏请任命建王为元帅。等到护从皇帝启程,每天都有紧急战报传来,建王预料某地可以坚守,某地可以攻取,某人可以任用,以后的事实都如建王所说的那样。

王权从采石乘夜间返回建康,后来又回到采石。当时金国主完颜亮率领大军到达西采石杨林渡已经数日,王权与左朝请大夫,知太平州王傅,还隐瞒实情不予奏闻,州学谕汪余庆与教授蒋继周一同去见王傅并批评他,王傅理亏,一天之间发出八道奏章。开始奏报说金人已进攻采石而不说明是采石东还是采石西,朝廷大惊,三省、枢密院的官吏都携家眷出逃,京都百姓惊惶失措不能平息。第二次奏报说金人已经到达杨林而不说明是杨林渡,朝廷无法知道金军是在长江南还是长江北,更加惊恐;于是派人在民间寻找当涂、历阳的人,询问杨林在什么位置,夜间二更时分,才找到一个士人,说杨林是西采石的渡口,这时候惊惶混乱的局面才稍为平息。

甲子(二十五日),特进、提举江州太平兴国宫和国公张浚,恢复观文殿大学士,判潭州职务;左大中大夫、提举临安府洞霄宫汤鹏举,恢复资政殿学士职务,任太平州知州。

赵撙招降平兴县。

忠义统领柳万攻克伏羌城。

右武大夫、兴州前军统制兼主管中军军马吴挺,邵州防御使、知文州、节制军马向起,在德顺军的治平寨打败了金人。

在此之前金人调遣兵力到泾原,宣抚招讨使吴璘,命令向起、吴挺率领所部阻击防御敌人,经过德顺军时,遇到金军游骑二千多人与官军交战,于是驻守在治平寨。统领官刘海,将

官曹建，率领数百骑兵突然袭击金军，杀死金军将官泼察，活捉俘虏数百人，攻入金军城郭，金人恐惧，于是就撤退了。宣抚司依功论赏，最先出阵破敌的人为奇功，晋升官职四级，以下的各有不同奖赏。吴挺，是吴璘的儿子。

金国主完颜褒派遣伊喇扎巴去招降契丹部耶律斡罕。

乙丑（二十六日），镇江府左军统领员琦，在扬州皂角林与金军交战，打败了金军。

当初，金人夺取扬州之后，就派兵追击刘锜，尾随在宋军之后。至此金人使用全部兵力来抢夺瓜洲渡，刘锜命令统制官贾和仲、吴超等在皂角林阻击敌人。员琦身陷重围，下马拼死搏斗数十回。中军第四将王佐率领步兵一百零四人前往皂角林设下埋伏，金兵入林之后，强弩齐发。金人因为运河岸边地势狭窄，不利于骑兵作战，稍为领兵退却，于是就大败金军杀死金军统军高景山，俘虏数百人。

当时各地向皇帝驻地报捷的人在路上络绎不绝，市民们说："每天都听到捷报诚然可喜，但是每次报捷的战场都比上一次更近了也让人担忧。"

督视军马叶义问读刘锜的捷报，读到金兵又增添生力军时，回头对侍吏说："生力军是什么东西？"听到的人都嘲笑他。当时称他为"兔园枢密"。

丙寅（二十七日），浙西马步军副总管李宝，与金国水军在密州胶西县陈家岛相遇，大败金军。

当初，金国主完颜亮采纳归降人倪询、商简、梁三儿的计策，制造数百艘战船，派工部尚书苏保衡等统帅，约定在十月十八日到海门山，进入钱塘江，事情完成之后，来到长江上迎接大军报告军情。

金人战船停泊在唐家岛，李宝的战船停泊在石臼山，相距三十多里，但每天都刮北风，李宝担忧敌人顺风而来。有大汉军的几百名水手前来归降，所谓大汉军，是征发的上等户壮丁，都是富豪之家的子弟，李宝询问他们，得知了北军的实情。裨将曹洋请求逆风作战，朐山县知县高敞说："不可。彼众我寡，应当避开敌军。"曹洋说："他们虽然人多，但都不熟悉海道。况且归降的人说女真人在船中只能卧着睡觉，一点不能行动，他们虽然人多又有什么用？何况我军深入到此，前面碰到强大的敌人，想撤退，能办得到吗？"李宝乘金人尚未发觉之际，派遣曹洋与裨将黄端向石臼神祈祷改变风向，天亮之前起锚开船，南风渐渐刮起来，众军大喜，斗志振奋。一会儿，靠近敌船，鼓声震动敌垒，金人惊慌失措。金军的船帆都是用油布做成的，舒张起来如同锦绣，绵亘数里，忽然被波涛卷聚到一个角落，拥挤混乱无法恢复船队序列。船中有失火的，李宝命令用火箭射击，射中敌船上的油帆，随即浓烟火焰并发，蔓延烧毁数百艘船。未着火的船只还前来迎战，李宝率军跃登敌船，持短刀拼刺，将敌军杀死在船中，金军中被征发来的士兵脱掉甲衣投降的人有三千多人。俘虏了金军副都统、骠骑上将军、益都府总管完颜正嘉努等五人，杀了他们。苏保衡的船队尚未参战，就迅速撤退；宋军俘获倪询等三人以及金国的诏书印记，以及数以万计的器甲、粮食。

江淮制置使刘锜在瓜洲四天，每日都在战斗。刘锜担忧人心不稳，就派人从镇江接来妻子、孩子以稳定民心。这时候朝廷下诏令刘锜全力防御长江。此时刘锜病情已经加重，于是乘坐肩舆渡过长江，留下他的侄子中军统制官刘汜，率领一千五百人守御瓜洲渡。

均州知州武钜派遣将领与忠义军收复卢氏县。侍卫马军司中军统制赵撙出乎金人意料之外，在隔年的荒草间顺风放火，击鼓前进，金兵溃败。赵撙率领亲兵冲锋追击，杀了金军总管杨寓，于是严申军纪率众入城，秋毫无犯。宣谕使汪澈任命赵撙统帅各军。

在此之前朝廷命令湖北、京西制置使成闵统领各军作为王权的后援，武昌县令薛季宣向汪澈献策，说："成闵的军队已经夺取蔡州，势如破竹，应当随机调用不能派遣声援王权，命令成闵乘敌军空虚攻下颍昌，直达汴京，金人就会内顾京城，必定惊慌溃散。"汪澈不采纳他的建议。

丁卯（二十八日），诏令："蔡京、童贯、岳飞、张宪的子孙家属现在关押在各地州军，一律释放允许自由行动。"这是采纳中书门下省的奏请。于是岳飞的妻子李氏与他的儿子岳霖等人都能够活着回来。

知枢密院事叶义问到达镇江，设立临时行府。

中书舍人兼参谋军事虞允文见太尉刘锜，询问兵败的原因，刘锜说："我自当上交制置使、诏讨史两个官印。"虞允文说："国家的形势已到如此局面，你带着这两个官印打算交还哪里呢？"刘锜羞惭不能回答。

金州统制官任天锡从商州派遣兵力会同虢州忠义首领辛傅等进攻朱阳县，招降了金国的知县事、奉议大夫刘楫，商洛都监、供奉班祗应王元宾，俘虏了九个女真人。

当初，金国主完颜褒被拥立为皇帝后，派遣通事萧恭手持大赦诏令招抚定州各县。到中都，中都代理留守拒绝接受诏令，萧恭立即杀了他，大兴尹李天言因为害怕而服从命令。于是从黄河以北的地方都归附了金世宗完颜褒。

左丞相张浩从汴京抄录了大赦诏令，飞驰奏报金国主完颜亮，完颜亮感叹说："朕准备等平定江南后，再取'一戎衣大定'之义作为年号纪年，此子却在我之前用上了！"立即派遣右议军郭瑞孙回军还攻，下令全部诛杀黄河以北背叛了自己的人。

十一月，己巳朔（初一），诏令："枢密院招募效用军二千人，由忠锐第五将张耘负责办理。"

这一天，金州统制官任天锡进攻虢州。金国守臣萧信迎战失败，逃跑了，于是收复了虢州。

知枢密院事叶义问驻扎在镇江，得知建康府张焘的报告，说金人入侵采石是为渡江做准备，形势很危急，乞求紧急防守江淮。当时制置使刘锜退兵驻守镇江，病情已很严重。叶义问乘坐大船，命令二位校官手执器械，分别守护在马门的左右，到达镇江，听说瓜洲守军与金军相对持，立即惊慌失措。当时江水低浅，沙洲都暴露出来，叶义问役使民夫挖沙成沟，沟深一尺左右，沿沟栽上树枝做成几层鹿角，说："金人如果渡江，姑且用这些东西阻挡他们。"乡民一面服役，一面嘲笑说："枢密是吃肉的人，他的见识还不及我们吃糠的人。夜间涨一次潮水，沙沟都填平了，树枝都被水卷走了。"正好建康府告急，叶义问于是沿陆路进兵。

金国主完颜褒任命左丞相完颜晏兼任都元帅；辛未（初三），任命尚书李石为参知政事。

壬申（初四），观文殿大学士、新判谭州张浚，改任判建康府并兼任行宫留守。召资政殿学士，知建康府张焘赶赴皇帝驻地。

以宁国军节度使、池州驻扎御前诸军都统制李显忠任建康府驻扎御前诸军都统制，以亲卫大夫、常德军承宣使、侍卫步军司右军统制邵宏渊任池州驻扎御前诸军都统制。

诏令："进献资财而授予官职的人，一律减少官职价值的十分之二，给予免除铨试的待遇，还要作上书献策的题目，办理为官户，永不改动。"自从下达鬻爵令半年，愿意购买初品文官官阶的人才一个，有人建议减少捐资数额以招来买官的人。

镇江府中军统制刘汜，与金军在瓜洲镇交战，打了败仗。

当时金人派重兵进攻瓜洲，权都统制李横率领诸军迎战。叶义问督促镇江驻扎后军渡江，众人都认为不行，叶义问强制他们执行命令。还没有到达北岸，叶义问的害怕胆怯流露在脸上，立即命令向西离去，说："准备前往建康府催促各军出征。"百姓都辱骂他。刘汜率领本部士兵先跑了，各军都不进攻。李横认为孤军奋战不能抵挡敌人，也逃跑了，还丢失了他的都统制大印。金人铁骑追击到长江边上，左军统制魏俊，后军统制王方，战死在柳林中，都遍体鳞伤。刘汜生性骄纵懒惰，不懂军事，至此最终失败了。

叶义问到达离镇江三十里的下蜀镇，有紧急军情报告说："官军败退，瓜洲渡被金人占领。"叶义问大惊，问："山路可以通往浙东吗？"诸位将领都大声喧嚷说："枢密不能退回，退回就会遭到不测。"左右亲信也感到害怕，于是请求叶义问迅速赶往建康。

江州右军统制李贵率兵到达颍河，焚烧了金人的运粮船只，获取了很多金帛，于是进攻颍昌。

金人派遣一百骑兵到达无为军，左朝奉大夫、知军事韩髦先逃跑了，市民的房屋都被恶少烧毁。

癸酉（初五），淮宁人陈亨祖捉获了金国的同知陈州事完颜耶噜，献城前来归顺。陈亨祖，是陈州的大富豪，宋高宗下诏任命他为武翼大夫、忠州刺史、知淮宁府。

侍卫马军司中军统制官赵撙离开蔡州去援助成闵，留下从义郎、鄂州驻扎御前军正将李洵担任知州事。李洵是蔡州人。此时金人所任命的刺史萧懋德，又攻入城内占领了蔡州。

甲戌（初六），罢龟王权让他赶赴皇帝驻地，任命李显忠代替他的职位；命令中书舍人、参谋军事虞允文前往芜湖，督促李显忠接管王权的军队，并且在采石犒劳军队。

当时建康府知府张焘，到府才十多天，夜里二更时分，虞允文叩击府门求见说："这是什么时候，而您还想安然入睡吗？"张焘说："近来人情汹汹，太守不以镇静来稳定人心，人心必不安宁。虽然如此，舍人有什么见教？"虞允文说："侦察兵报告敌人打算明天渡江，约定在玉麟堂做早饭，您有什么对策对付他们？"回答说："张焘拚死留守，不考虑其他！舍人平常把名节看成自己的责任，正当建立奇功以安社稷。"虞允文说："这是我一贯的志向，只决定于您的一句话啊。"

在此之前金国主完颜亮被内部变乱所干扰，亲自率领细军驻扎在和州的鸡笼山，采纳了宦官梁汉臣的建议，准备从采石渡江。于是带领一千多骑兵拜谒西楚霸王项羽的祠堂，感叹说："这样的英雄，没有得到天下，的确令人惋惜！"

乙亥（初七），金国主完颜亮在江边修筑祭坛，杀死白马、黑马各一匹以祭天，将一只羊一头猪投在江中祭江，召都督完颜昂、副都督富里珲对他们说："战船已经齐备，可以渡江了。"

富里珲说："臣看到宋国的船只很大，我们的船只小行动迟缓，担心不能渡江。"金国主完颜亮大怒说："你过去跟随梁王追赶赵构进入大海，难道都是大船吗？明天你与完颜昂先头渡江！"完颜昂听说想让他渡江，悲伤惧怕，准备逃跑。到了晚上，金国主完颜亮派人告诉他说："先前说的话，是因为一时发怒，不让你先头渡江。"

丙子(初八)，中书舍人，督视江淮军马府参谋军事虞允文，督帅水军在东采石大败金兵。

虞允文到达离采石十多里的地方，听到战鼓声声振动原野。虞允文看到官军十五成群坐在路旁，询问他们，大家说："王节度使在淮西发布命令，令抛弃战马渡江。我们都是骑兵，现在已经没有了战马，我们不懂得步战。"

随从的人都劝虞允文返回建康，说："事态发展到此地步，都是被别人搞坏的。况且督府只委任您犒劳军师，并不是委任您督战，为什么替人承担责任！"虞允文不听他们的建议，策马到采石，来到江边，望见江北敌人的营寨，没有尽头，而王权所剩下的兵力才一万八千人，数百匹战马而已。

金国主完颜亮派遣武平军都总管阿林、武捷军副总管阿萨率领水军先渡江，宿直将军温都沃喇、国子司业梁钦等都参战。金国主完颜亮登上高台，张开黄盖，身穿金甲以观战。

宋军已经做好了逃跑的准备，虞允文召集军中统制张振、王琪、时俊、戴皋、盛新等人与他们交谈，对他们说："万一敌人渡过长江，你们逃跑又能跑到什么地方去？现在前面控制大江，地利在我一方，不如死中求生！况且朝廷养了你们三十年，反而不能决一死战报效国家？"大家说："难道我们不想作战，谁来指挥？"虞允文说："你们只因为受到王权的错误牵连才到了如此地步，现在朝廷已经另外选择将领来指挥这支军队。"大家惊愕地问："谁？"虞允文说："李显忠。"大家都说："选对了人！"虞允文说："现在李显忠还没有到来而敌人已发起渡江，我们应当身先士卒拼死作战，与各军齐心协力决一死战。况且朝廷拨出内帑金帛九百万缗，给节度、承宣、观察使的委任状都在这里，有功的人当即发给金帛奖赏，填写委任状授予官职。"大家都说："现在已经有了指挥的人，请允许我们为了舍人决一死战！"虞允文当即与时俊等人谋划，在长江岸边严整排列步兵、骑兵，而用海鳅船以及战船运载士兵布防在长江中流阻击敌人。当时水军将领蔡甲、韩乙各有战舰，都口头答应却按兵不动，于是急忙命令当涂的民兵登上海鳅船踏车。军人告诉民兵说："此处是必死之地，如果齐心协力求生存，还有一线返回的希望。"民兵都认为说得对。

布防列阵刚刚结束，刮起了大风。金国主完颜亮亲自手执小红旗，指挥战船从杨林口首尾衔接而出。金军所用的战船，都是拆了和州百姓房屋中的木板制造的，以及掠夺江中守军的战船，船中被砍断的手指可以用手捧起来。敌人开始以为采石没有守兵，而宋国各将都埋伏在山沟里，敌人没有发觉，一旦发现，大吃一惊，想后退已不可能。敌人的战船快要靠岸，宋军稍为后退。虞允文在阵列中来回巡视，看到时俊，拍着他的后背说："你的胆略传闻四方，现在站在军阵后面，就是小儿女子的胆量啊！"时俊回头说："舍人在这里。"随即手挥一双长刀冲出阵列。江风忽然停止，宋军指挥海鳅船冲撞敌人的战船，敌人的战船就被撞成两截。宋军呼喊："王师胜利了！"于是全力冲击敌军。金人所用的船，船底宽阔如同箱子，行动不方便，加上不熟悉江道，都不能移动，其中能放弓箭的，每艘船上只有十几个人，于是都在

江中淹死了。有一艘船漂流到了薛家湾。薛家湾在采石的下游数里的地方，有王琪的军队驻守在那里，以劲弓齐射，战船无法靠岸，战船上的人大多抱着船板被淹死。这次战役，战舰始终没有出战，虞允文追究蔡、韩二将的责任，分别鞭打一百。金国士兵没有死在江中的，金国主完颜亮全部将他们打死，对战船不能渡过长江十分恼火。

当初，金国主完颜亮问："往年梁王如何能够渡过长江的？"有人回答说："梁王从马家渡过江，长江南岸虽然有守兵，看见我军立即奔散逃跑，船靠岸后，已经没有一人一马了。"金国主完颜亮说："我渡江也会像这样的。"

金国战船从杨林口出发，当涂的老百姓在采石的上下游观看的人，十多里接连不断。金国主完颜亮望着他们说："我们放船进入长江，而山上的人都不逃跑，为什么？"

正当敌人战船尚未败退时，恰好淮西的溃散士兵三百人从蒋州顺江而来，虞允文授给他们战旗战鼓，让他们充当军队疑惑敌人。敌人败退后，虞允文立即写成捷报奏报朝廷，并且杀牛置酒以慰劳军队。夜半时分，又重新布阵待敌。

王琪，是王德的儿子。盛新，是亳州人。张俊攻下亳州时，盛新带着家属前来归顺，等到奏报朝廷之后封为正使兼阁职，逐渐升为正将，隶属于中军，至此担任水军统制。

金州统制官任天锡攻取商洛、丰阳各县。

丁丑（初九），早晨，虞允文、盛新率领水军直逼杨林河口，告诫说："如果敌船从河口开出，立即齐力射击，必须与之争死拼搏，不让一船冲出。如果河口没有敌船，就使用克敌神臂弓射击北岸。"盛新就在江心停下战船，齐力射敌，敌人骑兵望见水军，迅速后退，那些上岸的士兵都陷入泥中而死，宋军又在上游点火焚烧金军剩余的船只。虞允文第二次写成捷报奏报朝廷，并且说："敌军还会来犯，臣不能马上离开，暂且留守在这里与统制官共同谋划战守，必须等到一位大将来后，才敢返回建康府。"

金国主完颜亮既然无法渡过长江，就口授诏书，命令参知政事李通记录，以欺骗王权说："朕率兵南渡，你以前望风而逃不敢迎敌，可见你深知天威严明。朕现在到长江边，看见长江南岸守兵也不多，但朕所造的战船，与南岸的大小不相配，加上你们的水军进退有章法，朕很赏识。如果你尽到陪臣之礼节，率领全军来降，高官厚禄，朕在所不惜。如果执迷不悟，朕现在前往瓜洲渡江，必不饶你！"派遣在瓜洲所俘虏的镇江军校尉张千，驾船带着信来到军前，将士都惊惧变色，虞允文马上说："这是反间计，想分裂我军。"当时新任命的都统制李显忠也从芜湖来到，对虞允文说："既然如此，也应当把朝廷查办王权的事告诉他们，这样断绝他们的希望。"虞允文认为正确，就写了檄文说："以前王权望风而逃，让你猖狂至此。朝廷已将王权依法重处。现在的统兵是李世辅，你难道不知道他的名声？如果前往瓜洲渡江，我们本来就有准备。不要虚言恐吓，只准备大战一场以决雌雄吧！"派遣所俘虏的两个女真人前往送信。

金国主完颜亮看到檄文，大怒，于是焚烧了宫人乘坐的龙凤车，杀了梁汉臣以及两个造舟的人，于是开始有瓜洲之议。

戊寅（初十），诏令殿前司派遣一千名官兵前往江阴军，马步军司各派遣五百人前往福山，协同民兵防守江面。

己卯(十一日),观文殿大学士、醴泉观使兼侍读汤思退任行宫留守。

三省、枢密院上奏将士阵亡的推恩标准:横行遥节官员给以九资,横行遥刺官员给以八资,遥郡官员给以七资,遥刺正使、横行副使官员都给以六资,副使给以五资,大使臣给以三资,小使臣给以二资,校官副尉以及军兵和节级都给以一资。诏令用黄榜告知各军。

金国主完颜亮率领他的军队前往淮东。

辛巳(十三日),金国主完颜褒将前往中都的日期向群臣公布。壬午(十四日),诏令中都转运使左渊说:"凡是宫殿的摆设,不能增置,不能役使一个民夫以免烦扰百姓。"

癸未(十五日),四川宣抚使吴璘从仙人原返回兴州。

当时西路的军队已经攻下了秦州、陇州、洮州、兰州,而金州王彦的军队向东攻取商州虢州,金人派重兵据守大散关不投降。正遇吴璘生病,于是暂时回到兴州,留下保宁军节度使、兴元诸军都统制姚仲在仙人原指挥军队。

当初,金国主完颜亮前往淮东之后,中书舍人虞允文对建康都统制李显忠说:"京口没有设防,我现在准备前往,你能分出一部分兵力援助吗?"李显忠说:"遵命。"当即分派由主管侍卫步军司公事李捧率领的一万六千人及战船前来京口会合。

虞允文到达建康,留守张焘对他说:"金人约定八天之后到这里会餐,让我到哪里去?"大家商议谁可以前往镇江镇守,都面有难色。张焘说:"虞舍人已经建立了大功,可担负此责。"虞允文欣然接受使命。到达镇江,拜谒招讨使刘锜探问他的病情,刘锜握着虞允文的手说:"生病何必探问!朝廷养兵三十年,大功竟然出自书生之手,我们惭愧死了!"

甲申(十六日),威武军承宣使、知舒州张渊代理主管淮西安抚司公事,拱卫大夫、和州防御使淮南东路马步军副都总管贾和仲任权知扬州兼主管淮东安抚司公事,等候收复这些地方后陆续前去就职,都是采用叶义问的奏请。

扬州、庐州失守之后,叶义问说:"淮南东路的通州、泰州,紧靠盐场,是财源所在地,现在有忠义寨的二三万人。淮南西路的舒州、蕲州,是流民的聚集地,正可以大量招募士兵以壮大军威。"于是乘机选用张渊与贾和仲二人,还命令贾和仲暂时在泰州设置官署。

金国主完颜亮到达扬州。

乙酉(十七日),武略郎、阁门宣赞舍人、镇江府驻扎御前中军统制刘汜,特诏赦免死罪,除名免职,到英州接受编管处罚。

王权和刘汜败军之后,就先罢免王权职位改为在外宫观官。等到吴芾奏报王权的罪状,宋高宗很生气,准备依法杀了王权以激励各将。同知枢密院事黄祖舜私下对宋高宗说:"王权罪当该死,然而王权被杀那么刘汜就不能特赦,如果特赦刘汜却杀了王权,这就是所谓罪同罚异。想到刘锜建立了大功,现在又听说病情很危险,刘汜被杀,刘锜必定愧恨而死。这样国家就会因为一场败战而自杀三位大将,这不正让敌人感到高兴吗?"宋高宗采纳了他的意见,二人得以不死。

金州都统制王彦所派遣的第七将邢进收复华州。

王彦攻取商州、虢州之后,于是进驻虢州,令统制官兼知巴州吴琦率领他的军队策应声援。吴琦到达虢州的板桥,遇上敌人,与敌交战,他的儿子吴汉臣战死。统制官任天锡率兵

到达,攻击华阴县,杀了金人任命的华阴县令,进攻华州,没有攻破,王彦另派邢进率领他的军队前往。当时金兵分兵屯守渭南,城中兵力少,邢进乘胜攻克华州,俘获金国任命的华州同知、昭武大将军韩端愿等二十多人。

金国主完颜褎追尊他的父亲豳王完颜宗辅为皇帝,谥号简肃,庙号睿宗,改名为宗尧;追尊他的母亲富察氏为钦宪皇后,追尊李氏为贞懿皇后。群臣奉上尊号为仁明圣孝皇帝。

丙戌(十八日),权礼部侍郎黄中说:"本朝仿照唐朝的制度,设立九庙,现在的宗庙,从僖祖、宣祖以及列祖列宗,共九代而设十一室,请遵照已经推行的典章制度,将翼祖神位迁出而将钦宗的神位恭奉入宗庙。"诏令恭行办理。

丁亥(十九日),太尉、威武军节度使、镇江府驻扎御前诸军都统制、江南、淮南、浙西路制置使兼京东、河北路招讨使刘锜,改任提举万寿观,这是因为他生病而自己奏请的。

翊卫大夫、利州观察使、御营宿卫中军统制刘锐,代理镇江府驻扎御前诸军都统制。

湖北、京西制置使成闵,从京西返回,在建康拜见叶义问,第二天,到达镇江。成闵在京西,接到金字牌令他策应建康江面的防御。成闵对能够返回很高兴,日夜兼程策马疾奔,士卒冒着大雨,粮食不能及时供应,大多数士卒死在行军途中。成闵率领马军出外戍守,沿途犒劳的物资不可胜数,全部占归己有,不奖赏士卒。等到返回镇江后,有的军士在街上因为喝醉了酒说出怨恨成闵的话,成闵杀了他。

戊子(二十日),四川宣抚使吴璘,又带病上仙人原。

御营宿卫使杨存中,建康府都统制李显忠,说现在率领将士齐心协力,必定要战胜敌人,乞请稍为推迟进攻日期,宋高宗同意了。

当初,宋高宗因为瓜洲失利,紧急命令杨存中前往镇江负责长江防务,而且命令官员埋设鹿角暗桩等障碍物,从镇江一直至江阴境内。当时长江沿岸才有二十四艘车船,不久虞允文与李显忠所派遣的战船也到达。

浙西副总管李宝率领他的军队航海南归。

李宝在胶西取得胜利之后,正好听到金国主完颜亮已经渡过淮河的消息,于是退军驻扎在东海县。不久山后统制官王世隆、开赵都来此会合,李宝命令开赵率领他的部众沿海行军,而与王世隆同船赶赴行都。

己丑(二十一日),金国主完颜褎到达中都,住在小口,派中都留守完颜忠宪先入城。

庚寅(二十二日),金国主完颜亮驻扎在瓜洲镇。御营宿卫使杨存中,中书舍人、督视府参谋军事虞允文,因为敌骑窥视江面,担心车船临时不能使用,就与淮东总领朱夏卿、镇江守臣赵公偁在江边测试,命令将士踏着车船直趋瓜洲,快靠岸时,又掉头返回,金兵都手持弓箭严阵以待。宋军船只在长江中流上下行走,围绕金山走了三圈,回转如飞。金人看得恐惧惊愕,赶快派人报告金国主完颜亮,完颜亮观看了宋军船只,笑着说:"这不过是纸船罢了。"于是请各将入座,一将领向前跪着说:"宋军早有准备,不能轻视。况且采石渡比此处还狭窄,而我军还失利了,希望在扬州驻防,发展农业训练兵力,慢慢谋图进攻机会。"金国主大怒,拔出佩剑数落他的罪状,命令杀了他。该将领哀求谢罪很长时间,才杖责五十,释放了。

癸巳(二十五日),庆远军节度使、龙神卫四厢都指挥使、主管侍卫马军司公事、充湖北、

京西制置使成闵，兼任镇江府驻扎御前诸军都统制，充任淮南东路制置使、京东西路、河北东路、淮北泗州、宿州招讨使；任命宁国军节度使、建康府驻扎御前诸军都统制李显忠为淮南西路制置使、京畿、河北西路、淮北寿州、亳州招讨使；任命潭州观察使、捧日天武四厢都指挥使、鄂州驻扎御前诸军都统制吴拱为湖北、京西制置使、京西北路招讨使。

甲午（二十六日），金人分兵侵入泰州。

当初，金国主完颜亮军令残酷峻急，强迫将士准备渡江，骁骑高僧想煽动他的党羽逃跑，事情败露，下令众人用刀挫死他。于是下令："军士逃跑杀他的领队，部将逃跑杀他的主帅。"因此大家更加害怕。这一天，约定明天渡江，胆敢落后的处死。众将都想逃跑，去与浙西路都统耶律元宜决定大计，这时明安唐古乌页说："前面有淮水阻隔，渡过淮河就会被俘，不若共同杀了完颜亮。"耶律元宜说："等我的儿子旺祥来后，与他商量。"当时旺祥担任骁骑都指挥使，在另外的军营，耶律元宜秘密召他前来，于是就相互约定，等到明晨卫军交接班时就发动政变。耶律元宜先欺骗他的部众说："皇上有令，你们都丢掉马去渡江。"大家问："怎么办？"耶律元宜说："新天子已在辽阳立位，现在应当共行大事，然后全军返回北方。"大家都同意了。

乙未（二十七日），黎明，耶律元宜、旺祥与武胜军总管图克坦守素、明安唐古乌页等率领部众进犯御营。金国主完颜亮听到混乱声，以为宋军突然袭击，近侍大庆善说："事态危急，应当出营避乱。"金国主完颜亮说："到哪里去避乱？"正准备取弓箭，已中箭仆倒在地，乱兵用刀刺击，手足还在动，于是绞死了他。骁骑指挥使大磐领兵来救，旺祥出营，对他说："来不及了。"大磐就停止了。军士将行营中的衣服日用品抢得一干二净，于是用大磐的衣巾，包裹好完颜亮的尸体焚烧了。耶律元宜代行左领军副大都督事，因为南伐的计谋都起于尚书右丞李通、近侍局使梁统，而监军图克坦永年又是李通的儿女亲家，浙西路副都统郭安国被众人所恨，都杀了他们，还杀了大庆善。

金人攻破泰州。

在此之前泰州守臣奏请担任宫观官离去，通判王涛代理州事。九月，王涛以迁移治所为名而离去，留下知州的官印交给兵马都监赵福。金人进攻淮甸，水寨都统领胡深与他的副职臧珪抛弃了水寨，率领乡兵二千人进驻泰州，依仗兵势欺凌赵福。赵福向叶义问申告，叶义问任命胡深代理知州，胡深任命臧珪代理通判，赵福代理本路军马都监。淮南转运副使、提领诸路忠义军马杨抗，又任命他的右军统领、成节郎沙世坚担任海陵县丞兼知县。胡深听说金人准备进攻泰州，与沙世坚率领部众弃城先逃跑了。臧珪挖开了姜堰，全部泄流了运河水。此时金国细军到达城下，于是直登城墙，纵火掳掠，赵福死于乱兵，城中强壮的男女，都被金兵抢掠走了。

戊戌（三十日），是显仁皇后的禫祭祭日，宋高宗在偏殿举行祭礼。

金国都督府派人持檄文来镇江军议和。

当初，金国主完颜亮被杀后，各路金军喧哗不定。户部尚书梁球听说叛乱，策马入营，说："已经如此，当然无可奈何，然而正在与敌国相对持，不知如何善后？"众将都不说话。梁球说："应当安抚稳定各军，不要让他们喧嚣混乱，慢慢考虑对策也行。"众人稍稍安定，梁球

就拿来纸笔起草檄文，说金军回师与宋国讲和等事。檄文写好了却没有送信的人，寻访到在瓜洲被俘虏的成忠郎张真，就派他南渡送信。

十二月，己亥朔（初一），侍卫马军司中军统制赵撙收复蔡州。

当初，赵撙从蔡州率兵南归后三天，走到麻城县，又接到诏令与鄂州都统制吴拱、荆南都统制李道同力攻取敌城。二人还未到达，赵撙迅速直趋城下。金人所任命的刺史萧懋德闻讯赵撙已至，依城建寨，相持了两个月，不出城应战。到此时天尚未亮，赵撙命令将士潜入城内。城墙上没有楼橹，不能防守，萧懋德逃跑了。

成忠郎张真从扬州金国营寨来到镇江，拿出所携带的金国檄文，檄文说："大金国大都督府牒告大宋国三省、枢密院：国朝太祖皇帝创业开基，享有天下，至今四十多年，这期间讲信义修和睦，停止战争，百姓安居乐业。不料正隆皇帝失德，师出无名，使两国百姓无辜遭受涂炭之苦。现奉新天子明诏，已将正隆皇帝废除处死。大臣将帅，正在商议班师回京，两国应当休兵以重修旧好。务请回复牒文。大定元年十一月三十日牒文。"

督视行府给金军回复牒告说："本月一日接到来文，照会正隆皇帝被废除处死的事，除了已将原文上奏朝廷外，再传递文牒照会。绍兴三十一年，十二月一日。侍卫马军都指挥使、御前诸军都统制成闵，太傅、御营宿卫使、和义郡王杨存中。"

右武大夫、吉州刺史、知通州崔邦弼，听说泰州被攻破，准备弃城而逃，担心百姓不愿意，在夜间二更时分，派人到城内纵火，乘喧闹混乱之际径直出城，渡江到达福山。

庚子（初二），诏令："淮东制置使成闵，原来带到鄂州的军马，近日调回原驻地。"有的朝臣说："金国主亲自率领重兵，来到淮东，日生奸计，一心准备渡江，所以朝廷督责各路将领，严加防御。现在镇江已有原来屯驻的军马，现在属都统刘锐统管，还有步军李捧、都统邵宏渊以及殿前司各军精锐，全都集中在京口一带。近日制置使成闵又从襄阳、汉水率兵前往镇江防守，还顺带鄂州所驻人马同来镇江。既然有各路军马集中在这里，现在又加上成闵的军队，这样军势不能说不强盛；占据天险抗击敌人，自然足以制敌取胜。然而听说金人现在有十多万兵力屯驻聚集汴京，十分担心敌人知道我重兵全都集中在镇江，而襄阳、汉水一带兵力空虚。如果派精兵袭击我上游地区，吴拱虽有军马驻扎在那里，但势力单薄，仓卒应战，我们虽想策应援救，但逆流而上数千里之远的路程，怎能在旦夕之间到达！奏请将成闵带来的鄂州军马迅速调回原驻防地，仍告诫吴拱侦察清楚敌情，严密防御，经常谋划应付敌人的对策，这样就能首尾照应不致落入敌人诡诈的圈套。于是发布这道诏令。

在此之前成闵命令鄂州水军以及胜捷军统制张成、后军统制华旺所指挥的军队随他一起行动，此时就命令张成等返回鄂州驻守。

太傅、御营宿卫使、和义郡王杨存中，淮东制置使成闵，中书舍人、督视江淮军马府参赞军事虞允文，司农少卿、总领淮东军马钱粮朱夏卿等奏报金兵已杀死金国主完颜亮，宋高宗说："此人篡夺君位杀害母亲，违背盟约发动战争，自从采石与海道遭到失败后，得知金国已被他人占据，就准备全力决一死战。现在突然被杀，朕当择日亲临江边，祭扫祖宗陵寝，肃清京都敌人，但是告诫各将不杀无辜，这是朕的志向。"

当初，金国骑兵窥视长江，朝廷群臣惊恐，争相将家属逃匿在外。只有权礼部侍郎黄中

对他的家人说:“天子六宫在此,我是侍臣,你们还想到哪里去呢?”等到金兵败退,只有黄中与左仆射陈康伯的家属在城中,众臣都惭愧佩服。

当时杨存中与虞允文商议一起到长江北岸侦察敌情,将士害怕不敢去,虞允文、杨存中只乘轻舟渡江到达北岸。宋高宗对陈康伯及留守汤思退说:“杨存中忠诚无人可比,是朕的郭子仪。”

金人派水军进攻茨湖,官军击退了他们。茨湖在汉水之南,与光化军相对,有鄂州副都统制李胜、荆南副统制张进的军队驻扎在此。至此金人用船只运载军队渡汉水,是准备进攻襄阳,恰遇风势不利,不能靠岸。鄂州前军旗头史俊挥舞战旗涉水前行,直接登上一艘敌船,大声说:“前军建立大功了,各军应该迅速进攻!”金人当初没有预料到他能登船,于是惊慌失措,队伍混乱,有人落水淹死。各军相继出击,史俊杀死金国的一个千户官,夺取数十只船,金人就撤退了。

辛丑(初三),右武大夫、宣州观察使、添差两浙西路马步军副总管兼提督海船李宝担任靖海军节度使、两浙西路、通、泰、海州沿海制置使、京东东路招讨使。

诏令御营宿卫使杨存中率领右军统制苗定所管的步军前来护驾。

当初,宋高宗准备到建康安抚军队,而钦宗神位还未恭奉入宗庙,行宫留守汤思退打算省去虞祭迅速将神位恭奉入宗庙而让皇上脱下丧服出行,已经过了十天,到这时权礼部侍郎黄中说不行,宋高宗采纳了黄中的意见。有人还说穿丧服不能进入军营,宋高宗说:“我本来就已身穿孝服诏告天下了。”最终同意了黄中的建议。

枢密行府商议派兵过江,于是檄令淮西制置使李显忠迅速挑选精锐兵力到镇江府会合,所有采石一带留下的军马,命令池州都统制邵宏渊代管。

金国统军刘萼,听说茨湖军败,就班师回营,军队没有队列,很多人迷路,被乡民所杀。在泰州的细军也弃城而逃。

壬寅(初四),观文殿大学士、醴泉观使兼侍读、充行宫留守汤思退、乞请铸刻行宫留守印章,仍在尚书省设置留守官署,发出的文书依照尚书省的格式,应办理的事务可以随机办理,施行之后再奏报朝廷。又奏请任命敷文阁侍制、知临安府赵子潚兼充参谋官,尚书右司员外郎吴广文充任参议官,秘书省正字芮晔担任主管机宜文字,枢密院编修官郑樵、各王宫大小学教授吴祇若,司农寺主簿韩元吉一并任干办公事,宋高宗都批准了。

崇信军节度使、开府仪同三司、领殿前都指挥使职事赵密担任行宫在城都总管,利州观察使、殿前司策选锋军统制张守忠担任行宫在城都巡检,武功大夫、侍卫马军司右军统制、权主管本司职事张仔担任行宫城北巡检,右武大夫、忠州团练使、侍卫步军司神勇军同统制、权主管本司公事王存担任行宫城南巡检。

这一天,主管侍卫马军司公事、淮东制置使成闵,从镇江率兵到扬州,御营宿卫使杨存中,也派右武大夫、权殿前司右军统领李伋从江阴军率领所部渡江到石庄发动进攻。当时叶义问派遣使臣李彪侦察金人撤军的动静,成闵让他报告说:“成太尉的大军在杨子桥与敌军对持,不久就会有一场大战。”路人纷纷说金人已经撤退,扬州空虚,成闵的计策没有实现,就派马军司的军队从天长追袭敌人,主管侍卫步军司公事李捧也率领神勇军袭击敌人。敌军

共几万人，其队列如林，追袭的宋军都不敢接近他们，只是远远地监视他们出境而已。

癸卯（初五），诏令："金人违背盟约，侵攻我国边界，近期大兵出征，朕亲自前往视察军队，希望文武群臣，各负其责，安宁朝廷内外，共建大功。"

诏令："四川宣抚司统率军马逐路进讨，恢复沦陷的州县，虽然是分路调遣，也应当常常互相通报，互相策应援助，不能随意划分彼此，一定要同心协力，共建大功。各路招讨使司依此照办。"

诏令枢密行府向沿江各大将帅传达指令，各自奏报进讨收复失地的事宜。资政殿学士、知建康府张焘首先陈述十件事，大概是说要充分准备应付意外事变，保持稳重培养威严，观察敌情再作行动，必将取胜。

拱卫大夫、和州防御使、权知扬州贾和仲听说敌人撤退，就只身骑马入城，此时城中还没有官吏。

池州都统制邵宏渊从芜湖率领亲兵到达采石。

甲辰（初六），三省大臣呈献金国都督府文牒。宋高宗说："金国主完颜亮既然已经被杀，剩下的都是南北两地的百姓，被迫来战，他们又有何罪！现在立即袭击追逐，固然能让他们车马不返，然而为什么要杀他们！只要檄令各将相继进兵会师京畿，收复原有疆土，安抚我国人民就足够了。"左仆射陈康伯请求率领百官朝贺，宋高宗说："不必了，等到回到汴京，与群臣共同庆贺。"

殿前司右军统制、权知泰州王刚，率领所部人马到达泰州。

均州忠义统领昝朝等再次占据邓州。

当初，敌将刘萼在茨湖打了败仗，退军到邓州，驻扎在城北八里的地方，金国武胜军节度使、威略军都总管萧中一也携带家属出城，驻扎在刘萼军营的南面，金国的同知、节度副使都带着家属逃跑。萧中一将留守州城的事务交付给监仓王直，萧中一对白千户、三户穆昆说："现在屯驻邓州的军队，全部被都统带走了。城中的士兵都是本地人，万一作了宋兵的内应，怎么办？"大家都知道萧中一有归顺宋国的心意，就随声附和罢了，在座的人中突然不见了白千户，萧中一怀疑他跑去向刘萼告发，于是率领他的奴婢携带家属向南逃去，迷失了路，多次遭到乡村土豪惊扰而失散。到达州城以北一百多里的地方，萧中一被杀，第二天早晨，金人都向北撤离。

录事参军高通听说刘萼的军队已经撤退，就召集军民对他们说："现在宋军已经临近，此时不做决定，城中之人都不能保住，请立即决定怎么办。"大家请高通代理节度副使，高通说："邓州本来属大宋所有，现在金国已经抛弃我城中的官吏、军民，与各位一起归顺大宋，怎么样？"大家都听从命令。忽然有报告说城下有十多个骑兵来到，询问他们，原来是昝朝的军队，于是投降。昝朝，本来是邓州的弓箭手，在山中聚众抗金，投靠了均州守臣武钜。

乙巳（初七），淮西制置使李显忠从芜湖率兵渡江。

当时金军还驻扎在鸡笼山，而李显忠的军队驻在沙上。观文殿大学士、判建康府张浚，从长沙接到调令，即日启程，经过池阳前往慰劳军队，用建康府的激赏物资犒劳军队，全军突然看到张浚，以为他从天而降。张浚告诉李显忠说："圣驾准备巡视，到这里时如果敌人没有撤退，保证没有危险吗？”李显忠就率领人军渡过长江，到达离和州三十里的地方，与金军相持，然而金兵也不撤退。

池州都统制邵宏渊，从采石又返回芜湖，仍在大信、裕溪河口布置防御。

丙午（初八），淮东制置司统制王选等收复楚州。

丁未（初九），鄂州统制官王宣到达邓州。

在此之前昝朝已经入城，派人报捷，京湖制置使吴拱派王宣率领七百骑兵赶赴邓州，吴拱相继到达，又派训练官朱宏、王彦忠等率忠义人进占汝州。

均州乡兵总辖庄隐等攻占河南府。

在此之前金人派二千兵力驻守长水县，金州都统制王言派遣将官杨坚、党清率兵会同忠义人前往攻破长水县，杀死金将二人，俘获部将王保以归，于是收复长水县。杨坚因为深入敌阵，战死。党清率领他的军队进攻嵩州，攻克嵩州城，又攻克永安、寿安二县，于是发兵攻入河南府，官民都前来归降。

戊申（初十），宋高宗从临安府启程。

江南东路转运判官李若川、柳大节说：“金人违背盟约挑起战争，上天降下灾殃，金国主被杀，兵众逃亡。而传说他的儿子留守京东，军马很多，有亲信统帅军队，势必阻击回归的金军，以报擅自杀主之仇。现在渡过淮河的敌兵，伤亡虽然很多，还有十多万兵众，不肯束手就毙，也必定尽力搏斗。加上金人巢穴，还有很多完颜家族的人，难道没有守国的军马，必定不会拥戴旧国主的儿子，也不肯帮助杀死国主的兵众，一定会图谋自立国主，然后互相攻杀，直到杀尽为止。乘此机会，契丹族乘机起兵，超过以往五单于争国的局势，各方自救不暇，哪里有功夫再占领中原！百姓蒙受祖宗德泽深厚，每日想着箪食壶浆来迎接朝廷的军队，这的确是上天赐予的收复失地的时机，不能失去这次机会。然而王师大规模出兵，尤其要慎重，以成就万全之功劳。一、请求让将士稍事休整，以养精蓄锐；二、请求准备钱粮，不致缺少；三、请求增添器甲，以准备分发给中原的义兵，因为义兵虽多，只是缺少器甲使用；四、请求利用敌人想重新讲和的心理，用好听的话引诱迷惑他们；五、请求多派人暗中联络中原义兵，让他们策应援军；六、请求用厚赏招募人员侦探敌情，以便进取；七、请求召集各位大帅共商军事，不致临时商议发生分歧。然后各路一起出兵，不仅恢复中原易如反掌，也可以一举扫清北国朝廷。”

左朝奉大夫、提举江南东路常平茶盐公事洪适说：“金国主完颜亮死后，新国主改年号为大定，各国未必都服从。如果能顺应天时，遣使前来归还疆土，那么王师不动刀枪就可以得到土地，实在是天下幸事。万一敌人兵力还强大，从淮河以北，再没有与之争位之人，就应当多派有胆量的人，秘密传达朝廷檄文，让中原义士，各自攻取所在的州县，并交给他们管辖。王师只留守屯驻在淮水、泗水一带，招募兵员筹集粮食作为声援，不必轻易踏入金境致力夺取。等到汉、蜀、山东的军队几路会合，见机进兵，最迟不过一年半载，一定有机可乘，收复失地，何止势如破竹！这样兵力不致劳顿，又可以万无一失。”

庚戌（十二日），宋高宗到达秀州。

这一天，金人的大军从盱眙全部渡过淮河。

当初,淮东制置使成闵率领所部追袭金军,阁门宣赞舍人、知泗州夏浚听说敌人北归,于是焚烧了泗州城而向南撤离,金人就派遣千户官先到泗州,撤屋建三座浮桥,很快架成,第二天金军到达,都下马乘桥过河。金军全部渡过淮河后,成闵的军队到达盱眙,在淮河南岸排列,金人嘲笑说:“转告成太尉,有劳相送。”这时龟山一带的道路上,金人遗弃的粟米堆积如山,多次征发山东、河北百姓,命令他们将粮食送往平江府、秀州等地,官军的粮食供应正不足,就依靠这些粮食保证了供应。

辛亥(十三日),宋高宗到达平望。壬子(十四日),宋高宗驻泊姑苏馆。权枢密院事叶义问从建康归来,太傅、御营宿卫使杨存中从镇江归来,都入见宋高宗。守臣徽猷阁直学士洪遵进献洞庭出产的柑,宋高宗不接受,从此皇帝所经之地再没有人进献物品。

癸丑(十五日),宋高宗乘马到达平江府行宫。当时御营宿卫使司右军统制苗定率领所部兵马到达平江,就任命苗定兼任权主管行在殿前司职事。

鄂州水军统制杨钦率领水军追击金军,追到洪泽镇,击败金军。夜间,镇江府统制官吴超,派遣部将段温等追击金军到达淮阴县,又打败了金军,俘获了金军的很多船只粮食。

这天夜间,淮东制置司刘锐、陈敏等率兵进入泗州。

金人渡过淮河后,有一位统领三百多人的长官向金国千户官报告说:“三百人都有回归之心,不能镇压,怎么办?”千户官说:“国主虽死,难道没有王法!”他的弟弟说:“兄长的话错了,他们有父母,人心难留,岂可以绳之以法!”千户官不作声,各自上马,当即驰马离去,因此西城之兵都上马疾驰而去,不能阻止,一会儿东城的人也离去了。成闵听说金人全部逃走就派遣刘锐等从东城的东面渡过淮河,又命令统领官左士渊等从南门入城,以收复泗州向朝廷告捷。金人将所掳掠到泗州城的老弱百姓,都扔在泗州而离去了。

甲寅(十六日),宋高宗到达无锡县,宰执奏报敌人已经逃离淮西,还有三万兵众占据和州。

陈康伯等依照旨意撰写招安榜文,不只各国之人,即使是女真人只要招安也一概授予官职。其中万户官授予节度使,其余的人根据爵位官阶高低重新换授成宋国官阶,无官之人特许任命为官,奴婢也优待奖赏,给予生路,以让他们束手前来归降。宋高宗说:“他们也是人,近来见到所捉获的金人,朕也全部免其一死,送到各军役使。如果将他们杀尽,就不胜其多,朕不忍。”

这一天,淮西制置使李显忠,在杨林渡与金人交战,打退了金人,将士阵亡一千四百人,双方伤亡人数相当,第二天,金人就撤退了。

乙卯(十七日),宋高宗到达常州。

金国主到达三河县,左副元帅完颜固云前来朝见。

金人攻破汝州。

在此之前京西制置使吴拱,派遣训练官牛宏等率领忠义人占据汝州,正遇上金军统军刘萼从邓州北归,牛宏等在七里河阻击敌人。敌兵很强盛,忠义人都没有甲衣,就败退了。金兵围攻汝州五天,等到州城被攻破,城中军民几乎杀光了。吴拱在邓州,派遣统制官周赟率领八千人前往援助,已经来不及了。

丙辰(十八日),宋高宗到达吕城镇。

金国主到达通州。

丁巳(十九日),宋高宗到达丹阳县。

淮西制置使李显忠,派遣统制官张荣追击敌人到达全椒县,打败敌人,夺回敌人所俘获的老弱百姓一万多人。傍晚,李显忠进入和州。

金国主到达中都。

戊午(二十日),宋高宗到达镇江府,未进房舍,先乘马到江边观看划船。

金国主拜谒太祖庙。

己未(二十一日),宋高宗进入镇江府行宫。

兴州左军统制王中正等率兵第二次进攻治平寨,攻克了它。

当初,刘海离开治平寨后,金人派兵坚守。中军统制吴挺派遣王中正及知秦州刘忠共同攻击金兵,杀死金军知寨,招降金军招信校尉张季甫等四人。不久金人谋划再次占据治平寨,王中正率兵在千家堡迎战敌人,交战十多回合,敌人败退,官军乘胜追击,大量俘获金兵,王中正两次被飞枪射中左脸颊。

金国主亲临贞元殿,接受群臣朝贺。

壬戌(二十四日),金国主诏令:“军士从东京护驾随从到京师的,免除三年徭役。”

同知河间尹高昌福上书陈述应当处理的事务,金国主再三阅读,命令朝廷内外大小官员上书陈述当务之急。

甲子(二十六日),释放淮南、京西、湖北路死刑犯以下的各种囚犯。

武信军承宣使、淮南东路马步军副都总管李横调任江南西路,驻扎常州。

金国的颍州、寿州巡检高显率领所部民兵一千多人占据了寿春府,于是前来归降。

丙寅(二十八日),金国主诏令左副元帅完颜固云负责处理南部边境以及陕西等路的事务。

丁卯(二十九日),金国河北安抚制置使王任,天雄军节度使王友直,从寿州渡过淮河前来归降。王任,东平人,曾因犯罪逃亡,金国悬重赏通缉,王友直正好聚众前往大名府,王任投奔他。王友直很高兴,假借契丹的名义举事,就攻破大名府。新金国主立位,下令对王友直及其部众,一律免罪回归原业做平民,王友直的部众听到这个消息,都分散离去,王友直就与王任等从山东寻路前来投奔,等到进入宋境,有部众三十多人,就从淮西赶赴宋高宗所在地。

当初,金国主完颜亮被部下杀死后,参知政事敬嗣晖想在南京拥立金国太子完颜光英,左丞相张浩不同意。耶律元宜派人杀了完颜光英。完颜亮的皇后图克坦氏后来回到了娘家。

金国伊喇扎巴去招降耶律斡罕,斡罕约定招降,后来又对扎巴说:“如果招降,你能保证我们平安无事吗?”扎巴说:“我只管招降,其他的事怎么能保证。”扎巴看见斡罕兵力强大,车辆营帐满野都是,估计他可以成事,于是对他说:“我开始来时,以为你们不能有所作为。现在看到兵势如此强盛,你们想象羊群一样被人驱赶吗?还是想等待天赐良机?如果果真

怀有大志，我也不再回去了。”贼党中有人说：“过去古绅丞相是神人，曾说西北部族应当举大事。现在的局势正应此语，恐怕不能归降。”于是斡罕下定决心不归降，扎巴也留在贼党中。斡罕攻取临潢府，打败了守军，进兵围城，部众达五万人。这个月，斡罕称帝，改年号为天正，又攻取泰州，多次打败援军，势力更加壮大。

续资治通鉴卷第一百三十六

【原文】

宋纪一百三十六　起玄黓敦牂【壬午】正月，尽三月，凡三月。

高宗受命中兴全功至德　圣神武文昭仁宪孝皇帝

绍兴三十二年　金大定二年【壬午，1162】　春，正月，戊辰朔，日有食之。

己巳，遣中书舍人、权直学士院虞允文先往建康措置。

金人攻寿春府，保义郎、枢密院忠义前军正将刘泰率所部赴救，转战连日，是日，金人引去。泰身被数十创，一夕死。

先是泰自备家资，募兵三百，粮储器械，一切不资于官。枢密院检详诸房文字洪迈言其忠，诏赠武翼郎，官其家三人。

庚午，帝发镇江府，次下蜀镇。

金以前翰林学士承旨翟永固为尚书左丞，济南尹布萨忠义为右丞。

辛未，帝次东阳镇。

金主御太和殿，宴百官，赐赉有差。

壬申，帝至建康府。观文殿大学士、判府事张浚迎谒道左，见帝谢曰："秦桧盛时，非陛下保全，无此身矣。"帝惨然曰："桧，娼嫉之人也。"

金主敕："御史台检察六部文移，稽而不行、行而失当者，举劾之。"

乙亥，金主如大房山。

丙子，祧翼祖皇帝神主，藏于夹室。

尚书左司郎中徐度权户部侍郎。

金主献享山陵礼毕，欲猎而还，左丞相晏等曰："边事未宁，不宜游幸。"戊寅，还宫，金主曰："朕虚心纳谏，卿等毋缄默。"

己卯，诏："侍从、台谏各举可为监司一员，郡守二员；有不称，坐缪举之罚。"

是日，淮西制置使李显忠引兵还建康。

淮西兵火之馀，无庐舍，天大寒多雪，士卒暴露，有堕趾者，帝遣中使抚劳。

诏："郡守年七十，与自陈宫观。著为令。"

辛巳，金以南伐之师北还，赏赉将士，以耶律元宜为御史大夫。

壬午，金人攻蔡州，侍卫马军司中军统制赵撙率诸军御之，京西制置使吴拱亦遣踏白军

统制焦元来援。金以劲矢射城上，守者不能立，金人登城。撙知不可当，乃弃城而下，率诸军巷战，自午至申，金人败，乃去。

癸未，言者奏："自金侵长淮，江上之民，有所谓踏车夫，则操舟楫而杂战卒；防江夫，则持旌旗而顿山冈；以修防，则有鹿角夫；以转饷，则有运粮夫；而踏车夫尤为可念。请按采石当时籍定之数，与免三年科役，其馀亦与犒赏。"从之。既而户部下建康府，具到踏车夫六千三百馀人，诏与免一年。

右朝请大夫陈汉知通州，刘子昂知和州。时二州守臣皆遁去，故命之。

乙酉，权知东平府耿京遣诸军都提领贾瑞、掌书记辛弃疾来奏事，上即日召见。

先是京怨金人征赋之横，与其徒六人入东山，渐得数十人，取莱芜县，有众百馀，瑞亦有众数十人归京。自此渐盛，遂据东平府，遣瑞入奏，瑞曰："若到朝廷，宰相已下恐有所诘问，不能对，愿得一文士偕行。"乃以弃疾权掌书记，自楚州至行在。瑞，莱州人；弃疾，济南人也。

戊子，邵州防御使、知文州、节制军马向起为鄂州观察使，右武大夫、兴州前军统制、节制军马吴挺为荣州刺史，右武大夫、达州刺史、兴州前军统制刘海为拱卫大夫，赏秦州之捷也。

时四川宣抚使吴璘在河池，遣中军统制杜实传令起等曰："军行并从队伍，勿乱次，勿殿后，勿践毁民舍，勿取民财，逢敌欲战，必成列为陈。甲军弓弩手并坐，视敌兵距陈约百五十步，神臂弓兵起立，先用箭约射之，箭之所至可穿敌陈，即前军俱发。或敌兵直捣拒马，令甲军枪手密依拒马，枕枪擀次，忠义人亦如之，违者并处斩。如敌已败，许忠义人乘其后追击之，必生获金人与其首级乃议赏，否则阙。其有以他地兵为金人冒赏者，罪亦如之。"凡布陈之式，以步军为陈心，为左右翅翼，马军为左右肋，拒马环于左右肋之内以卫步军。以一陈约之，主管敌陈，统制一，统领四，主陈拨发各一，正、副将、准备将、部队将则因其队为多寡。陈兵三千二百六十有三，步军居陈之内者一千二百有七，为陈心者一千有六。舆拒马者二百，居陈外，分两翅，副翼者五百六十有六，左翼二百八十有三，右翼亦如之。马军居陈外，为左肋者二百六十有一，右肋亦如之。虽间有贴拨、辅陈增益之不同，而大略如此。

璘遂遣兴元都统制姚仲，以东路兵自秦亭出据巩州，而金房都统制王彦，以其分兵屯商、虢、陕、华。虢、华为金所取，金人去，复得之。陕州方与敌相持，然亦未退。

己丑，制授耿京天平军节度使、知东平府兼节制京东、河北路忠义军马，权天平军节度掌书记辛弃疾补右承务郎，诸军都提领贾瑞补敦武郎、阁门祗候。京、瑞并赐金带，将吏补官者二百人。于是京东招讨使李实遣统制官王世隆与瑞等赍官诰节钺以往。

金遣元帅府左监军高忠建、礼部侍郎张景仁来告登位，盱眙军以闻。庚寅，宰执奏金使二月渡淮，帝曰："今若拒之，则未测来意，有碍交好；受之，则当遣接伴使副于境上，先与商量。向日讲和，本为梓宫、太后故，虽屈己卑辞，有所不惮。今金兴无名之师，侵我淮甸，两国之盟已绝。今使者来，则名称以何为正？疆土以何为准？与夫朝见之仪、岁币之数，所宜先定。不然，则不敢受也。"

金行纳粟补官法。

金主遣右副元帅完颜默音率师讨耶律斡罕。

以洪迈、张抡为接伴使。壬辰，帝谓宰执曰："朕料此事终归于和，卿等欲首议名分，而土地次之。盖卿等不得不如此言，在朕所见，当以土地、人民为上，若名分则非所先也。何者？

若得复旧疆，则陵寝在其中，使两国生灵不残丁兵革，此岂细事？至如以小事大，朕所不耻。”陈康伯曰：“此非臣等所敢拟议。”帝曰：“俟迈等对，朕自以意谕之。”

金主谓宰执曰：“朕即位未半年，可行之事甚多。近日全无敷奏。朕深居九重，正赖卿等赞襄，各思所长以闻。”甲午，复谕之曰：“卿等当参民间利害及时事之可否，以时敷奏，不可徒自便优游而已。”

丙申，以御营宿卫使、和义郡王杨存中为江、淮、荆、襄路宣抚使，中书舍人、权直学士院兼侍讲虞允文试兵部尚书、充江、淮、荆、襄路宣抚副使。

时帝将还临安，军务未有所付。张浚判建康府，众望属之；及除存中，中外失望。给事中金安节、起居舍人兼权中书舍人刘珙言：“比者金人渝盟，陛下亲御六飞，视师江浒，大明黜陟，号令一新，天下方注目以观。凡所擢用，悉宜得人，况欲尽护群雄，兼制数路，大柄所寄，尤当审图。存中已试之效，不待臣等具陈，顷以权势太盛，人言籍籍。陛下曲示保全，俾解重职，今复授以兹任，事权益隆，岂惟无以慰海宇之情，亦恐非所以保全存中也。倘以允文资历未深，未可专付，宜别择重臣，以副盛举。”疏入，帝怒，谓辅臣曰：“珙之父为张浚所知，此奏专为浚地耳。”宰相陈康伯、朱倬，召珙谕上旨，且曰：“再缴，累及张公。”珙曰：“珙为国家计，故不暇为张公计；若为张公计，则不为是以累之矣。”命再下，珙执奏如初，乃止。于是允文改使川陕，存中措置两淮而已。

二月，戊戌朔，中书舍人、权直学士院兼侍讲虞允文试兵部尚书、充川陕宣谕使、措置招军买马，且与吴璘相见议事。

己亥，金主以前翰林待诏大颖建言得罪，起为秘书丞；以补阙马钦谄事前废主，除名。

庚子，张浚、虞允文入对。时浚乞偕执政奏事，帝不许，于是与允文同对。诏浚仍旧兼行宫留守，又诏浚罢相后有合得特进恩数，皆还之。

言者论料理江、淮三事：“其一，请于两淮、荆、襄之间创为四大镇，如维扬、合肥、蕲阳、襄阳，各为家计，增城浚隍，以立守备，农战交修，以待天时。每镇招集沿边弓箭手二万人，人授良田百亩，给与牛、种，虽无租赋，实免供馈，悉遵陕西沿边故事，仍以湖北州县之在江北者隶蕲阳。二曰大江之南，控制吴、蜀，夙有屯兵，据其险阻之地。今当建为五帅，由镇江而上至于建康、九江、江夏、公安，各以二万人为屯，附以属城，供其刍糗，列置烽燧，增益楼船。三曰选择兵官，教习诸路将兵、禁军、土兵、弓手，此实久安之计。”乃诏杨存中、成闵、李显忠、向子固、方滋、杨抗、向汮、王彦融、强友谅相度闻奏。

兴州前军同统领惠逢复河州。

先是四川宣抚使吴璘命逢袭取熙、河，逢间道出临洮，番兵总领、权知洮州李进，同知洮州赵阿令结，钤辖荣某，皆至会通关掩击之，获其关使成俊。诸将议进兵，咸曰：“我捣河州而敌兵单弱，以强制弱，何忧不克！”一将曰：“不可。吾闻金军尽在熙，我军若直捣河，势必来援。敌将忿兵，伺其不意，可一战擒也。熙兵若破，则河军自下。”众曰：“善！”即伏兵闾家峡，其日，正月丙戌也。而金将温特棱者，提正军千五百，从军亦如之，径至峡口以邀南军。惠逢令羸卒数十骑诱之，约曰：“旗动乃发。”金兵薄羸骑，旗动，伏兵大奋。会大风起，人马不辨，李进引兵驻山上，令左右下山，用平射弩旁射敌，金兵大乱。钤辖荣某乘骏马挥兵杀敌，所向风靡；众从之，金人遂大败，溃去。追骑至托子桥，有一将殿后，立桥左，瞪目大呼曰：“会

来此决死！”追骑乃不敢逼，敌馀众渡已，乃乘马徐去。后获金兵，问之，温特棱也。是役也，俘金兵二百有五人，骑二百。

于是逢、进薄河州。蕃落指挥刘全、李宝、魏进，纠集州民，执其同知、中靖大夫郭琪以降。州民皆以香花踵道迎宋军，有流涕者。独宁河寨官为金坚守，民排户裂其尸，携其首以献。诸将既得城，方编集府库，人人炫功不相能，或言当暂赏军，逢命人支钱十馀。时食物贵踊，炊饼一值数十钱，诸兵得赐，掷地大诟曰：“我等捐躯下河州，今性命之贱，乃不值一炊饼也！”

俄传金兵大至，众欲控城固守，逢曰：“彼众我寡，河州又新附，未易守也。有如城中翻覆，外援不至，将奈何？”即携众欲出。州民父老咸障马曰：“钤辖第坐府中，我曹出力血战，必有当也，何患兵少！”逢谕众曰：“我(令)〔今〕去此，求援兵于外，非置此去也，汝曹一心努力守城耳。”即(今)〔令〕儒林郎吕谋权州事，与军士愿留者数十百人，因出屯会通关。李进乘马过市，呼曰：“河州父老有识李进者乎？初不挟一缕以入，今不挟一钱以出。”即驰去。军怨惠逢赏薄，有道亡者。

癸卯，帝发建康府，宿东阳镇。

兴州前军同统领惠逢遣兵复积石军，执同知军、宣武将军高伟，又攻来羌城，克之。

时金人复取宁河寨，尽屠其民，寨之戍兵皆溃，金合兵万馀围河州。城中百姓计曰：“前日之民南归者，金尽屠戮。我若效之，即一宁河也，岂有全理！不如相与死守，犹有千一得活。”即籍定户口，男子升城，女子供饷。郡有木浮图，高数百尺，因撤木为礧械。金人悉力(为)〔来〕攻，木缒少选压敌，有糜溃者。居三日，金人退屯白塔寺。

甲辰，帝次下蜀镇。

金主以张浩为太师、尚书令，谕之曰：“卿在正隆时为首相，不能匡救，恶得无罪！营建两宫，殚极民力，汝亦尝谏，故天下不以咎汝。今以卿练达政务，复用为相，当思自勉。”

金御史大夫耶律元宜为平章政事。

乙巳，帝次丹阳馆。丙午，帝宿丹阳县。丁未，次吕城。

太尉、威武军节度使、提举万寿观刘锜薨于临安府。

锜既奉祠，寓居都亭驿。帝闻其疾剧，敕国医诊视。时金聘使将至，留守汤思退将除馆待之，遣黄衣卒谕锜移居别院，锜发怒，呕血数升薨。诏赠开府仪同三司，例外赐银帛三百匹两，后谥武穆。

戊申，帝次常州。己酉，帝次无锡县。

王宣与金人再战于汝州，至暮，各分散，杀伤相当。翼旦，金骑全师来攻，南军败衄，士卒死者百馀，亡将官三人。

庚戌，帝次平江府。辛亥，次平望。壬子，次秀州。

鄂州统制官王宣自汝州班师。时金人围急，属有诏班师，宣遂弃其城而去。

金以太保、左领军大都督昂为都元帅，太保如故。

癸丑，帝次崇德县。

金萧玉、敬嗣晖等放归田里。

甲寅，帝次临平镇。

金复以进士为尚书省令史。

乙卯，帝至临安府。

兴元都统制姚仲围德顺军。

先是仲以步军六千四百为四陈，趋巩州，其下欲急攻，仲不听，且退治攻具。既至城下，梯炮与城下相等，围之三日夜，不能克，乃舍之。时巩州父老各辇米面以饷军，军门山积，及引去，父老狼狈相顾，谓金今知我饷南军，我无类矣，不如作计求活也，即杀官军后兵辇重者数级，并焚馈物而去。仲退守甘谷城，留统制米刚等驻巩州以观敌，遂引兵之德顺。

丙辰，金人攻蔡州。侍卫马军司中(兴)军统制赵撙击却之。

初，金既败归，撙益修守御。京湖制置使吴拱进屯南阳，遣后军统制成皋、华旺、捷胜军统制张成各以所部兵来援，合撙及踏白军统制焦元所部，才六千人而已。金将费摩以数万至城下，距城西北一里，依汝水为营。其日，庚戌也。翌日，分兵半攻城，半掠粮，凡三遣人以书至城下，撙命射之。将书者曰："此奉书来，与赵提举商量军事。"撙终不纳。诸将曰："敌人以书来，未知其意，姑接之何害！"撙曰："不可。若观之，必致士卒之疑，适中其计。"

前一日，金乘昏黑填濠于南门外十三处，寂然不闻其声，质明，方觉之。焦元中流矢，遂下城，金人乘势登城，启南门而入。撙在城西，方闻南壁失利，即下城集诸军，占地势以待。华旺、成皋、焦元欲夺东门出奔，守门统领官刘安不听。将官李进闻南门被攻急，乃率弩手二十馀人赴之，将刀登城，中三矢而死。撙率士卒巷战，日转午，胜负未分，效用王建募死士十一人，截其甲裳，登城杀敌。至申刻，相持不动。马军司第十八将王世显请募敢死士，得四十人，登城接战，杀其二将，金人嚣溃，皆自掷而下，南军奋击，死者不可计。会金帅登南门，望南军旌旗不乱，曰："今日城又不可得。"复下城而去。撙大呼曰："金人走矣！"军士皆欢呼。金人遂败，争门而出，不得出者，聚球场中有千馀人，诸军围之，剿杀皆尽。撙命积金人之尸为二京观。

撙苦战仅十旬，军不过六千人，大战之后，军吏战殁者已四百馀人，负创者三千七百人，可战者仅二千人而已。

金人既败，犹整顿行伍于西原，分八头，每一头以两旗引去，以示有馀。南军望之，皆不言而咨叹。

戊午，金再攻城，以大车载薪欲火西门，赵撙伏壮士瓮城，俟其至，开关突击之，金人弃车而遁。

庚申夜，有星陨于蔡州金人之营。未明，金人退兵一舍。

鄂州左军副统制王宣自汝州以二百骑还至唐州。

时蔡州围急，京西制置使吴拱遣步骑万三千人往援之。统领官游皋等至确山，逗留不进，拱乃以宣权中军统制、节制沿边军马，趋救蔡州。

甲子，金都元帅昂开府山东，经略边事。是日，高福娘伏诛。

乙丑，鄂州驻劄御前中军权统制王宣，败金人于蔡州确山县。

前一日，宣以所部距确山三十五里而营，质明，候骑报敌至确山，众欲不战，宣不可。乃舍其步士，引骑兵三千先行，分为三陈。敌冲陈心，宣令诸军以背刀冲夺，三陈俱进。秉义郎、右军副将汲靖有勇力，宣召之。靖请百骑，宣与骑二百。靖上马据鞍高呼曰："今日汲靖

为国家破此敌，敌若不破，誓不生还。”左右闻之，人百其勇。宣曰：“汲靖事济矣。”靖驰入敌陈奋击，敌众披靡。靖出入者三，惟亡二骑。诸军亦勇进，金人遂遁，宣整众不追。

方金之未败也，招讨使吴拱，以赵撙孤军不可留，屡以蜡书趣回军。撙以敌围方急，若弃城去，敌兵追击，势必败亡，况蔡州军食有馀。拱怒，以蜡书付诸将，令一面班师。会敌兵败还，撙乃与诸将夜出蔡州。居人皆从之，天气昏黑，堕空谷而死者甚众。于是撙自信阳归德安，而宣亦还屯襄阳府。

丙寅，瘗钦宗重于招贤寺，立虞主。

金人复取蔡州。

兴元都统制姚仲，遣副将赵诠、王宁引兵攻镇戎军。金闻宋军至，阖其城，收其吊桥，坚壁固守。诠等引兵断其贯绳，诸军毕登，神臂弓射其敌楼，更遣重兵分击，敌势不支。主簿赵士持，自言本皇族，与同知任诱先开门出降，获其知军振戈将军韩珏。定远大将军、同知渭州秦弼闻南师下镇戎，遂托疾不受金命，与其子进义校尉嵩及其孥来归。宣抚司以弼知镇戎军。

闰二月，（己巳）〔辛未〕，龙神卫四厢都指挥使、宁武军承宣使、江州驻劄御前诸军都统制戚方，添差两浙东路马步军副都总管，绍兴府驻劄。

金人以熙、兰之兵围河州，弥望蔽野，兵械甚设。宋军之未得河州也，守将温特棱遣食粮军驰书于临洮、德顺以求援，为其吏曹刘浩等十八人谋匿之不行，已而浩等悉来归。及金兵再至，呼于城下曰：“惟以刘浩等缒城而出，乃释围。”浩等射其呼者使去。会义军运炮击敌众，杀其部长一人，敌乃小却，然亦未退。

壬申，钦宗虞主还几筵殿，上亲行安神礼。于是自七虞至九虞，皆亲行之。

金人破河州。

初，河州既受围，金将温特棱扬言曰：“河州能为南人死守，甚壮。今我留此，万一汉军乘虚入熙，则熙又为人有也，不如引兵归援熙耳。”乃率兵去。城上士卒闻之，交口相贺，守城者弛甲坐。是夜，人人困卧城陬，敌以铁骑捣城，斯须城坏，州民尚有未知敌至者。翌日，癸酉，敌驱父老、婴孺数万屠之，迁壮者数千隶军。

先是宣抚司命惠逢、李进等会蕃、汉兵援河州，逢以兵役单寡，不能支敌，乞师者再。顷之，宣抚司遣将领郭师伟，将骑七百为逢声援，师伟未至，河州已破。逢屯通会，进屯临洮。逢遣人谓曰：“金今再至，是无河州决也。吾曹罪在不测，不如并力以往，犹获免也。”进曰：“敌兵愈前近万人，我以危兵缀之，必取辱。”逢信之，因休士卒。进即星夜趋河州。后二日，逢闻之，掩面泣下曰：“李进误我！”进至河州，城已为敌焚荡，馀城趾而已。敌屠城时，吏曹刘浩与其徒八人遁走得免，十人被戮，宣抚使吴璘皆命浩辈以官。

丙子，帝亲行卒哭之祭于几筵殿。戊寅，帝送钦宗虞主于和宁门外，奉辞，遂祔神主于太庙第十一室。己卯，百官纯吉服。

癸未，正侍大夫、宣州观察使、兴元府驻劄御前右军统制杨从仪，率诸将攻大散关，拔之。

关之未下也，左从政郎、都统司干办公事朱绂，以书遗总领财赋王之望，言：“诸军斗志不锐，战心不壮。且曰：‘使我力战，就果立微劳，其如赏格当在何处？伺候核实，保明申报，宣司、总司指挥，往返数旬，岂能济急！’大率目今事势，与前事异，不立重赏，何以责人于死事？

乞详酌措置，略于川蜀科敷军需之费十分之一，多与准备赏给钱物近一二百万，自总所移文诸帅，多出晓示，号令诸军，各使立功以就见赏。如散关一处，使当初有银绢一二万匹两，钱引一二十万道，桩在凤州，宣抚吴公、节使姚公明告诸军，遣二三统制官各以其所部全军一出，谕之曰：'当进而退，则坐以军律，进而胜捷，能破关险，则有重赏。'如是而军不用命，敌不破灭，无有也。"

之望怒，答书言："用兵百三十日，粮粮、草料、银绢、钱引，所在委积，累次喝犒，并朝廷支赐，文字才到本所，立便给散，略无留阻。散关前攻不下，闻自有说，不知是险固不能取也，抑是有可取之理，而无银绢钱引之故，士卒不用命也？若可取而士不用命，岂计使之故！则必有任其咎者。况闻攻关之日，死伤不少，则非士卒之不用命矣。自来兵家行军，若逗挠无功，多是以粮道不继，嫁祸于有司以自解，亦未闻以堆垛赏给为词者也。国家息兵二十年，将士不战，竭西川之资以奉之。一旦临敌，更须堆垛银绢而后可用，则军政可知矣。且如向来和尚原、刘家圈、杀金坪诸军大捷，近日吴宣抚取方山原、秦州等处，王四厢取商、虢等州，吴四厢取唐、邓州，亦不闻先垛银绢始能破敌也。朝廷赏格甚明，本所初无悭吝。如秦州治平之功，得宣司关状，即时行下。鱼关支散，何尝稍令阙误！兼关金帛钱物，充满府藏，宣抚不住关拨，岂是无有桩办耶！李晟屯东渭桥，无积赀输粮，以忠义感人，卒灭大盗。足下以书生为人幕府，不能以此事规赞主帅，而反咎主人以不敛于民，岂不异哉！九月以后，兴元一军，已支拨过钱引二十八万道，银绢两千匹两，而粮粮、草料与犒设犒赏不与焉，亦不为不应付矣。若皆及将士，岂不可以立功！有功未赏，赏而未得者何人也？朝廷分司庀职，各有所主，而于财贿出纳为尤严。经由、检察，互相关防，所有屡降指挥，凡有支费，宣司审实，总所量度，此古今通义而圣朝之明制也。来书谓攻散关时，若得银绢、钱引桩在凤州，而敌不破灭无有也。桩在凤州与在鱼关何异？方宣抚以攻守之策会问节使时，亦不闻以此为言。今散关、凤翔未破，足下可与军中议取散(闻)〔关〕要银绢、钱引若干，取凤翔要若干，可以必克；本所当一切抱认，足下可结罪保明具申，当以闻于朝。如克敌而赏不行，仆之责也；若本所抱认而不能克，足下当如何？"绂不能对。

至是从(义)〔仪〕督同统制田升等夜引兵攻拔之，遂分兵据和尚原。金人走宝鸡。

丙戌，赐张浚钱十九万缗，为沿江诸军造舟费。

帝既还临安，有劝浚求去者。浚念身为旧臣，一时人心以己之去就为安危，乃不敢言，治府事，细大必亲焉。

戊子，帝始纯吉服，御正殿。

右谏议大夫梁仲敏，论"参知政事杨椿，辅政期年，专务谄谀以取悦同列，议政则拱手唯唯，既归私第则酣饮度日，以备员得禄为得计，朝廷何赖焉！"殿中侍御史吴芾言："椿自为侍从，已无可称。其在翰苑，所为词命，类皆剽窃前人，缀缉以进。冒登政府，一言无所关纳，一事无所建明，但为乡人图差遣，为知旧干荐举而已。故都人目为'收敕参政'。去冬警报初闻，有数从官谒椿，勉以规画，又以危言动之，椿竟不动，但指耳以对，盖椿素有聩疾也。亲厚有风之使去者，椿曰：'吾忝参政，宰相诺吾亦诺，宰相拜吾亦拜，重听何伤？'其贪禄无耻，至于如此。"左正言刘度，亦论"椿贪懦无耻，顷为湖北宪，率以三百千而售一举状。自为侍从，登政府，惟听兵部亲事官及亲随之吏货赂请求。望赐罢免以肃中外"。

辛卯，参知政事杨椿充资政殿学士、提举在外宫观。椿为台谏所击，四上疏乞免，乃有是命。

湖北、京西制置使吴拱言西北来归之人甚众，望权令踏逐寺观安泊，分给官田，贷之牛、种，权免租税，从之。

癸巳，敷文阁待制、枢密都承旨徐嘉充馆伴大金国信使，武功大夫、吉州刺史、权知阁门事孟思恭副之。

先是北使高忠建等将入境，责臣礼及新复诸郡县。接伴使洪迈移书曰："自古以来，邻邦往来，并用敌礼。向者本朝皇帝，上为先帝，下为生灵，勉抑尊称以就和好，而彼国无故背盟，自取残灭。窃闻大金新皇帝有仁厚爱民之心，本朝亟谕将帅，止令收复外，不许追袭，乃蒙责问，首遣信使，举国欣幸。但一切之礼，难以复仍旧贯，当至临淮上谒，更俟顾惠，曲折面闻。"

近例，迓使相见于淮水中流，及是见于虹县之北虞姬庙，始抗礼。比赐燕，以钦宗丧制未终，不用乐。

乙未，右朝请郎、知盱眙军周淙，言富察徒穆之仆从，走马自燕来报契丹侵扰金国，帝谓大臣曰："上天悔祸，与国相攻。今先遣使请和，则其国中可卜。傥旧疆复还，得奉祖宗陵寝，诚国家之福。"陈康伯曰："顷年金后有云：'只见汉和蕃，不见蕃和汉。'今乃金先请和也。"

是日，金兵部侍郎〔温〕都察珠图喇，及斡罕战于(滕)〔胜〕州，败绩。

是月，兴元都统制姚仲，统忠义统领段彦引兵攻平安关寨，克之。进至原州，金人坚守不下。彦以兵围其城，鼓励将士乘势毕登，遂拔之，杀其知州完颜萨里，获同知、镇国将军赫舍哩鄂噜古等，并其孥来献。乃以彦知原州。彦又遣将官陈玘克西壕、柳泉、绥宁、靖安四寨。

三月，丁酉朔，新除资政殿学士杨椿，降充端明殿学士、提举临安府洞霄宫。

四川宣抚使吴璘自秦州引兵至德顺军。

先是兴元都统制姚仲攻德顺，逾四旬不能下，乃以武当军承宣使、知夔州李师颜代之，与中军统制吴挺皆节制军马。会金都统图克坦喀齐喀、副都统张中彦自凤翔济师，又遣其左都监自熙、河以兵由张义堡驻摧沙，合泾原之师来援。挺与金人遇于瓦亭，统制官、秀州刺史吴胜、阁门宣赞舍人朱勇等以所部逆战。统领官王宏谓人曰："吾赤手归朝，骤官将领，不以死力战，非夫也！"即突出，部其徒奋击，飞矢如猬毛，宏不动，敌败去。然诸军犹畏敌军盛，复相持不敢进，璘恐士有怠志，遂自将以往，至是抵城下。

乙巳，少保、奉国军节度使、四川宣抚使、领兴州驻劄御前诸军都统制职事、充利州西路安抚使、判兴州、充陕西、河东路招讨使吴璘为少傅，龙神卫四厢都指挥使、保宁军承宣使、金、房、开、达州驻劄御前诸军都统制兼知金州兼金、开、达州安抚使王彦为保平军节度使，录商、虢之功也。

丁未，左司员外〔郎〕兼国史院编修官洪迈、文州刺史、知阁门事张抡接伴北使还，入见。迈等言："伏见已降指挥，罢北使沿路游观、烧香。窃谓朝廷方接纳邻好，所争者大，非一事而止也。今赐予宴犒，一切如旧，则游观小节，似可从略。若以钦宗皇帝服制为辞，则向者显仁皇后吊祭使来，天竺、浙江之行，犹且不废。或彼有请，拒之无名。望令有司依例施行。"诏："使人欲往浙江观潮，令馆伴谕以近日水势湍猛，损坏江亭石岸，难为观看；其天竺并沿路游观烧香，且依近例；或无所请，即依已降指挥施行。"遂以迈守起居舍人，兼职如故。

是日，金国报登位使高忠建等入国门。始，忠建责臣礼及新复诸郡，迈以闻，且曰："土疆实利，不可与；礼际虚名，不足惜也。"礼部侍郎黄中闻之，亟奏曰："名定实随，百世不易，不可谓虚。土疆得失，一彼一此，不可谓实。"议者或有谓："土地，实也；君臣，名也。今宜先实后名，乃我之利。"权兵部侍郎陈俊卿曰："今力未可守，虽得河南，不免为虚名。臣谓不若先正名分，名分正，则国威张而岁币亦可损矣。"

戊申，四川宣抚使吴璘复德顺军。

璘初至城下，自将数十骑绕城。守陴者闻呼相公来，观望咨嗟，矢不甚发，敌气索。于是璘按行诸屯，预治夹河战地。前一日，当陈斩一将，数其罪以肃军，诸将股栗。乃先以数百骑当敌，金人一鸣鼓，锐士跃出突宋兵，遂空壁来战，宋军得先治地，无不一当十。苦战久之，日且暮，璘忽传呼某将战不力，其人即殊死斗。金兵大败，遂遁入壁。质明，璘再出兵，金人坚壁不战。会天大风雪，金人引众夜遁。璘入城，市不改肆，父老拥马迎拜，几不得行。遂遣忠义统领严忠取环州，获其守将中宪大夫郭裔。

先是武功大夫、阁门宣赞舍人强霓与其弟武经大夫震皆陷敌，及是自环州来归。璘嘉其忠义，奏以霓知环州兼沿边安抚司公事，震统领忠义军，屯环州。

己酉，太常少卿王普假工部侍郎、充送伴大金报登宝位国信使，武翼大夫、荣州刺史、带御器械王谦假昭庆军承宣使副之。

壬子，金报登位使骠骑上将军、元帅府左监军高忠建，副使通议大夫、尚书礼部侍郎张景仁，见于紫宸殿。故事，北使授馆之三日即引见，至是以议礼未定，故用是日。于是北使于隔门外下马，三节人下马于皇城下，使副位于节度使之南，不设毡褥。以钦宗丧制未终，不设仗，次燕垂拱殿，不用乐。

先是阁门定受书之礼略于京都故事，诏馆伴使徐嘉等以所定示之。忠建固执，特许殿上进书。及升阶，犹执旧礼，尚书左仆射陈康伯以义折之，忠建语塞，乃请宰相受书。康伯奏曰："臣为宰相，难以下行阁门之职。"忠建奉书，跪不肯起，廷臣相顾眙愕。康伯呼嘉至榻前，厉声曰："馆伴在馆所议何事？"嘉径前掣其书以进，北使气沮。

癸丑，金人围淮宁府城。守臣武翼大夫、忠州刺史陈亨祖，登城督战，为流矢所中，死之。

四川宣抚使吴璘自德顺军复还河池。

金人自摧沙引兵，由开远堡攻镇戎军，环城呼噪，众矢尽发，守将秦弼来援。时兴元都统制姚仲，已遣将官王仲等领千兵戍镇戎，至是又遣副将杜孝廉领兵五百屯摧沙为外御。

丁巳，金使高忠建等入辞，置酒垂拱殿。

忠建等既朝，留驿中凡五日，观涛、天竺之游皆罢之，至是面受报书，用敌国礼。将退，遣客省官宣谕云："皇帝起居大金皇帝。远劳人使，持送厚币。闻皇帝登宝位，不胜欣庆。续当专遣人钦持贺礼。"忠建等捧受如仪。

起居舍人兼国史院编修官洪迈假翰林学士，充贺大金登宝位国信使，果州团练使、知阁门事张抡假镇东军节度使副之。

戊午，忠义军统制兼知兰州王宏，引兵拔会州，获其通事李山甫等五十四人。宣抚司因令宏统制兰、会州军马。

金人破淮宁府，忠义副都统领戴规，部兵巷战，夺门以出，为敌所害，守将陈亨祖之母及其家五十馀人皆死。后赠亨祖荣州观察使，赠规三官，禄其家三人。又为亨祖立祠于光州，名闵忠。

金之渝盟也，淮、襄诸军复得海、泗、唐、邓、陈、蔡、许、汝、亳、寿等十州，自是但馀四州而已。

己未，帝始御经筵。自去秋以用兵权罢讲读，至是复之。

金人引兵与西蕃官杏果同围原州，守将段义彦，率忠义统领巩铨领兵，并州之官吏、军民登城以守。金依城建寨，昼夜攻击。原州城虽高，而忠义兵皆无甲，乃遣使诣镇戎军秦弼求援，弼无兵可遣，不得已分第三将赵铨及总押官荀俊所领兵之半以应之。果本泾原部落子，奔降于金，深知利害险扼之处，金遂将之。

川陕宣谕使虞允文至西县之东，总领四川财赋王之望自利州往会之。允文之出使也，与京西制置使吴拱、荆南都统制李道会于襄阳，至是又与四川宣抚使吴璘会于河池，前后博议经略中原之策。令董庠守淮东，郭振守淮西，赵撙次信阳，李道进新野，吴拱与王彦合军于商州，吴璘、姚仲以大军出关辅，因长安之粮以取河南，因河南之粮而会诸军以取汴，则兵力全而饷道便，两河可传檄而定。遂驿疏以闻。

先是之望数以军兴费广为言，朝廷令劝谕民户献纳，之望因亲至梁、洋，谕豪民使输财。

癸亥，夏人二千馀骑至菜园川俘掠，又二百馀骑寇马家巉。

丙寅，四川宣抚使吴璘令右军统制卢仕闵尽以秦凤路并山外忠义人及镇戎军四将军马留隶守臣秦弼。先是弼言镇戎兵备单弱，敌势甚盛，乞遣援兵故也。

是月，明州言高丽国纲首徐德荣至本州，言本国欲遣贺使，诏守臣韩仲通从其请。殿中侍御史吴芾言："高丽与金人接壤，为其所役。绍兴丙寅，尝使金稚圭入贡，已至明州，朝廷惧其为间，亟遣之回。方今两国交兵，德荣之情可疑，使其果来，惧有意外之虞。万一不至，即取笑外国。"乃止之。

是春，淮水暴涨，中有如白雾，其阔可里许，其长亘淮南、北。又有赤气浮于水面，高仅尺，长百步，自高邮军至兴化县，看血凝而成者。

癸酉，殿中侍御史吴芾言："向来岁遣聘使，多以有用之财博易无用之物。大率先行货赂，厚结北使，方得与北商为市。潜形遁迹，尝虞彰露，间遭捃摭，复以贿免，不惟有累陛下清俭之德，亦启敌人轻侮之心。今再通和好，尚虑将命之臣或仍前例，有伤国体，为害非细。"诏使副严切觉察，如使副博易，回日令台谏弹劾。

【译文】

宋纪一百三十六　起壬午年(公元1162年)正月，止三月，共三个月。

绍兴三十二年　金大定二年(公元1162年)

春季，正月，戊辰朔(初一)，发生日食。

己巳(初二)，派遣中书舍人、权直学士院虞允文先到建康府处理政务。

金人攻打寿春府，保义郎、枢密院忠义前军正将刘泰率领所部人马急赴增援，转战几天，这一天，金人撤退。刘泰身上十多处受伤，在一个晚上死了。

在此之前刘泰自己拿出家中资财，招募士兵三百，粮食的储备和器械的装备，一切都不在官府开支。枢密院检详诸房文字洪迈称赞他的忠诚,皇帝下诏追赠为武翼郎,任命他的家属三个做官。

庚午(初三),宋高宗从镇江府启程,到达下蜀镇。

金国主任命前翰林学士承旨翟永固为尚书左丞,任命济南尹布萨忠义为右丞。

辛未(初四),宋高宗到达东阳镇。

金国主亲临太和殿,宴请百官,赐予不同等级的奖赏。

壬申(初五),宋高宗到达建康府。观文殿大学士、判府事张浚在路旁迎接拜谒,拜见皇帝时感谢说:"秦桧权盛时,不是您保全,我早没命了。"宋高宗凄惨地说:"秦桧,是个嫉妒的人。"

金国主敕令:"御史台检察六部文书,积压而不执行、执行而有失误的,要检举弹劾。"

乙亥(初八),金国主到达大房山。

丙子(初九),从宗庙中迁出翼祖皇帝神位,收藏在夹室中。

尚书左司郎中徐度任权户部侍郎。

金国主献享山陵的礼仪结束后,准备一路打猎返回,左丞相完颜晏等人说:"边界战事未安宁,不宜游猎。"戊寅(十一日),返回宫中,金国主说:"朕虚心纳谏,你们不要缄默不言。"

己卯(十二日),诏令:"侍从、台谏各推举可任监司的一名,可任郡守的二名;被举荐的人如果不称职,追究举荐人的责任。"

这一天,淮西制置使李显忠率兵返回建康。

淮西战火之后,没有房屋,天气严寒多雪,士卒衣服单薄,有人冻掉了脚趾,宋高宗派遣中使前去安抚军队。

诏令:"年满七十的郡守级官员,可自己陈请做宫观官。特此为令。"

辛巳(十四日),金人因为南伐的军队返回北方,奖赏将士,任命耶律元宜为御史大夫。

壬午(十五日),金人进攻蔡州,侍卫马军司中军统制赵撙率领各军抵御,京西制置使吴拱派踏白军统制焦元前来增援。金军用强弓射击城上,守军不能站立,金人登上城墙。赵撙知道不能抵御,就跳下城墙,率领各军进行巷战,从午时战到申时,金人被打败,撤退了。

癸未(十六日),言事官上奏:"自从金人侵犯长江淮河地区以来,江边的百姓,有所谓的踏车夫,操战船而充做战士;防江夫,持战旗而驻守山冈;修筑防御工事,则有鹿角夫;运输军饷,则有运粮夫;而踏车夫尤其值得怀念。奏请依照采石当时登记在册的人数,免除他们三年的赋税徭役,其余的人也给予犒赏。"宋高宗同意了。不久户部下令给建康府,开列踏车夫六千三百多人,诏令免除一年赋役。

右朝请大夫陈汉任通州知州,刘子昂任和州知州。当时二州守臣都逃跑了,所以任命他们。

乙酉(十八日),权知东平府耿京派诸军都提领贾瑞、掌书记辛弃疾前来奏事,皇上当日召见他们。

在此之前耿京怨恨金人横征暴敛,与他的六名亲信进入东山,逐渐发展到数十人,攻取莱芜县,拥有部众一百多人,贾瑞也带着部众数十人投奔耿京。从此势力逐渐强盛,就占据东平府,派贾瑞入朝奏报,贾瑞说:"如果到了朝廷,宰相以下的官员恐怕会有所诘问,不能应

对，愿与一位文士一同前往。"就任命辛弃疾为权掌书记，从楚州到达临安。贾瑞，莱州人；辛弃疾，济南人。

戊子（二十一日），邵州防御使、知文州、节制军马向起出任鄂州观察使，右武大夫、兴州前军统制、节制军马吴挺出任荣州刺史，右武大夫、达州刺史、兴州前军统制刘海出任拱卫大夫，这是对秦州大捷的奖赏。

当时四川宣抚使吴璘驻扎河池，派遣中军统制杜实传令向起等人说："行军要队伍整齐，不能打乱秩序，不能落伍掉队，不能践毁民居，不能抢占民财，遭遇敌人准备交战，一定要排列军阵。甲军弓弩手都坐着，距离敌阵约一百五十步，神臂弓兵站立，先用箭试射敌军，弓箭所射之处能穿过敌阵，就令前军同时射击。如果敌兵直捣拒马，就令甲军枪手暗中掩护在拒马后，握枪刺敌，忠义人也这样作战，违令者一律处斩。如果敌人败退，允许忠义人尾随在后追击敌人，必须活捉金人或者提来敌军首级才按功论赏，否则不予奖赏。其中如果用其他地方的人假装金兵冒领奖赏的，罪亦处斩。"总的布阵方式，是以步军为阵心，排成左右翅翼，马军排成左右两肋，拒马环绕在左右肋之内以掩护步军。以一阵来统计，主管军阵的将领有：统制一人，统领四人，主阵拨发各一人，正将、副将、准备将、部队将的人数则根据军队人数来确定。阵兵三千二百六十三人，军阵内的步军一千二百零七人，组成阵心的一千零六人，运送拒马的二百人。居于阵外的步兵，分成两翼，两翼将士人数为五百六十六人，左翼为二百八十三人，右翼人数也相同。马军居于阵外，其中左肋将士二百六十一人，右肋人数也相同。虽然偶尔有调拨、增补军队的变化，但军阵大致就是这样。

吴璘就派遣兴元都统制姚仲，率领东路兵从秦亭出发占据巩州。而金房都统制王彦，将他的军队分别驻守在商州、虢州、陕州、华州。虢州、华州被金军占领，金人撤退后，又收复了两州。陕州的守军正与敌军相持，然而敌军也未退却。

己丑（二十二日），宋高宗下达制书授予耿京天平军节度使、知东平府兼节制京东、河北路忠义军马，权天平军节度掌书记辛弃疾补授右承务郎，诸军都提领贾瑞补授敦武郎、閤门祗候。耿京、贾瑞都受赐金带，将吏中被授官职共二百人。于是京东招讨使李实派统制官王世隆与贾瑞等人带着委任状和节钺前往。

金国主派遣元帅府左监军高忠建、礼部侍郎张景仁来宋告知登位之事，盱眙军奏闻朝廷。庚寅（二十三日），宰执奏报金国使臣在二月渡过淮河，宋高宗说："现在如果拒绝他们，那么不了解他们的来意，妨碍两国交好；如果接受使臣，就应当派遣接伴使和接伴副使到边境，先与他们商量。过去两国讲和，本来是因为梓宫、太后的缘故，虽然委屈自己谦卑言辞，但并不惧怕。现在金国发动无名之师，入侵我淮甸，两国的盟约已经断绝。现在使臣前来，则以什么名称为正？以哪里为准划分疆土？还有朝见的礼仪、输送岁币的数额，应当首先确定。不然，就不能接受使臣。"

金国实行纳粮补官法。

金国主派遣右副元帅完颜默音率军讨伐耶律斡罕。

任命洪迈、张抡为接伴使。壬辰（二十五日），宋高宗对宰执说："朕估计此事最终归于讲和，你们要首先议定两国的名次，而把划分国界排在第二。大概你们不得不像这样说，在朕看来，应当以土地、人民为上，而名分则不是优先要考虑的。为什么？如果能够恢复原有疆域，那么祖宗陵寝就在其中，让两国的人民不遭战争摧残，这难道是小事？至于说到小国侍奉大国，朕不认为可耻。”陈康伯说：“这不是我们所敢拟议的。”宋高宗说：“等洪迈等人回来应对时，朕亲自将此意告诉他们。”

金国主对宰执说：“朕即位不到半年，要处理的事情很多。近来根本没有人敷陈上奏。朕深居九重宫内，正依靠你们辅佐，各自考虑自己管辖内的事奏闻。”甲午（二十七日）又对宰执说：“你们应当考察民间利害得失以及政事的好坏，及时奏报，不能只图自己方便悠闲。”

丙申（二十九日），任命御营宿卫使，和义郡王杨存中为江、淮、荆、襄路宣抚使，任命中书舍人、权直学士院兼侍讲虞允文为试兵部尚书，充任江、淮、襄路宣抚副使。

当时宋高宗准备回到临安，军务还未交付给人。张浚判建康府，众望归属于他；等到任命了杨存中，朝廷内外大失所望。给事中金安节、起居舍人兼权中书舍人刘珙说：“近来金人违背盟约，陛下御驾亲征，在长江岸边视察军队，公开赏罚，号令一新，天下人正注视着朝廷。凡是被提升任用的人，全部应当是合适人选，何况要统帅群雄，兼管数路，大权所在的官职，尤其应当谨慎考虑。杨存中过去任职的情况，不须臣等详细陈述，不久前因为他权势太盛，人们议论纷纷。陛下委婉表示保全，让他解除重职，现在又授以此任，掌握的权力更大，岂止无法安慰海内人士的愿望，也恐怕不是保全杨存中的方法。倘若因为虞允文资历不深，不能将大权交付给他，应当另外选择重臣，以承担重任。”奏疏呈入，宋高宗很生气，对辅臣说：“刘珙的父亲是张浚的朋友，这份奏疏是专门为张浚上奏的。”宰相陈康伯、朱倬，召见刘珙告知皇帝的旨意，并且说：“第二次上奏就会连累张公。”刘珙说：“我是为国家考虑，所以没有时间考虑张公的事；如果只是为张公考虑，就不会这样做来连累他了。”任命第二次下达，刘珙仍然上奏如初，就停止了任命。于是虞允文改任川陕宣谕使，杨存中只负责两淮事务而已。

二月，戊戌朔（初一），中书舍人、权直学士兼侍讲虞允文任试兵部尚书、充任川陕宣谕使，负责招军买马，并且与吴璘相见议事。

己亥（初二），金国主因为前翰林待诏大颖进言获罪，起用为秘书丞；因为补阙马钦谄媚事奉被废前国主，被免职。

庚子（初三），张浚、虞允文入宫应对。当时张浚乞请同执政官一起奏事，宋高宗不同意，于是与虞允文一同答对。诏令张浚仍旧兼任行宫留守，又诏令张浚免除相职后有应得的特进官的恩赏，都发还给他。

言事官提出处理江淮的三件事：“其一，请在两淮、荆、襄之间建立四个大镇，如维扬、合肥、蕲阳、襄阳，各自负责，增筑城墙，开挖护城河，以建立防守战备措施，农耕和战备交替进行，以待天时。每镇招集边境一带的弓箭手二万人，每人授予良田一百亩，供应耕牛、粮种，虽然没有收到租赋，实际上免除了军饷供应，全部遵照陕西边境一带的办法执行，仍将湖北路在长江以北的州县隶属于蕲阳镇管辖。其二，长江以南，控制吴蜀，历来屯驻守军，据守其中险阻之地。现在应当设立五帅，由镇江往上到建康、九江、江夏、公安，各派二万人驻防，建立附属城镇，供应他们粮草，沿途设置烽火台，增加水军船只。其三，选择率兵将领，训练各路将兵、禁军、士兵、弓箭手，这些实际上是长治久安之计。”于是诏令杨存中、成闵、李显忠、向子固、方滋、杨抗、向汋、王彦融、强友谅考虑此事并奏闻。

兴州前军同统领惠逢收复河州。

在此之前四川宣抚使吴璘命令惠逢袭取熙州、河州，惠逢抄近路从临洮出兵，蕃兵总领、权知洮州李进，同知洮州赵阿令结，钤辖荣某，都率兵到会通关袭击金军，俘获金守将成俊。各将商议进兵的事，都说："我应直捣河州而敌人兵少势弱，以强制弱，还担心不能攻克！"一将领说："不可。我听说金军全部驻扎在熙州，我军如果直捣河州，熙州敌军势必会来增援。敌人率领着有怨气的军队，乘他们麻痹大意时，可一战擒敌。熙州的军队如果攻破了，那么河州的军队就不攻自破。"众将说："好！"当即将军队埋伏在闾家峡，这一天，是正月丙戌（十九日）。而金国将领温特棱，率领正军一千五百人，以及同样人数的从军，直达峡口以阻击宋军。惠逢派数十个体弱的骑兵引诱敌人，约定说："旗动就发兵。"金兵靠近体弱的骑兵时，战旗挥动，伏兵突然冲出。正巧刮起大风，人马分辨不清，李进率兵驻守山上，命令左右人马下山，用平射弩从侧面射敌，金兵大乱。钤辖荣某乘骏马挥舞兵器刺杀敌人，所向披靡；众将士跟随他冲锋陷阵，金人于是大败，溃逃而去。追击的骑兵追到托子桥，有一金将作后卫，站在桥的左边，怒瞪双目大声说："正好在此决一死战！"追击的骑兵就不敢逼近，敌人的剩余部队全部过河后，才乘马慢慢离开。后来俘获了金兵，问将领是谁，原来是温特棱。这次战役，俘虏金兵二百零五人，骑兵二百人。

于是惠逢、李进逼近河州。蕃落指挥刘全、李宝、魏进，纠集河州民众，捉了金国的河州同知、中靖大夫郭琪前来归降。河州百姓都手持鲜花拥挤在路上迎接宋军，有人高兴得流泪。只有宁河寨的官员为金国坚守营寨，百姓砸门而入将其分尸，提着他的首级来献。各将取得州城后，正准备清理府库，人人都炫耀自己有功各不相让，有人说应当奖赏军队，惠逢下令发给每人十馀钱。当时食物昂贵，一个炊饼价钱达数十钱，各士兵得到赏赐的钱，扔在地上大骂说："我们舍身攻下河州，现在性命低贱，还不值一个炊饼的钱！"

不久传说金兵大量来到，众将准备据城固守，惠逢说："敌众我寡，河州又是刚刚归附的，不易固守。如果城中有人叛乱，外援又不来，将怎么办？"随即率领部众准备出城。河州父老都拦着他的马说："钤辖安坐府中，我们出力血战，必能阻挡金军，何必担心兵少！"惠逢对众人说："我现在离开此地，是到外面求取援兵，并不是弃城离开，你们同心协力守城吧。"就命令儒林郎吕谋代理知州，交给他自愿留下的军士数十百人，接着出城屯驻会通关。李进乘马经过街市，大声说："河州父老有人认识李进吗？当初不挟带一缕入城，现在不挟带一钱出城。"当即策马而去。军队怨恨惠逢赏赐太少，有人中途逃跑。

癸卯（初六），宋高宗从建康府启程，驻宿东阳镇。

兴州前军同统领惠逢派兵收复积石军，俘获同知军、宣武将军高伟，又进攻来羌城，攻克此城。

当时金人又夺取了宁河寨，将宁河寨的民众全部杀死，宁河寨的守兵都溃逃了，金人集合兵力一万多人围攻河州。城中百姓商量说："前日归顺南军的百姓，金人全部杀害了。我们如果效仿他们，就是又一个宁河寨，岂有保全之理！不如共同死守，还有千分之一活命的希望。"当即登记户口，男子登城防守，女子供应粮饷。州郡内有一座木佛塔，高数百尺，于是拆下木塔做成防御器械。金人全力前来进攻，木头抛下砸压敌人，有的敌军被压得粉身碎骨。过了三天，金人退屯白塔寺。

甲辰（初七），宋高宗到达下蜀镇。

金国主任命张浩为太师、尚书令，告谕他说："你在正隆年间任首相，不能匡正补救国主过失，怎么能说无罪！营建两宫，极尽民力，你也曾劝谏，所以百姓不因此归咎于你。现在因为你练达政务，重新任命为相，应当自思勉励。"

金国御史大夫耶律元宜任命为平章政事。

乙巳（初八），宋高宗到达丹阳馆。丙午（初九），宋高宗驻宿丹阳县。丁未（初十），宋高宗到达吕城。

太尉、威武军节度使、提举万寿观刘锜在临安府去世。

刘锜做了宫观官后，寓居在都亭驿。宋高宗听说他病重，敕令国医诊视。当时金国派来的使臣将到，留守汤思退准备清理驿馆接待金使，派遣黄衣卒告诉刘锜迁居别院，刘锜发怒，吐血数升而死。诏令追赠开府仪同三司官职，常例之外赏赐白银三百两帛三百匹，后来定谥号为武穆。

戊申（十一日）宋高宗到达常州。己酉（十二日），宋高宗到达无锡县。

王宣与金军在汝州再次交战，到傍晚，各自收兵，伤亡相当。第二天早晨，金国骑兵全面进攻，宋军大败，士卒战死一百多人，阵亡将官三人。

庚戌（十三日），宋高宗到达平江府。辛亥（十四日），宋高宗到达平望。壬子（十五日），宋高宗到达秀州。

鄂州统制官王宣从汝州班师回营。当时金人围攻汝州形势紧急，多次接到班师诏令，王宣就弃城而去。

金国任命太保、左领军大都督完颜昂为都元帅，仍旧担任太保职务。

癸丑（十六日），宋高宗到达崇德县。

金国的萧玉、敬嗣晖等人被免官放归故里。

甲寅（十七日），宋高宗到达临平镇。

金国恢复以进士为尚书省令史的制度。

乙卯（十八日），宋高宗到达临安府。

兴元都统制姚仲包围德顺军。

在此之前姚仲率步军六千四百人分为四阵，直趋巩州，他的部下准备迅速攻击，姚仲不同意，就退兵准备进攻的军械。兵临城下后，梯炮的数量与城下攻城的军械数量相等，围攻州城三天三夜，不能攻破，就放弃攻城。当时巩州父老各自送来米面以慰劳军队，像山一样堆积在军营门前，等到姚仲率兵撤退，巩州父老感到狼狈，说金人现在知道我们慰劳宋军，会杀了我们，不如想办法求条活路，就杀了官军中运送粮食的后卫军多人，并焚烧了馈送的物质后就离开了。姚仲退守甘谷城，留下统制官米刚等驻扎巩州以观敌情，于是姚仲率兵到德顺。

丙辰（十九日），金人进攻蔡州。侍卫马军司中军统制赵撙击退了金人。

当初，金人败归之后，赵撙增修守御工事。京湖制置使吴拱进兵屯驻南阳，派遣后军统制成皋、华旺、捷胜军统制张成各率所部兵力前来增援，加上赵撙以及白踏军统制焦元所部兵力，总共才六千人。金将费摩率领数万人兵临城下，在距城西北一里处，沿汝水扎营建寨。这一天是庚戌（十三日）。第二天，调派一半的兵力进攻州城，一半的兵力抢掠粮食，共三次

派人送信到城下，赵撙下令射击信使。送信的人说："此次送信来，是与赵提举商量军事。"赵撙始终不让他进城。各将说："敌人送信来，不知其来意，姑且收下信有什么害处！"赵撙说："不可。如果看敌人的来信，必然导致士卒的疑虑，正好中了敌人的诡计。"

前一天，金军乘天气昏黑在南门外的十三处填塞护城河，行动安静听不到声音，快天亮时，才发觉了他们的行动。焦元被流矢射中，于是退下城来，金人乘势登城，打开城南门进入城内。赵撙驻扎在城西，刚刚听到城南失利，立即下城集合各军，占据有利地势以待迎敌。华旺、成皋、焦元准备抢夺东门出城逃跑，守门统领官刘安不同意。将官李进听说南门遭到进攻形势危急，就率领弓箭手二十多人赶赴南门，挥刀登城，身中三箭而死。赵撙指挥士卒进行巷战，时至中午，不分胜负，效用王建招募敢死队十一人，截断他们的铠甲，登城杀敌。到申时，双方相持不下。马军司第十八将王世显请求招募敢死队，共招到四十人，登城接战，杀死金军二将，金人大乱而散，都自己从城上下跳外逃，南军奋力追击，金人死亡的人数不胜数。正巧金军帅登上南门，望见宋军旌旗不乱，说："今天又不能攻占这座城。"又下城而去。赵撙大喊说："金人逃跑了！"军士都欢呼。金人于是大败，争门而出，无法出城的金兵，拥挤在球场中的就有一千多人，各军包围他们，全部杀死。赵撙下令将金人的尸体堆积成两个大冢。

赵撙苦战仅十天，兵力不过六千人，大战之后，阵亡的军吏有四百多人，负伤的有三千七百人，还能作战的只有二千人了。

金人败退后，还在西原整顿军队，分成八头，每一头树立两面旗帜引导撤离，以显示自己的余力。南军望见这些，都不说话只是感叹。

戊午（二十一日），金军再次攻城，用大车运载柴草想火攻西门，赵撙在瓮城埋伏壮士，等敌人来临，打开城门突然袭击，金军弃车而逃。

庚申（二十三日）夜间，有一个流星陨落在蔡州金人的营寨。天未亮，金人撤退三十里。

鄂州左军副统制王宣从汝州率领二百骑兵返回唐州。

当时蔡州被围形势危急，京西制置使吴拱调遣一万三千人的步兵骑兵前往蔡州增援。统领官游皋等到达确山，逗留不进，吴拱就派王宣担任权中军统制、节制沿边军马，直趋蔡州救援。

甲子（二十七日），金都元帅完颜昂在山东路设立官署，主持边界事务。这一天，高福娘被依法处死。

乙丑（二十八日），鄂州驻扎御前中军权统制王宣，在蔡州确山县击败金人。

前一天，王宣率所部扎营在距确山三十五里的地方，天将亮，侦察骑兵报告敌人到达确山，众将打算不与金人作战，王宣不同意。就留下步兵，率领三千骑兵先行，分成三阵。敌人冲进阵心，王宣下令各军用背刀冲击杀敌，三阵同时挺进。秉义郎、右军副将汲靖很勇猛，王宣召见他。汲靖请求给他一百骑兵，王宣交给他二百骑兵。汲靖上马坐在马鞍上高呼："今天汲靖为了国家攻破此敌，如果不攻破敌人，誓不生还。"左右听到这句话，人人勇气百倍。王宣说："汲靖可以成功了。"汲靖策马冲入敌阵奋力击敌，敌众逃避。汲靖三次冲入敌阵，只阵亡两个骑兵。各军都奋勇进军，金人就逃跑了，王宣休整军队不去追击。

正当金军尚未退败时，招讨使吴拱，认为赵撙孤军作战不可久留，多次以蜡书督促他撤军。赵撙因为敌人围攻正急，如果弃城撤退，敌兵乘机追击，势必导致败亡，况且蔡州军食有余。吴拱十分生气，以蜡书交付各位将领，命令他们各自撤退。正好敌兵败退，赵撙就与各位将领在夜里撤出蔡州。城中居民都跟从他，天色昏黑，掉到悬崖摔死的人很多。于是赵撙从信阳回归德安，而王宣也返回襄阳府屯守。

丙寅（二十九日），将钦宗皇帝的灵位安葬在招贤寺，另立了虞祭的神位。

金人又攻取蔡州。

兴元都统制姚仲，派遣副将赵诠、王宁率兵进攻镇戎军。金人听说宋军来攻，关闭城门，收起吊桥，据城固守，赵诠等率兵射断了吊桥的绳索，各军全部登城，神臂弓射手射击敌军城楼，另派重兵分头出击，敌军招架不住。金军主簿赵士持，自称原本是宋皇族，与同知任诱先开门出降，俘获金军知军振戈将军韩珏。定远大将军、同知渭州秦弼听说南师攻破镇戎军，于是称病不接受金朝的命令，与他的儿子进义校尉秦嵩及其家属前来归降宋朝。宣抚司任命秦弼为镇戎军知军。

闰二月，辛未（初四），龙神卫四厢都指挥使、宁武军承宣使、江州驻扎御前诸军都统制戚方，添差为两浙东路马步军副都总管，驻扎在绍兴府。

金人派调熙州、兰州的兵力围攻河州，远望金兵蔽野，军械很充足。宋军尚未占据河州时，金守将温特棱派食粮军驰马送信给临洮、德顺军以求援，被吏曹刘浩等十八人设谋将信藏起来没有送出，不久刘浩等全部前往归降宋朝。等到金兵再次回到河州城，在城下大喊："只有将刘浩等人用绳子吊下城来，就解除包围。"刘浩等用箭射击呼喊的人迫使他离开。正巧义军运送石炮攻击敌众，杀死金军部长一人，敌人才稍微后退，然而也没有撤走。

壬申（初五），钦宗皇帝的虞主神位返回几筵殿，宋高宗亲自举行安神祭礼。于是从七虞到九虞，都亲自举行祭礼。

金人攻破河州。

当初，河州被包围后，金将温特棱扬言说："河州能被宋军死守，很强盛。现在我留守此地，万一汉军乘虚进攻熙州，那么熙州又被人占有了，不如率兵去增援熙州。"于是率兵离开。城上士卒听着这个消息，互相庆贺，守城士卒脱下甲衣坐着休息。这天夜里，人人都在城角安卧入睡，敌人派铁骑直捣城池，不一会儿城被攻破，州里的百姓有的还不知道金军已到。第二天，癸酉（初六），敌人驱逐父老、儿童数万人并杀害了他们，将数千的强壮者送到金境去当兵。

在此之前宣抚司命令惠逢、李进等会合蕃兵、汉兵增援河州，惠逢认为兵力弱小，不能对付敌人，再次请求增兵。不久，宣抚司派将领郭师伟，率领七百骑兵为惠逢声援，郭伟师还未到达，河州已被攻破。惠逢屯驻通会，李进屯驻临洮。惠逢派人对李进说："金兵现在再来进攻，河州失守是肯定的。我们犯有不测的罪名，不如全力再战，还可获得免罪。"李进说："敌兵比以前增加了近万人，我们联合危兵前去作战，一定自取其辱。"惠逢相信了他的话，就休整士卒。李进随即乘星夜直趋河州。两天后，惠逢听到这个消息，掩面哭泣对部下说："李进害我！"李进到河州，州城已被敌人焚烧扫荡，只剩下城址废墟了。敌人屠杀全城时，吏曹刘浩与他的同伙八人逃走得以免于一死，另外十人被杀，宣抚使吴璘对刘浩等人全部任命官职。

丙子(初九),宋高宗在几筵殿亲自举行卒哭祭礼。戊寅(十一日),宋高宗送钦宗虞主神位到和宁门外,举行奉辞礼仪,就将神位恭奉在太庙第十一室。己卯(十二日),百官开始穿纯吉服。

癸未(十六日),正侍大夫、宣州观察使、兴元府驻扎御前右军统制杨从仪,率领各将进攻大散关,攻克了它。

大散关未攻克时,左从政郎、都统司干办公事朱绂,写信送给总领财赋王之望,说:“各军斗志不坚强,战心不旺。并且说:‘让我全力拼战,如果真的建立了微小的功劳,应当到哪里去领奖赏呢?等到核实之后,再明保申报,宣司、总司指挥等部门之间,往返数十天,怎能救急!’总之观察现在的事势,与以前的事情不同,不设立重赏,凭什么去要求别人拼死作战?乞请全面斟酌处理,大约从川蜀征收的军需费用中拿出十分之一,多给准备赏给钱物近一二百万,由总领所下达文书给各将帅,多张榜告示,号令各军,各自立功当即奖赏。如散关一带,假使当初有银绢一二万匹两,有钱引一二十万道,储存在凤州,由宣抚吴公、节度使姚公明告诸军,派遣二三个统制官各率领所部一同出战,告谕他们说:‘应当进攻却后退,就以军法处罪,进攻并且取得胜利,攻破关隘险要,则有重赏。’能做到这样那么军队不听指挥,敌人不被消灭,是绝对没有的。”

王之望见信发怒,回信说:“用兵一百三十天,粮食、草料、银绢、钱引,所在之地都有储积,多次犒劳军队,都由朝廷拨款赏赐,文书一到本所,当即给予分发,从不耽误阻挠。散关以前攻不破,听说自有说法,不知是因为地势险要防守坚固而不能攻取,还是因为有攻取的条件,却没有银绢钱引的缘故,士卒不听指挥?如果可以攻取而士卒不听指挥,难道是有意使他们这样的吗!那么一定有承担此责任的人。何况听说攻关的时候,死伤不少,那么不是士卒不听指挥了。自古以来兵家出兵作战,如果逗挠无功,大多是以军粮供应不足为理由,嫁祸于有司以自我解脱罪责,还没有听说要有堆积起来的奖赏作为借口的。国家息兵二十年,将士没有参战,竭尽了西川的费用来供奉他们。一旦临敌作战,却需要将银绢堆积起来作为奖赏后才听从指挥,那么军政状况由此可知了。并且像以前的和尚原、刘家圈、杀金坪等各军大捷,近期吴宣抚攻占方山原、秦州等地,王四厢攻占商、虢等州,吴四厢攻占唐州、邓州,也不曾听说是先堆积银绢作奖赏才攻破敌人的。朝廷奖赏标准很明确,本所从不悭吝。如秦州治平的战功,接到宣司的报告文书,即时发放奖赏。鱼关支付分发赏赐,何曾稍有差错!各关的金帛钱物,堆满了府库,宣抚不停地发关调拨,难道这是没有储存吗!李晟屯守东渭桥,没有积蓄的资产和军粮的供应,却靠忠义感动士卒,最终消灭了大盗。足下身为书生做主帅的幕僚,不能用这些事例规劝主帅,却反而指责主人不向百姓征敛,岂不怪哉!九月以后,兴元一军,已经支付拨调了钱引二十八万道,银绢二千匹两,而军粮、草料与各种犒劳物质不算在其内,也不能说是不给供应了。如果将这些物资都发给将士,难道不能因此立功!有功却没有奖赏,有奖赏却没有得到的是哪些人?朝廷分设官署各负其责,各有分工,而对财物的收支管理尤其严格。经办官署、检察官署,互相监督,所有多次下达的指令规定,所有开支费用,由宣抚司审查核实,总领所计划批准,这是古今通义也是圣朝的英明制度,来信说攻打散关时,如果有银绢、钱引储备在凤州,那么不会不攻破敌人。储备凤州与储备在鱼关有什么不同?当宣抚使就攻守之策询问节度使时,也不曾听到有人谈这件事。现在散

关、凤翔尚未攻破，足下可与军中将领商议攻取散关需要银绢、钱引多少，攻取凤翔需要多少，可以保证一定攻克；本所自当承担这一切费用，足下可立下军令状呈报，还要奏闻朝廷。如果攻克敌人而没有行赏，是我的责任；如果本所承担所有费用却没有破敌，足下应当怎么办？"朱绂无法回答。

至此杨从仪督同统制田升等乘夜率兵攻打大散关，于是分兵据守和尚原。金人逃到宝鸡。

丙戌（十九日），赐给张浚十九万缗钱，作为长江沿线各军的造船经费。

宋高宗返回临安后，有人劝张浚向皇帝请求离职。张浚考虑自己身为旧臣，一时间人心会因为自己的去留来判断安危，于是不敢提出辞职，处理府事，大小事情必定亲自去办。

戊子（二十一日），宋高宗开始穿纯吉服，亲临正殿上朝。

右谏议大夫梁仲敏，弹劾"参知政事杨椿，辅政一年，专门阿谀奉承来取悦同僚，议政则袖手旁观唯唯诺诺，回到家里后则饮酒度日，以身居要位安得俸禄为得意，朝廷哪里能依赖他呢！"殿中侍御史吴芾说："杨椿自从担任侍从大臣以来，已经没有可以称赞的地方。他在翰林苑任职时，所起草的诏令文稿，大都是剽窃前人的文章，进行拼凑后进呈。侥幸登上政事堂任职，没有一句可以采纳的建议，没有一件能够办成的事情，只为同乡谋求官职，为知己旧友举荐任职。所以京都人将他视为"收敕参政"。去年冬天敌情警报刚刚传来，有几位侍从去拜谒杨椿，劝他规划对策，又用有关安危的话去打动他，杨椿竟然无动于衷，只是指指耳朵作为回答，大概杨椿一向有耳聋的毛病。亲友中有人煽动他离职，杨椿说：'我忝为参政，宰相同意我也同意，宰相叩拜我也叩拜，听力迟钝有什么妨碍？'他贪求禄位不知廉耻，达到如此程度。"左正言刘度，也弹劾"杨椿贪婪懦弱无耻，不久前任湖北路宪司时，一律以三百贯钱的价格出售一张举荐书。自从做了侍从官后，登入政事堂，只接受兵部亲事官以及亲随吏员的贿赂请求。希望赐予罢免以整肃朝廷内外。"

辛卯（二十四日），参知政事杨椿充任资政殿学士、提举在外宫观官。杨椿被台谏官所弹劾，四次上疏乞请免职，于是有了这个任命。

湖北、京西制置使吴拱上奏说从西北来归顺的人很多，希望暂且让他们进入各寺庙道观安顿，分给官田，借给他们耕牛、粮种，暂时免收租税，宋高宗同意了。

癸巳（二十六日），敷文阁待制、枢密都承旨徐嘉充任馆伴大金国信使，武功大夫、吉州刺史、权知阁门事孟思恭充任副使。

在此之前金国使者高忠建等人准备入境，责成宋国以臣属国的礼仪来接待并索要新近被宋军收复的各郡县。接伴使洪迈回信说："自古以来，邻邦往来，都用平等的礼仪。过去本朝皇帝，上为先帝着想，下为百姓着想，勉强压抑尊称促成和好，而你国无故违背盟约，自取败亡。我听说大金新皇帝有仁厚爱民之心，本朝廷及时告知将帅，只命令他们收复失地外，不许追袭，却受到你们的责问。你们首先派信使来，举国欣幸。但所有的礼仪，难以恢复以前的惯例，我自当临淮拜谒，等待你光临，详细情况面谈。"

近来的惯例，在淮水中流迎见使臣，到了这一次在虹县之北的虞姬庙相见，才开始以平等的礼节相待。等到赐宴款待使臣，因为钦宗守丧期没有结束，不用音乐。

乙未（二十八日），右朝请郎、知盱眙军周淙，上奏说富察徒穆的仆从，骑马从燕地来报告

契丹人侵扰金国，宋高宗对大臣说："上天痛恨金国惹起祸端，让契丹人与金国互相攻打。现在首先派使臣求和，那么金国内部的形势就可想而知。倘若能恢复原有的疆土，能供奉祖宗陵寝，的确是国家的福分。"陈康伯说："以前金国皇后曾说：'只见汉和蕃，不见蕃和汉。'现在却是金人先请求议和。"

这一天，金国兵部侍郎温都察珠图喇和斡罕在胜州交战，打了败仗。

这个月，兴元都统制姚仲，率领忠义统领段彦率兵进攻平安关寨，攻克了它。进兵到原州，金人坚守攻不破。段彦派兵包围原州城，鼓励将士乘势全部登城，于是攻克了它，杀死金国知州完颜萨里，俘获同知、镇国将军赫舍哩鄂噜古等，连同他们的家属一同进献。朝廷就任命段彦为原州知州。段彦又派遣将官陈玘率兵攻克西壕、柳泉、绥宁、靖安四寨。

三月，丁酉朔（初一），新任命的资政殿学士杨椿，降任端明殿学士、提举临安府洞霄宫。

四川宣抚使吴璘从秦州率兵到达德顺军。

在此之前兴元都统制姚仲进攻德顺军，过了四十多天不能攻破，就派武当军承宣使、知夔州李师颜代替他，与中军统制吴挺共同指挥军马。正巧金国都统图克坦喀齐喀、副都统张中彦从凤翔前来增援，又派遣金军左都监从熙州、河州率兵经过张义堡进驻摧沙，会合泾原的军队前来增援。吴挺与金人在瓦亭相遇，统制官、秀州刺史吴胜、阁门宣赞舍人朱勇等率所部迎战。统领官王宏对人说："我赤手空拳归顺朝廷，很快任官为将领，不拼死作战，就不是大丈夫！"当即冲出，率领他的部下奋力出击，箭矢横飞如同猬毛，王宏毫不动摇，敌人败退。然而各军还惧怕敌人军队强盛，又与敌人相持不敢进攻，吴璘担心将士松懈斗志，于是亲自率兵前往，至此抵达德顺军城下。

乙巳（初九），少保、奉国军节度使、四川宣抚使、领兴州驻扎御前诸军都统制职事、充利州西路安抚使、判兴州、充陕西、河东路招讨使吴璘升为少傅，龙神卫四厢都指挥使、保宁军承宣使、金、房、开、达州驻扎御前诸军都统制兼知金州兼金、开、达州安抚使王彦升为保平军节度使，这是因为商州、虢州的战功给予的奖赏。

丁未（十一日），左司员外郎兼国史院编修官洪迈、文州刺史、知阁门事张抡接伴北使返回，入宫朝见。洪迈等人说："臣见到朝廷下达的指令，停止北使沿途观光游览、烧香。臣私下认为朝廷正与邻国和好，所要争辩的都是大事，不是一件事就能了结的。现在赐予宴请、犒劳，一切如旧，那么游览观光等小节，似乎可以忽略。如果以钦宗皇帝服丧为托词，那么以前显仁皇后驾崩后派吊祭使来，前往天竺、浙江旅行，也没有废止。如果他们有此请求，则没有理由拒绝。希望下令有司依照惯例执行。"诏令："使者想前往浙江观潮，令馆伴使告诉他们近日水势凶猛，损坏了江亭石岸，难以观看；他们想到天竺以及沿路游观烧香，暂且依照最近的规定办理；如果他们没有请求，就依照以前下达的指令执行。"于是任命洪迈守起居舍人，兼职如旧。

这一天，金国的报登位使高忠建等人进入临安城门。开始时，高忠建要求宋朝以臣属礼节相待以及索要宋新近收复的各郡，洪迈奏报朝廷，并且说："土地疆域是实利，不能给；礼仪等级是虚名，不足惜。"礼部侍郎黄中听说这件事后，急忙上奏说："名分确定了实际的东西才能随之确定，百世不变，不能说是虚名。土地疆域的得失，一时在彼一时在此，不能说是实利。"还有人认为："土地，是实利；君臣，是名分。现在应当先确定实利后确定名分，才对我有

利。”权兵部侍郎陈俊卿说:“现在国力不足以守卫安全,虽然得到了黄河以南的土地,不免是虚名。臣认为不如首先正名分,名分正,那么国威伸张而每年送给金人的钱物也就减少了。”

戊申(十二日),四川宣抚使吴璘收复德顺军。

吴璘刚到城下时,亲自率领数十骑兵绕城观察。守城的人听到有人呼喊相公来了,观望叹息,宋军弓箭还未多射,敌人的气势就减弱了。于是吴璘巡视各屯驻营寨,预先整治护城河附近的战场。前一天,当阵斩了一名将领,罗列他的罪状以整肃军队,各将吓得双腿发抖。于是先命令数百骑兵迎敌,金人一擂战鼓,精锐兵力冲出来袭击宋兵,随即全军前来参战,宋军因为先整修了战场,无不以一当十。苦战了很久,接近傍晚,吴璘忽然传呼某将作战不力,这人立即与金兵殊死搏斗。金兵大败,就逃入城内。天快亮时,吴璘再次出兵,金人坚守城垒不迎战。正巧天降大风雪,金人率兵乘夜逃走。吴璘入城,店铺依然开业,城中父老拥马迎拜,几乎不能前行。于是派遣忠义统领严忠攻占环州,俘获了金国守将中宪大夫郭裔。

在此之前武功大夫、阁门宣赞舍人强霓与他的弟弟武经大夫强震都陷入敌境,至此从环州归来。吴璘称赞他们忠义,奏请任命强霓知环州兼沿边安抚司公事,任命强震为统领忠义军,屯驻环州。

己酉(十三日),太常少卿王普假工部侍郎、充送伴大金报登宝位国信使,武翼大夫、荣州刺史、带御器械王谦假昭庆军承宣使的官衔出任副使。

壬子(十六日),金报登位使骠骑上将军、元帅府左监军高忠建,副使通议大夫、尚书礼部侍郎张景仁,在紫宸殿朝见宋高宗。根据以往惯例,北使抵达馆中三天就引见,此次因为商议礼仪的规格未定,所以选在这一天。于是北使在隔门外面下了马,三个随从在皇城门口下马,使臣和副使臣的位置在节度使之南,不铺设毡褥。因为钦宗皇帝服丧期未满,不设仪仗,然后在垂拱殿设宴款待使臣,不用音乐。

在此之前阁门官员议定接受国书的礼仪比在京都时的旧例简略,诏令馆伴使徐嚞等人将所确定的礼仪给金国使臣看。高忠建固执己见,特许在殿上进献国书。等到他升阶上殿时,还按旧礼行事,尚书左仆射陈康伯用大义批评他,高忠建说不出话来,就请宰相接受国书。陈康伯说:“臣为宰相,难以屈尊履行阁门的职责。”高忠建手捧国书,跪地不肯起来,朝廷大臣面面相觑十分惊愕。陈康伯招呼徐嚞到榻前,厉声说:“馆伴使在馆中所议定的什么事?”徐嚞径向前夺过其国书以呈献,北使意气沮丧。

癸丑(十七日),金人围攻淮宁府城。守臣武翼大夫、忠州刺史陈亨祖,登城督战,被流箭射中,殉职而死。

四川宣抚使吴璘从德顺军又返回河池。

金人从摧沙领兵,经过开远堡进攻镇戎军,围绕着城呼叫鼓噪,众箭齐发,守将秦弼前来增援。当时兴元都统制姚仲,已派遣将官王仲等率领一千兵力戍守镇戎军,至此又派遣副将杜孝廉率领五百兵力屯驻摧沙作为外围防御。

丁巳(二十一日),金使高忠建等入宫辞行,在垂拱殿置酒送行。

高忠建等人朝见后,住在驿馆共五天,浙江观涛、天竺之游都停止了,至此当面接受回复的国书,采用平等国家的礼仪。快要退回时,宋高宗派客省官宣谕说:“皇帝问候大金皇帝。有劳使臣远道而来,持送厚礼。听到皇帝登上宝位的消息,不胜欣庆。后当专门派人送礼祝

贺。”高忠建等人按照礼仪接受了回复的国书。

起居舍人兼国史院编修官洪迈假翰林学士，充贺大金登宝位国信使，果州团练使、知阁门事张抡假镇东军节度使任副使。

戊午（二十二日），忠义军统制兼知兰州王宏，率兵攻取会州，俘获金国通事李山甫等五十四人。宣抚司因此任命王宏统制兰州、会州军马。

金人攻破淮宁府，忠义副都统领戴规，指挥军队进行巷战，抢夺城门以便撤退，被敌军所害，守将陈亨祖的母亲及其家属五十多人都被害死。后来追赠陈亨祖为荣州观察使，追赠戴规三个官职，让他家的三个人享有俸禄。又为陈亨祖在光州立庙，命名闵忠。

金人违背盟约后，淮河、襄阳各军所收复的海、泗、唐、邓、陈、蔡、许、汝、亳、寿等十州，到这时只剩下四州了。

己未（二十三日），宋高宗开始驾驭经筵听课。自从去年秋天用兵暂时停止讲读以来，到这时又恢复了。

金人率兵与西蕃官杏果一同围攻原州，守将段义彦，率领忠义统领巩铨带兵与原州的官吏、军民登城守卫。金军依城建寨，日夜攻击。原州城虽高，但忠义兵都没有铠甲，就派使到镇戎军向秦弼求援，秦弼无兵可派，不得已只好分出第三将赵铨以及总押官荀俊所率领的一半兵力前去应急。杏果本来是泾原部落子弟，投奔归降金人，因为他熟知当地有关利害的险要地方，金人就让他做了将领。

川陕宣谕使虞允文到达西县之东，总领四川财赋王之望从利州前往拜会他。虞允文这次出使，在襄阳与京西制置使吴拱、荆南都统制李道相会，至此又与四川宣抚使吴璘在河池相会，先后全面讨论经略中原的办法。议定让董庠守淮东，郭振守淮西，赵撙驻扎信阳，李道进兵新野，吴拱与王彦在商州会师，吴璘、姚仲率领大军出征关辅，利用长安之粮来攻取河南，利用河南之粮而会合各军来攻取汴京，那么兵力集中而粮道便利，两河地区通过传递征伐檄文就可以平定。于是用驿书上奏宋高宗。

在此之前王之望多次就兴军费用大上奏朝廷，朝廷下令劝谕民户献纳钱财，王之望因此亲自至梁州、洋州，劝谕富豪之家捐献钱财。

癸亥（二十七日），西夏二千多骑兵到菜园川掠夺，又有二百多骑兵侵犯马家巉。

丙寅（三十日），四川宣抚使吴璘命令右军统制卢仕闵把秦凤路和山外全部的忠义人以及镇戎军四将军马留下隶属守臣秦弼。因为在此之前秦弼说镇戎军兵备薄弱，敌军的势力很大，乞请派遣援兵的缘故。

这个月，明州奏报高丽国纲首徐德荣到达本州，说本国准备派遣贺使，宋高宗诏令守臣韩仲通答应了他的请求。殿中侍御史吴芾说："高丽与金人接壤，被金人所役使。绍兴丙寅（公元1146年）年间，曾派金稚圭入朝进贡，已到了明州，朝廷害怕他是间谍，及时遣返回国。现在正是两国交战之际，徐德荣的行为可疑，如果他真的来朝见，恐怕有意外的危险。万一他不来，就会被外国人取笑。"于是就制止了这件事。

这年春季，淮水暴涨，河中有白雾，其宽约有一里，其长贯穿淮南、淮北。又有红色水气浮在水面，高仅一尺，长百步，从高邮军移到兴化县，像血凝成的一样。

癸酉（疑误），殿中侍御史吴芾说："向来每年派遣聘问使臣，大多是以有用的财物去换取无用的东西。大概先行贿赂，用厚礼结交北使，才能够与北方的商人做交易。隐蔽行踪，还担心暴露，偶尔遭到查处，又用行贿来免于处罚，不只连累陛下清廉节俭的美德，也启发了敌人轻视侮辱我国的用心。现在再通和好，还忧虑受命出使的大臣有的仍然沿用前例，有伤国家体面，为害不小。”诏令使臣和副使臣严密觉察，如果使臣、副使臣有所交易，回国后令台谏官加以弹劾。

续资治通鉴卷第一百三十七

【原文】

宋纪一百三十七　起玄黓敦牂【壬午】四月，尽十二月，凡九月。

高宗受命中兴全功至德　圣神武文昭仁宪孝皇帝

绍兴三十二年　金大定二年【壬午，1162】　夏，四月，己巳，金右副元帅完颜默音等败斡罕于长泺。

先是斡罕攻泰州不克，转趋济州，欲邀金人粮运，默音与右监军完颜福寿，合兵万三千人，以海兰路总管图克坦志宁等为左翼，临海节度使赫舍哩志宁等为右翼，至木虎崖，尽委辎重士卒，赍数日粮，轻骑袭之。贼党有来降者，谓默音曰："贼中马肥健，官军马疲弱，此去贼八十里，比遇贼，马已惫。贼辎重去此不远，我攻之，贼必救其巢穴。贼至，马必疲，我马得少息。所谓攻其所必救，以逸待劳也。"默（衍）〔音〕从之，乘夜亟发。会大风，路暗不能辨，迟明，行三十里许，与贼辎重相近，整兵少憩。斡罕方向济州，闻金兵取其辎重，乃还救，遇于长泺。既陈，默音别设伏于左翼之侧，贼骑突出左翼伏兵之间，图克坦克宁射却之。

是日，别部诸将与贼对者，胜负未分，相去五里许而立。左翼万户襄别与贼战，贼陈动，襄麾军乘之，突出其后，俱与大军不相及。襄以善射者二十骑，率众自贼后击之，贼不能支，乘势麾军击其一偏，贼遂却。襄遂与大军合，而别部诸将皆至，整陈力战，天忽反风扬砂石，贼陈乱。金兵驰击，大破之，追北十馀里，斩获甚众。

辛未，金降前主亮为海陵郡王。

甲戌，吴璘命姚仲趣德顺，统制官卢仕闵、姚志并听节制，相机图复泾、渭等州。仲言所领兵少，欲就兴元、洋州抽兵为助，璘从之。于是仲并河池、秦州兵九千诣德顺，馀兵留屯甘谷、摧沙、镇戎军。

时原州受围已久，金兵益置大炮十四所，更用鹅车、洞子拥迫城下，矢石乱发，军民死伤甚众，势将不支。守将段彦、巩铨，告于知镇戎军秦弼曰："原州、镇戎，唇齿相依。原州失守，镇戎必孤。"弼以闻于宣抚司，乃就令弼尽领四将兵应援。段彦复报敌兵增至七万，卢仕闵谓泾、渭距德顺、镇戎地远，而原州势急，请姚仲分援原州，仲乃令右军统制李在分遣治平寨屯兵五百人往援之。仕闵以原州急，分遣其兵寨于东山及渭川道三岔口榆林堡，堡距州五十里，以为应援，且密遣壮士驰报城中，俾知外援以坚其守。

戊寅，御史中丞汪澈参知政事。

戊子，起居舍人、充大金国贺登宝位使洪迈等辞行。

壬辰，起居郎吕广问权尚书礼部侍郎。

丙申，兴元都统制姚仲闻原州围急，乃令统制官姚志、李在量留兵屯德顺，尽以精兵同所将常从兵以是日发德顺，往援原州。

契丹斡罕率众西走，金右副元帅默音追及之于霧淞河。贼已济，毁其津口，赫舍哩志宁军先至，不克渡，乃对岸为疑兵，以万户瓜勒佳清臣、图克坦海罗于下流渡河。值支港两岸斗绝，且泞淖，命军士束柳填港而过。追之数里，得平地，方食，贼众奄至。志宁急整陈，贼自南冈驰下冲陈者三，志宁力战，流矢中左臂，战自若。后军毕至，左翼轻骑兵先与贼接战，据上风纵火，乘烟击金军。金步兵亦至。并力合战，凡十馀合，金兵苦风烟，皆植立如痴。会天雨风止，金兵奋击，大败之。图克坦克宁追奔十五里，贼前厄溪涧，不得亟渡，多杀伤。贼既渡，金兵亦渡。少憩，贼反旆来攻，克宁以大军不继，令军士皆下马射贼。贼引却而南，克宁亦将引而北。士未及骑马，贼复来冲突，金兵少却，回渡涧北。金军大队至，斡罕遂引去。

五月，戊戌，四川宣抚使吴璘，自河池往凤翔视师。

都统制姚仲遣统领官赵铨引兵七百至开边寨，克之，获其知寨成茂。已而金人千馀自原州来求战，铨鼓众力战，北兵败走。金二百馀骑又驻开边寨河滩，右军统制卢仕闵战退之，追击至九龙泉。仲令统制姚公辅同统领官张诏、赵铨领兵七百赴原州，又令统制姚公兴驻原州北岭，与金人合战，夺其隘口。守将段彦知大军将至，势少壮，金人是日攻城亦稍缓。

壬寅，仲以大军至原州之北岭，与金人合战，南兵大败。前一日，仲未至开边寨之十里，将以次日由九龙泉上北岭，令诸军弓弩尽满引行前，辎重队居后。平旦，遇敌万馀求战，仲以卢仕闵所领马步军及陕西兵合为头陈，次以己所统部军六千四百十有八为四陈，随势便利分列之，又以统制官姚志所部兵为后拒，列为隘曲。南军尽力鏖击，陈面开合凡数十，敌兵每一冲陈，率三千馀众，迭为进退。辎重队随陈乱行不整，第一、第二陈方交锋，而第三、第四已为金兵破拒马而入，陈心冲溃，辎重中隔，莫可接。第五陈及仲牙兵，死斗最久，自辰至未，人马死亡，枕藉道路，军遂大溃。志陈居第六，已逾两隘，行前者还报诸陈尽为敌兵所败，志谓其徒曰："前军既败，我辈进亦死，退亦死，等死耳，进犹可生也。"遂悉其军各死战。未几，金人马军直前冲击，志令左军第四正将张(传)〔傅〕传令枪手尽坐，神臂弓先发，平射弓次之，起伏凡五，金兵引退约二百步。志遂趋陈，逾七八里，敌乃归南山原。当时询求姚仲不得，顷之，有报仲已至开边寨，志遂令将官杨立领神臂弓甲兵各五队据九龙泉大川路，以备敌邀击。是役也，武显大夫、兴州前军同统制郑师廉，与统领官七，将官三十，队将七十有三，并死于陈，队兵以下不与焉。仲既至开边寨，讳言五陈之败，惟推姚志为奇功，以捷报宣抚司。

公辅闻仲遇敌，乃引兵次原州城为策应，遇金人，与战，至午，各退保于故垒。时吴璘方遗仲书，问原州敌势，且曰："喀齐喀贝勒次凤翔，坚守不出。势不与处，虽原州围未解，可且赴德顺。"书未至而仲已败。

金立楚王允迪为皇太子。

乙巳，诏："礼部奏名进士，依祖宗故事，更不临轩策试。"

戊申，太傅、宁远军节度使、御营宿卫使、和义郡王杨存中，复为醴泉观使。

辛亥，镇江都统制张子盖，与金人遇于石湫堰，败之。

先是金以数万众围海州，诏子葢率兵往援，仍听张浚节制。浚受命，即为书抵子葢，勉以功名，令出骑乘敌弊。子葢至京口，整军渡江，亟趣涟水，择便道以进。前一日，至石湫堰，金万骑陈于河东。子葢曰："彼众我寡，利在速战，不可令敌知我虚实。"于是率精锐数千骑，驰马先入。复州防御使王友直以所部力战，御营宿卫前军统制张玘为流矢中其脑，没于陈，士卒死斗。金兵遂大败，拥于河，溺死几半，馀骑遁去。

壬子，奉安显仁皇后神御于景灵宫。

癸丑，吴璘闻姚仲之败，乃逮系左军第四正将张(传)〔傅〕鞫之，始得其实，遂追仲赴军前议事。翌日，又令统制官姚公辅、赵铨守原州，听候中军统制吴挺节制，不得自为摘发，若擅离所守地，稍失支吾，并斩。

乙卯，忠州团练使、知顺昌军孟昭，率部曲来归，居固始县。以昭为光州兵马钤辖，其徒皆授田居之。

丁卯，天申节，罢上寿。

海州围解。

戊午，钦宗小祥，上诣几筵殿行礼。

癸亥，观文殿大学士、判建康府张浚言："军籍日益凋寡，补集将士，必资西北之人，能战忍苦，方为可仗。访得东北今岁蝗虫大作，米价涌贵，中原之人，极艰于食。乞朝廷多拨米斛或钱物，付臣措置招徕，人心既归，北势自屈。"诏以米万石予之。

浚以为淮楚之人，自古可用，乘其困扰之后，当收以为兵，乃奏曰："两淮之人，素称强力，而淮北义兵，尤为忠劲，困于敌人，荼毒已甚，仇敌欲报之心，未尝一日忘也。特部分未严，器械不备，虽有赤心，不能成事。诚恐一旦奸夫鼓率，千百为群，别致生事，可因其嫉愤无聊之心而招集之。宜置御前万弩营，募民壮年十八已上、四十五已下、堪充弩手之人，并不刺臂面，以御前效用为名，各给文帖，书乡贯、居住之处及颜貌、年甲、姓名，令五人结一保，两保为一甲，十甲为一队，递相保委，有功同赏，有罪同罚，于建康府置营寨安泊。"诏可之。

浚即下令曰："两淮比年累被荼毒，父子、兄弟、夫妇，杀伤掳掠，不能相保，今议为必守之计。复耻雪怨，人心所同，有愿充者，宜相率应募。至于淮北久被涂炭，素怀忠义，欲报国恩，亦当来归，共建勋业。"于是两淮之人，欣然愿就，率皆强勇可用，浚亲训抚之。又奏差陈敏为统制。敏起微贱，声迹未振，浚擢于困废中，敏感激尽力图报。未几，成军。方召募之初，浮言鼓动，欲败成绩，数月间，来应者不绝，众论始定。

浚谓："敌长于骑，我长于步，制骑莫如弩，卫弩莫如车。"乃令专制弩治车。又谓："三国以后，自北来南，未有不由清河、涡口两道以舟运粮。盖淮北广衍，粮舟不出于淮，则惧清野无所得，有坐困之势，于是东屯盱眙、楚、泗以扼涡、颍，大兵进临，声势连接，人心毕归，精兵可集。"即奏言之。又多募福建海船，由海窥东莱，由清、泗窥淮扬。诏下福建选募。

甲子，诏曰："朕以不德，躬履艰难，荷天地祖宗垂裕之休，获安大位，三十有六年，忧勤万几，宵旰靡怠。属时多故，未能雍容释负，退养康宁。今边鄙粗宁，可遂如意。皇子玮，毓德允成，神器有托，朕心庶几焉。可立为皇太子，仍改名眘，所司择日备礼册命。其宫室、官属、仪物、制度等，速讨论典故以闻。"

庆远军节度使、龙神卫四厢都指挥使、主管侍卫马军司公事成闵为太尉、主管殿前司公事，宁国军节度使、龙神卫四厢都指挥使、建康府驻劄御前诸军都统制、淮南西路制置使、京畿、河北西路、淮北寿、亳州招讨使李显忠为太尉、主管侍卫马军司公事。

四川宣抚使吴璘遣将攻熙州，是月，拔之，获其都统官刘嗣。

初，三大将之出也，兴元路得秦、陇、环、原、熙、河、兰、会、洮州、积石、镇戎、德顺军，凡十二郡；金州路得商、虢、陕、华州，凡四郡，独渭北以重兵扼凤翔，故散关之兵未得进。

是月，金右副元帅默音，以逗留召还。

默音贪掳掠，败敌不急追，纵敌使去。其子色格暴横，军中士卒不用命。斡罕得水草善地，金兵水草乏，马益弱，斡罕遂涉懿州界，陷灵山、同昌、惠和等〔县〕，窥取北京，西攻三韩县，势益炽。金廷臣或言："斡罕兵势如此，若宋人乘虚袭我，国其危哉！设有所求，当割地与之。"金主惧甚。右丞布萨忠义请曰："臣闻主忧臣辱，愿效死力，殄灭契丹。"金主壮之，乃召默音等还，切责罢之。以赫舍哩志宁为右监军，偕左监军高忠建进讨。旋命忠义为平章政事兼右副元帅，经略契丹。

六月，丙寅朔，四川宣抚使吴璘次大虫岭，姚仲来谒，璘先令夔州安抚李师颜夺其兵，欲斩以徇。参议官有劝止之者，乃系河池狱，旋送文州拘管。

统制姚公辅引兵出城北，次于北原，与敌兵遇，战焉。金人自五月至于今，增兵凡万五千骑，调丁夫五千馀众，以牛(军)〔车〕运炮坐六十有馀所，增置憨皮袋、搜城车、呆楼、洞子十馀所，自城东至于西南隅，共为六寨。守将段彦来告急，一日书五至，公辅告急亦继至。

己巳，龙神〔卫〕四厢都指挥使、随州观察使、主管侍卫马军司公事李捧罢，为武泰军承宣使、两浙东路军副总管、绍兴府驻劄；龙神〔卫〕四厢都指挥使、镇南军承宣使、荆南府驻劄御前诸军统制李道罢，为捧日天武四厢都指挥使、知荆南府；中亮大夫、鄂州驻劄御前左军副都统制兼知襄阳府王宣领郢州防御使、权主管荆南府驻劄御前诸军都统制职事，仍兼知襄阳府。

庚午，龙神卫四厢都指挥使、潭州观察使、鄂州驻劄御前诸军都统制、充湖北、京西制置使、京西北路招讨使吴珙为安远(使)〔军〕承宣使、主管侍卫步军司公事，赏茨湖之捷也。时复与金人议和，故三招讨并除管军而结局。

壬申，永州防御使、侍卫马军(使)〔司〕中军统制赵撙充鄂州驻劄前军都统制。

癸酉，以立太子，告天地、宗庙、社稷。

甲戌，殿中侍御史张震、右正言袁孚论宰相朱倬之罪，倬闻，亦乞免。乙亥，尚书右仆射、同中书门下平章事朱倬罢，为观文殿学士、提举江州太平兴国宫。

帝出御札曰："朕宅帝位三十有六载，荷天地之灵，宗庙之福，边事浸宁，国威益振。惟祖宗传序之重，兢兢焉惧弗克任，忧勤万几，弗遑暇佚，思欲释去重负以介寿臧，蔽自朕心，亟决大计。皇太子贤圣仁孝，闻于天下，周知世故，久系民心，其从东宫付以社稷。惟天所相，朕非敢私。皇太子可即皇帝位，朕称太上皇帝，迁德寿宫，皇后称太上皇后。一应军国事，并听嗣君处分。朕以淡泊为心，颐神养志，尚赖文武忠良，同德合谋，永底于治。"诏，洪遵所草也。

丙子，帝行内禅之礼，有司设仗紫宸殿下。先是帝尝谕太子以传禅意，太子流涕固辞，至是遣中使召太子入禁中，复加面谕。太子推逊不受，即趋殿侧便门，欲还东宫，帝勉谕再三，乃止。

于是帝御紫宸殿，尚书左仆射、同中书门下平章事陈康伯、知枢密院事叶义问、参知政事汪澈、同知枢密院事黄祖舜升殿。康伯奏言："臣等辅政累年，罪戾山积，圣恩宽贷不诛。今陛下超然高蹈，有尧、舜之举，臣等不胜欣赞。但自此不获日望清光，犬马之情，无任依恋！"因再拜泣下。帝亦为之挥涕，曰："朕在位三十六年，今老且疾，久欲闲退。此事断在朕意，非由臣下开陈也。卿等宜悉力以辅嗣君。"康伯等复曰："皇太子贤圣仁孝，天下共知，似闻让逊太过，未肯即御正殿。"帝曰："朕已再三邀留，今在殿后矣。"帝即入宫。

百官移班殿门下，宣诏毕，复入班殿庭。顷之，皇太子服袍履，内侍扶掖至御榻前，拱手侧立不坐，应奉官以次称贺。内侍扶掖至于七八，乃略就坐，宰相率百僚称贺，皇太子遽兴。康伯等奏言："愿殿下即御坐，正南面，以副太上皇帝付托之意。"太子愀然曰："君父之命，出于独断。此大位，惧不敢当，尚容辞避。"

班退，太上皇帝即驾之德寿宫。帝服赭袍、玉带，步出祥曦殿门，两掖辇以行，至其宫门，弗肯止。上皇麾谢再三，且令左右扶掖以还，顾谓曰："吾付托得人，斯无憾矣！"左右称万岁。百官扈从上皇至德寿宫。

丁丑，驾诣德寿宫起居。

戊寅，大赦。

帝谕群臣曰："朕欲每日一朝德寿宫，以修晨昏之礼，面奉。太上皇帝圣谕，谓恐费万几，劳烦群下，不赐许，可委礼官重定其期。"礼部侍郎黄中奏："汉高帝五日一朝太上皇，今请依前事。"诏从之。

金命居庸关、古北口讥察契丹间谍，捕获者加官爵。己卯，命万户温特赫阿噜岱率兵四千屯守古北口、蓟州石门关。以斡罕侵轶日甚，故备之。

金布萨忠义之奉命讨斡罕也，金主赐以诏曰："军中将士有犯，连职之外，并以军法从事，有功者依格迁赏。"又诏将士曰："兵久驻边陲，蠹费财用，百姓不得休息。今以右丞忠义为平章政事、右副元帅，宜同心戮力，无或弛慢。"

以大名尹宗尹为河南路统军使。

壬午，忠义等遇斡罕于花道。斡罕拥众八万，势甚张。忠义以宗亨为左翼，宗叙为右翼，与贼夹河而陈。贼渡河，分其兵为二，先犯左翼军，万户扎拉以六百骑奋击，败之。贼犯右翼军，宗亨及富察世杰指画失宜，陈乱，败于贼，世杰挺身投入于扎拉军中。贼围扎拉军，扎拉力战，宗叙以右翼军来救。斡罕不能胜，乃以精锐自随，以羸兵护其母、妻、辎重由别道西走，期于山后会集，忠义及赫舍哩志宁以大军追及于袅岭西陷泉。贼军三万骑，涉水而东，大军先据南冈，左翼军自冈为陈，迤逦而北，步军继之，右翼军继步军北引而东，作偃月陈，步军居中，骑军据其两端，使贼不见首尾。时昏雾四塞，跬步莫睹物色，忠义祷曰："狂寇肆暴，杀戮无辜，天不助恶，当为开霁。"奠已，昏雾廓然。贼见左翼据南冈，不敢击，击右翼军，扎拉力战，贼稍却。志宁与瓜勒佳清臣等合战，贼大败，将涉水去，泥泞不得亟渡，金兵逐北，人马相蹂践而死，不可胜数。陷泉皆平，馀众蹈藉而过，或奔溃窜匿林莽间，金兵踵击之，俘斩万计，生擒其弟伪六院司大王袅。斡罕走趋(溪)〔奚〕地，金兵追蹑至七渡河，又败之。既逾浑岭，复进军袭之，望风奔溃。斡罕之母举营自落(括)〔冈〕西走，志宁追之，尽获辎重，俘五万馀人。

捷闻，金主诏曰："右副元帅忠义，遣使来奏大捷。或被军俘获，或自能来服，或无所归而投拜，或将全属归附，或分领家族来降，或尝受伪命及自来曾与官军斗敌，皆释其罪。其逃亡者，除斡罕一身，有能归附，亦准释放，能诛捕斡罕或率众来降者，并给官赏。各路抚纳来者，毋得辄加侵损。无资给者，有粮处安置，仍官为养济。"

癸未，陈康伯奏："臣等以前二日朝德寿宫，太上皇帝宣谕，车驾每至宫，必于门外降辇。已再三谕之，既以家人之礼相见，自宜至殿上降辇。令臣等奏禀此意。"帝曰："夜来太上皇帝有旨，令朕只朝朔望。朕于子道问寝侍膳，尤宜勤恪，卿等可详议以闻。如宫门降辇，在臣子于君父，礼所当然。太上皇帝虽曲谕，朕断不敢。"

甲申，诏曰："朕钦承圣训，嗣守丕基，猥以眇躬，托于王公士民之上，兢兢业业，惧德菲薄，不敏不明，未烛厥理，将何以缉熙初政，称太上付授之恩！永惟古先极治之朝，置鼓以(感)〔延〕敢谏，立木以求谤言，故下情不塞于上闻，而治功所由兴起也，朕甚慕之。况今荐绅之士，咸怀忠良，刍荛之言，岂无一得！朕躬有过失，朝政有缺遗，斯民有休戚，四海有利病，凡可以佐吾元元，辅朕不逮者，皆朕所乐闻。朕方虚怀延纳，容受直辞，言而可行，赏将汝劝，弗协于理，罪不汝加。悉意陈之，以启告朕，毋隐毋讳，毋惮后害。自今时政阙失，并许中外士庶直言极谏，诣登闻检、鼓院投进；在外于所在州军实封附递以闻。"

丁亥，诏胡铨复元官，差知饶州。

礼部侍郎黄中等言："奉圣旨，太上皇帝有诏，却五日之朝，朕心未安，令有司官详议。臣等今议，除朔、望皇帝诣德寿宫朝见外，请于每月初八并二十二日朝见，并如宫中之仪。"诏从之。

壬辰，殿中侍御史张震言："绍兴二年诏书略曰：'昔我太祖皇帝尝令百官轮次面对，自今后，行在百官日轮一员面对，朕当虚伫以听其言，且观其行。'陛下初承圣绪，望举行旧典，诏百官日以序进，则数日之间，议论毕陈，而贤愚可以概见。俟其既周，即复依旧五日轮对。"诏从之。

帝手书召判建康府张浚。既见，帝改容曰："久闻公名，今朝廷所赖惟公。"浚言："人主以务学为先，人主之学，以一心为本。一心合天，何事不济！所谓天者，天下之公理而已。必兢业自持，使清明在躬，则赏罚举措，无一不当。人心自归，强邻自服。"帝竦然曰："当不忘公言。"浚见帝天锡英武，力陈和议之非，劝帝坚意以图事功。于是加浚少傅，进封魏国公，除江淮宣抚使，节制屯驻军马。

秋，七月，壬寅，诏曰："永惟邦本，实在斯民。民之休戚，实系守令。太上皇帝精择循良，留神惠养，垂及眇躬，其敢怠忽！咨尔分土之臣，毋滋讼狱，毋纵吏奸，毋夺民时以重土木，毋掊民财以资饷遗。有一(如)〔于〕此，必罚毋赦。至于俾民安其田里，愁叹不生，增秩赐金，若古典则。"

丁未，赐知临安府赵子潚御札，罢京尹供馈营办。帝曰："更宜子细求访，应有扰民之事，一一条具开奏。如停罢供馈等，所省钱二万馀贯，可尽与民间除去科扰。"

戊申，诏追复岳飞元官，以礼改葬；访求其后，特与录用。

庚申，金尚书左丞相晏致仕。

壬戌，诏："将届圣节，诸路监司、州军应合进金银钱绢等，缘天申圣节已行进奉，合进之

数，权与蠲免。"

金边帅以檄至盱眙，达通和之意，宜各守元立封疆，边臣以闻。乃下诏曰："敌人求索故礼，从之则不忍屈辱，不从则遗患未已。中原归正人源源不绝，纳之，则东南力不能给，否则绝向化之心。宰执、侍从、台谏，各宜指陈定论以闻。"

时群臣有所论列，而宰执独无奏章，帝以问参知政事史浩。浩奏谓第当且坚壁以御攻冲，俟乘机以图恢复。先是史浩议欲城瓜洲、采石，下张浚议，浚谓如此是自示以削弱之形，不若先城泗州。浩既参知政事，与张浚议多不合。

命参知政事汪澈视师湖北、京西。时刘珙使金，不至而复。先是洪迈、张抡使回，见张浚，具言金不礼我使，具状令称陪臣，浚谓不当复遣使。而史浩议遣使报金以登位，竟遣珙。行至境，金责旧礼，不纳而还。

斡罕既败，收合散卒万馀人，遂入奚部，以诸奚自益。八月，乙丑朔，金左监军高忠建破奚于栲栳山，及招降旁近奚六营，有不降者攻破之。斡罕寇古北口，万户温特赫阿噜岱因妻生日，辄离军六十里，贼闻之来袭，杀伤士卒甚众。金主命完颜默音以兵三千会旧屯兵击之。先是有告默音子色格谋反者，金主察其诬，命鞫告者，告得款伏，遂诛之。金主谓默音曰："人告卿子谋反，朕知卿必不为此。今告者果自服罪，宜悉此意。"默音至军，击擒其贼党。

癸酉，金主谓宰臣曰："百姓上书陈时政，其言犹有所补。卿等位居机要，略无献替，可乎？夫听断狱讼，簿书期会，何人不能！唐、虞之圣，犹务兼览博照，乃能成治。正隆专任独见，故取败亡。朕早夜孜孜，冀闻谠论，卿等宜体朕意。"诏百司官吏："凡上书言事，或为有司所抑，许进表以闻。朕将亲览，以观人材优劣。"

丁丑，金免齐国妃、韩王亨等亲属在宫籍者。

金主诏元帅右都监完颜思敬，以所部军与大军会讨斡罕。

戊寅，帝诣德寿宫上光尧寿圣太上皇帝、寿圣太上皇后尊号册宝，行礼。

乙酉，金诏左谏议大夫石琚、监察御史冯仲方廉察河北东路。

丁亥，金主诏御史台曰："自三公以下，官僚善恶邪正，当审察之。若止理细务而略其大者，将治卿等罪矣。"

辛卯，金罢诸关征税。

九月，丁酉，诏："朕仰稽祖宗故事开讲，其日可召辅臣观讲。"

戊戌，诏："比下求言之诏，欲急闻过失，四方有献言者，并付后省看详。今已逾月，未闻推择来上，可令催促。"

诏："蜀去行都万里，人才豫当储蓄，以备缓急。欲举一忠悫明敏之士，周知蜀利害者为都转运使，可令集侍从、台谏各举所知，以俟采择。"

金完颜思敬以所部兵入奚地，会布萨忠义之军追讨斡罕，贼党多降，馀多疾疫而死，无复斗志。斡罕自度势穷，谋自羊城道西京奔夏国。金兵追之益急，其众复多亡去，度不得西，乃北走沙陀。庚子，贼党执斡罕以降，并获其母、妻，逆党悉平。甲辰，金太子率百官上表贺。乙巳，金以斡罕平诏中外。辛亥，斡罕磔于市，其党瓜里扎巴南走，左宣徽使宗亨追之，不及，瓜里扎巴遂来降。

甲寅，诏胡铨、王十朋并赴行在。

冬，十月丙寅，诏："侍从、两省、台谏、卿、监，各举可任监司、郡守之人，分为二等，一见今可用，一将来可用，限一月闻奏。如所举，增秩、赐金，举主同之；不如所举，罚亦同之。及见任监司、郡守才与不才，亦限一月内逐一具姓名臧否品目来上。"

右正言周操言："国家内设百官，必资久任以责成效。今则不然，自丞、簿不数月望为郎，自郎不数月望为卿、监，利于速化。人则幸矣，职业不修，国家何赖！若乃监司、郡守之数易，则其害又有大于此者。监司一易则扰一路，郡守一易则扰一州。望面谕大臣，自今内外除授之际，确意精选，务在久任。"诏令三省遵守。

丁卯，金以左副元帅完颜固云为平章政事。

戊辰，金平章政事、右副元帅布萨忠义等至自军。丙戌，以忠义为右丞相，改封沂国公，以左监军图克坦志宁为左副元帅。

戊子，金葬睿宗皇帝于景陵，大赦。

己丑，金命赫舍哩志宁经略南边。

十一月，癸巳朔，金命布萨忠义南伐。

甲寅，殿中侍御史张震等言："乾德四年诏，自今内臣年及三十以上，兼见在朝廷系职，方许养一子；皇祐五年诏，内侍以一百八十人为额；嘉祐中，韩绛奏内臣员多，请住养子；至治平以后，始复许奏荐。而熙宁中，神宗谕宰臣曰：'方今宦者数已多，而隶前省官又入内侍。绝人之世，仁政所不取。且独不可用三班使臣代其职事乎？'吴充对曰：'此盛德事，臣等敢不奉行！'自来条例，又须限以年甲，试以诗书，籍定姓名，遇阙不填。宜立为定制。"诏："令内侍省开具见在人数闻奏，今年会庆节权免进子。"

乙卯，臣僚曰："祖宗时，赃罪削籍配流者，虽会赦不许放还叙用。近睹登极赦，命官除名追官资及勒停并永不收叙人，并与叙元官，甚失祖宗痛绳赃吏之意。请自今，官吏尝经勘断犯入己赃，并不许收叙；如有已放行收叙者，即为改正。"从之。

十二月，戊辰，诏："今日早朝，集侍从、台谏赴都堂，条具方今时务，仍听诏旨。"诏曰："朕览张焘所奏，犁然有契于衷，已令侍从、台谏集于都堂。今赐卿笔札，宜取当今弊事，悉意以闻。退，各于听治之所，尽率其属，谕以朕旨，使极言之，毋得隐讳，朕将有考焉。"

初，张焘以故老召除知枢密院事，帝问为治之要，(寿)〔焘〕因言："太上皇帝绍兴初，尝举行祖宗故事，诏百官赴都堂，令条具当今弊政与夫救正之宜，请检举行之。"故有是诏。

庚辰，臣僚言："国朝检校官一十九员，上者曰太师、太尉、太傅、太保、司徒、司空，而除授则自司徒迁太保，各以序进。陛下方讲修圣政，宜下有司讨论，立为定式。"给事中黄祖舜等言："看详臣僚所陈六事：其一曰，六等检校官，旧制也，今则皆无有。而自节度径除太尉，历开府仪同三司以至少保。其二曰，节度以移镇为恩宠，旧制也；今则一定而不易。其三曰，承宣分大、中、小镇，观察分大、小州，旧制也，今则皆径作一官矣。其四曰，横行自右武大夫以至通侍为十三等，以待年劳及泛恩者，非有功效显著，不带遥郡，旧制也，今则自右武大夫当迁官者，率以遥郡改转，才五迁即至遥郡承宣，一落阶遂为正任承宣使。其五曰，武功大夫实历十年，用七举主始转行，旧制也，今或自小使臣为宣赞舍人，才迁一官，径至右武郎。其六曰，总管、钤辖、都监分六等差遣，非正任观察使及管军，不以为总管，旧制也，今降此而得之者，纷纷皆是。逐项所陈，委皆允当，乞与施行。自降指挥日为始。"诏并从之。

辛巳，帝曰："昨闻臣僚言，秦桧诬岳飞，举世莫敢言，李若朴为狱官，独白其非罪。吕忱中发王晌，所司皆取迎合；林待问为勘官，独直其冤状。章杰捕赵鼎送葬人，又搜其私书，欲傅致士大夫之罪；翁蒙之为县尉，毅然拒之。沈昭远为王铁家治盗，欲锻炼富民，多取其陪偿；王正己为司理，卒平反之。此皆不畏强御，节概可称。三省详加访问其人，如在，可与甄录。"

乙酉，金遣尚书刑部侍郎刘仲渊等廉察宣谕东京、北京等路。

是月，命宰相陈康伯兼枢密使。

诏吴璘班师。

是冬，帝召陈俊卿及张浚子栻赴行在所。

浚请临幸建康以动中原之心，用师淮堧，进舟山东，以遥为吴璘之援。帝见俊卿等，问浚动静、饮食、颜貌，曰："朕倚魏公如长城，不容浮言摇夺。"时金以十万兵屯河南，声言窥两淮，浚以大兵屯盱眙、泗、濠、庐州，金不敢动；第移文索海、泗、唐、邓、商州及岁币，浚言金人多诈，不当为动，卒以无事。

栻之见帝也，即进言曰："陛下上念宗社之仇耻；下悯中原之涂炭，惕然于中而思有以振之，臣谓此心之发，即天理也。愿益加省察，稽古亲贤以自辅，毋使其少息，则今日之功，可以立成。"帝大异之。

【译文】

宋纪一百三十七　起壬午年(公元1162年)四月，止十二月，共九月。

绍兴三十二年　金大定二年(公元1162年)

夏季，四月，己巳(初三)，金国右副元帅完颜默音等在长泺击败斡罕。

在此之前斡罕进攻泰州没有攻克，回头直趋济州，准备阻截金人运粮军队。完颜默音与右监军完颜福寿，联合军队一万三千人，以海兰路总管图克坦志宁等为左翼，以临海节度使赫舍哩志宁等为右翼，到达木虎崖，放弃了全部的粮草装备以及运送粮草装备的士兵，只带着几天的军粮，以轻骑兵袭击敌人。贼军中有来投降的人，对完颜默音说："贼军中的战马肥壮，官军的战马疲弱，此处相距贼军八十里，等到与贼军相遇，战马已经疲惫。贼军的粮草装备离此地不远，我们袭击它，贼军一定会来援救他的巢穴。贼军到此，战马必定疲惫，我们的战马能够稍稍休息。这就是所说的进攻他必定营救的地方，以逸待劳。"完颜默音听从了他的建议，乘夜迅速出发。正巧天刮大风，道路昏暗不好辨认，到天亮时，走了三十多里路，与贼军的粮草装备基地相距很近，休整军队稍事休息。斡罕正向济州进发，听说金兵攻取他的粮草装备基地，就返回营救，在长泺两军相遇。排成军阵后，完颜默音另外在左翼军的旁边埋伏了兵力，贼军骑兵突然冲击左翼军与伏兵之间的地方，图克坦克宁命令射箭击退了他们。

这一天，与贼军交战的其他将领，胜负不分，退后约五里路互相对持。左翼万户完颜襄另外率兵与贼军交战，贼军军阵开始混乱，完颜襄指挥军队乘机进击，冲到贼军军阵后面，全部与大军不相联系。完颜襄命令二十名擅长射箭的骑兵，率众从贼军军阵后攻击，贼军招架不住，乘势又指挥军队冲击贼军的一侧，贼军就后退了。完颜襄于是与大军会合，而其他各部将领也都来到，整理军阵全力出战，天忽然转了风向扬起砂石，贼军军阵大乱。金兵驰马冲击，大破贼军，向北追击十多里，斩杀和俘获了很多贼军。

辛未（初五），金国贬降前国主完颜亮为海陵郡王。

甲戌（初八），吴璘命令姚仲赶赴德顺军，统制官卢仕闵、姚志都听他指挥，寻找机会准备收复泾、渭等州。姚仲说所统帅的兵力太少，想到兴元、洋州抽调兵力作为援助，吴璘同意了。于是姚仲集合河池、秦州的兵力共九千人到达德顺军，剩下的兵力留守甘谷、摧沙、镇戎军。

当时原州遭受围困已经很久，金兵添置大炮十四所，又用鹅车、洞子车逼迫城下，弓箭炮石乱发，原州军民死伤很多，局势已经支持不下去了。守将段彦、巩铨，向知镇戎军秦弼报告说："原州、镇戎，是唇齿相依的关系。原州如果失守，镇戎必定孤立。"秦弼以此报告宣抚司，于是宣抚司下令秦弼率领全部四将的兵力接应增援。段彦又报告说敌兵增至七万人，卢仕闵说泾州、渭州距离德顺、镇戎很远，而原州形势危急，请姚仲分派兵力增援原州，姚仲就命令右军统制李在分派治平寨屯兵五百人前往增援原州。卢仕闵因为原州危急，分派他的军队在东山及渭川道三岔口榆林堡安营扎寨，榆林堡距离原州城五十里，作为策应增援，又暗中派遣壮士驰马前去报告原州城中的军队，让他们知道外面有援军以坚定守城的信心。

戊寅（十二日），御史中丞汪澈任参知政事。

戊子（二十二日），起居舍人、充大金国贺登宝位使洪迈等人入朝辞行。

壬辰（二十六日），起居郎吕广问任权尚书礼部侍郎。

丙申（三十日），兴元都统制姚仲听说原州城遭受围困形势危急，就命令统制官姚志、李在酌量留兵屯守德顺军，率领全部的精锐兵力连同他所指挥的常从兵在这一天从德顺军出发，前往增援原州。

契丹斡罕率众向西逃跑，金国右副元帅完颜默音在霿凇河追上他们。贼军已经渡河，毁坏了那里的渡口。赫舍哩志宁的军队首先到达，不能渡河，就在河岸摆开军阵迷惑对方，派万户瓜勒佳清臣、图克坦海罗在下游渡过。遇上河港两岸陡峭险峻，并且泥泞难行，命令军士将柳枝捆成束填塞河港而过了河。追赶数里后，遇到了平坦之地，刚准备吃饭，众贼军突然冲击过来。赫舍哩志宁急忙整理军阵，贼军从南风驰马向下冲击军阵三次，赫舍哩志宁全力迎战，流箭射中了他的左臂，仍若无其事地战斗。后面的金军全部赶来，左翼轻骑兵率先与贼军交战，贼军据守上风位置放火，乘浓烟之际攻击金军。金步兵也到达。全力交战，共十多个回合，金兵被风烟呛得很苦，都直直地站着如同痴呆。正巧这时风停雨至，金兵奋力还击，大败贼军。图克坦克宁追袭十五里，贼军被前面的溪涧所阻，不能立即渡过，很多人被杀伤。贼军渡过溪涧后，金兵也渡过了。稍为休整，贼军又调头进攻，图克坦克宁因为大军未到，命令军士都下马射击贼军。贼人率兵向南撤退，图克坦克宁也准备率兵向北撤退。士兵未来得及骑马，贼军又冲击过来，金兵稍退，回到了山涧之北。金军大队人马到达，斡罕就率兵离去。

五月，戊戌（初二），四川宣抚使吴璘，从河池前往凤翔视察军队。

都统制姚仲派遣统领官赵铨率领七百兵士到达开边寨，攻破了此寨，俘获金国知寨成茂。不久一千多金兵从原州前来挑战，赵铨鼓励大家奋力作战，金兵败退逃跑。金二百多骑

兵又驻扎在开边寨河滩，右军统制卢仕闵出战打退他们，并追击到九龙泉。姚仲命令统制姚公辅同统领官张诏、赵铨率领七百兵士赶赴原州，又命令统制姚公兴驻扎在原州的北岭，与金人交战，夺取了金军控制的关隘。守将段彦知道大军将到，气势稍为壮大，金人此日攻城的势头也稍为缓慢。

壬寅（初六），姚仲率领大军到达原州的北岭，与金人交战，宋兵大败。前一天，姚仲到达离开边寨十里的地方，准备在第二天由九龙泉上北岭，命令各军拉满弓弦在前面开路，运输粮草器械的队伍跟在后面。天亮时，遇到一万多金兵前来挑战，姚仲以卢仕闵所率领的马步军以及陕西兵混合充当头阵，再把自己所指挥的军队六千四百一十八人分为四阵，随地势便利分别陈列，又以统制官姚志所率领的军队为后卫，排列在险要曲折之处。宋军奋力鏖战，阵势开合共达数十次，敌兵每一次冲击军阵，大概都是三千多人，轮番冲击。运送粮草器械的队伍也随着军阵的混乱而难以整齐，第一、第二阵正与敌交锋，而第三、第四阵已被金兵突破拒马冲入军阵，阵心冲乱，运送粮草器械的队伍被间隔，无法接应。第五阵以及姚仲的亲信部队，拼死作战时间最长，从辰时到未时，人马死亡，堆满道路，宋军于是大败。姚志的军阵排列在第六位，已经越过两个关隘，走在前面的人返回来报告说各阵全被敌军打败，姚志对他的部下说："前军已经战败，我们进也是死，退也是死，与其等死，还不如进攻以求生。"于是下令他所指挥的全部军队各自死战。不久，金人骑兵直接向军阵冲击，姚志命令左军第四正将张傅传令枪手全部坐下，神臂弓箭手首先向敌射击，平射弓接着射击，轮番五次，金兵向后撤退约二百步。姚志就率领军阵越过战场，过了七八里路，敌军才回到南山原。当时寻找姚仲没有找到，过了一会儿，有人报告姚仲已到达开边寨，姚志就命令将官杨立率领神臂弓箭手和甲兵各五队据守九龙泉大川路，以防备敌军的拦截阻击。这场战役，武显大夫、兴州前军同统制郑师廉，与七名统领官，三十名将官，七十三名队将，一并死在战场，队兵以下的不计算在内。姚仲到达开边寨后，忌讳说五个军阵的败绩，只推举姚志建立了奇功，以胜仗报告宣抚司。

姚公辅听说姚仲与敌军相遇，就率兵驻扎原州城作为策应，遇到金军，与之交战，到中午，各自退到原有堡垒中据守。当时吴璘正好送一封信给姚仲，询问原州敌人的势力，并且说："喀齐喀贝勒驻守凤翔，坚守不迎战。如果形势不利不能抵挡，虽然原州之围未能解除，可以暂且赶赴德顺军。"信还未送到而姚仲已经战败。

金国立楚王完颜允迪为皇太子。

乙巳（初九），诏令："礼部呈报的奏名进士，依照祖宗的原有规定，不再经过朕亲自测试。"

戊申（十二日），太傅、宁远军节度使、御营宿卫使、和义郡王杨存中，又出任醴泉观使。

辛亥（十五日），镇江都统制张子盖，与金人在石湫堰遭遇，打败金军。

在此之前金以数万人围攻海州，诏令张子盖率兵前往增援，仍然听从张浚的指挥。张浚接受命令，立即写信给张子盖，勉励他建立功名，让他出动骑兵乘敌人疲惫时进击。张子盖到达京口，整军渡江，急趋涟水，选择近路快速前进。前一天，到达石湫堰，金兵一万多人排列在河东。张子盖说："敌众我少，利在速战，不能让敌人知道我军真实情况。"于是率领精锐骑兵数千人，策马率先冲入敌阵。复州防御使王友直率领所部奋力作战，御营宿卫前军统制

张玘被流箭射中了头部，死在阵中，士兵拼死战斗。金兵大败，拥挤在河中，淹死将近一半，剩余的骑兵全部逃跑了。

壬子（十六日），将显仁皇后的神位奉安在景灵宫。

癸丑（十七日），吴璘听说姚仲战败，就逮捕左军第四正将张傅进行审问，才知道此战的实情，于是勒令姚仲赴军前议事。第二天，又命令统制官姚公辅、赵铨防守原州，听从中军统制吴挺指挥，不能擅自行动，如果擅自离开所驻守的地区，稍为不听指挥，一律处斩。

乙卯（十九日），忠州团练使、知顺昌军孟昭，率领部下前来归顺宋朝，居住在固始县。任命孟昭为光州兵马钤辖，他的部下都分到土地居住下来。

丁卯（疑误），天申节，免去上寿。

海州之围被解除。

戊午（十二日），钦宗皇帝小祥祭祀日，宋高宗到几筵殿举行祭礼。

癸亥（十七日），观文殿大学士、判建康府张浚说："在籍的军人日益减少，补充招集将士，必须依靠西北之人，能作战能吃苦，才能打仗。探访得知东北地区今年蝗灾严重，米价上涨昂贵，中原之人，极难得到粮食，乞请朝廷多调拨粮食或者钱物，交付于我处理以招徕饥民，人心归附宋朝后，北方的势力自然削弱。"诏令拨给张浚一万石粮食。

张浚认为淮楚地区的人，自古以来就可任用，乘他们遭受困扰之后，应当招募为兵，就上奏说："两淮之人，一向以强壮有力著称，而淮北义兵，尤其忠诚坚强，被敌人围困，受害已很深重，仇恨敌人想向敌人报仇的心思，未曾一日忘记。只因为没有严密的组织，武器装备不齐备，虽有赤诚之心，却不能成就大事。的确担心一旦有奸诈之人鼓动统帅，聚众千百之人，另生事端，可以利用他们嫉恨愤怒而又无能为力的心理招集他们当兵。应当设立御前万弩营，招募百姓中年龄在十八岁以上、四十五岁以下能够充当弓弩手的人当兵，都不在手臂和脸上刺字，以御前效用为名称，各自发给文帖，填写籍贯、住址及相貌、年龄、姓名，令五人组成一保，两保为一甲，十甲为一队，互相担保，有功同赏，有罪同罚，在建康府设置营寨安顿他们。"诏令同意这件事。

张浚就下令说："两淮地区近年来屡遭灾难，父子、兄弟、夫妇，被杀伤掳掠，不能互相保护，现在朝廷正在商议坚固的防守计策。报仇雪耻，人心所同，有愿意充军的人，应当踊跃应征。至于淮北之人长期遭受压迫，一向怀忠义之心，想报效国家之恩，也应当前来投奔，共建大业。"于是两淮地区的人，欣然自愿应征，大都是强壮勇敢能任用的人，张浚亲自训练安抚他们。又奏请陈敏任统制。陈敏出身微贱，名声不大，张浚将他从贫困的环境中提拔起来，陈敏因为感激之心尽力图报。不久，组建了军队。刚开始招募的时候，流言蜚语纷纷，想败坏张浚已有的成绩，数月之间，前来应征的人络绎不绝，各种议论才开始平定。

张浚说："敌人的特长在骑兵，我们的特长在步兵，制服骑兵莫如射箭，防御射箭莫如战车。"于是下令专门制造弓箭和战车。又说："三国以后，从北方来到南方，没有不经过清河、涡口两条水道用船运送粮食的。大概因为淮北辽阔广袤，如果运粮的船只不从淮河经过，就担心因为坚壁清野而无所得，有因此陷入困境的危险，于是在东面驻防盱眙、楚州、泗州以控制涡水、颍水，等大军临近，就声势连接，人心尽归，精锐兵力可以招集。"于是上奏了这些建议。又大量招募福建海船，从海上侦察东莱的情况，从清河、泗州侦察淮扬的情况。诏令在

福建挑选招募海船。

甲子(二十八日),宋高宗下诏说:“朕因不德,亲自经历艰难,承蒙天地祖宗的保佑,获得安居大位,三十六年了,忧民勤政日理万机,日夜不敢懈怠。因为时事多变,未能从容地卸下国家重任,退位保养而安康宁静。现在边境初步安宁,可实现自己的愿望了。皇子赵玮,美德已经养成,国家有了可以托付的人,朕心也没有什么放不下的了。可立他为皇太子,并改名为赵昚,有关部门选择吉日准备举行册封皇太子的仪式。其中有关宫室、官属、仪仗、制度等,迅速依照典章制度加以讨论奏报朕知。”

庆远军节度使、龙神卫四厢都指挥使、主管侍卫马军司公事成闵升任太尉、主管殿前司公事;宁国军节度使、龙神卫四厢都指挥使、建康府驻扎御前诸军都统制、淮南西路制置使、京畿、河北西路、淮北寿州、亳州招讨使李显忠升任太尉、主管侍卫马军司公事。

四川宣抚使吴璘派遣将领进攻熙州,这个月,攻克此城,俘获金国都统官刘嗣。

当初,三位大将出征,兴元路攻占了秦州、陇州、环州、原州、熙州、河州、兰州、会州、洮州、积石军、镇戎军、德顺军,共十二郡;金州路攻占了商州、虢州、陕州、华州,共四郡,只有渭北因敌人派重兵把守凤翔,所以散关的军队未能进攻。

这个月,金右副元帅完颜默音,因为拖延不进被召还。

完颜默音贪婪掳掠财物,对败敌也不急着追击,放纵敌人让他们逃跑。他的儿子完颜色格暴躁蛮横,军中的士兵不听从命令。斡罕得到一处有水有草的好地方,金兵缺水缺草,战马更加羸弱,斡罕于是越过懿州边界,攻陷灵山、同昌、惠和等县,伺机攻占北京,向西攻打三韩县,气势越来越大。金国朝廷大臣有人说:“斡罕兵势如此强盛,如果宋人乘虚袭击我国,国家会很危险!考虑他们的要求,应当割让给他们土地。”金国主很惧怕。右丞布萨忠义请战说:“臣听说国主忧虑是大臣的耻辱,愿拼死效力,消灭契丹。”金国主欣赏他的壮志,就召完颜默音等回来,严厉斥责并罢免了官职。任命赫舍哩志宁为右监军,偕同左监军高忠建进兵征讨。不久任命布萨忠义为平章政事兼右副元帅,负责对付契丹人。

六月,丙寅朔(初一),四川宣抚使吴璘驻扎大虫岭,姚仲前来拜谒,吴璘先令夔州安抚李师颜夺取他的兵权,准备斩首示众。参议官中有人劝阻吴璘,于是将姚仲拘押在河池狱,不久送到文州拘押管制。

统制姚公辅率兵出城北,驻扎在北原,与敌兵遭遇,就地交战。金人从五月到现在,增兵共一万五千骑兵,征调民夫五千多人,用牛车运送炮坐六十多所,增添设置憨皮袋、搜城车、呆楼、洞子十多所,从城东一直到西南角,共建六寨。守将段彦前来告急,一天之间送了五封告急信,姚公辅的告急信也接着送到。

己巳(初四),龙神卫四厢都指挥使、随州观察使、主管侍卫马军司公事李捧罢免,改任武泰军承宣使、两浙东路军副总管、绍兴府驻扎;龙神卫四厢都指挥使、镇南军承宣使、荆南府驻扎御前诸军统制李道罢免,改任捧日天武四厢都指挥使、知荆南府;中亮大夫、鄂州驻扎御前左军副都统制兼知襄阳府王宣改任郢州防御使、权主管荆南府驻扎御前诸军都统制职事,仍兼知襄阳府。

庚午(初五),龙神卫四厢都指挥使、潭州观察使、鄂州驻扎御前诸军都统制、充湖北、京西制置使、京西北路招讨使吴拱升任安远军承宣使、主管侍卫步军司公事,这是奖赏茨湖战

役的胜利。当时又与金人议和,所以三位招讨使都被解除管理军队的职务以办理善后事务。

壬申(初七),永州防御使、侍卫马军司中军统制赵撙充鄂州驻扎前军都统制。

癸酉(初八),将册立太子的事,祭告天地、宗庙、社稷。

甲戌(初九),殿中侍御史张震、右正言袁孚弹劾宰相朱倬的罪状,朱倬听说后,也乞请免职。乙亥(初十),尚书右仆射、同中书门下平章事朱倬免职,改任观文殿学士、提举江州太平兴国宫。

宋高宗颁布亲笔诏书说:"朕居帝位三十六年,蒙受天地的神灵保护,宗庙列祖列宗的福泽,边境战事渐渐安宁,国家的威望更加振奋。只是对祖宗传递下来的重任,小心翼翼担心不能胜任,忧民勤政日理万机,不曾闲暇安逸,想要卸下重负以求长寿健康,决断出自朕心,及时决定国家大计。皇太子贤圣仁孝,闻于天下,详知世故,久得民心,应从东宫之位托付国家重任。这是天意,朕不敢出自私心。皇太子可以即皇帝位,朕称太上皇帝,迁往德寿宫,皇后称太上皇后。一切军政大事,一律听从嗣君处理。朕将淡泊处事,颐神养志,还望依赖文武忠良大臣,同心同德共同谋划,永保国家长治久安。"诏书是洪遵起草的。

丙子(十一日),宋高宗举行对内禅让帝位的仪式,有关部门在紫宸殿下面设立仪仗。在此之前宋高宗曾告诉太子传位禅让的想法,太子流涕坚决推辞,至此派宦官召太子进入禁中,又当面告知。太子推辞不接受,就走向殿侧小门,打算回到东宫,宋高宗再三劝勉,才停止了谦让。

于是宋高宗亲临紫宸殿,尚书左仆射、同中书门下平章事陈康伯、知枢密院事叶义问、参知政事汪澈、同知枢密院事黄祖舜进入殿中。陈康伯上奏说:"臣等辅政多年,罪孽堆积如山,承蒙圣上降恩宽赦不杀。现在陛下超然让位,实有尧舜让位的举动,臣等不胜欣慰赞赏。但从此不能每天仰望陛下光彩,犬马之情,不胜依恋!"于是再次跪拜哭泣。宋高宗也为此而流泪,说:"朕在位三十六年,现在年老而且有病,很久就想赋闲退位。此事由朕意决断,不是通过你们奏请的。你们应当全力辅佐嗣君。"陈康伯等回答说:"皇太子贤圣仁孝,天下共知,似乎听说过于谦让推辞,不肯立即亲临正殿。"宋高宗说:"朕已再三挽留,现在在殿后。"宋高宗就退入内宫。

百官将朝班移到殿门下,宣读诏书完毕后,朝班又进入殿门的内庭。一会儿,皇太子穿着皇帝的袍服、靴子,由内侍扶持到御榻前,拱手侧身而立不入座,应奉司官员依次前来称贺。内侍扶持劝坐了七八次,才勉强就座,宰相率领百官前来称贺,皇太子立即站起来。陈康伯等上奏说:"希望陛下在御座就座,面向正南,以符合太上皇帝交付重托的心意。"太子忧愁地说;"君父之命,出自独断。此大位,恐怕不敢承当,请允许我辞谢回避。"

朝班退下,太上皇帝就乘御辇前往德寿宫。嗣皇帝穿着赭袍、玉带,步行走出祥曦殿门,两次扶辇而行,到了德寿宫的宫门,还不肯停止。太上皇帝再三挥手告辞,而且下令左右侍从扶持嗣皇帝回去,环顾周围的人说:"我将国家托付给了能胜任的人,这样就没有什么遗憾了!"左右侍从都呼万岁。百官护送太上皇帝到达德寿宫。

丁丑(十二日),嗣皇帝宋孝宗到德寿宫问候太上皇帝起居生活。

戊寅(十三日),大赦天下。

宋孝宗告谕群臣说:"朕想每日一次朝拜德寿宫中的太上皇帝,以尽早晚问安之礼,当面

聆听太上皇帝圣谕，说恐怕耽误政事，劳烦群臣，太上皇帝不同意，可委派礼官重定朝见日期。”礼部侍郎黄中上奏说：“汉高帝每五天朝见一次太上皇，现请依照前例实行。”诏令同意了。

金国命令居庸关、古北口盘查契丹间谍，捕获间谍的人晋升官职。己卯（十四日），命令万户官温特赫阿噜岱率领四千兵力屯守古北口、蓟州石门关。因为斡罕的侵扰日益严重，因此派兵驻守做好防备。

金国布萨忠义奉命讨伐斡罕，金国主赐给他诏书说：“军中将士有违犯军令者，除主帅之外，都依军法论罪处罚，有功者依照规定迁升官职给予奖赏。”又诏令将士说：“军队久驻边境，耗费财政费用，百姓不能休养生息。现在任命右丞忠义为平章政事、右副元帅，应当同心协力，不得有任何松弛怠慢。”

金国任命大名尹宗尹为河南路统军使。

壬午（十七日），布萨忠义等人在花道与斡罕相遇。斡罕拥有部众八万人，气势很嚣张。布萨忠义以宗亨所部为左翼军，以宗叙所部为右翼军，与贼军隔河摆列军阵。贼军渡河，将兵分为二路，首先进犯左翼军，金万户官扎拉率领六百骑兵奋力还击，打败贼军。贼军进犯右翼军，宗亨和富察世杰指挥失当，军阵混乱，被贼军打败，富察世杰挺身投入到扎拉军中。贼军包围了扎拉的军队，扎拉全力拼战，宗叙率领右翼军前来救援。斡罕不能战胜，就派精锐部队跟随自己，派老弱之兵护卫他的母亲、妻子、粮草装备沿另一条路向西撤，约定在山后会集，布萨忠义及赫舍哩志宁派大军追击贼军，在袅岭西面地陷泉追上了他们。贼军三万骑兵，涉水向东进犯，金大军首先占据了南冈，左翼军在冈上布列军阵，延绵向北，步军接着排列军阵，右翼军接着步兵向北排列转而向东排列，排成偃月阵，步军居中，骑兵占据军阵的两端，使贼军找不到军阵的首尾。当时迷雾四起，一步之外就看不清物体的颜色，布萨忠义祈祷说：“狂贼肆意暴虐，杀戮无辜百姓，上天不会帮助邪恶，应当使天气雾散日出。”祭奠一结束，昏雾突然散尽。贼军看见左翼军占据南冈，不敢出击，就进攻右翼军，扎拉奋力拼战，贼军稍退。赫舍哩志宁与瓜勒佳清臣等人共同作战，贼军大败，准备涉水逃跑，道路泥泞不能马上渡水，金兵乘胜追击败逃的贼军，贼军人马相互践踏而死，不可胜数。陷泉都被填平，剩余人马踏着乱七八糟的尸体过了河，有的逃亡隐藏在树林草莽间，金兵跟踪追击，俘虏和杀死的贼军以万计，活捉斡罕的弟弟伪六院司大王耶律袅。斡罕逃往奚地，金兵跟踪追击到七渡河，又打败了贼军。越过浑岭后，金军又进军袭击，贼军望风而逃。斡罕的母亲率领全营人马从落冈向西逃跑，赫舍哩志宁追赶他们，缴获全部粮草装备，俘虏了五万多人。

捷报传来，金国主下诏说：“右副元帅布萨忠义，派使前来奏报大捷。或者被大军俘虏的，或者自愿来归降的，或者无处可去而投奔的，或者率领全部部属归附的，或者带领家族来投降的，或者曾接受伪命担任官职以及曾长期与官军为敌的，全部释免他们的罪过。其余逃亡者，除了斡罕一人，有能归附的，也准予释放，能诛杀或捕获斡罕或者率众前来投降的，都给予官赏。各路官员安抚接纳前来归降的人，不能随意加以侵犯伤害。没有资财的人，在有粮食的地方安置，仍然由官府接济养活。”

癸未（十八日），陈康伯上奏说：“我们在两天前朝拜德寿宫，太上皇帝宣谕，皇上的车驾每次到德寿宫时，必定在门外下辇步行。已再三告谕，既然按照家人的礼仪相见，自当在殿

上下辇。命令我们奏明此意。”宋孝宗说：“昨天太上皇帝传旨，令朕只在每月初一、十五去朝拜。朕应奉守做儿子的本分问候寝安、服侍用膳，尤其应当殷勤恪守，你们可详细商议并上奏。至于在宫门下辇，从臣子对君父的关系来说，是理所当然。太上皇帝虽然有周到的谕旨，朕断不敢接受。”

甲申（十九日），宋孝宗诏令说：“朕恭敬地接受圣训，继承国家大业，以渺小之躯辱居帝位，凌驾于王公士民之上，兢兢业业，担心德行菲薄，不敏捷，不英明，不能洞察事理，将如何在执政之初有个良好开端以对得起太上皇帝的托付之恩！想到古代达到鼎盛时期的朝代，设置谏鼓以招来敢谏的人，竖立谤木以征求批评的言论，因此下情不被阻塞而能上闻，而治理国家的功效也由此兴起，朕很羡慕这样的局面。况且现在的官绅之士，都怀忠良之心，草野之人的言论，怎能一无所得！朕办事有过失，朝政有缺点遗漏，百姓有欢乐或痛苦，天下有利弊得失，凡是可以有益我的人民，辅佐朕的缺失的言论，都是朕所乐于听到的。朕正虚怀接纳意见，宽容地接受直言进谏，如提出的建议可行，将予奖赏以作鼓励，如果提出的建议不合情理，也不加罪于人。将想法全部陈述出来，向朕奏报，不要隐瞒不要忌讳，不要担心有后患。从今以后时政缺失，都允许朝廷内外官员百姓直言极谏，到登闻检院、登闻鼓院投递进谏书；京城外的在所在州军将进谏书密封通过驿道传递以奏闻。”

丁亥（二十二日），诏令胡铨恢复原有官职，派到饶州担任知州。

礼部侍郎黄中等说：“接奉圣旨，太上皇帝有诏令，改变五天一次的朝拜，朕心不安，令有关官员仔细讨论。臣等现在提议，除了每月初一、十五到德寿宫朝见外，请在每月初八和二十二日朝见，都按宫中的礼仪办理。”宋孝宗诏令同意了。

壬辰（二十七日），殿中侍御史张震说：“绍兴二年有封诏书大致说：‘过去我太祖皇帝曾令百官轮番当面应对，从今以后，临安行都的百官每日轮派一人当面应对，朕当虚心以待倾听他的言论，并且观察他的行为。’陛下刚刚继承圣业，希望施行以前的典章制度，诏令百官每日按顺序轮流进对，那么数日之内，各自的议论都陈述完毕，而贤愚优劣就可以大致清楚了。等到百官轮流进对完毕，就恢复原有的每五天轮流进对的制度。”宋孝宗下诏令同意了。

宋孝宗御书召见判建康府张浚。见面后，皇帝改变神色说：“久闻您的大名，现在朝廷所能依赖的只有您。”张浚说：“人主以致力于学问为先，人主的学问，以一心为根本。一心符合天道，什么事不能成功！所谓天，也就是天下的公理。一定谨慎自持，使自己清正英明，那么赏罚措施，无一不当。人心自然归顺，强大的邻国自然钦佩。”宋高宗肃然起敬地说：“一定不忘您说的话。”张浚见宋孝宗天赐英武，极力陈述和议的弊病，劝皇帝坚定意志以图谋收复失地的功业。于是加封张浚为少傅，进封魏国公，出任江淮宣抚使，指挥屯驻在江淮地区的军马。

秋季，七月，壬寅（初七），诏令：“治国安邦之本，就在于百姓。百姓的苦乐忧欢，实在于太守、县令。太上皇帝精心选择守法良吏，留心培养，现在由朕继位，岂敢怠慢！劝告你们这些地方官员，不得滋生刑狱讼案，不得放纵官吏为奸作恶，不得占用民时以大兴土木，不得掠夺民财以作行贿之物。如果犯了其中的一条，必定严惩不赦。至于能使百姓安居乐业，不生愁苦、悲叹，一定升官赐钱，都依照古代典章办理。”

丁未（十一日），赐给知临安府赵子潚御书，停止由临安府负责供应皇宫膳食的事务。宋

孝宗说:“还应当仔细征求寻访,一切烦扰百姓的事,一一条陈上奏。如停止供应、馈赠等事,所节省钱二万多贯,可以全部赐予民间以免除科赋的烦扰。”

戊申(十三日),下诏追认恢复岳飞原职,依照应有礼仪进行改葬;寻访他的后代,特例给以任用。

庚申(二十五日),金尚书左丞相完颜晏辞职退休。

壬戌(二十七日),诏令:“朕的诞辰节日将到,各路监司、州军应该进献的金银钱绢等,因为天申圣节已进献供奉,应进献的数额,权且予以免除。”

金国边防将帅把檄书送到盱眙军,报告通和之意,应当各守原定的边界,边界守臣将此奏闻朝廷。于是宋孝宗下诏说:“敌人要求按过去的礼仪办事,如果同意他们的要求就不能容忍其屈辱,不同意他们的要求就会后患无穷。中原归正的人源源不绝,接纳他们,那么东南财力不能满足供给,拒绝他们就断绝了百姓归附朝廷之心。宰执、侍从、台谏,各自针对此事陈述明确的意见以奏闻。”

当时群臣有所议论陈述,而宰执唯独没有奏章,宋孝宗就此询问参知政事史浩。史浩奏报说首先应当坚固壁垒以防御敌人的进攻、冲击,等待时机以图恢复疆土。在此之前史浩建议准备在瓜洲、采石修筑城墙,此建议转给张浚商议,张浚说如果这样做就是自己暴露削弱的形势,不如先在泗州筑城。史浩担任参知政事后,与张浚的意见大多不合。

命令参知政事汪澈视察湖北、京西的军队。当时刘珙出使金国,未到就中途返回。在此之前洪迈、张抡出使金国回来,见张浚,详细诉说金国对我国使者不以礼相待,令我国使臣在行文中自称陪臣,张浚说不应当再派使臣。而史浩建议派遣使臣通报皇帝新登位,竟然派遣刘珙出使。走到边境,金人要求按照旧礼行事,刘珙不接受就回来了。

斡罕战败后,收集散兵一万多人,就进入奚人部落,以各奚部民增强自己的力量。八月,乙丑朔(初一),金国左监军高忠建在GOTOPG榜栳山攻破奚人,又招降了附近的奚部六个营,有不投降的奚人就进攻打败他们。斡罕侵犯古北口,万户官温特赫阿噜岱因为妻子过生日,擅自离军六十里,贼军听说此事前来袭击,杀伤了很多士兵。金国主命令完颜默音率兵三千会合原有驻兵攻击贼军。在此之前有人告发完颜默音的儿子完颜色格谋反,金国主察觉这是诬告,命令拘捕诬告者,诬告者招认了罪状,就杀了他。金国主对完颜默音说:“有人告诉你的儿子谋反,朕知道你一定不会做这样的事。现在告发者果真自己认罪,你应当明白此意。”完颜默音到达军中,击败并活捉了贼人党羽。

癸酉(初九),金国主对宰臣说:“百姓上书陈述时政得失,他们的言论还有所补益。你们位居要职,却一点也没有提出改革的言论,行吗?至于听讼断案,按期收发文书,什么人不能做!唐尧、虞舜这样的圣人,还致力于全面观察广泛听取建议,才能成就天下大治。正隆刚愎自用,因此导致了败亡。朕日夜勤勉,希望听到直言议论,你们应当体会朕意。”诏令百司官吏:“凡上书议论国事,如果被有司积压,允许进表奏闻。朕将亲自审阅,以考察人才优劣。”

丁丑(十三日),金国赦免齐国妃、韩王完颜亨等人亲属中名列宫中奴籍的人。

金国主诏令元帅右都监完颜思敬,以所部军队与大军会合共同征讨斡罕。

戊寅(十四日),宋孝宗到德寿宫奉上光尧寿圣太上皇帝、寿圣太上皇后的尊号宝册,举行上尊号的仪式。

乙酉(二十一日),金国主诏令左谏议大夫石琚、监察御史冯仲方巡察河北东路。

丁亥(二十三日),金国主诏令御史台说:“从三公以下,官僚善恶邪正,应当进行审察。如果只知处理小事而忽略了大事,要追究你们的罪责。”

辛卯(二十七日),金国停止各关征税。

九月,丁酉(初四),宋孝宗诏令:“朕恭敬依照祖宗的成例开讲儒学经义,开讲之日可召集辅臣观看讲解。”

戊戌(初五),宋孝宗诏令;“近来颁布了征求议论国事的诏书,想很快听到议论朝政过失的言论,各地有进献谏言的,都交付后省详细审阅。现在已经超过一个月了,没有听说推荐选择来上书的人,可以下令催促。”

宋孝宗诏令:“蜀地离行都万里之遥,人才应当预先储备,以应付紧急事变。想提拔一名忠诚谨慎英明敏锐的人,全面了解蜀地利害的人为都转运使,可令召集侍从、台谏各自推举所了解的人,以待选择任用。”

金国完颜思敬率领所部兵马进入奚地,会同布萨忠义之军追讨斡罕,贼党大多投降,剩余的很多因为患病而死,再无斗志。斡罕自己估量大势已去,企图从羊城途经西京投奔夏国。金兵追得更急,他的部下又大多逃亡而去,估计不能西去,就向北逃奔沙陀。庚子(初八),贼党捉住斡罕来投降,并俘获了他的母亲、妻子,叛逆之徒全部平定。甲辰(十一日),金太子率领百官上表称贺。乙巳(十二日),金国将平定斡罕一事诏谕中外。辛亥(十八日),斡罕被分尸于市,其党羽瓜里扎巴向南逃走,左宣徽使宗亨追赶他,没追上,瓜里扎巴就前来投降宋朝。

甲寅(二十一日),诏令胡铨、王十朋都赶赴临安行都。

冬季,十月,丙寅(初三),诏令:“侍从、两省、台谏、卿、监,各自推举能胜任监司、郡守职务的人,分为两类,一类是现在就能任用,一类是将来能任用,限期一月之内奏闻。被举荐的人和举荐人所说的相符合,升官赐钱,被举荐的人和举荐人奖赏相同;被举荐的人不像举荐人所说的那样,惩罚也相同。以及现任监司、郡守有才或者无才,也限期一月之内一一开列姓名及优劣评定上奏朝廷。”

右正言周操说:“国家在朝内设置百官,必须依靠长期任职以责成他取得成效。现在则不然,从担任佐丞、主簿不出数月就希望升任为郎官,从担任郎官不出数月就希望升任卿、监官员,都希望迅速升迁。对个人虽然是幸事,但职责不能履行,国家依靠他们什么!如果监司、郡守之类的官员多次调换,那么其祸害又比此类情况更为严重。监司调动一次就烦扰一路的百姓,郡守调动一次就烦扰一州的百姓。希望陛下当面告谕大臣,从今以后任命朝廷内外官职之时,细心精选,务必能长期任职。”诏令三省遵照执行。

丁卯(初四),金国主任命左副元帅完颜固云为平章政事。

戊辰(初五),金国平章政事、右副元帅布萨忠义等从军中归来。丙戌(二十三日),任命布萨忠义为右丞相,改封为沂国公,任命左监军图克坦志宁为左副元帅。

戊子(二十五日),金国将睿宗皇帝安葬在景陵,大赦天下。

己丑(二十六日),金国命令赫舍哩志宁负责南面边境事务。

十一月,癸巳朔(初一),金国命令布萨忠义南伐。

甲寅(二十二日),殿中侍御史张震等说:"乾德四年的诏书规定,从今以后宦官年龄到了三十岁以上,加上正在朝廷任职,才允许收养一子,皇祐五年的诏书规定,内侍以一百八十人为定额;嘉祐年间,韩绛奏报宦官人员太多,请求停止收养义子;到治平年间以后,开始又允许奏报收养义子。而在熙宁年间,神宗对宰臣说:'当今宦官人数已很多,既隶属于前省官又侍奉宫内事务。绝人之后,是仁政所不取的。况且唯独不能用三班使臣代替他们的职事?'吴充回答说:'这是盛德之事,臣等不敢不奉行!'从前的条例,又要限定年龄,考试诗书,登记姓名,遇到空缺不再填补。应当确立为定制。"诏令:"命令内侍省开列现有人数奏闻,今年会庆节暂且不许收养义子。"

乙卯(二十三日),臣僚说:"太祖太宗时代,犯有贪赃罪被取消户籍发配流放的人,即使碰到大赦也不允许返回重新任用。近来看到登极大赦的诏令,规定对于开除官职取消官资以及勒令停止并永不任用的人,都给予担任原职,严重丧失祖宗严惩贪赃污吏的本意。请求从今以后,官吏曾经被审定自身犯了贪赃罪,都不允许重新任用;如果有放行召回任用的,立即加以改正。"宋孝宗同意了。

十二月,戊辰(初六),诏令:"今日早朝时,集合侍从、台谏赴政事堂,逐条陈述当今时务,仍听候诏旨。"诏令说:"朕审阅张焘的奏章,正符合朕意,已经下令侍从、台谏集中在政事堂。现在赐给你们笔札,应当针对当今的时弊,将全部意见写下来奏报。退朝后,各自在处理公务的地方,集合全部的部属,告知朕的旨意,让他们直言陈述意见,不得隐瞒忌讳,朕将对此进行考查。"

当初,张焘因为是旧日老臣被任命为知枢密院事,宋孝宗向他询问治理国家的关键所在,张焘于是说:"太上皇帝在绍兴初年,曾实行祖宗的成例,诏令百官赴政事堂,命令他们逐条陈述当今弊政以及纠正的合适办法,请陛下查考施行。"因此有了这道诏令。

庚辰(十八日),臣僚说:"国朝有检校官一十九人,上者称太师、太尉、太傅、太保、司徒、司空,而任命时就从司徒迁升太保,各自按顺序晋升。陛下正在追求圣明政治,应当传达给有关部门讨论,立为定制。"给事中黄祖舜等说:"仔细审阅臣僚所陈述的六件事:其一,检校官分为六等,是过去的规定,现在就没有等级之分。而从节度使直接升任太尉,担任过开府仪同三司就升任太保。其二,节度使以调动地方为恩宠,这是过去的规定;现在则一日任命就不调动。其三,承宣使分为大镇、中镇、小镇三等,观察使分为大州、小州二等,这是过去的规定,现在都直接成为同一级别的官员。其四,武臣官阶从右武大夫到通侍大夫分为十三等,以安置到了升迁期限的官员和一般享受恩宠的人,没有显著的功劳和成效,不任命为低于正任的遥郡官员,这是过去的规定,现在则从右武大夫开始应当升迁官职的,都以遥郡官员的名义改任升转,只经过五次晋升就达到遥郡承宣使,一旦撤销官阶的限定就成为正任承宣使。其五,武功大夫任职期满十年,经过七次被推举的人才能升转,这是过去的规定,现在有的人从小使臣担任宣赞舍人,才升上一级官职,就直接升至右武郎。其六,总管、钤辖、都监分为六等差遣,不是正任的观察使和管军不能担任总管。这是过去的规定,现在官职比这一限定低却得到总管职位的人,到处都有。以上陈述的各项事宜,确实都很公允妥当,乞求予以施行。从下达指令文书时开始生效。"宋孝宗下诏都同意了。

辛巳(十九日),宋孝宗说:"昨天听到朝臣们说,秦桧诬陷岳飞,全国人都敢怒不敢言,李若朴担任狱官,唯独他说岳飞无罪。吕忱中告发王晌,所有部门都逢迎附和;林待问担任复审官,唯独他直言王晌蒙冤的真情。章杰逮捕为赵鼎送葬的人,又搜查他的私人信件,想罗列士大夫的罪状;翁蒙之担任县尉,毅然抵制了他。沈昭远为王铁家追查盗贼,想转祸于富民,以多索取富民的赔偿费;王正己担任司法官,最终平反了这一冤案。这些人都是不畏强悍,气节值得称颂。三省仔细加以寻访这样的人,如果健在,可给以选择任用。"

乙酉(二十三日),金国派尚书刑部侍郎刘仲渊等人巡视安抚东京、北京等路。

这个月,任命宰相陈康伯兼任枢密使。

诏令吴璘撤军。

这年冬季,宋孝宗召陈俊卿和张浚的儿子张栻赶赴临安行都。

张浚请御驾亲临建康以鼓动中原百姓归顺之心,在淮河沿岸用兵,在山东路布防水军,以便与吴璘遥相声援。宋孝宗召见陈俊卿等人,询问张浚的行动、饮食、容貌等情况,说:"朕依靠魏公如同长城,不容许流言蜚语动摇、夺去对他的信任。"当今金人以十万兵力屯驻河南,声称伺机进攻两淮地区,张浚派大兵屯驻盱眙军、泗州、濠州、庐州,金人不敢动兵;送来文书索要海州、泗州、唐州、邓州、商州以及索要岁币,张浚说金人很多奸诈,不应当为此而动,最终也没有什么事发生。

张栻朝见宋孝宗时,就建议说:"陛下上念宗庙社稷的仇恨与耻辱;下悯中原百姓的苦难,铭记在心中而想着振兴国家,臣认为这种想法的产生,就是天理。希望进一步思考观察,考察古代制度亲近贤良以辅佐自己,不要使自己有稍微地懈怠,那么现在的功业,就可以很快成功。"宋孝宗很器重他。

续资治通鉴卷第一百三十八

【原文】

宋纪一百三十八　起昭阳协洽【癸未】正月，尽阏逢涒滩【甲申】九月，凡一年有奇。

孝宗绍统同道冠德昭功　哲文神武明圣成孝皇帝

讳眘，太祖七世孙也。初，太祖少子秦王德芳生英国公惟宪，惟宪生新兴侯从郁，从郁生华阴侯世将，世将生庆国公令詥，令詥生子偁，是为秀王，王夫人张氏，以建炎元年十月戊寅生帝于秀州官舍，命名伯琮。及元懿太子薨，高宗未有后，而昭慈圣献皇后亦自江西还行在，后尝感异梦，密为高宗言之，高宗大悟。绍兴二年五月，选帝育于宫中；三年二月，赐名瑗；五年六月，听读资善堂；十二年正月，封普安郡王；三月出閤就外第；三十年二月癸酉，立为皇子，更名玮；丙子，进封建王；三十二年五月甲子，立为皇太子，改名眘。

隆兴元年　金大定三年【癸未，1163】　春，正月，壬辰朔，帝朝德寿宫，自是岁如之。

立武臣荐举格。观察使以上各举所知之士三人。谋略沈雄，可任大事；宽猛适宜，可使御众；临陈骁勇，可鼓士气；威信有闻，可守边郡；思智精巧，可治器械；已上五等，令曾立军功观察使以上荐举。通习典章，可掌朝仪；练达民事，可任郡寄；谙晓财计，可裕民力；持身廉洁，可律贪鄙；词辨不屈，可备奉使；已上五等，令非军功观察〔使〕以上荐举。被举之人，成立功效，举官取旨推赏，败事亦加责罚。

既而殿中侍御史胡沂上言："陛下注意将臣，然武举唱第名在一二者，固蒙褒擢，馀皆任以榷酤、征商之事。臣观唐之郭子仪，以武举异等，初补左卫长史，历为振远、横塞、天德军使。祖宗时，中武艺人并赴陕西任使。又，武举中选人，或除京东抵贼，或边上任使，或三路沿边试用，或经略司教押军队、准备差使。请取近岁应中武举之人，分差沿边备使。"从之。

自建炎以来，居位者往往不修职事，而朝廷姑息，莫知所惩。国子司业王十朋，极言其弊之当革，且论人主之大职有三，任贤、纳谏、赏罚是也。帝嘉纳。

以知饶州胡铨为秘书少监。铨论史官失职者四，一谓："记注不必进呈，庶人主有不观史之美。"二谓："唐制，二史立螭头之下，今在殿东南隅，言动未尝得闻。"三谓："二史立后殿而前殿不立，请于前后殿皆分日侍立。"四谓："史官欲其直前，而閤门以未尝预牒，以今日无班次为辞。请自今直前言事，不必预牒閤门及以有无班次为拘。"从之。

枢密副都承旨龙大渊，带御器械曾觌，皆潜邸旧人，欲擅利权，数言国用当加省察，于是帝数以手诏诘户部钱谷出入之数。户部侍郎周葵上言："陛下新即大位，劳心庶政。臣下倾听,谓有咨询必出人意表;今皆微文细故,财利是稽。此不独陛下未得治道之先务,虑必有小人荧惑圣聪,欲售其私者,不可不察也。”帝为之色动。

庚子,以史浩为尚书右仆射、平章事兼枢密使;张浚进枢密使、都督江淮东西路军马,开府建康。浚荐陈俊卿为江淮宣抚判官。

丙午,诛殿前司后军谋变者。

戊申,诏:“礼部贡院试额增一百人。”

壬子,金遣客省使乌居仁赏劳河南军士。

吴璘奉班师之诏,僚属交谏曰:“将在军,君命有所不受。此举所系甚重,奈何退师?”璘知朝论主和,乃曰:“璘岂不知此!顾主上初政,璘握重兵在远,有诏,磷何敢违!”至是复诏璘进退可从便宜,而璘已弃德顺还河池。金人乘其后,璘军亡失者三万三千,部将数十人,连营痛哭,声振原野。于是秦凤、熙河、永兴三路新复十三州、三军,皆复为金取。

二月,壬戌朔,用史浩策,以布衣李信甫为兵部员外郎,赍蜡书,间道往中原,招豪杰之据有州郡者,许以封王世袭。

甲子,金命太子少詹事杨伯雄等廉问山西路。

庚午,金主谓宰相曰:“滦州饥民流散,可移于山西富民赡济,仍于道路计口给食。”

己卯,赈两淮流民及山东归正忠义军。

庚辰,金太保、都元帅完颜昂薨。金主辍朝,亲临奠,赙赠甚厚。

昂自从太祖开国,累著功绩。在正隆时,纵饮沈酣,辄数日不醒。废主亮闻之,尝面戒不令饮,得间辄饮如故。及金主即位,昂还自扬州。妻子为置酒私第,未数行,辄卧不饮。其妻大氏,废主亮之从母姊也,怪而问之。昂曰:“我本非嗜酒者,但向时不以酒自晦,则汝弟杀我久矣。今遭遇明时,正当自爱,是以不饮。”昂睦于兄弟,尤喜施予,亲族有贫困者,必厚给之。或以子孙计为言,答曰:“人各有命,但使其能自立尔,何至为子孙奴耶!”

癸未,同知枢密院事黄祖舜罢。

丙戌,金赵景元等以乱言伏诛。

庚寅,逐秦桧党人,仍禁辄至临安。

金东京僧法通以妖术乱众,都统府讨平之。

三月,壬辰朔,金左副元帅赫舍哩志宁遣人索海、泗、唐、邓、商州之地及岁币,致书于张浚曰:“可还所侵本朝内地,各守自来画定疆界,凡事一依皇统以来旧约,帅府亦当解严。如必欲抗衡,请会兵相见。”浚复以书曰:“疆埸之一彼一此,兵家之或胜或负,何常之有!”

先是金人声言取两淮,浚请以兵屯盱眙及泗、濠、庐州备之。志宁遣富察徒穆、大周仁屯虹县,萧琦屯灵壁,积粮修城,将为南侵计。

癸巳,以张焘参知政事,辛次膺同知枢密院事。

初,次膺为右正言,力谏和议,为秦桧所怒,流落者二十年。帝即位,召为中丞。次膺每以名实为言,多所裨益。帝呼其官而不名。

丙申,金中都以南八路蝗,诏尚书省遣官捕之。

壬寅,陈康伯上钦宗陵名曰永献。

金命户部侍郎魏子平等九人分诣诸路明安、穆昆劝农及廉问。诏临潢汉民逐食于会宁

府、济、信等州。

乙巳，诏求遗逸。

丁未，诏修太上皇帝圣政。

己酉，参知政事张焘罢。

初，刘度除右谏议大夫，首论待小人不可无节，因奏潜邸旧僚，宣召当有时，盖为龙大渊、曾觌言也。至是遂上疏劾"大渊、觌轻儇浮浅，凭恃恩宠，入则侍帷幄之谋，出则陪庙堂之议，摇唇鼓舌，变乱是非。凡皇闱宴昵之私，宫嫔嬉笑之语，宣言于外，以自夸大。至引北人孙照出入清禁，为击球、胡舞之戏，上累圣德，望亟赐黜逐。"又因进故事，论京房指谓石显，元帝亦自知之而不能用，盖公义不胜私欲耳。反覆数百言，尤为切至。于是诏大渊除知阁门事，觌权知阁门事。度言："臣欲退之而陛下顾进之，何面目尚为谏官！乞就贬黜。"中书舍人张震缴其命至再；侍御史胡沂亦论两人市权招士，请屏远之，以防其微，不报。给舍金安节、周必大不书黄，且奏曰："陛下于政府侍从，欲罢则罢，欲贬则贬，独于此两人委曲迁就，恐人言纷纷未止也。"明日，宣手诏，谓："给舍为人鼓扇，议论群起，太上时安敢尔！"于是安节、必大退而待罪。会张焘入对，欲以两人决去就。帝问所从闻，焘曰："闻之陆游。"帝曰："游反覆小人，已得罪行遣矣。"焘谢曰："臣听言不实，罪也。"遂罢政。

是日，安节、必大再奏，乞窜责，不许。必大入谢，帝曰："朕察卿举职，但朕欲破朋党，明纪纲耳。"时宰辅、台谏合辞，以为两人当去，故帝有朋党之疑。庚戌，度改权工部侍郎。乙卯，震出知建宁府。帝复申两人知阁之命，必大格除目不下，史浩以闻。越三日，不获命，遂请祠去，两人之命亦寝。

庚戌，金免去年租税。

夏，四月，辛酉朔，金右副元帅完颜思敬召还京师，授北京留守。

丁卯，金平章政事完颜固云罢为东京留守。固云宿将，恃功，先在南京，颇渎货，不恤军民。诏使问以边事，固云不答，谓诏使曰："尔何知！俟我到阙奏陈。"及召入，竟无一语及边事者。在相位，多自专，己所欲辄自奏行之，故罢。

先是金户部尚书梁球上言："大定以前，官吏、士卒俸粟支帖，真伪相杂，请一切停罢。"参知政事李石，买已停之支帖，下仓支粟，仓司不敢违，以新粟与之。金主闻其事，以问球，球不以实对。金主命尚书左丞翟永固鞫之，得实，球降知火山军，石亦坐贬。会御史大夫白彦敬罢，以石代之。

戊辰，张浚被命入见。帝锐意恢复，浚乞即日降诏幸建康。帝以问史浩，浩对曰："先为备守，是谓良规；议战议和，在彼不在此。傥听浅谋之士，兴不教之师，敌退则论赏以邀功，敌至则敛兵而遁迹，致快一时，含冤万世。"及退，诘浚曰："帝王之兵，当出万全，岂可尝试以图侥幸！"复辨论于殿上。浚曰："中原久陷，今不取，豪杰必起而收之。"浩曰："中原必无豪杰，若有之，何不起而亡金？"浚曰："彼民间无寸铁，不能自起，待我兵至为内应。"浩曰："胜、广以锄櫌棘矜亡秦；必待我兵，非豪杰矣。"浚因内引奏浩意不可回，恐失机会，且谓金人至秋必谋南侵，当及其未发备之。帝然其言，乃议出师渡江，三省、枢密院不预闻。会李显忠、邵宏渊亦献捣虹县、灵壁之策，帝命先图二城。浚乃遣显忠出濠州，趣灵壁；邵宏渊出泗州，趣虹县。

壬申，赐礼部进士木待问以下五百三十八人及第、出身。

乙亥，王之望罢。

壬午，诏户部、台谏议节浮费。

乙酉，金赈山西明安、穆昆贫民，给六十日粮。

是月，金人拔环州，守臣强霓及其弟震死之。

金东京留守完颜固云迁延未行，自以失相位，忿忿不接宾客，虽近臣往，亦不见。金主闻之，怒，改为济南尹，召数之曰："朕念卿父有大功于国，卿旧将，亦有功，故改授此职，卿宜知之。若复不悛，非但不保官爵，身亦不能保也！"

五月，辛卯朔，金右丞相布萨忠义朝京师，遂以丞相兼都元帅，旋还军中。

乙未，金主以重五如广乐园射柳，命皇太子、亲王、百官皆射，胜者赐物有差；复御常武殿，赐宴，击球。自是岁以为常。

辛丑，命左右史日更立殿前。

壬寅，张浚渡江视师。

李显忠自濠梁渡淮，至陡沟，金右翼都统萧琦背显忠约，用拐子马来拒。显忠与之力战，琦败走，遂复灵璧。显忠入城，宣布德意，不戮一人，于是中原归附者接踵。

时邵宏渊围虹，久不下。显忠遣灵璧降卒开谕祸福，金守将富察特默、大周仁皆出降。宏渊耻功不自己出，会有降千户诉宏渊之卒夺其佩刀，显忠立斩之，由是二将不协。未几，萧琦亦降于显忠。

甲辰，李显忠及邵宏渊败金人于宿州。

乙巳，尚书右仆射、平章事史浩罢。

浩见邵宏渊出兵状，始知不由三省，径檄诸将，语陈康伯曰："吾属俱兼右府，而出兵不预闻，焉用相为哉！不去何待！"因奏言："陈康伯欲纳归正人，臣恐他日必为陛下子孙忧。张浚锐意用兵，若一失之后，恐陛下不得复望中原。"因力乞罢。王十朋论浩八罪，曰怀奸，误国，植党，盗权，忌言，蔽贤，欺君，讪上，帝为出浩知绍兴。十朋再疏，谓："陛下虽能如舜之去邪，未能如舜之正名定罪。"遂改与祠。

太府丞史正志，与浩异族，拜浩而父事之，十朋论正志倾险奸邪，宜黜之以正典刑；林安宅出入浩与龙大渊门，盗弄威福，十朋疏其罪；皆罢去。

追复司马康右谏议大夫。

丙午，李显忠兵薄宿州城，金人来拒，显忠大败其众，追奔二十馀里。邵宏渊至，谓显忠曰："招抚真关西将军也！"

显忠闭营休士，为攻城计，宏渊等不从。显忠引麾下杨椿上城，开北门，不逾时拔其城；宏渊等殿后，趣之，始渡濠登城。城中巷战，又斩首数千，擒八十馀人，遂复宿州。捷闻，帝手书劳张浚曰："近日边报，中外鼓舞，十年来无此克捷。"

既而宏渊欲发仓库犒卒，显忠不可，移军出城，止以见钱犒士，士皆不悦。

诏以显忠为淮南、京东、河北招讨使，宏渊副之。

金人恃骑射，夏久雨，胶解，弓不可用，故屡败。都元帅布萨忠义豫选劲弓万张于别库，至是使发汴库所贮劲弓，给赫舍哩志宁军。

丁未，以辛次膺参知政事，翰林学士洪（适）〔遵〕同知枢密院。时符离之捷日闻，次膺手疏千馀言，请加持重。

辛亥，天申节，帝率群臣诣德寿宫上寿，自是岁如之。

议者以钦宗服除，当举乐。礼部侍郎黄中曰："臣事君，犹子事父。礼，亲丧未葬不除服；《春秋》，君弑贼不讨，则虽葬不书，以明臣子之罪。况令钦宗实未葬也，而可遽作乐乎？"事遂寝。

金更定出征军逃亡法。尚书省请籍天德间被诛大臣诸奴隶及从斡罕乱者为军；金主以四方甫定，民意稍苏，而复签军，非长策，不听。

壬子，钦宗大祥。帝服衰服，诣几筵，易祥服，行祥祭礼。

金左副元帅赫舍哩志宁以精兵万人自睢阳攻宿州，李显忠击却之。金贝萨复自汴率步骑十万来攻，晨，薄城下，列大陈，显忠与之战，贝萨退走。既而益兵至，显忠谓邵宏渊并力夹击，宏渊按兵不动，显忠用克敌弓射却之。宏渊顾众曰："当此盛夏，摇扇于清凉之下，且犹不堪，况烈日被甲苦战乎？"人心遂摇。

志宁麾诸军力战，万户瓜尔佳清臣为前行，毁显忠所设行马，短兵接，显忠军乱，金兵乘之。至夜，中军统制周宏鸣鼓大噪，与邵世雄、刘侁各以所部兵遁。世雄，宏渊之子也。继而统制左士渊、统领李彦孚亦遁。显忠败，入城。统制张训通、张师颜、荔泽、张渊等，以显忠、宏渊不协，各遁去。走者自相蹈藉，僵尸相枕，争城门而入，门填塞，人人自阻，遂缘城而上，金兵自濠外射之，多坠死隍间。

癸丑，金人乘虚复攻城，显忠竭力捍御，斩首二千馀，积尸与羊马墙平。城东北角，金兵二十馀人已上百馀步，显忠取军士所执斧斫之，金兵始却。显忠叹曰："若使诸军相与掎角，自城外掩击，则敌帅可擒矣。"宏渊又言："金添生兵二十万来，倘不返，恐不测生变。"显忠知宏渊无固志，势不可孤立，叹曰："天未欲平中原耶，何沮挠如此！"遂夜遁。志宁取宿州，甲寅，使清臣等蹑之，追至符离，宋师大溃，赴水死者不可胜计，金人乘胜，斩首四千馀级，获甲三万。于是宋之军资殆尽。

时张浚在盱眙，显忠往见浚，纳印待罪。浚以刘宝为镇江诸军都统制，乃渡淮，入泗州，抚将士，遂还扬州，上疏自劾。

乙卯，下诏亲征。

金以北京留守完颜思敬复为右副元帅。

中都蝗。命参知政事完颜守道按问大兴府捕蝗官。

丁巳，以富察特默为大同军节度使，大周仁为彰国军节度使，萧琦为威塞军节度使。

是月，成都地震三。

六月，庚申朔，日有食之。

金以刑部尚书苏保衡为参知政事。

癸亥，参知政事汪澈罢，寻落职，台州居住，以右谏议王大宝劾其督师荆、襄，不能节制，坐视方城之败故也。

张浚乞致仕，且请通好于金；帝不许。

初，宿师之还，士大夫皆议浚之非。帝赐浚书曰："今日边事，倚卿为重，卿不可畏人言而怀犹豫。前日举事之初,朕与卿任之,今日亦须与卿终之。”浚乃以魏胜守海州,陈敏守泗州,戚方守濠州,郭振守六合,治高邮、巢县两城为大势,修滁州关山以扼敌冲,聚水军淮阴、马军寿春,大(饰)〔饬〕两淮守备。

帝召浚子栻入奏事,浚附奏曰:“自古有为之君,必有心腹之臣,相与协谋同志以成治功。今臣以孤踪,动辄掣肘,陛下将安用之!”因乞骸骨。帝览奏,谓栻曰:“朕待魏公有加,虽乞去之章日上,朕决不许。”帝对近臣言,必曰“魏公”,未尝斥其名。每遣使至督府,必令视浚饮食多少,肥瘠如何。至是帝以符离师溃,乃议讲和。

丁卯,召汤思退为醴泉观使兼侍读。戊辰,召虞允文。以兵部侍郎周葵参知政事。癸酉,下诏罪己。于是尹穑附思退劾浚,遂降授浚江淮东西路宣抚使。邵宏渊降官阶,仍前建康都统制。

王十朋疏言:“臣天资愚戆,独抱孤忠,昔在草茅,闻京师陷没,未尝不痛心疾首,与敌人有不共戴天之仇。及闻秦桧用事,辱国议和,尝思食其肉,以快天下神人之愤。臣素不识张浚,闻其誓不与敌俱生,心实慕之。前因轮对,言金必败盟,乞用浚,陛下嗣位,命督师江淮。今浚遣将取二县,一月三捷,皆服陛下任浚之难,及王师一不利,横议蜂起。臣谓今日之师,为祖宗陵寝,为二帝复仇,为二百年境土,为中原吊民伐罪,非前代好大生事者比,亦当内修,俟时而动。陛下恢复志立,固不以一衄为群议所摇,然异论纷纷,浚既待罪,臣岂可尚居风宪之职!乞赐窜殛。”因言:“臣闻近日欲遣龙大渊抚谕淮南,信否?”帝曰:“无之。”又言闻欲以杨存中充御营使,帝嘿然。改除吏部侍郎,十朋力辞,出知饶州。

戊寅,参知政事辛次膺罢。

次膺以疾祈免,且言:“王十朋虽上亲擢,天下皆知臣尝荐其贤;汤思退召将至,亦知臣尝疏其奸。臣不引避,人其谓何!”遂以资政〔殿〕学士奉祠。陛辞,帝甚惜其去,次膺曰:“臣与思退理难同列。”帝曰:“有谓思退可用者。”次膺曰:“今日之事,恐非思退能办。思退固不足道,政恐有误国家耳!”

己卯,贬李显忠筠州安置,寻再责徙潭州。

金太师、尚书令张浩,久以疾告,金主许其入朝毋拜,设坐殿陛之东,遇有咨谋,然后进退,省中大事,就第裁决。浩求退益力,乃除判东京留守。病不能赴,甲申,听其致仕。

戊子,以萧琦为检校少保、河北招抚使。

金主闻宿州之捷,诏赫舍哩志宁曰:“卿虽年少,前征契丹,战功居最,今复破大敌,朕甚嘉之。”以御服金线袍、玉兔鹘宾铁佩刀,使伊喇道就军中赐之;有功将士迁赏有差。

秋,七月,庚寅朔,以虞允文为湖北、京西制置使。

癸巳,以汤思退为尚书右仆射、平章事兼枢密使。

丙申,罢江淮宣抚使便宜行事。

太白昼见,经天。

乙巳,以旱、蝗、星变,诏侍从、台谏、两省官条上时政阙失。

胡铨上书数千言,谓政令之阙有十,而上下之情不合亦有十。且言:“尧、舜明四目,达四聪,虽有共、鲧,不能塞也。秦二世以赵高为腹心,刘、项横行而不得闻;汉成帝杀王章,王氏移鼎而不得闻;灵帝杀(何)〔窦〕武、陈蕃,天下横溃而不得闻;梁武信朱异,侯景斩关而不得

闻;隋炀帝信虞世基,李密称帝而不得闻;唐明皇逐张九龄,安、史胎祸而不得闻。陛下自即位以来,号召逐客,与臣同召者,张焘、辛次膺、王大宝、王十朋。今焘去矣,次膺去矣,十朋去矣,大宝又将去,惟臣在尔。以言为讳,而欲塞灾异之源,臣知其必不能也。"初,张浚复起为都督,大宝力赞其议,符离失律,群言汹汹。已而汤思退议罢督府,力请讲和,大宝奏:"今国事莫大于恢复,宰相以符离军溃,名额不除,意欲核军籍,减月给,臣恐不惟边鄙之忧,而患起萧墙矣。"章三上,除兵部侍郎。至是铨奏入,帝曰:"十朋力自引去,朕留之不能得。大宝论思退太早,今为兵部侍郎,岂容复听去?"

丁未,诏征李显忠侵欺官钱金银,免籍其家。

庚戌,金以太子太师宗宪为平章政事,以孔总袭封衍圣公。

戊午,给还岳飞田宅。

八月,丙寅,陈俊卿以张浚降秩徙治,上疏言:"若浚果不可用,宜别属贤将;如欲责其后效,降官示罚,古法也。今削都督重权,置扬州死地,如有奏请,台谏沮之,人情解体,尚何后效之图!议者但知恶浚而欲杀之,不复为宗社计。愿下诏戒中外协济,使得自效。"疏入,帝悟,即复浚都督江淮军马,浚遂以刘宝为淮东招抚使。

丙子,以飞蝗、风水为灾,避殿,减膳,罢借诸路职田之令。

契丹馀党未附于金者尚众,北京、临潢、泰州民不安,金主命参知政事完颜守道佩金符往安抚之。守道善于招致,契丹内附,民以宁息。

戊寅,金赫舍哩志宁复以书贻三省、密院,索海、泗、唐、邓四州地,及岁币、称臣、还中原归正人,即止兵,不然,当俟农隙进战。帝以付张浚,浚言金强则来,弱则止,不在和与不和也。时汤思退当国,急于求和,遂欲遣使持书报金,而陈康伯、周葵、洪遵等亦皆上言,谓敌意欲和,则我军民得以休息为自治之计,以待中原之变而图之,万全之计也。工部侍郎张阐独曰:"彼欲和,畏我耶?爱我耶?直款我耳!"力陈六害,不可许。帝曰:"朕意亦然,姑随宜应之。"

癸未,复以龙大渊知阁门事,曾觌同知阁门事。

乙酉,金主如大房山。

丙戌,遣淮西干办公事卢仲贤赍书报金帅,大略谓:"海、泗、唐、邓等州,乃正隆渝盟之后,本朝未遣使前得之。至于岁币,固非所较,第两淮凋瘵之馀,恐未能如数。"仲贤陛辞,帝戒以勿许四郡,而思退等命许之。张浚奏:"仲贤小人多妄,不可深信。"不听。

张栻入见,帝引见德寿宫。上皇问:"曾见仲贤否?"对曰:"臣已见之。"又问:"卿父谓何如?莫便议和否?"对曰:"臣父职在边隅,战守是谨。此事在庙堂,愿审处而徐议之,无贻后悔。"上皇曰:"说与卿父:今日国家举事,须量度民力、国力。闻契丹与金相攻,若契丹事成,他日自可收卞庄子刺虎之功。若金未有乱,且务恤民治军,待时而动可也。"

丁亥,金主荐享于睿陵;戊子,还宫。

九月,丁酉,金主以重九拜天于北郊。

冬,十月,戊午朔,命廷臣议金帅所言四事,其说不一。帝曰:"四州地及岁币可与,名分、归〔正〕人不可从。"

辛酉,御殿,复膳。

甲子,金大享于太庙。

丙子,立贤妃夏氏为皇后。

帝初纳郭直卿之女为妃,生邓王愭、庆王恺、恭王惇、邵王恪而薨。袁州宜春人夏协有女,奇之,以资纳于宫中,为吴太后阁中侍御。郭妃薨,太后以夏氏赐帝,至是立为后。

协既纳女,资匮归,客袁氏僧舍死,后访得其弟执中,补阁门祗候。执中与其妻至京,宫人讽使出之,择配贵族,欲以媚后,执中不为动。他日,后亲为言,执中以宋宏语对,后不能夺。执中既贵,始从学,作大字颇工,复善骑射。帝闻其才,将召用之,执中谢曰:"他日无累陛下保全足矣。"人以此益贤之。

丁丑,地震。

辛巳,升洪州为隆兴府。

诏:"江淮军马调发应援,从都督府取旨,馀悉以闻。"

是月,召朱熹至,对于垂拱殿,其一言:"陛下举措之间,动涉疑贰,听纳之际,未免蔽欺,由不讲乎大学之道,而未尝随事以观理,即理以应事。"其二言:"非战无以复仇,非守无以制胜。"末言:"古先圣王所以攘外之道,其本不在威强而在德业,其备不在边境而在朝廷,其具不在兵食而在纪纲。愿开纳谏诤,黜远邪佞,杜塞幸门,安固邦本。四者为先务之急,庶几形势自强而恢复可冀矣。"

卢仲贤至宿州,布萨忠义惧之以威。仲贤惶恐,言归当禀命,遂以忠义遗三省、密院书来。其画定四事:一,欲通书称叔侄;二,欲得唐、邓、海、泗四州;三,欲岁币银绢之数如旧;四,欲归彼叛臣及归正人。十一月,己丑,仲贤还,以书奏,帝大悔之。

庚寅,太白经天。

庚子,汤思退请以王之望充金通问使,龙大渊副之,许割弃四州,求减岁币之半。

初,之望为都督府参赞军事,雅不欲战,请入朝,因奏:"人主论兵,与臣下不同,惟奉承天意而已。窃观天意,南北之形已成,未易相兼,我之不可绝淮而北,犹敌之不可越江而南也。移攻战之力以自守,自守既固,然后随机制变,择利而应之。"思退悦其言,故奏遣之。

右正言陈良翰言:"前遣使已辱命,大臣不悔前失而复遣王之望,是金不折一兵而坐收四千里要害之地,决不可许。若岁币,则俟得陵寝然后与,庶为有名。今议未决而之望遽行,恐其辱国不止于卢仲贤,愿先驰一介往,俟议决行,未晚也。"

丙午,张栻奏卢仲贤辱国无状,擅许四州,下大理寺,夺三官。

陈康伯等言:"金人求通和,朝廷遣卢仲贤报之,其所论最大者三事:我所欲者,削去旧礼,彼亦肯从;彼所欲者,岁币如数,我不深较;其未决者,彼欲得四州,而我以祖宗陵寝、钦宗梓宫为言,未之与也。请召张浚咨访,仍命侍从、台谏集议。"帝从之。群臣多欲从金人所请,张浚及湖北、京西宣谕使虞允文、起居郎胡铨、监察御史阎安中上疏力争,以为不可与和。汤思退怒曰:"此皆以利害不切于己,大言误国,以邀美名。宗社大事,岂同戏剧!"帝意遂定。

浚在道,闻王之望行,上疏力辩其失曰:"自秦桧主和,阴怀他志,卒成前年之祸。桧之大罪未正于朝,致使其党复出为恶。臣闻立大事者,以人心为本。今内外之议未决,而遣使之诏已下,失中原将士四海倾慕之心,他日谁复为陛下用命哉!"

庚戌,金百官请上尊号;金主不许。

诏:“中都、平州及饥荒地并经契丹剽黥有质妻卖子者,官为收赎。”

金尚书左丞翟永固乞致仕,不许,壬子,罢为真定尹。尚书省奏:“永固自执政为真定尹,其伞盖当用何制度?”金主曰:“用执政制度。”遂著为令。

癸丑,以胡昉、杨由义为使金通问国信所审议官。

金罢贡金线段匹。

甲寅,金以尚书右丞赫舍哩良弼为左丞,吏部尚书石琚参知政事。琚固辞,金主曰:“卿之才望,无不可者,何以辞为!”

十二月,己未,尚书左仆射、平章事陈康伯罢。

乙丑,张浚入见,力言金未可与和,请帝幸建康以图进兵。帝乃手诏王之望待命境上,令胡昉等先往谕金帅以四州不可割之意;如必欲得四州,则当追还使人,罢和议。

戊辰,除朱熹为武学博士。

时汤思退等主和议,近习曾觌、龙大渊用事。熹三札所陈,不除前所上封事之议,而语益剀切,思退等皆不悦,故除是职。寻与洪适论不合而归。

丁丑,以汤思退为尚书左仆射,张浚为右仆射,并同中书门下平章事兼枢密使,浚仍都督江淮东西路军马。

金主猎于近郊,以所获荐山陵,自是岁以为常。

辛巳,金以苏保衡为尚书右丞。

除胡铨为宗正少卿;乞补外,不许。时金将富察特默、大周仁、萧琦降,并为节度使。铨言:“受降自古所难。今金三大将内附,优其部曲以系中原之心,善矣。然处之近地,万一包藏祸心,或为内应,后将噬脐。愿勿任以兵柄,迁于湖广以绝后患。”

永康陈亮上《中兴五论》,力排和议,不报。

金太师、尚书令张浩薨。金主辍朝一日,谥文康。

先是近侍有请罢科举者,金主曰:“吾见太师议之。”浩入见,金主曰:“自古帝王有不用文学者乎?”浩对曰:“有。”曰:“谁欤?”浩曰:“秦始皇。”金主顾左右曰:“岂可使我为始皇乎!”议遂寝。

是岁,两浙大水、旱、蝗,江东大水,悉蠲其赋。

隆兴二年 金大定四年【甲申,1164】 春,正月,丁亥朔,诏曰:“朕恭览乾德元年郊祀诏书,有云:‘务从省约,无至劳烦。’仰见事天之诚,爱民之仁。朕祗膺慈诏,嗣守皇祚,今岁冬日至,当郊见上帝,可令有司,除事神仪物、诸军赏给依旧制外,其乘舆服御及中外支费,并从省约。”

戊子,金罢路、府、州元日及万春节贡献。

金主谓侍臣曰:“秦王宗翰有功于国,何乃无嗣?”皆未知所对。金主曰:“朕尝闻宗翰在西京,坑杀降者千人,得非其报耶?”

癸巳,帝谓侍臣曰:“近日士大夫奔竞之风少息否?”宰相汤思退等曰:“方欲措置。”帝曰:“卿等留意政事,当立纪纲,正法度,不可困于文书。”

金群臣再请上尊号,金主不许。

丙申,命虞允文调兵讨广西诸盗。

知潭州黄祖舜，言江、湖之间，私铸轻薄沙钱，请申严私铸之刑。户部契勘私铸毛钱及磨错翦凿并博易私钱行使，各有立定条法，下诸路提刑司，行下所部切严约束，从之。

丁酉，金主如安州春水。壬寅，至安州，大雪。诏扈从人舍民家者，人日支钱一百与其主。

丙午，金布萨忠义复以书来。

庚戌，申严卿、监、郎官更出迭入之制。

辛亥，金主获头鹅，遣使荐山陵，自是岁以为常。

壬子，赈归正人。

是月，福建诸州地震。

二月，丁巳，金免安州今年赋役，凡扈从人尝止其家者亦复一年。庚午，还中都。

丙子，减文武官及百司吏郊赐之半。

庚辰，金以北京粟价踊贵，诏悉免今年课。

乙酉，胡昉自宿州还。

初，昉至金，金人以失信执之。帝闻昉被执，谓张浚曰："和议不成，天也。自此事当归一矣。"既而布萨忠义以书进金主，金主览之，曰："行人何罪！即遣还。边事令元帅府从宜措画。"

三月，丙戌朔，诏张浚视师江淮。王之望等以币还。

初，汤思退恐和议不成，请以宗社大计奏禀上皇而后从事，帝曰："金无礼如此，卿犹欲议和。今日敌势，非秦桧时比，卿议论，秦桧不若！"思退大骇，阴谋去浚，遂令之望等驿奏兵少粮乏，楼橹器械未备，又言委四万众以守泗州非计，帝惑之。会户部侍郎钱端礼言："兵者凶器，愿以符离之溃为戒，早决国是，为社稷至计。"乃诏浚行视江淮。

时浚所招徕山东、淮北忠义之士，以实建康、镇江两军，凡万二千人；万弩营所招淮南壮士及江西群盗又万馀人，陈敏统之，以守泗州。凡要害之地，皆筑城堡，其可因水为险者皆积水为匮，增置江、淮战舰，诸军弓矢器械悉备。金人方屯重兵以胁和，声言刻日决战，及浚复视师，淮北之来归者日不绝。浚以萧琦契丹望族，欲令尽领降众，且以檄谕契丹，约为应援，金人患之。吏部郎龚茂良言于浚曰："本朝御敌，景德之胜，本于能断；靖康之祸，在于致疑。愿仰法景德之断，勿为靖康之疑。"浚深然之。

丁亥，诏荆襄、川陕帅臣严边备，毋先事妄举。

卢仲贤除名，械送郴州编管。

庚子，金中都地震。

壬寅，诏知光州皇甫倜毋招纳归正人。

金百官三请上尊号，不许。

夏，四月，丁巳，金平章政事完颜元宜罢，为东京留守，请还所赐甲第，从之。未几，致仕，死于家。

庚申，召张浚还朝。

戊辰，罢江淮都督府。

甲戌，金出宫女二十一人。

丁丑，尚书右仆射、同平章事张浚罢。

汤思退讽右正言尹穑论浚跋扈，且费国不赀，奏令张深守泗不受赵廓之代为拒命。复论督府参议官冯方，罢之。浚乃请解督府，诏以钱端礼、王之望宣谕两淮而召浚还。端礼入奏，言两淮名曰备守，守未必备，名曰治兵，兵未必精，盖诋浚也。浚留平江，凡八上疏乞致仕，帝察浚之忠，欲全其去，乃命以少师、保信节度使判福州。

左司谏陈良翰，侍御史周操，言浚忠勤，人望所属，不当使去国，皆坐罢。

癸未，言者论宰执徇欺之弊，命书置政事堂。

五月，丙申，诏吴璘毋招纳归正人。

辛丑，诏刘宝量度泗州轻重取舍以闻。

贬江西总管邵宏渊，南安军安置，仍征其盗用库钱。

癸卯，金以旱，敕有司审冤狱，禁宫中音乐，放球场役夫。

乙巳，帝率群臣诣德寿宫贺天申节，始用乐。

壬子，金讨平斡罕馀党富苏合。

六月，甲寅朔，日有食之。

辛酉，以淫雨，诏州县理滞囚。

庚午，金初定五岳、四渎礼。

戊辰，太白昼见。

壬申，命虞允文弃唐、邓，允文不奉诏。

庚辰，金诏陕西元帅府议入蜀利害以闻。

丁丑，赈江东、两淮被水贫民。

秋，七月，乙酉，召虞允文还，以户部尚书韩仲通为湖北、京西制置使。

丁亥，同知枢密院事洪(适)〔遵〕罢，寻落职。

壬辰，金故卫王襄妃及其子和尚，以妖妄伏诛。

庚子，太白经天。

金以左丞赫舍哩良弼为平章政事。

诏："内外文武官年七十不请致仕者，遇郊毋得荫补。"

乙巳，命海、泗二州撤戍。

丁未，雨雹。

癸丑，以江东、浙西大水，诏廷臣言阙政急务。

八月，甲寅朔，帝以灾异，避殿，减膳。

戊午，金以参知政事完颜守道为尚书左丞，大兴尹唐古安礼为参知政事。

壬申，金主谓宰臣曰："卿每奏皆常事，凡治国安民及朝政不便于民者，未尝及也。如此，则宰相之任，谁不能之？"

己卯，金主如大房山；越二日，致祭于山陵。

庚辰，以资政殿大学士贺允中知枢密院事。

辛巳，判福州、魏国公张浚薨。

初，浚既去，朝廷遂决和议。浚犹上疏言尹穑奸邪，必误国事，且劝帝务学亲贤。或劝浚勿复以时事为言,浚曰:"君臣之义,无所逃于天地间。吾荷两朝厚恩,久居重任,今虽去国,惟日望上心感悟。苟有所见,安忍弗言!上如欲复用浚,浚当即日就道,不敢以老疾为辞,如若等言,是诚何心哉!"闻者耸然。

行次馀干,得疾,手书付二子栻、杓曰:"吾尝相国,不能恢复中原,雪祖宗之耻,即死,不当葬我先人墓左,葬我衡山下足矣。"数日而卒。赠太保。

浚不主和议,为时所重。所荐虞允文、汪应辰、王十朋、刘珙等,皆为名臣。唯以吴玠故杀曲端,与李纲、赵鼎不协而又诋之,颇为公论所少。

壬午,汤思退奏遣宗正少卿魏杞如金议和。帝面谕杞曰:"今遣使,一正名,二退师,三减岁币,四不发归附人。"杞条陈十七事拟问对,帝随事画可。陛辞,奏曰:"臣将旨出疆,岂敢不勉!万一无厌,愿速加兵。"帝善之。

兵部侍郎胡铨上书,以赈灾为急务,议和为阙政。其谏议和之言曰:"自靖康迄今,凡四十年,三遭大变,皆在和议,则金之不可与和彰彰矣。今日之议若成,则有可吊者十,请为陛下极言之:

"真宗时,宰相李沆谓王旦曰:'我死,公必为相,切勿与契丹讲和。'旦殊不以为然,既而遂和,海内干耗,旦始悔不用李沆之言。可吊一也。中原讴吟思归之人,日夜引领望陛下拯溺救焚;一与敌和,则中原绝望,后悔何及!可吊二也。海、泗,今之藩篱、咽喉也。彼得海、泗,且决吾藩篱以瞰吾室,扼吾咽喉以制吾命,则两淮决不可保;两淮不保,则大江决不可守;大江不守,则江、浙决不可安。可吊三也。绍兴戊午,和议既成,秦桧建议遣大臣分往南京交割归地;一旦渝盟,遂下亲征之诏,金复请和。其反覆变诈如此,桧犹不悟,奉之如初,卒有前年之变,惊动辇毂,太上谋欲入海,行朝居民一空。覆辙不远,忽而不戒,臣恐后车又将覆矣。可吊四也。绍兴之和,首议决不与归正人,口血未干,尽变前议,一切遣还,如程师回、赵良嗣等,聚族数百,几为萧墙之忧。今必尽索归正人,与之则反侧生变,不与则敌不肯但已,必别起衅端。可吊五也。自桧当国二十年间,竭民膏血以奉金人,迄今府库无旬月之储,千村万落,生理萧然,重以蝗虫、水潦。自今复和,则蠹国害民殆有甚焉。可吊六也。今日养兵之外,又有岁币;岁币之外,又有私觌;私觌之外,又有正旦、生辰之使;正旦、生辰之外,又有泛使。生民疲于奔命,帑廪涸于将迎。可吊七也。侧闻金人嫚书,欲书御名,欲去国号大字,欲用再拜,议者以为繁文小节,不必计较。臣切以为议者可斩也。夫四郊多垒,卿大夫之辱;楚子问鼎,义士之所深耻;献纳二字,富弼以死争之。今强敌横行,与多垒孰辱?国号大小,与鼎轻重孰多?献纳二字,与再拜孰重?臣子欲君父屈己以从之,则是多垒不足辱,问鼎不必耻,献纳不必争。可吊八也。臣恐再拜不已,必至称臣;称臣不已,必至请降;请降不已,必至纳土;纳土不已,必至衔璧;衔璧不已,必至舆榇;舆榇不已,必至如晋帝青衣行酒,然后为快。可吊九也。事至于此,求为匹夫,尚可得乎?可吊十也。

"窃观今日之势,和决不成。傥陛下毅然独断,追回使者魏杞、康湑等,绝请和之议以鼓战士,下哀痛之诏以收民心,如此,则有可贺者亦十:省数千亿之岁币,一也。专意武备,足食足兵,二也。无书名之耻,三也。无去大之辱,四也。无再拜之屈,五也。无称臣之忿,六也。无请降之祸,七也。无纳土之悲,八也。无衔璧、舆榇之酷,九也。无青衣行酒之惨,十也。

"去十吊而就十贺,利害较然,而陛下不悟。《春秋左氏》谓无勇者为妇人,今日举朝之

士,皆妇人也。如以臣言为不然,乞赐流放窜殛,以为臣子出位犯分之戒。"

太学正兴国王质上疏曰:"陛下即位以来,慨然起乘时有为之志,而陈康伯、叶义问、汪澈在廷,陛下皆不以为才,于是先逐义问,次逐澈,独徘徊于康伯,不遽黜逐,而意终鄙之,遂决意用史浩;而浩亦不称陛下意,(如)〔于〕是决用张浚;而浚又无成,于是决用汤思退,今思退专任国政又且数月,臣度其终无益于陛下。夫宰相之任一不称,则陛下之意一沮。前日康伯持陛下以和;和不成,浚持陛下以战;战不验,浚又持陛下以守;守既困,思退又持陛下以和。陛下亦尝深察和、战、守之事乎?李牧之在雁门,法主于守,守乃所以为战;祖逖之在河南,法主于战,战乃所以为和;羊祜之在襄阳,法主于和,和乃所以为守。是和、战、守本殊涂而同归者也。今陛下之心志未定,规模未立,或告陛下金弱且亡,而吾兵甚振,陛下则勃然有勒燕然之志;或告陛下吾力不足恃而金人且来,陛下即委然有盟平凉之心;或告陛下吾不可进,金可入,陛下又蹇然有割鸿沟之意。臣今为陛下谋,会三者为一,天下恶有不定哉!"帝心以其言为然,而忌者共排之,以为年少好异,遂罢去。

九月,癸未,金主还都。

内侍李珂卒,赠节度使,谥靖恭。

右正言龚茂良谏曰:"中兴贤相如赵鼎,勋臣如韩世忠,皆未有谥。如朝廷举行,亦足少慰忠义之心,今施于珂为可惜。"甲申,罢珂赐谥。

乙酉,金主谓宰臣曰:"形势之家,亲识诉讼,请属道达,官吏往往屈法徇情,宜一切禁止。"

己丑,金主谓宰臣曰:"北京懿州、临潢等路,尝经契丹寇掠,平、蓟二州,近复蝗旱,百姓艰食,父母兄弟不能相保,多冒鬻为奴,朕甚悯之。可速遣使阅实其数,出内库物赎之。"

时江、浙水利,久不修讲,势家园田,堙塞流水,命诸州守臣按视以闻。于是知湖州郑作肃,知宣州许尹,知秀州姚宪,知常州刘唐稽,并乞开园田,浚港渎。甲午,诏湖州委朱夏卿,秀州委曾愭,平江府委陈弥作,常州江阴军委叶谦亨,宣州太平州委沈枢措置。

乙未,金主如鹰房,主者以鹰隼置内省堂上,金主怒曰:"此宰相厅事,岂置鹰隼处耶!"痛责其人,俾置他所。

丁酉,诏:"今后命官自盗枉法赃罪抵死,除籍没家财外,依祖宗旧制决配。"

辛丑,以王之望参知政事,即军中拜之。

以久雨,出内库白金四十万两,和籴以赈贫民。寻又诏发江西义仓米二十万石济之。

壬寅,建康诸军都统制兼淮西招抚使王彦帅师济江,屯昭关。

癸卯,命汤思退都督江淮东路军马,固辞不行。乙巳,复命杨存中为同都督,钱端礼、吴芾并为都督府参赞军事,罢宣谕司。仍易国书以付魏杞。

【译文】

宋纪一百三十八　起癸未年(公元1163年)正月,止甲申年(公元1164年)九月,共一年有余。

宋孝宗名讳赵昚,是宋太祖的七世孙。当初宋太祖的小儿子秦王赵德芳生下英国公赵惟宪,赵惟宪生下新兴侯赵从郁,赵从郁生下华阴侯赵世将,赵世将生下庆国公赵令訡,赵令诊生下儿子赵偁，这就是秀王，秀王的夫人张氏，于建炎元年（公元1127年）十月戊寅（二十二日）在秀州官舍中生下孝宗皇帝，取名为赵伯琮。等到元懿太子去世，高宗没有后嗣，而昭慈圣献皇后也从江西来到行在，皇后曾经感受到奇异的梦，悄悄告诉高宗皇帝，高宗大为感悟。绍兴二年（公元1132年）五月，选孝宗皇帝到宫中抚育；三年（公元1133年）二月，赐名为赵瑗；五年（公元1135年）六月，在资善堂听读；十二年（公元1142年）正月，封为普安郡王；三月出宫阁到外宅居住；三十年（公元1160年）二月癸酉（二十四日），立为皇子，更名为赵玮，丙子（二十七日），晋封为建王；三十二年（公元1162年）五月甲子（二十八日），立为皇太子，改名为赵眘。

隆兴元年　金大定三年（公元1163年）

春季，正月，壬辰朔（初一），宋孝宗到德寿宫朝见太上皇帝，从此以后每年如此。

建立武臣荐举人才的制度。观察使以上各自举荐所了解的人三位。有谋略沉着勇敢，可胜任大事；宽厚、勇猛适当，可让他统率军队；临阵骁勇，可以鼓舞士气；威信很高，可以防守边境郡县；聪明能干心灵手巧，可以制造武器装备；以上五等，令曾立下军功的观察使以上官员荐举。熟习典章制度，可执掌朝廷礼仪；精通民间事务，可担任郡州官员；通晓理财之道，可富裕民力；自身保持廉洁，可惩处贪官污吏；能说会辩，可以担任使臣；以上五等，令没有军功的观察使以上的官员荐举。被举荐的人，建立了功劳取得了成效，推举的官员领取旨意加以奖赏，败坏了政事也得给以责罚。

不久殿中侍御史胡沂上奏说："陛下注意提拔武臣，然而武举考试中了第一第二名的人，固然受到了褒奖和提升，剩余的人都去做官府专卖、征收商税的事情。臣看到唐代的郭子仪，因为武举考试成绩优秀，开始补任左卫长史，历任振远、横塞、天德军节度使。本朝祖宗在位时，考中武举的人都赴陕西任职。另外，武举考试中选的人，有的任命在京东抵御盗贼，有的到边境任职，有的派到三路沿边界地区试用，有的派到经略司去教练军队、或作为备用差使。请挑选近年来考中武举的人，分别派往边境沿线以备使用。"宋孝宗同意了。

自从建炎年以来，身居官位的人往往不理职责内的事，而朝廷姑息迁就，不知道如何惩罚。国子司业王十朋，极力说这种弊端应当革除，并且议论君主的三大职责，就是任贤、纳谏、赏罚。宋孝宗高兴地接纳了他的建议。

任命知饶州胡铨任秘书少监。胡铨评论史官失职的四个方面：一是："记载起居注不必进呈皇上，这样人主有不观看史家记载的美德。"二是："依照唐朝制度，左右二史站立在螭头之下，现在却站在殿的东南角，皇上的言行不曾听到。"三是："左右二史站立在后殿而不在前殿站立，请在前后两殿都每天轮流侍立。"四是："史官想直接上前向皇上言事，而阁门以未曾预先报告，或者以今天没有朝班为托词而拒绝。请从今以后史官直接向前向皇上言事，不必预先报告阁门和不拘泥于有没有朝班。"宋孝宗同意了。

枢密副都承旨龙大渊，带御器械曾觌，都是宋孝宗以前的老部属，想要控制财权，多次说对国家的开支应当严加审核检查，于是宋孝宗多次以亲笔诏书审问户部钱谷出入的数目。户部侍郎周葵上奏说："陛下新即大位，劳心政务。臣下倾听，认为提出的问题必定出人意料，现在看来都是细枝末节的事情，只是查问财利情况。这不是陛下没有掌握治国的当务之急，担心一定是有小人迷惑陛下的耳目，想实现私人的目的，不能不警惕。"宋孝宗听后变了

脸色。

庚子(初九),任命史浩为尚书右仆射、平章事兼枢密使;张浚升任枢密使、都督江淮东西路军马,在建康设置官府。张浚推荐陈俊卿担任江淮宣抚判官。

丙午(十五日),杀死殿前司后军中谋反的人。

戊申(十七日),诏令:"礼部贡院的科举名额增加一百人。"

壬子(二十一日),金国派遣客省使乌居仁犒赏慰劳河南路的军士。

吴璘接到撤军的诏令,部下纷纷谏阻说:"将帅在军中,君命可以有所不受。此举关系重大,为什么撤军?"吴璘明白朝廷议论主张讲和,就说:"我难道不知道这个道理! 顾念皇上刚刚执政,我掌握重兵远离朝廷,接到诏令,我如何敢违背!"到这时又诏令吴璘是进是退可相机行事,而吴璘已经放弃德顺军返回河池。金人尾随其后追击,吴璘的军队损失三万三千人,部将数十人,全军痛哭,哭声震动原野。于是秦凤、熙河、永兴三路刚刚收复的十三州、三个军,都又被金人占领。

二月,壬戌朔(初一),采纳史浩的计策,任命平民李信甫担任兵部员外郎,携带蜡封的信,抄小路前往中原地区,招募占据州郡的豪杰之士,许诺给他们封王并世袭王位。

甲子(初三),金国命令太子少詹事杨伯雄等人巡视山西路。

庚午(初九),金国主对宰相说:"滦州饥民流离失所,可迁移到山西路由富有人家赡养接济,仍在迁移途中按人口供给粮食。"

己卯(十八日),赈济两淮地区的流民及山东路归正的忠义军。

庚辰(十九日),金国太保、都元帅完颜昂去世。金国主停止上朝,亲自前往祭奠,赠给的财物很丰厚。

完颜昂自从太祖建国以来,多次建立卓著的功绩。在正隆年间时,沉溺于纵酒,常常数日不醒。废主完颜亮听说后,曾当面劝诫不让他饮酒,找到机会就豪饮如旧。到金国主即位,完颜昂从扬州返回。妻子在私人住宅里为他设置酒席,没有喝几杯,就躺下不喝了,他的妻子大氏,是废主完颜亮的表姐,感到奇怪就问他。完颜昂说:"我本来不是好酒的人。但是以前不用酒来自我掩护,那么你的表弟早就杀害我了。现在遇到了清明的时代,正应当自爱,因此不再饮酒。"完颜昂对兄弟和睦,尤其好善乐施,亲族中有贫困的人,必定多多地送给钱财。有人劝他为子孙考虑,回答说:"人各有命,只使他们能自立就行了,何必去做子孙的奴仆呢!"

癸未(二十二日),同知枢密院事黄祖舜被免职。

丙戌(二十五日),金国赵景元等因为制造谣言而被处死。

庚寅(二十九日),驱逐秦桧的党羽,仍然禁止随意到临安。

金国东京僧人法通用妖术惑乱民众,都统府派兵讨伐平定了。

三月,壬辰朔(初一),金国左副元帅赫舍哩志宁派人索要海州、泗州、唐州、邓州、商州之地以及索要岁币,给张浚写信说:"可归还所侵占的本朝境内土地,各守从前画定的疆界,凡事一律依照皇统年间以来的原有约定,帅府也应当解除戒严。如果一定要抗衡,请领兵相见。"张浚回信说:"疆土一时在此一时在彼,兵家打仗有胜有负,哪会恒常不变!"

在此之前金人扬言夺取两淮地区,张浚请将兵力屯驻在盱眙军以及泗州、濠州、庐州以

防备敌人入侵。赫舍哩志宁派富察徒穆、大周仁屯驻虹县，萧琦屯驻灵璧，积粮修城，作为南侵的准备。

癸巳（初二），任命张焘为参知政事，辛次膺为同知枢密院事。

当初，辛次膺担任右正言，极力谏阻议和，被秦桧所恨，流落在外二十年。宋孝宗即位后，召为中丞。辛次膺常常谈论名分与实际的问题，很有益处。皇帝称呼他的官职而不称他的名字。

丙申（初五），金国中都以南的八路发生蝗灾，金国主诏令尚书省派官员负责捕蝗虫。

壬寅（十一日），陈康伯献上钦宗皇帝的陵名为永献。

金国命令户部侍郎魏子平等九人分别到各路明安、穆昆去鼓励耕种及查访。诏令临潢府的汉人到会宁府、济州、信州谋求解决粮食问题。

乙巳（十四日），诏令访寻隐逸之人。

丁未（十六日），诏令编修太上皇帝圣政实录。

己酉（十八日），参知政事张焘被免职。

当初，刘度出任右谏议大夫，首先论证对待小人不能没有节制，接着奏报对以前的老部下，宣召应当有合适的时机，大概这是针对龙大渊、曾觌而说的。到此时就上疏弹劾"龙大渊、曾觌轻佻浮浅，凭恃恩宠，入宫则参与内室的策划，出宫则参与朝廷的议论，摇唇鼓舌，混淆是非。凡是皇宫内宫闱宴乐亲昵等私事，宫嫔嬉笑取闹的话，都在外面宣扬传播，以自我夸耀。以至于带着北人孙照出入清禁内宫，做击球、胡舞等游戏，连累了圣上的德行，希望立即赐予罢黜驱逐。"又接着进献古代的典故，论述西汉京房指责石显误国，汉元帝也自知石显不能任用，只是因为公义不能战胜私欲。反复说了几百句话，尤其恳切至极。于是诏令龙大渊任知阁门事，曾觌权知阁门事。刘度说："臣想贬退他们而陛下却晋升他们，还有什么脸面再做谏官！乞请就此贬黜。"中书舍人张震两次缴还任命书；侍御史胡沂也弹劾两人玩弄权术招揽士人，请疏远他们，以防止祸害，宋孝宗不答复。给事中和中书舍人金安节、周必大对任命诏书不履行"书黄"程序，而且上奏说："陛下对于政府官员，想罢免就罢免，想贬责就贬责，只对这两人委曲迁就，担心人们议论纷纷不能平息。"第二天，宣谕手书诏书，说："给事中和中书舍人被人煽动，议论群起，太上皇帝时你们怎敢如此！"于是金安节、周必大退出以待问罪。正碰上张焘入宫应对，想根据对他们两人的处置来决定自己的离职和任职。宋孝宗问他从哪里听说的，张焘说："从陆游那里听说的。"宋孝宗说："陆游是个反复无常的小人，已经因犯罪被流放了。"张焘道歉说："臣听了不真实的言论，有罪。"于是张焘被罢官。

这一天，金安节、周必大两次上奏，乞请流放贬责，宋孝宗不同意。周必大入宫谢罪，宋孝宗说："朕观察你是尽自己职责，但是朕想破除拉帮结派，严明纲纪。"当时宰辅、台谏同样的意见，认为两人应当罢职，所以宋孝宗怀疑他们结党营私。庚戌（十九日），刘度改任权工部侍郎。乙卯（二十四日），张震出任知建宁府。宋孝宗又重申对龙、曾两人知阁的任命，周必大拖延任命文书不下达，史浩将此事奏闻皇上。过了三天，没有得到答复，周必大就请求担任宫观官而离职，对龙、曾两人的任命也搁置起来了。

庚戌（十九日），金国免收去年的租税。

夏季，四月，辛酉朔（初一），金国右副元帅完颜思敬被召回京师，授职北京留守。

丁卯(初七),金国平章政事完颜固云贬为东京留守。完颜固云是老将,居功自傲,原来在南京时,很贪财,不体恤军民。奉诏的使臣向他询问边境事务,完颜固云不回答,对奉诏使臣说:"你懂什么!等我进宫上奏陈述。"等到召回入宫,却没有一句话涉及边境事务。身居相位,常常自我专断,自己想做的事往往自己奏报施行,因此被罢免。

在此之前金国户部尚书梁锹上奏说:"大定年以前,官吏、士卒俸禄粟米的支帖,真假相杂,请一律停止使用。"参知政事李石,买来已经停止使用的支帖,到仓府支取粟米,仓府官员不敢违命,就把新粟给他。金国主听说了这件事,查问梁锹,梁锹不说实话。金国主命令尚书左丞翟永固审问他,得出实情,梁锹降职到火山军任职,李石也因牵连被贬职。正好御史大夫白彦敬被罢职,让李石接替了他的职位。

戊辰(初八),张浚奉命入宫朝见。宋孝宗决心收复失地,张浚乞请即日下达诏书亲临建康。宋孝宗就此询问史浩,史浩回答说:"首先做好防御的准备,这是好建议;是议战还是议和,由金人决定而不由我们决定。倘若听从了浅谋之士的主意,发动未经训练的军队,如果敌人后退则论功行赏,敌人进攻则收兵隐蔽,这样会痛快一时,含冤万世。"等到退朝,就责怪张浚说:"帝王的军队,应当在万全之策下出征,怎能尝试以获取侥幸的胜利!"又在殿上进行辩论。张浚说:"中原沦陷已久,现在不收复,必有豪杰兴起而占据中原。"史浩说:"中原一定没有豪杰,如果有豪杰,为什么不起事消灭金国?"张浚说:"那里的百姓手无寸铁,不能自己起事,等待我们军队到达时作为内应。"史浩说:"陈胜、吴广用锄头荆棘消灭了秦朝;一定等待我们的军队去,就不是豪杰了。"张浚乘入宫朝见的机会奏报史浩的主意不可说服,恐怕失去机会,就说金人到秋季必定图谋南侵,应当在金人未发兵时做好作战准备。宋孝宗同意他的建议,就商议派出军队渡过长江,三省、枢密院事先都不知道。正巧李显忠、邵宏渊也献策攻取虹县、灵璧,宋孝宗命令首先考虑攻进这两座城池。张浚就派遣李显忠从濠州出发,赶赴灵璧;邵宏渊从泗州出发,赶赴虹县。

壬申(十二日),赐给礼部选拔的进士木待问以下五百三十八人进士及第、进士出身的名分。

乙亥(十五日),王之望免职。

壬午(二十二日),诏令户部、台谏商议节省不必要费用的办法。

乙酉(二十五日),金国赈济山西明安户、穆昆的贫民,供应六十天的粮食。

这个月,金人攻占环州,守臣强霓和他的弟弟强震战死在那里。

金国东京留守完颜固云拖延不就任,自己因为丢了相位,愤愤不平地不接待宾客,即使有近臣前往,也不相见。金国主听说后,一怒之下改任他为济南尹,召见数落他说:"朕念你父亲为国家立过大功,你是老将,也立过功,所以改授此职,你应当明白这一点。如果再不悔改,不但不能保住官位,连自身也不能保住!"

五月,辛卯朔(初一),金国右丞相布萨忠义回京师朝见,就任命为丞相兼都元帅,立即返回军中。

乙未(初五),金国主因为端午节到广乐园射柳,命令皇太子、亲王、百官都射,成绩优胜的奖给不同的物品;又亲临常武殿,赐宴,击球。从此以后每年作为常规。

辛丑(十一日),命令左右二史每天轮流侍立殿前。

壬寅（十二日），张浚渡过长江视察军队。

李显忠从濠梁渡过淮河，到达陡沟，金右翼都统萧琦违背与李显忠的约定，用拐子马前来抵御。李显忠与萧琦全力交战，萧琦败逃，就收复了灵璧。李显忠进入城内，宣布圣德的意思，不杀一人，于是从中原归附的人络绎不绝。

当时邵宏渊围攻虹县，很久攻不破。李显忠派灵璧投降的士卒用祸福利害来开导金兵，金国守将富察特默、大周仁都出城投降。邵宏渊认为功劳不出于己很耻辱，正巧投降来的千户官投诉邵宏渊的士兵夺了他的佩刀，李显忠当即杀了士兵，从此二将开始不和。不久，萧琦也向李显忠投降。

甲辰（十四日），李显忠和邵宏渊在宿州打败金人。

乙巳（十五日），尚书右仆射、平章事史浩免职。

史浩看见邵宏渊的出兵文告，才知道孝宗不经过三省，直接檄令各将，告诉陈康伯说："我们都兼右府的职务，而出兵不预先告知，还要宰相做什么！不离职还待何时！"接着上奏说："陈康伯想接受从金国归正来的人，臣担心他以后必定成为陛下子孙的忧患。张浚决意用兵，如果一旦失败之后，恐怕陛下不得再指望收复中原。"接着极力乞请免职。王十朋弹劾史浩八条罪状，称为心怀奸诈、误害国家、培植党羽、擅自弄权、忌讳忠言、嫉妒贤良、欺骗君主、诽谤皇上，宋孝宗为此调出史浩任绍兴府知府。王十朋第二次上疏，说："陛下虽然能像舜那样远离奸邪，未能像舜那样给奸邪之人定下罪名。"于是将史浩改为宫观官。

太府丞史正志，与史浩不同族，拜史浩为义父并以儿子的身份侍奉他，王十朋弹劾史正志阴险奸邪，应当贬黜他并按刑律治罪；林安宅出入史浩与龙大渊家门，盗弄威福，王十朋上疏弹劾他的罪状；都被罢免。

追认恢复司马康右谏议大夫的职位。

丙午（十六日），李显忠的军队逼近宿州城，金人前来抵御，李显忠大败金人，追击二十多里。邵宏渊到达，对李显忠说："招抚使真是关西的将军啊！"

李显忠闭营休整军队，为攻城做准备，邵宏渊等人不听从。李显忠率领部下杨椿攻上城楼，打开北城门，不超过一个时辰就占领了宿州城；邵宏渊等作后卫，催促他们，才开始渡过护城河登上城头。城中进行巷战，又杀死数千人，活捉八十多人，于是收复了宿州。捷报传到朝廷，宋孝宗亲自手书慰问信给张浚说："近日边境报捷，朝廷内外欢欣鼓舞，十年来没有取得这样的大胜利。"

之后邵宏渊想打开仓库犒劳士兵，李显忠不同意，将军队移迁到城外，只用手中现有的钱犒劳士卒，士卒都不高兴。

诏令任命李显忠为淮南、京北、河北招讨使，邵宏渊任副职。

金人倚仗的是骑兵射手，夏季长期下雨，胶化解了，弓不能使用，所以多次失败。都元帅布萨忠义预先在别的武器库挑选了一万张强弓，至此派人打开汴京武器库所贮存的强弓，供给赫舍哩志宁的军队。

丁未（十七日），任命辛次膺为参知政事，任命翰林学士洪尊为同知枢密院。当时符离之捷每天传来，辛次膺写了一千多字的奏疏，请更加保持慎重。

辛亥（二十一日），天申节，宋孝宗率领群臣到德寿宫向宋高宗祝寿，从此以后每年如此。

有人议论说钦宗服丧期已满,应当奏乐。礼部侍郎黄中说:“臣侍奉君主,就像儿子侍奉父亲。礼仪规定,亲人灵柩未葬不能脱掉丧服;《春秋》记载,君主被弑而凶手没有治罪,那么虽然安葬了也不能记录,以表明臣子的罪责。况且现在钦宗皇帝实际上还没有安葬,能立即奏乐吗?”这件事就耽搁下来了。

金国重新制定出征军逃亡法。尚书省奏请登记天德年间被杀大臣的各奴隶以及跟随斡罕叛乱的人当兵;金国主认为四方尚未安定,民心稍稍复苏,而又征兵,不是长久之策,不同意这样做。

壬子(二十二日),钦宗皇帝大祥祭祀日、宋孝宗身穿衰服,到几筵殿,换上大祥祭祀的服装,举行大祥祭礼。

金左副元帅赫舍哩志宁率领一万精锐兵力从睢阳进攻宿州,李显忠击退了他们。金将贝萨又从汴京率领十万步兵骑兵前来进攻,清晨,逼近城下,排列大军阵,李显忠与之交战,贝萨撤退。不久增加兵力又前来,李显忠要邵宏渊并力夹击,邵宏渊按兵不动,李显忠用克敌弓射退了金兵。邵宏渊对大家说:“在此盛夏之天,在清凉的环境中摇着扇子,还不能忍受,何况烈日炎炎之下穿着铠甲苦战呢?”人心于是开始动摇。

赫舍哩志宁指挥各军全力作战,万户官瓜尔佳清臣为先锋,摧毁了李显忠所设置的防御行马,短兵相接,李显忠的军队混乱,金兵乘机进攻。到夜晚,中军统制周宏擂鼓大叫,与邵世雄、刘侁各率所部兵马逃跑。邵世雄,是邵宏渊的儿子。接着统制左士渊、统领李彦孚也逃跑。李显忠战败,进入宿州城。统制张训通、张师颜、荔泽、张渊等,认为李显忠、邵宏渊不合,各人逃离。逃走的人互相践踏,僵尸乱七八糟,争抢城门入城,城门被堵塞,人人自阻,就顺着城墙往上爬,金兵从护城河外射击,很多人掉下城墙淹死在护城河里。

癸丑(二十三日),金人乘虚又进攻宿州城,李显忠竭尽全力抵御,杀死二千多人,堆积的尸体与羊马墙齐平。城东北角,二十多个金兵已登上城楼攻占了一百多步的地方,李显忠拿过军士手中的斧头砍金兵,金兵才开始退却。李显忠叹息说:“如果让各军形成犄角之势,从城外突然袭击,那么敌人的主帅就可以活捉了。”邵宏渊又说:“金增添生力军二十万前来,如果不撤回,恐怕发生意外变化。”李显忠知道邵宏渊没有坚强的斗志,形势不能孤立坚守,感叹说:“上天不想平定中原吗?为什么如此阻挠!”于是乘夜逃走。赫舍哩志宁攻取宿州城,甲寅(二十四日),派瓜尔佳清臣等跟踪追击,追至符离,宋军大败,在水中淹死的人数不胜数,金人乘胜进攻,杀死四千多人,缴获衣甲三万副。于是宋军的军资丧失殆尽。

当时张浚在盱眙军,李显忠前往拜见张浚,上交官印等待治罪。张浚任命刘宝为镇江诸军都统制,自己就渡过淮河,进入泗州,安抚将士,接着返回扬州,上疏朝廷自我弹劾。

乙卯(二十五日),宋孝宗下诏亲征。

金国任命北京留守完颜思敬再次担任右副元帅。

中都发生蝗灾。金国主命令参知政事完颜守道追究大兴府捕蝗官的责任。

丁巳(二十七日),金国主任命富察特默为大同军节度使,大周仁为彰国军节度使,萧琦为威塞军节度使。

这个月,成都发生三次地震。

六月,庚申朔(初一),发生日食。

金国任命刑部尚书苏保衡为参知政事。

癸亥（初四），参知政事汪澈免职，不久落职，贬往台州居住，因为右谏议大夫王太宝弹劾他督师荆襄时，不能指挥军队，坐视方城战败的缘故。

张浚乞请退休，并且请求与金国通好求和；宋孝宗不同意。

当初，宿州的军队撤回时，士大夫都指责张浚的过失。宋孝宗赐给张浚信说："现在边境战事，倚靠你担负重任，你不能畏惧人言而犹豫不决。前日开始出兵时，朕与您共同策划，现在也须与你共同善后。"张浚于是派魏胜驻守海州，陈敏驻守泗州，戚方驻守濠州，郭振驻守六合，修筑高邮、巢县两城作为根据地，整修滁州关山以控制敌人的进攻，将水军调集淮阴，将骑兵调集寿春，大力整顿两淮地区的防守准备情况。

宋孝宗召见张浚的儿子张栻入宫奏事，张浚附上奏章说："自古有作为的君主，必有心腹之臣，互相合谋同心同德以成就天下大治的功业。现在臣孤立，动辄受到制约，陛下将如何用我呢！"于是乞请退休。宋孝宗看完奏章，对张栻说："朕待魏公更加依赖，即使每天送来请求退休的奏章，朕决不会答应。"宋孝宗对近臣说话，必说"魏公"，不曾直接称呼姓名。每派遣使臣到都督府，必令使臣观察张浚饮食什么，肥瘦如何。至此宋孝宗因为符离之败，就商议与金人讲和。

丁卯（初八），召汤思退入朝担任醴泉观使兼侍读。戊辰（初九），召虞允文入朝。任命兵部侍郎周葵为参知政事。癸酉（十四日），宋孝宗下诏书检讨自己。于是尹穑依附汤思退弹劾张浚，就降级任命张浚为江淮东西路宣抚使。邵宏渊被降低官阶，仍担任以前的建康都统制职务。

王十朋上疏说："臣天资愚憨，只抱一腔忠诚，过去身处草茅之屋，听说京师沦陷，不曾不痛心疾首，与敌人有不共戴天的仇恨。等到听说秦桧掌权，辱国议和，曾想吃他的肉，以发泄天下神灵与人民的愤怒。臣一向不认识张浚，听说他发誓不与敌人共生，心里实在很倾慕他。以前利用轮流应对的机会，说金国必定破坏盟约，乞请任用张浚，陛下继位，命令张浚督师江淮的军队。现在张浚派遣将官攻占两县，一月之内三次大捷，都佩服陛下任用张浚的苦心，等王师一旦失利，各种议论纷纷兴起。臣认为今天的军队，是为了祖宗陵寝，为了替两位先帝报仇，为了收复二百年的大宋国土，为了拯救中原百姓讨伐罪人，而不是以前那些好大喜功滋生事端的行为所能比拟的，更应当内修国政，伺机而动。陛下坚定了恢复国土的志向，固然不会因为一次挫折就被各种议论所动摇，但不同意见纷纷扬扬，张浚已经等待治罪，臣怎能还做监察官！乞请赐予流放惩治。"接着又说："臣听说近日准备派龙大渊安抚淮南，是真的吗？"宋孝宗说："没有这样的事。"又说传闻准备任命杨存中充任御营使，宋孝宗表示默认。改任他为吏部侍郎，王十朋极力辞谢，就调出京城担任饶州知州。

戊寅（十九日），参知政事辛次膺免职。

辛次膺因为疾病祈请免职，并且说："王十朋虽然是皇上亲自提拔的，但天下人都知道臣曾举荐他贤能；汤思退奉召将到任，天下人也知道臣曾弹劾他奸邪。臣不隐退回避，别人会怎么说我呢！"于是以资政殿学士的身份担任宫观官。入宫辞行，宋孝宗很可惜他的离职，辛次膺说："臣与汤思退无法共事。"宋孝宗说："有人认为汤思退可以任用。"辛次膺说："今日之事，恐怕不是汤思退能办得到的。汤思退本人本来不值得一说，只担心贻误国家大事。"

己卯(二十日),贬谪李显忠到筠州接受安置,不久又责成他迁往潭州。

金太师、尚书令张浩,长期以疾告退,金国主允许他入朝时不行跪拜礼,在殿陛阶的东面设置了专坐,遇到需要咨询的事,就出入殿内,尚书省中的重要事情,就在家中裁决。张浩请求退职更加迫切,就任命为判东京留守。因病不能赴任,甲申(二十五日),同意他退休。

戊子(二十九日),宋孝宗任命萧琦为检校少保、河北招抚使。

金国主听说宿州之战大捷,诏令赫舍哩志宁说:"你虽年轻,以前讨伐契丹,战功居第一,现在又攻破大敌,朕很赏识你。"把御服金线袍、玉兔鹘宾铁佩刀交给伊喇道到军中赐给赫舍哩志宁;有功将士分别给予不同的升赏。

秋季,七月,庚寅朔(初一),任命虞允文为湖北、京西制置使。

癸巳(初四),任命汤思退为尚书右仆射、平章事兼枢密使。

丙申(初七),罢免江淮宣抚使相机行事的权力。

太白星在白天出现,横穿天空。

乙巳(十六日),因为出现旱灾、蝗灾、星象变异,诏令侍从、台谏、两省官陈述奏报时政的失误。

胡铨献上数千言的奏章,说政令失误有十个方面,而且上下之情不合也有十个方面。并且说:"尧、舜目光敏锐,消息灵通,虽然有共、鲧这样的乱臣,也不能阻挡。秦二世将赵高视为心腹大臣,刘邦、项羽横行天下却不知晓;汉成帝杀了王章,王莽篡位的野心却不知道;汉灵帝杀了窦武、陈蕃,天下崩溃却不知道,梁武帝亲信朱异,侯景夺取城门却不知道;隋炀帝信任虞世基,李密自称皇帝却不知道;唐明皇驱逐张九龄,安史之乱的祸胎却不知道。陛下自从即位以来,召回了许多被放逐的人,与臣同时被召回的人有张焘、辛次膺、王大宝、王十朋。现在张焘离开了,辛次膺离开了,王十朋离开了,王大宝也将离开了,只臣在职。忌讳言论,却想堵塞灾异的根源,臣知道这是必不可能的。"当初,张浚恢复起用为都督,王大宝极力称赞这个建议,等到符离战败,各种议论纷纷传来。不久汤思退提议罢免都督府,极力奏请讲和,王大宝上奏说:"当今国家大事莫大于恢复国土,宰相因为符离军败,名额没有注销,想要核审军中名册,减少每月供给的军饷,臣担心这样不仅会带来边境的忧患,而且还会祸起萧墙啊。"上奏章三次,任命为兵部侍郎。至此胡铨的奏章呈入,宋孝宗说:"王十朋极力自请离职,朕挽留他没有留住。王大宝议论汤思退太早,现在担任兵部侍郎,怎能让他再离去?"

丁未(十八日),诏令收缴李显忠侵吞的官钱金银,免除籍没全家。

庚戌(二十一日),金任命太子太师完颜宗宪为平章政事,任命孔总承袭衍圣公封号。

戊午(二十九日),归还岳飞的土地房屋。

八月,丙寅(初八),陈俊卿以张浚降职迁徙治所一事,上疏说:"如果张浚果真不能重用,应当将军务交属另外的贤将;如果想责成他以后取得成效,降低官职以示惩罚,这是古代的制度。现在削夺他都督重权,置于扬州必死之地,如果他有所奏请,台谏阻挠他,人情疏远,还能怎么考虑以后将功赎罪呢!议者只知讨厌张浚而想杀了他,不再为国家考虑。希望下诏劝诫京城内外的官员协力互助,让人人都效力报国。"奏疏呈入,宋孝宗醒悟,立即恢复张浚都督江淮军马的职位,张浚就任命刘宝为淮东招抚使。

丙子(十八日),因为飞蝗、大风大雨成灾,避开正殿,减少膳食,停止借用各路职田的命令。

契丹余党没有归附金国的人还很多，北京、临潢、泰州的百姓不安宁，金国主命令参知政事完颜守道佩带金符前去安抚他们。完颜守道善于招安，契丹人归附金国，百姓得以安宁。

戊寅（二十日），金将赫舍哩志宁又写信给三省、枢密院，索要海州、泗州、唐州、邓州四地，以及缴纳岁币、对金称臣、归还中原归正的人，就息兵不战，否则，等到农闲时就进攻。宋孝宗将信交付张浚，张浚说金国势力强大就来进攻，势力弱小就停止进攻，不在于讲和不讲和。当时汤思退执政，急于求和，就想派使臣携带回信答复金人，而陈康伯、周葵、洪遵等人也都上奏，说敌人意在讲和，而我方军民得以休养生息为整理国家做准备，以等待中原发生变乱再考虑收复中原，这是万全之策。只有工部侍郎张阐说："金人想讲和，是畏惧我们吗？是爱护我们吗？只不过是欺骗我们罢了。"极力陈述讲和的六大害处，不能同意讲和。宋孝宗说："朕的意思也是这样，姑且随机应变。"

癸未（二十五日），又任命龙大渊知阁门事，曾觌同知阁门事。

乙酉（二十七日），金国主到达大房山。

丙戌（二十八日），派遣淮西干办公事卢仲贤携带信回复金国统帅，大概说："海州、泗州、唐州、邓州等州，是正隆皇帝违背盟约之后，本朝没有派遣使臣之前得到的。至于岁币，本来不是我们计较，只因两淮地区凋敝之后，恐怕不能如数缴纳。"卢仲贤入宫辞行，宋孝宗告诫他不要答应归还四州，而汤思退等人命令他答应归还。张浚上奏说："卢仲贤是小人很奸诈，不可深信。"宋孝宗不听从。

张栻入宫朝见，宋孝宗带他去德寿宫朝见太上皇帝。太上皇帝问："曾见过卢仲贤吗？"张栻回答说："臣已经见过他了。"又问："你父亲认为怎么样？不同意议和吧？"回答说："臣父的职责在于守卫边疆，谨慎地指挥战守。决定是否议和的权力在朝廷，希望小心谨慎从长计议，不要留下后悔。"太上皇帝说："告诉你的父亲：现在国家做事情，要考虑估量百姓的承受力、国家的财力。听说契丹与金国相互攻战，如果契丹取得胜利，以后自然可以收到像卞庄子刺虎那样的功效。如果金国没有内乱，就致力于休养百姓整治军队，待机而动就可以了。"

丁亥（二十九日），金国主在睿陵供奉祭品；戊子（三十日），返回宫中。

九月，丁酉（初九），金国主因为重阳节在北郊祭拜上天。

冬季，十月，戊午朔（初一），命令朝廷大臣商议金帅所提出的四件事，意见不一致。宋孝宗说："四州的土地和岁币可以给他们，君臣名分、归正人的归还不能同意金人的要求。"

辛酉（初四），宋孝宗亲临正殿，恢复膳食。

甲子（初七），金国在太庙举行大享祭礼。

丙子（十九日），立贤妃夏氏为皇后。

宋孝宗当初娶郭直卿的女儿为妃子，生了邓王赵愭、庆王赵恺、恭王赵惇、邵王赵恪之后就去世了。袁州宜春人夏协有位女儿，很奇特，出钱把她送到宫中，做吴太后阁中的侍奉宫女。郭妃去世后，太后将夏氏赐给宋孝宗，至此立为皇太后。

夏协将女儿送入宫后，资财用尽就回到故里，客居在袁氏僧人房中死了，夏皇后寻找到她的弟弟夏执中，补授阁门祗候。夏执中与他的妻子到了京都，宫女唆使他休了妻子，在贵

族之家选择婚配，宫女想以此讨好皇后，夏执中不为所动。另一天，皇后亲自对他说，夏执中以宋宏所说“糟糠之妻不下堂”的话来回答，夏皇后也不能改变他的想法。夏执中富贵之后，开始从师学习，写大字写得很工整，又擅长骑马射箭。宋孝宗听说了他的才能，准备召用他，夏执中辞谢说：“将来不连累陛下保全就满足了。”人们因此更加敬重他。

丁丑（二十日），发生地震。

辛巳（二十四日），将洪州升格为隆兴府。

诏令：“江淮军马调发救援，从都督府接受命令，其余的都奏报朝廷。”

这个月，召朱熹到京都，在垂拱殿应对。其一说：“陛下举措之间，常常犹豫不决，听取和采纳意见的时候，不免受到蒙蔽欺骗，这是不研究《大学》的道理，而不曾随着事物的发展认识道理，根据道理来应付事物。”其二说：“不作战没有办法复仇雪恨，不防御就没有办法制服敌人取得胜利。”最后说：“古代圣王用来抵御外敌的方法，其根本不在威力强大而在建立德政，其备战不在边境而在朝廷，其制胜的方法不在士兵和军粮而在严明纲纪。希望广泛接受谏诤，贬黜疏远奸佞小人，杜绝堵塞后门，安固邦本。以上四项是国家的当务之急，不久国家形势自然会强大，而恢复国土就有希望了。”

卢仲贤到达宿州城，布萨忠义以威力恐吓他。卢仲贤诚惶诚恐，说回去后一定禀告朝廷，就带着布萨忠义送给三省、枢密院的信回来了。金人在信中决定四件事：一、要求通报国书时自称叔侄；二，要求索回唐州、邓州、海州、泗州的土地；三，要求岁币银绢的数目和以前一样；四，要求归还金国的叛臣和归正人。十一月，己丑（初二），卢仲贤返回，将信奏呈，宋孝宗对此大为后悔。

庚寅（初三），太白星横越天际。

庚子（十三日），汤思退奏请任命王之望充任出使金国的通问使，龙大渊担任副使，同意割让四州土地，要求减少一半的岁币。

当初，王之望担任都督府参赞军事，极不想参战，请求入朝，乘机上奏说：“君主谈论军事，与臣下不同，只是奉承上天的旨意而已。私自观察天意，南北形势已成定局，不易互相侵占，我方不能渡过淮河攻占北方，就如同敌人不能越过长江攻占江南一样。转移攻战的兵力用来自守，自守坚固之后，然后随机应变，选择有利时机而应付他们。”汤思退赞赏他的话，因此奏请派他出使金国。

右正言陈良翰说：“前一次派出的使臣已经污辱了使命，大臣不悔改前一次的过失而再派遣王之望，这样金人不失一兵而坐收四千里战略要地，决不可以答应。至于岁币，则等获得陵寝之后供给，这就是理由。现在朝议未决而王之望匆忙前往，恐怕他丧权辱国不亚于卢仲贤，希望先派一名普通人前往，等朝议决定后再派使臣前往，也不算晚。”

丙午（十九日），张栻弹劾卢仲贤玷污国家不顾廉耻，擅自答应割让四州的土地，逮捕到大理寺，剥夺他的三级官职。

陈康伯等人说：“金人请求通使讲和，朝廷派遣卢仲贤答复他们，其所争论的三件最大的事：我们所要求的是停止称臣的旧礼仪，他们也肯同意；他们所要求的是数量不变的岁币，我们不深加计较；其中不能决定的是，他们要求得到四州的土地，而我们以祖宗陵寝、钦宗梓宫为理由，不给他们。请求召见张浚咨询，并命令侍从、台谏集中讨论。”宋孝宗同意了。群臣中很多人想答应金人所要求的事，张浚及湖北、京西宣谕使虞允文、起居郎胡铨、监察御史阎安中上疏极力争辩，认为不能与金人讲和。汤思退发怒说："这都是因为利害不关系到自己的切身利益，说大话耽误国事，以获取名声。国家大事，岂同儿戏！"宋孝宗的主意就决定了。

张浚在来京都的途中，听说王之望出使金国，上疏极力辩论这种做法的失误说："自从秦桧主张讲和以来，暗怀其他心思，最终导致了去年的灾祸。秦桧犯下的大罪没有在朝廷受到正法，致使他的党羽又重新出来做坏事。臣听说建立大事业，要以人心为根本。现在朝廷内外的议论还未形成决定，而遣使臣的诏令已经下达，丧失了中原将士天下百姓倾慕之心，以后谁再愿意为陛下效力！"

庚戌（二十三日），金国百官请求奉上尊号；金国主不同意。

诏令："中都、平州以及受灾地区和遭到契丹人掠夺地区有典妻卖子的，官府代为赎回。"

金尚书左丞翟永固乞请退休，不同意，壬子（二十五日），免去原职改任真定尹。尚书省奏报："翟永固从执政官改任真定尹，他的仪仗伞盖应当用什么标准？"金国主说："用执政官的标准。"就将此条定为政令。

癸丑（二十六日），任命胡昉、杨由义为出使金国的通问国信所审议官。

金国停止进贡金线缎匹。

甲寅（二十七日），金国任命尚书右丞赫舍哩良弼为左丞，吏部尚书石琚为参知政事。石琚极力辞谢，金国主说："你的才能和声望，没有不能胜任的地方，为什么推辞！"

十二月，己未（初三），尚书左仆射、平章事陈康伯免职。

乙丑（初九），张浚入宫朝见，极力论证不可与金讲和，请求宋孝宗亲临建康策划进兵。宋孝宗就手书诏令让王之望在边境待命，命令胡昉等人先前往告谕金国统帅四州不能割让的意思；如果一定要求得到四州，就应当追回出使金国的使臣，停止议和。

戊辰（十二日），任命朱熹为武学博士。

当时汤思退等人主张讲和，亲近宠臣曾觌、龙大渊掌权。朱熹三次上奏所陈述的事，不改前次所上的密封奏疏中的观点，而语气更加剀切，汤思退等人都不高兴，所以任命这一职务。不久因为与洪适的政见不合而回归故里。

丁丑（二十一日），任命汤思退为尚书左仆射，张浚为右仆射，都担任向中书门下平章事兼枢密使，张浚仍担任都督江淮东西路军马之职。

金国主到近郊打猎，用猎获的禽兽祭祀山陵，从此以后每年如此。

辛巳（二十五日），金国任命苏保衡为尚书右丞。

任命胡铨为宗正少卿；乞求补援外地做官，不同意。当时金将富察特默、大周仁、萧琦投降宋朝，都任命为节度使。胡铨说："接受投降自古以来就很为难。现在金国三位大将归附宋朝，优待他们的部下以维系中原民心，是好事。然而将他们安置在近地，万一包藏祸害之心，或者作为内应，以后将吞食我国腹地。希望不让他们掌管兵权，迁移到湖广地区以杜绝后患。"

永康人陈亮上奏《中兴五论》，极力排斥讲和，不答复。

金国太师，尚书令张浩去世。金国主停止上朝一天，谥号文康。

在此之前有的近侍大臣请求停止科举考试，金国主说："我召见太师商议这件事。"张浩

入宫朝见,金国主说:“自古以来帝王有不任用文人学者的吗?”张浩回答说:“有。”问:“谁呀?”张浩说:“秦始皇。”金国主对左右大臣说:“岂能让我成为秦始皇!”建议就被搁置了。

这一年,两浙发生严重水灾、旱灾、蝗灾,江东发生严重水灾,都免去他们的赋税。

隆兴二年 金大定四年(公元1164年)

春季,正月,丁亥朔(初一),诏令说:“朕恭敬览阅乾德元年的郊祀诏书,有一句话是‘务必节约,不要导致劳烦百姓。’从中可以瞻仰到敬奉上天的诚意,爱惜百姓的仁慈。朕遵从太上皇帝的恩诏,继承皇位,今年的冬至日,应当举行郊祀以祭拜上帝,可命令有司,除了祭祀神灵的仪仗物品、各军奖赏供给依照原有规定办理外,其余的如乘舆服御及朝廷内外的开支,都要节约。”

戊子(初二),金国停止各路、各府、各州在元旦和万春节进贡献礼。

金国主对侍臣说:“秦王宗翰为国建功,为什么竟没有后代?”都不知道如何回答。金国主说:“朕曾听说宗翰在西京时,活埋了一千多名投降的人,难道这是报应吗?”

癸巳(初七),宋孝宗对侍臣说:“近期士大夫奔竞钻营的风气稍为好转了吗?”宰相汤思退等人说:“正打算处理。”宋孝宗说:“你们要着重留心政事,应当确立纪纲,端正法度,不能陷入处理文书的事务中。”

金国群臣第二次奏请奉上尊号,金国主不同意。

丙申(初十),命令虞允文调兵讨伐广西的各股盗贼。

潭州知州黄祖舜,奏报江南路、荆湖路之间,私自铸造轻薄的沙钱,请求重申严禁私人铸钱的刑法。户部调查私铸毛钱及磨错剪凿法定钱币的铜料重新铸新钱并大量私自交易的行为,各有订立的条法,下达给各路提刑司,转发所部属从严管束,宋孝宗同意了奏请。

丁酉(十一日),金国主前往安州进行春水游猎。壬寅(十六日),到达安州,天降大雪。诏令随从人员住在百姓家中,每人每天支付房东一百钱。

丙午(二十日),金国布萨忠义又送信来。

庚戌(二十四日),重申严格执行卿、监、郎官轮流到地方任职和轮流到朝廷任职的制度。

辛亥(二十五日),金国主猎获第一只鹅,派使臣用鹅祭祀山陵,从此以后每年如此。

壬子(二十六日),赈济归正人。

这个月,福建各州发生地震。

二月,丁巳(初二),金国免征安州今年的赋税徭役,凡是随从人员住宿过的人家也免征一年的赋税徭役。庚午(十五日),返回中都。

丙子(二十一日)减半赐给文武官员及各司官吏郊祀物品。

庚辰(二十五日),金国因为北京米价上涨昂贵,下诏全部免收今年田税。

乙酉(三十日),胡昉从宿州返回。

当初,胡昉到达金国,金人以宋朝失信为理由将胡昉囚禁。宋孝宗听说胡昉被囚禁,对张浚说:“和议不成,是天意。从此以后事情应当归结到抗战一条路上来。”不久布萨忠义写信进献金国主,金国主看后,说:“使臣有什么罪!立即放还。边境战事令元帅府随机策划。”

三月,丙戌朔(初一),诏令张浚视察江淮的军队。王之望等人携带岁币返回。

当初,汤思退恐怕和议不成,请求将宗社大计奏报太上皇帝后再执行,宋孝宗说:“金国如此无礼，你还想议和。今日敌人的势力，不是秦桧当政时所能比，你的论点，还不若秦桧!”汤思退大惊，暗中策划排除张浚，就令王之望等通过驿传奏报兵少粮缺，楼橹器械不齐备，又说派四万人来防守泗州不是好策略，宋孝宗被他们迷惑。正巧户部侍郎钱端礼说：“打仗靠的是凶猛的武器，希望以符离之败为借鉴，及早决策国家方针，为社稷安全着想。”就诏令张浚巡视江淮军队。

当时张浚所招募的山东、淮北忠义之士，用来充实建康、镇江两军力量，总共一万二千人；万弩营所招募的淮南壮士及江西群盗又有一万多人，由陈敏统治他们，驻守在泗州。凡是军事要地，都修筑城堡，其中能据水为险的地方都筑堤蓄水，增置江、淮战舰，各军弓矢器械全部齐备。金人正在调集重兵以威胁讲和，声称近日决战，等到张浚又来视察军队，从淮北南来归附的人每天不断。张浚因为萧琦是契丹的名门望族，准备让他统帅前来归降的军队，并且用檄文告谕契丹人，约定他们作应援，金人担心这件事。吏部郎龚茂良对张浚说：“本朝在防御敌人的战例中，景德的胜利，根本在于能当机立断；靖康的祸患，根源在于犹豫不决。希望能够效法景德的当机立断，不要像靖康时犹豫不决。”张浚很认同他的观点。

丁亥(初二)，诏令荆襄、川陕的统帅大臣严守边防，不要首先轻举妄动。

卢仲贤被免职，戴着镣铐送到郴州接受编管处分。

庚子(十五日)，金国中都发生地震。

壬寅(十七日)，诏令光州知州皇甫倜不招纳归正人。

金国百官第三次奏请奉上尊号，不同意。

夏季，四月，丁巳(初三)，金国平章政事完颜元宜免职，担任东京留守，奏请归还皇帝赐予的住宅，同意了。不久，退休，死在家中。

庚申(初六)，召张浚返回朝廷。

戊辰(十四日)，撤销江淮都督府。

甲戌(二十日)，金国放出二十一位宫女。

丁丑(二十三日)，尚书右仆射、同平章事张浚免职。

汤思退煽动右正言尹穑弹劾张浚跋扈，而且花费了国家不少钱财，奏令张浚驻守泗州时不接受赵廓代管是抗拒朝廷命令。又弹劾江淮都督府参议官冯方，罢免了他。张浚于是请求解散都督府，诏令派钱端礼、王之望宣谕两淮地区而召张浚还朝。钱端礼入宫奏报，说两淮地区名义上准备防守，防守未必完备，名义上整治军队，军队未必精锐，大概这是为了诋毁张浚。张浚留在平江，总共八次上疏乞请退休，宋孝宗观察张浚的忠心，想成全他离职，就任命他以少师、保信节度使的身份担任判福州的职务。

左司谏陈良翰，侍御史周操，认为张浚忠诚勤奋，众望所归，不应当让他离开朝廷，都因此被罢职。

癸未(二十九日)，监察官弹劾宰执大臣有徇私欺君的阴谋，命令将奏章放置在政事堂。

五月，丙申(十二日)，诏令吴璘不招纳归正人。

辛丑(十七日)，诏令刘宝估量、考虑泗州的轻重利害关系以及取舍的利弊奏闻朝廷。

贬黜江西总管郜宏渊，在南安军接受安置处分，仍然是惩罚他盗用官府库钱。

癸卯(十九日)，金国因为旱灾，敕令有关部门平反冤案，禁止宫中演奏音乐，释放球场服

役的人员。

乙巳(二十一日),宋孝宗率领群臣到德寿宫祝贺天申节,才开始动用音乐。

壬子(二十八日),金国讨伐平定斡罕余党富苏合。

六月,甲寅朔(初一),发生日食。

辛酉(初八),因为大雨,诏令州县审理滞押囚犯。

庚午(十七日),金国初次确定祭祀五岳、四渎的礼仪。

戊辰(十五日),太白星在白天出现。

壬申(十九日),命令虞允文放弃唐州、邓州,虞允文不接受诏令。

庚辰(二十七日),金国诏令陕西元帅府评议入蜀的利害得失并且奏闻朝廷。

丁丑(二十四日),赈济江东、两淮遭受水灾的贫民。

秋季,七月,乙酉(初二),召虞允文还朝,任命户部尚书韩仲通为湖北、京西制置使。

丁亥(初四),同知枢密院事洪遵免官,不久又撤销了职名。

壬辰(初九),金国已故卫王完颜襄的妃子及他的儿子完颜和尚,因为妖言妄行被杀。

庚子(十七日),太白星横贯天空。

金任命左丞赫舍哩良弼为平章政事。

诏令:"朝廷内外文武官员年届七十不自请退休者,遇到郊祀时不能按惯例补授他儿子为官。"

乙巳(二十二日),命令海州、泗州撤走驻守的军队。

丁未(二十四日),天降冰雹。

癸丑(三十日),因为江东、浙西发大水,诏令朝廷大臣议论朝政过失和国家的当务之急。

八月,甲寅朔(初一),宋孝宗因为灾害异常,回避正殿,减少膳食。

戊午(初五),金任命参知政事完颜守道为尚书左丞,大兴府尹唐古安礼为参知政事。

壬申(十九日),金国主对宰臣说:"你们每次奏报的都是平常琐事,凡是治国安民和朝政对百姓造成不便的问题,不曾涉及。如果这样,那么宰相的任务,谁不能完成?"

己卯(二十六日),金国主到达大房山;过了两天,祭祀山陵。

庚辰(二十七日),任命资政殿大学士贺允中为知枢密院事。

辛巳(二十八日),判福州、魏国公张浚去世。

当初,张浚离职之后,朝廷就决定议和。张浚还上疏弹劾尹穑奸险邪恶,必误国事,并且规劝皇帝努力学习亲近贤良。有人劝张浚不再谈论时事,张浚说:"君臣之间的道义,在天地间无法逃脱。我承受了两朝皇帝的厚恩,久居重任,现在虽然离开朝廷,只每天盼望皇上内心醒悟。假如有什么建议,怎能忍心不说!皇上如果准备再起用我,我应当在当天启程,不敢以年老有病为借口推辞,如果像你们说的那样,这究竟安的什么心!"听到的人都肃然起敬。

途中住在馀干,得了病,写下亲笔信交付两个儿子张栻、张杓说:"我曾辅佐国政,不能恢复中原,洗雪祖宗的耻辱,假如我死了,不应当葬在我祖坟的旁边,将我葬在衡山下面就可以了。"几天后就去世了。追赠为太保。

张浚不主张议和,被时人所推崇。他所推荐的虞允文、汪应辰、王十朋、刘珙等,都是名臣。只因吴玠之故杀了曲端，与李纲、赵鼎不合而又遭到诋毁，很被公论所轻视。

壬午(二十九日)，汤思退奏请派遣宗正少卿魏杞到金国议和。皇帝当面告谕魏杞说："现在派遣使臣的使命是，第一端正名分，第二撤退军队，第三减少岁币，第四不遣返归附宋朝的人。"魏杞逐条陈述十七件事进行模拟问答，宋孝宗对每件事的答对表示同意。入宫辞行时，魏杞上奏说："臣奉旨出使金国，怎敢不努力！万一敌人贪得无厌，希望迅速进兵。"宋孝宗赞赏他的话。

兵部侍郎胡铨上书朝廷，认为赈济灾民是当务之急，议和是朝政的失误。他谏阻议和的言论是："从靖康年至今，共四十年，三次遭受大变，都是因为议和的主张，那么不能与金人议和是很明显的。现在议和的主张如果实现，那么就有十件可悲的事情，请允许为陛下详细说明：

"真宗在位时，宰相李沆对王旦说：'我死后，你一定做宰相。切记不与契丹人讲和。'王旦很不以为然，后来就果真讲和。国内财力耗尽，王旦开始后悔不听李沆的建议。这是第一件可悲的事。中原那些回归宋朝心切的人，日夜翘首盼望陛下拯救他们于水深火热之中；一旦与敌讲和，那么中原之人对朝廷绝望了，后悔都来不及！这是可悲的第二件事。海州、泗州是现在的藩篱和咽喉，金人得到海州、泗州，就是打开我们的藩篱以窥视我们的朝廷，扼住我们的咽喉而置我们于死地，那么两淮地区决不可保住；两淮地区不能保住，那么长江就绝不可守住；长江守不住，那么江、浙一带绝不可能安全。这是可悲的第三件事。绍兴戊午(公元1138年)年间，和议达成之后，秦桧建议派遣大臣分别前往南京交割划归金人的土地；一旦金人背盟，就下达亲征的诏令，金人又请求讲和。金人反复无常狡诈多变如此，秦桧还不醒悟，事奉金国如同当初，最终导致去年的事变，惊动皇帝，太上皇帝计划要入海逃避，行都的居民逃亡一空。覆辙不远，忽视而不以前车为鉴，臣担心后车又要颠覆了。这是可悲的第四件事。绍兴年间议和，首先决议不遣返归正人，口中的盟血未干，全部改变了先前的决议，一律遣返归正人，如程师回、赵良嗣等，聚集数百人，几乎形成祸起萧墙的灾难。现在金人必定要求全部遣返归正人，如果尽还归正人，那么归正人反过来会闹事，不归还归正人那么敌人不肯罢休，必定另外挑起事端。这是可悲的第五件事。从秦桧掌权的二十年间，竭尽民脂民膏来事奉金人，至今府库没有可支一个月的储备，千村万寨，生气索然，又加上蝗灾、水灾。现在又讲和，那么害国害民大概更加严重。这是可悲的第六件事。现在的费用除了养兵之外，又有岁币；除了岁币之外，又有私人奉送；私人奉送之外，又有正旦、生辰使携带的贺礼；正旦、生辰贺礼之外，又有平常出使所携带的礼品。百姓疲于奔命，国库因为迎来送往而枯涸。这是可悲的第七件事。侧面听说金人送来辱骂我国的国书，想书写皇帝的名讳，想去掉大宋国号中的'大'字，想使用再拜礼仪，有人认为这是繁文小节，不必计较。臣切实认为持这种观点的人该杀。京都四郊有很多壁垒，这是卿大夫的耻辱；楚庄王询问周鼎轻重，这是义士所深感可耻的；献纳二字，富弼为此以死相争。现在强敌横行霸道，与京都四郊多壁垒相比。谁感耻辱？国号大小，与问鼎轻重相比，谁更重要？献纳二字，与再拜之礼相比，谁更重要？臣子想让君父屈辱自己以答应金人的要求，那就是多垒不足以感到耻辱，问鼎不一定感到羞愧，献纳也不用拼死争辩。这是可悲的第八件事。臣担心'再拜'不够，必至俯首称臣；称臣不够，必至请求投降；投降不够，必至交纳土地；纳土不够，必至衔璧迎敌；衔璧不够，

必至抬棺请罪,抬棺请罪还不够,必至如晋国皇帝身穿青衣向敌国皇帝敬酒,然后为快。这是可悲的第九件事。事情到了这样的局面,只求做一个普通人,还可能做到吗?这是可悲的第十件事。

"愚臣私下观察现在的形势,讲和决不能成功。倘若陛下毅然独断,追回使臣魏杞、康湑等,断绝请和的议论以鼓舞战士,下达自责的诏书以收揽民心,如此,则也有值得庆贺的十件事情:节省数千亿的岁币,这是第一件。专心致力于武器装备,充足粮食扩充军队,这是第二件。没有书写皇帝名讳的羞辱,这是第三件。没有去掉'大'字的耻辱,这是第四件。没有称'再拜'的屈辱,这是第五件。没有称臣的怨怼,这是第六件。没有请降的灾祸,这是第七件。没有献纳土地的悲哀,这是第八件。没有衔璧、抬棺的残酷,这是第九件。没有穿青衣敬酒的惨状,这是第十件。

"去掉十件可悲的事换来十件可贺的事,利害一目了然,而陛下不醒悟。《春秋左氏传》说没有勇气的人是妇人,现在全朝廷的官员,都成了妇人。如果认为臣说的不对,乞请赐予流放到边远地区,以此作为臣子超出职权冒犯皇帝尊严的惩罚。"

太学正兴国人王质上疏说:"陛下即位以来,慷慨树立了乘有利时机有所作为的志向,然而陈康伯、叶义问、汪澈在朝廷任职,陛下都不认为是贤才,于是首先贬逐叶义问,接着贬逐汪澈,只是对陈康伯犹豫不决,没有立即黜逐,而心中始终轻视他,就决心任用史浩;然而史浩也不符合陛下心意,于是决定任用张浚;而张浚又没有成功,于是决定任用汤思退,现在汤思退独揽国政又将数月,臣估计他最终给陛下不会带来什么益处。每一位宰相一旦不称心,那么陛下的心意就受一次挫折。前日陈康伯支持陛下讲和;讲和不成功,张浚支持陛下出战;战争没有取得预期的效果,张浚又支持陛下坚持防守;防守受困之后,汤思退又支持陛下讲和。陛下也曾深入研究和、战、守之间的事情吗?李牧在雁门的时候,方法是以防守为主,防守就是为了作战;祖逖在河南的时候,方法是以作战为主,作战就是为了讲和;羊祐在襄阳的时候,方法是以讲和为主,讲和就是为了防守。这样看来和、战、守本来就是殊途同归。现在陛下决心未定,目标未立,有人告诉陛下金国弱小将灭亡,而我军很振奋,陛下就雄心勃勃怀有在燕然山刻石纪功的壮志;有人告诉陛下我军实力不足以依赖而金人将来进攻,陛下就灰心丧气怀有订立平凉之盟的想法;有人告诉陛下我们不能进攻,金人可进入我国境内,陛下又心境凄凉地怀有以鸿沟为界中分天下的想法。臣现在为陛下出谋划策,将战、和、守三者合为一体,天下哪里有不平定的!"宋孝宗心中认为他的话是对的,而忌妒他的人共同排挤他,认为他年轻喜欢标新立异,就罢免了他的官职。

九月,癸未(初一),金国主返回京都。

宦官李珂去世,追赠节度使职衔,谥号靖恭。

右正言龚茂良进谏说:"像赵鼎这样的中兴贤相,像韩世忠这样的功勋大臣,都没有谥号。如果朝廷对他们赐予谥号,也足以稍为安慰忠义之士的心,现在把谥号赠予李珂实在可惜。"甲申(初二),废止了赐予李珂的谥号。

乙酉(初三),金国主对宰臣说:"有权有势的家族,都熟识诉讼官员,一旦有官司就托人情走后门,官吏往往屈法徇私情,应当一律禁止。"

己丑(初七),金国主对宰臣说:"北京懿州、临潢等路,曾遭受契丹抢掠,平州、蓟州,近来又遭蝗灾旱灾，百姓难以生活，父母兄弟之间不能互相保护，大多冒名卖身为奴，朕很怜悯他们。可迅速派使查阅核实他们的人数，拨出内府的物品赎回他们。”

当时江、浙的水利工程，长久失修，权势家的庄园田地，堵塞了流水，命令各州守臣实地视察并奏闻朝廷。于是湖州知州郑作肃，宣州知州许尹、秀州知州姚宪，常州知州刘唐稽，都乞请开辟园田，浚通港口河道。甲午（十二日），诏令湖州委任朱夏卿、秀州委任曾愭，平江府委任陈弥作，常州江阴军委任叶谦亨，宣州太平州委任沈枢负责处理。

乙未（十三日），金国主到鹰房，负责训鹰的人将鹰放在内省堂上，金国主发怒说：“这是宰相议事之处，难道是放鹰的地方！”痛责了这个人，让他把鹰放到其他地方。

丁酉（十五日），诏令：“今后命官自盗贪赃枉法应当处死的，除了没收家财外，依照祖宗原有制度判决发配。”

辛丑（十九日），任命王之望为参知政事，就在军中接受任命。

因为长期下雨，拨出内库白金四十万两，以和籴的方式来赈济贫民。不久又诏令开仓调发江西义仓的粮食二十万石救济贫民。

壬寅（二十日），建康诸军都统制兼淮西招抚使王彦帅军队渡过长江，屯守昭关。

癸卯（二十一日），命令汤思退都督江淮东路军马，极力推辞不就任。乙巳（二十三日），又命令杨存中为同都督，钱端礼、吴芾都为都督府参赞军事，撤销宣谕司。仍改换国书交付魏杞。

续资治通鉴卷第一百三十九

【原文】

宋纪一百三十九 起阏逢涒滩【甲申】十月，尽柔兆掩茂【丙戌】十二月，凡二年有奇。

孝宗绍统同道冠德昭功 哲文神武明圣成孝皇帝

隆兴二年 金大定四年【甲申，1164】 冬，十月，癸亥朔，金主猎于密云；丙寅，还都。

丁卯，知枢密院事贺允中罢，为资政殿大学士，致仕。己巳，以周葵兼权知枢密院事，王之望兼同知枢密院事。

庚午，诏曰："朕每听朝议政，顷刻之际，意有未尽。自今执政大臣或有奏陈，宜于申未间入对便殿，庶可坐论，得尽所闻，期跻于治。"

庚辰，蠲京西、湖北运粮所经州县秋税之半。

汤思退侥幸和议速成，边备尽弛，金都元帅布萨忠义知其可乘也，遂议渡淮。始，魏杞行次盱眙，忠义遣赵房长问杞所以来之意，欲观国书。杞曰："书，御封也，见主当廷授。"房长驰白忠义，疑国书不如式，又欲割商、秦之地及归正人，且约岁币二十万。杞以闻，帝命尽如初式，许割四州，岁币亦如其数，再易国书。忠义犹以未如所约，辛巳，与赫舍哩志宁分兵自清河口以侵楚州。时知州魏胜，奉诏措置清河口，金人乘间以舟载器甲、糗粮自清河出，胜觇知之，帅兵拒于河口。金兵诈称欲运粮往泗州，由清河口入淮，胜欲御之；都统制刘宝以方议和，不可，至是宝遂弃城遁。

十一月，乙酉，金兵攻楚州，魏胜率众拒战于淮阳，自卯至申，胜负未决。金图克坦克宁帅生兵至，胜与力战，矢尽，依土阜为陈，谓士卒曰："我当死此，得脱者归报天子。"乃令步卒居前，骑兵为殿，至淮东十八里，中矢，坠马死。事闻，赠正任承宣使。楚州遂破，金人又破濠州，王彦弃昭关遁，滁州亦破。

戊子，以金人侵境，诏郊祀改用明年。

汤思退罢都督，召陈康伯。

己丑，金封皇子永功为郑王。

庚寅，命杨存中都督江淮军马。

先是汤思退既不行，乃升存中为都督军马，及事急，复以王之望为督视，之望力辞，乃升存中为都督。

诏谕归正官民云："朕遣使约和，首尾三载，北师好战，要执不回。朕志在好生，宁甘屈己，书币土地，一一曲从。唯念名将、贵臣，皆北方之豪杰，慕中国之仁义，投戈来归；与夫东土人民，喜我乐土；知其设意，欲得甘心，断之于中，决不复遣。尔等当思交兵衅隙，职此之由，视之如仇，共图扫荡。”

辛卯，汤思退除职，奉祠。

言者论其急于和好之成，自坏边备，罢筑寿春城，散万弩营兵，辍修海船，毁拆水柜，不推军功赏典，及撤海、泗、唐、邓之戍，诏责居永州。行至信州，忧悸而死。

自思退唱和议，欲兴大狱以锄异己者。时参知政事周葵行相事，闻诸生有欲相率伏阙者，奏以黄榜禁之，略云："靖康军兴，有不逞之徒，鼓倡诸生伏阙上书，几至生变。若蹈前辙，为首者重置典宪，馀人编配。"黄榜出，物论哗然。于是太学生张观、宋鼎、葛用中等七十馀人，上书论汤思退、王之望、尹穑曰："扬州退敌之后，敌人不敢南下。汤思退首唱和议，之望、尹穑附之，极力挤排。遂致张浚罢去，边备废弛，堕敌计中。天下为之寒心，而思退辈方以为得计。今敌人长驱直至淮甸，皆思退等三人怀奸误国，此三人之罪，皆可斩也。愿陛下先正三贼之罪以明示天下，仍窜其党洪适、晁公武，而用陈康伯、胡铨为腹心，召金安节、虞允文、王大宝、陈俊卿、王十朋、陈良翰、黄中、龚茂良、刘夙、张栻、查籥，协谋同心，以济大计。"帝大怒，欲加重罪。晁公武及右正言龚茂良同入对，帝怒稍霁，之望亦为之救解，乃止。

先是侍御史尹穑请置狱，取不肯撤备及弃地者核其罪，庶和议决成，所指凡二十馀人，由是擢穑为左谏议大夫，而公武亦自殿中侍御史迁侍御史，洪适时以中书舍人兼直学士院。

丙申，遣国信所通事王抃使金军，并割商、秦地，归被俘人，惟叛亡者不与，馀誓目略同绍兴，世为叔侄之国，减银绢五万，易岁贡为岁币而已。金人皆听许。

丁酉，诏择日视师。

戊戌，以陈康伯为左仆射兼枢密使。

辛丑，钱端礼赐出身，签书枢密院事，旋命兼权参知政事。

金尚书省火。

壬寅，以显谟阁学士虞允文同签书枢密院事。

诏："馆阁储材之地，依祖宗旧法，更不立额。"

甲辰，步军司统制崔臯，败金人于六合。

权尚书工部侍郎何俌进对，因及用人事，帝曰："近日士大夫议论好恶，多不公心。卿所谓其言若善，虽仇怨在所当用，如其不善，虽亲故不可曲从，此论是也。"

己酉，刘宝落节钺，为武泰军承宣使；王彦落龙神卫四厢都指挥使。

庚戌，诏："方今多事，理宜博谋，侍从、两省官，每日一到都堂，遇合关台谏者，亦许会议。"

陈康伯力疾诣阙，闰月，甲寅，入见。诏："康伯间一(月)〔日〕一朝，肩舆至殿门，仍给扶，非大事不署。"

丙辰，参知政事周葵罢。

壬戌，兵部侍郎胡铨、右谏议大夫尹穑并罢。

铨、穑受诏，分往淮东、西措置海道。时金兵号八十万，濠、滁皆破，唯高邮守陈敏拒敌射阳湖，而李宝预求密诏为自安计，拥兵不救。铨劾奏之曰："臣受诏命范荣备淮，李宝备江，缓

急相援。今宝视敏弗救，若射阳失守，大事去矣。”宝惧，始出师掎角。会天大雪，河冰皆合，铨先持铁锤锤冰，士皆用命，金人乃退。

铨、穑皆挈家以行，为言者所劾，遂与祠。

乙亥，参知政事王之望罢。

先是金人至扬州，或请击之，杨存中不敢渡江，固垒以自守。之望与汤思退表里，专以割地啖金为得计。至是帝以金人且退，诏督府择利击之。时之望视师江上，令诸将不得妄进。朝廷趣行，之望言王抃既还，不可冒小利，害大计。言者论之，遂罢。

丙子，以王抃为奉使大金通问国信所参议官，持陈康伯报书以行。丁丑，金遣张恭愈来迓使者。

十二月，戊子，魏杞始自镇江渡淮。

辛卯，以钱端礼参知政事，虞允文同知枢密院事，礼部尚书王刚中签书枢密院事。

丙申，制曰：“比遣王抃，远抵颍滨，正皇帝之称，为叔侄之国，岁币减十万之数，地界如绍兴之时。怜彼此之无辜，约叛亡之不遣，可使归正之人，咸起宁居之心。重念数州之民，罹此一时之难，老稚有荡析之灾，丁壮有系累之苦，宜推荡涤之宥，少慰凋残之情。除逃遁官吏不赦外，杂犯死罪情轻者减一等，馀并放遣。”洪适所草也。论者谓前此之贬损，四方盖未闻知，今著之赦文，殊失国体。

遣洪适等贺金主生辰，以后遂以为常。

己酉，朝献景灵宫。庚戌，朝飨太庙。

是岁，金大有年，断死罪十有七人。

乾道元年　金大定五年【乙酉，1165】　春，正月，辛亥朔，车驾诣圜坛行礼，大赦，改元。

乙卯，金主命于泰州、临潢接境设边堡七十，驻兵万三千。

丁巳，淮西安抚使韩琎，勒停，贺州编管，以部将孔福、顿遇弃城逃避故也。福伏诛，遇刺配吉阳军牢城。

己未，通问使魏杞等赍国书至金，书式为“侄宋皇帝眘，谨再拜致书于叔大金圣明仁孝皇帝阙下”，岁币二十万。金人复书“叔大金皇帝”，不名，不书“谨再拜”，但曰“致书于侄宋皇帝”，不用尊号，不称“阙下”，自是为定式。

辛酉，召杨存中还。

丁卯，起居舍人王稽中言：“臣每念国朝罕有世家；惟将家子能世其家，有曹彬之子玮，种世衡之子谔，谔之子师道，皆世为良将。近日将臣子弟，皆以武弁为耻。”帝曰：“此言甚合朕意。”稽中曰：“今国家闲暇，正当选将。万一用武，仓卒不可得之。”帝曰：“卿言甚当。”稽中请于大将之家，选武勇能世其家者尊显之，万一用武，不至无将；若其无虞，不妨阴壮国势。帝曰：“此论深得今日之切务。”稽中又言：“陛下留意北人，然北人皆负陛下。如贺允中老不知退，遭陛下简罢；王之望谋国，前后反覆异词；尹穑奸邪，与汤思退阴结死党，使季南寿往来传递言语，士大夫目之为‘肉简牌’，其为欺君误国，弛去边备，钩致敌人渡淮，几危社稷！”帝曰：“如尹穑尤可罪。朕初以腹心待之，乃奸邪至于如此！”稽中又曰：“如王逨虽未甚有施设，然多与尹穑屏人切切细语，士大夫皆谓之邪奸，赖陛下先知其奸，乃并逐之，士大夫尤服圣聪。”

以王抃使金有劳，加五官，抃由是见知于帝。后与曾觌、甘昪相结，时论恶之。

庚午，诏曰："馆职所以招延天下之英俊，以待显擢，苟不亲吏事，知民情，则将来何以备公卿之任！今后更迭补外，历试而出，以称朕乐育真才之意。"

辛未，立两淮守令劝民种桑赏格。

金以和议成诏中外；复命有司，旱、蝗、水溢之处，与免租赋。

壬申，诏两浙振流民；以绍兴流民多死，罢守臣徐嘉及两县令。

癸酉，蠲沿边残破州军赋一年。

金命元帅府诸新旧军，以六万人留戍，馀并放还。以宋国岁币赏诸军。

甲戌，贬刘宝琼州安置。

乙亥，罢两淮招抚司及陕西、河东宣抚招讨司。

召提举太平兴国宫陈俊卿入对，帝劳抚之。因极论朋党之弊，且论人材当以气节为主，气节者少有过差，当容之，邪佞者甚有才，当察之，帝善其言。除吏部侍郎，同修国史。

二月，庚辰朔，朝德寿宫，从太上皇、太上皇后如四圣观。帝亲扶上皇上马，都人欢呼，以为所未尝见。

癸巳，移濠州戍兵于藕塘。

庚子，以杨存中为宁远、昭庆军节度使。

壬寅，金罢纳粟补官令。

甲辰，以久雨，避殿，减膳，蠲两淮灾伤州县身丁钱绢，决系囚。

命镇江、建康、鄂州、荆南都统并兼提举措置屯田，两淮、湖广总领、淮南、湖北、京西帅漕兼提举措置屯田，守臣兼管内屯田事。

丁未，尚书左仆射陈康伯薨。

绍兴末，有与子之意，康伯密赞大议；及行内禅礼，以康伯奉册。帝即位，礼遇优渥，但呼丞相而不名。尝谓辅臣曰："陈康伯有气量，朕扈从太上在金陵，其从容不迫，可比晋谢安。"至是奏事出，至殿庐而疾作，舆至第，薨。赠太师，谥文恭，御书"旌忠显德之碑"表其墓。

三月，庚申，以虞允文参知政事〔兼同知枢密院事〕，王刚中同知枢密院事。

癸亥，同知枢密院事黄祖舜卒，谥庄定。

壬申，金群臣上尊号曰应天兴祚仁德圣孝皇帝。

乙亥，太白经天。

诏举制科。

是春，湖南盗起，入广东，焚掠州县，官军讨平之。

夏，四月，丙申，诏庐州兵马都监郭璘，特令再任，以金人渡淮，保守焦湖舟船无虞也。

庚子，金报问使完颜仲等入见。

癸卯，金西京留守寿王京，以谋反安置岚州。

京妻公寿，尝召日者孙邦荣推京禄命，邦荣言："留守官至太师，爵封王。"京问："此上更无有否？"邦荣曰："止于此。"京曰："然则所官何为？"邦荣察其意，诈为图谶，作诗以献于京。京曰："后诚如此乎？"遂受其诗，再使卜之，邦荣诡称得卦有吉兆，京复使邦荣推金主当生年月。家人孙霄格，妄作谣语诳惑京，如邦荣指，京信之。公寿具知其事。

至是邦荣上变，诏刑部侍郎高德基等往鞫之，京等皆款伏。金主曰："海陵无道，使光英在，朕亦保全之，况京等哉！"于是京夫妇特免死，杖一百，除名，岚州楼烦县安置，以婢百口自随，官给土田。诏谕京曰："朕与汝皆太祖之孙，海陵失道，翦灭宗支。朕念兄弟无几，于汝尤为亲戚。汝亦自知之，何为而怀此心？朕念骨肉，不思尽法。汝若尚不思过，朕虽不加诛，天地岂能容汝也！"

乙巳，金都元帅完颜思敬罢。

吴璘来朝，寻进封新安郡王，判兴元府。

五月，己酉朔，帝谕辅臣曰："今边事少宁，卿等当为朕留意人材。"钱端礼言："人主之职，惟当辨君子小人。若朝廷所任纯朴厚重之士，则浮伪自革，实效可成。"帝曰："固知如此。君臣之间，须相警戒。"

庚戌，中书舍人洪适进对，帝曰："卿所缴秦埙差遣甚当。向后有合缴事，不须札子，但批敕以进。"又曰："如有出自朕意，事不可行者，卿但缴进。"

初，秦埙陈乞宫观，适缴奏："秦桧藏奸稔恶，金珠充牣其家。埙乃其不肖之孙，华屋后藏，辄称累重仰禄。公然欺世，玩侮朝廷"故也。

辛亥，帝谕钱端礼等曰："早朝，与卿等每不从容。今后晚间少暇时，当召卿等款曲论治道。"端礼等既退，又遣中使传旨，每遇晚，召于东华门入，请选德殿奏事。

甲寅，臣僚言："唐任刘晏二十载。今之户部，始用也未必择之精，既用也未必任之久，多不一岁，少或半岁，已徙职而去矣，孰能为国家周虚实、究源流而图善后之计哉！望陛下略依唐故事，博选中外之臣，其材之可用者，而试以财计之任，又观其稍有所成，而付之版曹之职。苟称其职，虽数迁而至乎二府，职固不徙也。勿夺其权，使之得以号令州县，而趣督倚办焉；勿拘其制，使之得以权衡低昂，而通融流转焉。夫然后国之有无，军之裕乏，民之利害，皆得而责之。彼亦将朝思夕计，毕精竭虑，自任而不辞矣。"从之。

金元帅布萨忠义朝京师，金主劳之曰："宋国请和，偃兵息民，卿之力也！"丁巳，以忠义为左丞相，赫舍哩志宁为平章政事。

辛酉，中书舍人洪适进仁宗久任许元故事。帝曰："洪适所进故事，切当今日之弊。今后非因昏懦不职，不得遽有迁易。其兴利除害，绩用修举，并依故事旌擢显用。"

乙丑，金以平章政事宗宪为右丞相。

壬申，诏："法令禁奸，理宜画一。比年以来，傍缘出入，引例为弊，殊失刑政之中。应今后犯罪者，有司并据情款，直引条法定断，更不奏裁。内刑名有疑，令刑部、大理寺看详，指定闻奏，永为常法，仍行下诸路遵守施行。其刑部、大理寺见引用例册，令封锁架阁，更不引用。"

癸酉，金罢山东路都统府，以其军各隶总管府。

丙子，遣李若川使金，贺上尊号。

是月，宗正丞林邵言："祖宗《玉牒》，昨缘南渡，散失不存。前后修纂为太祖一朝事迹，已经安奉；《太宗玉牒》虽已成书，尚未进入；《太上》《今上玉牒》，自今见修；自真宗至钦宗凡七世，并未下笔。缘近来体例，每修一朝《玉牒》，必取旨开局，方始修纂，十年方许一进，则是列圣之书，虽百年而未备。臣今自修《真宗玉牒》十年，计四十卷，望令玉牒馆安奉。"从之。

郴州盗李金复作乱，诏以刘珙为湖南安抚使，兼知潭州。抵境，声言发郡县兵讨击，而移书制使沈介，请以便宜出师，曰："擅兴之罪，吾自当之。"介即遣田宝、杨钦以兵至。珙知其暑行疲怠，发夫数程外迎之，又代其负任，至则犒赏过望，(车)〔军〕士感奋。珙知钦可用，檄诸军皆受节制。下令募贼党相捕斩诣吏者，除罪受赏。钦与宝连战破贼，追至莽山，贼党执金以降。

六月，癸未，同知枢密院事王刚中卒，谥恭简。

刚中在成都日，以万岁池广(袤)〔袤〕十里，溉三乡田，岁久淤淀，因集三乡夫共疏之，累土为防，上植榆柳，表以石柱。蜀人久而思之。

丙戌，以翰林学士洪适签书枢密院事。帝谓钱端礼、虞允文曰："三省事可与洪适共议。"自是东西府始同班奏事。

壬辰，淮南运判姚岳，奏蝗自淮北飞度，皆抱草木自死，仍封死蝗以进，帝曰："岳敢以为嘉祥，更欲录付史馆，可降一官，放罢，为中外佞邪之戒。"

甲辰，罢湖北、京西制置司。

丙午，臣僚言："科举之制，州郡解，额狭而举子多；漕司解，其数颇宽。取应者往往舍乡贯而图漕牒，至于冒亲(岁)〔戚〕、诈注籍而不之恤。且牒试之法，川、广之士用此可也，福建密迩王都，亦复漕试；见任官用此可也，而待阙得替官，一年内亦许牒试；本宗有服亲用此可也，而中表缌麻之亲亦许牒试。或宛转请求，或通问属托，至有待阙得替官一人而牒十馀名者，请申严诈冒之禁。其见行条法，付有司重详损益，立为中制。"从之。

又言："国家三岁科举，集草茅之士，亲策于庭，其间岂无一事之可行！然有司考试，多以文采为上，考在前列者，始经御览。其间有言及诸郡军民利害实迹，偶文辞不称，置之下列，往往壅于上闻，诚为可惜！请自今，有论及州郡军民利害事实，令初考、(遗)〔复〕考、详定所，各节录紧要处，俟唱名日，各类聚以闻。"从之。

是日，金中都地震。

秋，七月，戊申朔，金中都地复震。

金罢陕西都统府，徙陕西元帅府于河中。

庚戌，知池州鲁詧申称本州管下竹生穗，实如米，饥民采食之，仍图竹实之状，缄裹其物以献。臣僚论："歉岁饥民食其不当食之物，诚出于饥饿迫切而已。今池之民采竹实而食，其亦迫切甚矣。詧任在牧民，顾以为美事，不谓之奸谀不可也。较其罪与姚岳同科，望予罢斥。"诏从之。

辛亥，王大宝言："理财宜务本抑末。农者，天下之本也；而边贾逐末，竞利日繁，宜抑之以助农。如前日免行之令，偶因曹泳建言废罢，请讲明损益以复前制。"帝曰："曹泳所行，唯免行一事，至今人以为是。民不可扰，难以施行。"

臣僚言："守臣之弊，重内轻外；宜更出迭入。若未历州县，不得居清要；未任监司，不得居郎曹。外有治效，擢之内职；内有实绩，擢之外任。庶几官宿其业，人效其职，无因循苟简之意矣。"诏令中书省置籍。

癸丑晚，御选德殿。御坐后有金漆大屏，分画诸道，各列监司、郡守为两行，以黄签标居官者职位姓名，常指示洪适等曰："朕新作此屏甚便，卿等于都堂亦可依此。"

乙丑，临安府奏结断铺翠、销金事，帝曰："闻外间翠羽甚多，若申严指挥，未必禁得。治一足以警众。"钱端礼曰："今宫禁既不用，自然外间可革。"

是月，诏："诸路监司、帅臣，将见任老疾守臣，限一月公共铨量闻奏。知县，守臣体访，申取朝廷指挥。如监司、守臣互为容隐，御史台觉察以闻。"

铸当二钱。

八月，己卯，帝曰："永丰圩见隶建康行宫，藏收米三万馀石，其拨付建康军中以助军食。"

金杀前宿州防御史乌陵呵喇萨，谓其与李显忠交通也。

钱端礼等奏："前日面得指挥，减省权摄使臣及额外人吏。有承旨司谢褒，再三须要存留王兴祖等四人，盖有谢梓是其子。"帝曰："吏何得如此！可重作行遣。"乃诏："谢褒送处州编管。"

乙酉，立邓王愭为皇太子。大赦。

丁亥，参知政事虞允文罢。

金使完颜仲来，有所议，偃蹇不敬，允文请斩之，廷有异议，不果。会钱端礼受李宏(金)〔玉〕带，事连允文，为御史所论，奉祠而归。

己丑，以洪适为参知政事，并权知枢密院事；吏部侍郎叶容签书枢密院事，并权参知政事。

庚寅，诏："应今后文武知州军、诸路厘务、总管、副总管、钤辖、都监见辞，并令上殿，批入料钱文历。如托避免对，并不得差除赴任。委台谏、监司常切按察，以违制论。"

癸巳，臣僚言："去岁江西湖口和籴，其弊非一：不问家之有无，例以税银均敷，此一弊也。州县各以水脚耗折为名，收耗米什之二三，此二弊也。公吏斗脚，百方乞觅，量米则有使用，请钱则有(縻)〔糜〕费，此三弊也。以关、会偿价，许之还以输官，然所在往往折价，至输官则不肯受，此四弊也。"诏："逐路委漕臣并提举，往来巡按，务尽和籴之意以革四弊。"

参知政事钱端礼罢。时久不置相，端礼以首参，窥之甚亟。邓王愭夫人，端礼女也。侍御史唐尧封论端礼帝姻，不可任执政，坐迁太常少卿，馆阁士相与上疏排端礼者皆被斥。端礼遣人密告陈俊卿，言己即相，当引共政，俊卿叱之；会进读宝训，因言本朝家法，戚属不预政，最有深意，陛下所宜谨守，帝纳其言。端礼憾之，出俊卿知建宁府。至是王立为太子，端礼不得已，乃引嫌以资政殿大学士提举万寿宫。

乙巳，洪适等言："近来士风奔竞，争图换易旧制，已有差遣人，不许入国门，新授差遣人，限半月出门。今请令宰执不许接见已有差遣之人。"帝曰："如此则失之隘，但在卿等力行。"

洪适奏浙东盐司久阙官，请用宋藻，帝曰："卿等曾谕宋藻支还亭户钱否？闻盐司所至，又要掊敛钱物送胥吏，至有六七百千，首须丁宁钤束。"

九月，戊申，金主秋猎。

时有献书者，洪适等言系编类之书，举子所用，欲与免一解，叶容言献言者大率图侥幸，帝曰："亦无如之何。若不采纳，便塞献言之路。"

癸酉，洪适等言："近有湖南漕臣任诏，均州守臣戴之邵，皆自请讨贼。臣等不识之邵，陛下尚省记其人否？"帝曰："其人亦诞妄，今不须留在极边，可召赴行在，别与差遣。"

甲戌，金主还都。

冬,十月,丁卯朔,金地震。

甲申,臣僚言:“私盐之不可禁者,其弊三:亭户煎盐入官,官不以时给直,往往寄居,为之干请而后予之,至有分其大半者,一也。煎炼之初,必须假贷于人,而监司类多乘时放债,以要其倍偿之息,及就场给直,往往先已克除其半,而钱入于亭户之手者无几,二也。盐司及诸场人吏,类多积私盐以规厚利,亭户非不畏法,以有猾胥为之表里,互相蒙庇,三也。请申严禁戢。”从之。

戊子,刘蕴古伏诛。

蕴古之始降也,辨舌泉涌,廷臣多奇之。吴山有伍员祠,蕴古妄谓祈祷有验,新易扁额,刻其官位姓名于旁。市人莫测其意,有右武大夫魏仲昌(独曰)者,〔独曰〕:“是不难晓。他人之归正者,侥幸富贵而已,蕴古则真细作也。夫(牒)〔谍〕来不止一人,榜其名,欲使后至者知其已至耳。”至是遣仆北归,有告者,搜其书,皆刺朝廷阴事也,乃诛之。

乙未,金主冬猎,旋还都。

丁酉,金遣王衎等来贺会庆节,以后每岁如之。

乙巳,淮北红巾贼逾淮劫掠,立赏格讨捕之。已而知楚州胡则,遣巡尉击杀其首卢荣。

十一月,丙午朔,金主谓宰臣曰:“朕在位日浅,未能遍识臣下贤否。今六品以下,殊乏人材,卿等何以副朕求贤之意?”

己未,诏:“后省抽上书可采者,撮其枢要,断章取义,立为篇目,缮写进呈,以牙牌一面,镌吏、户、礼、兵、刑、工、赃吏字,疏事目于下方。”帝曰:“朕已令制造数副,记朝廷事。省部亦当依此以备遗忘。”

癸亥,金主诸路通检地土等第税法。

金主之初立也,事多权制,至是诏有司删定,谓宰臣曰:“凡已奏之事,朕尝再阅,卿等勿怀疑惧。朕于大臣,岂有不相信者!但军国事不敢轻易,恐或有误也。”布萨忠义对曰:“臣等岂敢窃意陛下,但智力不及耳。陛下留神万几,天下之福也。”

辛未,遣龙大渊抚谕两淮,措置屯田,督捕盗贼。

十二月,戊寅,以洪适为尚书右仆射、同平章事兼枢密使,汪澈为枢密使。

庚寅,以叶容为参知政事兼同知枢密院事。

近习梁俊彦,请税江、淮沙田、芦场,可助军饷,帝以问容。容对曰:“芦场臣未之详。沙田者,乃江滨出没之地,水激于东则沙涨于西,水激于西则沙复涨于东,其田未可以为常也。辛巳兵兴,两淮之田租并复,至今未征,况沙田乎!”帝大悟,即罢之。容退至中书,召俊彦,切责之曰:“汝言利求进,万一淮民怨咨,为国生事,虽斩汝万段,岂足塞责!”俊彦惶恐,免冠谢,始释之。

起居郎、权中书舍人蒋芾奏曰:“中书政本之地,舍人之职,不特掌行词命而已,故事,亦许缴驳。臣虽暂时兼摄,亦不敢以承乏而怠于职事。倘政令之有过举,除授之有失当,不免时犯天听,尚赖陛下容纳。”帝曰:“正欲卿如此,不特政事与除授之间,虽人主有过失,亦可论奏。”

是岁,遣方滋等贺金主正旦。金亦遣乌库哩忠弼来贺正旦。以后,岁如之。

乾道二年　金大定六年【丙戌,1166】　春,正月,丙辰,宰执进呈升差人数,帝曰:“须立

定年限,方可杜其私意。”

辛酉,省六合戍兵,以所垦田给还复业之民。

壬戌,建康都统刘源,缴纳到逃亡事故横行拱卫大夫至副尉、军兵、将校、都虞候等付身二万有馀,帝以问宰执,洪适等言:“果有此数,见今委都司毁抹。”帝曰:“此事甚不可得。”于是诏武略大夫、忠州团练使刘源,特转武显大夫、高州防御使。

甲子,汪应辰请优恤利州路运粮百姓,漕臣亦具奏,请运粮二石,人支钱引三道,计合降度牒八十馀道。帝曰:“中间亦曾免一处。”洪适等言:“成、和等四州,已尝免夏、秋二税一年,京西路诸州,亦免二税一半。”帝曰:“利路运粮,每石与二千,可纽计度牒支降。”

庚午,金敕有司:“宫中张设,毋以涂金为饰。”

二月,丙子,诏:“侍从、台谏、两省官举监司、郡守,可依荐举旧法,如犯入已赃当同罪,馀皆略之,庶多荐引以副任使。”

丁丑,罢盱眙屯田。赈两浙、江东饥。

庚辰,临安府勘到殿前司军兵盗取钱物,洪适等言训练队将,专管一队,不为无罪。帝曰:“统制官如何无罪?须各与降一官。”适等言:“统制乃王公述,兼带御器械,陛下行罚,虽亲近不免,天下安得不畏服邪!”

丁亥,金左丞相、沂国公布萨忠义薨。金主亲临,哭之恸,辍朝奠祭。命参知政事唐古安礼护其丧事,葬祭俱从优厚,官给,谥武(壮)〔庄〕。

忠义谦以接下,敬儒重士,与人交,侃侃如也。善驭将卒,能得其死力。为宰辅数年,知无不言。故由外戚兼任将相,能以功名终。

壬辰,户部措置每月官兵俸料,减支见钱分数,月中可省二十万缗,帝曰:“不若且依旧例。事稍动众,不可轻改。”

三月,甲辰,吏部申安穆皇后堂侄女夫沈巘补官,方十二岁,年未及格,又,赵氏乞收故夫郭咸恩泽,与康汝济等岳庙差遣,帝曰:“补官事,三年无甚利害,可待年及。恩例既不合换岳庙,只可依条。”洪适等言:“陛下以至公存心,虽懿亲不为少回,况臣等岂得用私意邪!”

乙巳,禁京西、利州路科役保胜义士。

壬子,诏曰:“比年以来,治狱之吏,大率巧持多端,随意援引,而重轻之故,有罪者兴邪而不乖者罹酷,朕甚患焉。卿等其革玩习之弊,明审克之公,使奸不容情,罚必当罪,用迪于刑之中。”

甲寅,金主如西京。

丁巳,洪适等言殿前司升差将副,但以年限,殊不较量能否,合亦呈试事艺,帝曰:“拘以年限,自是国家法令。今后遇有升差,卿等可间点三二人就堂下审验,与之语言,能否自可见矣。”

戊午,殿中侍御史王伯庠请裁定奏荐,诏三省、台谏集议。又诏:“县令非两任,毋除监察御史;非任守臣,毋除郎官。著为令。”

甲子,给事中魏杞等,札言皇太子已讲授《孟子》彻章,帝曰:“可讲《尚书》。治国之道,莫先于此。君臣更相警戒,无非日所行事。朕每无事,必看数篇。”

丁卯,赐礼部进士萧国梁以下四百九十有三人及第、出身。榜首本赵汝愚,以故事降居第二。

庚午，金主朝谒太祖庙。

辛未，尚书右仆射、平章事洪适罢。

适以文学受知，自中书舍人，半载四迁至右相，然无大建明以究其所学。会霖雨，适引咎乞罢，从之。

李信父上书，略谓守令不得人，且举其所见闻之一方者言之，如“蚕未成丝，已催夏税，禾未登场，已催冬苗，陛下固申加禁止矣。近盖有今年而追来年之租，谓之预借者；荒郡僻邑，有先二年而使之输者。如编户差役，官吏全不究实，陛下固申警有司矣。今则受财鬻法，以合差役者隐焉；其不应役之家，则自甲至癸，以次相及，使致贿求免。如节次减免租负，何尝不巧作追呼也；如粳稻不得收税，而今之收税者自若也。如过犯不得入役，今之入役者自若也。常赋之外，泛科名色，容或循习。讼牒不问大小轻重，或罚使输金，或抑使买盐。顷岁小不登，乡曲小民，十百为群，持仗剽夺，借艰食之名以逞其私憾，倒廪倾困，所在皆有，官不能禁也。”帝曰：“李信父书，词理甚可取。”汪澈等言守令得人，即无此弊。于是诏：“户、刑部检见行条法，申严约束，如有违戾，监司按劾闻奏。”

癸酉，以给事中、权吏部尚书魏杞同知枢密院事兼权参知政事。

丁丑，罢和籴。

夏，四月，甲戌朔，宰执言刘珙等措置李金事毕，宜推赏，帝曰：“近时儒者多高谈，无实用，珙能为朝廷了事，诚可赏也。”

金禁月朔屠宰。

丁丑，帝谕执政：“卿等当谨法令，无创例以害法。如胥辈兼局之类，切不可放行。”

戊寅，诏：“淫雨为沴，害及禾麦，可令侍从、台谏讲究所宜以闻。其临安府并诸路郡县见禁刑狱，立限结绝，委官分诣检察。”旋命减系囚罪。

庚辰，诏两浙漕臣王炎开平江、湖、秀围田，以壅水害民田故也。

甲申，太白昼见。

乙丑，臣僚言：“访问昨御营司招收弓手，所管三千三百人，见在殿司。以殿司而有弓手之名，色目不类。又闻王琪招一千四百人，专充养马并辎重。都头大率游手，不妨在外营趁。又闻马司逐月勘支效用军兵一万六千三百馀人，与密院兵籍房数目不同，请付密院审实，销落虚数。所有弓手并养马军兵，并行拣阅，将强壮堪披带之人收附以充战士，尪羸老弱，并行拣汰。”诏委都承、检详拣阅。于是检详晁公武取会殿前、马、步三司在外诸统帅之兵，各开具置籍闻奏。”帝曰：“朕令殿帅王琪措置三军，有掌记，将各人武艺注于下，甚易见也。”

乙未，枢密使汪澈罢。澈在政府，好汲引人才，其自奉清约，贵贱弗渝。

丁酉，莫濛、程逖、司马倬等，奏知荆南府李道，所为乖谬，政出胥吏，妄用经费，专意营私，盗贼群起，不即擒捕，帝曰：“李道辄恃戚里，敢尔妄作，可与放罢。”叶容对曰：“陛下行法不问戚里，天下闻之，孰不畏服耶！”

己亥，臣僚言：“祖宗留意考课之法，王安石始罢之。望遵太宗故事，应监司、郡守朝辞日，别给御前印纸历子。至于兴某利，除某害，各为条目，每考令当职官吏从实批书，任满精核。”诏：“经筵官参祖宗法与见行条制，务要适中，可以久行。”

五月，甲辰，叶容等荐俞翊为饶州守，言其作邑有声，但资格尚浅，帝曰："选材治剧，不须较资格也。"

戊申，资政殿大学士、提举万寿观并侍读、致仕张焘卒。

焘外和内刚，帅蜀有惠政，民祠之不忘。谥忠定。

金主如华严寺观故辽主诸铜像，诏主僧谨视之。

己酉，罢权借职田。

庚戌，参知政事叶容罢，以魏杞参知政事，右谏议大夫林安宅同知枢密院事兼权参知政事，中书舍人蒋芾签书枢密院事。

壬子，金诏云中大同县及警巡院给复一年。

癸丑，太白经天。罢修建康行宫。

丁巳，帝谕宰执曰："近臣僚多言大臣不任事，卿等更宜勉力。如朕有不至处，或事不可行，但来执奏。"

庚申，命未任守臣者不得除郎官。魏杞奏："监司人应否除授？"帝曰："监司，察州县者也，事同一体。"

丙寅，诏："今后看详四方投献书札文字，拟等第以上。"

丁卯，诏："诸路监司、守臣预讲荒政。如水旱无备，必置于罚；备预有方，当议推赏。"

六月，甲戌，罢两浙路提举市舶司。

戊寅，诏："制科权罢注疏出题；守臣、监司亦许解送。"

庚辰，封皇孙挺为荣国公。

辛巳，太白经天。

壬午，林安宅、蒋芾言："臣等备员宥地，所职在于兵将。如二三大将，(升)〔陛〕下所深知。偏裨间有才者亦多，但臣等素不相识，无以知其才否，欲自此与之相见。"帝曰："卿等当于陛差时审察之。"

丙戌，废永丰圩。

庚子，金主猎于银山。

知秀州孙大雅代还，言："州有柘湖、淀山湖、陈湖，支港相贯，西北可入于江，东南可达于海。旁海农家，作坝以却咸潮，虽利及一方，而水患实害邻郡；设疏导之，则又害及旁海之田。若于诸港浦置闸启闭，不惟可以泄水，而旱亦获利。然工力稍大，欲率大姓出钱，丁户出力，于农隙修治之。"于是以两浙转运副使姜诜与守臣视之。诜寻与秀州、常州、平江府、江阴军条上利便，诏："秀州华亭县张泾闸并淀山湖，俟今年十一月兴修；常州江阴军蔡泾港及申港，明年春兴修；利港俟休役一年兴修；平江府姑缓之。"

秋，七月，己酉，调泉州左翼军屯许浦镇。

甲寅，以镇江都统制戚方为武当节度使。

八月，癸酉，武锋军隶步军司。

庚辰，金主猎于望云之南山。

丙戌，林安宅罢。

初，安宅为御史，请两淮行铁钱，叶容力言不可，安宅忿然。既入枢府，乃劾容子受宣州富人钱百万，御史王伯庠亦论之，容乞辨明。及容罢参、枢，帝下其事于临安府尹王炎亲鞫，置对无迹。帝以安宅、伯庠风闻失实，并免官，仍贬安宅筠州安置。召容赴阙，帝劳之曰："卿之清德，自今愈光矣。"

戊子，以魏杞兼同知枢密院事，蒋芾权参知政事。

甲午，诏："诸军将士，与金人战御立功之人，其功效显著者，无以示别。今将显著战功十三处，立定格目。张俊明州，韩世忠大仪镇，吴玠杀金坪、和尚原，刘锜顺昌，五处依绍兴十年指挥。李宝密州胶西唐岛，刘锜扬州皂角林，王琪、张振等建康采石渡，邵宏渊真州胥浦桥，吴珙、李道光化军茨湖，张子盖解围泗州，赵撙蔡州，王宣确山，八处依绍兴三十二年指挥。"

乙未，诏吴璘复判兴州。

丙申，升宣州为宁国府。

九月，辛丑朔，金主还都。

甲辰，上元知县李允升，坐赃决配惠州。建康守臣王佐，坐纵容出境，追两官，勒停，建昌军居住。〔知〕鄂州汪澈，以滥举降两官。提刑袁孚，以失按降一官。

辛亥，赈温州水灾。

金泽州刺史刘德裕等，以盗用官钱伏诛。

癸丑，金右丞相宗宪薨，年五十九。金主悼惜久之，赙赐甚厚。

司农少卿莫济言于帝曰："为治在于任人，任人在于责实。任人而不能久，则贤而能者无以见其长，恶而不肖者得以逃其罪，虽有责实之政，将安所施？今辅相大臣，或数月而已罢，寺、监丞、簿、郎曹、卿、监，不逾岁而辄迁，恐进退人材似乎稍骤也。"帝称善。

辛酉，追封皇子恪为郡王，谥悼肃。

己巳，魏杞等上神宗、哲宗、徽宗三朝《帝纪》《上皇圣政》。

秘书少监汪大猷，请"诸帅不拘部曲，各精择三两人，必实言其或智、或勇，或知其有某材可用，或举其任某事可取，悉以名闻。分命文武禁近之臣，更迭接见，与之谈论兵家之务；然后赐对便殿，略其言语仪矩之失，取其材力谋略，审其可用，试之以事。立功则举者同赏，败事则罚亦如之。"诏从之。

是月，太白屡昼见。

冬，十月，乙亥，以陈俊卿为吏部尚书。俊卿言："臣典选事，但当谨守三尺，检柅吏奸。至于愚暗，见或未到，亦望圣慈宣谕，时时训敕。君臣之分虽严，而上下之情不可不通。"帝曰："卿言是也。朕或有过，卿亦宜尽言。"俊卿曰："古惟唐太宗能导人使谏，所以致贞观之治。"帝曰："每读太宗事，未尝不慕之。若德宗之忌克不乐人言，未尝不鄙之。"时帝未能屏鞠戏，又将游猎白石。俊卿旋上疏力谏，至引汉桓、灵、唐穆、敬及司马相如之言为诫，帝喜曰："备见忠谠，朕决意用卿矣。"

甲申，金朝享太庙。诏免雄、莫等州租。

知温州刘孝韪，言本州大水之后乞修筑塘堤事，帝因言："朕近览《神宗实录》，是时灾异甚多，何也？"魏杞对曰："天出灾异谴告人君，正如父训饬；为人子者，不必问自己有过无过，但常恐惧修省而已。"帝曰："卿之言甚善，若不恐惧修省，自取灭亡之道也。"

己丑，臣僚言："役法科扰，有透漏禁物之责，有捕获出限之罚，有将迎担擎之差，有催科

换代之责，有应付按检之用，有承判追呼之劳。凡此之类，皆法之所深惧，若蒙朝廷约束，无复如前科扰，天下幸甚。"诏令监司觉察。

壬辰，太白经天。

丁酉，金主如安肃州冬猎。

十一月，丙午，金主还都。

太师、致仕、和义郡王杨存中卒。

存中祖宗闵、父震及母张，皆死难。存中既显，请于朝，宗闵谥忠介，震谥忠毅，赐庙曰显忠。祖母刘流落蜀、陇，存中日夜祷祠访问，间关数千里，卒奉以归。存中又以家祭器为请，许祭五世。御军宽而有纪。须髯如戟而善逢迎。宿卫出入四十年，最寡过。帝以为上皇旧臣，尤礼异之，常呼郡王而不名，追封和王，谥武恭。

癸丑，金主谓宰臣曰："朝官当慎选其人，庶可激励其馀者。若不当，则生觊觎之心。卿等知其优劣，当举实才用之。"

丁巳，殿中侍御史单时言："伏睹制旨，监司于所部保明郡守，郡守于所属保明知县，县令治状显著，令中书、门下省籍记，取旨甄擢。然人之才术，各有分量，吏之治迹，未易稽考。愿训敕监司、郡守，列其所举之人治状之目，详著于荐书。然后大明赏罚，举得其实则受上赏，举失其实则置重宪，庶几选举之法复矣。"从之。

庚申，太白经天。

甲子，幸候潮门外大教场，次幸白石教场。

丁卯，金参知政事石琚以母忧罢。

戊辰，筑郢州城。

是月，诏汰冗兵，从步军帅陈敏言也。

起居舍人洪迈言："臣幸得以文字薄伎，待罪属车间，每侍清闲之燕，获闻玉音，凡所摛谕，莫非中的，徽言善道，可为世法。退而执笔，欲行编次，而考诸起居注，皆据诸处关报，始加修纂，虽有日历、时政记，亦莫得书，使洋洋圣谟，无所传信。伏睹今月五日给事中王㬙进讲《春秋》莒人伐杞，言周室中微，诸侯以强凌弱，擅相攻讨，殊失先王征伐之意，上曰：'《春秋》无义战。'周执羔进读《三朝宝训》，论文章之弊，上又曰：'文章以理为主。'陈岩叟等奏刑部事，上曰：'宽则容奸，急则人无所措手足。'此数端，皆承学之臣，日夜探讨，累数百语所不能尽，而陛下蔽以一言，至明至当。然记言动之臣，弗能宣究。恐非所以命侍立本意。望令讲读官，自今各以日得圣语关送修注官，仍请因今所御殿，名曰《祥曦记注》。庶几百世之下，咸仰圣学，以迹聪明文思之懿。"从之。

十二月，甲戌，金诏："有司每月朔望及上七日毋奏刑名。"

己卯，以资政〔殿〕学士叶容知枢密院事。

辛巳，诏："免进《钦宗日历》，送国史院修纂《实录》。"

甲申，以叶容为尚书左仆射，魏杞为右仆射，并平章事；蒋芾参知政事，陈俊卿同知枢密院事兼参知政事。

容首荐汪应辰、王十朋、林光朝等可备执政、侍从、台谏，帝嘉纳之。又言自古明君用人，使贤，使愚，使奸，使贪，唯去太甚，帝曰："固然。虞有禹、皋，亦有共、欢，周有旦、奭，亦有管、蔡,在用不用。”容曰:“诚如圣谕。但今日在朝虽未见共、欢,然亦有窃弄威福者,臣不敢隐。”帝问为谁,以龙大渊对。时大渊与曾觌怙恩窃柄,俊卿奉命与大渊同馆伴北使,公见外不交一语,大渊等纳谒亦不接。

庚寅,左司谏陈良祐言:“今言利者多要生财,乃所以病民,国用愈见不足。愿取见一岁赋入之数,其取于民者已过,则从而蠲免之,以宽民力;取见所养官吏与兵之数,其可省者从而省之;常令财用十分,以七分养兵与官吏,三分以备非常,如此则上下兼足。”帝曰:“朕常有志放免和买及折帛等钱以宽民力,但于今未暇。”良祐曰:“旧来本无此钱,皆是军兴时科取,讲和之后,依旧不除。今取于民者竭矣,若制节国用,令出入有度,稍有储蓄,即可行陛下之志矣。”帝曰:“因卿之言,当定经制。”

辛卯,诏曰:“朕惟理国之要,裕财为重。夫百姓既足,君孰与不足!量入为出,可不念哉!自今宰相可带兼制国用使,参政可同知国用事,庶几上下同德,永底阜康。”

丙申,以江东兵马钤辖王忭为带御器械。

金以平章政事赫舍哩良弼为尚书右丞相,赫舍哩志宁为枢密使。

丁酉,起居舍人洪迈言:“天下万务,出命于中书,审于门下,行于尚书,所以敬重政令,期于至当而已,初无文武二柄、东西二府之别也。今三省所行,事无巨细,必先经中书画黄,宰执书押,当制舍人书行,然后过门下,而给事中书读;如给舍有所建明,则封黄具奏,以听上旨。惟枢密院既得旨,即画黄过门下,而中书不预,则封缴之职,微有所偏。况今日宰相、枢臣,两下兼领,因而厘正,不为有嫌。请诏枢密院,自今以往,凡已被旨文书,门下依三省式画黄、书读,以示钦重出命之意。”诏从之。然枢院机速事,则不由中书,直关门下省,谓之“密白”,时不能改。

【译文】

宋纪一百三十九　起甲申年(公元1164年)十月,止丙戌年(公元1166年)十二月,共二年有余。

隆兴二年　金大定四年(公元1164年)

冬季,十月,癸亥(疑误)朔(初一),金国主在密云打猎;丙寅(十四日),返回京都。

丁卯(十五日),知枢密院事贺允文免职,任资政殿大学士职衔,退休。己巳(十七日),任命周葵兼任权知枢密院事,王之望兼同知枢密院事。

庚午(十八日),诏令:“朕每次上朝与群臣议论国家政策时,在很短的时间内,意见还没有充分表达。从今以后执政大臣如果有奏报,应当在申时和未时之间到便殿应对,这样能坐着详谈,能听到全部意见,期望达到大治天下。”

庚辰(二十八日),免征京西、湖北运粮所经过的州县秋税的一半。

汤思退幻想和议将很快达成,边境防御全部松懈,金都元帅布萨忠义知道有机可乘,就策划渡过淮河。当初,魏杞走到盱眙军,布萨忠义派赵房长询问魏杞前来的目的,想看国书。魏杞说:“国书是皇帝亲自密封的,见到金国主后在朝廷上转交。”赵房长策马报告布萨忠义,怀疑国书没有满是他们的要求,又想割占商州、秦州的土地以及索要归正人,而且要岁币二十万。魏杞将此奏报朝廷,宋孝宗命令全部满足金人当初的要求,同意割让四州,岁币也如

数供给，再次改换国书。布萨忠义还认为没有满足所约定的要求，辛巳（二十九日），与赫舍哩志宁分别率兵从清河口入侵楚州。当时楚州知州魏胜，奉诏负责防御清河口，金人乘机用船装运器甲、粮食从清河口出兵，魏胜预先侦知敌人的行动，率兵在清河口抵御。金兵谎称想运输粮食前往泗州，经过清河口进入淮河，魏胜想抵御金人；都统制刘宝认为正在议和，不能抵御，到这时刘宝就弃城逃跑了。

十一月，乙酉（初四），金兵进攻楚州，魏胜率众在淮阳迎战敌人，从卯时一直到申时，不分胜负。金将图克坦克宁率领生力军增援到了，魏胜与金人全力拼战，弓箭用完，依靠山岗列成军阵，对士卒说："我应当战死在这里，如有能逃脱的人回去报告天子。"就命令步兵做前锋，骑兵为后卫，到距离淮东十八里的地方，中箭，掉下马死了。这件事奏报朝廷，赠授魏胜为正任承宣使。楚州于是被攻破，金人又攻破濠州，王彦放弃昭关逃跑了，滁州也被攻破。

戊子（初七），因为金人入侵境内，诏令郊祀改在明年举行。

汤思退罢免都督江淮军马的职务，召陈康伯入朝。

己丑（初八），金国封皇子完颜永功为郑王。

庚寅（初九），命令杨存中为都督江淮军马。

在此之前汤思退不去上任，就晋升杨存中为同都督军马，到了形势危急，又任命王之望为督视，王之望极力辞谢，就晋升杨存中为都督江淮军马。

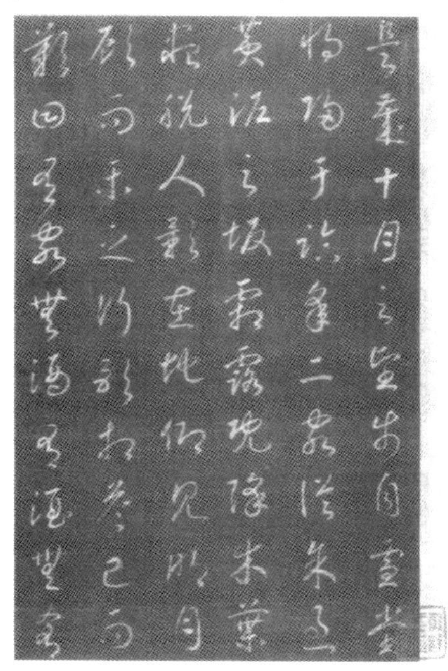

宋孝宗书《后赤壁赋》

诏令告谕归正的官民说："朕派使谈判议和，历时三年，北师好战，固执不回。朕志在保护百姓生命，宁愿屈辱自己，国书的称谓、岁币数额、割让土地，一一都屈从。只是考虑各位名将、贵臣，都是北方的豪杰，钦慕宋国的仁义政治，放下武器前来归附；那些东土人民，喜欢我国的这片乐土；知道金人的用意，想得到你们进行报复，朕心中决断，决不再遣返你们。你们应当想到交战的分歧，就是因为这件事，要视金人如同仇敌，共同图谋扫荡敌人。"

辛卯（初十），汤思退免职，任宫观官。

监察官弹劾他急于想达成和议，自行破坏边境防备，停止修筑寿春城，解散万弩营兵，停止修造海船，拆毁蓄水堤坎，不执行论功奖赏的制度，以及撤走海州、泗州、唐州、邓州的防御军队，诏令贬责他居住永州。走到信州时，忧惧而死。

自从汤思退提倡和议，想兴大案以锄除与自己政见不同的人。当时参知政事周葵代行宰相职责，听说太学生们有人想集体到皇宫前请愿，奏报张贴黄榜禁止他们，大致说："靖康年间战事爆发，有不法之徒，鼓动倡导太学生在皇宫上书，几乎导致发生变乱。如果有人重蹈前辙，为首的人依照法律从重处分，其余的人编管发配。"黄榜一公布，舆论哗然。于是太学生张观、宋鼎、葛用中等七十多人，上书弹劾汤思退、王之望、尹穑说："扬州打退敌人之后，敌人不敢南下。汤思退首先提倡和议，王之望、尹穑附和他，极力排斥异己。于是导致张浚罢职离朝，边境防备荒废解体，正中敌人圈套。天下百姓为之伤心，而汤思退等人正以为得计。现在敌人长驱直入到达淮甸，都是因为汤思退等三人怀奸误国，他们三人的罪行，都应处斩。希望陛下首先惩处三贼的罪行以公布天下，再流放他们的党羽洪适、晁公武，而任用陈康伯、胡铨为心腹大臣，召回金安节、虞允文、王大宝、陈浚卿、王十朋、陈良翰、黄中、龚茂良、刘夙、张栻、查籥，同心合谋，以实现国家大计。"宋孝宗大怒，想给太学生加以重罪。晁公武及右正言龚茂良一同入朝应对，皇帝的怒气稍为缓和，王之望也为太学生劝解，这件事才算了结。

在此之前侍御史尹穑请求立案追究，对那些不肯撤除守备和放弃守地的人审查他们的罪状，这样和议就能促成，所指出的共有二十多人，由此提拔尹穑任命左谏议大夫，而晁公武也从殿中侍御史升迁侍御史，洪适当时以中书舍人的职位兼任直学士院。

丙申（十五日），派遣国信所通事王抃出使金军，并割让商州、秦州土地，归还俘虏，只有从金国叛逃来的人不归还，其余盟誓名目大致与绍兴年间议和内容差不多，世代为叔侄之国，减少银绢数额各五万，改岁贡为岁币而已。金人都同意了。

丁酉（十六日），诏令选择吉日视察军队。

戊戌（十七日），任命陈康伯为左仆射兼枢密使。

辛丑（二十日），钱端礼被赐予进士出身，任命为签书枢密院事，不久任命他兼权参知政事。

金国尚书省发生火灾。

壬寅（二十一日），任命显谟阁学士虞允文为同签书枢密院事。

诏令："馆阁是储备人才的地方，依据祖宗旧法，再不确立限额。"

甲辰（二十三日），步军司统制崔皋，在六合县打败金人。

权尚书工部侍郎何俌进宫应对，就此谈到用人的事，宋孝宗说："近期士大夫评论一个人的好坏，大多不能出于公心。你所说的一个人的建议如果是好的，即使是仇人冤家也应当采用，如果一个人的建议不对，即使是亲人故友也不能曲意听从，这种观点是对的。"

己酉（二十八日），刘宝撤销都统制的职务，为武泰军承宣使；王彦撤销龙神卫四厢都指挥使的职务。

庚戌（二十九日），诏令："当今国家正处在多事之秋，理宜多方策划，侍从、两省官，每天一次到都堂议事，遇到关系台谏官员的问题，也允许一同议事。"

陈康伯带着重病到了皇宫，闰十一月，甲寅（初三），入宫朝见。诏令："陈康伯隔一天上朝，坐着轿子到殿门，还安排搀扶人，不是国家大事不过问。"

丙辰（初五），参知政事周葵免职。

壬戌（十一日）兵部侍郎胡铨、右谏议大夫尹穑都免职。

胡铨、尹穑接受诏令，分别前往淮东、淮西负责处理海道防务。当时金兵号称八十万，濠州、滁州都被攻破，只有高邮守臣陈敏在射阳湖阻击敌人，而李宝预先求得密诏为自身安全考虑，按兵不动不去增援。胡铨弹劾他说："臣接受诏令命范荣防守淮河，李宝防守长江，发

生紧急情况时相互声援。现在李宝坐视陈敏遭敌进攻而不救援，如果射阳湖失守，国家大事就无法挽回了。”李宝害怕，才开始出兵构成犄角之势。正巧天降大雪，河水都冻结了，胡铨先拿铁锤破冰，士卒都听从命令，金人才撤退了。

胡铨、尹穑都携带家眷前往，被监察官所弹劾，于是就担任宫观官。

乙亥（二十四日），参知政事王之望免职。

在此之前金人到达扬州，有人请战打击金人，杨存中不敢渡过长江，就坚固壁垒以作自守。王之望与汤思退相互串通，专门用割让土地的方法满足金人还以为计策得逞。至此宋孝宗以为金人将撤退，诏令都督府选择有利时机出击敌人。当时王之望在长江边视察军队，下令各将不能随便进攻。朝廷催促出兵，王之望说王抃已回，不能贪小利，损害国家大计。监察官弹劾他，于是被免职。

丙子（二十五日），任命王抃为奉使大金通问国信使参议官，携带陈康伯的回信出使。丁丑（二十六日），金派张恭愈前来迎接使者。

十二月，戊子（初八），魏杞才开始从镇江渡过淮河。

辛卯（十一日），任命钱端礼为参知政事，虞允文同知枢密院事，礼部尚书王刚中为签书枢密院事。

丙申（十六日），下达制书说：“近来派遣王抃，远达颍水之滨，改正皇帝的称呼，结为叔侄之国，岁币减少十万，土地边界如同绍兴年间所划定的。怜悯彼此的无辜百姓，约定叛亡来的人不遣返，可让归正之人，都怀安居之心。更念数州百姓，遭受这一时的磨难，老少有亲人离散之灾，丁壮有劳累之苦，应当推行宽宥的政策，稍稍安慰凋敝摧残的情绪。除了弃地逃跑的官吏不予赦免外，犯了死罪而情节轻微的减罪一等，其余的都释放赦免。”洪适起草的制书。评论的人说在此之前的贬损，四方都未听说，现在写进赦令中，很失国家体面。

派遣洪适等人去庆贺金国主生辰，以后就作为惯例。

己酉（二十九日），在景灵宫举行朝献祭祀。庚戌（三十日），在太庙举行朝飨祭祀。

这一年，金国年成获得大丰收，判处死罪十七人。

乾道元年　金大定五年（公元 1165 年）

春季，正月，辛亥朔（初一），宋孝宗到圜坛举行祭礼，大赦天下，改年号为乾道。

乙卯（初五），金国主命令在泰州、临潢与边境接壤处设置边境堡垒七十座，驻兵一万三千人。

丁巳（初七），淮西安抚使韩琎，被勒令停职，到贺州接受编管处分，因为他的部将孔福、顿遇弃城逃跑的缘故。孔福被杀，顿遇刺字发配吉阳军牢城。

己未（初九），通问使魏杞等携带国书到达金国，国书的格式为“侄宋皇帝昚，谨再拜致书于叔大金圣明仁孝皇帝阙下”，岁币共二十万。金人的复信称“叔大金皇帝”，不写皇帝名字，不写“谨再拜”，只说“致书于侄宋皇帝”，不使用尊号，不称“阙下”，从此以后作为固定格式。

辛酉（十一日），召杨存中还朝。

丁卯（十七日），起居舍人王𥖁中说：“臣往往念及本朝很少有世代显赫的家族；只有将军家的后代能继承家族，有曹彬的儿子曹玮，种世衡的儿子种谔，种谔的儿子种师道，都世代是良将。近期武将的子弟,都以武士为耻。”宋孝宗说:“此言很符合朕意。”王稽中说:“现在国家平安闲暇,正应当挑选良将。万一用兵,仓促之间找不到合适的人。”宋孝宗说:“你的话很对。”王稽中请在大将之家,挑选武勇能继承家业的子弟加以任用,万一发动战争,不至于没有将帅;如果金人没有挑起祸端,不妨暗中壮大国家势力。宋孝宗说:“这个建议切中现在的当务之急。”王稽中又说:“陛下关心北方来的人,然而北方来的人都辜负陛下。比如贺允中年老不知自请退休,遭到陛下免职;王之望谋划国策,前后反复矛盾;尹穑为人奸诈,与汤思退暗结死党,让季南寿往来两人间传递消息,士大夫视他为‘肉简牌’,其行为欺君误国,废弛撤走边境守备,导致敌人渡过淮河,几乎危及社稷!”宋孝宗说:“像尹穑尤其要从重治罪。朕当初以心腹大臣对待他们,却奸邪到了如此境地!”王稽中又说:“像王逨虽然没有很多阴谋诡计,然而经常与尹穑背着人窃窃私语,士大夫都说他们邪奸,幸好陛下预先察觉了他们的奸诈,就都贬逐了,士大夫尤其钦佩圣上的英明。”

因为王抃出使金国有功劳,加官五级,王抃因此被皇帝赏识。后来他与曾觌、甘昪相互勾结,当时舆论很憎恨他。

庚午(二十日),诏令说:“馆职官员是为了招延天下的英俊人才,以待提拔,假如不亲自办理公务,不了解民情,那么将来如何承担公卿的重任!今后轮流补授外地做官,经历实践脱颖而出,以符合朕积极培养真才的心意。”

辛未(二十一日),颁布两淮守臣鼓励百姓种桑养蚕的奖赏标准。

金国将和议达成的事诏谕中外臣民;又命令有关部门,发生旱灾、蝗灾、水灾的地方,给予免除租赋。

壬申(二十二日),诏令两浙官员救济流民;因为绍兴的流民很多人死亡,罢免了知府徐嚞和两个县令的职务。

癸酉(二十三日),免征边境沿线遭受战争破坏的州军百姓的赋税一年。

金国命令元帅府新旧各军,以六万人留守,其余的都放还原地。用宋国缴纳的岁币奖赏各军。

甲戌(二十四日),贬黜刘宝到琼州接受安置处分。

乙亥(二十五日),撤销两淮招抚司及陕西、河东宣抚招讨司。

召提举太平兴国宫陈俊卿入宫应对,宋孝宗慰问安抚他。乘机极力论证朋党的弊端,而且论证人才应当以气节为主要,有气节的人稍微有过失,应当宽容他,邪佞之人即使很有才能,也应当防范他,宋孝宗赞赏他的话。任命为吏部侍郎,同修国史。

二月,庚辰朔(初一),宋孝宗到德寿宫朝见,跟随太上皇帝、太上皇后前往四圣观。宋孝宗亲自搀扶太上皇帝上马,都人为之欢呼,认为这是前所未见的事。

癸巳(十四日),把濠州的防守军队迁移到藕塘。

庚子(二十一日),任命杨存中为宁远、昭庆军节度使。

壬寅(二十三日),金国废止缴纳粟米补授官职的规定。

甲辰(二十五日),因为长期下雨,避开正殿,减少膳食,免征两淮地区受灾州县百姓的身丁钱绢,迅速判决在押犯。

命令镇江、建康、鄂州、荆南都统都兼任提举处理屯田事务,两淮、湖广总领、淮南、湖北、

京西的安抚司和转运官长官兼任提举处理屯田事务,守臣兼管境内屯田事务。

丁未(二十八日),尚书左仆射陈康伯去世。

绍兴末年,宋高宗有立宋孝宗为皇子的意思,陈康伯秘密地称赞宋高宗的这一重大决策,等到举行父子内禅仪式时,让陈康伯奉禅让册书。宋孝宗即位后,对他很尊敬优待,只称呼丞相而不喊名字。曾对辅政大臣说:“陈康伯有气量,朕跟随太上皇帝在金陵时,他处事从容不迫的风度,能与东晋的谢安相比。”到这时他奏报事情后退出,走到殿庐而发病,用轿抬到家里,就去世了。赠授太师之职,谥号文恭,宋孝宗亲笔书写“旌忠显德之碑”立在他的墓前。

三月,庚申(十一日),任命虞允文为参知政事兼同知枢密院事,王刚中为同知枢密院事。

癸亥(十四日),同知枢密院事黄祖舜去世,谥号庄定。

壬申(二十三日),金国群臣对金国主奉上“应天兴祚仁德圣孝皇帝”的尊号。

乙亥(二十六日),太白星划过天空。

诏令进行制科的科举考试。

这年春季,湖南发生盗贼,进入广东,焚烧掠夺所经州县,官军讨伐平定了他们。

夏季,四月,丙申(十八日),诏令庐州兵马都监郭璘,特令他再任原职,因为金人渡过淮河,他保卫守护焦湖的船只没有遭到危险的缘故。

庚子(二十二日),金国的报问使完颜仲等人入宫朝见。

癸卯(二十五日),金国西京留守寿王完颜京,因为谋反受到安置岚州的处分。

完颜京的妻子公寿,曾召请以占卜为业的孙邦荣推测完颜京仕途的命运,孙邦荣说:“留守官可升至太师的职位,爵位可受封为王。”完颜京问:“有没有比这更高的官爵?”孙邦荣说:“到此为止。”完颜京说:“这样那么我做官干什么?”孙邦荣觉察了他的意思,假做了图箓谶言,作诗献给完颜京。完颜京说:“以后果真如此吗?”就接受了他的诗,第二次让他占卜命运,孙邦荣诡称得到了有吉兆的卦,完颜京又让孙邦荣推算金国主应当活到哪年哪月。家人孙霄格,胡乱编造谣言迷惑完颜京,就像孙邦荣所指出的那样,完颜京相信了这件事。公寿全部知道这件事的来龙去脉。

至此孙邦荣向皇上检举,金国主诏令刑部侍郎高德基等人前往审讯他,完颜京等人都认罪。金国主说:“海陵王无道,如果完颜光英还活着,朕也要保全他,何况完颜京等人呢!”于是完颜京夫妇特令赦免死罪,杖责一百,除名免官,到岚州楼烦县接受安置处分,让他自带一百个奴婢,官府分给田地。诏谕完颜京说:“朕与你都是太祖之孙,海陵王无道,翦灭宗室支族。朕想到没有几个兄弟,对你关系尤为亲近。你自己也知道这件事,为什么还怀此异心?朕顾念骨肉亲情,不想全部按法律处置。你如果还不反思过失,朕即使不杀你,天地岂能容你!”

乙巳(二十七日),金国都元帅完颜思敬免职。

吴璘来京朝见,不久晋封为新安郡王,判兴元府。

五月,己酉朔(初一),宋孝宗告谕辅政大臣说:“现在边境战事稍为安宁,你们应当为朕留心选拔人才。”钱端礼说:“人主的职责,只应当辨别君子和小人。如果朝廷所任用的是纯朴忠厚持重的人,那么浮夸虚伪的风气自然就革除,可以收到实效。”宋孝宗说:“本来就懂得这些道理，君臣之间，必须互相提醒。”

庚戌(初二)，中书舍人洪适进宫应对，宋孝宗说：“你缴还对秦埙的任命诏令做得很对。以后有关缴还诏敕文书的事，不须另呈书札，只需在敕令上批注进呈。”又说：“如果有出自朕的旨意，而事实上不可行的事情，你只管缴还。”

当初，秦埙奏请任宫观官，洪适驳回任命并奏报说：“秦桧藏奸稔恶，金银珠宝充满他的住宅。秦埙就是他的不肖之孙，华屋之后藏着钱财，动则声称急需仰赖俸禄。公然欺世，玩弄侮辱朝廷。”所以对洪适进行赞扬。

辛亥(初三)，宋孝宗告谕钱端礼等人说：“早朝时，与你们往往不能充分交谈。今后晚间稍为闲暇时，当召你们从容地谈论治国之道。”钱端礼等退朝后，又派宦官传旨，每到晚上，召他们在东华门入宫，请到选德殿奏事。

甲寅(初六)，大臣说：“唐代任用刘晏二十年。现在的户部，开始任用时也未必进行过精心挑选，任用之后也未必任用的长久，多不过一年，少的只有半年，就已经调动职务而离开了，谁能为国家周密地考察虚实、研究开源节流的方法而考虑今后的打算呢！希望陛下大致依照唐代的典籍制度，广泛地在京城内外官员中挑选人才，其才能可以任职，就试用他担任财计的职务，再观察他稍为有所成效，就交付他户部的职务。如果能称职，即使多次提升到了二府长官的高位，职位本来不应作调动。不剥夺他的权力，让他能够指挥命令州县官员，而催促办理本地的事务；不拘泥于制度。让他能够权衡物价高低，而使钱财得以正常流通周转。这样国家财政的有无，军队钱物供应的富裕或缺乏，百姓生活的好与坏，都能了解并且责成他处理。他们也要朝夕思索殚精竭虑，自己承担责任而不推辞了。”宋孝宗同意了。

金国元帅布萨忠义到京师朝见，金国主慰问他说：“宋国请求讲和，停止战争休养百姓，是你的功劳啊！”丁巳(初九)，任命布萨忠义为左丞相，任命赫舍哩志宁为平章政事。

辛酉(十三日)，中书舍人洪适进呈宋仁宗长期任用许元的典故。宋孝宗说：“洪适所进呈的典故，切中了现在的弊端。从今以后如果不是因为昏庸懦弱不称职，不允许突然调动。如果他们能兴利除害，政绩卓著，都依照典章制度提拔重用。”

乙丑(十七日)，金国主任命平章政事完颜忠宪为右丞相。

壬申(二十四日)，诏令：“用法令禁止邪恶，理应有统一标准。近年以来，借故处罚多有出入，沿引旧例成为弊端。今后所有犯罪的人，有关部门都依据情节轻重，直接引用法律条文审判定案，再不须奏请裁决。如果确定罪名有疑问，令刑部、大理寺仔细研究，确定审判意见再奏闻，永远定为长久使用的法律，并传达给各路遵守施行。其中刑部、大理寺现有引用的案例文册，下令封锁在架阁上，再不引用。”

癸酉(二十五日)，金国撤销山东路都统府，将它的军队分别隶属各总管府。

丙子(二十八日)，派遣李若川出使金国，庆贺上尊号。

这个月，宗正丞林邵说：“祖宗的《玉牒》，以前因为皇室南渡，散失不存。先后修纂成太祖一朝事迹，已经妥善保存；《太宗玉牒》虽然已经成书，还未呈入御览；《太上玉牒》《今上玉牒》，目前正在编修；从真宗到钦宗共七世，都未动笔。根据近来的体例规定，每编修一朝的《玉牒》，必须领取旨意设立机构，方才开始修纂，十年才允许进呈一次，那么这些列圣之书，即使一百年也不能齐备。臣现在花了十年时间自修《真宗玉牒》，总计四十卷，希望下令玉牒

馆妥善保存。”宋孝宗同意了。

郴州盗贼李金又聚众叛乱，诏令刘珙担任湖南安抚使，兼知潭州。抵达湖南境内，扬言调发郡县的军队讨伐盗贼，却写信给制置使沈介，请求在方便的时候派出正规军，说：“擅自兴兵的罪行，我自然承当。”沈介立即派田宝、杨钦率兵到达。刘珙知道暑热之天行军疲惫，征发民夫在很远的地方迎接他们，又代他们背负军需用品，到达后得到的犒赏超过了期望，军士深受感动。刘珙知道杨钦能任用，檄令各军都接受他的指挥。下令招募贼党相互捕斩然后到官府投降的人，免除罪名给予奖赏。杨钦与田宝连续作战打败盗贼，追击到莽山，贼党捉住李金前来投降。

六月，癸未（初六），同知枢密院事王刚中逝世，谥号恭简。

王刚中在成都期间，认为万岁池方圆十里，能灌溉三乡的田地，因年久淤塞，就招集三乡的民夫一起疏浚万岁池，累土筑成堤防，堤坝上种植榆树柳树，树立石柱作标志。蜀地百姓永久怀念他。

丙戌（初九），任命翰林学士洪适为签书枢密院事。宋孝宗对钱端礼、虞允文说：“三省事务可与洪适共同商议。”从这时起东西两府才开始同班奏事。

壬辰（十五日），淮南运判姚岳，奏报蝗虫从淮北飞过淮河，都抱草木不食而死，并封存已死的蝗虫进呈，宋孝宗说：“姚岳竟然以此为吉祥，还想抄录奏章交付史馆，可降官一级，免去现职，作为对朝廷内外佞邪之徒的警戒。”

甲辰（二十七日），撤销湖北、京西制置司。

丙午（二十九日），臣僚说：“根据科举制度，由州郡一级主持的解试，名额少而举子多；由转运司主持的解试，其数额很宽裕。应考者往往放弃自己的乡贯而设法参加漕试，以至于假冒亲戚、伪造籍贯而不顾。况且牒试的方法，四川、湖广的人士采用此法可以，而福建紧靠京都，也都采用漕试；现任官员采用此法可以，而那些等待官缺才能授官的人，在一年内也允许牒试；官员本宗族中有五服以内亲人可用此法，而姑舅中表、缌麻远亲也允许牒试。或者委婉请求，或者通问托付，甚至有的待阙得替官一个人就有十多名亲朋参加牒试，请重申严禁假冒亲朋的禁令。其现行法律，交付有司重新仔细修改补充，确立为公正的制度。”宋孝宗同意了。

又说：“国家三年举行一次科举考试，召集民间之士，皇帝亲自在庭中主持策问考试，其间难道没有谈到一件可行的事情！然而有关部门评判考卷时，大多以有文采列为上等，考试成绩名列前茅的，才经过皇帝审阅。其中有的试卷谈及各郡军民利害等实际情况，偶尔文辞不佳，就放在下等，往往被堵塞不能让皇帝知道，确实可惜！请从今以后，有论及州郡军民利害事实的考卷，令初考官、复考官、详定所官员，各自节录关键段落，等到唱名那天，各自分类奏闻。”宋孝宗同意了。

这一天，金中都发生地震。

秋季，七月，戊申朔（初一），金中都再次发生地震。

金撤销陕西都统府，将陕西元帅府迁移到河中。

庚戌（初三），池州知州鲁訔申报本州管辖区内竹子长出了穗，果实如米，饥民采摘食用果实，还画出了竹子果实的形状，包裹了实物进献。臣僚弹劾：“歉收之年饥民食用不当食用的东西,的确是出于饥饿迫切而已。现在池州百姓采摘竹实食用,他们也是饥饿迫切到了极点。鲁訾的职责在于治理百姓丰衣足食,却将饥民食竹实视为美事,不能不说他奸邪奉谀。比较他的罪行与姚岳同类,希望予以罢免。”宋孝宗诏令同意了。

辛亥(初四),王大宝说:“理财应当致力本业抑制末业。农业,是天下的根本;而边境商人追逐末业,竞争财利日益繁多,应当抑制商人以扶持农业。比如以前颁布的有关免行钱的法令,偶尔因为曹泳的建议就废止了,请论证此事的利弊以恢复以前的制度。”宋孝宗说:“曹泳所建议推行的,只有废止免行钱一事,到目前人们都认为正确。百姓不能烦扰,此奏难以施行。”

臣僚说:“守臣的弊病,在于重视朝内官而轻视地方官;应当轮流做地方官和朝内官。如果未担任过州县的官员,不能担任清要官员;未担任过监司的官员,不能担任郎官。做地方官时取得了政绩,就提拔他做朝内官;做朝内官时取得了实效,就提拔他做地方官。这样官员能长期任职,人人尽职尽责,就没有敷衍了事的思想了。”诏令中书省建立官员名册。

癸丑(初六),晚间,宋孝宗亲临选德殿。御座后面摆有一道金漆大屏风,分别划分各道,各道都分列监司、郡守为两行,用黄标签标明任职者的职位、姓名,经常指着屏风对洪适等人说:“朕新做的这道屏风很方便,你们在都堂也可依此制作。”

乙丑(十八日),临安府奏报审判用翠羽做装饰、用金线织绸缎的案件,宋孝宗说:“听说民间翠羽很多,如果重申严加禁止,未必禁止得了。惩治一例足以警诫众人。”钱端礼说:“现在宫内已不使用,自然民间可以革除。”

这个月,诏令:“各路监司、帅臣,将现任年老有疾的守臣,限定一月之内全部考核鉴定奏闻。知县一级官员,由守臣亲自查访,申报朝廷并听候朝廷命令。如果监司、守臣互相包庇隐瞒,御史台觉察后奏闻。”

铸造“当二”钱。

八月,己卯(初三),宋孝宗说:“永丰圩现在隶属建康行宫,收藏三万多石大米,可拨付建康军中以接济军粮。”

金国杀了前宿州防御史乌陵呵喇萨,说他与李显忠互相勾结。

钱端礼等人奏报:“前几天当面承奉命令,减少代理性的权摄使臣及额外吏员。有一个承旨司官员谢褒,再三坚持要留用王兴祖等四人,大概其中一个叫谢梓的是他儿子。”宋孝宗说:“官吏如何能如此!可重加处置。”于是诏令:“谢褒押送处州接受编管处分。”

乙酉(初九),立邓王赵愭为皇太子。大赦天下。

丁亥(十一日),参知政事虞允文免职。

金国使臣完颜仲前来,有所争议,傲慢不敬,虞允文奏请杀了他,朝廷上有不同意见,未杀成。正巧钱端礼接受李宏送的玉带,事情牵连了虞允文,被御史弹劾,以宫观官的官衔罢官回家。

己丑(十三日),任命洪适为参知政事,并任权知枢密院事;吏部侍郎叶容为签书枢密院事,并任权参知政事。

庚寅(十四日),诏令:“今后所有文武官员出任知州和知军、各路厘务、总管、副总管、钤辖、都监上任前辞行,都让他们上殿,批注到俸外食料或折钱文书中。如果推托逃避应对都

不得任命赴任。责成台谏、监司经常切实监察,如有触犯以违背制书论罪。"

癸巳(十七日),臣僚说:"去年江西湖口实行和籴,其弊病很多:不询问家中有无,一律将税银平均摊派,这是一种弊病。州县各级官员以运输损耗为名,收取十分之二三的损耗米,这是第二种弊病。官府胥吏在斗脚上搞鬼,千方百计寻机克扣,量收粮米就有使用斗子的折扣,收缴现钱就有损耗费,这是第三种弊病。使用关子、会子支付和籴的价钱,许诺百姓可以用关子、会子缴纳赋税,然而各地官府往往又对关子、会子折价,到缴纳赋税时就不肯接受,这是第四种弊病。"诏令:"各路责成转运使一人主持,往来巡视检查,务必实现和籴的本意而革除四种弊病。"

参知政事钱端礼免职。当时很久没有任命宰相,钱端礼因为自己是首席参知政事,窥视相位很迫切。邓王赵愭的夫人,是钱端礼的女儿。侍御史唐尧封弹劾钱端礼是皇帝姻亲,不能担任执政大臣,因此迁任太常少卿,馆阁官员相继上疏批评钱端礼的人都被贬斥。钱端礼派人秘密告诉陈浚卿,说自己马上就任宰相,自当引荐陈浚卿共执朝政,陈浚卿叱责来人;正巧进宫讲读宝训,乘机说本朝家法,外戚不参与国政,最有深远意义,陛下应当谨慎遵守,宋孝宗采纳了他的建议。钱端礼恨他,将陈浚卿调出京城做建宁府知府。至此邓王立为太子,钱端礼迫不得已,就以避嫌为名引退,以资政殿大学士的身份提举万寿宫。

乙巳(二十九日),洪适等人说:"近来士人托人情钻营,争相图谋改变旧制。已得到差遣的人,不允许进入都城大门,新近授给差遣的人,限令半个月内离开都城。现在奏请下令宰执大臣不允许接见已有差遣的士人。"宋孝宗说:"如果这样做就失之狭隘,只在于你们身体力行。"

洪适奏报浙东盐司长期无人任职,请求任用宋藻,宋孝宗说:"你们曾告谕宋藻支还了亭户的钱没有?听说盐司所到之处,都要克扣钱物送给胥吏,最多的有六七百贯,首先必须对此叮嘱约束。"

九月,戊申(初二),金国主举行秋猎。

当时有人向朝廷献书,洪适等人说是分类编录的书,参加科举考试的人可以使用,想给予免去一次解试的优待,叶容说进献建议的人大多怀着侥幸心理,宋孝宗说:"也没有什么办法。如果不采纳建议,就会堵塞进献建议的道路。"

癸酉(二十七日),洪适等人说:"最近有湖南转运使任诏,均州知州戴之邵,都自己请求讨伐乱贼。臣等不了解戴之邵,陛下还记得这个人吗?"宋孝宗说:"这个人也怪诞狂妄,现在不必把他留在边远之地,可召赴临安,另外给予差遣。"

甲戌(二十八日),金国主返回京都。

冬季,十月,丁卯(疑误)朔(初一),金国发生地震。

甲申(初八),臣僚说:"私盐之所以不能禁止,是因为存在三种弊端:亭户将熬制成的盐交送官府,官府不及时支付盐钱,往往扣留在官府,亭户为此送礼托人情之后官府才付盐钱,最多的有人分占了一大半的盐钱,这是第一种弊端。在煎炼制盐的初期,亭户必须向人借贷本钱,而监司里的官员大多乘此时放债,以要求得到两倍的利息,等到在盐场支付贷款时,官吏往往事先已经扣除了其中的一半,而真正到亭户手中的钱所剩无几,这是第二种弊端。盐司及各盐场胥吏,大多积存私盐以牟取厚利,亭户不是不畏惧法令,因为有狡猾的胥吏与他

们互相勾结,互相隐瞒包庇,这是第三种弊端。请求重申严禁私盐的禁令。”宋孝宗同意了。

戊子(十二日),刘蕴古被依法处死。

刘蕴古刚归降时,辩论时思如泉涌,朝廷大臣很多人认为他有奇才。吴山有伍员祠,刘蕴古胡说他祈祷有灵验,重新更换匾额,在匾额旁边刻上他的官位姓名。大家无法猜透他的用意,右武大夫中有个叫魏仲昌的人,独说:“这件事不难知晓。其他的归正人,贪求富贵罢了,刘蕴古却是个真正的奸细。奸细混进来的不止一人,公开他的姓名,想使后来的人知道他已经来到了。”到这时刘蕴古派仆人北归,有人告发,搜得其信,都是刺探的朝廷秘密,就杀了他。

乙未(十九日),金国主举行冬猎,很快返回京都。

丁酉(二十一日),金国派遣王衎等人前来庆贺宋孝宗诞辰会庆节,以后每年如此。

乙巳(二十九日),淮北的红巾贼渡过淮河抢劫掠夺,确立奖赏标准征讨捕捉红巾贼。不久楚州知州胡则,派遣巡尉反击杀死红巾贼首领卢荣。

十一月,丙午朔(初一),金国主对宰臣说:“朕在位日短,未能全部了解臣下是否贤良。现在六品官员以下,特别缺乏人才,你们用什么来满足朕求贤的心意?”

己未(十四日),诏令:“后省从上书中抽取可供采纳的,归纳它的要点,精选精彩段落和要义,标立篇目,缮写清楚,进呈御览,用一面牙牌,刻上吏、户、礼、兵、刑、工、赃吏等字,将上疏的事情按目录排在下方。”宋孝宗说:“朕已下令制造几副牙牌,记载朝廷政事。三省和各部也应当依照此法以防备遗忘事情。”

癸亥(十七日),金国制定了普查土地并按土地等级征税的法令。

金国主刚即位不久,国事大多是临时下达制书处理,到这时诏令有关部门删定,对宰臣说:“凡是已经奏报的事情朕曾再次审阅,你们不要心怀疑惧。朕对于大臣,岂有不相信的道理!只因军机国事不敢轻易决定,恐怕偶尔会有失误。”布萨忠义回答说:“臣等岂敢私自猜测陛下,只是因为智慧才能不如陛下。陛下日理万机,是天下的福分。”

辛未(二十六日),派遣龙大渊安抚宣谕两淮地区,负责屯田事务,监督缉捕盗贼。

十二月,戊寅(初三),任命洪适为尚书右仆射、同平章事兼枢密使,任命汪澈为枢密使。

庚寅(十五日),任命叶容为参知政事兼同知枢密院事。

近侍梁俊彦,请求征收长江、淮河岸边沙田和芦苇产地的赋税,宋孝宗以此事询问叶容。叶容回答说:“芦苇产地臣不清楚。沙田,是长江之滨出没不定的土地,水在东边冲激那么沙田就在西边扩大,水在西边冲激那么沙田就在东边扩大,其沙田不可以作为正常的土地。辛巳年间两国交战,两淮地区的田租都免征,至今没有征收,何况沙田呢!”宋孝宗恍然大悟,就停止了此事。叶容退回到中书省,召来梁俊彦,痛切批评他说:“你建议扩大财利来源以追求自己晋升,万一两淮地区百姓怨恨,为国家滋生祸端,即使斩你万段,岂足以承担罪责。”梁俊彦诚惶诚恐,脱下帽子谢罪,才放了他。

起居郎、权中书舍人蒋芾奏报说:“中书省是国政根本重地,中书舍人的职责,不只是负责起草文书而已,按照惯例,也允许对诏令制词文书缴还驳回。臣虽然暂时兼任此职,也不敢因为缺乏合适人选而荒废自己的职责。倘使政令中有过失,任命官员有失当之处,不免时常触犯天子威严,还望陛下宽容。”宋孝宗说:“正希望卿这样做,不只局限于政令与任命官员

的失误，即使是朕有过失，也可以奏报批评。”

这一年，派遣方滋等人前去向金国主庆贺正月初一的正旦节。金国也派遣乌库哩忠弼前来宋朝庆贺正旦节。从此以后，每年如此。

乾道二年　金大定六年(公元1166年)

春季，正月，丙辰(十一日)，宰执大臣进呈提升官阶的人数，宋孝宗说："必须确定任职年限，才可杜绝他们的私心。"

辛酉(十六日)，裁减六合县的驻军，将他们开垦的田地拨给回归农业的百姓。

壬戌(十七日)，建康都统刘源，缴还给朝廷逃亡和去世的包括横行拱卫大夫到副尉、军兵、将校、都虞候等在内的任命状二万多张，宋孝宗以此询问宰执大臣，洪适等人说："果真有这么大的数量，现在责成都司官员销毁。"宋孝宗说："此事很难得。"于是诏令武略大夫、忠州团练使刘源，特许转升武显大夫、高州防御使。

甲子(十九日)，汪应辰请求优抚利州路运粮的百姓，转运司官员也提出奏请，请求每运粮二石，每人支付钱引三道，总计相当于颁发出家人的度牒八十多道。宋孝宗说："其中一处也曾免征税收。"洪适等人说："成州、和州等四州，已曾免征夏、秋两税一年，京西路各州，也免征两税的一半。"宋孝宗说："利州路运粮的百姓，每运一石粮食给二千钱，可折合为度牒费用支付。"

庚午(二十五日)，金国主敕令有关部门："宫中的陈设，不允许镀金作为装饰。"

二月，丙子(初二)，诏令："侍从、台谏两省官荐举监司、郡守人选，可依照荐举的原有制度，如犯了贪赃罪荐举人和被荐举人承担同样的罪名，其余的规定都省略掉，这样就能多荐举人才以满足任用。"

丁丑(初三)，撤销盱眙军屯田。赈济两浙、江东饥民。

庚辰(初六)，临安府查明殿前司军兵盗取钱物，洪适等人说训练队将，专管一队军队，不能说无罪。宋孝宗说："统制官又怎能无罪？必须各自给予降官一级的处分。"洪适等人说："统制官是王公述，兼任带御器械，陛下执行惩罚，即使是亲近官员也不幸免，天下人怎能不敬畏佩服呢！"

丁亥(十三日)，金国左丞相、沂国公布萨忠义去世。金国主亲临祭吊，哭得很悲痛，停止上朝举行奠祭仪式。命令参知政事唐古安礼负责他的丧事，安葬祭祀都从优从厚，由官府供给，谥号武庄。

布萨忠义平易近人，尊敬儒学重视士人，与人交往，很温和。善于指挥将士，能得到他们的死力相报。身为宰辅多年，知无不言。所以他由外戚兼任将相，能以功名善终。

壬辰(十八日)，户部决定每月官兵的军饷数额，减少现有支付的数额，每月内就可节省二十万缗钱，宋孝宗说："不如暂且依照原有规定办理。事情稍为牵动很多人，就不能轻易更改。"

三月，甲辰(初一)，吏部申报安穆皇后堂侄女的丈夫沈巘应补授官职，才十二岁，未到任职年龄；另外，赵氏乞请收录亡夫郭咸的后人为官，任命康汝济等人为五岳庙官员，宋孝宗说："沈巘补官一事，三年没有什么利害关系，可等待他达到规定年龄时办理。按照恩例任官后不能改换成五岳庙官员，只能依照条例办理。"洪适等人说："陛下以最公正的心处事，即使至亲也不为此稍做变动，何况臣等怎么能用私心呢！”

乙巳（初二），禁止京西、利州路征收保胜义士的赋税和力役。

壬子（初九），诏令：“近年以来，审理案件的官吏，大多投机取巧，随意援引有关条令，对案件做出或轻或重的判决，有罪者得不到惩罚而没有犯罪的人遭受酷刑，朕对此很担心。你们应该革除不负责任的弊病，倡导谨慎克己的公正作风，使奸邪不容于情，惩罚必须与罪行相吻合，以求刑法的公正。”

甲寅（十一日），金国主到达西京。

丁巳（十四日），洪适等人说殿前司提升官员任职，只以年限为标准，却不比较是不是有能力，也应当比试才能武艺，宋孝宗说：“规定年限，自然是国家法令。今后遇到升职时，你们可以从中选择二三个人到堂下审查检验，与他们交谈，有没有才能自然就可以发现了。”

戊午（十五日），殿中侍御史王伯庠奏请裁定荐举官员的任命问题，诏令三省、台谏集中商议。又诏令：“县令没有担任两届任职的，不能任命为监察御史；没有担任地方长官的，不能任命为郎官。特此为令。”

甲子（二十一日），给事中魏杞等人，上书说已给皇太子讲授了《孟子》的各章，宋孝宗说：“可以讲授《尚书》，治国之道，没有比它更早的记载了。君臣互相提醒劝诫，无非是日常所做的事情。朕每到无事时，必看几篇。

丁卯（二十四日），赐给礼部进士萧国梁以下四百九十三人为进士及第、进士出身。榜首本来是赵汝愚，根据成例降居第二位。

庚午（二十七日），金国主朝拜太祖庙。

辛未（二十八日），尚书右仆射、平章事洪适免职。

洪适因为文学才能受到赏识，从中书舍人的位置，半年之内提升四次直到右相的高位，然而没有重大建树以发挥他的学问。正巧阴雨连绵，洪适引咎自责乞请免职，宋孝宗同意了。

李信父上书，大致说地方长官任人不当，并且举出他所见到的福建一方官员说明这个问题，如“蚕未成丝茧，已在催交夏税，庄稼未送到院场，已经在催交冬苗税，陛下本来对此重申严加禁止。近来却有今年就追缴明年的租税，称为预借；偏僻的郡邑，有的提前两年而让百姓缴纳赋税。如百姓充当差役，官吏全不究查核实，陛下本来重申提醒过有关部门。现在则接受财贿而出卖法令，将应该充当差役的隐瞒起来；而不应该充当差役的人家，则从头至尾，依次充当差役，迫使他们送上贿赂请求免去差役。比如每次减免欠租，官吏们何曾不巧立名目进行追缴；比如粳稻规定不能收税，而现在收粳稻税的人若无其事。比如犯过罪的人不能做差役，现在犯过罪的人照样做差役。常规的赋税之外，增收各种名目的赋税，还是依照旧例。有诉讼案件不问大小轻重，或者罚他交纳金钱，或者强迫他买盐。去年年成稍有歉收，乡间小民，十人百人聚集成群，手持武器进行掠夺，借口没有粮食而报私仇，破坏仓库抢夺粮食，到处都有，官府无法禁止。”宋孝宗说：“李信父的上书，词理很可取。”汪澈等人说如果地方长官任命得当，就没有这些弊病了。于是诏令：“户部、刑部检查现行条法，重申严格的禁令，如有违反，监察司弹劾奏闻。”

癸酉（三十日），任命给事中、权吏部尚书魏杞为同知枢密院事兼权参知政事。

丁丑(疑误),停止和籴。

夏季,四月,甲戌朔(初一),宰执大臣说刘珙等人处理李金造反的事已完,应当推功论赏,宋孝宗说:“近来儒者大多高谈阔论,无实际才干,刘珙能为朝廷办好事情,确实可以奖赏。”

金国禁止每月初一屠宰牲畜。

丁丑(初四),宋孝宗对执政大臣说:“你们应当谨守法令,不要创设先例以破坏国法。比如胥吏们兼做其他的现象,切不可允许。”

戊寅(初五),诏令:“淫雨成灾,损害到禾苗小麦,可令侍从、台谏研究合适处理办法并奏闻。临安府和各路郡县现有拘禁罪犯的案件,限期结案,委派官员分别前往检察。”不久命令减轻被押囚犯的罪行。

庚辰(初八),诏令两浙转运使王炎开决平江、湖州、秀州的围湖造的田,因为它填塞流水危害民田。

甲申(十一日),太白星在白天出现。

乙丑(疑误),臣僚说:“查询以前御营司招收弓弩手,所管辖的共三千三百人,现在隶属于殿前司。因为殿前司才有弓弩手之名,名目不统一。又听说王琪招收一千四百人,专管养马和军需物资。都头大多是游手好闲之人,不免在外营利投机。又听说马军司每月支取效用军兵一万六千三百多人的军饷,与枢密院兵籍房登记的数目不同,请交付枢密院审查核实,注销虚报的数额。所有弓弩手和养马军兵,都进行挑选检阅,将强壮能披挂上阵的人收编以充当战士,老弱病残,一律淘汰。”诏令责成枢密都承旨、检详官负责挑选检阅。于是检详官晁公武公告殿前司、马军司、步军司三司统兵在外的各位将领,各个将所部军兵开列详细名册奏报。宋孝宗说:“朕令殿帅王琪负责处理三军事务,有记载名册,将各人的武艺情况加以注明,很容易看见。”

乙未(二十二日),枢密使汪澈免职。汪澈在政府中任职,喜欢荐引人才,其自身清廉俭朴,无论贵贱都不改节操。

丁酉(二十四日),莫濛、程逖、司马倬等,弹劾荆南府李道,所作所为乖戾荒谬,政令出自胥吏之手,乱用经费,专心营私,盗贼聚众而起,不立即捉拿缉捕,宋孝宗说:“李道自恃是皇室外戚,竟敢如此胡作非为,可予以放逐免职。”叶容回答说:“陛下执法不庇护外戚,天下听到这个消息,谁不畏惧佩服呢!”

己亥(二十六日),臣僚说:“祖宗注重研究考察官吏的考课办法,王安石执政才开始停止考课。希望遵守太宗时期的制度,所有监司、郡守上任前入朝辞行的那天,分别发给用于记录功过的御前印纸历子。至于兴办了什么有利的事情,消除了什么有害的事情,各自拟成条目,每当考课时命令在职官吏据实填写,任期届满时仔细审核。”诏令:“经筵官参照祖宗成法与现行条例制度,务必要适中,才可以长久推行。”

五月,甲辰(初二),叶容等人举荐俞翊为饶州守令,说他治理地方有声誉,但资历还浅,宋孝宗说:“选拔人才治理动乱的地方,不必计较资格。”

戊申(初六),资政殿大学士、提举万寿观并侍读、致仕张焘去世。

张焘外表温和而内心刚正,治理蜀地时制定了优惠政策,百姓为他立庙祭祠不忘他的政德。谥号忠定。

金国主到华严寺观看原辽国国主的各尊铜像，诏令主持僧侣谨慎看护它们。

己酉（初七），废止了权宜借用为优待官吏的职田。

庚戌（初八），参知政事叶容免职，任命魏杞为参知政事，右谏议大夫林安宅为同知枢密院事兼权参知政事，中书舍人蒋芾为签书枢密院事。

壬子（初十），金国主诏令对云中大同县及警巡院的百姓免征一年徭役。

癸丑（十一日），太白星横跨天空。停止修建建康行宫。

丁巳（十五日），宋孝宗对宰执大臣说："近来朝臣大多议论大臣不称职，你们更应当努力。如朕有不周到的地方，或者事情行不通，只管来奏明。"

庚申（十八日），命令未担任过守臣的人不得任命为郎官。魏杞奏报说："担任过监司的人能否任命为郎官？"宋孝宗说："监司官员是监察州县事务的，按同样的规定办理。"

丙寅（二十四日），诏令："今后审阅各地投献的书面文章，拟定出等级以进呈。"

丁卯（二十五日），诏令："各路监司、守臣要预先研究荒年的政策。如果没有水灾、旱灾的预防措施，必定予以惩罚；预防有方，应当议定推功论赏。"

六月，甲戌（初三），撤销两浙路提举市舶司。

戊寅（初七），诏令："制科考试暂且停止从经传的注疏中出题；守臣、监司也允许解送亲友参加解试。"

庚辰（初九），封皇孙赵挺为荣国公。

辛巳（初十），太白星横跨天空。

壬午（十一日），林安宅、蒋芾说："臣等身为枢密官员，职责在于掌握统兵的将领。如几位大将，陛下是很了解的。偏裨将佐中间有才能的人也很多，但臣等与他们素不相识，无法知道他们有没有才能，想直接与他们见面。"宋孝宗说："你们应当在他们入朝接受任命时审察他们。"

丙戌（十五日），撤销永丰圩。

庚子（二十九日），金国主在银山打猎。

秀州知州孙大雅卸任返回，说："秀州境内有柘湖、淀山湖、陈湖，支流港汊相连，向西北可流入长江，向东南可流入大海。海边的农民，筑坝以防御海水侵蚀，虽然利及一方，而水灾确实殃及邻近郡县的农田；假如疏通湖水，那么又损害到近海百姓的田地。如果在各港浦安置闸门控制开关，不仅可以排泄湖水，而在天旱时也可获得水利。然而工程投资较大，想鼓励大户人家出钱，丁户人家出力，在农闲时节修建闸门。"于是任命两浙转运副使姜诜与当地长官视察那里。姜诜不久与秀州、常州、平江府、江阴军的官员上奏说此举很方便有利，诏令："秀州华亭县张泾的闸门和淀山湖的闸门，等到今年十一月开始兴修；常州江阴军蔡泾港和申港的闸门，明年春季开始兴修；利港闸门等服役百姓休息一年后兴修，平江府姑且暂缓兴修。"

秋季，七月，己酉（初七），调泉州左翼军屯驻许浦镇。

甲寅（十三日），任命镇江都统制戚方为武当节度使。

八月，癸酉（初三），武锋军隶属于步军司。

庚辰(初十),金国主在望云境内的南山打猎。

丙戌(十六日),林安宅免职。

当初,林安宅担任御史,奏请两淮发行铁钱,叶容极力上言说不行,林安宅很生气。林安宅进入枢密府任职后,就弹劾叶容的儿子接受宣州富人的钱一百万,御史王伯庠也弹劾他,叶容乞请辨明真相。等到叶容被免去参知政事、枢密院的官职,宋孝宗将他的事交给临安府尹王炎亲自审理,经过审查没有证据。宋孝宗因为林安宅、王伯庠根据传闻弹劾失实,都免官,还贬谪林安宅在筠州接受安置处分。召叶容入宫,宋孝宗安慰他说:“你的清廉品德,从今以后就更加光大了。”

戊子(十八日),任命魏杞兼同知枢密院事,蒋芾为权参知政事。

甲午(二十四日),诏令:“各军将士,与金人交战守御立功的人,其中功劳显著的,没有与他人有所区别。现在将显著战功十三处,确定奖赏规格。张俊的明州之战,韩世忠的大仪镇之战,吴玠的杀金坪之战、和尚原之战,刘锜的顺昌之战,这五处战功依照绍兴十年的规定奖赏。李宝的密州胶西唐岛之战,刘锜的扬州皂角林之战,王琪、张振等人的建康采石渡之战,邵宏渊的真州胥浦桥之战,吴珙、李道的光化军茨湖之战,张子盖的解围泗州之战,赵撙的蔡州之战,王宣的确山之战,这八处战功依照绍兴三十二年的规定奖赏。”

乙未(二十五日),诏令吴璘再次担任判兴州。

丙申(二十六日),将宣州升格为宁国府。

九月,辛丑朔(初一),金国主返回京都。

甲辰(初四),上元知县李允升,因贪赃罪判决发配惠州。建康府知府王佐,因纵容出境的罪名,剥夺两级官职,勒令停职,贬谪建昌军居住。鄂州知州汪澈,因为滥举被降两级官职。提刑官袁孚,因为监察失职被降一级官职。

辛亥(十一日),赈济温州受水灾的百姓。

金国泽州刺史刘德裕等,因为盗用官钱依法处死。

癸丑(二十三日),金国右丞相完颜忠宪去世,享年五十九岁。金国主悼念惋惜了很久,治丧物品赏赐得很丰厚。

司农少卿莫济对宋孝宗说:“治理国家在于任用人才,任用人才在于责成实效,任用人才而不能任用长久,那么贤良而有才能的人就无法发挥他的长处,邪恶而不肖的人就得以逃脱他的罪责,即使有责成实效的政令,将在哪里施行?现在辅相大臣,有人任职数月就已被免职,寺、监丞、簿、郎曹、卿、监等,不过一年就常常升迁,担心进用和斥退人才似乎稍为快了一点。”宋孝宗称赞他说得好。

辛酉(二十一日),追封皇子赵恪为郡王,谥号悼肃。

己巳(二十九日),魏杞等进呈神宗、哲宗、徽宗三朝的《帝纪》《上皇圣政》。

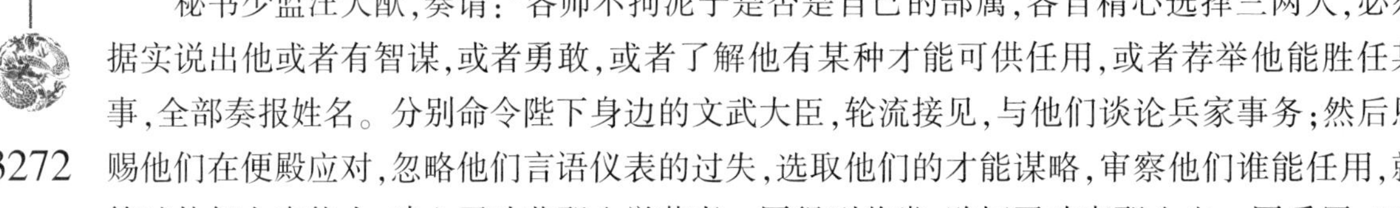

秘书少监汪大猷,奏请:“各帅不拘泥于是否是自己的部属,各自精心选择三两人,必须据实说出他或者有智谋,或者勇敢,或者了解他有某种才能可供任用,或者荐举他能胜任某事,全部奏报姓名。分别命令陛下身边的文武大臣,轮流接见,与他们谈论兵家事务;然后恩赐他们在便殿应对,忽略他们言语仪表的过失,选取他们的才能谋略,审察他们谁能任用,就策试他们办事能力,建立了功劳那么举荐者一同得到奖赏,败坏了政事那么也一同受罚。”宋孝宗下诏同意了。

这个月，太白星多次在白天出现。

冬季，十月，乙亥（初五），任命陈俊卿为吏部尚书。陈俊卿说："臣执掌选官用人的职责，只应谨守三尺国家大法，检查官吏中的奸邪之徒。至于因为愚笨，见识有失当之处，也望陛下告谕，时时训导教诲。君臣之间的名分虽然很严格，然而上下之情不可不通。"宋孝宗说："你说的正确。朕如果有过失，你也应当全部说出来。"陈俊卿说："古代只有唐太宗能引导人们进谏，所以达到了贞观年间的天下大治。"宋孝宗说："每次阅读唐太宗的事迹，未尝不倾慕他。比如唐德宗心胸狭隘不喜欢别人提意见，未尝不鄙视他。"当时宋孝宗不能放弃鞠球的游戏，又准备到白石游猎。陈俊卿立即上疏极力劝谏，甚至援引汉桓帝、汉灵帝、唐穆宗、唐敬宗的事例以及司马相如的话来劝诫，宋孝宗高兴地说："足见忠诚正直，朕决定重用你。"

甲申（十四日），金国在太庙举行朝享祭祀。诏令免除雄州、莫州等州的赋税。

温州知州刘孝韪，上奏说本州遭受洪水后乞请修筑塘堤等事，宋孝宗就说："朕近期览阅《神宗实录》，那时灾难异变很多，为什么？"魏杞回答说："上天出现异常灾害是警告人君，正如父亲的训导警告；作为人子，不必过问自己有过还是无过，只要经常怀着恐惧之心反省自己。"宋孝宗说："你的话很对，如果不怀恐惧之心反省自己，是自取灭亡之路。"

己丑（十九日），臣僚说："役法烦扰，有挪用官府禁物的罪责，有捕获罪犯超出限期的惩罚，有迎来送往担运官物的差役，有催交赋税轮番服役的责任，有应付检查的义务，有承接命令而奔忙的劳累。所有这些，都是役法深受百姓惧怕的原因，如果承蒙朝廷的约束，不再像以前那样烦扰，天下百姓就很幸运了。"诏令监司官员注意监察。

壬辰（二十二日），太白星横跨天空。

丁酉（二十七日），金国主到安肃州举行冬猎。

十一月，丙午（初六），金国主返回京都。

太师、致仕、和义郡王杨存中去世。

杨存中祖父杨宗闵、父亲杨震及母亲张氏，都死于国难。杨存中显贵之后，向朝廷请求，追赠杨宗闵谥号忠介，杨震谥号忠毅，赐给祠庙名为显忠。祖母刘氏流落到蜀、陇一带，杨存中日夜祈祷，派人寻访，相隔数千里，终于接回了家。杨存中又奏请在家中使用祭器，同意他五代人使用祭器。统帅军队宽松而又有纪律。须髯如戟却善于逢迎。宿卫朝廷出入禁宫达四十年，最少出错。宋孝宗认为他是太上皇帝的旧臣，特别以礼相待，常称呼郡王而不喊名字，追封为和王，谥号武恭。

癸丑（十三日），金国主对宰臣说："朝官应谨慎地选择，这样才能激励其余的人。如果选择不当，其他人就会产生觊觎之心。你们了解他们的优劣，应当举荐有实际才能的人加以任用。"

丁巳（十七日），殿中侍御史单时说："拜读制书圣旨，规定监司在辖区内保举郡守，郡守在辖区内保举知县，县令政绩显著，令中书、门下省记录在案，领取旨意后加以提升。然而人的才能，各有不同，官吏治理地方的具体事迹，不易核实考证。希望训敕监司、郡守，罗列他们所保举的人治理地方的具体情况，详细地写在推荐书上。然后公开明确地进行赏罚，保举

的人与实际情况相符合就受到上等赏赐，保举失实就依法重处，这样选举制度就可以恢复了。”宋孝宗同意了。

庚申（二十日），太白星横跨天空。

甲子（二十四日），宋孝宗亲临候潮门外的大教场，接着亲临白石教场。

丁卯（二十七日），金国参知政事石琚因为给母亲守丧而免职。

戊辰（二十八日），修筑郢州城。

这个月，诏令淘汰多余军兵，这是采纳步军帅陈敏的建议。

起居舍人洪迈说：“臣有幸能够因为有写文字的薄技，任职于陛下的随从行列，每当侍伴陛下清闲时的燕乐，聆听陛下的玉音，所有发出的谕旨，无非切中关键，美好的言论高尚的道德，可以作为世代的楷模。退职后而执笔，想进行编排，而查考各种《起居注》都是根据各处的汇报，才加以编写，虽然有《日历》《时政记》，也没有能够记载玉音，使洋洋圣明谋略，无法留传。伏睹本月五日给事中王曮进讲《春秋》中的莒人伐杞，说周王室中衰，诸侯国以强凌弱，擅自互相攻讨，很丧失先王征伐的本意，皇上说：‘《春秋》上没有记载一次正义的战争。’周执羔进读《三朝宝训》，谈论文章的弊病，皇上又说：‘文章以理为主。’陈岩叟等奏报刑部的事情，皇上说：‘刑罚太宽就会包容邪恶，刑罚太严就会使人不知所措。’这几句话，都是承学之臣，日夜探讨，使用了几百句话所不能阐明的，而陛下概括成了一句话，非常明白妥当。然而记录陛下言论和举止的官员，不能真正理解。恐怕这不符合陛下命令他们侍立殿上的本意。希望命令讲读官，从今以后各自将当天听到的圣语报送给修注官，还请求以今天皇上所登临的殿名，将记录圣语的文书命名为《祥曦记注》。这样百代之后，都能仰慕圣上的学识，以寻求陛下聪明文思敏捷的美德。”宋孝宗同意了。

十二月，甲戌（初五），金国主诏令：“有关官员每月初一、十五以及二十七日不得奏报刑狱案件。”

己卯（初十），任命资政殿学士叶容为知枢密院事。

辛巳（十二日），诏令：“免进《钦宗日历》，送国史院用于修纂《实录》。”

甲申（十五日），任命叶容为尚书左仆射，魏杞为右仆射，都任平章事；任命蒋芾为参知政事，陈俊卿为同知枢密院事兼参知政事。

叶容首先举荐汪应辰、王十朋、林光朝等人能担任执政、侍从、台谏官员，宋孝宗高兴地采纳了他的建议。又说自古明君用人，任用贤人，任用愚人，任用奸人，任用贪人，只远离很凶险的人，宋孝宗说：“本来如此。虞舜在位时有禹、皋陶这样的贤人，也有共工、驩兜这样的恶人，周朝有周公旦、召公奭这样的贤人，也有管叔鲜、蔡叔度这样的恶人，关键在于是否任用。”叶容说：“的确如陛下所说。但是现在在朝廷上即使未见共工、驩兜那样的恶人，然而也有窃弄威福的人，臣不敢隐瞒。”宋孝宗问是谁，回答是龙大渊。当时龙大渊与曾觌倚恃皇帝恩宠窃弄权柄，陈俊卿奉命与龙大渊同时担任陪伴北国使臣的馆伴使，除了因公事相见外不交谈一句话，龙大渊等人送上拜谒名片也不接受。

庚寅（二十一日），左司谏陈良祐说：“现在谈到利的人大多要求增加财源，这只能使百姓困苦，国家财政费用更显不足。希望按照现在一年赋税收入的总数，如果征收百姓赋税已经超过总数，就因此减免多征收的部分，以宽松民力；根据现在所养官吏与兵的数额，其中能

裁减的就裁减;常使国家财政费用的十分之七用于养兵与官吏,十分之三用以防备意外事变,如此则上下都能富足。”宋孝宗说:“朕常有心停止和买及折帛等钱以减轻百姓负担,但至今未来得及做。”陈良祐说:“过去本未征收此钱,都是打仗时增收的,讲和以后,依旧没有免除。现在向百姓征税的名目都用尽了,如果控制节约国家财政费用,令出入有限度,稍有蓄储,就可实现陛下的心愿了。”宋孝宗说:“依照你的建议,应当确定经常的制度。”

辛卯(二十二日),诏令:“朕认为治理国家的关键,以有富裕的财力为重。百姓富足之后,君主哪里会不富足！量入为出,能不考虑吗！从今以后宰相可带兼制国用使,参知政事可兼任同知国用事,这样上下同心同德,永远富裕康乐。”

丙申(二十七日),任命江东兵马钤辖王忭为带御器械。

金国任命平章政事赫舍哩良弼为尚书右丞相,赫舍哩志宁为枢密使。

丁酉(二十八日),起居舍人洪迈说:“天下各种军政事务,由中书省发出政令诏命,由门下省负责审查,由尚书省负责执行,这就是为了敬重政令,以期达到准确无误。当初没有文武二柄、东西二府的区别。现在三省所经办的,事无巨细,必先经过中书省画黄,宰执大臣答字画押,当班舍人批上‘行’,然后转到门下省,由给事中批上‘读’;如果给事中和中书舍人有新的建议,就把中书省已经拟定的诏令密封并附上奏章奏明,以听皇上旨意。只是枢密院领旨后,就画黄转给门下省,而中书省不参与其中过程,那么中书舍人封驳缴还诏令的职责,稍有所偏。况且现在宰相、枢密大臣,两边兼领,因而有所修改,不为有嫌疑。请求诏令枢密院,从今以后,凡是已经接到圣旨批示的文书,由门下省依照三省的规定画黄、批上‘读’,以表示钦重发布诏令的本意。”宋孝宗诏令同意这个建议。然而枢密院机密军事,则不通过中书省,直接报送门下省,称为“密白”,当时不能改变。

续资治通鉴卷第一百四十

【原文】

宋纪一百四十　起强圉大渊献【丁亥】正月，尽著雍困敦【戊子】十二月，凡二年。

孝宗绍统同道冠德昭功　哲文神武明圣成孝皇帝

乾道三年　金大定七年【丁亥，1167】　春，正月，甲辰，诏："廷尉大理官，毋以狱情白宰执，探刺旨意为重轻。"

庚戌，置三省户房国用司。初以国用匮乏，罢江州屯驻军马，至是复留之。

壬子，金主服(兖)〔衮〕冕，御大安殿，受尊号册宝礼，大赦。

癸丑，何逢原除金部郎官。帝曰："儒者不肯留意金穀，可谕何逢原令留意职事。"

庚申，金以元帅左监军图克坦喀齐喀为枢密副使。

度支郎唐瑑言："自绍兴三十一年印造会子，止乾道二年七月，共印造二千八百馀万道；至乾道三年正月六日以前措置收换外，尚有八百馀万贯在民间未收。缘诸路纲运，依近降指挥并要十分见钱，州县不许民户输纳会子，致在外会子壅滞不行，商贾低价收买，辐凑四集，所以六务支取，拥并喧哄。今请给降度牒及诸州助教帖各五千道付榷货务，召人依见立价例，全以会子进纳，庶几少息拥并之弊，而会子在民间，亦不过数月便可收尽。"诏先次给降度牒并助教帖各五百道，候出卖将尽，接续给降。

癸亥，中书、门下省言："昨来支降交子付两淮行使，缘所降数目过多及铜钱并会子不许过江，因致民旅未便。今措置铜钱、会子，依旧任便行使，应官司见在未支交子，令差人管押赴左藏库交纳。"

二月，壬申，谕曰："自后宫禁内人并百官、将(较)〔校〕、军兵、诸司人，每月初五日，国用房开具前月支过以上五项请给数目，并非泛支用，造册进呈。外路军马，可降式样付诸路总领，逐月开具。著为令。"

帝谓辅臣曰："蒋芾理会财用，已见根源。"初，蒋芾因谢新除，留身奏云："方今费财最甚者，无如养兵。近见陈敏拣汰二千人，戚方拣汰四千人。夫汰兵固良法，然今日之兵，多是有官人，与之外任，依旧请券钱，又添供给，虽减之于内，添之于外，亦未见其益。既减六千人，必又招六千人填格，则是添六千人耗蠹财用矣。契勘在内诸军，每月逃亡事故，常不下四百人。若权住招，一年半内，可省三百八十万贯。俟财用稍足，可逐旋招收强壮，训练而用之，不惟省费，又可兵精。"因奏绍兴以来初分五军并内外诸军分合添减之数。帝以为然，故有

此谕。

知閤门事龙大渊，权知閤门曾觌，窃弄事权，屡致人言，帝不省。一日，起居舍人洪迈过陈俊卿曰："闻郑(国)〔闻〕将除右史，迈当迁西掖，信乎？"俊卿曰："何自得之？"迈以大渊、觌告。俊卿即以语叶容、魏杞，而己独奏之，且以迈语质于帝前曰："臣不知此等除目，两人实预闻乎？抑密揣圣意而播之于外，以窃弄威福也？"帝曰："朕何尝谋及此辈！必窃听而得之。卿言甚忠，当为卿斥逐。"癸酉，出大渊为江东总管，觌为淮西副总管，中外快之。甲戌，大渊改浙东，觌改福建。

乙亥，架阁卫博，论用人宜录所长，弃所短，帝曰："用人不当求备，知礼者不必知乐，知乐者不必知刑。若得其人，不当数易，宜久任以责成功。"

罢成都、(潼州)〔潼川〕路转运司轮年铨试，以其事付制置司。

辛巳，以端明殿学士虞允文知枢密院事。

壬午，起居舍人洪迈言："两省每日行遣录黄文书，盈于几阁，多有常程细故，不足以烦朝廷专出命者。使中书之务不澄，无甚于此。"帝曰："朕尝见《通鉴》载唐太宗谓宰相听受辞讼，萦于簿书，日不暇给，因敕尚书细务属左右丞。朕见欲理会。"

又谕叶容曰："可进武臣荐举兵将官册，朕欲用知其人。"容曰："宜于无事〔时〕询访，以备缓急。"陈俊卿曰："陛下曾记王存否？其人似尚可用。"帝曰："朕识之，粗暴之人，老矣，智力皆无所用也。"

乙酉，以《武经龟鉴》、《孙子》赐镇江都统戚方，建康都统刘源，仍令选择兵官，各赐一本。

金尚书右丞苏保衡以疾求退，金主不许，遣敬嗣晖传诏曰："卿以忠直，擢居执政，齿发未衰，遽以小疾求退！善加摄养，俟病间视事。"庚寅，保衡卒。金主将放鹰近郊，闻之，乃还，辍朝，赙赠，命有司致祭。时已起复参知政事石琚，丙申，以琚为尚书右丞。

戊戌，谏议陈天麟言："近探北人聚粮增戍，宜择将帅，预讲御备之策。"帝曰："此今日急务。昨王琪请筑扬州城，卿等见文字否？"魏杞言："淮东之备，宜先措置清河、楚州、高邮，庶可遏敌粮道。"帝曰："若守定高邮，不放过粮船，则敌不能留淮上，自当引去。"

三月，庚子，宰臣叶容请抽回江州兵马，帝曰："此岂得已！近来招兵练兵皆易，惟养兵最难。它时财赋有馀，自可增招。"容又言："陈敏知地理，且有志立功。"帝曰："陈敏守高邮甚善，别选步帅，亦难得人。"

丁巳，诏："四川宣抚司创招千人，置司所在屯驻。"

壬戌，秀王夫人张氏薨，帝所生母也。

夏，四月，戊辰朔，日有食之。

癸酉，为秀王夫人成服于后苑。

丙子，宣殿前司选锋等军五百八十二人，车二十四两，入内教场。右军统制张平入对，帝曰："兵谋务要决胜，不得轻发。有功者虽仇与赏，有罪者虽亲与罚。"

丁丑，并利州东、西为一路，以吴璘为安抚使兼四川宣抚使，兼知兴元府。璘寻薨。初，璘病，呼幕客草遗表，命直书其事曰："愿陛下无弃四川，无轻出兵。"不及家事。人称其忠。璘为人，刚毅靖深，喜大节，略苛细，读史传，晓大义。其御军，恩威兼济，士卒乐为之用；每出

师，指麾诸将，风采凛然，无敢犯令者，故所向多捷。自吴玠死，璘为大将，守蜀捍敌，馀二十年，隐然为方面之重，威名亚于玠。其选诸将多以功；有告以荐材者，璘曰：“兵官非尝试，难知其才。今以小善进之，则侥幸者获志，而边人宿将之心怠矣。”故所用后多知名。

壬辰，金御史大夫李石，拜司徒兼太子太师，御史大夫如故，赐第一区。

五月，丙午，金大兴狱空，诏赐钱三百贯为宴乐之用以劳之。

戊申，叶容言近日州官被论，有阴遣家属，纳短卷于台谏以相挟制者，陈俊卿曰：“近来此风颇盛，是使监司不敢按郡守，郡守不敢按县官。”帝曰：“此风诚不可长。”

庚申，命四川制置使汪应辰主管宣抚司事，移司利州。

修扬州城。

辛酉，王炎言：“近来士大夫议论太拘畏。且如近诏王琪至淮上相度城壁，朝士皆纷然以为不宜。”帝曰：“儒生之论，真不达时变。昔徐庶言通世务者在乎俊杰，朕与卿等当守此议论，它不足恤。”

壬戌，大减三衙官属。

是月，赈泉州水灾。

安奉太宗、真宗《玉牒》及《三祖下仙源积庆图》《哲宗宝训》。

六月，己巳，命汪应辰权节制利州路屯驻御前军马。

辛未，复分利州东、西路为二。

癸酉，帝曰：“朕欲依祖宗故事，先令有司具囚情款，前数日进入，朕亲阅之，可释者释之，可罪者罪之，庶不为虚文。今后并依祖宗典故。”

金主命地衣有龙文者罢之。

判度支赵不敌言：“将帅未必知兵，徒务声势，今日添使臣，明日招效用，但资冗堕，未见精雄。”帝曰：“此正中今日将帅膏肓。”

甲戌，以虞允文为资政殿大学士、四川宣抚使，代吴璘也。帝谓允文曰：“璘既卒，汪应辰恐不习事，无以易卿。凡事宜亲临，无效张浚迂阔。”旋复命以知枢密院事充四川宣抚使。帝亲书九事戒之。允文寻言：“房州义士、金州保胜军见管七千馀人，皆建炎、绍兴之初，自相结集，固守乡间，最为忠义。而州县全不加恤，分占白直，又有都统司差役科扰。乞差皇甫倜为利州东路总管，金州驻劄，令专一主管，于农隙往来教阅，或缓急有警，可责令分守诸关。”从之。

己丑，金遣使来取被俘人。诏：“实俘在民间者还之，军中人及叛亡者不预。”

辛卯，皇后夏氏崩，谥安恭。

秋，七月，己亥，立荐举改官格。

壬寅，以皇太子疾，减杂囚，释流以下。乙巳，皇太子愭薨，谥庄文。

戊申，金禁服用金线，其织卖者皆抵罪。

辛亥，臣僚言：“户部申请，诸路并限一季出卖官产，拘钱发纳。且以江东、西、二广论之，村疃之间，人户凋疏，弥望皆黄茅、白苇，膏腴之田，耕犹不遍，岂有馀力可买官产！今州县迫于期限，且冀有厚赏，不免监锢保长，抑勒田邻。乞宽以一年之限，戒约州县，不得抑勒。”从之。

癸丑，谏议大夫陈良祐言："民间传边事，多是两岐，为备虽不得已，要不可招敌人之疑。如近日修扬州城，众论以为无益。"帝曰："为备如何无益？"良祐曰："万一敌人冲突，兵不能守，则是为敌人筑也。今进二三万人过江，敌人探知，恐便成衅隙。"帝曰："若临淮则不可，在内地亦何害？"良祐曰："今日为备之要，无过选择将帅，收蓄钱粮，爱民养士。"帝曰："然。"

甲寅，帝曰："淮东备御事，此须责在陈敏。万一有警，恐推避误事，卿等宜熟与之谋。"魏杞言："臣等昨与陈敏约，敏亦自任此事，朝廷但当稍应付之而已。"

闰七月，丙寅朔，帝谕曰："朕欲江上诸军，各置副都统一员，令兼领军事，岂惟储它日统帅，亦使主帅有顾忌，不敢专擅。"

戊辰，金进封越王永中为许王，郑王永功为随王，封永成为沈王。

甲戌，金命秘书监伊喇子敬经略北边。

戊寅，郭刚除镇江副都统。

帝曰："郭刚之除，闻镇江军中甚喜。"叶容曰："刚甚廉，军中素所推服。"

庚辰，帝谕叶容等曰："朕常思祖宗创立法度以贻后人，惜后世子孙不能保守。"又曰："创之甚难，坏之甚易。"蒋芾曰："臣尝记元祐间，李常宁廷试策云：'天下至大，宗庙、社稷至重，百年成之而不足，一日坏之而有馀。'"帝曰："诚为名言。"芾曰："所谓坏者，非一日遽能坏也。人主一念之间不以祖宗基业为意，则驯至败坏。故人主每自警戒，常恐一念之失。"帝曰："朕非独自警戒而已，且忧后世子孙不能保守为可惜也。"

癸未，臣僚言："闽中盐策之弊有五：官籴浩瀚而本钱积压不支，间或支俵而官吏克减，计会(縻)〔糜〕费，贫民下户皆不乐供官，而大半粜于私贩，一也。纲运之人，非巨室则官吏，载县官之舟，藉县官之重，影带私盐出粜，二也。州县斥卖，多置坊局，付之胥徒，其权称之减克，泥沙之杂和，官皆不之问，私价轻而官价重，官民大半食私盐，故官粜不行，三也。巡尉未尝警捕，但日具巡历，申于官长，月书所到，置于驿壁，私贩猾吏，莫之谁何，四也。今之邑敷卖官食盐与夫借盐本钱者，多是给虚券，约册到数日支给。甚至抛敷卖之数，付之耆保，摊及侨户，其见在盐，却封桩不得支出，谓之'长生盐'；若人户不愿请盐，只纳敷数之半，以贴陪官，将官盐贮之别所以作后日之数，谓之'还魂盐'；猾吏揽扑民户贴陪钱，请盐出卖，出息则与邑均分，谓之'请钞盐'；五也。况闽中崇冈峻岭，浅滩恶濑，商旅兴贩，流转实难，故钞盐之法不可行也，宜讲究利害以革前弊。"从之。

癸巳，刘珙自湖南召还，首论："独断虽英主之能事，然必合众智而质之以至公，然后有以合乎天理人心之正而事无不成。若弃佥谋，徇私见，而有独御区宇之心，则适以蔽其四达之明，而左右私昵之臣将有乘之以干天下之公议者矣。"又论羡馀之弊曰："州县赋入有常，大郡仅足支遣，小郡往往匮乏。而近者四方尚有以赢馀献者，不过重折苗米或倍税商人，至有取新赋以积馀钱，捐积逋以与州郡。州郡无以自给，不过重取于民，此民之所未便一也。和籴之弊，湖南、江西为尤甚，朝廷常下蠲免之令，远方之民举手相贺，曾未数月，又复分抛。州县既乏缗钱，将何置场收籴？倘有已革纲运之弊，自可减和籴之数，此民之所(以)未便二也。望诏止之。"帝嘉纳。寻以珙为翰林学士。

珙尝从容言于帝曰："世儒多病汉高帝不悦学，轻儒生，臣窃以为高帝之聪明英伟，其所不悦，特腐儒之俗学耳。诚使当世之士有以圣王之学告之，臣知其必将竦然敬信，而其功烈

之所就,不止于是而已。盖天下之事无穷,而应事之纲在我,惟其移于耳目,动于意气,而私欲萌焉,则其纲必弛,而无以应夫事物之变。是以古之圣王无不学,而其学也必求多闻,必师古训,盖将以明理正心而立万事之纲,则虽事物之来,千变万化,而在我常整而不紊矣。惜乎当时学绝道丧,未有以是告高帝者。”帝亟称善。

镇江军帅戚方,刻剥役使,军士嗟怨,言者及之。陈俊卿言外议内臣中有主方者,帝曰:“朕亦闻之。方罪固不可贷,亦当并治左右素主方者以警其馀。”即诏罢方。八月,丁酉,以内侍陈瑶、李宗回付大理,究其贿状。瑶决配循州;宗回除名,编管筠州;方安置潭州。于是诏戒兵将官交结内侍,公行苞苴,自今有违戾,必罚无赦。

帝又谕辅臣以“建康刘源亦尝有赂于近习,方思有以易之。今且欲遣王抃至彼检察奸弊,留数月而后归,庶新帅之来,不至循习。”俊卿又言:“今但遴选主帅,则宿弊当自革矣。”帝曰:“政患未得其人耳。”俊卿曰:“苟未得人,更得精择。既已委之,则当信任。未得其人,已先疑之,似非朝廷所以待将帅之体。且军中财赋,所以激劝将士,但主帅不以自私,则其它当一听之。今检柅苛细,动有拘碍,则谁复敢出意绳墨之外,为国家立大事乎!况朝廷所以待将帅者如此,使有气节者为之,心必不服;其势必将复得奸猾之徒,则其巧思百出,弊随日滋,又安得而尽革耶!今不虑此,而欲独任一介单车之使以察之,政使得人,犹失任而无益,况不得人,则其弊又将不在将帅而在此人矣。”帝罢抃不遣。

癸丑,金尚书右丞相、监修国史赫舍哩良弼进《太宗实录》。

甲寅,叶容等以久雨求罢,不允。诏内外察狱,令大官早晚并进素膳。戊午,虑囚。

己未,金主如大房山。

壬戌,以知建康府史正志兼沿江水军制置使,自盐官至鄂州沿江南北及沿海十五州水军悉隶之。

金主致祭于睿陵。九月,乙丑朔,金主还宫。

己巳,金右三部检法官韩赟,以捕蝗受赂除名。诏:“吏人但犯赃罪,虽会赦,非特旨不叙。”

丁丑,刘珙进读《三朝宝训》,至太宗谓《太祖实录》或云多漏落,当命官重修,因叹史官才难。苏易简曰:“大凡史官宜去爱憎。近者扈蒙修史,蒙为人怯懦,多疑忌,故其史传多有脱落。”帝曰:“善恶无遗,史臣之职。”珙曰:“史官以学识为先,文采次之。苟史官有学识,安得怯懦疑忌!”帝曰:“史官要识、要学、要才,三者兼之。”

庚辰,金地震。

乙酉,金主出猎;庚寅,次保州,诏修起居注王天祺察访所过州县官。

臣僚言:“检视灾伤,官司未尝遵承,每差州县官到,随行征求,皆有定例。然后择村疃中近年瘠薄之田,先往视之,名曰‘应破’;又择今岁偶熟之处,再往视之,责以妄许,名曰‘伏熟’;重为民困。望诏守臣选差练晓清强官,公心考核,申饬(盐)〔监〕司,严行按举,所差官污廉、勤惰、公正、诬罔,悉以上闻。”从之。

是秋,以四川旱,赐制置司度牒四百,备赈济。

陈良翰言:“昨立住卖度牒,二十馀年,人民生聚,不为无益,辛巳春,边事既作,用度浸广,乃始放行。令下之初,往往争买。其(备)〔价〕则五百千,其限则三个月,其数不过万道,未足以病民。今则减价作三百千，展限已二十馀次，总数计十万三千馀道，民甚病之。且唐人有言，十户不能养一僧，今放行者与旧所度者无虑三四十万，是三四百万户不得休息也。不知国之所利者能几何，而令三四百万户不得息肩？且又暗损户口，侵扰齐民，奚止千万，此其为害岂浅哉！”

申严献羡馀之禁，从刘珙奏也。

冬，十月，乙未朔，金主谓侍臣曰：“近闻朕所幸郡邑，曾宴寝堂宇，后皆避之。此甚无谓，可谕仍旧居止。”

壬寅，帝曰：“昨日有从官奏云，边事规举未定。”叶容曰：“臣等日夕讲究，且徐措置。”帝曰：“维扬筑城已毕，更得来年一冬无事，足可经略。”陈俊卿言：“淮上规摹，须久任守臣，迟责其效。其不职者，早宜易之。”帝然之。

戊戌，修真州城。

戊申，金主还都。

丁巳，金以孟浩参知政事。

金主谓宰臣曰：“近闻蠡州同知伊喇延寿在官污滥，问其出身，乃正隆时鹰房子。如鹰房、厨人之类，可典城牧民耶？自后如此局分，勿授临民职任。”

辛酉，金主敕有司于东宫凉楼前增建殿位，孟浩谏曰：“皇太子虽为储贰，宜示以俭德，不当与至尊宫室相侔。”乃罢之。

十一月，乙丑朔，金主谓宰臣曰：“闻县令多非其人，其令吏部考察善恶，明加黜陟。”

丙寅，郊，雷雨，望祭于斋宫。

时金使来贺会庆节，上寿在郊礼散斋之内，不当用乐。陈俊卿请令馆伴以礼谕之，而议者虑其生事，请权用乐者，俊卿言：“必不得已，则上寿之日设乐而宣旨罢之，及宴使客，然后复用。庶几事天之诚得展，而所以礼使人者亦不为失。”帝可其奏，且曰：“进御酒亦毋用乐，惟于使人乃用之。”议者不决。俊卿又言：“适奉诏旨，有以见圣学高明。然窃谓更当先令馆伴以初议喻使人，再三不从，乃用今诏，则于礼为尽，而彼亦无词，不可遽自失礼以徇之。”蒋芾犹守前说。俊卿曰：“彼初未尝必欲用乐，我乃望风希意而自欲用之，彼必笑我以敌国之臣而亏事天之礼，它时轻侮，何所不至！此尤不可不留圣虑。”帝嘉纳。

己巳，诏戒士大夫因循苟且、诞谩奔竞之弊。

癸酉，叶容、魏杞并罢，以郊祀雷灾故也。以陈俊卿参知政事，刘珙同知枢密院。

俊卿言于帝曰：“执政之臣，惟当为陛下进贤、退不肖，使百官各任其职。至于细务，宜归有司，庶几中书之务稍清，而臣等得以悉力于其当务之急。”帝许之。既而审察吏部所莅知县有老不任事者，俊卿判令吏部改注，吏白例当奏知，俊卿曰：“此岂足以劳圣听？”明日，取旨：“自今此等请勿以闻。”

丁丑，诏台谏、侍从、两省官指陈阙失。

帝顾辅臣议恢复，刘珙曰：“复仇雪耻，诚今日之先务；然非内修政事，有十年之功，臣恐未可轻动也。”廷臣或曰：“汉之高、光，皆起匹夫，不数年而取天下，安用十年！”珙曰：“高、光身起匹夫，以其身蹈不测之危而无所顾。陛下躬受宗社之寄，其轻重之(寄)〔际〕，岂两君比哉！臣窃以为自古中兴之君，陛下所当法者，惟周宣王。宣王之事见于《诗》者，始则侧身修

行以格天心，中则任贤使能以修政事，而于其终能复文、武之境。则其积累之功至此，自有不能已者，非一旦率然侥幸之所为也。”帝深然之。

丁亥，金枢密副使图克坦喀齐喀罢，为东京留守，同判大宗正事完颜默音出为北京留守，殿前右卫将军富察通为肇州防御使。

十二月，丙申，增修六合城。

戊戌，金图克坦喀齐喀等朝辞。金主御便殿，赐喀齐喀及默音以衣带、佩刀，慰之曰：“卿等年老，以此职优佚，宜勉之。”亦赐富察通以金带，谕曰：“卿虽有才，然用心多诈。朕左右须忠实人，故命卿补外。赐金带者，答卿服劳之久也。”又顾左宣徽使敬嗣晖曰：“如卿不可谓无才，所欠者纯实耳！”又尝戒嗣晖曰：“人臣上欲要君之恩，下欲干民之誉，必两亏忠节。卿宜戒之。”

甲辰，金以北京留守完颜思敬为平章政事。

乙巳，置丰储仓，增印会子。

甲寅，诏：“诸路训练兵官，艺高身强为上，艺高身弱为中，馀皆为下；限一月置册申枢密院。”

是岁，定荐举改官人额，四川换改官以二十人为额。

金断死囚二十人。

乾道四年　金大定八年【戊子，1168】　春，正月，乙丑，金主谓宰臣曰：“朕治天下，方与卿等共之，事有不可，即当面陈，以辅朕之不逮，慎无阿顺取容。卿等致位公相，正行道扬名之时；苟或偷安自便，虽为今日之幸，后世以为何如？”

戊辰，籍荆南义勇民兵。

先是前知荆南府王炎奏：“荆南七县主客佃户共四万有奇，丁口一十馀万。臣依旧籍，双丁以下及除官户并当差户人外，净得八千四百有奇，每岁于农隙只教阅一月。若比以赡养官军八千四百人，岁馀钱四十万贯，米一十一万石，绸绢布四万馀匹。今才岁费一万四千石，钱二万缗，获此一军之助，利害岂不较然易见！”

辛未，金主谓秘书监伊喇子敬等曰：“昔唐、虞之时，未有华饰，汉惟孝文务为纯俭。朕于宫室惟恐过度，其或兴修，即损宫人岁费以充之，今亦不复营建矣。如宴饮之事，近惟太子生日及岁元饮酒，亦未尝至醉。至于佛法，尤所未信；梁武帝为同泰寺奴，辽道宗以民户赐寺僧，加以三公之官，其惑深矣。”

壬午，夺秦埙、秦堪郊祀恩荫。

壬辰，提举太平兴国宫叶容卒，谥正简。

容为人，清介有守，仕至宰相，居处不改其初。

二月，甲午朔，诏：“福建路建、剑、汀、邵武四州军，科卖官盐，骚扰民户，可将本路钞盐尽罢，转运司每岁合抱发钞盐钱二十二万贯并蠲免。却令本司于八州军增盐钱，并将桩留五分盐本钱抱认七万贯，充上供起发。今后州县不得更以卖钞盐为名，依前科敷骚扰。”初，臣僚极言盐法之弊。诏令前漕臣沈度、陈弥详察以闻，遂有是命。

未几，沈度入对，帝曰：“前日观卿所奏盐事，已尽蠲十五万缗以宽民力。”且曰：“朕意欲使天下尽蠲无名之赋，悉还祖宗之旧，未能如朕志耳。”又言：“四川有钞盐纲，有岁计盐纲。

钞盐纲者，为抱纳钞盐钱窠名；岁计盐纲者，每斤除分隶增盐钱、盐本等钱外，具馀系州县所行市利钱，即以充纳上供银钱等用。今钞盐窠名已尽行除放，州县只是搬卖一色；岁计纲须今置场出卖，不得科抑于民。”

金制子为改嫁母服丧三年。

戊戌，置和州铸钱监。

己亥，以参知政事蒋芾为尚书右仆射、同中书门下平章事兼枢密使兼制国用使。以观文殿大学士史浩为四川制置使，浩辞不行。

庚子，诏蒋芾常朝赞拜不名；芾辞，许之。

乙巳，赐王炎出身，签书枢密院事。

癸丑，五星皆见。

三月，癸亥朔，诏举制科。

己巳，以职官子补令史。

庚午，以敷文阁待制晁公武为四川安抚制置使。

夏，四月，丙午，金主诏曰："马者，军旅所用；牛者，农耕之资。杀牛有禁，马亦何殊！(共)〔其〕令禁之。"

己亥，置郢州转般仓。

癸卯，赈绵、汉等州饥。寻以饶、信及建宁府等州饥，遣司农寺丞马希言同提举常平官赈济。

戊申，金主击球常武殿，司天马贵中谏曰："陛下为天下主，系社稷之重。又春秋高，围猎击球，宜悉罢之。"金主曰："朕以示习武耳。"

甲寅，蒋芾等上《钦宗实录》。

丙辰，礼部员外郎李焘上《续资治通鉴长编》，自建隆元年至治平四年，一百八卷。

戊午，诏："贩牛过淮者，论如兴贩军需之罪。"

五月，壬戌朔，诏常平官岁按仓储。

时崇安县饥，值浦城盗发，人情震恐。朱熹请于府，贷粟六百斛，籍户口散给之，民赖以生。及冬，有年，民愿偿粟于官，知府王淮俾留里中而上其籍于官。社仓之法始此。

甲子，金主命户工两部，自今宫中之饰，勿用黄金。

乙丑，金主如凉陉。

甲申，谥赵鼎日忠简。

夏国相任得敬专政，欲谋乱。是月，遣间使至四川宣抚司，约发兵攻西蕃。虞允文报以蜡书。

六月，甲午，诏："诸路漕司，今后水旱须以实闻，州县隐蔽者，并置于法。"

辛亥，判度支赵不敌言："方今一岁内外支用之数，大概五千五百万缗有奇。又以一岁所入计之，若使诸路供亿以时，别无蠲减拖欠，场务入纳无亏，则足以支一岁之用。然赋入之科名猥多，分隶于户部之五司，如僧道、免丁、常平、免役、坊场、酒课之类则左、右曹掌之，上供、折帛、经总、无额茶、盐、香、矾之类则金部掌之，度支则督月桩，仓部则专籴本。催理虽散于五司，悉经于度支。稽之古人量入为出之义，则度支一司，安可以不周知其所入之数哉！臣

因置为都籍，会稽窠名，总为揭贴，事虽方行，簿书草具，而条目详备，固已粲然易考。望付之本曹，自兹为始，岁一易之，庶几有司得以久遵，不惟财赋易以稽考，抑使胥吏无所容奸。”从之。

丙辰，诏：“守臣罪状显著或职事不举，而按司不即按劾，却因它事发觉，三省具姓名取旨。守臣不按知县，亦如之。”

是月，金河决李固渡，水入曹州。

秋，七月，壬戌，以刘珙兼参知政事。

臣僚言：“临安府风俗，自十数年来，服饰乱常，习为边装，声音乱雅，好为北乐，臣窃伤悼！中原士民，延首企踵，欲复见中朝之制度者，三四十年，却不可得；而东南之民，乃反效于异方之习而不自知，甚可痛也！今都人静夜十百为群，吹鹧鸪，拨洋琴，使一人黑衣而舞，众人拍手和之，伤风败俗，不可不惩。”诏禁之。

诏：“诸路运司行下所属，各选清强官亲验灾伤，尽与捡放。或不实不尽，有亏公私，被差官并所差不当官司，并重作行遣。”

亲录系囚。先是诏以“疏决并为文具，令有司具祖宗典故，朕当亲阅”，至是后殿临轩决遣罪人。

右仆射蒋芾以母丧去位。陈俊卿兼知枢密院事，言于帝曰：“臣自叨执政之列，每见三省、密院被内降指挥，苟有愚见，必皆密奏，多蒙开纳，为之中止。然比及如此，已为后时。今以参预首员，奉行政令，欲乞自今内降恩泽，有未允公议者，容臣卷藏，不示同列，即时缴奏，或次日面纳。”帝曰：“卿能如此，朕复何忧！”俊卿每劝帝亲忠直，纳谏诤，抑侥幸，肃纪纲，讲明军政，宽恤民力。异时统兵官不见执政，俊卿日召三五人从容与语，察其材智所堪而密记之，以备选用。于是帝嘉俊卿之言，多所听从，政事复归中书矣。

甲子，金制：“盗群牧马者死，告者给钱三百贯。”

龙大渊既死，帝怜曾觌，诏召之。刘珙谏曰：“此曹奴隶尔，厚赐之可也。引以自近，使得与闻政事，非所以增圣德，整朝纲也。”陈俊卿曰：“自陛下出此两人，中外无不称诵圣德。今欲召还，恐大失天下望。臣愿先罢去。”遂止不召。

戊辰，金主谓平章政事完颜思敬等曰：“朕思得贤士，寤寐不忘。自今朝臣出外，即令体访廉能之吏及草莱之士可以助治者，具姓名以闻。”

戊寅，赠王悦官。

悦知衢州，死之日，百姓巷哭，即为立祠于徐偃王庙。其丧出城，百姓号恸，声振原野。悦恺悌慈祥，视民如子。是春乏食。悦发廪劝分，使百姓不至失所。自五月阙雨，悦竭诚祈祷，早晚一粥，凡月馀。题壁间，有“乞为三日之霖，愿减十年之寿”之语，竟以是卒。诏赠直龙图阁，仍宣付史馆。

金主秋猎，己卯，次三叉口。金主谕点检司曰：“沿途禾稼甚佳，其扈从人稍有蹂践，则当汝罪。”

八月，乙巳，度支郎官刘师尹，论顷年因军须额外创添赋入，请渐次裁减以宽民力，帝曰：“朕未尝妄用一毫以为百姓病。”又论汉宣帝时，吏称其职，民安其业，帝曰：“宣中兴，只此数语。今吏不称职，所以民未受实惠。”

乙未，颁祈雨雪之法于诸路。

癸丑，知温州胡与可，以支常平钱五百贯并系省钱五百贯赈济被水人户自劾，帝曰："国家积常平米，政为此也，可放罪。"

乙卯，金主还都。

是月，行《乾道历》。

初，以《统元》《纪元历》与刘孝荣所献新历委官测验，互有疏密，遂令太史局参照新旧行用。寻以礼部侍郎程大昌言，新除历官互有异同，而新历比旧历则为稍密，遂诏太史局施行新历，以《乾道历》为名。

未几，礼部员外郎李焘言："历久必差，自当改法。《统元历》行之既久，其与天文不合固宜。况历家皆以为虽名《统元》，其实《纪元》，若《纪元》又多历年所矣。历术精微，莫如《大衍》，《大衍》用于世亦不过三十四年，后学肤浅，其能行远乎！随时改历，此道诚不可废。抑尝闻历不差不改，不验不用。未差无以知其失，未验无以知其是，失然后改之，是然后用之，此刘珙要言至论也。旧〔历〕差失甚多，不容不改，而新历亦未有明效大验，但比旧稍密尔。厥初最密，后犹渐差；初已小差，后将若何？故改历不可不重也。谨按仁宗用《崇天历》，自天圣至皇祐，其四年十一月月食，历家言历不效，诏以唐八历及本朝四历参定。历家皆以《景福》为密，遂欲改历，而刘羲叟独谓，《崇天历》颁行逾三十年，方将施之无穷，兼所差无几，不可偶缘天变，轻议改移；又谓古圣人历象之意，止于敬授人时，虽则预考交会，不必吻合辰刻。辰刻或有迟速，未必独是历差。仁宗从羲叟言，诏复用《崇天历》。羲叟历学，为本朝第一，欧阳修、司马光辈皆遵承之。《崇天历》既复用又十三年，至治平三年始改用《明天历》。后三年，课熙宁三年七月月食不效，又诏复用《崇天历》。《崇天历》复用至熙宁八年，始更用《奉元历》。《奉元历》议，沈括实主之。明年正月月食，《奉元历》遽不效，诏问修历人姓名，括具奏辨，故历得不废。先儒盖谓括强解，不深许其知历也。然后知羲叟所称止于敬授人时，不必轻议改移者，不亦至言要论乎！请朝廷察二刘所陈及《崇天》、《明天》之兴废，申饬历官，加意精思，勿执今是旧非，能者熟复讨论，更造密度，使与天合，庶几善后之策也。"诏送太史局，仍诏求访精通历书之人。

九月，辛酉，金主谕右丞石琚、参知政事孟浩曰："闻蔚州采地蕈，役夫数百千人。朕所用几何，而扰动如此？自今差役，凡称御前者，皆须禀奏。"

壬申，礼部员外郎李焘论科举等事，帝曰："科举之文，不可用老、庄及佛语。若自修于山林何害！倘入科场，必坏政事。"

癸酉，金主谕宰臣曰："卿等举用人才，凡己所知识，必使他人举奏，朕甚不喜。如其果贤，何必以亲疏为避忌也！"

以魏子平参知政事。

甲戌，户部郎官曾逮言："任贤使能，周室中兴。于贤曰任，于能曰使，则贤能之任使固不同。今以刀笔之小才，奔走之俗吏，谓之使能，此不可不辨。"帝然之。

辛巳，金主谓御史大夫李石曰："台宪固在分别邪正；然内外百司，岂谓无人！惟见卿等劾人之罪，不闻举善。自今宜令监察御史分路刺举善恶以闻。"

将军大磐访求良弓，而磐多自取护卫。洛索以告，金主命点检司鞫磐。磐妹为宫中宝林，磐属内侍言之宝林，宝林以闻。金主杖内侍百，出磐为陇州防御使。

癸未，权发遣衢州刘凤入对，论朝廷不当颛以才取人，帝曰："才有君子之才，有小人之才；小人而有才，虎而翼者也。人主之要，在于辨邪正。"

冬，十月，己丑朔，金以戒谕百官贪墨诏中外。

辛卯，前四川制置使汪应辰面对，读札子至畏天爱民，帝曰："人心易怠，鲜克有终，当以为戒。"又曰："朕日读《尚书》，于畏天之心尤切。"应辰曰："尧、舜、禹、汤、文、武皆圣人，然《尚书》中君臣更相警戒。言语虽多，皆不出此。"

乙未，金命涿州刺史兼提点山陵，每以朔望致祭，朔则用素，望则用肉，仍以明年正月为始。又命图画功臣于太祖殿，其未立碑者立之。

金主谓宰臣曰："海陵时修起居注，不任直臣，故所书多不实，可访求得实，详而书之。"孟浩曰："良史直笔，君举必书，古帝王不自观史，意正在此。"

庚子，蒋芾起复左仆射，陈俊卿右仆射。芾旋辞，乞终丧，诏许之。

先是殿前指挥使王琪按视两淮城壁还，荐和州教授刘甄夫，帝命召之。俊卿与同列请其所自，帝曰："王琪称其有才。"俊卿曰："琪荐兵将官乃其职。教官有才，何预琪事?"帝曰："卿等可召问之。"俊卿召琪责之，琪惶恐不知所对。会扬州奏："昨琪传旨增筑州城，今已讫事。"俊卿请于帝，则初未尝有是命也。俊卿曰："若尔，即琪为诈传圣旨，非小利害也。"退，至殿庐，召琪诘之。琪叩头汗下。俊卿亟奏曰："王琪妄传圣旨，移檄边臣，增修城壁。此事系国家大利害，朝廷大纪纲，而陛下之大号令也。人主所恃者，纪纲、号令、赏罚耳。今琪所犯如此，此而不诛，则亦何所不为也！按律文，'诈为制书者绞'。惟陛下奋发英断，早赐处分。"于是削琪官而罢之。

先是禁中密旨直下诸军者，宰相多不与闻，有张方者，因事发觉，俊卿乃与同列奏请："自今百司承受御笔处分事宜，并须奏审，方得施行。"至是因琪事复以为言，帝悦而从之。事下两日，又收还前命，俊卿语同列曰："反汗如此，必关牒至内诸司，有不乐者为之耳。"即奏曰："三省、密院，所以行陛下诏命也，百官庶府，所以行朝廷号令也。诏命一出于陛下，号令必由于朝廷，所以谨出纳而杜奸欺也。祖宗成宪，著在令甲，比年以来，渐至隳紊。臣等昨以张方之事，辄有奏闻，及此逾月，又因王琪奸妄之故，陛下赫然震怒，然后降出，圣虑亦已审矣，圣断亦已明矣，中外传闻，莫不叹服。而昨日陛下谕臣等曰：'禁中欲取一饮一食，必得申审，岂不留滞！'而又有此指挥。夫臣等所虑者，命令之大。如令三衙发兵，则密院不可不知；令户部取财，则三省不可不知耳，岂为此宫禁细微之事哉！况朝廷乃陛下之朝廷，臣等偶得备数其间，出内陛下之命令耳。凡事奏审，乃欲取决于陛下，臣等非敢欲专之也。况此特申严旧制，亦非创立新条，而已行复收，中外惶惑。且将因循观望，并旧法而废之，为后日无穷之害，则臣等之(大罪)〔罪大〕矣。或恐小人因此疑似，阴以微言上激雷霆之怒，更望圣明体察。"翌日面奏，帝色甚温，顾谓俊卿曰："朕岂以小人之言而疑卿等耶!"

先是刘珙进对语切，忤帝意，既退，御笔除珙端明殿学士、在外宫观。俊卿即藏去，密奏言："前日奏札，臣实草定，珙与王炎略更一两字。以为有罪，则臣当先罢；若幸宽之，则珙之除命，臣未敢奉诏。"明日，复前申请，且曰："陛下即位以来，容纳谏诤，体貌大臣，皆盛德事。今珙乃以小事忤旨，而获罪如此，臣恐自此大臣皆以阿谀顺指为持禄固位之计，非国之福也。”帝色悔。久之，又言：“珙正直有才略，肯任怨，臣所不及，愿且留之。”帝曰：“业已行之，不欲改也。”俊卿曰：“珙无罪而去，当与大藩以全进退之礼。”乃以珙为江西安抚使。俊卿退，又自劾草奏抵突，被命稽留之罪，帝手札留之。俊卿请益坚，帝不许，且曰：“卿虽百请，朕必不从。”帝于是有意相俊卿矣，不数日而有是命。

甲辰，大阅于茅滩，帝亲御甲胄，指授方略。

十二月，戊子朔，金遣武定军节度使伊喇按招谕准布。

先是诸司荐建宁布衣魏掞之，召赴行在，甲辰，入对，帝曰：“治道以何者为要？”掞之言治道以分臣下邪正为要。诏：“掞之议论可采，赐同进士出身，除太学录。”将释奠孔子祠，职当分献先贤之从祀者，掞之先事白宰相曰：“王安石父子，以邪说惑主听，溺人心，驯致祸乱，不应祀典。而河南程氏兄弟，倡明绝学以幸来今，其功为大。请言于帝，废安石父子勿祀，而追爵程氏兄弟使从食。”不听。又言太学之教，宜以德行为先；其次尤当使之通习世务以备效用。

掞之敢直言，每抗疏，尽言以谏，至三四，帝皆不见省，遂移书杜门，以书咨责宰相，语尤切，因以迎亲告归。行数日，罢为台州教授。掞之少有志于当世，晚而遇主，谓可以行其学。然其仕不能半岁而不合以归，寻以病卒。

先是福建诸司荐兴化军仙游林彖行义，召不至。诸司又荐彖行义，授迪功郎，添差本军教授。

甲戌，蠲广德军月桩钱。

湖广总司申江、鄂、荆、襄诸处军马岁约用凡百八万四千馀贯。

四川宣抚使虞允文奏：“兴、洋之间，绍兴初义士系籍者以七万计。今所籍兴元、洋州、大安军共二万三千人有奇，其金、房等州虽未申到，约亦可得三万人，则西师之势壮矣。岁可免六七百万之费，而获四五万人之用，其为利便甚明。”

有以四明银矿献者，帝命守臣询究，且将召冶工，即禁中锻之，陈俊卿曰：“陛下留神庶务，克勤小物，然不务帝王之大而屑屑乎有司之细，臣恐有识之士有以窥陛下也。况彼惧其言之不副，则其凿山愈深，役民愈众，而百姓将有受其害者。夫天地之产，其出无穷，若爱惜撙节，常如今日，则数年之后，自当沛然。但愿民安岁稔，国家所少者，岂财之谓哉！请直以其事付之明州，使收其赢馀以佐国用，则亦不至于扰民矣。”

西辽承天太后布沙堪，与都尔本弟博果济萨里通，出都尔本为东平王而杀之。都尔本之父额哩喇以兵问罪，杀布沙堪及博果济萨里，迎仁宗次子珠勒呼立之，改元天禧。

【译文】

宋纪十百四十　起丁亥年（公元 1167 年）正月，止戊子年（公元 1168 年）十二月，共二年。

乾道三年　金大定七年（公元 1167 年）

春季，正月，甲辰（初五），下诏：“廷尉大理官员，不要把案情禀告宰执，刺探他们的想法来做出或轻或重的判决。”

庚戌（十一日），设置三省户房国用司。当初因为国家财政困难，撤除了在江州屯守驻防

的军马,这时又恢复了驻防。

壬子(十三日),金国主身穿衮冕礼服,登临大安殿,接受皇帝尊号和宝玺的仪式,宣布大赦。

癸丑(十四日),何逢原出任金部郎官。宋孝宗说:“儒士不愿意留意钱粮,可以告诉何逢原要留意职内诸事。”

庚申(二十一日),金国主任命元帅左监军图克坦喀齐喀为枢密副使。

度支郎唐瑑说:“自从绍兴三十一年开始印造会子纸票,到乾道二年七月为止,一共印造了二千八百多万道;除了在乾道三年正月六日以前设法收回兑换的外,还有八百多万贯在民间没有收回。因为各路纲运,按照朝廷近期的指令一律收取现钱,州县官员不允许百姓使用会子,致使散留民间的会子滞留不能流通,商人乘机压价收购,人们从四方八方汇集而来,所以六务机构常因收支中的会子纠纷,引起聚众喧闹。现请求陛下降度牒和各州助教帖各五千道,专营货物,使人依照所立价格,全部用会子购买,不用多久就可以减轻聚众喧闹的弊病,而且散留在民间的会子,也用不了几个月就能全部收回。”宋孝宗下诏先降度牒和助教帖各五百道,快要卖完的时候,再陆续给降。

癸亥(十四日),中书、门下二省上奏:“昨日支付交子给两淮地区使用,因为所支付的数目过大又因铜钱和会子不允许过江使用,因而导致民间商旅的不方便。现在规定铜钱、会子,依照原先的旧例使用流通,各官府还没有支付交子的,命令差人负责押送到左藏库交纳。”

二月,壬申(初三),宋孝宗下诏令说:“从今以后宫禁内人、百官、将校、军兵、诸司等,每月初五日,由国用房开具上个月支出给以上五类人的请给数目,并不是随意支用,造册呈送。京师外的各路军马,可按照统一格式呈报给各路总领,每月开具呈报。此令。”

宋孝宗对辅政大臣说:“蒋芾管理财政用度,已经掌握了根本所在。”当初,蒋芾因为任命新职向皇帝谢恩,借机上奏皇上说:“如今财务开支最大的,莫过于军队。近期陈敏裁军二千人,戚方裁军四千人。当然裁军固然是个好办法,然而现在的军人,大多数是有官衔的,让他们到地方任职,依然要支付俸禄,又增添供给,虽然减少了京师内的费用,却增加了京师外的费用,也没有什么好处。既已裁军六千人,必然又要招兵六千人来填补空缺,这样又增加了六千人的财政费用。检查京师内的各军,每月逃亡者常常不下四百人。假如权且停止招兵,一年半内,可以节省费用三百八十万贯。等到财政富足的时候,可以陆续招收强壮的人,经过训练后再使用,不仅节省费用,而且有精兵强将。”接着蒋芾又上奏了绍兴以来最初分为五军和内外诸军分合增减的数目。宋孝宗认为蒋芾说得有理,就颁布了上述谕令。

知閤门事龙大渊,权知閤门曾觌,窃弄权势,多次招致他人的议论,而孝宗不省悟。一天,起居舍人洪迈拜访陈俊卿时说:“听说郑闻要出任右史,我洪迈也升迁西掖,你相信吗?”陈俊卿说:“从哪里得来的消息?”洪迈说是龙大渊、曾觌告诉的。陈俊卿随即把这话告诉了叶容、魏杞,而且独自上奏皇上,并且用洪迈说的事当面质问宋孝宗说:“臣不知道这些任命的事情,龙大渊、曾觌二人实际参与了议论?还是暗自揣摩圣意而向外传播,以此来窃弄威福?”宋孝宗说:“我何曾和他们商量过!一定是窃听而得来的消息。你的话很中肯,应当为你斥逐这两个人。”癸酉(初四),外派龙大渊为江东总管,曾觌为淮西副总管,京师内外为之大

快。甲戌(初五),龙大渊改调浙东,曾觌改调福建。

乙亥(初六),架阁卫博,谈论用人应该用其所长,弃其所短。宋孝宗说:"任用人不应当求全责备,知礼的人不一定知乐,知乐的人不一定知刑。如果得到这样的人,不应换来换去,应当长时间任此职来促其成功。"

罢免成都、潼川路转运司轮年选授官吏的权力,把此事交付制置司负责。

辛巳(十二日),宋孝宗任命端明殿学士虞允文为知枢密院事。

壬午(十三日),起居舍人洪迈说:"两省每天呈送的录黄文书,堆满几阁,其中不少是常规琐事,不值得麻烦朝廷专门颁布政令。使中书政务混乱,没有超过它的。"宋孝宗说:"朕曾见《通鉴》上记载唐太宗说宰相听受辞讼,为簿书缠绕,日不暇给,于是命令尚书细小事务归左右丞负责处理。朕现在想解决此事。"

宋孝宗又对叶容说:"可呈送武臣荐举兵将的官册,朕想任用并了解他们。"叶容说:"应当在平常询访,以备缓急。"陈俊卿说:"陛下还记得王存不?这个人好像还能用。"宋孝宗说:"朕认识他,粗暴之人,老了,才能和体力都不行了。"

乙酉(十六日),宋孝宗把《武经龟鉴》《孙子》赐给镇江都统戚方,建康都统刘源,还令选择统兵军官,各赐一本。

金国尚书右丞苏保衡因病请求退职,金国主不批准,派敬嗣晖传旨说:"你因为忠诚耿直,被提拔执政,齿发未衰,怎么突然因为小病辞职!善加调养,等病愈后再处理政事。"庚寅(二十一日),苏保衡去世。金国主当时正在近郊放鹰打猎,听到消息,就立即回宫,停止朝会,赠予财物,命令有司前去吊唁。当时已重新启用参知政事石琚,丙申(二十七日),金世宗任命石琚为尚书右丞。

戊戌(二十九日),谏议大夫陈天麟说:"近日探听到金人聚粮增防,应该安排将帅,事先研究防御的对策。"宋孝宗说:"此事是当务之急。昨天王琪请求修筑扬州城,你们见到奏书了吗?"魏杞说:"淮东备战,应当首先考虑清河、楚州、高邮,这样才能控制敌军运粮之道。"宋孝宗说:"如果守住了高邮,不让粮船通过,那么敌人不会停留在淮河上,就会自动撤离。"

三月,庚子(初二),宰臣叶容奏请调回江州兵马,宋孝宗说:"这怎么能行!近来招兵练兵都很容易,只有养兵最困难。到时财政富余了,自然就可以增招士兵。"叶容又说:"陈敏通晓地理知识,而且有立功的志向。"宋孝宗说:"陈敏驻守高邮最好,另外挑选步帅,也难得这样的人。"

丁巳(十九日),宋孝宗下诏说:"四川宣抚司招募千人,安排在宣抚司所在地屯守驻防。"

壬戌(二十四日),秀王夫人张氏去世,她是宋孝宗的生母。

夏季,四月,戊辰朔(初一),发生日食。

癸酉(初六),宋孝宗在后苑穿上了为秀王夫人守孝的丧服。

丙子(初九),宣殿前司选锋等军队中的官兵五百八十二人,车二十四辆,进入内教场。右军统制张平入朝应对,宋孝宗说:"军事策划一定要取胜,不能轻率出兵。立功者即使是仇人也要给予奖赏,犯罪者即使是亲人也要给予处惩。"

丁丑(初十),合并利州东路和利州西路为一路,任命吴璘为安抚使兼四川宣抚使,兼知

兴元府。吴璘不久去世了。当初,吴璘病重叫幕客起草遗表,命令幕客直书其事说:“希望陛下不要放弃四川,不要轻易出兵。”不谈家事。人们称赞他忠诚。吴璘为人,刚毅深沉,重视节操,不拘泥小事,喜读史传,晓明大义。他统御军队,恩威并用,士卒乐意为他效力;每一次出兵打仗,指挥各位将官,威风凛然,无人敢违犯命令,所以经常打胜仗。自从吴玠死后,吴璘担任大将,保卫蜀地防御敌人,二十多年,实际上已成了当地的重要人物,威名仅亚于吴玠。他按功劳选任各级将领。有人向他举荐人才,吴璘说:“军官不经过实践经验,很难了解他的才能。现在因为小的优点就任命他,即使侥幸让他们如愿以尝,那么驻守边防的官兵就会人心涣散。”所以他所任用的人后来都很有名望。

壬辰(二十五日),金国御史大夫李石,拜任为司徒兼太子太师,仍旧担任御史大夫,赐给宅第一处。

五月,丙午(初九),金国大兴府的监狱空无一人,金国主下诏赐予三百贯钱作为宴乐的费用以此作为慰劳。

戊申(十一日),叶容说近期州官遭到弹劾时,有人暗地派遣家属向台谏官员送信以示要挟弹劾者,陈俊卿说:“近来此风盛行,致使监司不敢弹劾郡守,郡守不敢弹劾县官。”宋孝宗说:“此风确实不能助长。”

庚申(二十三日),命令四川制置使汪应辰主管宣抚司事务,将宣抚司迁往利州。

修筑扬州城。

辛酉(二十四日),王炎说:“近来士大夫的议论太拘泥畏缩。就像前一段时间诏令王琪到淮上观测城墙,朝士都议论纷纷认为不该这样做。”宋孝宗说:“儒生的议论,真不合时宜。过去徐庶说通晓时务的人一定是俊杰,朕与你们应当坚信这一议论,其他的不值得顾恤。”

壬戌(二十五日),大量裁减三衙官员。

这个月,赈济泉州受水灾的百姓。

安奉保藏太宗、真宗《玉牒》和《三祖下仙源积庆图》《哲宗宝训》。

六月,己巳(初三),宋孝宗命令汪应辰代理指挥利州路屯驻御前军马。

辛未(初五),又将利州路分为利州东路和利州西路。

癸酉(初七),宋孝宗说:“朕想依照祖宗的旧制,先让有司准备囚犯的案卷,提前几天呈送,朕亲自审阅,能释放的就释放,须判罪的就判罪,这样才能使亲理刑狱不至成为空文。从今以后依照祖宗典规办事。”

金国主命令禁止使用有龙的图案装饰的地毯。

判度支赵不敌说:“将帅不一定精通兵法,只知道制造声势,今天增添使臣,明天招募效用,只增加了费用和无用的官兵,没有发现精兵强将。”宋孝宗说:“这话正切中了今日将帅的要害。”

甲戌(初八),宋孝宗任命虞允文为资政殿大学士、四川宣抚使,接替吴璘。宋孝宗对虞允文说:“吴璘已经去世,汪应辰恐怕不熟悉情况,没有人能代替你。凡事要亲自处理,不要像张浚那样迂腐不切实际。”随即又命令他以知枢密院事身份充任四川宣抚使。宋孝宗亲笔写了九件事告诫他。虞允文不久就上奏说:“房州义士、金州保胜军现有七千多人,都是建炎、绍兴年间初期,自愿结集而成的,固守地方,最为忠诚可靠。然而州县官员对他们不加体

恤，分抢他们作为侍从，还有都统司差役相干扰。乞求派皇甫倜为利州东路总管，驻扎金州，让他专职管理，在农闲时轮流训练，万一突然间有紧急情况，可命令他们分守各个关口。"宋孝宗准许了。

己丑(二十三日)，金国派使者来索取被俘的金人。宋孝宗诏令："被俘的百姓让他们回去，军中的人和从金国逃亡来的人不在此列。"

辛卯(二十五日)，皇后夏氏驾崩，谥号安恭。

秋季，七月，己亥(初四)，设立荐举和改任官员的规定。

壬寅(初七)，因为皇太子生病，减少在押囚犯，释放流刑以下的犯人。乙巳(初十)，皇太子去世，谥号庄文。

戊申(十三日)，金国禁止穿用金线织的衣服，有织金线衣卖金线衣的一律判罪。

辛亥(十六日)，臣僚说："户部申请，各路都规定在一季之内出卖官府的田产，收集资财。就以江东、江西、两广地区来说，村镇之间，人户稀疏，远远望去都是黄茅和白苇，肥沃的土地，还耕种不完，哪里有余力购买官府的田产！现在各州县都因为期限所逼迫，而且希冀得到厚赏，难免监视禁锢保长，压抑勒令百姓。乞求将期限放宽为一年，告诫约束各州县，不能强制勒令。"宋孝宗同意了。

癸丑(十七日)，谏议大夫陈良祐说："民间谣传边界之事，大多是两种互相矛盾的观点，防御虽是不得不做好的事，但不能引起敌人的怀疑。比如近期修筑扬州城，大众就认为没有什么益处。"宋孝宗说："为备战怎么能说没有益处？"陈良祐说："万一敌人进犯，兵不能防守，那么就是替敌人修筑的城。现在让二三万人过江，敌人探知了这一消息，恐怕成为挑起事端的机会。"宋孝宗说："如果到淮河是不行的，现在是内地又有什么害处？"陈良祐说："现在备战的重点，不过是选择将帅，积蓄钱粮，爱民养士。"宋孝宗说："是这样。"

甲寅(十九日)，宋孝宗说："淮东准备防御的事，必须责成陈敏负责。万一有什么紧急情况，恐怕推诿误事，你们应当经常与他商量谋划。"魏杞说："臣等昨日和陈敏约定，陈敏也自己承担此事，朝廷只应当稍稍应付一下。"

闰七月，丙寅朔(初一)，宋孝宗下谕书说："朕打算在江上诸军中，各配置副都统一员，命令他兼领军事，不只储备未来的将帅，也使主帅有所顾忌，不敢随意擅权。"

戊辰(初三)，金国进封越王永中为许王，郑王永功为随王，封永成为沈王。

甲戌(初九)，金国任命秘书监伊喇子敬治理北边。

戊寅(十三日)，郭刚任命为镇江副都统。

宋孝宗说："郭刚上任，听说镇江军中将士很高兴。"叶容说："郭刚很廉洁，军中一向对他很推崇。"

庚辰(十五日)，宋孝宗告谕叶容等人说："朕常常思考祖宗创立法度留给后人，可惜后代子孙不能保留并遵守。"又说："创业很艰难，毁业却很容易。"蒋芾说："臣曾记得元祐年间，李常宁在廷试的策论中写道：'天下最大，宗庙、社稷最重，百年还不能建立成功，而一旦要破坏它却用不了多久。'"宋孝宗说："的确是名言。"蒋芾说："所谓坏，也不是一天之间突然破坏的。人主如果在一念之间不把祖宗基业放在心上，则渐渐地走向败坏。所以人主常

常自我警戒，唯恐一念之间有失误。”宋孝宗说：“朕不仅独自警戒，而且担忧后代子孙不能保守祖业为他们感到可惜。”

癸未（十八日），臣僚说：“闽中盐务的弊端有五种：官府购进数量多而积压本钱不予支付，偶尔支付也有官吏从中克扣，结算下来费用太大，平民百姓都不愿意将盐卖给官府，而大部分卖给了走私的盐贩子，这是第一种。担任纲运的人，不是大户就是官吏，用官府的船运载，凭借县官的权势，暗地里带着私盐出售，这是第二种。州县官府卖盐，大多设置店铺，交付给胥徒经营，他们克扣斤两，混杂泥沙，官府均不过问，私盐价低官盐价高，官民大多数食用私盐，所以官盐卖不出去，这是第三种。巡尉不曾警捕盐贩，却每天填写巡捕日历，报告给长官，每月收到的各种禁止私盐的告令，都贴在驿馆的墙壁上，私盐贩子和狡猾的官吏，谁能把他们怎么样，这是第四种。现在各地分配卖官府食盐和借支食盐本钱，大多是支付不能流通的虚券，规定在分配数目到位后数日内支付。甚至把分配出卖的数额，交付给耆保，摊派给侨户，而现有的盐，却封存起来不能支出，称为‘长生盐’；如果人户不愿买官盐，只需交纳分配数额的一半钱，以补贴官吏，将官盐贮存在别处来作为以后摊派购买的数量，称为‘还魂盐’；狡猾的官吏包揽了民户的贴陪钱，请求将官盐卖出，得到的利润就与官府平分，称为‘请钞盐’，这是第五种。何况闽中地区崇山峻岭，浅滩险岸，商旅贩运，周转实在艰难，所以钞盐法不能推行，应当权衡利害以革除以前的种种弊端。”宋孝宗同意了这个意见。

癸巳（二十八日），刘珙从湖南应召回京，首先谈论：“独断虽然是英明君主的一种才能，然而必须体现集体的智慧并且能十分公正，然后才有符合天理人心的正道而无事不成了。如果抛弃众人的智谋，徇私意，有独自统治天下的用心，那么也足以蒙蔽通达四方的英明，左右亲近之臣就会乘机干扰天下的公论。”又谈论杂税的弊端说：“各州县的税收有固定的项目，大郡仅仅够开支，小郡往往不足。而近来各地还有盈余用来上贡，不过是加重折收苗米钱或者加倍向商人收税，甚至有人收取新税钱来积累剩余钱，将拖欠的钱数额拨给州郡。州郡无法自给，不过是重苛于民，这是百姓感到不方便的第一点。和籴的弊端，湖南、江西最为严重，朝廷常常下达蠲免的命令，远方的百姓举手庆贺，还没过几个月，又重新开始摊派和籴指标。州县既然缺少钱财，拿什么来设置场所收买粮食？倘若已经革除了纲运的弊端，自然可以减少和籴的数目，这是百姓感到不方便的第二点。望下诏令禁止。”宋孝宗采纳了刘珙的意见，不久任命刘珙为翰林学士。

刘珙曾经从容地对宋孝宗说：“当时儒生大多担心汉高帝不喜学问，轻视儒生，臣窃以为这正是汉高帝聪明英伟之处，他所不喜欢的只是迂腐儒生的老生常谈罢了。如果让当世学者将圣王的学问告诉他，臣知其必然肃然起敬，而其功勋成就，不只是这样。天下的事情没有穷尽，而应事的关键在于自己，如果仅仅移情于视听，动心于意气，那么私欲就会萌发，那么处事的大纲就会松弛，无法应付事物的变化。所以古代圣王没有不学习的，他们学习也一定追求博学多闻，一定师法古训，将用明理正心来建立万事的纲领，即使事物千变万化，而在我常常是有条不紊。可惜当时学问灭绝大道丧失，没有人将这些告诉汉高帝。”宋孝宗极力称赞他说得好。

镇江军帅戚方，苛刻剥削役使，军士报怨，监察官弹劾了他。陈俊卿说外面议论内臣中有支持戚方的人，宋孝宗说：“朕也听说了。戚方固然罪不可赦，也应当一同处理左右近臣中支持戚方的人以警告其他人。"随即下诏令罢免戚方官职。八月，丁酉（初三），将内侍陈瑶、李宗回交付大理寺，追究其受贿罪行。陈瑶发配循州；李宗回被除名籍，贬至筠州接受编管处分；戚方贬至潭州接受安置处分。于是下诏禁止兵将官结交内侍，公开行贿，从今以后有违背禁令的，一律严惩无赦。

宋孝宗又告知辅臣说："建康都统刘源也曾贿赂近臣，正考虑人选去接替他。现在正好准备派王抃到建康检察奸弊，停留数月之后再回来，等新统帅来后，不至因循旧习。"陈俊卿又说："现在只选用主帅，那么以前的弊端就自然革除了。"宋孝宗说："现在担心没有合适的人选。"陈俊卿说："假如还没有合适的人选，就更要精心选拔。已经任用之后，就应当信任他。还没有得到人选，就事先怀疑，似乎不是朝廷对待将帅的原则。况且军中的财赋，是用来激励军中官兵的，只要主帅不从中谋私，其他的事应当由他做主处理。现在纠察控制过严过细，行动受到限制，那么谁还愿意突破规矩，为国家建功立业呢！如果朝廷果真这样对待将帅，让有气节的人担任将帅，心中一定不能诚服；这样又将使奸猾之徒重新得到重用，那么奸思巧虑五花八门，弊端日益增多，又怎能全部革除呢！现在不考虑这些情况，却打算独自依靠一个单车前往的使臣监察将帅，即使是一个合适的人选，也会因为任用方式不当而收不到益处，况且并没有合适的人选，那么弊端将不在将帅而在此人。"宋孝宗于是没有派王抃到建康监察刘源。

癸丑（十九日），金国尚书右丞相、监修国史赫舍哩良弼进呈《太宗实录》。

甲寅（二十日），叶容等人因为久雨不停而请求辞职，宋孝宗不同意。诏令京师内外审察狱情，命令大官早晚食用素膳。戊午（二十四日）讯察记录囚犯的罪状。

己未（二十五日），金国主前往大房山。

壬戌（二十八日），宋孝宗任命知建康府史正志兼沿江水军制置使，从盐官到鄂州沿江南北以及沿海共十五个州的水军全部隶属他。

金国主到睿陵祭祀。九月，乙丑朔（初一），金国主返回宫中。

己巳（初五），金国右三部检法官韩赞，因为捕蝗受贿而被除名。金国主诏令："官吏只要犯了贪赃罪，即使遇到大赦，没有特殊批准不得叙职。"

丁丑（十三日），刘珙进读《三朝宝训》，讲到太宗皇帝说《太祖实录》有人说遗漏很多，应当命令官员重新编修，因此感叹史官要有相当高的学问。苏易简说："大凡史官应该放弃爱憎之心。近期扈蒙在修编史书，扈蒙为人怯懦，顾虑很多，所以他修的史书有很多遗漏。"宋孝宗说："善恶都不能遗漏，这是史官的职责。"刘珙说："史官的学识最重要，文采次之。假如史官有学识，怎么能胆小有顾虑！"宋孝宗说："史官要具备史识、史学、史才，三者兼而有之。"

庚辰（十六日），金国发生地震。

乙酉（二十一日），金国主出猎；庚寅（二十六日），到保州，诏令修起居注王天祺察访沿途经过的州县官吏的任职情况。

臣僚说："检查巡视灾情，官员未曾遵旨承办，每次派遣到州县的官员，沿途索取，都有固定的数额。然后选择村镇中近年来贫瘠的田地，先去视察，称为"应破"；再选择今年偶然丰收的田地，再去视察，指责百姓虚报灾情，名曰："伏熟'；加重了百姓的困苦。乞望命令守臣

选派体恤民情廉洁精干的官员，公正诚实地考核灾情，告诫监司，严格执行监督，所派遣官员的污廉、勤惰、公正、诬罔，全部如实上奏。”宋孝宗批准了。

这年秋季，因为四川发生旱灾，赐予制置司四百道度牒，准备赈济灾民。

陈良翰说：“以前停止出卖度牒，二十多年，人民休养生息，不能说无益，辛巳年春季，边境发生事端，费用越来越大，才开始出卖度牒。命令颁布之初，往往争相购买。价格为每道度牒五百千钱，期限为三个月，其总数也不过万道，还没有达到伤害百姓的程度。现在每道度牒减价成三百千钱，延期了二十多次，总数已达十万三千多道，对百姓损害很大。况且唐人说过，十户不能供养一个僧人，现在出卖的度牒和以前已经出家的僧尼无疑有三四十万，这样一来就有三四百万户的百姓得不到生息。不知道国家从中得到多少利益，而使三四百万户百姓不能卸去负担？而且又暗中损失户口，侵扰平民，何止千万，这种危害难道还浅吗！”

重申严禁进献羡馀的规定，这是采纳了刘珙的奏请。

冬季，十月，乙未朔（初一），金国主对侍臣说：“最近听说朕所到过的郡邑，曾经居住过的房屋，后来都回避不用。这实在没有必要，可传谕仍旧居住使用。”

壬寅（初八），宋孝宗说：“昨天有侍从官奏报说，边界之事决策未定。”叶容说：“臣等朝夕研究，而且渐渐实施。”宋孝宗说：“维扬城已经修筑完毕，再争取来年一冬无事，足以从容策划。”陈俊卿说：“淮上之事切磋考虑，必须久任守臣，不要过早责成他取得成效。如果不称职，应该提前撤换。”宋孝宗采纳了这个意见。

戊戌（初四），修真州城。

戊申（十四日），金国主返回京都。

丁巳（二十三日），金国主任命孟浩为参知政事。

金国主对宰臣说：“近来听说蠡州同知伊喇延寿为官污滥，审查他的出身，原来是正隆年间鹰房子。像鹰房、厨人之类的人，怎么可以治理国家统治百姓呢？从今以后像这样的人，不能任命为管理百姓的官员。”

辛酉（二十七日），金国主敕令有司在东宫凉楼前增建殿位，孟浩进谏说：“皇太子虽为储君，应当显示俭朴的品德，不应当和至尊宫室相类似。”于是停止兴建。

十一月，乙丑朔（初一），金国主对宰臣说：“听说县令大多不能称职，应下令吏部考察县令的善恶，明确地加以罢黜和晋升。”

丙寅（初二），举行郊祭，因有雷雨，就在斋宫中遥祭。

当时金国使者前来祝贺会庆节，在郊礼散斋期间上寿，不应当使用音乐。陈俊卿请求令馆伴把有关礼仪告诉金国使者，而有议者担心金使借此制造事端，请求权且使用音乐，陈俊卿说：“必不得已，就在上寿之日宣旨停止设乐，等宴请使臣时，然后再使用音乐。这样侍奉上天的诚意得到展现，以此来对待使臣也不算失礼。”宋孝宗同意其奏请，还说：“进御酒也不必用乐，只对使臣才用音乐。”议者犹豫不决。陈俊卿又说：“刚才接奉圣旨，由此可见圣学高明。但是臣以为还是应当先让馆伴把最初不能用乐的礼仪告诉使者，如果使者多次表示不同意，才用现在的诏令，这样既尽了礼节，又让他们没有借口，不可先自己失礼而顺从对方。”蒋芾还坚持前说。陈俊卿说：“对方当初未必想使用音乐，我们却随意迎合别人自己先要使

用音乐，他们一定会笑话我们为了敌国的使臣却违背侍奉上天的礼仪，将来轻视欺侮我们，什么事做不出来！此事尤其不能不请圣上考虑。”宋孝宗嘉许并采纳他的意见。

己巳（初五），诏令禁戒士大夫因循守旧、得过且过、荒诞无稽、奔走钻营的弊病。

癸酉（初九），叶容、魏杞都被免职，是因为在郊祀时发生雷灾的缘故。任命陈俊卿为参知政事，刘珙为同知枢密院。

陈俊卿对宋孝宗说：“执政大臣，只应当为陛下推荐贤能、斥退不肖，让百官各司其职。至于具体事务，应当归各主管官员处理，这样中书省的政务就渐渐清晰，而臣等才能全力以赴处理当务之急。”宋孝宗同意他的请求。不久审察吏部送来的文书中谈到有些知县年纪大不能任职的情况，陈俊卿命令吏部重新任命，官吏告诉陈俊卿按惯例应当上奏皇上，陈俊卿说：“此小事还值得烦劳圣听？”第二天，接到圣旨：“从今以后此类事情不再上奏。”

丁丑（十三日），宋孝宗诏令台谏、侍从、两省官员指出并陈述朝政的失误。

宋孝宗环顾辅臣议论恢复失地的事情。刘珙说：“报仇雪耻，的确是今天的首要任务；然而不治理内政，积蓄十年的功力，臣认为恐怕不能轻举妄动。”廷臣中有人说：“汉高帝、光武帝，都是平民出身，不用几年就夺取天下，哪里用得了十年！”刘珙说：“汉高帝、光武帝出身平民，投身于危险莫测的事业而无所顾忌。陛下承担着祖宗社稷的寄托，其轻重之间，岂是那两位皇帝能够比的！臣认为自古中兴的君主中，陛下应当效法的，只有周宣王。周宣王的事迹记载在《诗经》中的，开始是反躬自省修炼品行来推究天意，中期是任命贤能之人治理国家大事，而最终达到了周文王、周武王大治天下的境界。如果积累的功力到了如此程度，自然不能停止，并不是一个早晨率然侥幸所能做到的。”宋孝宗深表赞同。

丁亥（二十三日），金国枢密副使图克坦喀齐喀免职，改为东京留守，同判大宗正事完颜默音出任北京留守，殿前右卫将军富察通出任肇州防御使。

十二月，丙申（初三），增修六合城。

戊戌（初五），金国图克坦喀齐喀等入朝辞行。金国主在便殿赐予喀齐喀和完颜默音衣带、佩刀，安慰他们说：“你们年事已老，因为此职位尊且清闲，应当勉力而行。”同样赐予富察通金带，告谕说：“你虽然有才能，然而心机多诈。朕左右大臣必须是忠诚老实的人，所以命你出外任职。赐予你金带，是对你长期在朝任职的报偿。”又看着左宣徽使敬嗣晖说：“这个大臣不可说是无才，所欠缺的就是纯朴诚实！”又经常告诫敬嗣晖说：“人臣对上想博取君主的恩宠，对下想取得民众的称誉，一定忠节两失。你应当谨戒。”

甲辰（十一日），金国主任命北京留守完颜思敬为平章政事。

乙巳（十二日），设置丰储仓，增印会子。

甲寅（二十一日），宋孝宗诏令：“各路训练兵官，艺高身强为上等，艺高身弱为中等，剩余的为下等；限定一月之内造册申报枢密院。”

这年，确定荐举改官人数，四川换改官的名额为二十人。

金国判处二十名囚犯死刑。

乾道四年　金大定八年（公元1168年）

春季，正月，乙丑（初二），金国主对宰臣说：“朕统治天下，正是与你们共同治国，处事如有不妥，立即当面陈述，来辅助朕的不周到，千万不要阿谀顺从看脸色行事。你们身居公卿

宰相，正是行道扬名之时；假如有偷安苟且为己谋利，虽有今天的幸运，后世又会怎样认为呢？”

戊辰（初五），造册登记荆南义勇民兵。

在此之前前任荆南府王炎上奏说：“荆南府七县主客佃户共四万多，人口十万多。臣依照旧户籍，两人以下户籍和当官户以及当差户外，净得八千四百多人，每年在农闲季节训练一月。如果与赡养官军八千四百人相比，每年花费四十万贯钱，一十一万石粮食，绸绢布四万多匹。现在一年才花费一万四千石粮食，二万缗钱，获得这支军队的帮助，其中利害难道不是显而易见！”

辛未（初八），金世宗对秘书监伊喇子敬等说：“昔日唐尧、虞舜时代，没有华丽装饰，汉代只有孝文帝提倡纯朴节俭。朕对宫室只担心过度，偶尔兴修，也是减少宫人每年的开支来补充它，现在也不再营建。如宴饮之事，近来只有太子生日和新年初一饮酒，也未曾醉酒。至于佛法，也没有相信；梁武帝做了同泰寺的奴，辽道宗把民户赐予寺院僧侣，加封僧侣为三公官员，他们受佛法的迷惑太深了。”

壬午（十九日），剥夺秦埙、秦堪参加郊祀的恩宠荫泽。

壬辰（二十九日），提举太平兴国宫叶容去世，谥号“正简”。

叶容为人，清明、耿直、有操守，所居处所不改其初。

二月，甲午朔（初一），宋孝宗诏令：“福建路建、剑、汀、邵武四个州军，强行出卖官盐，骚扰民户，可将本路钞盐全部废免，转运司每年总共包下所发的钞盐钱二十二万贯全部免于征收。却令转运司在八个州军增加盐钱，并将存留一半的盐钱来承包认领七万贯，充作上供经费使用。今后各州县不能再以卖钞盐为借口，像以前一样摊派骚扰。”当初，臣僚极力陈述盐法弊病。诏令前任漕臣沈度、陈弥详细考察并上报，于是颁布这道诏令。

不久，沈度入朝应对，宋孝宗说：“前日看你呈奏盐事的文书后，已全部免收十五万缗钱来减轻百姓的压力。”并且说：“朕本想让天下免征所有的无名之税，全部还原祖宗的旧制，未能实现朕的意愿。”又说：“四川有钞盐纲，有岁计盐纲。所谓钞盐纲，是承包交纳钞盐钱所立的名目；所谓岁计盐纲，每斤盐价除了分别隶属增盐钱、盐本钱等钱外，其余的是州县所加的市利钱，就用这些钱来充作上供银钱等费用。现在钞盐名目已全部取消，州县只是出售一种盐，岁计纲盐必须从现在起设置场所出售，不得摊派强制百姓购买。”

金国规定儿子为改嫁的母亲穿孝服三年。

戊戌（初五），宋设置和州铸钱监。

己亥（初六），任命参知政事蒋芾为尚书右仆射、同中书门下平章事兼枢密使兼制国用使。任命观文殿大学士史浩为四川制置使，史浩推辞不上任。

庚子（初九），诏令蒋芾上朝时寸赞拜不名；蒋芾谦辞不受，宋孝宗答应了。

乙巳（十二日），赐予王炎进士出身，任签书枢密院事。

癸丑（二十日），五星都出现在天空。

三月，癸亥朔（初一），诏令举行制科考试。

己巳（初七），任命在职官员的儿子担任令史等职。

庚午（初八），宋设置郢州转般仓。

夏季，四月，丙午（十五日），金国主卜诏说："马，是军旅使用的，牛，是农民耕种的依靠。杀牛有禁令，马又有什么不同！也下令禁止杀马。"

己亥（初八），任命敷文阁待制晁公武为四川安抚制置使。

癸卯（十二日），赈济绵州、汉州饥民。不久因饶州、信州和建宁府发生饥荒，派遣司农寺丞马希言出任同提举常平官负责赈济饥民。

戊申（十七日），金国主在常武殿击球，司天马贵中进谏说："陛下为天下君主，承担国家重任。况且年事已高，打猎击球等，应当全部停止。"金国主说："朕以此提倡练武罢了。"

甲寅（二十三日），蒋芾等上呈《钦宗实录》。

丙辰（二十五日），礼部员外郎李焘上呈《续资治通鉴长编》，从建隆元年至治平四年，共一百零八卷。

戊午（二十七日），诏令："贩卖耕牛过淮河的人，按照贩卖军需物质的罪行论处。"

五月，壬戌朔（初一），诏令常平官每年检查仓库储存情况。

当时崇安县发生饥荒，又碰上浦城发生叛乱，人心震恐。朱熹请求官府，借贷粟米六百斛，按在册户口散发供给，百姓依赖赈济得以生存。到冬天，年成丰收，百姓自愿将借贷的粟米偿还官府，知府王淮下令将粟米储存在乡里并登记在册上报官府。社仓之法从此开始。

甲子（初三），金国主命令户部、工部，从今以后宫中的装饰，不用黄金。

乙丑（初四），金国主到凉陉。

甲申（二十三日），追赠赵鼎谥号为"忠简"。

夏国宰相任得敬专擅政事，想篡国夺权。这个月，派遣间谍至四川宣抚司，约请发兵进攻西蕃。虞允文以蜡书相报。

六月，甲午（初四），诏令："各路漕司，以后水灾旱灾必须如实上报，如有州县隐瞒不报，均依法处置。"

辛亥（二十一日），判度支赵不敌说："现在一年内外支用总数，大概五千五百多万缗。如果以一年的收入来计算，如果让各路按时供应，又没有减免拖欠，场务收入没有亏损，那么足以支付一岁的费用。然而赋税收入名目繁多，又分别隶属户部的五司，如僧道钱、免丁钱、常平钱、免役钱、坊场钱、酒课等由左、右曹掌管，上供钱、折帛钱、经总钱、无额茶税、盐税、香市税、矾引钱等由金部掌管，度支专门掌管月桩钱，仓部专门掌管籴买成本。催促掌管虽然分散在五司，都由度支经管。根据古人量入为出的道理，那么度支一司，怎么可以不全部掌握收入总数！臣因此设置都籍，汇集款项名目，归总为揭贴，事情虽然正在施行，簿书初步具备，但条目详细完备，因此已经明晰便易考核。乞望交付本曹，至此开始，每年更换一次，不久有司就能长期遵守，不仅使财赋收支便易稽查考核，也使官吏无法营私。"宋孝宗同意了。

丙辰（二十六日），诏令："守臣罪状清楚或严重失职，但按司不及时弹劾，如果因为他事发觉，三省详列姓名上奏取旨。守臣不及时弹劾知县，也按此办理。"

这个月，金国境内的黄河在李固渡决口，洪水流入曹州。

秋季，七月，壬戌（初三），任命刘珙兼参知政事。

臣僚说："临安府的风俗，十几年来，服饰混乱，习惯穿边装，声音失去了典雅，喜欢演奏北方音乐，臣暗自伤悼！中原人民，翘首跂足，盼望恢复中国朝廷的制度，三四十年来，却无法实现；而东南百姓，却反而效仿异域习俗还不自知，实在令人心痛，现在京城人在夜静时数十上百成群，吹奏鹧鸪，弹拨洋琴，让一人穿黑衣起舞，众人拍手应和，伤风败俗，不能不惩处。”下诏令禁止此类行为。

诏令：“各路转运司通令下属部门，各选派清廉强干官员亲自查验灾害损失，尽量给予查免。有不真实不全面，损害官府百姓，被差派的官员以及差派不当的官府，都从重处罚。”

宋孝宗亲自审理记录拘押囚犯。此前下诏说：“审理记录整理成文书上报，命令有司列出祖宗的典故成例，朕将亲自审阅。”到现在就在后殿的平台上判决罪人。

右仆射蒋芾因母亲去世而离职。陈俊卿兼知枢密院事，对宋孝宗说：“臣自忝列执政大臣以来，每次见到三省、枢密院接到皇上降旨，假如心中愚见，一定都密奏皇上，多次承蒙采纳，并因此中止命令。然而等到如此，已为时过晚。现在臣为参与首员，奉行政令，想乞请从今以后接到皇上降旨，有不符合公议的，容许臣卷旨收藏，不展示于同僚，立即缴还奏明，或者次日交还。”宋孝宗说：“你等如此，朕又有什么忧虑！”陈俊卿多次劝谏皇帝亲近忠诚刚直之人，采纳谏诤之言，抑制侥幸之徒，严肃纪纲，讲明军政，宽恤民力。原来统兵官不被执政官了解，陈俊卿每天召见三五人与他们从容交谈，考察他们的才智所能承担的相应职务并秘密记录下来，以备选用。于是宋孝宗赞同陈俊卿的话，多能听从，政事又重归中书省。

甲子（初五），金国颁布制令：“偷盗成群牧马者判处死刑，告发者赏钱三百贯。”

龙大渊死后，宋孝宗怜悯曾觌，诏令召他入京。刘珙进谏说：“这种人只不过是奴隶，丰厚赏赐他就可以了。召引为近臣，让他参与政事，并不能增进圣德，整肃朝廷纲纪。”陈俊卿说：“自从陛下外调这两个人，京城内外无不称颂圣德。现在打算召他还朝，恐怕让天下大失所望。臣愿意提前罢官离职。”于是中止不召还。

戊辰（初九），金国主对平章政事完颜思敬等说：“朕思念得到贤士，寝食不忘。从今以后朝臣出京到外地，就让他们体察廉洁能干的官吏以及隐藏在民间有辅助治国才能的士人，列具姓名上报奏闻。”

戊寅（十九日），追授王悦官职。

王说任衢州知州，去世那一天，百姓在街巷哭泣，立即在徐偃王庙为他设立祠堂。他的灵柩出城，百姓号恸，声振原野。王悦恺悌慈祥，视民如子。这年春季缺乏粮食，王悦开仓赈济，使百姓不至流离失所。从五月开始缺雨，王悦竭诚祈祷，早晚各吃一碗粥，总共一个多月。在墙壁上题字，其中有“乞降三天甘霖，愿减十年寿命”的话，竟然因此而死。诏令追赠直龙图阁，并将诏书交付史馆存档。

金国主举行秋猎，己卯（二十日），驻扎在三岔口。金国主告谕点检司说：“沿途庄稼长势很好，随从人员稍有践踏，就当以你问罪。”

八月，乙巳（十六日），度支郎官刘师尹，谈论近来因为军备额外增添了赋税收入，乞请逐渐裁减以宽民力，宋孝宗说：“朕未曾乱用一毫钱而使百姓困苦。”又谈论汉宣帝时代，官吏各称其职，百姓安居乐业，宋孝宗说：“汉宣帝中兴时期，只有几句话就可归纳。现在官吏不能称职，所以百姓未能享受实惠。”

乙未（初六），朝廷向各路颁布祈求雨雪的法令。

癸丑（二十四日），温州知州胡与可，因为支用常平钱五百贯以及系省钱五百贯赈济遭水灾的百姓而自我检举，宋孝宗说："国家所积常平米，正是为此，可以免罪。"

乙卯（二十六日），金国主返回京都。

这个月，颁行《乾道历》。

当初，把《统元历》《纪元历》与刘孝荣所呈献的新历委派官员进行比较测验，各有疏密，于是命令太史局将新历旧历参照使用。不久因为礼部侍郎程大昌说，新任历官互有异同，而新历比旧历稍为缜密，于是诏令太史局施行新历，以《乾道历》命名。

不久，礼部员外郎李焘说："历法使用时间长必定有误差，应当修改历法。《统元历》施行已经很久，它与天文不吻合本来理所当然。况且历算学家都认为虽然称为《统元历》，其实是《纪元历》，像这样的《纪元历》又施行了多年。历术精深微妙，没有能比过《大衍历》，《大衍历》施行于世也不过三十四年，后学肤浅，怎能施行久远！因时而改历，此原则的确不能废除。不过曾听说历法没有差误就不更改，没有验证就不施用。没有误差就不知道历法的失误，没有经过验证也不知道历法的正确，发现了失误就更改它，验证正确就使用它，这是刘珙的主要论点。旧历差失很多，不容许不改，而新历也没有明显的效果和验证，只是比旧历稍为严密。当初最为严密的历法，后来还逐渐出现误差；当初已经有了小的差失，后来还将如何？所以改历不能不慎重。依照仁宗施用《崇天历》，从天圣年间到皇祐年间，其四年十一月发生月食，历算学家说历法不灵验，诏令用唐人历法和本朝的四种历法互相参照定正。历算学家都认为《景福历》精密，于是想改历法，而刘羲叟独自认为，《崇天历》颁布施行超过了三十年，正要将它长期施行，加上它差错极少，不能偶尔因为天象变化，轻率地议论改换历法；又说古圣人研究推算历算天象运行的本意，只在于谨慎地告诉世人时节的变化，即使预先考核天象交会变化，也不必吻合具体的某时某刻。天象运行偶尔有快有慢，不一定就是历法的差错。宋仁宗听从了刘羲叟的建议，诏令重新使用《崇天历》。刘羲叟历算学问，是本朝第一，欧阳修、司马光等人都遵从继承他的学说。《崇天历》恢复使用十三年后，到治平三年开始改用《明天历》。三年后，推测熙宁三年七月月食不准确，又诏令恢复使用《崇天历》。《崇天历》恢复使用到熙宁八年，开始改用《奉元历》。《奉元历》的议定，沈括实际上是主议人。第二年正月月食，《奉元历》同样不准确，诏令询问修历人姓名，沈括具奏章辩白，所以《奉元历》没有得到废止。先儒大多说沈括强词辩解，不了解他懂得历法。由此而知刘羲叟所说历法只是谨慎告知世人时节变化，不要轻率动议更改历法，不也是至理言论吗！乞请朝廷考察刘珙、刘羲叟所陈述的意见和《崇天历》《明天历》的兴废过程，申令告诫历官，要深思熟虑，不要固执地认为新历准确而旧历错误，有历算才能的人要反复讨论，创立更加精密的历法，使之与天象吻合，这才是善后的方法。"诏令送太史局，还下诏求访精通历书之人。

九月，辛酉（初三），金国主告谕右丞石琚、参知政事孟浩说："听说蔚州采集蘑菇，役使百姓成百上千人。朕能食用多少，而骚扰百姓如此？从今以后差役百姓，凡是声称御前者，都必须如实禀奏。"

壬申（十四日），礼部员外郎李焘议论科举等事情，宋孝宗说："科举文章，不能引用老子、庄子和佛家言论，如果自修在山林不会有何妨碍，倘若进入科举考场，必然破坏政事。"

癸酉（十五日），金国主告谕宰臣说："你们推举任用人才，大凡自己了解认识的，一定让他人推举上奏，朕很不满意。如果果真贤能，何必因为亲疏来回避忌讳呢！"

任命魏子平为参知政事。

甲戌(十六日),户部郎官曾逮说:"任贤使能,促使周王室的中兴。对于贤者称'任',对于能者称'使',那么贤能的任用和使用本来就不同。现在任用刀笔小才、钻营俗吏,称为'使能',这不可不分辨。"宋孝宗同意这个说法。

辛巳(二十三日),金国主对御史大夫李石说:"台宪的职责本来就是分别邪正;然而内外百官,难道说没有贤人!只看见你们弹劾别人的罪状,没有听到举荐善人善行。从今以后应命令监察御史分别对各路官吏考察善恶并上奏。"

将军大磐寻求良弓,而大磐大多自行安排护卫人员。洛索将此事告发,金国主命令点检司审讯大磐,大磐之妹为宫中宝林,大磐嘱托内侍告诉宝林,宝林将此事奏报金国主。金国主下令将内侍杖责一百,外派大磐为陇州防御使。

癸未(二十五日),权发遣衢州刘凤入朝应对,议论朝廷不应只凭才能任用官员。宋孝宗说:"才有君子之才,有小人之才;小人而有才,就如虎添翼。君主的关键,在于辨明有才之人的邪正。"

冬季,十月,己丑(疑误)朔(初一),金国主告诫百官不得贪污的诏书向中外臣民公布。

辛卯(初四),前任四川制置使汪应辰入朝应对,宣读札子至畏天爱民时,宋孝宗说:"人心容易懈怠,很少人能有始有终,应当引以为戒。"又说:"朕每日读《尚书》,敬畏上天之心尤为迫切。"汪应辰说:"尧、舜、禹、商汤、周文王、周武王都是圣人,然而《尚书》记载更多的是君臣之间相互提醒告诫的话。言语虽多,都没有超出这个范围。"

乙未(初八),金国命令涿州刺史兼任提点山陵之职,每月在初一、十五祭祀,初一用素的祭品,十五用荤的祭品,并规定从明年正月开始。又下令在太祖殿绘画功臣的图像,其中还未立碑的一律立碑。

金国主对宰臣说:"海陵王时代编修《起居注》,不任用正直的官员,故所修内容大多不符实,可以访求得到实情,详细地记载下来。"孟浩说:"优良的史官直书其事,君主一举一动都要记载,古代帝王不亲自观看史官记载的历史,用意就在这里。"

庚子(十三日),蒋芾被起用复任左仆射,陈俊卿为右仆射。蒋芾旋即辞职,乞请守丧到底,下诏同意了他的乞请。

在此之前殿前指挥使王琪巡视两淮城池壁垒后还京,举荐和州教授刘甄夫,宋孝宗下令召见他。陈俊卿与同僚请问他的来历,宋孝宗说:"王琪称赞他有才能。"陈俊卿说:"王琪推举统兵官才是他的职责。教授官有才,与王琪有什么相干?"宋孝宗说:"你们可召见询问他。"陈俊卿召见王琪责备他,王琪惶恐不安不知如何回答。正巧扬州奏报:"前不久王琪传圣旨增筑扬州城,现在已经完工。"陈俊卿向宋孝宗询问此事,才知当初不曾有这样的命令。陈俊卿说:"如此,就是王琪假传圣旨,不是小事情。"退朝,回到殿庐,召见王琪盘问此事。王琪连忙叩头求饶汗流满面。陈俊卿立即上奏说:"王琪妄传圣旨,向边臣移送檄文,增修城壁。此事关系到国家大事,关系朝廷的大纪纲,也关系到陛下的大号令。君主所凭恃的,就是纪纲、号令、赏罚。现在王琪犯了如此大罪,却不诛杀,那么还有什么不能做!依照法律条文,'诈为制书者绞。'只望陛下果断行事,及早赐予处罚。"于是罢免了王琪的官职。

在此以前宫中以密旨的方式下达各军将领,宰相大多不知道,有个叫张方的人,因另外的事而暴露了，陈俊卿与同僚奏请："从今以后百司接受御笔处理事宜，都必须奏报审察，才能施行。"此时又因为王琪的事重新上奏，宋孝宗高兴地采纳了建议。事隔两天，又收回前命。陈俊卿对同僚说："如此翻悔，必定是文书下达到宫内各司，有不乐意的人所致。"立即上奏说："三省、密院，是执行陛下诏命的，百官各府，是执行朝廷号令的。诏命一律出自陛下，号令必须经过朝廷，才能谨慎颁布命令杜绝奸诈欺瞒。这本是祖宗成法，放在政令之中，近年以来，逐渐毁坏紊乱。臣等以前因为张方的事，已经奏闻，到此过了一个多月，又因为王琪奸妄的原因，陛下赫然震怒，然后颁布法令，圣上的考虑已经很审慎，圣上的决断已经很英明，中外传闻，无不赞叹佩服。然而昨天陛下谕告臣等说："宫中想要一饮一食，必须申报审核，岂不滞留！而又有了收回前令的指示。臣等所考虑的，是关系重大的命令。比如下令三衙出兵，枢密院不可不知；下令户部支取财赋，三省不可不知，哪里是为这些宫禁中的细微小事！况且朝廷是陛下的朝廷，臣等偶而能够充数其中颁布陛下的命令罢了。凡是上奏审察，就是想由陛下取舍决定，臣等不敢私自专权。况且这只是重申旧制，并非创立新条例，已颁布的命令又收回，中外会感到惶惑不安。况且人们将因循观望，连旧法也废置，给日后留下无穷祸患，那么臣等的罪过就大了。或许恐怕有小人因此事疑忌，暗中以微言激起陛下的雷廷之怒，更乞望圣上体察。"第二天当面奏报，宋孝宗脸色很温和，看着陈俊卿说："朕难道会因为小人的话而怀疑你们吗？"

在此之前刘珙入宫应对言语急切，忤逆了宋孝宗旨意，退出之后，宋孝宗亲笔改任刘珙为端明殿学士、在外宫观。陈俊卿随即将诏书藏起来，密奏皇上说："前日上奏文书，其实是臣起草的，刘珙与王炎稍略更改了一两个字。陛下认为有罪，臣应当首先免官；假若承蒙陛下宽容，那么刘珙的任命诏书，臣未敢执行。"第二天，重申前请，并且说："陛下即位以来，接受谏诤，礼待大臣，都是盛德之事。现在刘珙就因为一件小事忤逆圣旨，而获得如此之罪，臣担心从此以后大臣都阿谀奉承以保全官位，并非国家之福。"宋孝宗露出后悔的表情。过了一会儿，陈俊卿又说："刘珙正直有才略，甘愿任劳任怨，臣不及他，希望暂且留他在朝内。"宋孝宗说："诏令已经施行，不想更改。"陈俊卿说："刘珙无罪而离开朝廷，应当任命为大藩之官以保全进退礼节。"于是任命刘珙为江西安抚使。陈俊卿退朝后，又自我弹劾起草奏章与旨意相冲突、违背命令滞留诏书的罪状，宋孝宗亲笔写信挽留他。陈俊卿的请求很坚决，宋孝宗不批准，并且说："你即使请求一百次，朕必不会答应。"宋孝宗于是有意任命陈俊卿为宰相，不几天就颁布了诏令。

甲辰（十七日），在茅滩举行盛大阅兵仪式，宋孝宗亲自穿上甲胄，指授用兵方略。

十二月，戊子朔（初一），金国派遣武定军节度使伊喇按招降准布部族。

在此之前各司推荐建宁府布衣魏掞之，召他前往行都，甲辰（十七日），入宫应对，宋孝宗说："治国之道什么最重要？"魏掞之说治国之道以分辨臣下的奸邪或正直最为重要。诏令："魏掞之的议论可以采纳，赐予同进士出身，任命为太学录。"将在孔子祠举行释奠典礼，魏掞之负责向历代先贤分献祭品，他事先禀告宰相说："王安石父子，以邪说迷惑主听，破坏人心，导致祸乱，不应享受祭祀的恩典。而河南程颐、程颢兄弟，倡导阐明已废绝的学问以造福今后，他们功劳最大。请禀告皇帝，废除王安石父子不祭祀，追赠程氏兄弟官爵让他们配享孔子。"不采纳。又说太学教育，应以品德教育为先；其次尤其应当让太学生学习世务以备为朝

廷效力。

魏掞之敢于直言，经常上疏抗辩，尽言以劝谏，以至于多次，宋孝宗都不加理会，于是他闭门写信，用书信责备宰相，言辞尤其激烈，因此以迎接父母为名告辞回乡。走了几天，被罢免改为台州教授。魏掞之年少时就有志于当世，晚年遇到君主赏识，本以为可以实践自己的学说。然而做官不到半年就因政见不合而回归故里，不久因病去世。

在此之前，福建各司推荐兴化军仙游人林象行义，宣召他，不就任。各司又举荐林象行义，任命为迪功郎，添差为本军教授。

甲戌(初五)，免征广德军月桩钱。

湖广总司申报江州、鄂州、荆州、襄阳府各处军马每年所需费用总计约一百零八万四千余贯。

四川宣抚使虞允文上奏："兴元、洋州一带，绍兴初年登记在册的义士共计七万。现在登记在册的兴元、洋州、大安军的义士共有二万三千多人，金州、房州虽未申报上来，估计也可得三万人，这样一来西部军队的势力就强壮了。每年可免除六七百万的费用，却获得四五万人的军力，其便利之处很明显。"

有人以四明银矿的矿品进献，宋孝宗命令守臣询问探究，而且准备召集冶炼工人，在宫中锻造，陈俊卿说："陛下留心事务，对小事很刻苦勤奋，然而不致力帝王的大事业却重视应由有司负责的具体事务，臣恐怕有识之士因此小看陛下的治国能力。况且他们害怕说的话名不符实，就开凿矿山越深，劳役百姓更多，百姓也将因此受害。天地物产，开掘不尽，如爱惜节省，一直像现在，那么数年之后，自然丰富。只愿民安岁丰，国家所缺少的，难道只是钱！请直接将此事交付明州府处理，命令他们收取银矿的赢利以资助国家财政，也不至于扰害百姓。"

西辽国承天太后布沙堪，与都尔本的弟弟博果济萨里私通，外调都尔本为东平王然后杀了他。都尔本的父亲额哩喇兴师问罪，杀死布沙堪和博果济萨里，迎接西辽仁宗耶律夷列的次子珠勒呼立为皇帝，改年号为天禧。

续资治通鉴卷第一百四十一

【原文】

宋纪一百四十一　起屠维赤奋若【己丑】正月，尽上章摄提格【庚寅】七月，凡一年有奇。

孝宗绍统同道冠德昭功　哲文神武明圣成孝皇帝

乾道五年　金大定九年【己丑，1169】　春，正月，辛酉，金主与宣徽使敬嗣晖、秘书监伊喇子敬论古今事，因曰："亡辽日屠食羊(二)〔三〕百，岂能尽用，徒伤生耳！朕虽处至尊，每当食，辄思贫民饥馁，犹在己也。彼身为恶而口祈福，何益之有！如海陵以张仲轲为谏议大夫，何以得闻忠言！朕与大臣论议一事，非正不言，卿等不以正对，岂人臣之道哉！"

庚午，金诏："诸州县和籴，毋得抑配百姓。"

甲戌，新知无为军徐子实陈屯田利害，帝以其言可采，遂除大理正，措置两淮屯田官。

是月，金命都水监梁肃往视决河。

河南统军使宗叙上言："大河所以决溢者，以河道积淤，不能受水故也。今曹、单虽被其害，而两州本以水利为生，所害农田无几。今欲河复故道，不惟大费工役，卒难成功；纵能塞之，它日霖潦，亦将溃决，则山东河患，又非曹、单比也。况沿河数州之地，骤兴大役，人心动摇，恐宋人乘间构为边患。"

肃亦言："新河水六分，旧河水四分。今若障塞新河，则二水复合为一，如遇猛涨，南决则害于南京，北决则山东、河北皆被其害，不若于李固南筑堤，使两河分流，以杀水势。"金主从之。

二月，乙未，命楚州兵马钤辖羊滋专一措置沿海盗贼。

先是海州人时旺，聚众数千来请命。旺寻为金人所获，其徒渡淮而南者甚众，故命滋弹压之。

戊戌，赠张浚太师，谥忠献。

庚子，金以中都等路水，免税；又以曹、单二州被水尤甚，给复一年。

壬寅，以给事中梁克家签书枢密院事。

甲辰，以王炎参知政事。

辛亥，中书舍人汪涓言："中书舍人于制(赦)〔敕〕有误，许其论奏，而给事中又所以驳正中书违失，各尽所见，同归于是。近年以来，间有驳正，或中书舍人、给事中列衔同奏，是中书、门下混而为一，非神宗官制所以明职分，正纪纲，防阙失之意。"壬子，诏："自今诏令未经

两省书读者，毋辄行；给、舍驳正，毋连衔同奏。”

甲寅，金诏：“女直人与诸色人公事相关，止就女直理问。”

三月，丁巳朔，诏趣修庐和二州城。

丁卯，金命御史中丞伊喇道廉问山东、河南。

尚书省议网捕走兽抵徒罪，石琚曰：“以禽兽之故而抵民以徒，是重禽兽而轻民命，恐非陛下意？”金主曰：“然。自今有犯，可杖而释之。”

辛未，金禁民间称言“销金”，条理内旧有者，改作“明金”字。

乙亥，召四川宣抚使虞允文还，陈俊卿荐其才堪将相故也；以王炎代为宣抚使，仍参知政事。

丙子，赐礼部进士郑侨等三百九十二人及第、出身。

辛巳，金以大(明)〔名〕路诸明安、民户艰食，遣使发仓廪，减价粜之。

壬午，赐洛阳郭雍号冲晦处士，以湖北帅张孝祥荐其贤，召而不至也。

淮西副总管王公述进对，帝曰：“到任应有事，与郭振同深议。淮甸义兵，可依时教阅，不可久劳，有妨种耕。如修城竣工，可同往逐州军按阅厢、禁军，或见淮甸有兴利事，即以闻。”

癸未，臣僚言：“国家置武学养士，皆月书、季考以作成之；而武臣登第，止许参选，入监当钱谷之任。铨部积压猥多，差遣艰得，后虽许通注沿边亲民巡尉，往往皆远恶去处，多不愿受。是故武臣及第之后，所用非所养，甚非朝廷教育作成之意。请将前后武举及第之人，其间有兵机练达，武艺绝伦，可为将佐者，许侍从荐举，即赐召对，量材擢用，或令注授屯驻诸军机幕干办，参赞军谋，庶几有以激劝。”诏令监司、帅臣、管军、侍从已上荐举。

夏，四月，己丑，金主谓宰臣曰：“朕观在位之臣，初入(士)〔仕〕时，竞求声誉以取爵位，亦既显达，即徇默苟容，为自安计，朕甚不取。〔宜〕宣谕百官，使知朕意。”

辛卯，议者言：“楚州系极边重地，路当冲要。州东地名皂鱼沟，北接淮海，与山东沿海相对。宜将本州兵马钤辖羊滋移往其地，置廨舍警察奸盗。元管海船二百馀，集般运海州军粮、间探之类，甚为济用。其射阳湖通济地分阔远，阙官拘辖，宜创置使臣二员，专充管辖海船、讥察淮海盗贼，听羊滋使令。”从之。

壬辰，以梁克家兼参知政事。

癸巳，金遣使分诣河北西路、大名、河南、山东等路劝农。

庚戌，修襄阳府城。

辛亥，赈衢、婺、饶、信四州流民。

五月，癸亥，刑部侍郎汪大猷言：“国家立保正之法，愿兼耆长者听，故数十年来，承役之初，县道必抑使兼充。盖保正一乡之豪，官吏有须，可以仰给，故乐于并缘以为己利。凡有差募，互相对纠。请令诸路常平司相度，或别有所见可行者，限一月条具来上，本部参以见行条法，立为定制。”从之。

戊辰，金尚书奏越王永中、隋王永功二府有所兴造，发役夫，金主曰：“朕见宫中竹有枯瘁者，欲令更植，恐劳人而止。二王府各有引从人力，又奴婢甚多，何得更(欲)〔役〕百姓！尔等但以例为请，海陵横役无度，可尽为例耶？自今在都浮役，久为例者仍旧，馀并官给佣直，重者奏闻。”

诏："后省官置言事籍，看详臣僚上庶言事，详择其可行者条上。"

是月，金牒取俘获人，王抃议尽遣时旺馀党；陈俊卿持不可，帝然之。

诏："有司议狱以法，不得作情重奏裁。"

六月，金冀州张和等谋反，伏诛。

戊戌，帝御便殿。

初，帝御弧矢，以弦激致目眚，至是始愈。陈俊卿密疏曰："陛下经月不御外朝，口语藉藉，由臣辅相无状，不能先事开陈，以致惊动圣躬，亏损盛德。臣闻自昔人主处富贵崇高之极，志得意满，道不足以制欲，则游畋、声色、车服、宫室，不能无所偏溺，而不得为全德之君。陛下忧勤恭俭，清净寡欲，凡前世英主所不得免者，一切屏绝，顾于骑射之末，犹有未能忘者。臣知陛下非有所乐乎此，盖神武之略，志图恢复，故俯而从事于此，以阅武备，激士气耳。陛下诚能任智谋之士以为腹心，仗武猛之材以为爪牙，明赏罚以鼓士气，恢信义以怀归附，则英声义烈，不出樽俎之间，而敌人固已逡巡震叠于千万里之远，尚何待区区驰射于百步之间哉！"又曰："古之命大臣，使之朝夕纳诲以辅德，绳愆纠缪以格非，欲其正君之过于未形。唐太宗臂鹰将猎，见魏征而遽止；宪宗蓬莱之游，惮李绛而不行。臣人微望轻，无二子骨鲠强谏之节，致陛下过举彰闻于外。今诛将及身而后言，亦何补于既往之咎哉！"又曰："弓矢之技，人所常习而易精，然犹不免今日之患；况球鞠之戏，本无益于用武，而激射之虞，衔橛之变，又有甚于弓矢者。问者陛下颇亦好之，臣屡献言，未蒙省录。今兹之失，盖天下之仁爱陛下，示以警惧，使因其小而戒其大也。陛下试以弦断之变思之，则向之盛气驰骋于奔踶击逐之间，无所蹉跌，盖亦幸矣，岂不为之寒心哉！太祖皇帝尝以坠马之故而罢猎，又以乘醉之误而戒饮，迁善改过，不俟旋踵，此子孙帝皇万世之大训也。臣愿陛下克己厉行，一以太祖为法，则盛德光辉，将日新于天下，而前日之过，何伤日月之明哉！"

右谏议大夫单时亦上疏谏，帝面谕曰："卿言可谓爱朕。"前此时为侍御史，尝上封事言饮酒、击球二事，帝大喜之，诏辅臣曰："击球，朕放下多时；饮酒，朕自当戒。"

金主以久旱，命宫中毋用扇。庚子，雨。

己酉，以虞允文为枢密使。

是月，赐孔璨官，宣圣四十九世孙也。

秋，七月，乙卯朔，金罢东北路采珠。

乙丑，以福建副总管曾觌为浙东总管。

觌垂满，陈俊卿恐其入，预请以浙东总管处之。虞允文亦言觌不可留。帝曰："然。留则累朕。"遂有是命。

丙寅，宰执请以近日上书论边事者悉送编修官，择其可行者与可去者或可留存者，各以其类相从，置簿录上，以备它日采择。

八月，甲申朔，日有食之。

己丑，以陈俊卿为尚书左仆射，虞允文为右仆射，并平章事兼枢密使、制国用使。俊卿以用人为己任，奖廉退，抑奔竞；允文亦以人才为急，尝籍为三等，号《材馆录》；故所用多得人。

乙未，中书、门下省言："寺判、丞、簿学官、大理寺直、密院编修之类，谓之职事官，朝廷所以储用人才。比年以来，往往差下待阙数政，除授猥杂，贤否混淆，何以清流品？何以厚风

俗？望特降指挥，令职事官须见阙方得除人，其已差人，却恐待次之久，无阙可授，请朝廷稍复诸州添差，厘正通判、签判、教授、属官等阙以处之。它时职事官有阙，却从朝廷于曾差下人内选择召用。庶几内外之职稍均，朝廷纪纲稍正。”诏从之。

九月，甲寅阙，金罢皇太子月料，岁给（银）〔钱〕五万贯。

金主谓台臣曰：“比闻朝官内有揽中官物以规货利者，汝何不言？”皆对曰：“不知。”金主曰：“朕尚知之，汝有不知者〔乎〕？朕若举行，汝将安用！”

丁巳，中书、门下省勘会诸路监司近来多不巡按，官吏贪惰，无所畏惮。间有出巡去处，又多容纵随行公吏等乞觅骚扰，理宜约束。诏：“诸路监司，今后分上下半年依条巡按，询访民间疾苦，纠察贪惰不职官吏，仍具请实以闻。如敢依前容纵公吏等乞觅骚扰，当置重典。”

己未，新江东运副程大昌朝辞，帝谕曰：“近来监司多不巡历，朕期卿遍行诸州，察守令臧否，民情冤抑，悉以闻。”

壬戌，金主秋猎。

甲子，诏侍从、台谏集议钦宗配飨功臣。

丙寅，起居郎林机论诸郡守臣欲郡计办集，而不恤县之匮乏，以致横敛及民，帝曰：“甚不体朕宽恤之意。且如税赋太重，朕欲除减，但有所未及，当以次第为之。”机又曰：“诸处有羡馀之献，皆移东易西以求恩幸。”帝曰：“今之财赋，岂得有馀！今后若有献，朕当却之。”

壬申，诏：“三衙诸军应有违军律弊事，统兵官特与放罪，差主帅措置，日下尽行除勒。其军校有因教阅损坏军器，官为修补。军身务令饱，不得多敛钱米，却行减克。借差军兵战马，多破白直，诸处窠役回易，私占官兵，悉行拘收入队教阅，务须军政整肃。诸处送到官员月给并应副索客及诸般名色，掊敛、减克、陪填、赢落以为私用，并计赃论罪。私借人马，亦计庸科断。其违戾统制、统领、将、佐，从主帅按劾以闻，当重置典宪；主帅失于纠举，亦重作行遣。”先是枢密院奏：“国家抚养战士，全藉主兵官督责教阅，以备缓急。近来三衙诸军统兵官，循习私意，恣为不公，有害军政。”遂条具十一事，乞行惩革，故有是诏。

命淮西安抚司参议官许子中措置淮西山水砦招集归正人垦官田。

是月，复监司选本贯法。

是秋，令监司、帅臣臧否守令。

太常少卿林栗等言：“窃惟祀帝于郊，在国之南，就阳位也。国家举行典礼，岁中祀上帝者四：春祈、夏雩、秋享、冬报，其二在南郊圆坛，其二在城西惠照院望祭斋宫。盖缘在京日，孟夏大雩，别建雩坛于郊丘之左；季秋大享，有司摄事，就南郊斋宫端诚殿。今城西望祭斋宫，于就阳之义无所依据，欲望详酌，除三岁亲祠自有典故外，其有司摄事，岁中四祭，并即圆坛以遵旧制。”从之。

续礼部侍郎郑闻等言：“国初沿袭唐制，一岁四祭昊天上帝于郊丘，谓祈谷、大雩、享明堂、祀圜丘也。惟是明堂当从屋祭，元祐六年，从太常博士赵叡之请，有司摄事，乃就斋宫行礼，至元符元年，又寓于斋宫端诚殿。窃见今郊丘之隅有净明寺，请遇明堂亲飨，则遵依绍兴三十一年已行典礼；如常岁，有司摄事，则当依元祐臣僚所陈，权寓净明寺行礼，庶合明堂之义。”从之。

冬，十月，丁亥，金主还都。

戊子，赈温、台二州被水贫民。以守臣不上闻，各降官、落职放罢，监司各降一官。

庚子，臣僚言："陛下临御之初，约束州县受纳苗米多收加耗，法禁严甚。而近年以来，所收增多，逮朝廷抛降和籴，却以出剩之数虚作籴到，所得价钱，尽资妄用。乞戒州县杜绝弊幸，庶宽民力。"从之。

辛丑，金以尚书右丞相赫舍哩良弼为左丞相，枢密使赫舍哩志宁为右丞相。

〔金〕诏："宗庙之祭，以鹿代牛，著为令。"

丙午，金大享于太庙。

辛亥，金以平章政事完颜思敬为枢密使。

十一月，癸丑朔，复置淮东万弩手，名神劲军。

甲寅，守起居郎兼权中书舍人林机，论司马光有言君子以德胜才，小人以才胜德之辨，愿陛下察之。帝曰："朕于此未尝不加察，但恐有所未尽。汉高祖名知人，谓陈平智有馀，难独任，周勃重厚可属大事，盖得此道。"丁巳，御书御制《用人论》，赐宰臣陈俊卿等。

己未，林机言："本朝庆历三年，欧阳修建言：'臣僚奏事退，令少留殿门，候修注官出，面录圣语。'至七年，王贽始请只令备录关报，遂为定制。是以仁宗皇帝之朝，道德教化之源，礼义刑政之具，载在国史，最为详悉，由史官得职也。近世以来，臣僚奏事，例以不得圣语为报。伏睹在京通用令，诸进对臣僚，有亲闻圣语，应记注者，限一日亲录，实封报门下、中书后省；事干机密，难于录报者，止具因依申知；又敕应记注事不报门下、中书后省者，以违制论。请降付两省检举前件条令，庶几得以大书特书，垂信万世。"诏检见行条法申行。

金以尚书左丞完颜守道为平章政事，右丞石琚为左丞，参知政事孟浩为右丞。

金主问宰臣曰："古有居下位能忧国为民，直言无忌者，今何无之？"琚对曰："是岂无之，但未得上达耳！"金主曰："宜尽心采擢之。"

壬戌，金主冬猎。

以明州定海县水军为御前水军。

辛未，给事中兼侍读胡沂进对，论朝廷命令当谨之于造命之初，帝曰："三代盛时如此。卿职当缴驳，事有当言，勿谓拂主上、拂宰相而不言。"

壬申，复成闵庆远军节度使、镇江诸军都统制。

丙子，金主还都。

十二月，丙戌，金赈临潢、泰州、山东东路、河北东路诸明安民。

金以东京留守图克坦喀齐喀为平章政事。喀齐喀奏睿宗收复陕西功数事，金主嘉纳，藏之秘府。

喀齐喀之从子子温，为安化军节度使，赃滥不法，御史大夫李石劾奏之。方石奏事，宰相下殿，立俟良久，既退，宰相或问石奏事何久，石正色曰："正为天下奸污未尽除尔。"闻者悚然。

丁酉，复李显忠威武军节度使。

甲辰，秘书监兼史院编修李焘言："臣见太平兴国三年，初修《太祖实录》，命李昉等同修而沈伦监修，五年成书。及咸平元年，真宗谓伦所修事多漏略，乃诏钱若水等重加刊修，吕端及李沆监修，二年书成，视前录为稍详，而真宗犹谓未备。大中祥符九年，复诏赵安仁等同

修,王旦监修,明年书成。《太宗实录》初修于至道,再修于大中祥符九年,《神宗实录》三次重修,《哲宗实录》亦两次重修。神宗、哲宗两朝所以屡修,则与太祖、太宗异,盖不独于事实有所漏略,而又辄以私意变乱是非,故绍兴初不得不为辨白也。其诬谤虽辨白,而漏略固在,然犹愈乎近所修《徽宗实录》,盖《徽宗实录》疏舛特甚。近诏修《四朝正史》,夫修《正史》当据《实录》,《实录》倘差误不可据,则史官无以准凭下笔。请用太祖、太宗故事,将《徽宗实录》重加刊修,并不别置私局,只委史院官取前所修《实录》仔细看详,是则存之,非则去之,阙则补之,误则改之。《实录》先具,《正史》便当趣成。"又言:"臣近进《续资治通鉴长编》,自建隆迄治平,自合依诏旨接续修进,乞许臣专意讨论徽宗一朝事迹纂述。《长编》既具,即可助成《正史》。"

乙巳,复置成都路广惠仓。

丙午,金制:"职官犯公罪,在京已承伏者,虽去官犹论。"

是日,张栻新除严州,入见,上言:"欲复中原之土,必先收中原百姓之心;欲得中原百姓之心,必先有以得吾境内百姓之心。求所以得吾境内百姓之心无佗,不尽其力,不伤其财而已。苟中原之人,闻吾君爱惜百姓如此,又闻百姓安乐如此,则其归孰御!"帝曰:"诚当如此。况中原之人,本吾赤子,必襁负其子而至矣。"栻又言:"今日诞谩之风不可长,至如边事,须委忠实不欺之臣。不然,岂不误陛下倚任!"帝曰:"若诞谩,必至误国事。"栻又言:"先听其言,却考其实,此所谓敷奏以言,明试以功。"栻至郡,问民疾苦,首以丁盐绢钱太重为请,诏蠲其半。

降会子二十万贯付两淮漕司收换铜钱,两淮州郡并以铁钱及会子行使。

金司徒、御史大夫李石,司宪既久,年寖高,御史台奏事,有在制前断定乞依新条改断者,金主曰:"若在制前者,岂可改也!"金主御香阁,召中丞伊喇道谓之曰:"李石耄矣,汝等宜尽心。向所奏事甚不当,岂涉于私乎?"它日,又谓石曰:"卿近累奏皆常事,臣下善恶邪正,无语及之。卿年老矣,不能久居此。若能举一二善士,亦不负此职也。"

乾道六年 金大定十年【庚寅,1170】 春,正月,癸丑,雅州沙平蛮寇边,焚碉门砦,四川制置使晁公武调兵讨之,失利。

乙卯,修楚州城。

朝议欲戍清河口,左骁卫上将军陈敏言:"金兵每出清河,必遣人马先自上流潜渡。今宜修楚州城池,盖楚州为南北襟喉,彼此必争之地。长淮二千馀里,河道通北方者五,清、汴、涡、颍、蔡是也;通南方以入江者,唯楚州运河耳。北人舟舰自五河而下,将谋渡江,非得楚州运河,无缘自达。昔周世宗自楚州北神堰凿老鹳河,通战舰以入大江,南唐遂失两淮之地。由此言之,楚州实为两淮司命,愿朝廷留意。"遂使敏城之,而移守焉。

礼部侍郎致仕黄中,年七十馀,帝思之,召赴阙。中言:"比年以来,言和者忘不共(载)〔戴〕天之仇,固非久安之道;言战者复为无顾忌大言,又无必胜之策。必也暂与之和而亟为之备,内修政理而外观时变,而庶乎其可。"帝皆听纳。除兵部尚书兼侍读。

中知无不言,其大者则迎请钦庙梓宫,罢天申锡宴也。中前在礼部论止作乐事,中去逾年,卒用之。是年,又将锡宴,中奏申前说,且曰:"三纲、五常,圣人所以维持天下之要道,不可一日无。钦宗梓宫,远在沙漠,臣子未尝一言及之,独不锡宴一事仅存,如鲁告朔之饩羊尔。今又废之，则三纲、五常扫地而尽，陛下将何以责天下臣子之尽忠孝丁君亲哉！”

中未满岁，即乞告老，且陈十要道之说以献曰：“用人而不自用者，治天下之要道也；以公议进退人才者，用人之要道也；察其正直纳忠、阿谀顺旨者，辨君子、小人之要道也；广开言路者，防壅之要道也；考核事实者，听言之要道也；量入为出者，理财之要道也；精选监司者，理郡邑之要道也；痛惩赃吏者，恤民之要道也；求文武之臣，面陈方略者，选将帅之要道也；稽考兵籍者，省财之要道也。”

甲子，诏：“真州六合县大火，统制官钱卓救扑不力，降三官。”

金命宫中元宵毋得张灯。

乙丑，增筑丰储仓。

甲戌，金以司徒、御史大夫李石为太尉、尚书令。诏曰：“太后弟惟卿一人，故令领尚书事。军国大事，议其可否，细事不烦卿也。”进封平原郡王。

丙子，建康都统制郭振言：“已降指挥，令振同淮西总领相度拣选屯田，堪披带人充入队带甲，不堪披带人且令依旧屯田，于所得子利内，约度支给养赡。契勘屯田官兵共约三千馀人，其每年所收物斛大段数少，若将不堪；披带官兵止于所得子利内支给养赡，委是不给。请将屯田诸庄内，除巢县界柘皋庄各召归正人耕作外，其和州界屯田并罢，将见占官兵拘收归军。”诏罢和州屯田。

二月，辛卯，四川宣抚使王炎遣人约沙平蛮归部，稍捐边税与之。

金安化军节度使图克坦子温，既以赃滥为李石所劾，甲午，伏诛；并诛其副使老君努。

戊申，金主谓近臣曰：“护卫以后皆是亲民之官，其令教以读书。”

曾觌除浙东总管月馀，帝复以墨诏进觌一官为观察使，中书舍人缴还，以为不因事除拜，必有人言，帝不听。陈俊卿曰：“不尔，亦须有名。”会汪大猷为贺金正旦使，俾觌副之。比还，进一官，而竟申浙东之命，且戒阁门吏趣觌朝辞，觌怏怏而去。

是月，诏均役限田，略曰：“朕深惟治不加进，夙夜兴怀，思有以正其本者。今欲均役法，严限田，抑游手，务农桑，凡是数者，卿等二三大臣，深思熟计，为朕任此而力行之。其交修一心，毋轻怀去留以负委托。”

三月，壬子朔，户部侍郎叶衡言：“三务场每岁所收入纳茶盐等钱，依指挥，比较如有增羡，方与理赏。或恐将别色应数，请立定岁额，行在八百万贯，建康一千二百万贯，镇江四百万贯。收趁及额，方得推赏。”

乙卯，省诸司吏员。

司马伋等贺生辰，至金。丙辰，金主命护卫中善射者与宋使宴射，伋等中五十，护卫才中其七。金主谓左右将军曰：“护卫十年，出为五品职官，每三日上直，役亦轻矣，岂徒令饱食安卧而已？弓矢未习，将焉用之？”

丁巳，起复王抃知阁门事，专一措置三卫拣选官兵。

戊午，金以河南统军使宗叙为参知政事。

乙丑，以晁公武、王炎不协，罢四川制置使归宣抚司。

庚午，金主谓宗叙曰：“卿昨为河南统军时，言黄河堤埽利害，甚合朕意。朕每念百姓差调，官吏互为奸弊，不早计料，临期星火率敛，所费倍蓰，为害非细。卿既参朝政，皆当革弊，择利行之。"又谕左丞(相)石琚曰:"女直人径居达要,不知间阎疾苦。卿等自丞、簿至是,民间何事不知,凡有利害,宜悉敷陈。"

戊寅,以知绍兴府史浩为(校检太)〔检校少〕傅、保宁军节度使。

己卯,以新知成都府史正志为户部侍郎,江、浙、京、湖、淮、广、福建等路都大发运使,江州置司;寻降缗钱三百万贯,均输和籴之用。

夏,四月,辛巳朔,罢铸钱司,以其事归转运使。

以敷文阁直学士张震知成都府,充本路安抚使。

乙未,校书郎刘焞,奏蜀中毁钱以为铜,乃欲榷其铜以铸钱,帝问:"蜀中可出铜否?"焞曰:"蜀中铜山,但有名耳。祖宗时尝榷有铜额,不过三百馀斤。"帝曰:"所出只如此?"焞曰:"沈该作相,建议令榷铜山之时,王之望为转运使,风采震动一路,然竟不能,但科敷民间以应朝廷之令而已。"帝曰:"如此,可罢之。"

焞又论崇、观以后政事多不要其终,曰引法,曰钞法,曰方田,曰水利,曰官田,曰水运,曰开边,帝曰:"此皆崇、观创为之与?"焞曰:"崇、观以绍述为名,小人乘时献言,多取更张。"帝曰:"言者固迎合,听之亦未审。"

焞又言治平以来,君子、小人之消长,帝曰:"朕念治平以前,海内无事。自王安石变法,章惇、蔡卞继之,至靖康间,大臣尤庸缪,以至败乱。"焞曰:"君子消尽,小人虽退,不免用庸人。"帝曰:"朕以为戒,尝诵古语云:'不察察以为明,不穆穆以为恭。'能不使小人迎合,斯可矣!"

戊戌,吏部尚书汪应辰罢。应辰正直多言,立朝务革弊政,多不喜之者,内侍尤侧目。先是应辰举李垕应制科,有旨召试。权中书舍人林机,言垕词业未经后省评奏,且独试非故事,陈俊卿言元祐中尝有独试,机盖为人所使耳。诏俊卿诘之,乃机与谏官施元之密议,以是沮应辰者,于是机、元之并罢。

时上皇方甃石池,以水银泛金凫鱼于上,帝过之,上皇指示曰:"水银正乏,此买之汪尚书家。"帝怒曰:"汪应辰力言朕建房廊与民争利,乃自贩水银耶!"会应辰三上疏论发运司,遂出知平江府。然水银实非买之应辰家也。

诏:"淮东万弩手,候秋成日,依淮西路一体教阅。"

时陈俊卿建议:"扬州、和州各屯三万人,预为守计,仍籍民家,三丁者取其一,以为义兵,授之弓弩,教以战陈,农隙之时,聚而教之。沿江诸郡亦用其法,要使大兵屯要害必争之地,待敌至而决战。所募民兵各守其城,相为犄角以壮声势。"又言于帝曰:"国家养兵甚费,募兵甚难,此策可守边面,可壮军势;而乐因循、惮改作之人,皆以扰民为词。夫天下之事,欲成其大,安能无小扰!但守臣得人,公心体国,自不至大扰矣。"帝意亦以为然,诏即行之。然竟为众论所持,俊卿寻亦去位,不能及其成也。

五月,癸丑,臣僚奏:"每遇大礼,凡所须之物,动以千万计。有司但依例抛降近处州郡收买,州郡则责办于属邑,属邑则取之于平民,并不支还价直。又,辇运所费不资,交纳之际,老奸宿赃,邀阻乞取,人受其弊,无不怨嗟。臣谓三岁一举希阔之典,岂不能捐数十万缗钱,选清强官于近便去处置场和买!或许客旅贩买,依时价交易,严立赏罚,绝去奸弊,变怨嗟为讴歌。如此,则人心悦而天意得,和气不召而自至矣。"从之。

己卯，金主如柳河川。

己未，陈俊卿、虞允文等上《神宗、哲宗、徽宗、钦宗四朝会要》《太上皇玉牒》。

辛酉，校书郎萧国梁，论汉武帝承富庶之后而有虚耗之弊，盖用之者多，不止为征伐也。帝曰："不独武帝为然，自古人君当艰难之运，未有不节俭；当承平之后，未有不奢侈。朕它无所为，止得节俭。"又论盐铁、商车、缗钱等事皆取民无艺。帝曰："正不必如此。"又论今日坑冶不必搜，茶盐不必多为之法，帝曰："祖宗茶法已尽善，诚不必更变。"

甲子，前知广州龚茂良进对，帝曰："广南在祖宗朝，多以重臣分镇，后来士夫乃以入南为惮。南方农事，近来如何？"茂良言："岭外土旷人稀，亦多不耕之田，盖缘顷岁湖寇侵扰广东，人户流移。今渐次复旧。"因论听纳之道，当以功效成否责言者，若未见功效而遽赏之，恐好言利害之人纷然竞进，帝曰："'敷纳以言，明试以功，车服以庸，'岂可未见效便赏言者？"茂良曰："下言'帝不时，敷同日奏罔功'，盖恐反此，复为预防之说以告舜耳。"帝曰："然。"

庚午，户部言："已奉指挥，自行在至建康府，沿路征税颇繁，可省者省之。今措置临安府自北郭税务至镇江府沿路一带税场内，地理接近收税繁并去处，合行省罢，庶几少宽商贾。"诏从之。

癸酉，新知泉州胡铨进对，读札子至"臣尝恭闻圣训，有及于唯礼不可以已之之说。如不欲平治天下则已，如欲平治天下，舍礼何以哉"！帝曰："朕忆曾与卿言，礼之用甚大。"于是诏胡诠可与在京宫观兼侍讲。

甲戌，诏曰："朕嗣承大业，所赖荐绅大夫，明宪度，总方略，率作兴事，以规恢远图。属者训告在位，申饬检押，使各崇尚名节，恪守官常。而百执事之间，玩岁愒日，苟且之俗犹在，诞谩之习尚滋。便文自营以为智，模棱不决以为能，以拱默为忠纯，以缪悠为宽厚，隆虚名以相尚，务空谈以相高。见趋事赴功之人，则舞笔奋辞以阻之；遇矫情沽誉之士，则合纵缔交以附之。甚者责之事则身媮，激之言则气索，曾微特立独行之操，安得仗节死义之风！岂廉耻道丧之日久，而浸渍所入者深欤，抑告戒恳恻，未能孚于众也？继自今，其洒心易虑，激昂砥砺，毋蹈故常，朕则尔嘉。或不从朕言，罚及尔身，弗可悔。"

乙亥，臣僚言："保正之役为良民之害，愿行耆老之法，募民之有产者为之，罢去保正之役。"台谏、户部看详，言："检会元丰八年十月指挥，耆、户长、壮丁之役皆募充，其保正、甲承帖人并罢。请下两淮路，权依此给直募耆、户〔长〕、壮丁。"从之。

戊寅，诏："旧设两省言路之臣，所以指陈政令得失，给、舍则正于未然之前，台谏则救于已然之后，故天下事无不理。今任是官者，往往以封驳章疏太频，惮于论列。今后给、舍、台谏，凡封驳章疏之外，虽事之至微，少有未当，随时详具奏闻，务正天下之事。"

左仆射陈俊卿罢。

虞允文之始相也，建议遣使金国，以陵寝为请，俊卿面奏以为未可，复手疏言之，允文至是复申前议。一日，帝以手札谕俊卿曰："朕痛念祖宗陵寝沦于荆棘者四十馀年，今欲遣使往请，卿意以为如何？"俊卿曰："陛下痛念陵寝，思复故疆，臣虽疲驽，岂不知激昂愤切，仰赞圣谟，庶雪国耻？然性质顽滞，于国家大事，每欲计其万全，不敢轻为尝试之举。是以前日留班面奏，欲俟一二年间，彼之疑心稍息，吾之事力稍充，乃可遣使。往反之间，又一二年，彼必怒而以兵临我，然后徐起而应之，以逸待劳。此古人所谓应兵，其胜十可六七。兹又仰承圣问，

臣之所见，不过如此，不敢改词以迎合意指，不敢依违以规免罪戾，不敢侥幸以上误国事。”继即杜门上疏，以必去为请，三上，乃以观文殿大学士出知福州。陛辞，犹劝帝远佞、亲贤，修政事以复仇雠，泛使未可轻遣。其后遣使，竟不获其要领。

召辛弃疾入对延和殿。帝锐意恢复，弃疾因论南北形势及三国、晋、汉人才，持论劲正，不为迎合。作《九议》并《应问》三篇、《美芹十论》献于朝，言顺逆之理，消长之势，技之长短，地之要害甚备。以和议既定，不行。

夏主仁孝之嗣位也，国内多乱。任得敬，其外祖也，捍御有功，遂相夏国，专政二十馀年，阴蓄异志，诬杀宗亲大臣，仁孝不能制。得敬尝遣使至蜀，既而知宋不足恃。闰月，庚辰，胁仁孝上表于金，请分西南路及灵州啰庞岭地封得敬自为国。金主以问宰臣，尚书令李石等曰：“事系彼国，我何预焉！不如因而许之。”金主曰：“有国之主，岂肯无故分国！此必权臣逼夺，非夏主本意。况夏国称藩日久，一旦逼于赋臣，朕为四海主，宁容此耶！若彼不能自正，当以兵诛之，不可许也。”乃却其贡物。赐仁孝诏曰：“先业所传，自当(故)〔固〕守，今兹请命，事颇乖常，未知措意之由来，续当遣使以询。”得敬惧。仁孝乃谋诛之。

壬午，诏广东〔转运〕判〔官〕刘凯特降两官，以凯尝奏曾造之最，至是造犯赃，凯以失举坐罪也。造前知潮州，以赃败，除名勒停，编管南雄州，仍籍没家财。又，前知横州皇甫谨，以侵盗官物入己，特贷命，刺配梧州。

戊子，以起居郎范成大为金国祈请使，求陵寝地及更定受书礼。

初，绍兴约和，礼文多可议者，而受书之仪特甚。凡金使者至，捧书升殿，北面立榻前跪进，帝降榻受书，以授内侍。及再和，仍循其例，帝颇悔之。至是虞允文议遣使，帝问谁可使者，允文荐李焘及成大。退，以语焘，焘曰：“今往，金必不从，不从必以死争之，是丞相杀焘也。”更召成大告之，成大即承命。临行，帝谓之曰：“卿气宇不群，朕亲加选择。闻官属皆惮行，有诸？”成大曰：“臣已立后，为不还计。”帝曰：“朕不发兵败盟，何至害卿！啮雪餐毡或有之。”成大请国书并载受书礼一节，弗许，遂行。

兵部尚书黄中从容言于帝曰：“陛下圣孝及此，天下幸甚。然今钦庙梓宫未返，朝廷置而不问，则有所未尽于人心，且敌人正以此而窥我矣。”

辛卯，吏部尚书陈良祐言：“遣使乃启衅之端，万一敌骑南侵，供输未有息期。将帅庸鄙，类乏远谋，孰可使者？臣未敢保其万全。且今之求地，欲得河南，曩岁尝归版图，不旋踵而失之。如其不许，徒费往来；若其许我，必邀重币。陛下度可以虚声下之乎？况止求陵寝，地在其中；曩亦议此，观其答书，几于相戏。若必须遣使，则请钦宗梓宫，差为有词。”诏以良祐妄兴议沧，不忠不孝，贬筠州居住，寻改信州。

癸巳，以梁克家为参知政事兼〔同知〕枢密院事。

己亥，臣僚言：“方今重征之弊，莫甚于沿江，如蕲之江口，池之雁汊，自昔号为大小法场，言其征取酷如杀人。比年不止两处，凡溯流而上，至于荆、峡，虚舟往来，谓之‘力胜’；舟中本无重资，谓之‘虚喝’；宜征百金，先抛千金之数，谓之‘花数’；骚扰不一。请行下沿江诸路监司，严行禁革，及刷沿江置场繁并处取旨废罢。”从之。

壬寅，诏：“江东诸郡多被水，漕臣黄石不即躬亲按视，可降两官。”

癸卯，诏：“建康、太平被水县，今年身丁钱并与放免。”

甲辰，资政殿学士、提举洞霄宫辛次膺卒，谥简穆。次膺以礼自防，虽崎岖乱离，贫不自卿，而一介不妄受。立朝謇谔，仕宦五十五年，无丝毫挂吏议。为政贵清静，先德化，所至人称其不烦。

是月，置舒州铁钱监，从发遣使史正志之请也；每岁以五十万贯为额。

六月，丁卯，尚书吏部员外郎张栻言："近日陛下治徐考叔请托之罪，并及徐申罢之，英断赫然。臣为诸臣言，陛下惩奸不私于近，有君如此，何忍负之！"帝曰："朕意正欲群臣言事，如其不言，是负朕也！"又言："谋国当先立一定之规，周密备具，按而行之，若农服田力穑，以底于成。"帝曰："弈者举棋不定犹且不可，况谋国而无定规乎？"

癸酉，置蕲州蕲春监、黄州齐安监铸铁钱。

乙亥，赵廓权发遣江南东路兵马钤辖回，论治军务要严整，又论州兵须以正兵夹习，帝曰："严整乃治军之要；州兵当兼正兵同赴功。"

张栻上疏曰："臣窃谓陵寝隔绝，言之至痛。然今未能奉辞以讨之，又不能正名以绝之，乃欲卑词厚礼以求于彼，则于大义为已乖。而度之事势，我亦未有必胜之形。夫必胜之形，当在于蚤正素定之时，而不在于两陈决战之日。今但当下哀痛之诏，明复仇之义，修德立政，用贤养民，选将练兵，以内修外攘、进战退守之事通而为一。且必治其实而不为虚文，则必胜之形，隐然可见矣。"

先是栻见帝，帝曰："卿知敌中事乎？"对曰："不知也。"帝曰："敌中饥馑连年，盗贼日起。"栻曰："敌中之事，臣虽不知，然境中之事，则知之详矣。"帝曰："何事？"栻曰："比年诸道岁饥民贫，而国家兵弱财匮，小大之臣，又皆诞谩不足倚仗。正使彼实可图，臣惧我之未足以图彼也。"帝默然久之。

秋，七月，壬午，金主秋猎，放围场役夫。诏："扈从粮食并从官给。纵畜牧蹂践禾稼者，杖之，仍偿其直。"

癸巳，诏鄂州建岳飞祠宇，以忠烈庙为额，从州人之请也。

甲午，臣僚言："省官不如省事，古之格言也。国家循袭近世文弊之极，宜及中外正无事时，蚤计所以更革，省去繁文，渐就简质。望博访官司，凡有行遣迂回者，各令日下条具，蚤为更革。事既渐简，日多闲暇，则以图回万务，有馀裕矣。"从之。

丙午，权户部侍郎王佐言："今之户部，即祖宗时三司之职，国之会计出纳，无所不统。比年朝廷创立南库，本以丰储蓄，备缓急，而不知者以为割户部经常之费为别库桩积之资，殊不知财之在南库，与户部一也。今欲将户部所入，根考括责，造成簿籍，勾稽驱磨，俾无渗漏。月终以实收支之数申奏，岁终会计其盈虚。或经常用度之馀，有趱积剩数，除量留一月约支外，尽以归之朝廷；或朝廷有非泛支用，亦合听户部开具申陈取拨。不惟事切一体，形迹不存，亦使有无相通，不误缓急。"诏专委王佐攒造簿籍，陆之望同措置。

【译文】

宋纪一百四十一　起己丑年（公元1169年）正月，止庚寅年（公元1170年）七月，共一年有余。

乾道五年　金大定九年（公元1169年）

春季，正月，辛酉（初四），金国主和宣徽使敬嗣晖、秘书监伊喇子敬谈论古今的事情，于是说："灭亡了的辽国每天屠宰三百只羊，哪里能够吃得完呢，只不过是伤害生灵罢了！我虽然处在尊贵的地位，每当用餐的时候，总是想到老百姓还在忍饥挨饿，就好像自己在忍饥挨饿一样。他们自身做恶事口中却祈求福祐，有什么益处？像海陵王任用张仲轲为谏议大夫，从哪里听得到忠直的言论！我和大臣们议论每一件事，不是正道的话不会说出来，你们如不以正道的话应对，这难道是做人臣的道理！"

庚午（十三日），金国主下诏："各个州县购买粮食，不得硬性摊派给老百姓。"

白釉孩儿枕　北宋

甲戌（十七日），新任知无为军的徐子实陈述了屯田的利和弊，宋孝宗认为他的建议可以采纳，于是任命为大理正，还负责处理两淮屯田事务。

同月，金国主命令都水监梁肃前往巡视黄河决口。

河南统军使宗叙上奏说："黄河之所以决口，是因为河道被淤沙堵塞，不能承纳洪水的缘故。现在曹州、单州虽然遭受了灾害，但这两个州本来就是以水利为生，所受灾的农田并没有多少。现在打算让黄河重返故道，不仅要耗费大量的人力物力，最终也难以成功；纵然能够堵塞决口，日后大雨滂沱，也将会溃堤决口，那么山东所遭受水灾的程度，又不是曹州、单州的水灾能够比拟的。何况黄河沿岸数州的地方，骤然间大规模兴建工程，人心浮动，恐怕宋人乘机挑起边界上的祸患。"

梁肃也说："新河道容纳了十分之六的水量，旧河道容纳了十分之四的水量，现在如果堵塞新河道，那么两个河道的水合二为一，如果一旦遇到河水猛涨，南面决口就祸及南京，北面决口那么山东、河北都会遭受水灾之害，不如在李固南边筑堤，让新旧河道分流，以减轻水势。"金国主采纳了他们的意见。

二月，乙未（初八），宋孝宗命令楚州兵马钤辖羊滋专门处理沿海的盗贼。

先前海州人时旺，召集了几千人来投奔。时旺不久就被金人抓捕，他的部下很多渡过淮河朝南边发展，所以命令羊滋压制他们。

戊戌（十一日），宋孝宗追赠张浚为太师，追赐谥号为"忠献"。

庚子（十三日），金国因为中都路等地方遭受水灾，免减税赋；又因为曹州、单州两地遭受的水灾最严重，免去一年的徭役。

壬寅（十五日），宋孝宗任命给事中梁克家为签书枢密院事。

甲辰（十七日），宋孝宗任命王炎为参知政事。

辛亥（二十四日），中书舍人汪涓说："中书舍人制敕如果有差错，允许他们上奏辩论，而给事中又负责驳正中书失误，各抒己见，都是为了同一件事情。近些年以来，偶尔有需驳正的事，有时是中书舍人、给事中联名上奏，这是将中书省和门下省的职责混为一团了，并不是神宗皇上制定官制时规定各部门明确职责范围、匡正纲纪、防止失误的本意。"壬子（二十五日），宋孝宗下诏："从现在开始所有的诏令没有经过中书省和门下省审阅的，一律不允许下

发传达;给事中、中书舍人的驳正,不能联名上奏。”

甲寅(二十七日),金国主下诏令:“女真人与其他各族的人发生公事纠纷,只和女真人论理。”

三月,丁巳朔(初一),宋孝宗下令赶紧修建庐州、和州两城。

丁卯(十一日),金国主命令御史中丞伊喇道巡视山东、河南的情况。

尚书省讨论用网捕捉禽兽如何论罪的问题,石琚说:“因为捕杀禽兽的原因而判百姓徒刑,这是重视禽兽而轻视人民的生命,恐怕这不是陛下的本意吧?”金国主说:“是的。从今以后有犯此罪的,就杖打后再释放。”

辛未(十五日),金国禁止民间说“销金”,原来的法令规章中有“销金”字眼的,改作“明金”。

乙亥(十九日),宋孝宗召四川宣抚使虞允文还朝,因为陈俊卿推荐他的才能可以担任将相;任命王炎代为宣抚使,仍然任参知政事职。

丙子(二十日),宋孝宗赐予礼部进士郑侨等三百九十二人为进士及第、进士出身。

辛巳(二十五日),金国因为大名路各明安、民户粮食不足,派遣官员打开官府粮仓,降价出售。

壬午(二十六日),宋孝宗赐予洛阳郭雍“冲晦处士”称号,这是因为湖北帅张孝祥荐举他的贤能,召其出仕而不到职的缘故。

淮西副总管王公述入朝答对,宋孝宗说:“到任后所遇到的事情,与郭振一起慎重商量。淮甸地区的义兵,应该按时令训练检阅,不能长久役使,妨碍耕种。如果修城完工,就一同前往各州、军视察检阅厢军、禁军,如果见到淮甸地区有兴办有益的事,就立即报告。”

癸未(二十七日),群臣说:“国家设置武学培养人才,都是每月每季通过考试来培养他们成才;而武臣通过科举考试后,只允许参加遴选,入监司担任钱粮官。铨选官员的部门积压了很多这样的人才,很难得到合适的派遣,后来虽然允许他们去沿边各地担任亲民官或者巡尉官,往往都是偏远险恶地区,大多数不愿接受派遣。因此武臣及第之后,所用非所学,很不符合朝廷教育培养他们的本意。请允许将前后武举及第的人中,有军事才能、武艺高强,可以任用为将领的人,准许侍从官推荐选举,皇上立即召入应对,量才使用,或者让他们注授屯守驻防的各军机幕府干办,参与军事谋划,或许对他们有激励的作用。”宋孝宗于是下令监司、帅臣、管军、侍从可以从这样人中推荐人才。

夏季,四月,己丑(初三),金国主对宰臣说:“朕观察在位的大臣,当初刚入仕时,竞相追求好名声来求取更高的地位,一旦显贵发达,随即就沉默苟且,只为自身的安全打算,朕很不满意。应该宣告百官,让他们知道朕的意见。”

辛卯(初五),有人建议说:“楚州是边防重地,也是交通要道。州东有一个名叫皂鱼沟的地方,北接淮河和大海,与山东沿海相对。应该把本州兵马钤辖羊滋的驻地移到这个地方,设置官署缉捕奸盗。原来所管辖的二百多只海船,担任搬运海州军粮、侦察敌情等事务,很能起作用。射阳湖地区范围广大,缺少官员管理,应安排两名官员,专门负责管理海船、侦察海盗情况,听从羊滋指挥。”宋孝宗采纳了这一提议。

壬辰(初六),宋孝宗任命梁克家兼参知政事。

癸巳(初七),金国主派遣使臣分别到河北西路、大名、河南、山东等路鼓励农业生产。

庚戌(二十四日),宋修筑襄阳府城。

辛亥(二十五日),宋赈济衢、婺、饶、信四州的流民。

五月,癸亥(初八),刑部侍郎汪大猷说:“国家制定保证的法令,愿意兼任耆长的都予准许,所以数十年来,承担乡役之初,县道官员必定强行规定耆长。因为保正是一乡之中的富豪,官吏有什么需求,就可供给,所以乐意让他们兼任耆长之职以便从中得到。凡是有差事募役,他们就互相勾结。请求下令各路常平司官员考虑,或者另外有别的好办法,限定一个月之内条陈上奏,本部参考现行条例,制定制度。”宋孝宗采纳了他的建议。

戊辰(十三日),金国尚书奏报越王永中、隋王永功二府准备大兴土木,需征发役夫,金国主说:“朕看到宫中的竹有的已经枯萎,想让人重新种竹,担心烦劳百姓就打消了这个念头。二王府各有侍从劳力,奴婢又很多,有什么理由再去烦扰百姓!你们只以旧例相请,海陵王强行征役没有节制,怎能援引为例呢?从现在起在京都应役的人员,符合条例的仍按旧例办理,多余的由官府发给应役报酬,重复应役的要奏报于朕。”

宋孝宗诏令:“后省官要建立言事记录本,仔细登录大臣、僚属和百姓上书的事情,认真挑选可行地向朕呈报。”

这个月,金国送来国书要求放归被俘的金国人,王抃主张全部遣还时旺的余党;陈俊卿认为不行,宋孝宗同意陈俊卿的意见。

诏令说:“有司依照法律判案,不能照顾人情关系,违反者奏报处置。”

六月,金国冀州地区张和等人谋反,被杀。

戊戌(十三日),宋孝宗驾临便殿。

当初,宋孝宗亲自射箭,因为弦反弹使眼睛受伤,到现在才痊愈。陈俊卿秘密上奏说:“陛下一个月不上朝,外面议论纷纷,由于辅政大臣没有尽到职责,没有事先陈述利害,以至于惊动圣躬,使陛下盛德蒙受损失。臣听说过去的君主处在富贵崇高的至高地位,志得意满,心中的大道不能控制欲望,于是游玩打猎、音乐美女、华车丽服、兴宫建室,不能无所偏爱,而不能成为一个完美无缺的君主。陛下忧勤恭俭,清净寡欲,凡是前代英主所不能避免的爱好,一律摒弃拒绝,但顾念着骑射这样的小技,还不能忘怀。臣知道陛下并不是喜欢骑射,而是神明威武的胆略,立志振兴宋朝的基业,所以屈尊学习骑射之术,以检阅武备,激励士气。陛下如果能任用有智谋的人作为心腹,依仗武猛的去打仗,赏罚分明以鼓舞士气,恢复信誉和义气使人归附,那么声威大振,不出酒席之间,敌人早已退却,在千里之外也被陛下的声威所震慑,哪还需要陛下在百步之间进行区区的骑射呢?”又说:“古代任用大臣,是他朝夕教诲君主来辅助君德,改正错误纠正过失,其目的是将君主的错误和过失控制在萌芽状态。唐太宗驾鹰准备出猎,看到魏征就立即停止出猎;唐宪宗准备到蓬莱游玩,因担心李绛反对也未成行。臣人微言轻,没有魏征、李绛二人那样骨鲠强谏的品格,致使陛下的过错传播出去了。今天以该诛之身来说这番话,又如何能弥补以前犯的过错呢!”又说:“射箭的技巧,人们通过经常练习很容易精通,然而也免不了出现今日的祸患;何况鞠球的游戏,对武功也没有什么益处,而弓箭反弹的担忧,坐骑突然的变故,所造成的危险比引弓射箭还严重。以前陛下也很爱好这些,臣多次进谏,未能得到采纳。现在的这次失误,大概是上天仁爱陛

下，以示提醒，能通过这次的小失误来杜绝今后出现大错误，陛下试以弦断之变思考一下，那么以前精力充沛策马追逐猎物时，没有摔跤，是多么的幸运，岂不令人感到后怕！太祖皇帝曾因坠马之故而停止打猎，又因醉酒误事而戒酒，择善改过，不能拖延，这是子孙万代以保皇位的训诫。臣希望陛下克制自己，严格行为，一心以太祖为榜样，就会使盛德发出光辉，每天照耀普天之下，而以前的过错，怎么能损伤日月的光辉呢！”

右谏议大夫单时也上疏进谏，宋孝宗当面对他说：“你说话可以说是忠诚于朕的。”在此以前单时任侍御史时，曾上封书谈论饮酒、击球的事情，宋孝宗非常高兴，诏谕辅臣说：“击球，朕放下多时了；饮酒，朕自当严戒。”

金国主因为天气久旱，命令宫中不允许使用扇子。庚子（十五日），降雨。

己酉（二十五日），任命虞允文为枢密使。

这个月，宋孝宗赐予孔璨官职，孔璨是至圣文宣王孔子的四十九代孙。

秋季，七月，乙卯朔（初一），金国停止在东北路采珠。

乙丑（十一日），宋孝宗任命福建副总管曾觌为浙东总管。

曾觌任职期将满，陈俊卿担心他入朝，事先奏请任命他为浙东总管。虞允文也说曾觌不能留在朝内。宋孝宗说：“对。留在朝内就会连累朕。”于是才有这样的任命。

丙寅（十二日），宰执官奏请将近期内上书谈论边事的奏章全部送给编修官，从中选择可行的、不可行的或者可以保留存档的，按种类汇编，设置簿籍抄录其上，以备以后选择采纳。

八月，甲申朔（初一），发生日食。

己丑（初六），宋孝宗任命陈俊卿为尚书左仆射，虞允文为右仆射，并任平章事兼枢密使、制国用使。陈俊卿以任用贤能为己任，奖励廉洁退让，抑制钻营投机；虞允文也以选拔人才作为当务之急，曾将人才分为三等并造册登录，称《材馆录》，所以他们任用的大多是有用之才。

乙未（十二日），中书、门下省说：“寺判、丞、簿学官、大理寺直、密院编修等官员，称之为职事官，朝廷利用职事官来储备人才。近些年来，往往将职事官作为待阙官使用，任命既多又杂，贤与不贤混淆不清，依据什么来判断流品的高低？用什么来淳厚民风？望特此下达命令，让职事官只有在有空缺时才能任命，其已经下派的职事官，恐怕按次序等待时间太长，又没有空缺可补授，乞请朝廷陆续恢复各州的添加名额，以厘正通判、签判、教授、属官等阙位来安置他们。以后职事官有空阙，就从朝廷以前派下去的职事官中选择召用。这样京城内外的任命就渐渐均衡，朝廷纲纪逐步走上正轨。”宋孝宗准许照此办理。

九月，甲寅朔（初一），金国停止每月供给皇太子物资的规定，改为一年供给五万贯钱。

金国主对台臣说：“近来听说朝官中有人占用官府物质来牟取暴利，你们为什么不上报？”都回答说：“不知道。”金国主说：“朕都知道了，你们能不知道吗？朕如果指出不法官员，你们还做什么！”

丁巳（初四），中书、门下省奏报各路监司近来大多不巡视监察以尽其职，官吏贪赃懒惰，无所畏惧。偶尔出去巡视，又多纵容随行人员敲诈勒索，骚扰地方，理应约束。宋孝宗诏令：“各路监司，今后分上半年、下半年依照条例巡视按察，询问、探防民间疾苦，纠察贪赃、懒惰、不称职的官吏，仍然具实上报。如果还有敢像以前纵容随行官吏勒索、骚扰地方的，应当依

法从重治罪。”

己未(初六),新任江东转运副使程大昌入朝辞行,宋孝宗对他说:“近来监司大多不履行巡察职责,朕希望你遍行各州,考察守令的善恶,体察民间的冤情,全部如实上奏。”

壬戌(初九),金国主举行秋猎。

甲子(十一日),宋孝宗诏令侍从、台谏官员集议讨论为钦宗配飨的功臣人选。

丙寅(十三日),起居郎林机说各郡守臣只想到完成赋税征收任务,而不体恤县里的贫穷困乏,以至于对百姓横征暴敛,宋孝宗说:“他们真是不理解朕宽厚体恤的心意。就像税赋太沉重,朕本想减轻,只是没有顾及,应当逐渐减轻。”林机又说:“各地都有羡馀进献,都是东拼西凑来求取陛下的封赏。”宋孝宗说:“现在财政赋税收入,哪能有多余!以后如果有进献羡馀的,朕一律退回。”

壬申(十九日),宋孝宗诏令:“三衙各军中有违反军纪的官兵,统兵官特予免罪,交付主帅处理,近期内全部处理完毕。如果军营中有人因为训练损坏了军用器械,由官府修补。军务要让官兵吃饱,不得过多聚积钱粮,却从中减克军饷。借用差派军兵战马,大都超过了白直制度规定的人数,各处利用军营经营生意获取利润,私自占用官兵,全部交付军营进行训练,务必做到军政整肃。各处送去的官员的每月俸禄以及应付索客和各种名目的钱物,有贪污、克扣、冒领、挪用等作为私用的,按贪赃钱财的数量定罪。私自借用人马,也按照折算的价值定罪。有违抗命令的统制、统领、将、佐,由主帅按察上奏,并依法从重治罪;主帅没有监察举报而失职的,也应重加惩罚。”在此以前枢密院曾上奏:“国家抚养官兵,全部依靠领兵官督导训练,以防备应付突发事变。近来三衙各军统兵官,各有私心、恣肆不公之事,破坏了军政。”于是就列举了十一种弊病,乞请皇上实行惩罚和革除,所以宋孝宗下达了以上诏书。

宋孝宗命令淮西安抚司参议官许子中处理在淮西山水砦招集归附的人垦种官府的土地。

这个月,恢复监司选本贯法。

这年秋节,宋孝宗命令监司、帅臣考察守令政绩的好坏。

太常少卿林栗等说:“臣认为在郊外祭祀上帝,应选在国都的南面,选择处于阳位的地方。国家举行祭祀盛典,一年之中祭祀上帝有四次:春祈、夏雩、秋享、冬报,其中有两次在南郊的圆坛,有两次在城西惠照院望祭斋宫。因为在汴京时,孟夏举行大雩祭祀,在郊丘的左面另外修建雩坛;深秋举行大享祭祀,由有司代行祭礼,就在南郊斋宫端诚殿举行。现在城西望祭斋宫,在取阳位的意义上说已经没有依据,乞望仔细斟酌,除了每三年一次皇帝亲自祭祀有典可循外,有司代行祭礼,一年中的四次祭天,都应在圆坛举行,以遵从旧制。”宋孝宗同意了此建议。

接着礼部侍郎郑闻等说:“建国之初,沿袭唐朝旧制,一年四次祭祀昊天上帝的盛礼都在郊丘举行,称为祈谷、大雩、享明堂、祀圜丘。只有祭祀明堂应当在室内举行,元祐六年,听从太常博士赵叡的意见,有司代行祭祀,就选择斋宫行礼,到元符元年,又改在斋宫端诚殿行礼。臣发现郊丘的一角有一座明净寺,请求遇到由皇帝亲自主持明堂祭祀时,就遵照依从绍兴三十一年所实行的祭祀仪式行礼;如果是平常的祭祀活动,由有司代行祭礼,就应当依照元祐年间臣属陈述的意见,权且在净明寺举行祭礼,这样才符合祭祀明堂的原则。”宋孝宗采

纳了这个建议。

冬季，十月，丁亥（初五），金国主返回京都。

戊子（初六），宋孝宗下诏令赈济温州、台州遭受水灾的贫民。因为各地守臣未上奏灾情，分别给予降级、免职处分，监司各降一级官职。

庚子（十八日），臣僚上奏说："陛下执政之初，控制各州县收取赋税时多收加耗，法禁非常严厉。但近年以来，所收加耗数量增大，等朝廷下达了和籴指标后，却用多收的加耗冒充和籴之数，所得钱财，恣意挥霍。乞请禁止州县官员杜绝营私舞弊行为，以减轻百姓的压力。"宋孝宗同意此意见。

辛丑（十九日），金国主任命尚书右丞相赫舍哩良弼为左丞相，任命枢密使赫舍哩志宁为右丞相。

金国主诏令："宗庙祭祀所用的祭物，用鹿代替牛，特此为令。"

丙午（二十四日），金国在太庙举行大享祭祀。

辛亥（二十九日），金国主任命平章政事完颜思敬为枢密使。

十一月，癸丑朔（初一），恢复设置淮东万弩手，号称神劲军。

甲寅（初二），守起居郎兼权中书舍人林机，谈论司马光曾有君子的品德高于才能、小人的才能高于品德的论点，希望陛下体察其中含义。宋孝宗说："朕对此话未尝没有体察，只怕理解得不全面。汉高祖以善于用人而闻名，说陈平智谋太多，难以独担重任，周勃忠厚稳重，可以承担大事，大概是从中得到启发。"丁巳（初五），宋孝宗亲笔撰写《用人论》，赐予宰臣陈俊卿等人。

己未（初七），林机说："本朝庆历三年，欧阳修建议：'臣僚奏事退出，令他们留在殿门稍候一会，等修注官出来，当面记录皇上说的话'。到庆历七年，王贽才奏请只把皇上的圣语备录关报，乃成为定制。因此宋仁宗一朝，道德教化的渊源，礼义刑政的规定，记载在国史上，最为详细全面，这是因为史官尽职。近世以来，臣僚上奏陈事，一律不允将圣语上报。臣查看了在汴京时通行的命令，各位进朝应对的大臣，只要当面聆听圣语，应当记录下来，限定一天之内亲自录写，密封上报门下、中书后省；有关机密事件，难以记录上报的，只需注明'因依申知'；又有敕令应记入起居注而没有上报门下、中书后省的，按违背制度论罪。乞请降旨给两省检举以前的条令，皇上圣语才能大书特书，诚信万世永重。"宋孝宗下诏令检查现行条令，颁布执行。

金国主任命尚书左丞完颜守道为平章政事，右丞石琚为左丞，参知政事孟浩为右丞。

金国主对宰臣说："古代有身居低位却能忧国忧民，直言进谏而毫无顾忌的人，现在为何没有？"石琚回答说："这样的人哪里没有，只是没有向上面反映情况的机会！"金国主说："应当尽心寻访并提拔他们。"

壬戌（初十），金国主举行冬猎。

把明州定海县水军作为御前水军。

辛未（十九日），给事中兼侍读胡沂入朝应对，谈论朝廷在造命之初就应当谨慎，宋孝宗说："三代盛世就是如此。你们的职责就是驳正错误，有应当直言的事情，不要担心拂逆主上、宰相之意而不说。"

壬申(二十日),宋孝宗重新任命成闵为庆远军节度使、镇江诸军都统制。

丙子(二十四日),金国主返回京都。

十二月,丙戌(初五),金国赈济临潢、泰州、山东东路、河北东路等处的明安(猛安)民户。

金国主任命东京留守图克坦喀齐喀为平章政事。图克坦喀齐喀奏报睿宗收复陕西路的功绩数件,金国主高兴地接纳,并把奏报收藏在秘府保存。

图克坦喀齐喀的侄子马温,任安化军节度使,贪赃枉法,御史大夫李石向朝廷弹劾他。在李石开始弹劾时,宰相退下殿来,站着等了很久,李石退下后,宰相无意中问李石向皇上奏事怎么用了这么长时间,李石严肃地说:"就是因为天下奸污之徒没有全部革除。"听此话的人感到恐惧。

丁酉(十六日),宋孝宗重新任命李显忠为威武军节度使。

甲辰(二十三日),秘书监兼史院编修李焘说:"臣见记载,在太平兴国三年,开始编修《太祖实录》,命令李昉等共同编修而由沈伦负责监修,历时五年成书。到咸平元年,真宗对沈伦说编修的《太祖实录》遗漏了许多历史事件,于是诏令钱若水等重新加以刊修,由吕端和李沆监修,历时两年成书,比前一次的实录稍为详细一些,而真宗仍认为不完备。大中祥符九年,又诏令赵安仁等共同编修,由王旦监修,第二年成书。《太宗实录》第一次编修是至道年间,第二次编修是在大中祥符九年,《神宗实录》重修三次,《哲宗实录》也重修了两次。神宗、哲宗两朝之所以多次修改,却和太祖、太宗《实录》的修改不一样,因为不只历史事实有遗漏忽略,而且动辄凭私心颠倒是非,所以绍兴初年不得不考证辩白。其中诬蔑毁谤即使辩白清楚,而其中的漏略还存在,即使这样也比近期修编的《徽宗实录》要好,因为《徽宗实录》疏漏错误尤其严重。最近诏令编修《四朝正史》,然而编修《正史》应当依据《实录》,《实录》倘若有差错不能作为依据,那么史官无法根据准确的事实来下笔。请求援引太祖、太宗对《实录》进行修改的成例,将《徽宗实录》重新加以改写,并不另设私局,只委派史院官员把以前编修的《徽宗实录》仔细审阅考证,正确的保留,错误的删除,遗缺的补上,不准确的改正。《实录》首先完成,《正史》便可很快完成。"又说:"臣最近进呈《续资治通鉴长编》,起于建隆年间迄于治平年间,自然应当依照诏旨接着继续编修进呈,乞请允许臣专心讨论徽宗时代的事迹纂述问题。《长编》完成之后,也可以辅助完成《正史》。"

乙巳(二十四日),恢复设置成都路广惠仓。

丙午(二十五日),金国主颁布制令:"在职官员犯公罪,在京已认罪的,即使离职还要依法论罪。"

这天,张栻新任严州知州,入朝谒见,上奏说:"想恢复中原国土,必先收复中原百姓的心;想获得中原百姓的心,必先获得宋朝境内百姓的心。求得境内百姓之心没有别的,只要不竭尽民力,不伤害百姓财产。如果中原人民,听说君主如此爱惜百姓,又听说百姓如此安居乐业,那么他们的归附之心谁能阻挡!"宋孝宗说:"的确应当如此,况且中原人民,本来就是宋朝的子民,一定会用襁褓背负孩子归来。"张栻又说:"现在荒诞欺谩之风不能助长,至于边境事务,必须委派忠诚老实不欺诈的大臣。不然,岂不辜负了陛下倚重和信任!"宋孝宗说:"如果荒诞欺谩,必定会贻误国家大事。"张栻又说:"首先听其言论,再考察其行为,这就

是所说的听他们敷陈进奏的言论，明辨考察他们的功绩。”张栻到任后，寻问民间疾苦，首先以丁盐绢钱太沉重奏请朝廷，诏令征收减半。

发放会子二十万贯交付两淮漕司收兑铜钱，两淮州郡都以铁钱和会子同时流通使用。

金国司徒、御史大夫李石，执掌监察多年，年事已高，御史台上奏的事情中，有的事在制规前已作断定而又乞请依照新的条规改变断定，金国主说："如果在制规前已经断定，怎么能改！"金国主来到香阁，召见中丞伊喇道，对他说："李石老了，你们应当多尽心力。以前所上奏的事情有的很不恰当，难道涉及私事吗？"某天，又对李石说："你近来多次上奏的都是日常事务，臣僚的善恶邪正，没有涉及到。你年纪老了，不能久居此位。如果能推举一两个贤能之人，也没有辜负你现在的职位。"

乾道六年　金大定十年（公元1170年）

春季，正月，癸丑（初二），雅州沙平蛮进犯边境，焚烧了碉门砦，四川制置使晁公武调遣兵力讨伐，打了败仗。

乙卯（初四），修筑楚州城。

朝中议论打算戍守清河口，左骁卫上将军陈敏说："金兵每次出兵清河，必定派遣人马先从清河上游暗中偷渡，现在应该修筑楚州城池，是因为楚州属于南北交通咽喉，是双方必争的战略要地。淮河长达二千多里，河道通往北方的有五条，即清河、汴河、涡河、颍河、蔡河；河道通南方连接长江的，只有楚州运河。北方金人的船只顺五河南下，如果打算渡过长江，定要经过楚州运河，没有别的途径可以达到目的。过去周世宗从楚州北神堰凿通老鹳河，战舰通过此河进入长江，南唐于是丧失了两淮地区。由此说来，楚州实在关系到两淮的命运，希望朝廷重视。"于是派陈敏修筑楚州城，并转移到楚州城驻守。

已离职的礼部侍郎黄中，七十多岁，宋孝宗思念他，召他赴宫。黄中说："这些年来，主张言和的人忘记了不共戴天的仇恨，根本不是长治久安的办法；主张开战的人也是重复毫无顾忌地大话，又没有必胜的策略。最必要的是暂时与金言和而要积极备战，对内修理政事对外观察时局变化，不久就可以行事了。"宋孝宗采纳他的全部意见，任命黄中为兵部尚书兼侍读。

黄中知无不言，其中最大的事就是迎请钦宗梓宫，停止天申赐宴。黄中以前在礼部任职时建议停止作乐事，黄中离职一年多后，终于采用了这个建议。这年，又准备赐宴，黄中上奏重申以前的主张，并且说："三纲、五常，是圣人用人治理天下最重要的法则，不能一日没有。钦宗梓宫，远在沙漠之地，臣子未曾一语提及，只有不赐宴这件事还保留，如同鲁国人每月初一祭祖时只送去一只羊一样。现在又要废止，那么三纲、五常如同扫地般清除干净，陛下又将凭什么要求天下臣子对君亲尽忠尽孝！"

黄中任职不满一年，就乞请告老还乡，而且陈述十条重要原则呈献皇上说："任用贤人而不刚愎自用，是治理国家的关键；以公议提拔或罢免官员，是任用人才的关键；考察一个人是正直忠诚还是讨好顺从，是分辨君子与小人的关键；广开言路，是防止阻塞忠言的关键；考核事实的实际效果，是采纳进谏之言的关键；量入为出，是管理财政的关键；精心选派监司官员，是治理地方事务的关键；严厉惩罚贪官污吏，是体恤民情的关键；要求文武大臣，面陈治军方略，是选拔将帅的关键；考察核实兵籍名册，是节省开支的关键。"

甲子（十三日），诏令："真州六合县发生特大火灾，统制官钱卓灭火措施不得力，降官三级。"

金国主下令宫中元宵节不能张灯结彩。

乙丑（十四日），宋增修丰储仓。

甲戌（二十三日），金国主任命司徒、御史大夫李石为太尉、尚书令。诏书说："太后的弟弟只有你一人，所以让你领尚书事。军国大事，可议论其可否，日常小事就不烦劳你。"晋封为平原郡王。

丙子（二十五日），建康都统制郭振说："朝廷已降旨下令，让我同淮西总领共同负责拣选屯田人员，能披挂上阵的人编入军队发给兵器，不能披挂上阵的人就让他们依旧屯田，在所获得的利润中，酌情支出一部分作为生活费用。经查核屯田官兵共有三千多人，每年收入的粮食财物大都数量很少，如此就不能保证供给；披挂上阵的官兵只从所获的利润中支取生活费用，确实是无法供给。请求把诸庄内的屯田，除了巢县境内柘皋庄召集归正人耕作的之外，和州境内其他各处屯田全部停止，把屯田所占用的官兵收归到各军中。"降旨停止和州的屯田。

二月，辛卯（初十），四川宣抚使王炎派遣人员与沙平蛮相约，沙平蛮返回原部落，并捐给他们一部分边税。

金国安化军节度使图克坦子温，以前曾因贪赃滥用被李石弹劾，甲午（十三日），被杀；同时被杀的还有副使老君努。

戊申（二十七日），金国主对近臣说："护卫官以后都是管理百姓的官员，应下令教他们读书。"

曾觌改任浙东总管一个多月后，宋孝宗又用墨诏给曾觌升官一级任命为观察使，中书舍人缴还诏书，认为无故升官，必定会招致议论，宋孝宗不理会。陈俊卿说："不这样办，也须有个名义。"正巧汪大猷出任贺金正旦使，就让曾觌出任副使。等回国后，提升一级官职，然而仍任命他去浙东就职，并且告诫阁门吏催促曾觌尽快入朝辞行，曾觌很不满意地离京赴任。

这个月，诏令均担徭役限制占田，诏书大意是："朕深切忧虑国家的治理进步不大，日夜思索，想找到正本清源之道。现在打算推行均役法，严格限制占田，打击游手好闲之徒，鼓励发展农桑，以上各项事宜，你们这些大臣，深思熟虑，替朕担负这些重任并且努力推行。大家共同一心，不要轻易辞职而辜负朕的重托。"

三月，壬子朔（初一），户部侍郎叶衡说："三务场每年所征收上缴的茶盐等钱，按照规定，比以前有所增加，才能给予奖赏。有的恐怕用别的收入来充数，请求确立每年的定额，行都临安为八百万贯，建康为一千二百万贯，镇江为四百万贯。收入达到定额，才能获得奖赏。"

乙卯（初四），裁减各司官员。

司马伋等担任贺生辰使者，到了金国。丙辰（初五），金国主命令护卫中善射者与宋朝使臣在宴会上比赛射击，司马伋等射中了五十箭，金护卫才射中了七箭。金国主对左右将军说："护卫任职十年，可以任命为五品职官，每一天值勤一次；职役也很轻松，难道只是让他们吃饱睡好吗？弓箭没有练习好，将来怎么用他们？"

丁巳(初六),重新任命王抃为知閤门事,专门负责三卫官兵的选择。

戊午(初七),金国主任命河南统军使宗叙为参知政事。

乙丑(十四日),因为晁公武、王炎不和睦,撤销四川制置使,其政务归宣抚司。

庚午(十九日),金国主对宗叙说:“你以前出任河南统军时,谈到黄河筑堤护坡的重要性,很合朕意。朕常想到百姓为此被差调,官吏互相勾结营私,不提早计划预测,事到临头星火般征调聚敛,所需费用成倍增长,造成危害不小。你既然参与朝政,凡是弊病都应当革除,选择推行有利的事情。”又告谕左丞相石琚说:“女真人直接成为达官要人,不了解民间疾苦。你们从丞、簿到现在的高位,民间的什么事不清楚,凡是有关百姓利害的,应当全部敷陈奏报。”

戊寅(二十七日),任命知绍兴府史浩为检校少傅、保宁军节度使。

己卯(二十八日),任命刚上任的成都知府史正志为户部侍郎,江、浙、京、湖、淮、广、福建等路都大发运使,在江州设置官署;不久拨发缗钱三百万贯,用来均输和籴之用。

夏季,四月,辛巳朔(初一),撤销铸钱司,其事务归转运使。

任命敷文阁直学士张震为成都知府,并充本路安抚使。

乙未(十五日),校书郎刘焞,奏报蜀地百姓化钱为铜;是想专卖这些铜用来铸钱,宋孝宗说:“蜀中出产铜否?”刘焞说:“蜀中铜山,徒有虚名。先帝时曾规定专卖铜的数额,不过三百多斤。”宋孝宗说:“产量这么少吗?”刘焞说:“当年沈该任丞相,建议下令专营铜山的时候,王之望正任转运使,风采震动了全路,然而竟不能有效地专营铜山,只向民间征收以应付朝廷的需要。”宋孝宗说:“既然如此,就停止铜的专卖。”

刘焞又说到崇宁、大观年间以后的政事大都有始无终,如引法、钞法、方田、水利、官田、水运、开边等事,宋孝宗说:“这些都是崇宁、大观年间创立的吗?”刘焞说:“崇宁、大观年间以继承祖业为名,小人趁机进言,大多是为了标榜自己的主张。”宋孝宗说:“进言的人固然是迎合君主,但听信的人也未审察。”

刘焞又说治平年间以来,君子、小人的消长变化,宋孝宗说:“朕想治平年以前,海内太平无事。自从王安石变法,章惇、蔡卞又相继执政,到靖康年间,大臣尤其平庸荒唐,因此导致了国家的战败和混乱。”刘焞说:“君子消失殆尽,小人即使免职,也不免任用平庸之人。”宋孝宗说:“朕以此为戒,曾经读到古语说:‘不以苛察小事为英明,不以肃穆不语为恭谦。’做到不让小人迎合自己,这就可以了!”

戊戌(十八日),吏部尚书汪应辰被免职。汪应辰为人正直,又多进言,立朝务求革除弊政,很多人不喜欢他,内侍宦官尤其恨他。在此之前汪应辰推举李垕参加制科考试,已下圣旨召试。权中书舍人林机,说李垕的词科学业未经后省评判奏报,况且单独召试也没有先例。陈俊卿说元祐年间就有单独召试的例子,林机大概受人指使。诏令陈俊卿盘问他,原来是林机与谏官施元之秘密商议,利用此事排斥汪应辰,因此林机、施元之一同被罢免。

当时太上皇正在砌石池,用水银把金质的野鸭和鱼浮上水面,宋孝宗探望太上皇,太上皇指着石池说:“水银很紧缺,这是在汪尚书家买的。”宋孝宗生气说:“汪应辰极力进言说朕修建房廊是与民争利,却自己贩卖水银!”正巧汪应辰三次上疏议论发运司,于是派他外任平江知府。然而水银实际不是从汪应辰家买的。

诏令:“淮东的一万弓箭手,等秋收后,依照淮西路全体接受军训。”

这时陈俊卿建议:“扬州、和州各屯兵三万人,预先做好防守之计,仍旧核查百姓户籍,按照三丁取一,作为义兵,发给他们弓箭,教会他们迎战布阵,农闲之时,集中进行军训。沿江各郡也采用这种办法,要让大部队屯守在军事要地,等敌兵来后与之决战。所招募的民兵各自坚守所在的城池,相互构成犄角之势以壮声势。”又对宋孝宗说:“国家养兵费用很大,招募兵员很困难,此策既可戍守边防,又可壮大军威;而喜欢因循守旧、害怕改革的人,皆以骚扰百姓为借口。天下的事,想成就大事业,怎能没有小的烦扰!只要守臣任人得当,公心处事,关心国家,自然不会发生大的烦扰。”宋孝宗内心也认为是这样,诏令立即执行。然而竟被众多的反对意见所阻挠,陈俊卿不久也离职,此事未能达到预计的成效。

五月,癸丑(初三),臣僚奏报:“每当遇到盛大典礼,凡是所需的物品,动辄以千万计数。有司只知依照旧例下达给附近的州郡收买,州郡又责成他们的属邑办理,属邑则在百姓中征取,并不支付价值。另外,运输费用不够供给,交纳之时,老奸巨猾经常贪赃的官吏,沿途拦截夺取,百姓深受其害,无不抱怨愤恨。臣认为每三年一次稀有的典礼,难道不能支拨数十万缗钱,挑选清廉强干的官员在附近方便的地方设置场所和买!或者允许商旅贩卖,依照时价交易,严格制定赏罚制度,杜绝奸诈舞弊行为,变怨恨为讴歌。如此,人心喜悦且顺应天意,和平气象不召而自然到来。”宋孝宗同意了。

己卯(疑误),金国主前往柳河川。

己未(初九),陈俊卿、虞允文等进呈神宗、哲宗、徽宗、钦宗《四朝会要》《太上皇玉牒》。

辛酉(十一日),校书郎萧国梁,谈论汉武帝继承了富庶的国家而后来却出现了虚耗的弊端,大概费用支出过多,不只用于征伐。宋孝宗说:“不只汉武帝是这样,自古以来人君处境艰难的时候,没有不节俭的;当处在太平盛世的时候,没有不奢侈的。朕无其他作为,只懂得节俭的美德。”又谈论盐铁、商车、缗钱等事向百姓征取没有限度。宋孝宗说:“正不必如此。”又谈到现在采矿冶炼不必搜寻,茶盐之法也不必多立,宋孝宗说:“祖宗有关茶的法令已很完善,的确不必更改。”

甲子(十四日),前任广州知州龚茂良进宫应对,宋孝宗说:“广南地区在祖宗的朝代,多任命重臣分别镇守,后来士大夫却害怕到广南任职。南方农业,近来如何?”龚茂良说:“岭外地广人稀,也有很多未能耕种的土地,大概因为近几年湖南的寇贼侵扰广东,民户流移。现在逐渐恢复了原样。”接着谈论听取采纳意见的原则,应当以能否取得功效来要求提建议的人,如果还未取得成效就提前奖赏提建议的人,恐怕喜欢谈论是非的人纷纷竞相进言,宋孝宗说:“‘接纳他们的建议,明察他们的功劳,才能享用华车美服,’岂能未见成效就奖赏进言之人?”龚茂良说:“下面接着说‘皇帝不及时听取建议,即使每天都有敷陈上奏也不会有功效’,大概担心反此道而行之,又提出了预防出现偏差的观点来告诫舜。”宋孝宗说:“对”。

庚午(二十日),户部上奏说:“已经接到命令,从行都临安到建康府,沿路征收税赋很频繁,能裁减的就裁减。现在规定临安府从北部税务到镇江府沿路一带税收场所,位置接近收税频繁的地方,都予以罢免,这样渐渐让商贾宽松。”下诏令同意了。

癸酉(二十三日),新任泉州知州胡铨进宫应对,读札子到“臣曾恭闻圣训,谈到只有礼是不能停止的观点。如果不想平治天下则已,如想平治天下,舍弃了礼用什么平治天下!”宋

孝宗说："朕回忆起曾与你说过这件事，礼所起的作用很大。"于是诏令胡铨可任在京宫观官兼侍讲。

甲戌（二十四日），诏令说："朕继承国家大业，所依赖的是官僚、士大夫，严明法度，总领方略，带头兴办事业，以规划谋图远大目标。曾多次训谕在职的官员，告诫他们检点约束，让各自崇尚名誉节操，恪守做官的常规。但在众多官僚之间，蹉跎岁月，得过且过的不良习气还存在，狂妄放纵的作风还在滋长。把谋取私利看作是聪明，办事模棱两可以为是才能，以拱手沉默为忠诚纯朴，以荒唐悖理为宽厚，宣扬虚名以相互推崇，高谈阔论以抬高自己。见到办实事建立功业的人，就舞笔奋辞来阻挠；遇到矫情做作沽名钓誉的人，就互相勾结巴结他。更为严重的是责成他办事就偷安苟且，用言语激励他就志气索然，哪里有特立独行的节操，怎么会有仗节死义的高风亮节！难道廉耻道德丧失的时间太长了，而所浸渍的影响太深了吗，或者是告诫劝勉，未能取信于众？从今天开始，如果洗心革面转变思想，激励昂扬斗志，不重蹈覆辙，朕嘉奖你们。如有人不听朕言，惩罚到你身上时，不要后悔。"

乙亥（二十五日），臣僚说："保正之役危害良民，希望推行耆老之法，招募民间有财产的人担任，罢免保正之役。"台谏、户部研究之后，奏报："核查元丰八年十月指挥，耆长、户长、壮丁之役都招募充任，其中保正、甲承帖人一起罢免。请求诏令两淮路，权且依照此规定拨款招募耆长、户长、壮丁。"宋孝宗同意了。

戊寅（二十八日），诏令："旧设两省进言的大臣，是为了评议政策法令的得失，给事中、中书舍人则是纠正尚未形成的错误，台谏则是补救已经发生的错误，所以天下的事才治理得当。现在承担这些任务的官员，往往因为封驳章疏太频繁，害怕议论列举。从今以后给事中、中书舍人、台谏，除封驳章疏之外，即使是细小的事情，稍欠妥当，随时详细奏报，务必正确处理天下之事。"

左仆射陈俊卿免职。

虞允文任宰相之始，建议遣派使者到金国，商量祖宗陵寝的事情。陈俊卿面奏认为不行，又亲笔上疏阐明此事，虞允文到现在又重申以前的建议。一天，宋孝宗亲书札子告谕陈俊卿说："朕痛苦思念祖宗陵寝沦没在荆棘荒野中四十多年，现在想派使者前往金国请求归还，你的意见如何？"陈俊卿说："陛下痛念陵寝，想恢复故国疆域，臣虽无能平庸，岂不知激昂愤切，赞成陛下的决策，以洗雪国耻？然臣本性顽固僵化，对国家大事，总想考虑一个万全之策，不敢轻易有尝试的举动。正因如此，以前曾留下当面奏报，想等一二年间，他们疑心渐渐平息，我国国力渐渐充实，就可派遣使者。往返之间，又过了一二年，他们一定发怒派兵进犯，然后我们从容迎战，以逸待劳。这就是古人所说应战之兵，获胜的可能性为十之六七。现在又承蒙圣上询问，臣之所见，不过如此，不敢改变说法来迎合陛下的心意，不敢违反法规免去罪过，不敢侥幸上言贻误国事。"随即关门谢客，上疏朝廷，坚决请求辞职，三次上疏，于是以观文殿大学士身份出任福州知州。入宫辞行，还劝皇帝远离奸佞，亲近贤良，修理政事以报国仇，不能轻易地到处派遣使臣。后来派遣使者到金国，终究没有达到主要目的。

召见辛弃疾在延和殿应答。宋孝宗锐意恢复故国疆土，辛弃疾于是谈论南北两国形势及三国、晋、汉的人才，论点刚正鲜明，不故意迎合。撰写《九议》和《应问》三篇、《美芹十论》呈献朝廷，论述顺逆的道理，消长的形势，技能的长短，地理的要害非常详备。因为和议成为

既定之策，辛弃疾之议未施行。

夏国主赵仁孝在刚即位时，国内很混乱。任得敬，是他的外祖父，捍卫皇室有功劳，就做了夏国的宰相，专政二十多年，暗中怀有异心，诬陷杀害宗亲大臣，赵仁孝不能制止。任得敬曾派使者到了蜀地，才知道宋国不足以依靠。闰五月，庚辰（初一），胁迫赵仁孝向金国奉上表章，请求划分西南路及灵州啰庞岭的土地封给任得敬让他自立一国。金国主就此事询问宰臣，尚书令李石等说："事关夏国，我们何必参与！不如乘机答应他们的奏请。"金国主说："一个国家的君主，岂肯无缘无故地分裂国家！这必定是专权的大臣相逼夺的结果，并不是夏国主的本意。况且夏国向我称臣已经很长时间了，一旦被贼臣所逼迫，朕为四海之主，能容忍这样的事吗！如果夏国主不能自己解决端正君位，应当派兵诛杀专权大臣，不能允许另立国家的请求。"就拒绝了夏国的贡物。赐给赵仁孝诏书说："祖先留下的基业，自然应当坚守，这次请命，事情很异常，不知这样的打算从何而来，以后自当派遣使臣前往询问。"任得敬很害怕。赵仁孝就想办法杀了他。

壬午（初三），诏令广东转运判官刘凯特降职两级，因为刘凯曾奏报曾造治理地方政绩最佳，至此曾造犯了贪赃罪，刘凯因为荐举失实被治罪。曾造以前任潮州知州，因为贪赃而身败名裂，开除名籍勒令停职，贬谪到南雄州接受编管处分，并没收家财。另外，原任横州知州皇甫谨，因为侵占盗窃官物据为己有，特宽赦死罪，刺字发配梧州。

戊子（初九），任命起居郎范成大为出使金国祈请使，请求归还祖宗陵寝地以及修订接受国书的礼仪。

当初，绍兴年间订立的和约，有关的礼仪文字很多值得商榷，而接受国书的礼仪尤其突出。凡是金国使臣前来，手捧国书登上殿堂，面向北方站立在御榻前再跪着进呈国书，宋国皇帝下榻接受国书，再将国书交给内侍宦官收存。等到再次求和，仍遵循旧例，宋孝宗很后悔这件事。这时虞允文建议派遣使臣，宋孝宗问谁可担任使臣，虞允文推荐李焘和范成大。退朝后，虞允文将此事告诉了李焘，李焘说："现在前往，金人必不同意我们的请求，不同意使臣必定拼死相争，这是丞相杀了我李焘。"又召见范成大告知此事，范成大当即受命。临行时，宋孝宗对他说："你气宇不凡，朕亲自挑选你。听说官员们都害怕出使，有这样的事吗？"范成大说："臣已安排了后事，做好了不回来的准备。"宋孝宗说："朕不起兵破坏盟约，怎么至于害你！像苏武牧羊饮雪水吃毡毛那样的事情或许会有。"范成大奏请在国书中同时写上要求修改接受国书礼仪一节，宋孝宗不同意，就启程了。

兵部尚书黄中从容不迫地对宋孝宗说："陛下圣孝到如此程度，天下很庆幸。然而现在钦宗皇帝梓宫还未返回，朝廷对此置而不问，就有些不尽人意，况且敌人正通过此事而窥视我国。"

辛卯（十二日），吏部尚书陈良祐说："派遣祈请使是挑衅的开始，万一敌人骑兵南侵，供应军需就没有停止的时候。将帅平庸无能，大多缺乏远谋，谁可承担使命？臣不敢保证军事上有万全之策。况且现在请求归还土地，想得到河南，前几年河南曾回归大宋版图，不久就失去了。如果金人不答应，只是枉费使臣往来；如果金人答应了我们的要求，必定要求重金。陛下估计可以虚张声势逼迫金人吗？况且只请求归还祖宗陵寝土地，而陵寝之地在金境内地；过去也提议过此事，观看金人的回信，几乎是戏弄。如果一定要派遣使臣，就请求归还钦

宗梓宫,才算个合适的理由。”诏令以陈良祐妄兴议论,不忠不孝,贬谪筠州居住,不久改贬信州。

癸巳(十四日),任命梁克家为参知政事兼同知枢密院事。

己亥(二十日),臣僚说:“当今征收赋税过重的弊端,没有比长江沿岸更严重的,如蕲州的江口,池州的雁汊,从前就号称为大小法场,形容那里征税严酷如同杀人。近年来不只这两处,凡是溯江而上的船只,到达荆州、陕州,即使空船往来也要征税,称为‘力胜’;船中本来没有什么值钱的东西也要征税,称为‘虚喝’;应当征收一百钱,却先提出征收一千钱的数额,称为‘花数’;骚扰名目之多不能一一列举。请下令沿江各路监司,严格加以禁止革除,及统计沿江设置税场繁多的地方奏请皇上领到旨令后予以撤销。”宋孝宗同意了。

壬寅(二十三日),诏令:“江东各郡多遭水灾,转运使黄石不立即亲往视察灾情,可降低两级官职。”

癸卯(二十四日),诏令:“建康府、太平府遭受水灾的县,今年的身丁钱全都免收。”

甲辰(二十五日),资政殿学士、提举洞霄宫辛次膺去世,谥号简穆。辛次膺以礼自律,虽然身世坎坷曲折,贫困得无法维持生计,却不随意接受一物。在朝廷任职正派敢于直言,做官五十五年,没有丝毫受到批评弹劾。他从政以清静无为为贵,首先施行德政教化,所任职之处百姓都称赞他不为烦苛。

这个月,设置舒州铁钱监,这是采纳了发遣使史正志的请求;每年生产的总额为五十万贯。

六月,丁卯(十八日),尚书吏部员外郎张栻说:“近日陛下惩治徐考叔请托的罪过,连同徐申一起免职,非常英明决断。臣对各官员说,陛下惩治奸恶不徇私情,有这样英明的君主,怎忍心辜负他!”宋孝宗说:“朕的想法正是希望群臣议论国事,如果他们不说,这就是辜负了朕!”又说:“谋划国家应当首先建立一定的规章制度,周密完备,按照规定而执行,就像农民耕田种庄稼一样,以期获得丰收。”宋孝宗说:“下棋的人举棋不定尚且不行,何况谋划国家而没有定规呢?”

癸酉(二十四日),设置蕲州蕲春监、黄州齐安监负责铸造铁钱。

乙亥(二十六日),赵廓任权发遣江南东路兵马钤辖归来,谈论治理军队必定要严整,又谈论各州的州兵必须和正规军队共同训练,宋孝宗说:“严整是治军的关键;州兵应当同正规军队共同争立军功。”

张栻上疏说:“臣私下认为祖宗寝陵远隔,说起来最哀痛。然而现在既不能奉旨前去讨伐金人,又不能端正名分与金人绝交,反而想用谦卑的言辞丰厚的礼物向金人求和,那么已经违背了天下大义。而估计事态的形势,我方也没有必胜的优势。必胜的优势,应当在于及时的决策和平常的筹划之中,而不在于两军相对决战胜负的那一天。现在只应当下达表达哀痛的诏书,申明复仇的大义,修德立政,任用贤能休养百姓,精选将帅训练军队,将内修政治、外御强敌、进战退守的事合为一体。而且必须讲究实效而不做表面文章,那么必胜的形势,悄悄地出现。”

在此之前张栻朝见宋孝宗,宋孝宗说:“你知道敌国内的情况吗?”回答说:“不知道。”宋孝宗说:“敌国内连年发生饥荒,每天都有盗贼兴起闹事。”张栻说:“敌人国内的情况,臣虽

然不知道，然而本国内的情况，却知道得很详细。”宋孝宗说：“什么事？”张栻说：“近年各道年成歉收百姓贫困，国家军队势力弱小财政匮乏，大小官员，又都荒诞散漫不足以倚仗。即使对金国确实有图谋的机会，臣怕我们的实力不足以对他们发动进攻。”宋孝宗沉默了很久。

秋季，七月，壬午（初四），金国主举行秋猎，遣散围场的役夫。诏令：“随从人员的粮食都由官府供给。有放马践踏庄稼的，给以杖责，并赔偿损失。”

癸巳（十五日），诏令在鄂州建立岳飞祠庙，以忠烈庙为匾额，这是采纳鄂州百姓的奏请。

甲午（十六日），臣僚说：“减少官员不如减少琐事，这是古代格言。国家循袭近世追求表面的东西，其弊端已达到极限，应该趁中外正没有大事的时候，提前计划如何改革，省去繁文缛节，逐渐趋向简洁质朴。希望广泛征求各部门的意见，凡是有办事迂回重复的地方，令他们在近日逐条开列上报，及早做出改革。政事逐渐简便之后，每天都有闲暇时间，就可以考虑补救国家大事，时间就富裕了。”宋孝宗同意了。

丙午（二十八日），权户部侍郎王佐说：“现在的户部，即祖宗在位时三司的职位，国家的收支出纳，无所不统。近年朝廷创立南库，本来想以此丰富储蓄，防备意外事故，而不了解内情的人以为是分割户部经常性费用作为别的府库积存物品的资本，却不知道钱财保存在南库，与保存在户部是一样的。现在想将户部的收入，从头考订核实，建立计账簿，使财政收入没有遗漏。月终将实际收支的数额申报朝廷，年终总计本年的节余或亏损。有时经常性的费用开支之余，积攒了剩余，除酌量留存一个月的开支外，全部归于朝廷；有时朝廷有不同于日常开支的费用，也应凭户部开列的申报文书拨给。不只政事集中在一体，避免了矛盾，也使得有无相通，不会延误意外事变。”诏令专门委派王佐编造簿籍，陆之望协同处理。

续资治通鉴卷第一百四十二

【原文】

宋纪一百四十二　起上章摄提格【庚寅】八月，尽重光单阏【辛卯】十二月，凡一年有奇。

孝宗绍统同道冠德昭功　哲文神武明圣成孝皇帝

乾道六年　金大定十年【庚寅，1170】　八月，己酉，权发遣衡州韩坚常，请广籴常平，帝曰："若一州得二十万石常平米，虽有水旱，不足忧矣。"新福建转运副使沈枢言州郡水旱，请留转运司和籴米接续常平赈粜，帝曰："即行之。"

庚戌，宰相虞允文请早建太子，帝曰："朕久有此意，事亦素定；但恐储位既正，人心易骄，即自纵逸，不勤于学，浸有失德。朕所以未建者，更欲其谙练庶务，通知古今，庶无后悔耳。"

癸丑，复置详定一司敕令所。

戊午，新权知筠州葛祺论恢复大计，帝曰："盛衰，理之必然。"又论东南之兵可用，帝曰："会稽八千人破秦，在用之如何耳！"又论建康战船宜修葺添造，月具数目申奏，帝曰："已令修葺矣。"

新权知饶州江璆进对，帝曰："卿向来所陈盐利甚善。广南田可耕否？何不劝诱？鄱阳，近地大郡，卿宜加意治之如二广。"帝又曰："鄱阳所出瘠薄，宜拊恤之。"

己未，金主至自柳河川。

丙寅，置阁门舍人十员。

臣僚言："比年监司、郡守，近朝廷者固已极一时之选，而地远者未能悉称陛下讲求之意。今畿甸之民，州县一不得其情，则之台之省，以至挝鼓，必彻而后已。远方之民，县不见省，愬之州；州不见省，愬之监司；监司又不见省，则死且无告矣。望陛下除授远地监司、郡守比近地为加审，委台谏访闻纠劾比近地为加严。"诏从之。

癸酉，太学正薛元鼎言周之名将南仲，为武成王同时之人，请改配食武成王，帝喜，以谓南仲之孙皇父，犹为宣王中兴之将，便可施行。又言太学释奠，轮差南班宗室陪位观礼，帝曰："亦使之知。"

知宁国府姜诜札言："今合于十月内措置修圩，济养圩户饥民，已委官相视，料度工役，得所坏圩岸，比之绍兴年内所费多减省，兼有合行开决除废者，见行相度。"诏："其馀州军有圩岸损坏，守臣依此措置修整，仍具申尚书省。"

壬申，金遣参知政事宗叙北巡，宗叙寻请置沿边壕堑，左丞相赫舍哩良弼曰："敌国若来伐，此岂可恃哉！"金主曰："卿言是也。"

甲戌，右朝请大夫吕游问进对，论祖宗成法，帝曰："言事者未必尽知利害，岂可便与更张！"

是月，虞允文上《乾道敕令格式》。

夏任得敬以谋篡伏诛。

金左丞相赫舍哩良弼，练达朝政，金主所咨询，尽诚开奏，多称旨。以母忧去位，九月，庚辰，起复。

壬辰，赐苏轼谥文忠。

壬寅，新权发遣衢州施元之进对，论用人责小过太详。帝曰："今日之弊正在此。"

诏："役法为下三等户之害，并以官民户通差。"

池州都统吴总朝辞，帝曰："将帅难得人，故文臣中择卿为将帅，须先民事，后统军。"

是月，范成大自金还。

初，成大至金，密草奏，具言受书式并求陵寝地，怀之入。方进国书，成大忽奏曰："两国既为叔侄，而受书礼未称，臣有疏。"播笏出之。金主曰："此岂献书处耶？"左右以笏摽起之。成大必欲书达，既而归馆。金太子欲杀成大，或劝止之。

其复书略云："和约再成，界山河而如旧；缄音遽至，指巩、洛以为言。援昔时无用之文，渎今日既盟之好。既云废祀，欲申追远之怀；止可奉迁，即俟刻期之报。至若未归于旅榇，亦当并发于行涂。抑闻附请之词，欲废受书之礼，出于率易，要以必从，于尊卑之分何如？顾信誓之盟安在？事当审处，邦可孚休。"于是二事皆无成功。帝以成大为忠，有大用意。

冬，十月，戊申，权发遣兴元府王之奇奏："归正官承信郎刘湛、右迪功郎刘师颜父子等，深念祖宗德泽，保护陵寝，不畏敌人凶暴，力阻盗伐，连年系狱，子死妇亡，而湛父子含笑受之。非天资忠义，何以至此！"诏："承信郎刘湛，特转两官，刘师颜改右承务郎，升擢差遣，其亲党秦世辅，特转一官，升充正将。"

癸丑，湖南转运副使黄钧论士大夫风俗不振，帝曰："君相不当言命，士大夫不当言风俗，士大夫，风俗之本也。"

甲寅，金主如霸州冬猎。

丙辰，知信州林机进对，因论："昔曹彬下江南，太祖靳一节度使不予。近世为将者，未尝有戡难破敌之功，爵赏过厚，至于极人臣之位。愿陛下鉴是为驾驭之术，庶可责效于异日。"帝曰："此实人主砺世之术也。"

丁巳，权知襄阳府司马倬，为其父故试兵部侍郎朴乞谥，赐谥忠洁。

甲子，礼部尚书刘章言："臣闻李德林在隋开皇初，与修敕令，请于朝，谓欲有更张者，当以军法从事。夫法之弊也故修之，修之而未必皆当，与众共议之可也，乃欲胁之以军法，其亦不仁甚矣。陛下清明远览，命官取新旧法并前后敕旨缉而修之，越岁书成，乃以奏御。其间有未便于人情、未安于圣心者，莫不朱黄识之，稍或可疑，必加改定，然后颁行。欲播告中外，惟新书是遵。"帝曰："朕已览之，亦异乎隋高祖之事矣。"

乙丑,金主谓大臣曰:"比因校猎,闻固安县令高昌裔不职,已令罢之。霸州侍候成奉先,奉职谨恪,可进阶,除固安令。"

辛未,金主谓宰臣曰:"朕凡论事,有未能深究其利害者,卿等宜悉心论列,毋为面从而退有后言。"

癸酉,帝谕江西转运判官芮辉曰:"卿当先正士大夫风俗,次则民间讼牒,早与裁决,漕运又其次也。"

甲戌,起居舍人赵雄,请置局议恢复,诏以雄为中书舍人。

知乌程县余端礼言:"谋敌制胜之道,有声有实。敌弱者,先声后实以詟其气,敌强者,先实后声以俟其机。汉武乘匈奴之困,亲行边陲,威振朔方,而漠南无王庭者,詟其气而服之,所谓先声而后实也。越谋吴则不然。外讲盟好,内修武备,阳行成以种、蠡,阴结援于齐、晋,教习之士益众,而献遗之礼益密,用能一战而霸者,伺其机而图之,所谓先实而后声也。今日之事,异于汉而与越相若,愿阴设其备而密为之谋,观变察时,则机可投矣。古之投机者有四:有投隙之机,有捣虚之机,有乘乱之机,有承弊之机。因其内衅而击之,若匈奴困于三国之攻而汉宣出师,此投隙之机也。因其外患而伐之,若吴夫差牵于黄池之役而越兵入吴,此捣虚之机也。敌国不道,因其离而举之,若晋之降孙晧,此乘乱之机也。敌人势穷,蹑其后而蹙之,若汉高祖之追项羽,此乘弊之机也。机之未至,不可以先;机之已至,不可以后。以此备边,安若泰山;以此应敌,动如破竹;惟所欲为,无不如志。"帝曰:"卿可谓通事体矣。"

是月,复武臣提刑。

先是陈俊卿在相日,诏依祖宗旧制,复置武臣提刑,俊卿言此职自景德以来,废置不常,今用文臣一员,亦无阙事,员外增置,徒为烦扰,乃止。至是复置之。

造《会计录》,从都大发运使史正志之请也。

十一月,丁丑朔,诏淮南转运司严使人往来载钱过界之禁。

辛巳,金制:"盗太庙物者,与盗宫中物同论。"

壬午,合祀天地于圜丘,大赦。

乙酉,臣僚札言:"伏见郊祀,阴雨连日,自致斋酌献景灵宫天霁,回銮太庙又雨。至夜漏四刻,星斗灿然,行朝飨之礼焉。明日,驾如青城亦晴。道旁观瞻甚盛,霏微冻雨还作。将祭之夜,驾幸大次更衣,数星现云表。及登坛乐作,四郊云阴尚盛,独岁星中天,灵光下烛,礼成不雨。行礼之次,差官巡仗至城门,雨大霆,独泰坛无有。此皆圣上寅畏格于上天,天意昭答,宜宣付史馆。"许之。

张栻言:"陛下之心,即天心也。欲定未定,故上天之应乍阴乍晴。天人一体,众类无间,深切著明,有如此者。臣愿陛下毋以此为祥瑞,而于此存敬戒之心。试思夫次日御楼肆赦之际,日光皎然,四无纤翳,天其或者何不早撤云阴于行事之时,使圣怀坦然无复忧虑,而必示其疑以为悚动?然则丁宁爱陛下之意深矣。天意若曰:今日君子、小人之消长,治乱之势有所未定,皆在陛下之心如何耳。若陛下之心严恭兢畏,常如奉祠之际,则君子、小人终可分,治道终可成,强敌终可灭,当如祀事终得成礼。惟陛下常存是心,实天下幸甚!"

己丑,国子录姚崇之言:"大将而下,有偏裨、准备将之属,岂无人才可膺主帅之任!请骤

加拔擢,如古人拔卒为将。”帝曰:“苟得其人,不拘等级。”

权通判建康府许克昌,请命两省、侍从更宿禁中,赐以宴间从容以尽天下之事;帝首肯。于是诏许克昌与知州、军差遣。又请命郡守以治兵为殿最,武臣提刑按阅郡兵,帝然之。又论拣汰使臣及归正人,州郡拊之不至,帝曰:“卿典郡,正当如此。”

乙未,召浙东总管曾觌提举佑神观。时陈俊卿已去位,觌旋擢用,无复有阻其入者矣。

是月,遣赵雄等贺金主生辰,别函书请更受书之礼。略云:“比致祈恳,旋勤诲缄,欲重遣于轺车,恐复烦于馆舍。惟列圣久安之陵寝,既难一旦而骤迁,则靖康未返之衣冠,岂敢先期而独请!再披谅谕之旨,详及受书之仪。盖今叔侄之情亲,与昔尊卑之体异。敢因庆礼,荐布忱诚;尚冀允从,式符期望。”

十二月,戊申,大阅于白石。

戊午,太学录袁枢轮对,因论今日图恢复,当审察至计以图万全之举,帝然之。

庚申,礼部尚书刘章言:“当今邑县之任,出于苟且,为令者惟知以官钱为急,月解无欠,则守臣、监司必喜之,而民讼不理,皆置不问。”帝曰:“岂可取其办钱而不察其政!”

甲子,置江州广宁监,临江军丰馀监,抚州裕国监,铸铁钱。

丙寅,金主谓宰臣曰:“比体中不佳,有妨朝事。今观所奏事,皆依条格,殊无一利国之事。若一朝行一事,岁计有馀,则其利溥矣。朕居深宫,岂能悉知外事,卿等尤当注意。”

癸酉,诏:“史正志职专发运,奏课诞谩,广立虚名,徒扰州郡;责授团练副使,永州居住,其(转)〔发〕运司罢之。”

是岁,两浙、江东、西、福建水旱。

高丽王晛观弟翼阳公晧,废晛自立。

乾道七年 金大定十一年【辛卯,1171】 春,正月,丙子朔,加上太上皇帝尊号曰光尧寿圣宪天体道太上皇帝,太上皇后尊号曰寿圣明慈太上皇后。

丁丑,金封皇子永行为徐王,永蹈为滕王,永济为薛王。

壬午,金诏:“职官年七十以上致仕者,不拘官品,并给俸禄之半。”

癸未,帝谕辅臣曰:“前日奉上册宝,太上甚悦,翌日过宫侍宴,实邦家非常之庆。朕以敌仇未复,日不遑暇,如宫中台殿,皆太上时为之,朕未尝敢增益。太上到宫,徘徊周览,颇讶其不饰也。”辅臣言:“陛下不以万乘为乐而以中原为忧,早朝晏罢,焦劳如此,诚古帝王所不及也。”帝曰:“朕无其他嗜好,或得暇,惟书字为娱尔。”因顾内侍,取《题郭熙秋山平远诗》以赐虞允文。

先是允文复请建太子,帝曰:“朕既立太子,即令亲王出镇外藩,卿宜讨论前代典礼。”允文寻拟诏以进。

戊戌,金尚书省奏汾阳节度副使牛信昌生日受馈献,法当夺官,金主曰:“朝廷行事,苟不自正,何以正天下! 尚书省、枢密院,生日节辰,馈献不少,此而不问;小官馈献,即加按劾,岂正天下之道! 自今宰执、枢密馈献,亦宜罢去。”

己亥,帝作《敬天图》,谓辅臣曰:“《无逸》一篇,享国久长,皆本于寅畏。朕近日取《尚书》中所载天事,编为两图,朝夕观览,以自儆省。”虞允文言:“古人作《无逸图》,犹夸大其事。陛下尽图书中所载敬天事，又远过之。惟圣人尽躬行之实，敬畏不已，必有明效大验。”帝曰：“卿言诚然。”

泉州左翼军统制赵渥招到军兵一千人，不支军中物，帝曰：“渥当旌赏。”虞允文言：“且与一遥郡。”帝曰：“赏宜从重。设使职事有阙，罚亦不轻。可与遥郡团〔练〕使。”

庚子，臣僚言郎曹多阙员，帝曰：“昨召数人皆未至，可令寺、监丞兼权。曾有人言，近日自郡守为郎，间有不曾历职事官者，却似太骤。此言有理。”虞允文曰：“近来馆、学、寺、监，拘碍资格，迁除不行，故有自县便为郎者，是馆、学、寺、监反不如州县之捷也。”帝又曰：“此又失之外重矣。”梁克家曰：“元立资格，所以重郎选。历者一旦得之，郎选却轻矣。”帝曰：“然。今后除授，正不可令超躐。”

癸卯，进呈三衙旧司禁军人数，帝曰：“祖宗时，上四军分，止是支数百料钱。”梁克家言秘阁中有太祖御札，禁军券钱至亲笔裁减一二百者，帝曰：“虽一麻鞋之微，亦经区处。祖宗爱惜用度如此。”克家曰：“凡赐予尤不可轻。韩昭侯非靳一敝袴也，不以予无功之人。”帝曰：“予及无功，则人不知劝。”克家曰：“岂惟无功者不劝，有功者且解体矣。”帝顾虞允文曰：“昨遣内侍往江上，欲就令抚问，以卿言而止，正为此也。”允文曰：“郭子仪所得上赐甘蔗几条，柑子几颗，人主以此示恩意尔。今诸将受陛下厚恩，未有以报。”帝曰：“郭子仪有大功于唐，今诸将若有郭子仪功，赐予诚不可轻也。”

金主谓宰臣曰：“往岁清暑山西，近路禾稼甚广，殆无畜牧之地，因命五里外乃得耕(恳)〔垦〕。今闻民乃去之它所，甚可矜悯，其令依旧耕种。事有类此，卿等宜即告朕。”

是月，复置铸钱司。

二月，癸丑，立恭王惇为皇太子。大赦。初，庄文太子卒，庆王恺以次当立，帝以恭王惇英武类己，越次立之，而进封恺为魏王，判宁国府。

帝谓辅臣曰：“古人以教子为重，其事备见于《文王世子》，须当多置僚属，博选忠良，使左右前后罔匪正人。不然，一薛居州，亦无益也。”问：“旧来官属几人？”虞允文等曰：“詹事二人，庶子、谕德兼讲读者二人。”帝曰：“宜增二员。谁可当此选者？”允文等举恭邸讲读官李彦颖、刘焞，帝曰：“焞有学问，彦颖有操履。卿等更选取数人。”及进呈，帝览之曰：“王十朋、陈良翰二人俱可。十朋旧为小学教授，性极疏快，但临事坚执耳。”允文曰：“宾僚无它事，惟以文学议论为职，不嫌于坚执也。”帝曰：“十朋、良翰诚是忠蹇，可并除詹事。”帝又问：“焞兼侍读，彦颖却兼侍讲，何也？”允文等曰：“李彦颖既兼左谕德，以侍讲无人，并令兼之。”帝曰：“侍讲可别选人。”乃命焞为司业兼侍读。

工部侍郎胡铨，亦请饬太子宾僚朝夕劝讲，帝曰：“三代长且久者，由辅导太子得人所致；末世国祚不永，皆由辅导不得其人。”铨前以除知泉州入对，遂留侍经筵。寻有忌铨敢言者，捃其细故，杂它朝士并言之，铨遂与礼部侍郎郑闻、枢密院检详文字李卫、秘书丞潘慈明并罢。

尚书左司郎中兼侍讲张栻讲《诗·葛覃》，进说曰：“治生于敬畏，乱起于骄淫。使为国者每念稼穑之劳，而其后妃不忘织纴之事，则心之不存者寡矣。周之先后勤俭如此，而其后世犹有休蚕织而为厉阶者。兴亡之效，如此可见。”因推广其事，上陈祖宗自家刑国之懿，下

斥今日兴利扰民之害。帝叹曰："王安石谓人言不足恤，所以误国。"栻又言本朝治体以忠厚仁信为本，因及熙、丰、元符用事大臣，帝曰："祖宗法度，乃是家法，熙、丰之后，不合改变耳。"

丁巳，帝谕宰执曰："祖宗时，数召近臣为赏花钓鱼宴，朕亦欲暇日命卿等射弓饮宴。"虞允文等言："陛下昭示恩意，得瞻近威颜，从容献纳，亦臣等幸也。"帝曰："君臣不相亲，则情不通。早朝奏事，止顷刻间，岂暇详论治道，故欲与卿等从容耳。"

庚申，帝谕曰："近世废弛之弊，宜且纠之以猛，它日风俗变易，却用宽政。譬之立表，倾则扶之，过则正之，使之适中而后已。"虞允文曰："古人得众在宽，救宽以猛。天地之心，生生不穷，故阴极于剥则复。"帝曰："天地若无肃杀，何以能发生！"梁克家曰："杀之乃所以生之，天地之心归于仁而已。"帝曰："然。"

壬戌，帝曰："去秋水涝，朕甚以百姓之食为忧。今却无流移之人。"虞允文言："监司、守臣，类能究心荒政，故米不翔贵。"帝曰："亦赖支官中米斛。"梁克家曰："数年来，常平桩积，极留圣意。不然，今日岂有米斛可以那拨！"帝曰："如此理会，尚且不足。"允文等因言："诸郡守臣若得人，遇岁水旱，宁致上勤圣虑！"帝曰："当择其有显效者旌之。"

甲子，诏寺观毋免租税。

三月，己亥朔，赵雄至金，所请皆不许。雄辞还，金主遣人宣谕曰："汝国既知巩、洛陵寝岁久难迁，而不请天水郡公之柩，于义安在？朕念天水郡公尝为宋帝，尚尔权葬，深可矜悯。汝国既不欲请，当为汝国葬之。"无一语及受书事。雄归，奏："金主庸人耳，于陛下无能为役。中原遗黎，日望王师，必有箪食之迎。"帝甚悦。时金国大治，民安其业，而雄虚词相饰如此。

诏训习水军。

丙子，立恭王夫人李氏为皇太子妃。妃，庆远军节度使道之女也，相士皇甫坦言其当母天下，闻于太上皇，遂为恭王聘之，至是立为妃。妃性妒悍，尝诉太子左右于太上皇，太上皇意不怿，谓太上后曰："是妇将种，吾为皇甫坦所误。"

己卯，以知閤门事张说签书枢密院事。

说妻，太七后女弟也，说攀援擢拜枢府。时起复刘珙同知枢密院事，珙力辞不拜。命下，朝论哗然，未有敢讼言攻之者，左司员外郎兼侍讲张栻上疏切谏，且诣朝堂责虞允文曰："宦官执政，自京、黼始；近习执政，自相公始。"允文惭愤不堪。栻复奏曰："文武诚不可偏。然今欲右武以均二柄，而所用乃得如此之人，非惟不足以服文吏之心，正恐反激武臣之怒。"帝虽感悟，尚未寝成命。时范成大当制，久不视草，忽请对，乃出词头纳榻前，帝色遽厉，成大徐曰："臣有引喻，閤门官日日引班，乃郡典谒吏耳。执政大臣，倅贰比也。苟州郡骤拔客将使为通判，官属纵俛首，吏民观听谓何？"帝霁威，沈吟曰："朕将思之。"明日，说罢为安远军节度使，提举万寿观。

说语人曰："张左司平时不相乐，固也；范致能亦奚为见攻？"指所坐亭材植曰："是皆致能所惠也。"后月馀，成大求去，帝曰："卿言事甚当，朕方听言纳谏，乃欲去耶？"成大竟不安其位，以集贤修撰知静江。致能，成大字也。

辛巳，帝曰："户部所借南库四百万缗，屡谕曾怀，不知何以拨还？"虞允文曰："不过措准折帛尔。"梁克家言："今左帑无两月之储。"帝曰："户部有擘画否？"允文言："其一给典帖，其二卖钞纸，众论未以为然。”帝曰：“此两事既病民，且伤国体，俱不可行。”

是日，金命有司葬钦宗于巩、洛之原，以一品礼。

戊戌，虞允文言：“胡铨早岁节甚高，今纵有小过，不宜遽去朝廷。”帝曰：“朕昨览台章，踌躇两日，意甚念之。但以四人同时论列，不欲令铨独留。”梁克家曰：“铨流落海上二十馀年，人所甚难。”帝曰：“铨固非它人比。”乃除宝文阁待制兼侍讲。铨求去益力，以敷文阁直学士与外祠。

庚子，徽猷阁待制、知处州胡沂言盗马者，帝曰：“治以罪。”虞允文因言帅臣有诱山寨人盗马，已而杀其人者，人情甚不安。梁克家曰：“邀功生事边臣，不可轻贷。且如知沅州孙叔杰，以兵攻徭人，致王再彤等聚众作过，惊扰边民，几成大患。前日放罢，行遣太轻。”帝曰：“可更降两官。”

是月，复将作监。

申严闭籴。

夏，四月，乙巳朔，诏：“春季拍试，艺高者特与补转两资。”虞允文言本司兵民须略与推恩，帝曰：“军中既有激赏，人人肯学事艺，何患军政不修！若更本官亦复推赏，尤见激厉。”

丁未，金归德民臧安儿谋反，伏诛。

金驸马都尉图克坦贞为咸平尹，贪污不法，累赃钜万；徙真定，事觉，金主使大理卿李昌图鞫之，贞即引伏。昌图还奏，金主问之曰：“停职否？”对曰：“未也。”金主怒，杖昌图四十。复遣刑部尚书伊喇道往真定问之，征其赃还主。有司征给不以时，诏：“先以官钱还其主而令贞纳官。凡还主赃，皆准此例。”降贞为博州防御使，降贞妻为清平县主。

戊申，擢曾觌为安德军承宣使。时太子新立，谓其有伴读劳也。

庚戌，帝谓宰执曰：“朕于听言之际，是则从之，非则违之，初无容心其间。”梁克家言：“天下事，唯其是而已。是者，当于理之谓也。”帝曰：“然。太祖问赵普云：‘天下何者最大？’普曰：‘睢道理最大。’朕尝三复斯言。”

癸亥，金参知政事魏子平罢，为南京留守，未几致仕。

甲子，诏皇太子判临安府。

己巳，诏举任刑狱、钱谷及有智略、吏能者。

庚午，有告统兵官掊克不法者，帝令付大理寺治之。虞允文言恩威相须乃济，帝曰：“威克厥爱，允济；爱克厥威，允罔功。苏轼乃谓尧、舜务以爱胜威，朕谓轼之言未然。”梁克家曰：“先儒立论，不可指为一定之说，如崔实著《政论》，务劝世主驭下以严。大抵救弊之言，各因其时尔。”帝曰：“昔人以严致平，非谓深文峻法也，纪纲严整，使人不敢犯耳。譬如人家，父子、兄弟，森然法度之中，不必须用鞭扑然后谓之严也。”

辛未，皇太子领临安尹，以晁公武为少尹，李颖彦、刘焞兼判官。

先是高丽使人告于金，谓王晛让国于弟晧。金主曰：“让国，大事也，其再详问。”是月，高丽以王晛让国表来上，金主疑之，以问宰执。左丞相赫舍哩良弼曰：“此不可信。晛有子生孙，何故让弟？晧尝作乱而晛囚之，何以忽让其位？且今兹来使，乃晧遣而非晛遣，是晧实篡兄，安可忍也！”右丞孟浩曰：“询彼国士民，果推服，当遣封。”金主命却其使。旋遣吏部侍郎靖

往问其故。

五月，丁亥，刘珙起复同知枢密院事，为荆襄宣抚(司)〔使〕。

珙凡六疏辞，引经据礼，词甚切至，最后言曰："三年通丧，先王因人情而节文之，三代以来，未之有改。至于汉儒，乃有金革无避之说，此固已为先王之罪人矣。然尚有可诿者，曰鲁公伯禽有为为之也。今以陛下威灵，边陲幸无犬吠之警，臣乃欲冒金革之名以私利禄之实，不又为汉儒之罪人乎？"

帝以义当体国责之，珙乃手疏别奏，略曰："天下之事，有其实而不露其形者，无所为而不成；无其实而先示其形者，无所为而不败。今德未加修，贤不得用，赋敛日重，民不聊生，将帅方割削士卒以事苞苴，士卒方饥寒穷苦而生怨谤，凡吾所以自治而为恢复之实者，大抵阔略如此。而乃外招归正之人，内移禁卫之卒，规算未立，手足先露，其势适足以速祸而致寇。且荆襄，四支也；朝廷，腹心元气也。诚使朝廷施设得宜，元气充实，则犁庭扫穴，在反掌间耳，何荆襄之足虑！如其不然，则荆襄虽得臣辈百人，悉心经理，顾足恃哉！臣恐恢复之功未易可图，而意外立至之忧，将有不可胜言者，唯陛下图之。"帝纳其言，为寝前诏。

遣知阁门事王抃点阅荆襄军马。

梁克家言："近诸将御下太宽，今统制官有敢鞭统领官以下者否？太祖皇帝设为阶级之法，万世不可易也。"帝曰："二百年来，军中不变乱，盖出于此。"虞允文曰："法固当守，主兵官亦要以律己为先。"帝曰："诚然。前日一二主兵官不能制其下，反为下所告者，端以不能律己故耳。"

癸巳，金以南京留守伊喇成为枢密副使。

辛丑，帝语及临安事，因曰："韩彦古在任时，盗贼屏迹；比其罢也，群盗如相呼而来。以此知治盗亦不可不严。惜乎彦古所以治民者，亦用治盗之术！治盗当严，治民当宽，难以一律。"

六月，丙午，复主管马军司公事李显忠为太尉。

己酉，金主诏曰："诸路常贡数内，同州沙苑羊非急用，徒劳民耳，自今罢之。朕居深宫，劳民之事，岂能尽知！似此，当具以闻。"

乙卯，张权言淮西麦熟，秋成可望，帝谓宰相曰："时和岁丰，卿等协赞之力。朕当与卿等讲求其未至者。"虞允文言圣德无阙。帝曰："君臣之间，正要更相儆戒，朕有过，卿等悉言之；卿等有未至者，朕亦无隐。庶几君臣交修，以答天贶。"

丙辰，太常寺丞萧燧论人君听言必察其可用之实，所言与所行相副，然后可信，帝曰："所论甚当，人谁不能言！但徒能言之而已，要当观其所行。《书》所谓'敷奏以言，明试以功'是也。"

甲子，金平章政事图克坦喀齐喀卒。金主方击球，闻讣，遂罢，厚赙之，录其孙。

秋，七月，甲申，金参知政事宗叙卒，遗表言朝政得失及边防利害。金主伤悼，谓宰臣曰："宗叙勤劳国家，它人不能及也。"辍朝，遣宣徽使敬嗣晖致祭赙。

乙未，梁克家言："近时两事，皆前世不及。太上禅位，陛下建储，皆出于独断。"帝曰："此事诚汉、唐所无。朕常恨功业不如唐太宗，富庶不如汉文、景耳。"虞允文曰："陛下以俭为宝，积以岁月，何患不及文、景！如太宗功业，则在陛下日夜勉之而已。”帝曰：“朕思创业、守成、中兴，三者皆不易，早夜孜孜，不敢追遑，每日昃无事，则自思曰，岂有未至者乎？反覆思虑，惟恐有失。”又曰：“朕近于几上书一‘将’字，往来寻绎，未得择将之道。”虞允文曰：“人才临事方见。”帝曰：“然。唐太宗安市之战，始得薛仁贵。”

庚子，以王炎为枢密使、四川(安)〔宣〕抚使。

兴元府有山河堰，世传汉萧何所作。嘉祐中，提举史照上修堰法，降敕书刻之堰。绍兴以后，户口凋敝，堰事荒废，炎委知兴元府吴拱修复，发卒万人助役，尽修六堰，浚大小渠六十五里，南郑、褒城之田大得沃溉。诏奖谕拱。

是月，免两淮民户丁钱，两浙丁盐绢。

帝谕辅臣曰：“范成大言处州丁钱太重，遂有不举子之风；有一家数丁者，当重与减免。”寻又蠲旱伤路户税。

八月，癸卯朔，金主诏朝臣曰：“朕尝谕汝等，国家利便，(制)〔治〕体遗阙，皆可直言。外路官民亦尝言事，汝等终无一语。凡政事所行，岂能皆当？自今直言得失，无有所隐。”

乙巳，金主谓宰臣曰：“随朝之官，自谓历三考则当得某职，历两考则当得某职，第务因循碌碌而已。自今以外路官与内除官，察其奋勤则并用之；但苟简于事，不须任满，便以本品出之。赏罚不明，岂能劝勉！”

丙午，殿司左军劫马军司使臣家被获，帝曰：“不当以治百姓之法治之。”虞允文曰：“劫盗已不可贷，况军人乎！”

庚戌，金主诏曰：“应因斡罕被掠女直及诸色人，未经刷放者，官为赎放。隐匿者，以违制论。其年幼不能称说住贯者，从便住。”

己未，进呈两浙漕臣籴桩积米，帝因宣谕曰：“《洪范》八政，以食为先，而世儒乃不言财谷。邦之有储蓄，如人之有家计，欲不预办，得乎！”

庚午，帝谓宰执曰：“朕近日无事时过德寿宫，太上颐养愈胜，天颜悦好。朕退，辄喜不自胜。”虞允文曰：“神器之重，得所付托，圣怀无事，自应如此。”

金主谓宰臣曰：“五品以下，阙员甚多，而难于得人。三品以上，朕则知之，五品以下，不能知也，卿等曾无一言见举者。欲画久安之计，兴百姓之利，而无良辅佐，所行皆寻常事耳，虽日日视朝何益！卿等宜勉思之。”

九月，壬申朔，帝曰：“江西、湖南旱歉，宜可募兵两路，各且募千人。”梁克家言外路募兵，多惮所费，虞允文曰：“拨截上供亦可。”帝曰：“然。所募之人，发赴三衙恐太远，当与分拨。”允文言：“江西去江、池为近，湖南去鄂渚为近。”帝曰：“可便降指挥，仍与分拨。”

戊寅，帝谓宰臣曰：“汉高祖初年，专意马上之事；世祖增广郊祀，亦在陇、蜀既平之后。昔人规恢远略，罔不在专，繁文末节，盖未暇问。”梁克家曰：“高帝创业，世祖中兴，今日之事，乃兼守成。祖宗二百年来典礼毕备，当以时举。”帝曰：“典礼何可尽废！抑其浮华而已。自今卿等每事当先务实，稍涉浮文，必议蠲省。”

壬午，湖北、京西总领兼措置屯田吕游问，言本所管营田、屯田内官兵阙人耕种之处，请依旧顷亩，出榜召百姓依元额承佃，从之。

癸未,金主猎于横山。

丁亥,命措置襄阳寨屋,梁克家曰:“将徙荆南之屯否?”帝曰:“欲令移去,如何?”虞允文曰:“荆南之人,岁岁更戍,自此可免道涂往返之劳。然有二不便。”帝曰:“襄阳极边,骤添人马,对境必致惊疑。”允文曰:“此正是一不便。又,自荆南至襄阳,水运千馀里,河道浅狭,难于馈粮,此二不便。以臣愚见,不如先移军马,馀续议之。”帝称善。

庚寅,金主还都。

是月,进呈六部长贰岁举改官人,皆是后来许依职司收使,今合依旧法,帝然之。梁克家言在京选人,无外路监司荐举,若六部长贰又不许作职司,必不得改官,帝曰:“旧法既然,当使人从法,不可以法从人也。”虞允文曰:“旧法,京局不以选人为之,故六部长贰不作职司亦可。今皆用选人,后来磨勘不行,必重申请,却须更改。”帝曰:“此事续议施行。”

冬,十月,壬寅朔,金以左宣徽使敬嗣晖参知政事。

甲寅,金主谓宰臣曰:“朕已行之事,卿等以为成命不可复更,但承顺而已,一无执奏。且卿等凡有奏,何尝不从!自今朕旨虽出,宜审而行,有未便者,即奏改之。或在下位,有言尚书省所言未便,亦当从而改之。”

壬戌,金主使乌凌阿天锡来贺会庆节,要帝降榻问金主起居,帝不许。天锡跪不起,虞允文请帝还内,命知閤门事王抃谕之曰:“大驾已兴,难再御殿,使人以明日见。”天锡沮退。癸亥,随班入见。

甲辰,虞允文言:“两司增加斗力事艺,升进者千馀人,费不过千馀贯。昨有锡金碗者,军中欢呼,无不欣艳。”帝曰:“闻其载碗乘马而归,道路聚观,如此,见者必劝矣。”

丙寅,金左丞相赫舍哩良弼进《睿宗实录》。

戊辰,金主谓宰臣曰:“衍庆宫图画功臣,已命增为二十人。如丞相韩企先,自本朝兴国以来,宪章法度,多出其手,至于关决大政,但与大臣谋议,终不使外人知觉,汉人宰相,前后无比。若褒显之,亦足以示劝,慎勿遗之。”

是月,赈饶州饥。

帝因览知州王秬赈济画一,曰:“饥岁民多遗弃小儿,已付诸路收养。如钱不足,可于内藏支降。”

罢绍兴府宗正行司,以其事归大宗正司。

故事,宗室皆聚于京师,熙、丰间始许居于外,崇宁间始即河南、应天置西、南二敦宗院。靖康之祸,在京宗室无得免者,而睢、洛二都得全。建炎初,将南幸,于是大宗正司移江宁,而西、南外初寓于扬州及镇江,复移于泉、福二州。而居会稽者,乃绍兴初以行在未有居第,权分宗室居之。及恩平郡王璩出居会稽,遂以为判大宗正司,至是省之。

十一月,戊寅,金主幸东宫,谓太子曰:“朕为汝措天下,当无复有经营之事。汝惟无忘祖宗仁厚之风,以勤修道德为孝,明信赏罚为治而已。昔唐太宗曰:‘吾伐高丽不克终,汝可继之。’如此之事,朕不以遗汝。如辽之海滨王,以国人爱其子,嫉而杀之,所为如此,安得不亡!唐太宗又尝谓高宗曰:‘尔于李勣无恩,今以事出之。我死,宜即授以仆射,彼必致死力矣。’君人者安用伪为!受恩于父,焉有忘报于子者乎!”

丙戌,金主享太庙;丁亥,有事于圜丘,大赦。

是日,臣僚请改和州西路花装队,帝曰:“三衙旧亦结花装队,昨已更改。与其临敌旋行抽摘,不若逐色团结之有素也。”

癸巳,金群臣加上尊号曰应天兴祚钦文广武仁德圣孝皇帝。

甲午,虞允文言:“旧法,黄甲不曾到部人,在铨试下等人之上。”帝曰:“可依旧法。”又曰:“改法不当,终有窒碍,不如详审于初,则免改更于后也。”

是月,策制科眉山布衣李垕入第四等,赐制科出身。

十二月,癸卯,金主冬猎。乙卯,还宫。

丙辰,金参知政事敬嗣晖卒。

先是军人王俊,自称八厢,诈取军中钱物,配广南,帝曰:“御前从来无八厢差出,可拟指挥行下诸路,如有自称八厢之人,即收捉根勘。”戊午,诏行之。帝顾虞允文曰:“卿昨言,若真八厢,对人自称,亦所当罪,此言甚当。”

庚申,诏:“阁门舍人依文臣馆阁,以次轮对。”王抃用事故也。

辛酉,金进封皇子永中为赵王,永成为豳王,永升为虞王,永蹈为徐王,永济为滕王。乙丑,永中与曹王永功俱授明安,仍命永功亲治事以习为政。

丙寅,诏:“都统制岁举所知二人,统制岁举一人,以智勇俱全为上,善抚士卒为次,专有胆勇又为次,将校士卒惟其所举。”从臣僚之请也。

金吏部侍郎靖之使高丽也,欲宣金主诏于王晛,而晛已为晧囚于海岛,托言:“晛已避位,出居它所,病有加无损,不能就位拜命,往复险远,非使者所宜往。”靖竟不得见晛,乃以诏授晧,转取表附奏,仍以让国为言。

靖还,金主问大臣,皆曰:“晛表如此,可遂封之。”赫舍哩良弼、完颜守道曰:“待晧祈请,未晚也。”

是月,晧遣其礼部侍郎张翼明等请封于金。

是岁,移马军司屯于建康府。

金河决王村,南京、孟、卫州界多被其害。

【译文】

宋纪一百四十二　起庚寅年(公元1170年)八月,止辛卯年(公元1171年)十二月,共一年有余。

乾道六年　金大定十年(公元1170年)

八月,己酉(初二),权发遣衡州韩坚常,奏请大量籴买常平米,宋孝宗说:“如果一州能籴买到二十万石常平米,即使发生水灾或旱灾,也不用担忧了。”新任福建转运副使沈枢说本路州郡发生水旱灾害,奏请留存给转运司一部分和籴米用来接续常平米的赈济粜卖,宋孝宗说:“立即执行这件事。”

庚戌(初三),宰相虞允文奏请提早立太子,宋孝宗说:“朕很早就有此打算,人选的事也已做决定;只担心太子的位置确立之后,人心容易骄傲,就自我放纵享乐,不勤奋学习,渐渐

就会失去德性。朕之所以不立太子，是希望他更加熟练各种军政事务，博古通今，这样才没有后悔之忧。"

癸丑(初六)，恢复设置详定一司敕令所。

戊午(十一日)，新任权知筠州葛祺谈论恢复国土的根本大计，宋孝宗说："盛衰变化，是事理发展的必然结果。"又谈论东南地区的军队可以使用，宋孝宗说："会稽用八千人攻破前秦，关键在于如何用兵！"又谈论建康府的战船应当修理添造，每月的具体数目申报朝廷，宋孝宗说："已经下令修补战船。"

新任权知饶州江璆进宫应对，宋孝宗说："你过去奏陈的有关盐利的建议很好。广南的田地能耕种吗？为什么不劝诱百姓开垦？鄱阳，是靠近京都的大郡，你应当加强治理它们如同广东广西。"宋孝宗又说："鄱阳物产贫瘠，应当安抚体恤百姓。"

己未(十二日)，金国主从柳河川返回。

丙寅(十九日)，设置十名阁门舍人的定额。

臣僚说："近年监司、郡守的任命，在朝廷附近的地区本来已经选任了最合适的人，而偏远地区的任命未能完全符合陛下希望的标准。现在京城近郊的百姓，州县官员一旦没有处理好他们的事情，就告到御史台告到中书省，直至到登闻鼓院擂鼓上告到皇上，必须将事情弄得一清二楚才罢休。偏远地方的百姓有事上告，县一级不加受理，就上告到州一级；州一级不加受理，就上告到监司；监司也不加受理，就是蒙冤而死也无处申告了。希望陛下任命偏远地区的监司、郡守要比任命京都附近的监司、郡守更加谨慎，责成台谏官员对他们的监察弹劾要比京都附近的官员更加严格。"诏令采纳了这条建议。

癸酉(二十六日)，太学正薛元鼎说周代的名将南仲，是武成王同时代的人，奏请在祭祀武成王时将南仲作为陪祭，宋孝宗很高兴，还说南仲之孙皇父，还是周宣王中兴时的名将，这样就可以施行了。又说太学举行释奠仪式时，轮流派南班宗室子弟作陪观礼，宋孝宗说："也让他们了解这些礼仪。"

知宁国府姜诜上书说："现在应该在十月内安排修治圩田，救济供养圩户中的饥民，已派官前往视察，预估工程的工役数量，得知修补已损坏的圩岸，比起绍兴年间所花费用要减省得多，加上应该进行开决废除的，现在正在调查。"诏令："其余州军有损坏的圩岸，守臣依此办法安排修整，并书面申报尚书省。"

壬申(二十五日)，金国派遣参知政事完颜宗叙巡视北方地区，完颜宗叙不久奏请沿边界设置壕堑，左丞相赫舍哩良弼说："敌国如来进犯，壕堑岂能依恃！"金国主说："你说得很对。"

甲戌(二十七日)，右朝请大夫吕游问进宫应对，谈论祖宗成法，宋孝宗说："提建议的人未必全部了解祖宗成法的利害关系所在，岂能随便加以更改！"

这个月，虞允文进呈《乾道敕令格式》。

夏国任得敬因为阴谋篡权被依法处死。

金国左丞相赫舍哩良弼，练达政务，金国主向他咨询，都开诚布公地奏报，大多符合旨意。因为为母亲守丧离职，九月，庚辰(初三)，重新起用。

壬辰(十五日),追赠苏轼谥号为文忠。

壬寅(二十五日),新任权发遣衢州施元之进宫入对,谈论任用人时过于详细地追究小过失的问题。宋孝宗说:“当前用人的弊端正在这里。”

诏令:“役法给下三等户造成损害,以后官户与民户一同差役。”

池州都统吴总入朝辞行,宋孝宗说:“将帅很难得到合适人选,所以在文臣中选择你做将帅,必须首先管理百姓事务,然后统帅军队。”

这个月,范成大从金国返回。

当初,范成大到达金国,暗中草拟了奏疏,详细说明接受国书的仪式和请求归还祖宗陵寝之地,藏在怀中进入金朝。正在进献国书时,范成大忽然奏报说:“两国既为叔侄之国,而接受国书的礼仪不相称,臣有奏疏。”收起朝笏拿出了奏疏。金国主说:“这里岂是进献奏疏的地方吗?”左右侍卫用笏板将范成大架起来。范成大一定要将奏疏交给金国主,然后才回到驿馆。金国太子想杀了范成大,有人劝谏制止了他。

金国的回信大致说:“和约再次达成,山河边界如同以前;音讯忽至,声称索要指定的巩县、洛阳地区。援引过去作废的文书,破坏今日的结盟之好。既然说无法祭祀祖宗陵寝,打算表达思念祖先的心情;只可敬奉你们的祖先迁回江南,如果你们有迁葬的请求就会立即给以答复。至于像尚未回归的旅居灵柩,也应当一同启程。不过听到你们的请求之词,想废除接受国书的仪式礼仪,提出的草率简单,要求必须同意你们的请求,对于尊卑名分如何说得过去?在哪里顾及了信誓旦旦的盟约?事情应当谨慎处理,国家才能平安。”于是要求的两件事都没有成功。宋孝宗认为范成大忠诚,有重用他的意思。

冬季,十月,戊申(初二),权发遣兴元府王之奇奏报:“归正官承信郎刘湛、右迪功郎刘师颜父子等人,深深感念祖宗恩泽,保护陵寝,不畏惧敌人凶暴,极力阻止盗伐墓区树木,连年关押狱中,儿子死了,妻子改嫁,而刘湛父子含笑承受了这些。不是天赋忠义,怎能达到如此地步!”诏令:“承信郎刘湛,特恩转升两级官职,刘师颜改任右承务郎,提升为实授差遣,他们的亲戚秦世辅,特恩转升一级官职,升任正将。”

癸丑(初七),湖南转运副使黄钧议论士大夫风俗不振,宋孝宗说:“君主、宰相不应当谈命运,士大夫不应当谈风俗,士大夫是决定风俗的根本。”

甲寅(初八),金国主到霸州举行冬猎。

丙辰(初十),信州知州林机进宫应对,就谈道:“过去曹彬攻下江南,太祖皇帝舍不得授给他一个节度使的官职。近年做将领的人,不曾有平定叛乱攻破敌人的功劳,升官奖赏就很丰厚,甚至于到了人臣之极位。希望陛下借鉴太祖的做法制定驾驭将领的办法,这样在今后就可以责成他们建立功效。”宋孝宗说:“这实在是人主激励世人的方法。”

丁巳(十一日),权知襄阳府司马倬,为他的父亲已故的兵部侍郎司马朴乞请谥号,赐谥号忠洁。

甲子(十八日),礼部尚书刘章说:“臣听说李德林在隋代开皇初年,参与编修敕令,向朝廷奏请,说如果有人想更改敕令,应当以军法论罪。因为法令有弊端所以才修改它,修改法令也未必都修改得恰当,与大众共同商议就行了,却想以军法相威胁,这也不仁义到了极点。

陛下清明有远见,命令官员收集新旧法令和先后下发的敕令圣旨进行编辑然后修改它,一年后成书,就把它奏报御览。其间有使人情感到不便、使圣心感到不安的条文,莫不用红色黄色做了记号,稍有可疑,必定加以改定,然后颁行。想播告朝廷内外,只遵照新编的法令条文执行。”宋孝宗说:“朕已看过了,也对隋高祖的行事感到惊异。”

乙丑(十九日),金国主对大臣说:“近来因为打猎,听说固安县令高昌裔不称职,已下令罢免他。霸州司候成奉先,任职谨慎认真,可晋升官阶,任命为固安县令。”

辛未(二十五日),金国主对宰臣说:“朕凡是议论政事时,对没有深入研究其利害关系的地方,你们应当尽心讨论批评,不要当面听从而退朝后又背后议论。”

癸酉(二十七日),宋孝宗告谕江西转运判官芮辉说:“你应当首先端正士大夫的风俗,其次处理民间的诉讼案件,及早给以裁决,处理漕运事务又在其次。”

甲戌(二十八日),起居舍人赵雄,奏请设置机构商议恢复失地的问题,诏令任命赵雄为中书舍人。

乌程县知县余端礼说:“谋取克敌制胜的方法,有虚张声势和用实力进攻两种。敌弱,就先虚张声势然后用实力进攻,这样就折服敌人的士气;敌强,就先以实力进攻然后虚张声势以等待可乘之机。汉武帝乘匈奴困扰之机,亲临边境,威震北方,而沙漠之南没有匈奴首领军营的原因,是折服了敌人的士气从而收服了他们,即所谓的先声而后实。越国谋取吴国则不一样。对外讲修盟好,对内整修武备,表面上派文种、范蠡行事,暗地里勾结齐、晋为外援,训练的士兵越多,而献给吴国的礼物越频繁,能一战而成霸主的原因,就是寻找时机图谋吴国,这就是所谓的先实后声。现在的形势,与汉代不同与越国相似,希望暗中建设武备周密谋划军事,观察形势变化,就有机可乘了。古代的可乘之机有四种:乘敌国有漏洞的时机,乘敌国空虚可直捣的时机,乘敌国发生叛乱的时机,乘敌国有弊病的时机。乘敌国的内部混乱而攻击它们,就像匈奴被三国的围攻所困而汉宣王出兵,这是乘敌人有漏洞的时机。乘敌国的外患而进攻它,就像吴国的夫差被黄池战役所牵制而越兵攻入吴国,这是乘敌国空虚可直捣的时机。敌国君主失道,乘其国内离散之机进举,就像晋国降服孙皓,这是乘敌国混乱的时机。敌力穷尽,跟踪追击而困顿他们,就像汉高祖追击项羽,这是乘敌人有弊病的时机,时机未到,不可以先下手;时机已到,不可以拖延。以此策略备战边境,安若泰山;以此策略迎战敌人,势如破竹;只要做想做的,没有不如愿的。”宋孝宗说:“你可以称得上通达事体。”

这个月,恢复设置武臣提刑官。

在此之前陈俊卿居宰相之位时,宋孝宗诏令依照祖宗旧制,恢复设置武臣提刑官,陈俊卿奏报说此职从景德年间以来,废置不常设,现在任用一名文臣,也没有误事,额外增置官职,只添烦扰,就停止了。至此恢复设置这一官职。

编制《会计录》,这是采纳都大发运使史正志的奏请。

十一月,丁丑朔(初一),诏令淮南转运司严格执行使臣往来载钱过境的禁令。

辛巳(初五),金国主制书:“盗窃太庙物品,与盗窃宫中物品论罪相同。”

壬午(初六),在圜丘合祀天地,大赦天下。

乙酉(初九),臣僚上疏说:“伏见举行郊祀,阴雨连日,到致斋上供景灵宫时天晴。陛下回到太庙时又下雨。到夜间四刻，星光灿烂，此时正举行朝飨祭祀。第二天，御驾临青城也天晴。在道路观看瞻仰陛下的人很多，之后又下起毛毛冻雨。即将举行祭祀的夜晚，陛下亲临寓所更衣，几颗星星出现在云层之外。等到登上祭坛音乐奏起，四郊阴云尚多，只有岁星居天空正中，灵光照耀天下，祭礼完成后也未下雨。在举行祭礼的时候，差官巡行到城门，大雨如注，只有泰坛没有。这都是圣上敬畏之心达到天庭。上天给予明白的答复，应当将此事交付史馆记载下来。”宋孝宗同意了。

张栻说：“陛下之心，就是天心。欲定未定，所以上天的反应是乍阴乍晴。天人一体，万物不能超出其间，此理深刻明确，就像现在这样。臣希望陛下不要以此为祥瑞之兆，而因此要怀敬戒之心。试想第二天亲临楼肆宣布赦令之时，日光皎洁，四周没有一丝阴云，上天为什么在陛下行礼时不早撤阴云，使圣心坦然不再忧虑，而一定显示出疑惑使陛下为之惊动？这就是上天叮咛爱护陛下的意思深切。天意好像说：“现在君子、小人的消长，治理混乱的形势未成定局，都在于陛下之心如何了。如果陛下之心严谨、恭敬、小心、敬畏，常像举行祭祀之际的心情，那么君子、小人最终可以分清，治国之道最终可以形成，强盛之敌最终可以消灭，应当像祭祀的事情最终得以圆满完成一样。只要陛下常存此心，实是天下幸事！”

己丑（十三日），国子录姚崇之说：“大将之下，有偏裨、准备将之类的将领，岂无人才可承担主帅之任！奏请迅速加以提拔，如同古人提拔士卒做将领一样。”宋孝宗说：“如果有合适的人选，不拘泥等级。”

权通判建康府许克昌，奏请命令两省、侍从官员轮流在宫中留宿，恩赐允许在晚间从容与陛下纵论天下之事；宋孝宗同意了。于是诏令许克昌可授予知州、知军的差遣。又奏请命令郡守以治理军队的优劣作为考核标准，武臣提刑官检查各州军的军队，宋孝宗同意了他的建议。又谈到淘汰部分使臣和归正人，因为州军官府不能安抚他们，宋孝宗说：“你治理郡邑，正应当如此。”

乙未（十九日），召浙东总管曾觌回京担任提举佑神观。当时陈俊卿已经离位，曾觌旋即被提拔使用，不再有人阻止他入朝做官。

这个月，派遣赵雄等人祝贺金国主生辰，另外有函封国书请求更改接受国书的礼仪。大义说：“以前恳切致祈，很快收到教诲的回信，想重派使臣前往，恐怕又烦劳接待。想到列祖列宗长期安卧的陵寝之地，既难于一旦突然迁移，那么靖康年间未返回的钦宗衣冠，岂敢提前单独请求！再请得到谅解的旨意，详细谈论接受国书的礼仪。因为现在叔侄之情亲近，与过去尊卑体制不同。胆敢借庆贺生辰的礼仪，表达诚恳的请求；尚望应允，满足我们的愿望。”

十二月，戊申（初三），在白石举行大规模阅兵。

戊午（十三日），太学录袁枢轮到应对，就谈到目前图谋恢复失地，应当审慎考虑最好的计策以实现万无一失的行动，宋孝宗同意他的意见。

庚申（十五日），礼部尚书刘章说：“当今邑县的官员，任职敷衍了事，做县令的只知以征收官府的钱为急务，每月解送没有拖欠，而守臣、监司必定因此高兴，对民事诉讼不加审理，都置之不问。”宋孝宗说：“岂能重视他收钱而不监察他的政务！”

甲子（十九日），设置江州广宁监、临江军丰馀监、抚州裕国监，负责铸造铁钱。

丙寅（二十一日），金国主对宰臣说："近来身体欠佳，妨碍了朝事。今天看了所奏报的奏章，都依照格式，根本没有一条有利于国家的事情。如果一天办一件事，一年总计起来就很多，那么有利的事情就广博了。朕居深宫，岂能全部了解外面的事，你们尤其应当注意。"

癸酉（二十八日），诏令："史正志专门负责发运，却奏请征税荒诞无度，广立虚名，只是骚扰州郡百姓；贬责为团练副使，在永州居住，他负责的发运司予以撤销。"

这一年，两浙、江东、江西、福建发生水旱灾害。

高丽王王晛的弟弟翼阳公王晧，废除王晛自立为王。

乾道七年 金大定十一年（公元 1171 年）

春季，正月，丙子朔（初一），加上太上皇帝尊号为光尧寿圣宪天体道太上皇帝，太上皇后尊号为寿圣明慈太上皇后。

丁丑（初二），金国封皇子完颜永行为徐王，完颜永蹈为滕王，完颜永济为薛王。

壬午（初七），金国主诏令："官员在七十岁以上退休的，不限官品高低，都供给原俸禄的一半。"

癸未（初八），宋孝宗对辅政大臣说："前日奉上册书宝印，太上皇帝很喜悦，第二天回宫侍宴，实国家非同寻常的喜庆。朕认为敌仇未报，日无闲暇，如宫中的台殿，都是太上皇帝时代修建的，朕不曾敢增加。太上皇帝回到宫中，徘徊巡视一遍，很惊讶宫内没有加以装饰。"辅政大臣说："陛下不以万乘之主为乐而以中原失地为忧，早上朝晚退朝，焦虑劳累如此，的确是古帝王所不及。"宋孝宗说："朕无其它嗜好，有时空闲，只写字娱乐罢了。"就示意内侍，取出《题郭熙秋山平远诗》赐予虞允文。

在此之前虞允文请立太子，宋孝宗说："朕立太子之后，即令亲王出镇到地方，你应当研究前代立太子的典章礼仪。"虞允文不久拟写诏书进呈。

戊戌（二十三日），金国尚书省奏报汾阳节度副使牛信昌生日时接受馈赠和献礼，依法应当削官，金国主说："朝廷行事，尚不自我端正，如何端正天下！尚书省、枢密院的官员，生日节辰，接受馈献不少，如此则不问罪；小官接受馈献，立即加以弹劾，岂是端正天下之道！从今以后宰执、枢密官员接受馈献，也应当罢免离职。"

己亥（二十四日），宋孝宗创作《敬天图》，对辅政大臣说："一篇《无逸》使周朝享国长久，都本源于敬畏上天。朕近日选出《尚书》中所记载的天事，编为两图，朝夕观看，以自我警戒反省。"虞允文说："古人创作《无逸图》，还夸大其事、陛下将书中所记载的敬天的事情都画成图画，又远远地超过了古人。只要圣人尽力亲身实践，对上天的敬畏之心不止，必有明显的功效和准确的验证。"宋孝宗说："你说的确实很对。"

泉州左翼军统制赵渥征招到军兵一千人，不支用军中的物资，宋孝宗说："赵渥应当奖赏。"虞允文说："就给他一个远郡的官职。"宋孝宗说："奖赏应当从重，如果任职时处事有失误，惩罚也不能轻。可授予遥郡团练使的职务。"

庚子（二十五日），臣僚奏报说郎官曹官出现很多空缺，宋孝宗说："以前宣召的几人都未到，可令寺、监丞兼任代理。曾经有人说，近日从郡守直接升为郎官，其中有不曾担任职事

官的人,却似乎太快了。此言有理。”虞允文说:“近来馆、学、寺、监官员,拘泥于资格的妨碍,不得升迁任命,所以就有从县级官员升为郎官的人,这样馆、学、寺、监反不如州县官员提升得快。”宋孝宗又说:“这又失之于重视地方官了。”梁克家说:“原来确立资格,是为了重视郎官的选用。担任职事官的人很容易得到了郎官,郎官的选用却轻视了。”宋孝宗说:“对。今后任命郎官,正不可让人越级任职。”

癸卯(二十八日),进呈三衙旧司禁军人数,宋孝宗说:“祖宗时,上军分四级编制,只支出数百月俸钱。”梁克家说秘阁中存有太祖御札,禁军券钱亲笔裁减至一二百钱,宋孝宗说:“虽然只是一只麻鞋的小事,也经过区别处理。祖宗如此爱惜财物。”梁克家说:“所有的赐予尤其不能轻率。韩昭侯不是吝惜一条破裤子,是不想赐予无功之人。”宋孝宗说:“赐予了无功之人,那么人们不知道激励自己。”梁克家说:“岂止无功者得不到激励,有功者也解体了。”宋孝宗对虞允文说:“以前派内侍宦官前往长江沿线,准备就便让他们安抚慰问将士,因为你的建议而取消了,正是因为这个原因。”虞允文说:“郭子仪所得到的皇帝的赐予只是几根甘蔗、几个柑子,君主只是以此表示恩宠的意思。现在各将承受了陛下丰厚的恩赏,还没有以功相报。”宋孝宗说:“郭子仪对唐朝建立了大功,现在各将如果建立了郭子仪的功劳,赐予确实不可太轻。”

金国主对宰臣说:“往岁到山西避暑,靠近路旁的庄稼很多,几乎没有放牧的地方,就命令距路五里以外才能开垦耕种。现在听说当地百姓就离开那里到了其他地方,很值得怜悯,下令让他们依旧耕种。有此类事情,你们应当立即奏报朕。”

这个月,恢复设置铸钱司。

二月,癸丑(初八),立恭王赵惇为皇太子。大赦天下。当初,庄文太子去世,庆王赵恺按次序应当立为太子,宋孝宗认为恭王赵惇英武很像自己,就越过次序立恭王为太子,而进封赵恺为魏王,判宁国府。

宋孝宗对辅臣说:“古人很重视教育太子,其事例详细记载在《文王世子》中,必须应当多设置僚属,广选忠良大臣,使左右前后无不是正人君子。不然,即使有一个类似薛居州的贤臣,也无益于事。”问:“原来的官僚有几人?”虞允文等人说:“詹事二人,庶子、谕德兼讲读二人。”宋孝宗说:“应当增加两名,谁能当选此任?”虞允文等荐举恭邸讲读官李彦颖、刘焞,宋孝宗说:“刘焞有学问,李彦颖有节操。你们另外再选取几个人。”等到进呈人选,宋孝宗看了人选说:“王十朋、陈良翰二人都行。王十朋过去为小学教授,性情很爽快,只是处事固执罢了。”虞允文说:“宾客属官没有其他事务,只以文学议论为职责,不必嫌他太固执。”宋孝宗说:“王十朋、陈良翰确实忠诚正直,都可任命为詹事。”宋孝宗又问:“刘焞兼侍读,李彦颖却兼侍讲,为什么?”虞允文等人说:“李彦颖已经兼左谕德,因为侍讲无人承担,就令他一并兼任。”宋孝宗说:“侍讲可另外选人。”就命刘焞担任司业兼侍读。

工部侍郎胡铨,也奏请告诫太子宾僚对太子朝夕劝勉诱导,宋孝宗说:“夏商周三代国家长久的原因,在于辅导太子的人选择恰当;乱世国家福运不长,都是因为辅导太子的人选择不当。”胡铨以前因为任命为泉州知州入宫应对,就留下做经筵官。不久有忌妒胡铨敢于直言的人,搜罗他的小过失,加上其他朝官都弹劾他,胡铨于是与礼部侍郎郑闻、枢密院检详文

字李卫、秘书丞潘慈明都免职。

尚书左司郎中兼侍讲张栻进讲《诗·葛覃》，解释说："天下大治产生于敬畏之心，天下大乱起源于骄淫之行。假如统治者经常想到农夫的辛劳，其皇后嫔妃不忘纺织之事，那么心中不怀敬畏的人就少了。周代的先后勤俭如此，而他们的后代还有停止养蚕织布而为祸者。兴盛和败亡的结果，由此可见。"于是就此加以发挥，上述祖宗从治家到治国的美德，下斥当今征税扰民的祸害。宋孝宗感叹说："王安石说人言不足虑，因此误国。"张栻又说本朝治国策略以忠厚仁信为根本，就谈到熙宁、元丰、元符年间的用事大臣，宋孝宗说："祖宗法度，就是家法，熙宁、元丰年之后，不应该改变。"

丁巳（十二日），宋孝宗告谕宰执大臣说："祖宗时，多次召集近臣举办赏花钓鱼的宴会，朕也想在空闲时令你们射箭饮宴。"虞允文等人说："陛下明白表达恩宠之意，使臣得以瞻仰接近陛下，从容进纳，也是臣等的幸事。"宋孝宗说："君臣之间不相亲近，则情况不通达。早朝时奏事，只是短暂时间，哪里来得及详细讨论治国之道，所以想与你们从容相处。"

庚申（十五日），宋孝宗告谕说："近年政令废弛的弊端，应当暂且以严厉的手段加以纠正，以后风俗变换后，再改用宽松的政令。就像树立标志，倾斜就扶它一把，扶过了头就矫正它，让它适中以后才停止。"虞允文说："古人获得大众拥护在于政令宽松，挽救宽松的不足就用严厉。天地之心，生生不息变化无穷，所以《易经》卦象中阴到了极点的剥卦就变为复卦。"宋孝宗说："天地如果没有肃杀之气，万物如何萌发生长！"梁克家说："肃杀万物就是为了使万物生长，天地之心归结于仁罢了。"宋孝宗说："对。"

壬戌（十七日），宋孝宗说："去年秋季发生水涝，朕很担忧百姓的粮食问题。现在却没有流离失所的人。"虞允文说："监司、守臣，都能尽心救灾，所以米价没有飞涨。"宋孝宗说："也依赖支取官府的粮食。"梁克家说："数年来，常平仓积存粮食，皇上极为留心。不然，现在哪有粮食可以挪用调拨！"宋孝宗说："如此注意，尚且不足。"虞允文等就说："各郡守臣如果任用得当，遇到发生水旱灾害的年头，怎能让皇上挂念！"宋孝宗说："应当选择其中有显著政绩的官员给以奖赏他们。"

甲子（十九日），诏令寺庙道观不得免征租税。

三月，乙亥朔（初一），赵雄到达金国，所提出的请求都不答应。赵雄辞行回国，金国主派人宣告谕旨说："你们国家既然知道巩县、洛阳的陵寝年久难迁，而不请求归葬天水郡公的灵柩，用意何在？朕念天水郡公曾是宋国皇帝，才给予临时安葬，很可怜悯。你们国家既然不想请求此事，应当替你们安葬他。"没有一句提到接受国书礼仪的事。赵雄回来，奏报："金国主只是个平庸的人，不能与陛下相提并论。中原遗民，每天盼望王师前去，必定用箪食壶浆来迎接。"宋孝宗很喜悦。当时金国天下大治，百姓安居乐业，而赵雄却如此虚词粉饰。

诏令训练水军。

丙子（初二），册立恭王夫人李氏为皇太子妃。皇太子妃，是庆远军节度使李道的女儿，相面的术士皇甫坦说她应当成为皇后，被太上皇听说，就替恭王娶了她，至此立为皇太子妃。皇太子妃性情妒忌泼悍，曾向太上皇帝告太子左右亲近的状，太上皇帝心中不悦，对太上皇后说："这个妇人是将门的后代，我被皇甫坦欺骗了。"

己卯(初五),任命知阁门事张说为签书枢密院事。

张说的妻子,是太上皇后的妹妹,张说攀附皇后提升任命为枢密官员。当时重新起用刘珙为同知枢密院事,刘珙极力推辞不接受。张说的任命一下达,朝廷议论哗然,无人敢公开批评此事,左司员外郎兼侍讲张栻上疏激烈谏阻,而且到朝堂斥责虞允文说:“宦官执政,从蔡京、王黼开始;亲信执政,从你开始。”虞允文羞愤难当。张栻又上奏说:“文武官员确实不能失去平衡。然而现在想重视武臣来均衡文武二柄的关系,而所任用的却是如此之人,不仅不足以服文臣之心,恐怕反而激起武臣的愤怒。”宋孝宗虽然感悟,尚未收回成命。当时范成大负责起草制书,很久时间不起草,忽然请求应对,就拿制书纳于榻前,宋孝宗脸色突然变得很严厉,范成大慢慢说:“臣有一比喻,阁门官天天引朝班进退,就相当于州郡府中负责接待工作的官吏。执政大臣,相当于州郡中的知州、通判。假如州郡官员突然提拔客人将任命为通判,官属纵然低头不语,官吏、百姓看了听了后如何议论?”宋孝宗脸色缓和,沉思片刻说:“朕将考虑这件事。”第二天,张说免职改任安远军节度使、提举万寿观。

张说对人说:“张左司平时本不融洽,反对我是本来的事情;范致能为什么也攻击我?”指着所坐亭子的木料说:“这都是致能送给我的。”一个月后,范成大请求辞职,宋孝宗说:“你说的事很对,朕正采纳接受进谏,为什么却想离职呢?”范成大终究不能安心在位,以集贤修撰的身份知静江。致能,是范成大的字。

辛巳(初七),宋孝宗说:“户部所借南库的四百万缗钱,多次告谕曾怀,不知用什么拨还。”虞允文说:“不过准备按照折帛钱的办法办理。”梁克家说:“现在左藏库中没有两个月使用的储备。”宋孝宗说:“户部有策划安排吗?”虞允文说:“第一是贩卖典帖,第二是卖钞纸,众论不认为这是好方法。”宋孝宗说:“这两件事既损害百姓利益,又有伤国家体面,都不可行。”

这一天,金国命令有关部门将钦宗安葬在巩县、洛阳一带的原野上,使用一品官的礼仪。

戊戌(二十四日),虞允文说:“胡铨早年节操很高,现在纵然有小过失,不应当突然离开朝廷。”宋孝宗说:“朕以前看御史台的奏章,犹豫两天,心中很念他。只因为四人同时被弹劾,不想让胡铨独自留下。”梁克家说:“胡铨流落海上二十多年,一般人很难做到。”宋孝宗说:“胡铨本来就是非其他人所能比。”就任命为宝文阁待制兼侍讲。胡铨请求离职更加坚决,以敷文阁直学士的身份出任在外宫观官。

庚子(二十六日),徽猷阁待制、知处州胡沂谈到有人盗马,宋孝宗说:“惩治他们的罪。”虞允文乘机说有的帅臣引诱山寨人盗马,不久又杀了盗马者,人心很不安定。梁克家说:“为了邀功而生事端的边臣,不能轻易饶恕。就像知沅州孙叔杰,进兵攻击徭人,致使王再彤等人聚众作乱,惊扰边民,几乎造成大害。前日给予免职,处罚太轻。”宋孝宗说:“可再降两级官阶。”

这个月,恢复将作监。

重申严格禁止和籴。

夏季,四月,乙巳朔(初一),诏令:“春季举行拍试,武艺高超者破格给以补转两级官职。”虞允文说本司兵民必须略加恩赏,宋孝宗说:“军中既有奖赏,人人肯学武艺,还担心军

政不能治理！如果再对本司官员也加以奖赏，兵民就更加受到激励。”

丁未（初三），金国归德地区百姓臧安儿谋反，依法处死。

金国驸马都尉图克坦贞任咸平府尹，贪污不法，累计贪赃数十万；迁往真定，事情败露，金国主派大理卿李昌图审讯他，图克坦贞立即认罪。李昌图还朝奏报，金国主问他说：“停职了吗？”回答说：“没有。”金国主生气，将李昌图杖责四十。又派刑部尚书伊喇道前往真定审问他，征收他的赃物归还原主，有关部门不按时征收，诏令：“先用官钱归还原主再令图克坦贞缴纳给官府。凡是退还赃物给原主，都以此例为准。”贬降图克坦贞为博州防御使，贬降图克坦贞的妻子为清平县主。

戊申（初四），提升曾觌为安德军承宣使。当时太子刚立，因为说曾觌有伴读的功劳。

庚戌（初六），宋孝宗对宰执大臣说：“朕在听取意见的时候，正确的就采纳，错误的就不用，起初就心无成见。”梁克家说：“天下之事，只要正确就行了。正确的，就是所说的符合道理。”宋孝宗说：“对。太祖问赵普说：‘天下什么最大？’赵普说：‘只有道理最大’朕曾再三反复思考这句话。”

癸亥（十九日），金国参知政事魏子平免职，改任南京留守，不久退休。

甲子（二十日），诏令皇太子判临安府。

己巳（二十五日），诏令荐举能胜任刑狱、钱谷事务的人和有智略、有管理能力的人。

庚午（二十六日），有人控告统兵官克扣军饷违法，宋孝宗下令交付大理寺审理此案。虞允文说恩威并用才行，宋孝宗说：“以威克爱，就能成功；以爱克威，就不能成功。苏轼就说尧、舜致力于以爱胜威，朕认为苏轼说的不对。”梁克家说：“先儒提出的论点，不可理解为一成不变的说法，如崔实撰写《政论》，尽力劝告君主从严驾驭下属。大概拯救弊病的言论，各自根据当时的条件而定。”宋孝宗说：“古人因为从严治国导致了太平，不是说要用严厉的法律条文，而是严整纲纪，使人不敢冒犯。比如一家人，父子、兄弟之间，处于森然法度之中，不是必须用鞭子抽打然后才说是严厉。”

辛未（二十七日），皇太子领临安尹，任命晁公武为少尹，李彦颖、刘焞兼判官。

在此之前高丽派人报告金国，说国王王晛将国王之位让给了弟弟王晧。金国主说：“让出王位，是大事，再详加询问。”这个月，高丽将王晛让位的表章前来呈送金国主，金国主对此有疑问，就此事询问宰执大臣。左丞相赫舍哩良弼说：“此事不可信。王晛有儿子并生了孙子，凭什么让位给弟弟？王晧曾作乱而王晛囚禁了他，为什么突然让出王位？况且现在这次派来的使臣，是王晧派的而不是王晛派的，这实际上是王晧篡夺兄长的王位，怎么容忍！”右丞孟浩说：“征询他们国家官吏百姓的意见，果真拥戴王晧，应当派使臣封他为王。”金国主下令拒绝王晧的使臣。不久派遣吏部侍郎靖前往询问让位的缘故。

五月，丁亥（十三日），刘珙起用为同知枢密院事，为荆襄宣抚使。

刘珙总共六次上疏辞谢，引经据典，言辞很切直，最后说道：“为父母服丧三年，这是先王依据人情而做出的礼仪规定，夏商周以来，不曾改动。至于汉代儒生，就有战争期间不避位守丧的说法，这本来已成为先王的罪人。然而还有可推诿的借口，说鲁公伯禽已因此这样做了。现在因为陛下的威灵，边陲幸好没有犬吠之警，臣却想假冒战争之名而实际上贪图利禄,不又成为汉儒的罪人了?”

宋孝宗以应当为国尽职的大义责问他,刘珙就手疏另外一篇奏章,大致说:“天下之事,其实际存在却不显露其形,就没有干不成功的;实际上不存在却事先显示其形,就没有不失败的。现在德政没有增加,贤士得不到任用,赋敛日益沉重,民不聊生,将帅正剥削士卒军饷来送礼行贿,士卒正饥寒穷苦而产生怨言,所有我们通过自治而为恢复失地做的实际工作,大致如此概括。但却对外招诱归正之人,对内调遣禁卫军队,规划尚未确立,手足事先暴露了,这种形势正好足以加速祸害而导致敌寇入侵。况且荆襄之地,就像人的四肢;朝廷,就像人的腹心元气。假使朝廷措施得当,元气充实,那么横扫敌人,易如反掌,荆襄有什么值得忧虑!如果不是这样,那么荆襄一带即使有一百位像臣这样的人,悉心经营,哪里足以依靠!臣担心恢复失地的功业不易图谋,而意外之事马上到来的忧虑,将不可估说,只希望陛下考虑这件事。”宋孝宗接受了他的意见,因此将以前的诏令搁置了。

派遣知阁门事王抃检阅荆襄军马。

梁克家说:“近来各将管理部下太宽,现在统制官敢鞭打统领官以下的人有没有?太祖皇帝设置的等级法度,万世不能更改。”宋孝宗说:“二百年来,军中没有变乱,就是因为这个原因。”虞允文说:“法度本来应当遵守,统兵官也要首先严于律己。”宋孝宗说:“确实如此。以前一两个统兵官不能控制他的部下,反而被部下所告,这就是因为不能严于律己的缘故。”

癸巳(十九日),金国任命南京留守伊喇成为枢密副使。

辛丑(二十七日),宋孝宗谈到临安的政事,就说:“韩彦古在任时,盗贼绝迹;等他免职后,群盗如相互呼应而来。由此可知惩治强盗也不能不严。可惜韩彦古用来治理百姓的办法,也是用来惩治强盗的办法。治盗当严,治民当宽,难以统一。”

六月,丙午(初三),恢复主管马军司公事李显忠为太尉。

己酉(初六),金国主下诏说:“各路常贡数额内,同州沙苑的羊不是急用的,只是劳累百姓罢了,从今以后停止进贡。朕居深宫,劳累百姓的事情,怎能全知。类似此事,应当用奏章奏报。”

乙卯(十二日),张权说淮西麦子成熟,可望秋天有收成,宋孝宗对宰相说:“时局和平年成丰收,是你们协力相助的结果。朕应当与你们研究政令不周到的地方。”虞允文说圣德没有缺失。宋孝宗说:“君臣之间,正要互相提醒告诫,朕有过失,你们全部说出来;你们有考虑不周到处,朕也不隐瞒。这样君臣相互修正,以报答上天的恩赐。”

丙辰(十三日),太常寺丞萧燧说君主听取建议一定要考察其是否实用,所建议的与所实行的相符合,然后才可相信,宋孝宗说:“所说的很对。哪个人不能提出建议!但只能提提建议而已,关键应当观察建议是否可行。《书》所谓‘用言论敷陈上奏,用功劳公开检验’就是这个道理。”

甲子(二十一日),金国平章政事图克坦喀齐喀去世。金国主正在击球,听到讣告,就停止击球,赐给丰厚的治丧钱财,录用他的孙子为官。

秋季,七月,甲申(十一日),金国参知政事完颜宗叙去世,留下遗表谈论朝政得失以及边防的利害关系。金国主悲伤悼念,对宰臣说:“完颜宗叙勤劳为国家,其他人所不能及。”停止

上朝，派遣宣徽使敬嗣晖送去祭祀的财物。

乙未（二十二日），梁克家说："近期的两件事，都是前世所不及的。太上皇禅让皇位，陛下册立皇储，都出于自己的决断。"宋孝宗说："此事确实是汉代、唐代所没有。朕常恨功业不如唐太宗，富庶不如汉文帝、汉景帝。"虞允文说："陛下以勤俭为宝，经过多年积累，何虑不及汉文帝、汉景帝！如唐太宗的功业，就在于陛下日夜努力争取罢了。"宋孝宗说："朕思考创业、守成、中兴，三者都不容易，早晚孜孜以求，不敢懈怠，每当午后无事，就自思自问，难道还未达到吗？反复思虑，唯恐有失。"又说："朕近来在几上写了一'将，字，反复思索，没有悟出选择将帅的原则。"虞允文说："人才在战事来临时才被发现。"宋孝宗说："对。唐太宗在安市之战中，才发现薛仁贵。"

庚子（二十八日），任命王炎为枢密使、四川宣抚使。

兴元府有座山河堰，世代传说是萧何所建。嘉祐年间，提举官史照进献修堰法，朝廷下达敕书刻在堰上。绍兴年以后，人口凋敝，堰事荒废，王炎责成知兴元府吴拱修复，征发士兵一万人帮助工程建设，将六座堰全部修好，浚疏大小渠道六十五里，南郑、褒城的农田得到充足的灌溉。诏令表彰吴拱。

这个月，免征两淮百姓户丁钱，免征两浙百姓丁盐绢。

宋孝宗对辅政大臣说："范成大说处州征收的丁钱太重，于是就形成了不愿生儿子的风气；有一家中有几个男丁的，应当多加减免。"不久又免征受旱灾的各路百姓的户税。

八月，癸卯朔（初一），金国主诏令朝臣说："朕曾告诉你们，有关国家利益，朝政的遗漏和过失，都可直言不讳。外路的官民也曾谈论国事，你们始终不说一句话。所有实施的政事，岂能都对？从今以后要直言政事得失，不要有所隐瞒。"

乙巳（初三），金国主对宰臣说："在朝的官员，自称经历了三次考察就应当担任某职，经历了二次考察就应当担任某职，只知因循敷衍碌碌无为。从今以后外路官任命为朝内官，观察他如果勤奋就让他同时兼职；但是如果马虎了事，不须任职期满，便按原来的官品调出京城。赏罚不明，怎能勉励大家！"

丙午（初四），殿司左军的士兵抢劫马军司使臣的家被捉获，宋孝宗说："不应当以治百姓的法令治他们。"虞允文说："抢劫已不可宽恕，何况还是军人！"

庚戌（初八），金国主下诏说："所有因为斡罕而被掠卖的女真人以及各种人，未经释放的，官府代为赎回释放。隐匿不放的人，按违背制书论罪。其中年幼不能说清原居住地的，依据本人的意愿居住。"

己未（十七日），进呈两浙转运司籴买封存的积米数量，宋孝宗就宣谕说："《洪范》八政，以食为先，而世儒却不谈钱财粮食。国家有储蓄，如同家庭的生计，想不预先办理，行吗！"

庚午（二十八日），宋孝宗对宰执说："朕近日无事时拜访德寿宫，太上皇颐养得更好了，天颜喜悦，朕回来后，常喜不自胜。"虞允文说："国家神器重任，付托给了合适的人，圣上心中无牵挂，自然应当如此。"

金国主对宰臣说："五品以下官员，空缺很多，难于找到合适的人。三品以上的官员，朕还能了解，五品以下的，就无法了解了，你们却无一句话举荐人才。想策划长治久安之计，为百姓兴利，而无良才加以辅佐，所做的都是平常琐事，即使天天上朝又有什么益处！你们应当努力思考这个问题。”

九月，壬申朔（初一），宋孝宗说：“江西、湖南因为旱灾歉收，适合在这两路招募士兵，各自暂且招募一千人，”梁克家说在外路招募士兵，大多担心费用太大，虞允文说：“调拨截用上供的费用也可以。”宋孝宗说：“对。所招募的人，发赴三衙恐怕太远，应当予以分拨。”虞允文说：“江西离江州、池州很近，湖南离鄂渚很近。”宋孝宗说：“可以立即下令，仍予以分拨。”

戊寅（初九），宋孝宗对宰臣说：“汉高祖初年，专门注意马上的事；汉世祖扩大郊祀场所，也在平定了陇、蜀之后。古人规划长远战略，没有不专意的，繁文缛节，大概无暇过问。”梁克家说：“汉高祖创业，汉世祖中兴，现在的事情，还加上守成。祖宗二百年来典章礼仪齐备，应当按时举行。”宋孝宗说：“典章礼仪怎么可以全部废止！控制其浮华而已。从今以后你们每办一件事应当首先务实，稍为涉嫌浮华，一定商议省免。”

壬午（十一日），湖北、京西总领兼措置屯田吕游问，说本所管辖的营田、屯田内官兵缺乏耕种的地方，请依据原有的土地面积，出榜招募百姓依照原来的数额承佃耕种，批准了。

癸未（十二日），金国主在横山打猎。

丁亥（十六日），命令设置襄阳营寨房屋，梁克家说：“将要调动荆南府的驻军吗？”宋孝宗说：“打算让他们迁出，如何？”虞允文说：“荆南府的人，年年轮流戍守，从此可免除路途往返的辛劳。然而有两个不便的问题。”宋孝宗说：“襄阳是最靠边境，突然间增添人马，必然导致对方惊疑。”虞允文说：“这正是一个不便的问题。另外，从荆南到襄阳，水运一千多里，河道浅窄，难于供粮，这是第二个不便的问题。以臣愚见，不如首先迁移军马，剩下的再继续讨论。”宋孝宗说好。

庚寅（十九日），金国主返回京都。

这个月，进呈六部长官副长官每年荐举的改任官职的人选，都是后来允许依据职司荐举任用的，现在应当依照旧法，宋孝宗同意了。梁克家说在京选人，没有外路监司荐举，如果六部长官副长官又不允许作职司，必不能改任官职，宋孝宗说：“旧法既然这样规定，应当使人服从法令，不可让法令服从人。”虞允文说：“依照旧法，宋朝的官署不任用选人任职，所以六部长官和副长官不做职司也可以。现在都任用选人，以后不实行磨勘制度了，必须重新申请，必须更改原有的规定。”宋孝宗说：“此事以后继续商议施行。”

冬季，十月，壬寅朔（初一），金国任命左宣徽使敬嗣晖为参知政事。

甲寅（十三日），金国主对宰臣说：“朕已颁行的事情，你们以为成命不可更改，只是承受顺从罢了，无一奏报。况且你们只要有奏报，何曾不同意！从今以后朕的旨令即使颁布，应当审察后施行，发现不妥的地方，立即奏报加以修改。有的低级官员，指出尚书省所言不妥的，也应当采纳意见加以修改。”

壬戌（二十一日），金国主派乌凌阿天锡前来庆贺会庆节，要求宋孝宗下御榻问候金国主的日常起居，宋孝宗不答应。乌凌阿天锡长跪不起，虞允文请宋孝宗回内宫，命令知阁门事王抃告谕使臣说：“大驾已回，难再御殿，使臣明日朝见。”乌凌阿天锡沮丧而退。癸亥（二十二日），随班入宫朝见。

甲辰(疑误),虞允文说:“两司增加比赛力气和技艺,入选者一千多人,费用只不过一千多贯。昨天有赐予金碗的,军中为此欢呼,无不艳羡。”宋孝宗说:“听说他手持金碗乘马而归,沿途有人相聚观看,如此,看见此情此景的人必定受到激励。”

丙寅(二十五日),金国左丞相赫舍哩良弼进呈《睿宗实录》。

戊辰(二十七日),金国主对宰臣说:“衍庆宫所绘的功臣画像,已下令增加到二十人。比如丞相韩企先,从本朝建国以来,宪章法度大多出自他的手笔,至于参与决策国家大政,只与大臣谋议,始终不让外人知觉,汉人做宰相,前后无人可比。如果褒奖宣传他,也足以显示勉励之意,千万不要遗漏他。”

这个月,赈济饶州饥民。

宋孝宗因为看到知州王秬一幅赈济饥民的图画,说:“饥年百姓大多遗弃小孩,已交付各路加以收养。如钱不足,可在内藏库支取。”

撤销绍兴府宗正行司,将其事务归属大宗正司管理。

依照惯例,宗室子孙都聚集居住在京城,熙宁、元丰年间才允许在外地居住,崇宁年间才开始在河南府、应天府设置西、南两处敦宗院。靖康之祸,在京城的宗室成员无一幸免,而居住在应天府睢阳、河南府洛阳的宗室成员都得以保全。建炎初年,宋室将南迁,于是大宗正司迁移到江宁府,而西、南两处外宗正司当初寓居在扬州及镇江,后又移到泉州、福州。而居住在会稽的宗室子弟,是因为绍兴初年皇帝的居住地未能确定,暂且分出部分宗室居住在那里。等到恩平郡王赵璩出镇会稽,就任命他为制大宗正司,正此裁减了这个机构。

十一月,戊寅(初八),金国主驾临东宫,对太子说:“朕为你打天下,应当不再有经营之事。你只要不忘祖宗仁厚的作风,以勤修道德为尽孝,以赏罚必信为治国之道而已。过去唐太宗说:‘我讨伐高丽最终不能取胜,你可继续这一事业。’如此之事,朕不会遗留给你。如辽国的海滨王,因为国人喜爱他的儿子,出于嫉妒就杀了他的儿子,如此行为,怎能不灭亡!唐太宗又曾对唐高宗说:‘你对李勣无恩,现在找借口贬他出京。我死后,应当立即任命为尚书仆射,他必定拼死报效。’君主怎能用欺骗的行为。受恩于父,哪里有不报答儿子的!”

丙戌(十六日),金国主在太庙举行大禘祭祀;丁亥(十七日),在圜丘举行祭祀,大赦天下。

这一天,臣僚奏请改革和州西路的花装队,宋孝宗说:“三衙过去也组建花装队,前不久已经更改。与其临敌时匆忙抽调组建军队,不如将花装队组建成军队在平常加以训练。”

癸巳(二十三日),金国群臣给金世宗加上尊号为应天兴祚钦文广武仁德圣孝皇帝。

甲午(二十四日),虞允文说:“依照旧法,黄甲举人不曾到吏部任职的人,地位在铨试成绩属下等的人之上。”宋孝宗说:“可依照旧法办理。”又说:“更改法令不当,最终成为障碍,不如当初仔细审察,就可以避免以后更改。”

这个月,册封制科眉山布衣李垕入第四等,赐制科出身。

十二月,癸卯(初三),金国主举行冬猎。乙卯(十五日),返回宫中。

丙辰(十六日),金国参知政事敬嗣晖去世。

在此之前军人王俊,自称八厢禁军,诈骗军中钱物,发配广南,宋孝宗说:“御前从来没派八厢人员外出，可拟定命令下达各路，如有自称八厢的人，立即收捕审讯。”戊午（十八日），诏令颁布。宋孝宗对虞允文说：“你昨天说，如果是真八厢，对人自称身份，也当判罪，此言很对。”

庚申（二十日），诏令：“阁门舍人依照文臣馆阁，按次序轮流应对。”因为王抃掌握大权的缘故。

辛酉（二十一日），金国进封皇子完颜永中为赵王，完颜永成为豳王，完颜永升为虞王，完颜永蹈为徐王，完颜永济为滕王。乙丑（二十五日），完颜永中与曹王完颜永功都被授予明安爵号，还命令完颜永功亲自处理政事练习为政。

丙寅（二十六日），诏令：“都统制每年荐举所了解的人二名，统制每年荐举一名，以智勇双全为上等，以善抚士兵为次一等，以只有胆勇为再次一等，将校士卒都可以荐举。”这是采纳臣僚的奏请。

金吏部侍郎靖出使高丽，想向王晛宣读金国主的诏书，然而王晛已被王晧囚禁在海岛上，推托说：“王晛已经让位，出京城居住在其他地方，病情有增无减，不能前来拜受诏命，往返路途险远，不适合使臣前往。”靖最终未能见到王晛，就将诏书授予王晧，王晧又上表请使臣代转奏报，仍说是兄弟之间禅让王位。

靖回国，金国主询问大臣，都说：“王晛如此上表，可就此封王晧为高丽国国王了。”赫舍哩良弼、完颜守道说：“待王晧祈请后，再封也不算晚。”

这个月，王晧派遣其礼部侍郎张翼明等人向金国请求封王。

这一年，迁移马军司在建康府驻扎。

金国境内的黄河在王村溃口，南京、孟州、卫州地界内大多遭受了水灾。

续资治通鉴卷第一百四十三

【原文】

宋纪一百四十三　起玄黓执徐【壬辰】正月，尽昭阳大荒落【癸巳】十二月，凡二年。

孝宗绍统同道冠德昭功　哲文神武明圣成孝皇帝

乾道八年　金大定十二年【壬辰，1172】　春，正月，庚午朔，颁《乾道敕令格式》。

莫濛充金国贺正使。故事，正月三日锡宴，前后使者循行无违，濛独以本朝国忌，不敢簪花听乐为辞，争辨久之。伴使以白金主，许就馆赐食。

戊寅，太常博士杨万里轮对，论及人材，帝曰："人材须辨实伪，分邪正，最不可以言取人。孔子大圣，犹曰：'始吾于人也，听其言而信其行；今吾于人也，听其言而观其行。'故以言取人，失之宰予。"

金主诏有司曰："凡陈言者，皆国政利害。自今言有可行，以其本封送秘书监，当行者录副付所司。"

乙酉，太常少卿黄钧言："国莫重于礼，礼莫严于分。伏见四孟月景灵宫朝献，皇帝与群臣俱拜于庭心，窃疑之。退而求之礼经，考之仪注，有所不合。问之掌故，则渡江之后，群吏省记者失之也。《曲礼》曰：'君践祚，临祭祀。'《礼器》曰：'庙堂之上，罍樽在阼。'又曰：'君在阼。'《正义》曰：'阼，主人阶也。'神宗元丰间，详定郊庙礼文，明堂、太庙、景灵宫行礼，兼设皇帝拜位于东阶之上。今亲郊之岁，朝献景灵宫，朝飨太庙，皇帝拜上，群臣拜下矣；独四孟朝献，设褥位于阼阶之下，则是以天子之尊而用之大夫士临祭之位，非所以正礼而明分也。请遵元丰之制，每遇皇帝孟月朝献，设褥位于东阶之上，西向。以礼则合，以分则正。"诏从之。

丙戌，宰执请讨论上丁释奠、皇太子入学之仪。帝曰："《礼记·文王世子篇》载太子入学事甚详。"梁克家曰："入学以齿，则知父子、君臣、长幼之道，古人所以教世子如此。"虞允文曰："此事备于《礼经》，后世罕举行者。"帝曰："可令有司讨论以闻。"

丙申，金以水旱免中都、西京、南京、河北、河东、山西、陕西去年租税。

二月，壬寅，金主召诸王府长史谕之曰："朕选汝等，正欲劝导诸王，使之为善。如诸王所为有所未善，当力陈之；倘或不从，则具每日行事以奏。若阿附不言，朕惟汝罪也。"

乙巳，诏曰："朕惟帝王之世，辅弼之臣，其名虽殊，而相之实一也。厥后位号定于汉，而称谓汩于唐，以仆臣而长百僚，朕所不取。且丞相者，道揆之任也，三省者，法守所自出也。今舍其大而举其细，岂责实之议乎！肆朕稽古，厘而正之，盖名正则言顺，言顺则事成，为政之先务也。其改尚书左、右仆射、同中书门下平章事为左、右丞相。”

己酉，诏以判太史局李继宗供奉德寿宫，应转三官，许回授其子安国补太史局保章正，充历算科。臣僚言：“保章从八品，与宣义、承忠郎等，使其精于历算，虽特命之可也，用其父之回授则不可。虽曰以三官易一命，若异时群臣近习有不知事体、不顾廉耻，皆乞用此例，陛下何以拒之？”遂寝其命。

庚戌，金主如顺州春水。

辛亥，以虞允文为左丞相，梁克家为右丞相，并兼枢密使。寻诏：“已正丞相之名，其侍中、中书令、尚书令，尚存虚名，杂压可删去，以左右丞相充其位。”

癸丑，以安(远)〔庆〕军节度使张说、吏部侍郎王之奇并签书枢密院事。

时张栻已出知袁州，侍御史李衡，右正言王希吕，论说不可执政；礼部侍郎兼直学士院周必大，不草答诏；给事中莫济，封还录黄。帝令翰林学士王曮草制，给事中姚宪书行，必大、济并与外宫观。旋以希吕合党邀名，责远小监当；衡言稍婉，左迁起居郎。都人作《四贤诗》以纪之。未几，曮擢学士承旨，宪赐出身为谏议大夫。于是说势赫然，无敢撄之者。

著作佐郎赵汝愚不往见说，乞祠，不报。会其祖母卒，不俟报，即日归省父，因自劾。帝不罪，就除知信州。

是日，金主还都。

金主诏曰：“自今官长不法，其僚佐不能纠正，又不言上者，并坐之。”户部尚书高德基滥支朝官俸四十万贯，杖八十。

丙寅，户部尚书曾怀，赐出身，参知政事。

三月，己巳朔，主管马军司公事李显忠，请兑换民田充都教场，有司以民间不愿，请每亩支钱五贯文收买。帝曰：“马官诸军，皆未有教场否？”虞允文曰：“虽有之，但未有都教场以备合教。”帝曰：“建康管军马，自有大教场，每遇合教，可以时暂教阅。”允文曰：“圣意殆不欲取民田耳。”帝曰：“然。”

乙亥，金诏尚书省：“赃污之官，已被廉问，若仍旧职，必复害民，其遣使诸道，即日罢之。”

丁丑，金遣宿直将军乌库哩思列册封王晧为高丽国王。

壬午，帝念及边备，谓虞允文曰：“士大夫难得任事之人。”允文曰：“承平时，前辈名臣如范仲淹、韩琦等在边，尚犹难之。”帝曰：“当时战多失利，盖由未甚知兵。”允文曰：“非不知兵，但不教之兵难以御敌。”帝曰：“西夏小邦，当时亦自枝梧不及，所以驯致丙午之耻。朕今孜孜不倦，期与卿等共雪之。今闻金人上骄下惰，朕所以日夕磨厉，必欲令今日我之师徒如昔日金人之兵势，盖思反之也。”

壬辰，宰执请点检诸军战船，帝曰：“舟楫正是我之所长，岂可置而不问？鄂州、荆南、江州，可令姜诜前去，池州以下，委叶衡具数奏闻。”

癸巳，金以前西北路招讨使伊喇道为参知政事。

丙申，详定一司敕定所奏修正三公、三少法，太师、太傅、太保为三公，左、右丞相为宰相，

少师、少傅、少保为三少，诏从之。

丁酉，金北京曹贵等谋反，伏诛。

夏，四月，庚子，赐礼部进士黄定等三百八十九人及第、出身。

癸卯，金尚书右丞孟浩罢，为真定尹。金主曰："卿年虽老，精神不衰，善治军民，毋遽言退。"以通犀带赐之。

丙午，进呈宰臣制国用事，帝曰："官制已定，丞相事无不统，所有兼制国用，更不入衔。"

己酉，殿中侍御史萧之敏劾虞允文擅权不公，允文请罢政，许之。翌日，帝过德寿宫，上皇曰："采石之战，之敏在何处？毋听允文去。"遂复留。出之敏提点江东刑狱。

甲寅，户部侍郎杨倓言："义仓，在法夏、秋正税，每一斗别纳五合，即正税不及一斗免纳，应丰熟一县九分已上，即纳一升，惟充赈给，不许它用。今诸路州县常平义仓米斛不少，间有灾伤去处，支给不多，皆是擅行侵用。请下诸路常平官，限半月委逐州主管官，取索五年的实收支数目，逐年有无灾伤检放及取给过若干，见在之数实计若干，目今在甚处桩管，申部稽考。"从之。

丁巳，金西北路纳哈塔齐锦谋反，伏诛。

己未，宣示赐新进士御书《益稷篇》。梁克家言："《益稷》首载治水播奏艰食，末载君臣更相训饬之意。学者因宸翰以味经旨，必知古人用心矣。"帝曰："如所载'无若丹朱傲'等语，见古者君臣儆戒之深。"允文曰："舜与皋陶赓歌之词，舜则曰'股肱喜，元首起'，皋陶则曰'元首明，股肱良'，又继以'元首丛脞，股肱惰'之语，君臣之间，相称誉，相警戒，自有次序如此，所以能致无为之治。"帝曰："然。此篇首言民之粒食，则知务农为治之本。至于告臣邻之言，则曰'庶顽谗说，若不在时，侯以明之，挞以记之'，又曰'格则承之，庸之，否则威之'，是古圣人待天下之人，未尝不先之以教，及其不格，则必以刑威之。今为书生者，多事虚文而忽兹二事，是未究古圣人之用心也。"

癸亥，金以久旱，命祷祀山川。诏宰臣曰："诸府少尹多阙员，当选进士，虽资叙未及而有政声者，皆擢用之。"

臣僚言："役法之均，其法莫若限民田，自十顷以上至于二十顷，则为下农；自二十一顷以上至于四十顷，则为中农；自四十一顷以上至于六十顷，则为上农。上农可使三役，中农二役，下农一役。其尝有万顷者，则使其子孙分析之时，必以三农之数为限。其或诡名挟户，而在三农限田之外者，许人首告，而没田于官。磨以岁月，不惟天下无不均之役，亦且无不均之民矣。"

乙丑，金大名尹荆王文，以赃罪夺爵，降授德州防御使，僚佐皆坐不矫正解职。文，宗望之子，京之弟也。

丙寅，金右丞相赫舍哩志宁薨，谥武定。

金主尝宴群臣于太子宫，顾志宁谓太子曰："天下无事，吾父子今日相乐，皆此人力也。"及殁，甚悼惜之，曰："志宁临敌，身先士卒，勇敢之气，自太师梁王后，未有如此人也。"

五月，己巳，提点江东刑狱萧之敏乞祠，帝不允。

虞允文言："前日之敏言臣，是其职事。臣虽不知其所论，窃自揣度，罪无可疑者。既蒙圣恩，复令暂留，如之敏之端方，愿召归旧班，以辟敢言之路。”帝曰：“今以监司处之，亦自甚优。”顾曾怀曰：“丞相之言甚宽厚，可书之《时政记》。”

癸酉，金主如百花川。

甲戌，金命赈山东路饥。

丁丑，金主次准居，久旱而雨。

戊寅，金主观稼，禁扈从蹂践民田，禁百官及承应人不得服纯黄油衣。

癸未，金主谓宰臣曰：“朕每次舍，凡秣马之具，皆假于民间，多亡失，不还其主，此弹压官不职，可择人代之。所过即令询问，但亡失民间什物，并偿其直。”

乙酉，金给西北路人户牛。

戊戌，诏福建盐行钞法，从转运陈岘之请也。仍支借十万贯作本。

知福州陈俊卿移书宰执曰：“福建盐法与淮、浙不同。盖淮、浙之盐，行八九路、八十馀州，地广数千里，故其利甚博。福建八州，惟汀、邵、剑、建四州可售，而地狭人贫，土无重货，非可以它路比也。今欲改行钞法，已夺州县岁计，又欲严禁私贩，必亏税务常额；而贫民无业，又将起而为盗。夫州县阙用，则必横敛农民；税务既亏常额，则必重征商旅。盗贼既起，则未知所增三十万缗之入，其足以偿调兵之费否也！将来官钞或滞不行，则必科下州县；州县无策，必至抑配民户。本以利民而反扰之，恐皆非变法之本意也。”当时不能用，然钞法果不行。

丙申，立宗室铨试法。

六月，庚子，以武德郎令抬为金州观察使，封安定郡王。

辛丑，帝曰：“雨止，岁事有望。”虞允文曰：“麦已食新，米价日减。”帝曰：“今岁再得一稔，想见粒米狼戾，更得二年，便有三年之蓄。仍须严切戒约，只置场和籴，听百姓情愿入中，不得纤毫科扰。”

壬寅，蠲两淮归正人撮收课子。淮东巡尉有纵逸归正户口过淮者，夺官有差。

国子司业刘焞，尝移书宰相，言张说不当用，出为江西转运判官。朝辞，论州县穷空无备及当今利害，帝曰：“江西旱荒之馀，州县亦是无备，亦多由官吏非其人。”旋命赈江西饥。

丙午，傅自强言父察遇害于燕山，乞赐谥，特赐谥忠肃。

甲寅，金主如金莲川。

秋，七月，己巳，臣僚言：“祖宗马政、茶马司，并专用茶、锦、绢博易，蕃、汉皆便，近茶马司专用银币，甚非立法之意。况茶为外界必用之物，银宝多出外界，甚非中国之利。”诏四川宣抚司参旧法措置。

癸未，以曾觌为武泰军节度使。

庚寅，知光州滕瑞奏：“遇天申圣节，臣自书‘圣寿万岁’四字，约二丈馀，兼造三棚，高三丈馀，凡用绢五十匹，标背投进。”帝曰：“滕瑞不修郡政，以此献谀，特降一官。”

是月，知庐州赵善俊言：“朝廷顷者分兵屯田，其不可者有三。臣谓罢屯田有三利：习熟战陈之兵，得归行伍，日从事于教阅，一利也。无张官置吏，坐以(縻)〔糜〕稍，无买牛散种以费官物，二利也。屯田之田，悉皆膏腴，牛具屋庐，无一不具，以资归正人，使之安居，三利

也。”诏：“庐州见屯田官兵并行废罢，其田亩牛具，令赵善俊尽数拘收，给付归正人请佃及募人租种。”

金罢保安、兰安榷场。金主谓宰相曰：“夏国以珠玉易我丝帛，是以无用易我有用也。”命罢之。

八月，庚子，度支朱儋言：“经总制钱，顷自诸州通判专收，岁入至一千七百二十五万缗，继命知州、通判同掌，而岁亏二百三十万缗。故向者版曹奏请专属通判，其后又因臣僚乞委守臣，于是有知、通同共拘催分授酬赏之制。夫州郡钱物，常患为守者侵欺，经制钱分隶之数，而多收系省以供妄费，今使知、通同掌，则通判愈不得而谁何。请仍旧委之通判而守臣不预。”从之。既而户部尚书杨倓言：“若令通判拘催，恐守臣不能协力，宜照乾道二年指挥，令知、通同共任责分赏。”从之。

辛丑，臣僚言：“州县被差执役者，率中下之户，产业微薄，一为保正，鲜不破家。昔之所管者，不过烟火、盗贼而已，今乃至于承文引，督租赋焉；昔之所劳者，不过桥梁、道路而已，今乃至于备修造，供役使焉。方其始参也，馈诸吏则谓之‘辞役钱’，知县迎送僦夫脚则谓之‘地理钱’，节朔参赞则谓之‘节料钱’，官员下乡则谓之‘过都钱’，月认醋额则谓之‘醋息钱’。复有所谓‘承差人’，专一承受差使，又有所谓‘传帖人’，各在诸厅白直，实不曾承传文帖，亦令就顾而占破。望申严州县，今后如敢令保正、副出备上件名色钱物，官员坐以赃私，公吏重行决配。如充役之家不愿亲身祗应，止许顾承差人一名，馀所谓传帖之类并罢。”从之。

壬子，浙东提举郑良嗣言收籴常平尚少钱五万三千二十馀贯，诏礼部纽计度牒给降。

乙卯，帝谓辅臣曰：“昨因检《唐书·李吉甫传》，见栖筠为常州刺史，值荐饥，浚渠，厮流江，境内遂丰稔。不知流江远近，可令浙漕及常州考求古迹以闻。”

癸亥，兵部侍郎黄钧论知人善任使，当察其人而取之，量其材而用之，帝曰：“朕以无心处之。无心则明，无心则不偏，无心则无私。”

甲子，著作佐郎丁时发言：“人君须平日奉天，得天助然后可以立大事。”帝曰：“朕日夜念此，所谓‘某之祷久矣’。”时发言：“近日多竭民力以事不急，陛下当恤民以固本。”帝曰：“朕非特图建功业，如汉文蠲天下租赋事，亦欲次第行之。”

是月，四川水灾，命赈之。

九月，戊辰，定江西四监铁钱额，每岁共铸三十万贯，江州广宁监、兴国军富民监各十万贯，临江军丰馀监、抚州裕国监各五万贯。

壬申，帝曰：“近时民俗，多尚奢侈，才遇丰年，稍遂从容，则华饰门户，鲜丽衣服，促婚嫁，厚装奁，惟恐奢华之不至，甚非所宜。今年丰登，欲使民间各务储积，仍趣时广种二麦，以备水旱之用。”

乙亥，诏王炎赴都堂治事。

丙子，金主还都。

初，帝命选谏官，虞允文以李彦颖、林光朝、王质对，三人皆鲠亮，有文学，为时所推重；帝不报，而用曾觌所荐者。允文、梁克家争之，不从，允文力求去。戊寅，以允文为少保、武安军节度使、四川宣抚使，封雍国公。

丁亥，金鄜州李方等谋反，伏诛。

己丑，赐虞允文家庙祭器。允文入辞，帝谕以进取之方，刻日会师河南。允文言异时或内外不甚应，帝曰："若西师出而朕迟回，即朕负卿；若朕已动而卿迟回，即卿负朕。"帝用李纲故事，御正衙，酌卮酒赐之；即殿门乘马持节而出。

冬，十月，丙辰，罢借诸路职田。

十一月，辛未，遣官鬻江、浙、福建、二广、湖南分路官田。

甲戌，金主谓宰相曰："宗室中有不任官事者，若不加恩泽，于亲亲之道有所未广。朕欲授以散官，量予廪禄，未知前代何如？"左丞石琚曰："陶唐之亲九族，周家之内睦九族，见于《诗》《书》，皆帝王美事也。"

臣僚言："在法，光禄大夫、节度使已上，既合定谥，议于太常，覆于考功，苟其人行应谥法而下无异词，则以上于朝廷而行焉。绍兴间，以守臣捍御，临难不屈，死节昭著，而其官品或未该定谥，于是有特许赐谥指挥，故以定谥者给敕而以赐谥者给告。近来请谥之家，却有官品合该定谥，兹缘绍兴指挥，辄经朝廷陈乞赐谥，不议于太常，不覆于考功，独舍人命词行下。是太常、考功二职俱废，而美谥乃可以幸得，此则法令之相戾者也。大凡命词给告，皆三省官奉制宣行，列名于其后。今特恩赐谥，礼命优重，冠王言于其首，而宰相、参政、给、舍并不入衔，独吏部长、贰、考功郎官于后押字，殊不类告，甚非所以尊王命，严国家也。况舍人掌词命之官，犹不入衔，赐谥初不议于(功考)〔考功〕，乃亦押字，理有未安，此则制度之可疑者也。请今后定谥、赐谥，一遵旧典；至于告命之制，亦乞令礼官、词臣考寻旧章详议。"续中书后省、礼部、太常寺议上："今后若有官品合该定谥，即仰其家经朝廷陈乞，下有司遵依定谥条法议谥，给敕施行。如系守臣守御，临难不屈，死节昭著，并应得蕴德邱园，声闻显著条法指挥陈乞赐谥之人，或奉特旨赐谥者，即依绍兴三年指挥，命词给告施行。"从之。

十二月，乙未朔，金命大理少卿张九思赴济南鞫狱。

济南尹刘萼，彦宗之子也，先为定武军节度使，淫纵无行，所至贪墨狼籍，廉使劾之，故遣九思就鞫。萼既就逮，不测所以，引刃自刺，不死。诏削官一阶，罢归田里，寻卒。

丁酉，金遣官及护卫二十人，分路选年二十以上、四十以下，有门地才行及善射者充护卫，不得过百人。

金冀州王琮等谋反，伏诛。

戊戌，蠲两淮明年租赋。

辛丑，金出宫女二十馀人。

甲辰，诏："京西招集归正人，授田如两淮。"

己酉，金枢密副使(尹)〔伊〕喇成罢。

辛亥，金诏："金银坑冶，听民开采，毋得收税。"

金禁审录官以宴饮废公务。

癸丑，金以殿前都点检图克坦克宁为枢密副使，兼知大兴府事。

甲寅，命四川试武举。

己未，金诏："自今除名人子孙，有在仕者，并取奏裁。"

是月，金德州防御使文，以谋反伏诛。

文既失职，居常怏怏，日与家奴舒穆噜哈珠为怨言。哈珠揣知其意，因言："南京路明安阿库哈珠、穆昆尼楚赫与大王厚善，果欲举大事，彼皆愿从。"文信其言，乃召日者康洪占休咎，密以谋告洪。洪言来岁甚吉，文厚谢洪，使家僮刚格以书币往南京约阿库等，刚格见阿库等，不言其本来之事，还，给文曰："阿库从大王矣。"文乃造兵仗，画陈图，为反计。家奴重喜诣河北东路上变。遣人至德州捕文，文夜与哈珠等亡去。金主谓宰臣曰："海陵翦灭宗室殆尽，朕念太祖子孙，存者无几，曲为宽假，而文曾不知幸，尚怀异图，何狂悖如此！其督所在捕之。"文亡命凡四月，至是被获，伏诛；康洪论死，馀皆坐如律。释文妻，以其家财赐文兄子耀珠。下诏曰："德州防御使文、北京曹贵、鄜州(曹)〔李〕方皆因术士妄谈禄命，陷于大戮。凡术士多务苟得，肆为异说。自今宗室、宗女有属籍者及官职三品以上，除占问嫁娶、修造、葬事，不得推筭禄命；违者徒三年，重者从重治之。"

金尚书省奏言："河移故道，水东南行，其势甚大。可自河阴、广武山循河而东，至原武、阳武、东明等县，孟、卫等州，增筑堤岸。"从之。

是岁，刘珙免丧，复除湖南；过阙，言曰："人君能得天下之心，然后可以立天下之事；能循天下之理，然后可以得天下之心。然非至诚虚己，兼听并观，在我者空洞清明而无一毫物欲之蔽，亦未有能循天下之理者也。"因引其意以傅时事，言甚切至。帝加劳再三。

乾道九年　金大定十三年【癸巳，1173】　春，正月，辛未，签书枢密院事王之奇罢为淮南安抚使。

癸酉，金尚书省言南客车俊等因榷场贸易误犯边界，罪当死，金主曰："本非故意，可免罪发还，无令本国知之，恐复治其罪。"

乙亥，以张说同知枢密院，户部侍郎沈夏签书枢密院事。

辛巳，以刑部尚书郑闻签书枢密院事。

壬午，诏曰："夫部刺史之官，所以周行郡国，颁宣风化，总方略而一统类者也。今则不然。守土之官出于其部，监司之任，最为近而易察者也，而求其凌厉风节，建立事功，疾恶如仇，奉公不挠者，盖仅仅而有焉。甚则朋比苟且，讫无举奏。民瘼不闻于上，上意不孚于下，朕何望焉！继自今，其悉乃心，毋冒于宪。凡在厥位，明体朕怀。"

己丑，枢密使王炎罢，为观文殿大学士、提举洞霄宫。

是月，中书门下省言："福建盐自来止是州军分立纲数，自行般运出卖以办岁计，近改为钞法，听从客贩州郡缘住般卖，却致支用不足，切虑敷扰以为民害。"诏："罢钞法。诸州、军纲盐，并依旧分拨，官般官卖。所有本司元借本钱一十万贯，并已卖到钞面钱一十九万贯，并续卖钞面钱，并拘收，赴左藏库交纳。"

起居舍人留正言："所修记注，自绍兴十五年以后，多有未修月分，久之文字散失，所得疏略，愈难修纂。请令二史将承受诸处关牒、施行政事并臣下所得圣语，随月编纂。仍将绍兴十五年以后未修月分，并修一月，并于次月上旬送付史官。"从之。

闰月，丁酉，鄂州都统制吴挺，奏前任秦琪冒请马料及朝廷降钱修造军器，皆不坚利，所降钱琪辄营运自私，今已立式制造。帝曰："军器不葺，钱乃自私，秦琪不可不治。"行下吴挺定罪。

己亥，马军司请升统领官张遇为统制，梁克家等言张遇比赴都堂审察，见其人衰老庸谬，帝曰："统制官不可苟任，异时大帅皆于此选。使其有谋，老固无害；老且谬则无所用矣。"

庚子，枢密院言诸州军拣发禁兵，分番赴忠锐军教阅，衣甲、军器不备，请行下州军增葺，梁克家曰："非特诸州为然，近吴挺所申鄂州军亦如此。恐三衙江上诸军，军器亦坏，理合点检。"帝曰："须不时阅视，则无得而隐。"克家曰："步司统制官王世雄，交割之初，见甲皮多断烂，弓弩脱坏，常与臣等言之。"帝曰："此世雄能留意职事也。"

庚申，以久雨，命大理、三衙、临安府及两浙州县决系囚，减杂犯死罪一等，杖以下释之。

壬子，金主诏太子詹事曰："东宫官属，尤当选用正人，如行检不修及不称职者，具以名闻。"

乙卯，修庐州城。

丁巳，进呈敕令所条目。元旦，皇帝御大庆殿受贺。其奏祥瑞表并读表者，差执政官；其奏云物祥瑞请付史馆者，差本职官。帝曰："此皆文具，不须立法，可尽删去。"梁克家曰："圣世不言祥瑞，真盛德事。"

戊午，太子詹事李彦颖奏："皇太子在东宫，惟讲学足以增益见闻，养成道德。臣自庚寅岁入侍王邸，以及升储，既更四载，才讲《尚书》终篇。今始进讲《周易》，非三四年不能竟一经。真宗皇帝在东宫，日讲《尚书》至七八遍，《礼记》等书亦皆数四。祖宗之圣，虽得于生知，亦讲学不倦，是以圣而(亦)〔益〕圣。今官僚粗备，得遇上堂，除讲读官外，馀官不过陪侍坐席，须臾而退。请以庶子或谕德一员兼讲官，于《春秋》、二《礼》，令添讲一经。"诏令庶子、谕德轮讲《礼记》。

辛酉，幸玉津园宴射。

金洛阳县贼聚众攻卢氏县，杀县令李应才，亡入南界。

二月，(巳)〔己〕巳，帝曰："前日内阅忠锐军，射艺可观，此本诸州乌合士卒，训练有方，遂成纪律。主兵官当议推赏。"

乙亥，青羌努尔吉寇安静砦，推官黎商老战死，夔州转运判官赵不烕摄制帅以讨之。

努尔吉，吐蕃之种也，时遣其首领率数千人入汉地二百馀里，成都大震。不烕静以镇之，召僚属饮，夜，遣步将领飞军径赴沈黎，又徙绵州兵戍邛州为援，戒之曰："坚守不出，密檄诸蕃部，生获吐蕃一人赏十缣，杀一人二缣。"于是邛部川诸部落大破吐蕃于汉源，杀其首领，凡十六日而平。不烕，嗣濮王宗晖曾孙也，居官所至有声。每宴宫中，帝必顾太子曰："此贤宗室也。"

戊寅，宰执奏事，因论及古之朋党，帝曰："朕尝思之，朋党不能破，不必问其人，但是是非非，惟理之所在而已。"

丁亥，特赠苏轼为太师。

三月，甲午，禁北界博易银绢。

乙巳，侍御史苏峤言："广南提举官廖容札子：'广州都盐仓，有积存盐本银计钱十一万有

馀。又点检得本路诸州府逐年拘催常平诸色宽剩钱五万贯，欲行起发，助朝廷经费。'得旨'赴南库送纳'。陛下即位以来，屡却羡馀之献，故近年监司、州县稍知遵守，此盛德之事。而小人急于自进，时以一二尝试朝廷。自乾道七年，提举官张潭献钱二十万贯，以此特转一官，不及期年，擢广西运判。廖容实继其后，故到官未几，便为此举。闻此钱并系盐本钱，潭到任时有三四十万缗，皆是前官累政储积，潭取其半以献。今容献十一万缗，已是竭泽，所馀无几，后人何以为继！异时课额不登，谁任其咎！望却而不受，即以此钱付之本司，依旧充盐本。内常平宽剩钱，亦乞桩留本路，为水旱赈贷之备。"诏从之。

丙辰，给事中林机，经筵讲《禹贡》毕，言："孔子谓'禹菲饮食而致孝乎鬼神，恶衣服而致美乎黻冕，卑宫室而尽力乎沟洫'，言其克勤于邦，克俭于家者如此。观《禹贡》立为经常之制，亦其勤俭之德有以先之。故此篇之末，言'咸则三壤，成赋中邦'，而继之以'祗台德先，不距朕行'，盖有深意。后世之君，穷奢极侈，若汉武帝，常赋之外至于筭及缗钱、舟车，所宜深戒。常以大禹勤俭之德为怀，治效不难到也。"帝曰："人主苟有贪心，何所不至！"

乙卯，金主谓宰臣曰："会宁乃国家兴王之地，自海陵迁都，永安女直人寖(志)〔忘〕旧风。朕及见女直风俗，迄今不忘。今之燕饮、音乐，皆习汉风，盖以备礼也，非朕心所好。东宫不知女直风俗，第以朕故尚存之，恐异时一变此风，非长久之计。甚欲一至会宁，使子孙一见旧俗，庶几习效之。"

金太子詹事刘仲晦请增东宫牧人及张设，金主曰："东宫诸司局人，自有常数，张设已具，尚何增益！太子生于富贵，惟当导以淳俭。朕自即位以来，服御器物，往往仍旧。卿以此意谕之。"

是春，以王楫、李大正并为提点坑冶铸钱，于饶、赣州置司，江东、淮南、两浙、潼川、利州路分隶饶州司，江西、湖广、福建分隶赣州司。除潼川府隶路坑冶铜宝系逐路转运司拘催发纳铸钱司外，依旧以江、淮、荆、浙、福建、广南路提点坑冶铸钱司为名。两司行移，连衔按察。

夏，四月，己巳，金制："出继子所继财产不及本家者，以所继与本家财产通数均分。"

庚午，帝谕曰："忠武军已内教，人材少壮，不减殿前司诸军，武艺亦习熟。"梁克家曰："人无南北，惟教习而用之如何耳。"帝曰："然。"

金主御睿思殿，命歌者歌女直词，顾谓太子及诸王曰："朕思先朝所行之事，未尝暂忘，故时听此词，亦欲令汝辈知之。汝辈自幼惟习汉俗，不知女直纯实之风，至于文字语言或不通晓，是忘本也。汝辈当体朕意，至于子孙，亦当遵朕教诫也。"

乙丑，起居舍人赵粹中言："祖宗盛时，储养边帅之才，所以料敌制胜，罕有败阙。请诏宰执、侍从，岁举可充帅任者各一人，被举者赴都堂审察。如委可任，籍姓名闻奏，差充边方帅司及都统司属官或倅贰以储其材，候任满，或升之机幕谋议，入为寺、监、郎曹，出为监司、边郡，俾之习熟边圉利害。它时边帅有阙，即于数内选擢。其资历稍高，入为卿、监、侍从，遇有边事，以备询访，如祖宗时。仍请严诏丁宁，详择其人，勿徇私请；如有显效，亦当推荐贤之赏。如此，十年之后，帅臣不胜用矣。"帝曰："帅臣自是难得，卿此论甚允。若然，则不待十年，得人多矣。"

五月，壬辰朔，日有食之。

癸巳，龚茂良言马驿利害，并及买象事，梁克家等曰："枢密院见差使臣赵璧往邕州催买。"帝曰："郊祀大礼，初不系此。其差去使臣可唤回。"

戊戌，金禁女直人毋得译为汉姓。

壬寅，金真定尹孟浩卒。

甲辰，金尚书省奏邓州民范三殴杀人当死，而亲老无侍，金主曰："在丑不争谓之孝，孝然后能养。斯人以一朝之忿忘其身，而有事亲之心乎！可论如法。其亲，官与养济。"

己未，左迪功郎朱熹辞免召命，乞差岳庙。梁克家言朱熹博学有守，而安于静退，屡召不起，执政俱称之。或曰："熹学问淹该，但泥于所守，差少通耳。"帝曰："士大夫虽该博，然亦须谙练疏通。如朕在潜邸，但知读书为文。及即位以来，今十有馀年，谙历物情世故，岂止读书为文，须有用乃可耳。朱熹今以疾辞，然安贫乐道，廉退可嘉。特改宣教郎、主管台州崇道观。"熹以求退得进，于义未安，再辞；逾年，乃拜命。

是月，皇太子免尹临安。

洪、吉等郡水灾，命赈之。

六月，(巳)〔己〕巳，臣僚言："近年州郡例皆穷匮，不能支吾。言其凋弊之因，有拣汰之军士，有添差之冗员，有指价和籴米之备偿，有纲运水脚钱之(縻)〔糜〕费，有打造岁计之铁甲，有抛买非泛之军器，有建造寨屋之陪贴，有收买竹木之科敷，有起发拣中厢禁上军、弓手之用度，有教阅民兵、保甲之支费；邮传交驰，使者旁午，是皆州郡之蠹，所以致阙乏之繇也。陛下灼见其弊，已除去七八。惟是拣汰军人并离军人及归正添差不厘务，州郡甚以为苦，日增月添，无有穷已，则赋入有限而增添之费无穷。请特降指挥，下吏、兵部、三衙、在外诸军都统、总领司，凡拣汰军人并离军使臣诸色添差不厘务人，各相照应，自来立定人数员缺，不得过数差注分拨，令共理之臣得以留意收养。"诏从之。

诏："令诸路监司、郡守，不得非法聚敛，并缘申请，妄进羡馀，违者重置典宪。"

是月，置蕲州、蕲春铁钱监，岁以十万贯为额，仍减舒州同安监岁额一十万贯。

金枢密使完颜思敬卒。金主辍朝，亲临丧，哭之恸，曰："旧臣也。"赙赠加厚，葬礼悉从官给。

秋，七月，庚子，金复以会宁府为上京。

庚戌，金罢岁课雉尾。

八月，丁卯，金以判大兴尹赵王永中为枢密使。

金明安、穆昆举贤能者，金主命赏之。

癸酉，内批龙云、陈师亮添差，梁克家等言于指挥有碍，帝嘉其守法，因曰："侥幸之门，盖在上者多自启之，故人生觊觎心。汉画一之法，贵在能守。"

丙子，臣僚言江西连岁荒旱，不能预兴水利为之备，乃降诏曰："朕惟旱干、水溢之灾，尧、汤盛时有不能免，民未告病者，备先具也。豫章诸郡，但阡陌近水者，苗秀而实；高仰之地，雨不时至，苗辄就槁。意水利不修，失所以为旱备乎？今诸道名山，川源甚众，民未知其利。然则通沟渎，潴陂泽，监司、守令顾非其职欤？其为朕相丘陵原隰之宜，勉农桑，尽地利，平繇行水，勿使失时，朕将即勤惰而寓赏罚。"

己卯，金御史大夫璋罢。

癸未，合荆、鄂二军为一，以吴挺充都统制。

九月，丙申，梁克家等上《中兴会要》《太上皇》及《皇帝玉牒》。

庚子，命盱眙军以受书礼移牒泗州，示金生辰使，金使不从。

辛亥，金主还都。大名府僧李智究等谋反，伏诛。

冬，十月，臣僚言："浙东诸郡旱伤，如温、台二州，自来每遇不稔，全赖转海般运浙西米斛，粗能赡给。闻浙西平江、秀州边海诸县不令放出，于荒歉之处为害甚大，请严禁遏籴。"从之。

辛未，右丞相梁克家罢。克家时独相，贵戚权幸，不少假借，而外济以和，以与张说议使事不合，遂求去，乃罢为观文殿大学士、知建宁府。

甲戌，以曾怀为右丞相，郑闻参知政事，张说知枢密院事，沈夏同知院事。

丙子，金以前南京留守唐古安礼为尚书右丞。

时以南路女直户颇有贫者，议签汉户入军籍，金主尝以问安礼曰："于卿意如何？"安礼对曰："明安人与汉户今皆一家，彼耕此种，皆是国人。即日签军，恐妨农作。"金主责之曰："朕谓卿有知识，每事专效汉人。若无事之时，可移农作，度宋人之意，且起争端。国家有事，农作奚暇！卿习汉字，读《诗》《书》，姑置此以讲本朝之法。前日宰臣皆女直拜，卿独汉人拜，是耶非耶？所谓一家者，皆一类也。女直、汉人，其实则二。朕即位东京，契丹、汉人皆不往，惟女直人偕来，此可谓一类乎？"又曰："朕夙夜思念，使太祖功业不坠，传及万世，当使女直人不困。卿等悉之！"

乙酉，臣僚言："州郡水旱，往往讳言，虽有陈奏，未必能尽其实，遂至下之疾苦壅于上闻，上之德意抑于下究。盖讳言水旱者，虑朝廷罪其失政也；不尽其实者，虑州用之阙而不继也。属县申请，至于取问者有之，必欲其不问而后已；民间告诉，抑令伏熟者有之，必欲其无所陈而后已。欺天罔上，其罪可胜言哉！望申严行下，凡有旱伤，必须从实检放，不得乱有沮抑，致奸和气。仍乞令逐路常平提举官躬亲巡历，同帅漕之臣觉察按劾以闻。庶几民被实惠。"诏从之。

丁亥，金使完颜襄等来贺会庆节，别函申议受书之礼。仍示虞允文，速为边备。

十一月，辛卯，诏枢密院："除授及财赋，事关中书、门下省，其边机军政，更不录送。"

金主谓宰臣曰："外路正五品职事多阙员，何也？"太尉李石曰："资考少有及者。"金主曰："苟有贤能，当不次用之。"

戊戌，合祀天地于圜丘，大赦。改明年为淳熙元年。

辛亥，臣僚言："今岁旱伤，非特浙东被害，如江西诸州，例皆阙雨，禾稻不收，而赣、吉二州尤甚。江东之太平、广德，淮西之无为军、和州，多是先被水患，继之以旱。其间州郡，或有讳言境内灾伤，不即申陈，致失检放条限；或有虽曾申闻，(指)〔措〕置赈济事件，朝廷未与行下。救荒之政，譬如拯溺救焚，势不可缓，今欲从朝廷专委逐路提举官躬亲巡历，如委系失收，不曾检放或检放不实者，仰将今年苗米依合减分数，权行停阁，令候来年秋熟带纳。其有和籴米斛、抛降马料及诸色科买，并权与住罢一年。应合赈粜、赈济者，许提举官将一路见管

常平义仓米通融拨借应副。其有诸州已条画到措置赈济事件，朝廷速降指挥。庶几官吏便可奉行，百姓早被实惠。”诏从之。

壬子，金吏部尚书梁肃请禁奴婢服罗绮，金主曰：“近已禁其服明金，行之以渐可也。且教化之行，当自贵近始。朕宫中服御常自节约，卿等宜更从俭素，使民知所效也。”

汉州什邡县杨村进士陈敏政家，特赐旌表门庐。自敏政高祖母王氏遗训，至今五世同居，并以孝友信义著。王氏年十八归于陈，岁馀夫卒，守志不嫁，事舅姑甚孝，教子孙笃学有闻。本州以事来上，故有是命。

十二月，(乙)〔己〕未朔，戒饬沿边诸军，毋辄遣间谍、招纳叛亡。

甲子，同知枢密使沈夏罢。乙丑，以御史中丞姚宪签书枢密院事。

癸酉，广西盐复官卖法，从帅臣范成大之请也。二广盐法，自靖康间，行官般官卖法。至绍兴八年后，因臣僚言其利为甚博，遂改行钞法，节次更废不一。至乾道六年，逐司互有申陈，遂自八年诏令两路通贩官钞九十万贯，同认岁额，然实于西路岁计不便。遂诏：“广西盐住行钞法，拨还运司，均与诸州官般官卖，以充岁计。”

乙酉，金遣完颜璋等来贺明年正旦，以议受书仪不合，诏俟改日；以太上皇有旨，姑听仍旧。丁亥，璋等入见。

是岁，减绍兴府、严、处州丁绢额。

【译文】

宋纪一百四十三　起壬辰年(公元1172年)正月，止癸巳年(公元1173年)十二月，共二年。

乾道八年　金大定十二年(公元1172年)

春季，正月，庚午朔(初一)，颁布《乾道敕令格式》。

莫濛充任出使金国贺正旦使。根据惯例，正月三日赐宴，先后前往的使臣依照这个惯例行事无人反对，唯独莫濛以本朝国丧，不敢戴花听乐为理由，争辩了很久。馆伴使将此事奏报金国主，同意在驿馆里赐食。

戊寅(初九)，太常博士杨万里轮流应对，谈到人才，宋孝宗说：“人才必须辨真伪，分邪正，最不可以言取人。孔子是大圣人，还说开始我对人，听了他的言论而相信他的行动；现在我对人，听了他的言论而观察他的行动。’所以以言取人，在使用宰予上发生过失。”

金国主诏令有关官员说：“所有奏陈建议的，都涉及国家政治的利害关系。从今以后有可采纳的建议，将其原件封送秘书监，应当施行的抄录副本送交有关部门。”

乙酉(十六日)，太常少卿黄钧说：“国家最重要的莫过于礼，礼莫过于严格讲究名分。伏见四季的第一个月在景灵宫举行朝献祭祀，皇帝与群臣都在庭心祭拜，私下感到疑惑。回去后查阅礼仪经典，考证礼仪注释，有所不符合。查问过去掌故，得知朝廷渡江南下之后，各官吏衙署记录者有过失。《曲礼》说：‘君主踏上东阶，亲临祭祀’《礼器》曰：‘庙堂之上，罍樽放置在东阶上。’又说：‘君主在东阶上。’《礼记正义》说：‘东阶称祚，是君主所立的台阶’神宗元丰年间，详细制定举行郊祀和宗庙祭祀的礼仪规定，在明堂、太庙、景灵宫举行祭礼，在

东阶之上专设皇帝的祭拜位置。现在是皇帝亲自举行郊祀的年份，朝献景灵宫，朝飨太庙，都是皇帝在东阶上祭拜，群臣在阶下祭拜；唯独四季第一个月的朝献祭祀，在东阶之下为皇帝铺设褥位，这是将尊贵的天子安置在大夫和士参加祭祀的位置上，没有端正礼仪明确名分。请遵照元丰年间的制度，每遇皇帝举行四季第一月的朝献，在东阶之上铺设褥位，面向西。按照礼制则相合，按照名分则端正。"诏令同意这个建议。

丙戌（十七日），宰执大臣奏请讨论在二月上旬丁日举行释奠仪式、皇太子入学的礼仪。宋孝宗说："《礼记·文王世子》篇记载太子入学的情况很详细。"梁克家说："以规定年龄入学，就懂得父子、君臣、长幼的伦理关系，古人就是如此教育太子的。"虞允文说："此事详载于《礼经》，后世很少有举行此礼仪的。"宋孝宗说："可令有关官员讨论奏闻。"

丙申（二十七日），金国因为水旱灾害免征中都、西京、南京、河北、河东、山西、陕西去年租税。

二月，壬寅（初三），金国主召见各王府长史告谕他们说："朕选用你们，是想让你们劝导各王，让他们行善。如各王所作所为有不善之处，应当极力劝谏；倘若有王不听从，就将他们每天的所作所为奏报。如果阿附不上报，朕只怪罪你们。"

乙巳（初六），诏令："朕思考帝王的时代，辅弼之臣，其官名虽然不同，而辅佐的实质相同。以后位号定于汉代，而称谓混乱于唐，以仆臣的位号而做百官之长，朕不赞成。况且丞相，以辅佐君主总揆朝政为己任，三省的机构，是颁布执行法令的机构。现在放弃了大事而重视小细节，这难道是求实之议！朕考查古籍制度，加以修正，因为名正则言顺，言顺则事成，这是执政的当务之急。下令改尚书左、右仆射、同中书门下平章事为左、右丞相。"

己酉（初十），诏令任命判太史局李继宗供奉德寿宫，应当转升三级官职，允许将应转官职回授他的儿子李安国，补授为太史局保章正的官职，任职历算科。臣僚说："保章正的官秩是从八品，与宣义郎、承忠郎平级，假如他精于历算，即使特恩任命他也可以，用他父亲应转官职回授给他则不行。虽说是用三级官职换取一人的任命，如果以后群臣亲信中有不知事体、不顾廉耻的人，都乞请援用此例，陛下如何拒绝他们？"于是任命搁置起来了。

庚戌（十一日），金国主到顺州举行春水游猎。

辛亥（十二日），任命虞允文为左丞相，梁克家为右丞相，都兼枢密使。不久诏令："已端正丞相名号，侍中、中书令、尚书令，还保存虚名，杂乱的可删除，以左右丞相充任这些官位。"

癸丑（十四日），任命安庆军节度使张说、吏部侍郎王之奇都担任签书枢密院事。

当时张栻已外调做袁州知州，侍御史李衡、右正言王希吕，奏论张说不能执掌政权；礼部侍郎兼直学士院周必大，不起草任命诏书；给事中莫济，封还录黄文书。宋孝宗命令翰林学士王曮起草制书，给事中姚宪写上"行"，周必大、莫济都贬为在外宫观官。不久以王希吕结党求名的罪名，贬责到远地做小小的监当官；李衡言辞稍为委婉，降为起居郎。都人创作《四贤诗》来纪念他们。不久，王曮提升为学士承旨，姚宪被赐进士出身担任谏议大夫。于是张说权势显赫，无人敢冒犯他。

著作佐郎赵汝愚不去拜见张说，乞请担任宫观官，不答复。正好他祖母去世，不等朝廷答复，当日回乡探望父亲，并且自行弹劾。宋孝宗未治罪于他，就地任命他知信州。

这一天，金国主返回京都。

金国主诏令："从今以后长官不遵纪守法，其僚佐不能加以纠正，又不奏报的，一律治罪。"户部尚书高德基滥支朝官俸禄四十万贯，杖责八十。

丙寅（二十七日），户部尚书曾怀，被赐进士出身，任参知政事。

三月，己巳朔（初一），主管马军司公事李显忠，奏请兑换民田充作都教场，有关官员以百姓不愿意为理由，奏请每亩地支付五贯钱的价格收买，宋孝宗说："马军司管辖的各军，都有没有教场？"虞允文说："虽然有教场，但没有都教场以用来集中训练。"宋孝宗说："建康府管辖的军马，自然有大教场，每遇集中训练，可以暂时到此大教场训练军队。"虞允文说："圣意大概是不想占用百姓的田地吧。"宋孝宗说："对。"

乙亥（初七），金国主诏令尚书省："贪赃枉法的官吏，已被调查审问的，如果仍任原职，必定再祸害百姓，派遣使臣前往各道，即日罢免他们。"

丁丑（初九），金国派遣宿直将军乌库哩思列册封王晧为高丽国国王。

壬午（十四日），宋孝宗念及边境防御，对虞允文说："士大夫中难于找到胜任边境防御的人。"虞允文说："天下太平时，前辈名臣如范仲淹、韩琦等在边境守御，尚且还感到艰难。"宋孝宗说："当时作战大多失败，大概由于他们不很懂得用兵。"虞允文说："不是不懂得用兵，只是未经训练的军队难以御敌。"宋孝宗说："西夏小国，当时也自顾不及，所以因此导致了丙午之耻。朕现在孜孜不倦，希望与你们共雪此耻。现在听说金人君主骄横臣下懒惰，朕所以日夜激励，必定要使现在的我军如同昔日金军的气势，因为想将形势反转过来。"

壬辰（二十四日），宰执奏请点检各军战船，宋孝宗说："舟船正是我方的特长，岂能置之不问？鄂州、荆南、江州，可令姜诜前往点检，池州以下，委任叶衡点检后将具体数目奏闻。"

癸巳（二十五日），金国任命前任西北路招讨使伊喇道为参知政事。

丙申（二十八日），详细审定一司敕定所奏报的修正三公、三少的法令，太师、太傅、太保为三公，左、右丞相为宰相，少师、少傅、少保为三少，诏令同意了。

丁酉（二十九日）金国北京的曹贵等人谋反，依法处死。

夏季，四月，庚子（初二），赐礼部进士黄定等三百八十九人进士及第、进士出身。

癸卯（初五），金国尚书右丞孟浩免职，任命为真定尹。金国主说："你年虽老，但精神不衰，善治军民，不要马上提出退休。"将通犀带赐给他。

丙午（初八），进呈宰相兼任制国用之职的奏请，宋孝宗说："官制已定，丞相的政事无所不包，所有兼任制国用的，不再加入宰相职衔。"

己酉（十一日），殿中侍御史萧之敏弹劾虞允文擅自弄权处事不公，虞允文奏请免去宰相之职，同意了。第二天，宋孝宗拜访德寿宫，太上皇帝说："采石之战，萧之敏在哪里？不能同意虞允文离职。"于是又留下虞允文。外调萧之敏提点江东刑狱。

甲寅（十六日），户部侍郎杨倓说："义仓之粮，根据规定在征收夏、秋正税时，每一斗税粮另缴纳五合，即正税不到一斗的就免纳，所有一县有九成丰收的，即纳一升，只充作赈济之粮，不允许挪作他用。现在各路州县的常平义仓粮食不少，偶尔有受灾地区，支给的也不多，都被擅自侵吞挪用。奏请下令各路常平官，限半月之内责成各州的主管官，检查五年的实际

收支数目,逐年来有没有因为灾害免征以及支付过多少,现在的数目实际上统计有多少,目前在什么地方保管,申报户部审查。”同意了这个建议。

丁巳(十九日),金国西北路纳哈塔齐锦谋反,依法处死。

己未(二十一日),宣示赐给新进士御笔亲书的《益稷篇》。梁克家说:“《益稷篇》开头就记载治水播种粮食的艰难,末尾记载君臣之间互相告诫之意。学者通过御笔来体味经典的旨意,必定了解古人的用心。”宋孝宗说:“如所记载的‘不要像丹朱那样傲慢’等语,可见古代君臣之间互相告诫之深。”虞允文说:“舜与皋陶作歌唱和的歌词中,舜就说:‘大臣们高兴,君主就奋起’,皋陶则说:‘君主英明,大臣就贤良’,又接着说:‘君主只顾琐事,大臣就懒惰’,君臣之间,互相称赞,互相告诫,自有如此次序,所以能达到无为之治。”宋孝宗说:“对。这篇开头说到百姓的粮食,就知道致力农业是天下大治的根本。至于告诫臣僚的话,就说:‘顽愚之人的谗言,如果不停止,等待他们明白道理,鞭挞他们吸取教训’,又说‘改正错误就再任用他,否则就惩罚他’,这是古圣人对待天下之人,不曾不首先进行教育,等到他仍不悔改,则必以刑罚来惩治他。现在的书生,大多做一些表面文章而忽略了教育与惩罚这二件事,这是没有体会古圣人的用心。”

癸亥(二十五日),金国因为久旱,命令祈祷祭祀山川神灵。诏令宰臣说:“各府少尹官有很多空缺,应当在进士中选用,即使资历不够但有执政名声的,都提升任用。”

臣僚说:“役法的均平合理,其方法莫如限制民田,从十顷以上到二十顷,则为下农;从二十一顷以上到四十顷,则为中农;自四十一顷以上到六十顷,则为上农。上农可征派三次徭役,中农两次徭役,下农一次徭役。其中曾有万顷土地的人,就规定他的子孙在分家时,必须以三种农户的占地数额为限。如果有人假冒姓名伪造户籍,而超过三种农户限田数额之外的,允许别人举报,没收田地交给官府。经过一段岁月,不仅天下没有不均平的徭役,也将没有不均平的百姓了。”

乙丑(二十七日),金国大名府府尹荆王完颜文,因为贪赃罪被削去爵位,贬任德州防御使,僚佐都因为不矫正他的过失而撤职。完颜文,是完颜宗望的儿子,完颜京的弟弟。

丙寅(二十八日),金国右丞相赫舍哩志宁去世,谥号武定。

金国主曾在太子宫宴请群臣,看着赫舍哩志宁对太子说:“天下无事,我们父子今日相乐,都是此人的功劳。”到他去世后,很悼念惋惜他,说:“赫舍哩志宁面临敌人,身先士卒,勇敢之气,从太师梁王以后,没有像他这样的人。”

五月,己巳(初一),提点江东刑狱萧之敏乞请任宫观官,宋孝宗不同意。

虞允文说:“前几天萧之敏弹劾臣,这是他的职责。臣虽不知他弹劾的什么,私自猜测估计,有罪是无疑的。既蒙圣恩,又令暂留,像萧之敏这样正直的人,希望召回担任原职,以开辟敢言之路。”宋孝宗说:“现在安排他担任监司,也自然很优待。”对曾怀说:“丞相之言很宽厚,可记载到《时政记》中。”

癸酉(初五),金国主到达百花川。

甲戌(初六),金国下令赈济山东路饥民。

丁丑(初九),金国主驻扎准居,久旱后降雨。

戊寅(初十),金国主观看庄稼,禁止随从践踏民田,禁止百官及承应人不得穿纯黄色的油衣。

癸未(十五日),金国主对宰臣说:"朕每次住宿,所有喂马的器具,都从民间借用,很多丢失了,不能归还原主,这是弹压官失职,可选择别人代替他。所经过的地方就让他询问,只要丢失民间什物的,都照价偿还。"

乙酉(十七日),金国供给西北路百姓耕牛。

戊戌(三十日),诏令福建路推行钞盐法,这是采纳转运使陈岘的奏请。还支借十万贯钱作本钱。

福州知州陈俊卿送信给宰执大臣说:"福建盐法与淮、浙地区不同。因为淮、浙地区的食盐,行销八九路,八十多州,地域广阔有数千里,所以它的利润很大。福建八个州,只有汀州、邵州、剑州、建州可以销售,而地域狭窄百姓贫穷,土地上不出产值钱的东西,不能和其他各路相比。现在要改行钞盐法,已夺去了州县每年的预算,又要严禁买卖私盐,必定亏损税务常额;而贫民无业,又将群起而为盗。州县如果缺乏费用,就一定对农民横征暴敛;税务既然少于常额,就一定对商旅加重征税。盗贼群起之后,那么不知所增加的三十万缗钱的收入,是否足以补偿调兵的费用!将来官钞如果滞留不流通,那么一定分配给各州县;州县没有办法,一定导致强制摊派给百姓。本来想有利于民却反而烦扰百姓,恐怕这都不是变法的本意。"当时未能采用他的意见,然而钞盐法果真没有施行。

丙申(二十八日),确立宗室子弟铨试制度。

六月,庚子(初三),任命武德郎赵令抬为金州观察使,进封安定郡王。

辛丑(初四),宋孝宗说:"雨停了,年成有希望。"虞允文说:"已经吃到新麦了,米价每日降价。"宋孝宗说:"今年再获丰收年,可以想象粮食遍地可见,再有两个丰收年,便有了三年的储蓄。仍须严加戒约,只设置和籴市场,随百姓自愿将粮食粜卖给官府,不能有丝毫征收和烦扰。"

壬寅(初五),免征两淮归正人赋税。淮东巡尉中有人放走归正人户北渡淮河的,分别给以免职。

国子司业刘焞,曾写信给宰相,说张说不应当任用,被外调为江西转运判官。入朝辞行,谈到州县贫困空虚没有储备及当前的利害关系,宋孝宗说:"江西旱荒之后,州县也是没有储备,也多是因为官吏不能称职。"不久命令赈济江西饥民。

丙午(初九),傅自强说他父亲傅察在燕山遇害,乞请赐给谥号,特赐谥号忠肃。

甲寅(十五日),金国主到达金莲川。

秋季,七月,己巳(初二),臣僚说:"祖宗时马政、茶马司,都专用茶、锦、绢进行贸易,蕃人和汉人都很方便,近来茶马司专门使用银币,很不符合立法的本意。况且茶是境外人的必用之物,银宝大多出产于境外,很对中原不利。"诏令四川宣抚司参照旧法办理。

癸未(十六日),任命曾觌为武泰军节度使。

庚寅(二十二日),光州知州滕瑞奏报:"遇天申圣节,臣自己书写了'圣寿万岁,四字,约二丈多长,又造了三座祝寿的棚帐,高三丈多,共用绢五十匹,裱好后进献。"宋孝宗说:"滕瑞

不治理郡政事务，以此献谀，特令降官一级。”

这个月，庐州知州赵善俊说：“朝廷前不久分兵屯田，有三种不可行的理由。臣认为取消屯田有三利：熟悉战阵的士兵，得以回归军队，每日从事军事训练，这是一利。不必设置官吏，坐耗又少，不用买牛买种耗费官府物资，这是二利。用于屯田的土地，全部都肥沃，耕牛、农具、房屋，无一不具备，以此资助归正人，使之安居乐业，这是三利。”诏令：“庐州现有屯田官兵都停止屯田，其田地、耕牛、农具，令赵善俊全部接管，交付给归正人佃种及招募百姓租种。”

金国撤销保安、兰安榷场。金国主对宰相说：“夏国用珠玉交换我国丝帛，这是用无用之物换我有用之物。”命令撤销这两个榷场。

八月，庚子（初四），度支朱儋说：“经总制钱，以前由各州通判专收，每年收入达到一千七百二十五万缗钱，接着命令知州、通判共同掌管，却每年亏损二百三十万缗钱。所以以前户部奏请由通判专门负责，后来又因臣僚乞请委任守臣负责，于是就有了知州、通判共同催收共同分领奖赏的制度。州郡的钱物，常常担心被州郡的守官侵吞，经制钱分属的部分，却多征收系省钱以供州郡守官随意花费，现在让知州、通判共同掌管，那么通判更不能履行监察职责而谁也无可奈何。请求仍旧委派通判专管而守臣不参与其事。”宋孝宗同意了。不久户部尚书杨倓说：“如果让通判催收，恐怕知州不能同心协力，应当按照乾道二年的规定，令知州、通判共同负责分领奖赏。”宋孝宗同意了。

辛丑（初五），臣僚说：“州县中受命充任差役的人，大多是中下农户，产业微薄，一旦做了保正，很少不破产的。过去所管的事，不过是预防火灾、捕捉盗贼等，现在却发展到了接受官府命令，督催租赋；过去所劳动的，不过是修桥梁、道路等事，现在却发展到了备办修造，提供劳役。当他们刚开始任差役时，赠送给各官吏的钱就称之‘辞役钱’，迎送知县所花费的轿夫钱就称之‘地理钱’，节日拜访官员所花费的钱就称之‘节料钱’，官员下乡的送礼钱就称之‘过都钱’，每月收认醋额的钱就称之‘醋息钱’。还有所谓‘承差人’，专门承受差使，又有所谓‘传帖人’，分别在各厅当侍卫，实际上不曾承接和传递文书，也强令他们接受多余的雇佣。希望对州县严加申明，今后如敢令保正、副保正缴纳上述名目的钱物，官员以贪赃罪论处，官府吏员从重判决发配。如充役之家不愿亲身应役，只许雇募一名承差人，其余所谓传帖之类的人都废止。”宋孝宗同意了。

壬子（十六日），浙东提举郑良嗣说收籴常平米还缺钱五万三千二十多贯，诏令礼部折算成度牒后给予发放。

乙卯（十九日），宋孝宗对辅臣说：“昨天因看《唐书·李吉甫传》，看到栖筠做常州刺史时，正值连年灾荒，疏浚河渠，驱引流江，境内就取得了丰收。不知道流江离此处的远近，可令浙江转运司及常州州官考查古迹并奏闻。”

癸亥（二十七日），兵部侍郎黄钧谈论要想善于知人和使用人，应当通过考察此人而选取他，估量此人的才能而因才适用，宋孝宗说：“朕处事没有成见。没有成见就明察，没有成见就公正，没有成见就不会有私心。”

甲子（二十八日），著作佐郎丁时发说：“君主必须经常敬奉上天，得到天助然后可以成就大事业。”宋孝宗说：“朕日夜思索此事，所谓‘我的祈祷已很久了’。”丁时发说近日往往竭尽民力以从事并不急迫的事，陛下应当体恤百姓以稳固根本，宋孝宗说：“朕不只是图谋建立功业，如汉文帝免征天下租赋的事，也想陆续施行。”

这个月，四川发生水灾，命令赈济灾民。

九月，戊辰（初二），确定江西境内四处铸造监铸造铁钱的数额，每年共铸铁钱三十万贯，江州的广宁监、兴国军的富民监各十万贯，临江军的丰馀监、抚州的裕国监各五万贯。

壬申（初六），宋孝宗说：“近期民俗，大多崇尚奢侈，才遇丰年，生活稍稍宽裕，就装饰华丽的门面，穿着鲜丽的衣服，急促办理婚嫁，准备丰厚的嫁妆彩礼，唯恐不是最豪华，很不应当。今年取得丰收，想让百姓各自务必储积粮食，仍按农时大量种植大麦小麦，以准备发生水旱灾害时食用。”

乙亥（初九），诏令王炎到政事堂任职。

丙子（初十），金国主返回京都。

当初，宋孝宗命令挑选谏官，虞允文推荐李彦颖、林光朝、王质，三人都正直清明，有文学造诣，为时论所推崇；宋孝宗不答复，而任用了曾觌所推荐的人。虞允文、梁克家争辩此事，宋孝宗不听从，虞允文极力请求辞职。戊寅（十二日），任命虞允文为少保、武安军节度使、四川宣抚使，封为雍国公。

丁亥（二十一日），金国鄜州的李方等谋反，依法处死。

己丑（二十三日），赐给虞允文家庙祭祀用的神器。虞允文入朝辞行，宋孝宗告知他进攻方略，约期会师河南。虞允文说到那时或许朝廷内外不很配合，宋孝宗说：“如果西师出兵而朕迟疑，就是朕对不起你；如果朕已发兵而你迟疑，就是你辜负了朕。”宋孝宗援引对李纲表示尊崇的办法，亲临正殿，斟了一杯酒赐给虞允文；虞允文就在殿门乘马手持节杖而出宫。

冬季，十月，丙辰（二十一日），废止借用作优待官吏的各路职田。

十一月，辛未（初六），派遣官员出卖江、浙、福建、二广、湖南各路的官田。

甲戌（初九），金国主对宰相说：“宗室子弟中有不能胜任官事的，若不施加恩泽，对于关怀亲属的道义来说有所不周。朕想授给他们散官，酌量给予俸禄，不知前代如何做法？”左丞石琚说：“陶唐的亲近九族，周代的内睦九族，记载于《诗经》《尚书》，都是帝王所做的美事。”

臣僚说：“根据法令，光禄大夫、节度使以上官员，既然应当议定谥号的，由太常寺提议，由考功郎复核，假如此人的品行符合谥法的规定而下属又没有异议，就将此奏报朝廷而予以颁布。绍兴年间，因为守臣抵御敌人，临难不屈，以死守节声名昭著，而其官品有的未达到应该议定谥号的等级，于是下达了特许赐给谥号的命令，所以对议定谥号的人用敕令公布谥号而对赐给谥号的人用告命公布谥号。近来请求谥号的人家，却有官品达到应该议定谥号标准，只根据绍兴年间的规定，往往经过向朝廷申请赐给谥号，不经过太常寺提议，不经过考功郎复核，只由中书舍人书写告命予以颁布。这样太常寺、考功郎两种职责都作废，而美谥就可以侥幸获得，如此就是法令相互矛盾的地方。大凡颁行告命，都是三省官奉陛下之命宣布，在后面列上三省官的姓名。现在特恩赐给谥号，礼仪规格从优从重，将君主的言论放在诰命的开头，而宰相、参政、给事中、中书舍人都不入衔，只有吏部长官、副长官、考功郎官在

后面画押签字,很不同于诰命,不是尊重王命、严肃国家的方法。况且中书舍人是掌管起草诏令的官员,还不能入衔,赐给谥号的当初不经过考功郎审议,却也画押签字,理有不妥,这就是制度可疑的地方。奏请今后议定谥号、赐给谥号,一律遵照旧典;至于诰命的格式,也乞请令礼官、词臣考证旧章详细议定。"接着中书后省、礼部、太常寺议定后奏报:"今后如有官品应该议定谥号,即允许家人向朝廷申请,交付有关部门遵照定谥条法议定谥号,用敕令颁行。如属守臣守御,临难不屈,以死守节声名昭著的,都应得到蕴德邱园,声名显著根据规定申请赐给谥号的人,或者奉特旨赐给谥号的,就依照绍兴三年的规定,用诰命颁行。"宋孝宗同意了。

十二月,乙未朔(初一),金国命令大理少卿张九思前往济南审案。

济南尹刘萼,是刘彦宗的儿子,先任定武军节度使,荒淫放纵没有德行,所到之处贪赃枉法声名狼藉,廉访使弹劾他,所以派张九思就地审讯。刘萼被捕之后,不知会如何处罚,拔刀自杀,未死。诏令削夺一级官阶,免职回归故里,不久去世。

丁酉(初三),金国派遣官员和护卫二十人,分别到各路挑选年龄在二十以上,四十以下,有门第、才行和善于骑射的人充当护卫,不得超过一百人。

金国冀州的王琼等人谋反,依法处死。

戊戌(初四),免征两淮地区明年的租赋。

辛丑(初七),金国放出宫女二十多人。

甲辰(初十),诏令:"京西地区招集的归正人,像两淮地区一样供给田地。"

己酉(十五日),金国枢密副使伊喇成免职。

辛亥(十七日),金国主诏令:"金银矿冶,听任百姓开采,不得收税。"

金国严禁审录官因为宴饮耽误公务。

癸丑(十九日),金国任命殿前都点检图克坦克宁为枢密副使,兼知大兴府事。

甲寅(二十日),命令四川举行武举考试。

己未(二十五日),金国主诏令:"从今以后被除名人的子孙,有在职的,都奏报姓名予以裁决。"

这个月,金国德州防御使完颜文,因为谋反依法处死。

完颜文失去职位之后,平常快快不乐,每天与家奴舒穆噜哈珠发泄怨言。舒穆噜哈珠揣测了解他的意思?乘机说:"南京路明安阿库哈珠、穆昆尼楚赫与大王交往密切,果真想举大事,他们都愿意跟从。"完颜文相信了他的话,就召见占卜的术士康洪占卜凶吉,将谋划暗中告诉了康洪。康洪说明年举事很吉利,完颜文用丰厚的礼物感谢康洪,派家僮刚格携带书信和钱前往南京联络阿库哈珠等人,刚格见到阿库哈珠等,没有说明他的来意,回去后,欺骗完颜文说:"阿库哈珠愿意跟从大王了。"完颜文就制造兵器,画军阵图,为谋反做准备。家奴重喜到河北东路报告谋反的事。派人到德州逮捕完颜文,完颜文连夜与哈珠等人逃跑。金国主对宰臣说:"海陵王翦灭宗室人员将尽,朕念太祖子孙,所存无几,千方百计给以宽容,而完颜文竟不知庆幸,还心怀异图,为什么猖狂悖逆到如此程度!督促各地缉捕他。"完颜文逃亡共四个月,到这时被捕获,依法处死;康洪判处死罪,其余的人都依法论罪。释放完颜文的妻

子，将其家财赐给了他的侄子完颜耀珠。金国主下诏说：“德州防御使完颜文、北京的曹贵、鄜州的李方都是因为术士胡乱编造福禄命运，陷入死刑。所有术士都是想骗取钱财，放肆地制造异端邪说。从今以后宗室、宗女有属籍的及官职在三品以上的，除了占问嫁娶、修造、丧事等外，不得推算福禄命运；违反的人判处三年徒刑，重犯的凡从重治罪。”

金国尚书省奏报：“黄河改道，水向东南流去，水势很大。可从河阴、广武山沿黄河向东，到原武、阳武、东明等县，孟州、卫州等州，增筑堤岸。”金国主同意了。

这一年，刘珙服丧期满，又任命到湖南任职；拜访皇帝，说道：“人君能得天下之心，然后可以成就天下之事；能遵循天下之理，然后可以得天下之心。然而不是真诚的虚心，多方听取意见观察实际，自我空洞清明而丝毫不受物欲的蒙蔽，也无法遵循天下之理。”就引用这个观点分析时事，言辞很恳切至诚。宋孝宗再三表示慰劳。

乾道九年　金大定十三年（公元1173年）

春季、正月，辛未（初七），签书枢密院事王之奇贬任淮南安抚使。

癸酉（初九），金国尚书省上报说南宋客商车俊等因为榷场贸易误犯边界，当判死罪，金国主说：“本来不是故意的，可免罪遣返，不要让他本国知道，以免又对他们治罪。”

乙亥（十一日），任命张说为同知枢密院，户部侍郎沈夏为签书枢密院事。

辛巳（十七日），任命刑部尚书郑闻为签书枢密院事。

壬午（十八日），诏令：“部刺史官员，是负责巡行郡国，颁布旨意教化臣民，总握方略统一管理所属官吏的，现在则不一样。地方官员在监察官的监察范围内，监司官员与地方官员最为接近也容易监察，而要找到凌厉风节，建立事功，疾恶如仇，奉公守法不屈不挠的监察官，大概只有仅仅几个人。有的甚至结党营私敷衍了事，始终没有举奏弹劾。百姓的疾苦不上告于朝廷，皇帝的旨意不下传于民间，朕对他们有什么期望！从此以后，都要尽心尽职，不得冒犯法令。所有在职官员，都要明白体察朕的心意。”

己丑（二十五日），枢密使王炎免职，改任观文殿大学士、提举洞霄宫。

这个月，中书门下省奏报：“福建盐以前只是由州军分立纲数，自行搬运出卖以筹措每年的财政费用，近来改为钞盐法，听任客商将食盐搬运到其他州郡出售，却导致财政费用不足，深切忧虑，因此多征赋税成为民害。”诏令：“停止钞盐法。各州、军纲盐，都依旧分拨，由官府搬运官府负责出售。所有福建转运司原来所借本钱十一万贯，加上已经卖到的钞面钱一十九万贯，加上后来又卖的钞面钱，都由转运司接管，送到左藏库交纳。”

起居舍人留正说：“所编修的起居注，从绍兴十五年以后，很多没有注明月份，时间一长文字散失，所得材料粗疏简略，更难修纂。请令二史将接受的各处公文、施行政事和臣下所听到的皇上圣语，按月份编纂。还将绍兴十五年以后未注明月份的，都编修一个月，都在下月上旬送给史官。”宋孝宗同意了。

闰正月，丁酉（初四），鄂州都统制吴挺，奏报前任都统制秦琪冒领马料以及要求朝廷拨款修造军器，都不坚利，朝廷所拨付的钱秦琪常常用来经营私事，现在已重新设计制造。宋孝宗说：“不修理军器，钱却自己占用，秦琪不可不治罪。”下令由吴挺定罪。

己亥（初六），马军司奏请提升统领官张遇为统制官，梁克家等说张遇前不久赴都堂接受

考核，见他衰老糊涂，宋孝宗说："统制官不可随便任命，将来大帅都从统制官中挑选，假如他有谋略，年老本来无害；年老而且荒谬就无所用了。"

庚子（初七），枢密院说各州军选发禁兵，分批到忠锐军中接受训练，如果衣甲、军器不齐备，请传达各州军增添、修理，梁克家说："不只是各州是这样，近期吴挺所申报的鄂州军也如此。担心三衙在长江沿线的各军，军器也已损坏，按理应当点检。"宋孝宗说："必须经常检查，就无法隐瞒。"梁克家说："步司统制官王世雄，在交接驻地之初，看见铠甲的皮大多断折破烂，弓弩脱坏，常向臣等谈论此事。"宋孝宗说："这说明王世雄能留心自己职责内的事。"

庚申（二十七日），因为长期下雨，命令大理寺、三衙、临安府及两浙州县判决在押囚犯，一般的死刑犯减罪一等，处杖刑以下的犯人予以释放。

壬子（十九日），金国主诏令太子詹事说："东宫官属，尤其应当选用正派人，如有行为不检点和不称职的，都以姓名奏闻。"

乙卯（二十二日），修筑庐州城。

丁巳（二十四日），进呈敕令所定条目。其中规定，元旦，皇帝亲临大庆殿接受群臣朝贺。奏报祥瑞表和宣读祥瑞表的人，由执政官担任；奏报云物祥瑞请求交付史馆的人，由本职官担任。宋孝宗说："这都是表面文章，不须立法，可全部删去。"梁克家说："圣世不谈祥瑞，真是盛德的事情。"

戊午（二十五日），太子詹事李彦颖奏报："皇太子在东宫，只讲授学问足以增长见识，培养道德。臣从庚寅年（公元 1170 年）入王府任职，直到升为太子，后经历四年，才讲授完《尚书》全篇。现在开始进讲《周易》，不用上三四年不能讲完一部经典。真宗皇帝在东宫时，每天讲授《尚书》至七八篇，讲授《礼记》等书也都能达到四篇。祖宗的圣明，虽然得益于生而知之，也是因为学习时孜孜不倦，这样就能在圣明的基础上更加圣明。现在东宫僚属大致具备，在上堂讲授时，除讲读官外，其他的官员不过是陪侍座席，过会儿就退出。请派庶子或谕德官一人兼侍讲官，在《春秋》、二《礼》中，让他添讲一部经典。"诏令庶子、谕德轮流讲授《礼记》。

辛酉（二十八日），驾临玉津园宴饮射箭。

金国洛阳县盗贼聚众进攻卢氏县，杀了县令李应才，逃入宋国境内。

二月，己巳（初六），宋孝宗说："前日检阅忠锐军，射箭的技艺可观，这些人本来是各州的乌合之众，因为训练有方，才成了有纪律的军队。对主兵官应当议定奖赏。"

乙亥（十二日），青羌部族首领努尔吉进犯安静砦，推官黎商老战死，夔州转运判官赵不悳代理制置使前往讨伐。

努尔吉，吐蕃人，当时派他的首领率数千人深入汉族地区二百多里，成都大惊。赵不悳以镇静的态度镇抚成都百姓，召见僚属饮酒，夜间，派遣步军将领统率飞军直赴沈黎，又调遣绵州的军队戍守邛州作为增援，告诫他们说："坚守不出，秘密檄令各蕃族部落，活捉吐蕃一人赏十匹缣，杀死吐蕃一人赏二匹缣。"于是邛部川各部落在汉源大破吐蕃，杀其首领，共用十六日平定祸乱。赵不悳，是嗣濮王赵宗晖的曾孙，无论何处做官都有声誉。每次到宫中参加宴会，宋孝宗必定示意太子说："这是一位贤良的宗室。"

戊寅(十五日),宰执大臣奏事,就谈到了古代的朋党问题,宋孝宗说:“朕曾考虑过这个问题,朋党不能破除,不必过问某人,但肯定对的,否定错的,只要道理之所在就行了。”

丁亥(二十四日),特赠苏轼为太师。

三月,甲午(初二),禁止北面边境买卖银绢。

乙巳(十三日),侍御史苏峤说:“广南提举官廖容上奏:‘广州都盐仓,有积存的盐本钱共计十一万有余。又点检得本路各州府每年催收的常平各种宽剩钱五万贯,准备启运上交,以资助朝廷经费,得到旨令:‘赴南库送纳。’陛下即位以来,多次退回进献的羡馀,所以近年来监司、州县稍知遵守,这是盛德之事。而小人急于自己升官,时常以少量的羡馀来试探朝廷。自从乾道七年,提举官张潭献钱二十万贯,因此特转升一级官职,不满一年,提升为广西运判。廖容实际上继其后,所以任官不久,便有此举。听说此钱都是盐本钱,张潭到任时有三四十万缗钱,都是前任官员多年执政储积的,张潭拿取其中的半数进献。现在廖容献十一万缗钱,已是竭泽而渔,所剩无几,后人何以为继!将来缴纳赋税数额不足,谁来承担其责任!希退回不接受,就将此钱交付本司,依旧充当盐本钱。其中常平宽剩钱,也乞请存留本路,作为发生水旱灾害时赈济借贷的储备。”诏令同意了。

丙辰(二十四日),给事中林机,在经筵上讲解《禹贡》完了后,说:“孔子说:‘禹减少饮食而祭祀鬼神很丰厚,穿着劣质衣服而祭服做得很华美;宫室简陋而对水利工程很尽力’,称赞他对国事如此克勤,对家事如此克俭。看到《禹贡》中确定为经常的制度,也把勤俭的品德作为基础。所以此篇的末尾,说‘全部的土地都分为三等,以确定中国的赋税数量’,而接着又说:“只有将德行放在首位,才不会有人抗拒朕的政令’,都有深刻的意义。后世之君,穷奢极侈,如汉武帝,在常赋之外以至于算及缗钱、舟车钱,这是应当深以为戒的。常把大禹勤俭美德记在心上,天下大治的功效就不难达到。”宋孝宗说:“君主如果有贪心,什么事做不到!”

乙卯(二十三日),金国主对宰臣说;“会宁是国家称王天下的地方,自从海陵王迁都,永安的女真人渐渐忘记了旧日的风俗。朕自从见到女真风俗,至今不忘。现在的宴饮、音乐,都模仿汉人风俗,都是因为要完备礼仪,不是朕心中真正喜欢的。东宫太子不知道女真风俗,只因为朕的缘故才保存了一些。担心将来改变了这种风俗,这不是长久之计。很想去一次会宁,使子孙都见到女真旧俗。以便他们学习效仿。”

金太子詹事刘仲晦奏请增添东宫役使人员和陈设,金国主说:“东宫各司局人,自然有常规定额,陈设已经齐备,还有什么增加!太子生于富贵之家,只应当引导他淳朴节俭。朕自即位以来,服御器物,仍然是以前的旧物。你将此意告诉他。”

这年春季,任命王楫、李大正都为提点坑冶铸钱,在饶州、赣州设置官署,江东、淮南、两浙、潼川、利州路分别隶属饶州司,江西、湖广、福建分别隶属赣州司。除潼川府属路坑冶铜宝由各路转运司催收缴纳铸钱司外,其余的依旧以江、淮、荆、浙、福建、广南路提点坑冶铸钱司为名。两司移送文书,联衔对有关官员进行按察。

夏季,四月,己巳(初七),金国下达制书:“到别家做继子所继承的财产不及本家的,将所继承的财产和本家财产加到一起后平分。”

庚午(初八),宋孝宗告谕说:“忠武军已接受训练,人才年轻强壮,不比殿前司各军差,

武艺很熟练。”梁克家说：“人不分南北，只是如何训练和如何任用罢了。”宋孝宗说：“对。”

金国主亲临睿思殿，命令唱歌的人歌唱女真的词，看着太子及各王说：“朕思念先朝所行之事，未曾暂时忘却，所以时常听此词，也想让你们知道它。你们从小只学习汉人风俗，不了解女真纯朴诚实的风俗，至于文字语言有人不通晓，这是忘本啊。你们应当体察朕意，直至子孙，也应当遵守朕的教诲告诫。”

乙丑（初三），起居舍人赵粹中说：“祖宗强盛时，储备培养边帅人才，所以料敌制胜，很少有失败。奏请诏令宰执、侍从官员，每年举荐一名可以充当边帅的人，被举荐的人到都堂接受考查。如果确实可以任用，登记姓名奏闻，差任边境帅司及都统司属官或是通判的副职以储备人才，等他任满，或者提升到机要幕府参与谋议，或者入朝担任寺、监、郎曹，或者外调担任监司、边郡长官，使之熟习边境情况。将来边帅出现空缺，即在这些人中选择提拔。资历较高的，入朝担任卿、监、侍从官员，遇有边境战事，以备询问，如同祖宗时那样。还请诏令严加叮嘱，认真选择人才，不徇私情；如果被举荐的人建立了显著的功劳，也应当推行对举荐人的奖赏。如此这样，十年之后，帅臣就用之不尽了。”宋孝宗说：“帅臣自然是难得，你的这段议论很对。像这样，则不用十年，就会得到很多人才了。”

五月，壬辰朔（初一），发生日食。

癸巳（初二），龚茂良谈论马驿的利害得失关系，并谈及买象的事，梁克家等人说：“枢密院现已派出使臣赵璧前往邕州催促购买大象。”宋孝宗说：“举行郊祀大礼，本不决定于有无大象。派出的使臣可以召回。”

戊戌（初七），金国禁止女真人不得译为汉人姓氏。

壬寅（十一日），金国真定尹孟浩去世。

甲辰（十三日），金国尚书省奏报邓州百姓范三斗殴杀人应当处死罪，但父母年老无人侍养，金国主说：“身处耻辱而不与人争斗称为孝敬父母，孝敬父母然后才能供养父母。此人以一时之愤而与人舍身相拼，哪有奉养父母的孝心！可依法论罪。他的父母，官府给予供养接济。”

己未（二十八日），左迪功郎朱熹辞谢免除召命，乞请任岳庙之职。梁克家说朱熹知识渊博有操守，而安于静退，多次征召都隐居不出，执政官员都称赞他。有人说：“朱熹学问渊博精深，但拘泥于自己的学问，缺少变通。”宋孝宗说：“士大夫即使学识渊博，然而也须练达疏通。如朕当初在王府时，只知读书写文章。及即位以来，现在有十多年了，熟知经历了解人情世故，岂只能读书写文章，必须学以致用才行。朱熹现在以病推辞，如此安贫乐道，廉洁退让很可嘉。特改任宣教郎、主管台州崇道观。”朱熹认为这是以退为进，与道义不合，再次推辞；过了一年，才接受任命。

这个月，皇太子免去了临安尹的职务。

洪州、吉州等地发生水灾，命令赈济救灾。

六月，己巳（初八），臣僚说：“近年来州郡大多贫穷困乏，不能支撑。谈到凋敝的原因，有供养被淘汰的军士，有供应添差的多余官员，有定价与籴米价格的差价补偿，有纲运物资的运输开支，有打造每年上交的铁甲开销，有摊派购买非常用兵器的费用，有建造寨营的陪贴，有收买竹木的征收，有输送挑选厢禁上军、弓手的用度，有训练民兵、保甲的开支；邮传南来北往，使臣络绎不绝，这些都是州郡的害虫，是导致财政匮乏的原因。陛下明察这些弊病，已除去了十分之七八。只是淘汰军人、离军之人及归正人添差而不负责事务，州郡供养他们很感困苦，日增月添，没有穷尽，那么赋税收入有限而增添的开支费用无限。请求特颁指令，下达吏部、兵部、三衙、在外各军都统、总领司，所有淘汰军人、离军使臣，各种添差不负责具体事务的人，各自互相照应，原来确定的人数定额，不能超额分拨给州郡，命令共同处理此事的官员能够注意收养。”诏令同意了。

诏令：“令各路监司、郡守，不得非法收敛赋税，并因此申请，企图进献羡馀，违反者依法从重治罪。”

这个月，设置蕲州、蕲春铁钱监，每年以十万贯为定额，并减少舒州同安监每年的定额十万贯。

金国枢密使完颜思敬去世。金国主停止上朝，亲临哀悼，伤心痛哭，说：“他是老臣啊！”增加了赠送的治丧钱财，葬礼费用全部由官府供给。

秋季，七月，庚子（初八），金国重新以会宁府作为上京。

庚戌（十八日），金国停止每年征收雉尾羽毛。

八月，丁卯（初六），金国任命判大兴尹赵王完颜永中为枢密使。

金国明安、穆昆举荐贤能的人，金国主命令奖赏他们。

癸酉（十三日），皇帝直接任命龙云、陈师亮为添差官，梁克家等说这样做对指令有妨碍，宋孝宗表扬他们守法，于是说：“侥幸之门，大概大多是由在上位的人自行开启，所以才有人生出觊觎之心。汉代统一的法度，贵在能遵守。”

丙子（十六日），臣僚说江西连年荒旱，不能预先兴修水利设施防备旱灾，就下诏说：“朕想到干旱、洪水灾害，即使是尧、汤盛世时也不能避免的，百姓没有因此受灾的原因，就是事先做好了准备。豫章各郡，只要田地靠近水源的，禾苗茂盛果实累累；地势高的田地，不及时下雨，禾苗就枯槁。估计这是不兴修水利，没有做好抗旱的准备吧？现在各道名山，水源很多，百姓不知水利作用。那么疏通沟渠，开挖陂泽蓄水，监司、守令不认为正是自己的职责吗？应当替朕思虑开发丘陵洼地的适宜措施，鼓励发展农业，发挥地利，征役兴修水利，勿使百姓耽误农时，朕将按勤奋或懒惰而实行奖赏或惩罚。”

己卯（十九日），金国御史大夫完颜章免职。

癸未（二十三日），合并荆州、鄂州二军为一军，任命吴挺充当都统制。

九月，丙申（初六），梁克家等人进呈《中兴会要》《太上皇》及《皇帝玉牒》。

庚子（初十），命令盱眙军将接受国书的礼仪行文送到泗州，给金国的生辰使看，金国使臣不答应。

辛亥（二十一日），金国主返回京都。大名府僧人李智究等谋反，依法处死。

冬季，十月，臣僚说：“浙东各郡遭旱灾，如温州、台州，从来每遇歉收年，全部依赖经海路搬运浙西粮食，勉强能供给。听说浙西平江、秀州沿海各县不许向外运输粮食，对于荒歉之地为害更大，请严格制止籴粮。”宋孝宗同意了。

辛未(十二日),右丞相梁克家免职。梁克家当时独任丞相,对权贵外戚受宠之人,无所假借,而表面上维持着和气,因为与张说议论使臣的事意见分歧,于是请求离职,就免去相位改任观文殿大学士、知建宁府。

甲戌(十五日),任命曾怀为右丞相,任命郑闻为参知政事,张说为知枢密院事,沈夏为同知枢密院事。

丙子(十七日),金国任命前任南京留守唐古安礼为尚书右丞。

当时因为南路的女真户有很多人贫困,商议征调汉人民户入军籍,金国主曾就此事询问唐古安礼说:“你意下如何?”唐古安礼回答说:“明安人与汉人民户现在都是一家,彼耕此种,都是国人。马上征调汉户入军籍,担心妨碍农业生产。”金国主批评他说:“朕认为你有知识,却每事专门效仿汉人。如果无事之时,可从事农业生产,估计宋人之意,将发起争端。国家有战事,哪能顾得上农业生产!你识汉字,读《诗经》《尚书》,姑且放置这些来讲求本朝之法。前日宰臣都以女真人礼节朝拜,独你以汉人礼节朝拜,对还是不对?所谓一家人,都属这一类。女真、汉人,其实是两种人。朕在东京即位时,契丹、汉人都不前往归附,只有女真人互相前来,这能说是一类吗?”又说:“朕日夜思念,使太祖功业不毁灭,传及万世,应当使女真人不贫困。你们要明白这个道理!”

乙酉(二十六日),臣僚说:“州郡发生水旱灾情,往往隐瞒不报,即使有奏报,未必能全部如实,以至民间的疾苦被堵塞不能被皇上知闻,皇上的恩德被压抑不能被百姓承受。大概隐瞒不报水旱灾情的人,是担心朝廷怪罪他失职;不如实上报灾情的人,是担心州郡财政费用缺乏无以后继。下属的县提出申请,甚至于有被传召责问的,必定要使他们不报告时才止;百姓上告灾情,有的被强迫承认丰收,必定要使他们无话可说时才止。欺天罔上,其罪行无法用言语表达!希望下达严厉的禁令,凡是旱灾,必须从实核查灾情减征赋税,不得随意压抑官民,以致冒犯和气。还乞请下令各路常平提举官亲往巡视,同转运使一道对失职官员按察弹劾并奏闻朝廷。这样百姓才能得到实惠。”宋孝宗下诏同意了。

丁亥(二十令日),金国使臣完颜襄等前来祝贺会庆节,另附一封信谈到接受国书的礼议。宋孝宗还将信给虞允文看,让他迅速做好边界防御准备。

十一月,辛卯(初二),诏令枢密院:“任命官员及财政赋税,则事关中书、门下省,而边界机密军政问题,不再录送二省。”

金国主对宰臣说:“外路正五品以上职事官多空缺,什么原因?”太尉李石说:“资格考核很少有达到标准的。”金国主说:“假如有贤能之人,应当破格任用。”

戊戌(初九),宋在圜丘合祀天地,大赦天下。改明年为淳熙元年。

辛亥(二十二日),臣僚说:“今年发生旱灾,不只是浙东遭受灾害,如江西各州,全都缺雨,禾稻歉收,而赣州、吉州二州尤其严重。江东的太平、广德,淮西的无为军,和州,大多是先遭水害,接着又遭到旱灾。这些州郡,有的隐瞒境内灾情,不及时申报,导致失去了检查灾情减征赋税的条限;有的虽曾申报,负责安排赈济的事宜,朝廷没有及时传达指令。救灾的措施,就像拯救落水之人和扑灭大火一样,势不可缓,现在准备由朝廷专门委派各路提举官亲往巡视,如果确实是歉收,不曾检查灾情减免赋税或减免赋税不合实情的,即将今年征收

的苗米钱依照应该减征的数额，暂且停止征收，让他们等到明年秋收后一同交纳。其中和籴的粮食、强制摊派的马料及各种征买，都暂且给予免征一年。应该赈粜粮食、赈济灾民的，允许提举官将全路现管的常平义仓粮米通融拨借以应急需。其中有的州已安排好赈济的措施，朝廷迅速下达指令。这样官吏就可以奉旨执行，百姓早些得到实惠。”诏令同意了。

壬子（二十三日），金国吏部尚书梁肃请求禁止奴婢穿罗绮服装，金国主说：“近来已禁止他们穿明金，渐渐推行就可以了。况且教化的推行，应当从贵人和近臣开始。朕宫中服御常自行节约，你们更应该崇尚勤俭朴素，使百姓知道如何效仿。”

汉州什邡县杨村进士陈敏政家，特赐旌表门庐。从陈敏政高祖母王氏留下遗训，至今五代同堂，都以孝友信义著称。王氏从十八岁时嫁到陈家，一年多丈夫去世，守志不嫁，侍奉公婆很孝敬，教育子孙诚实学习很闻名。本州将此事上奏朝廷，所以有了这道诏命。

十二月，己未朔（初一），宋孝宗告诫沿边境各军，不得常派间谍出境，不得招纳叛亡之人。

甲子（初六），同知枢密使沈夏免职。乙丑（初七），任命御史中丞姚宪为签书枢密院事。

癸酉（十五日），广西食盐恢复官卖法，这是采纳帅臣范成大的奏请。广东广西的盐法，从靖康年间开始，实行官府搬运官府销售的办法。到绍兴八年后，因为臣僚说盐的利润很丰厚，就改行钞盐法，以后行废不定。到乾道六年，各司分别提出奏请，于是在乾道八年诏令两路总共卖出官府盐钞九十万贯，共同认领每年的数额，然而实际上对广西路每年的财政收入不利。于是诏令：“广西停止实行钞盐法，将食盐拨还转运司，平均分与各州由官府搬运官府销售，以收入充作每年的财政收入。”

乙酉（二十七日），金国派完颜璋等前来庆贺明年正旦节，因为商议接受国书礼仪意见不同，诏令等待改换接受国书的时间；因为太上皇帝有旨，姑且同意沿用旧礼。丁亥（二十九日），完颜璋等人入宫朝见。

这一年，宋减少征收绍兴府、严州、处州的丁绢数额。

续资治通鉴卷第一百四十四

【原文】

宋纪一百四十四　起阏逢敦牂【甲午】正月，尽旃蒙协洽【乙未】十二月，凡二年。

孝宗绍统同道冠德昭功　哲文神武明圣成孝皇帝

淳熙元年　金大定十四年【甲午，1174】　春，正月，庚子，帝以衢州措置会子比它州稽缓，提刑赵彦端特降两官。曾怀言："赏信罚必，要当如此。"帝曰："有功不赏，有罪不诛，虽唐、虞犹不能化天下也。"

己酉，诏曰："已令殿前司主帅于二月就茅滩合教诸军。闻旧来每遇大阅，主帅例设酒食，如待客之礼，可专札下王友直，毋令循习，务令军容整肃。"

庚戌，交趾入贡，帝嘉之。寻诏赐国名安南，以南平王李天祚为安南国王。

二月，戊午朔，江西安抚司上言："准绍兴三十年指挥，将诸路禁军，以十分为率，取五分专一教习弓弩手，帅司每岁春秋选将官诸州教阅。乾道新法按阅条内不曾修立，宜令敕令所修立成法。"帝曰："诸路拣中禁军上军弓手，须常令教阅，责在守臣。如有违例，当坐其罪。"

辛酉，籍平江府将魏寿卿家产，以其知无为军巢县，移易军钱入己也。

壬戌，金以完颜璋之来宋，使人就馆，夺其书而重赂之，杖璋百五十，除名，仍以所受礼物入官。

庚午，金以太尉、尚书令李石为太保，致仕。

廷议欲以沿海制置司干当使臣员阙改作文臣干办公事，以曹冠充；以冠前有差遣，屡经驳缴，帝颇怜之也。帝曰："此却不可。古者为官择人，未尝为人择官。今乃因冠而改窠阙，近于为人择官也。可别寻阙次处之。"

癸酉，四川宣抚使、雍国公虞允文薨。先是帝尝谓允文曰："丙午之耻，当与丞相共雪之。"允文许帝以恢复，使蜀一载，未有进兵期。帝密诏趣之，允文言军需未备，帝不乐。至是遣二介持御札赐之，而允文已殁，不知其所言。其后帝大阅，见军皆少壮，叹曰："此虞允文行沙汰之效也！"寻赠太傅，谥忠肃。

庚辰，诏："州郡循习旧弊，巧作名色馈送，及虚破兵卒，以接送为名，多借请受，并假官、权摄支请、供给之类，又闻诸司与列郡胥吏、牙校月有借请，蠹财困民，其令诸路监司、帅臣觉察。"

辛巳，为郭浩立庙于金州。

三月,辛卯,召步军司中军弩手射铁垛莲,赴内教。

臣僚言用人之弊:“一曰上下之分未严,二曰义利之说未明。夫任贤使能,人主之柄;助人主进贤退不肖,大臣之职。近世一官或阙,自衒者纷至,始则悉力以求之,不则设计以取之;示以好恶而莫肯退听,限以资格而取求不已,未闻朝廷有所惩戒也。居官思职,义也;背公营私,利也。今中外求官者,惟计职务之繁简,廪稍之厚薄,既得之,则指日而望迁,援例而欲速,公家之事,未尝为旬月计也。愿明诏大臣,深思致弊之由,共图革弊之术,使士风稍振,百官奉职。”从之。

浙西漕帅言进士施浦等各出米五千石赈济,欲遵格补官,帝曰:“朕不鬻爵以清入仕之源。今以赈济补官,为百姓尔。”

甲午,金主谓大臣曰:“海陵纯尚吏事,当时宰执,止以案牍为功。卿等当思经济之术,不可狃于故常也。”

丙申,以参知政事郑闻为资政〔殿〕大学士、四川宣抚使。

甲辰,金主更名雍,诏中外。

金完颜璋之获罪也,群臣纷议,谓午年必用兵。金主以问宰相,赫舍哩良弼对曰:“太祖以甲午年伐辽,太宗以丙午年克宋。今兹宋人夺我国书,而适在午年,故有此语,未必然也。”因遣刑部尚书梁肃为宋国详问使。其书略曰:“盟书所载,止于帝加皇字,免奉表称臣、称名、再拜,量减岁币,便用旧仪,亲接国书。兹礼一定,于今十年。今知岁元国信使到彼,不依例引见,辄令迫取于馆。侄国体当如是耶?往问其详,宜以诚报。”

癸丑,肃入见,帝仍立接国书,肃还,附书谢。金主大喜,欲以肃为执政,良弼曰:“梁肃可相,但使宋还即为之,宋人自此轻我矣。”乃止。

建隆以来,因唐旧制,分别流品,不相混淆,故有出身、无出身及进士上三名、贤良方正、曾任馆阁、省府之类,迁转皆不同,犯赃及流外、纳粟,尤不使污士流,盖不特分左右也。元丰官制行,始一之,然犹有一官而分左右者,徒以少优进士出身而已。至元祐中,遂自金紫光禄大夫至承务郎,皆以有出身、无出身分左右,至犯赃则并去左右字,论者尤以为当。绍圣以后,复去之。绍兴初,方务行元祐故事,故左右之制亦复行之。〔至〕是赵善俊建言,以为本范纯仁偏蔽之论,请复省去,从之。

丙辰,太白、岁星并见,经天。

是春,言者论:“淮南安抚使王之奇,好为大言,备位无补,欲为脱身之计,遂请分阃之行。淮上荒残之馀,首建招诱,耕凿荒田,多请官钱、空名绫纸而去。所招之人,间以妄包已垦熟田,计为顷亩,以补官者。”遂罢之。之奇既罢,淮南复分为东、西路。

夏,四月,乙丑,金主谕宰臣曰:“闻愚民祈福,多建佛寺,虽已条禁,尚多犯者。宜申约束,无令徒费财用。”

戊辰,金有事于太庙,以皇太子摄行事。

乙亥,金主谓太子诸王曰:“人之行莫大于孝弟。自古兄弟之际,多因妻妾离(闻)〔间〕,以致相违。且妻者乃外属耳,若妻言是听而兄弟相违,甚哉〔非理也〕!”太子对曰:“《思齐》之诗云:‘刑于寡妻,至于兄弟,以御于家邦。’臣等愚昧,愿相励而修之!”因引《常棣》花萼相依,脊令急难之义,为文见意,以诫兄弟焉。

己卯，以姚宪参知政事，户部尚书叶衡签书枢密院事。

戊子，金以枢密副使图克坦克宁兼大兴尹。

宗正寺请训宗室名：翼祖下“广”字子连“继”字，太祖下“与”字子连“孟”字，太宗下“必”字子连“良”字，亲贤宅“多”字子连“自”字，棣华宅“茂”字子连“中”字，魏王下“时”字子连“若”字。

诏举制科。

是月，命工部尚书张子颜等如金报聘，仍请改受书之仪。金主与大臣议，左丞相赫舍哩良弼曰：“宋国免称臣为侄，免奏表为书，为赐亦多矣。今又乞免亲接国书，是无厌也。必不可从。”平章政事完颜守道、参知政事伊喇道从良弼议。右丞相石琚，右丞唐古安礼，以为不从所请，必至于用兵，金主谓琚等曰：“卿等所议非也，所请有大于此者，亦从之乎？”遂从良弼议，答书责以定分，其授受礼仪仍不改。

六月，甲午，金主如金莲川。

丙申，臣僚言：“伏见六部及诸寺监官，同共讨论勘当文字，多取办临时，遂致考究未尽，供报稽缓。请今后令所辖所隶官司会议。”帝曰：“此用西汉故事，甚为得体。”

己亥，叶衡言：“兵权系于将帅，民命寄于牧守，二者之患，每在数易。望自今精加选择，使材称其职，然后力行牧守久任之说，以破数易之害。”从之。

甲寅，著作郎木待问言：“士大夫气节不立，惟在陛下涵养作成。如奔竞之习，最坏气节，不可不改。”帝曰：“当如卿言，必见之赏罚，使之惩戒。”

六月，丙辰朔，诏以王友直、吴挺，持身甚廉，治军有律，凡所统御，宿弊顿除，可并与建节钺。武功大夫、荣州刺史、提举台州崇道观秦琪，身任帅臣，蠹坏军政，专事阿附，贪墨无厌，可责授舒州团练副使、漳州安置。

戊午，诏曰：“累降指挥，已有差遣人不得干求换易。比来约束寖弛，日益奔竞。今后可依已降指挥，三省具名闻奏，当议黜降。其已授差遣人，朝辞讫，限半月出门。”

以兴州都统制吴挺为定江军节度使。

癸酉，改江陵府为荆南府。

戊寅，右丞相曾怀罢。

先是台官詹亢宗、季棠论事，因中怀，怀遂求退，且乞辨明诬谤。大理根究无实，乃贬亢宗及棠。言者追论参知政事姚宪，与亢宗等通谋，陷怀以取相位。乃罢宪，甲申，落职与祠。以叶衡参知政事。

是月，诏议祫祭东向之位。

初，吏部侍郎赵粹中言：“前代七庙异宫，祫祭则太祖东向。绍兴五年，董弅建议，请正艺祖东向之尊，谓：‘太庙世数已备，而艺祖犹居第四室。乞遵典礼，正庙制，遇祫祭则东向。’下侍从、台谏集议。既而王普复有请。当时集议，如孙近、李光、折彦质、刘大中、廖刚、晏敦复、王俣、刘宁止、胡交修、梁汝嘉、张致远、朱震、任申先、何彀、杨晨、庄必强、李弼直，皆以其义悉合于礼。时臣叔父涣任将作监丞，奏陈益力，据引《诗》《礼》正文，乞酌汉太公立庙万年、南顿君立庙章陵故事，别建一庙，安奉僖、顺、翼、宣四祖，禘、祫、烝、尝，并行特祀；而太祖皇帝神主，自宜正位东向，则受命之主，不屈其尊，远祖神灵，永有常祀。光尧皇帝深以为然，即

擢董弅为侍从，叔父涣为御史。是时赵沛为谏议大夫，以议不己出，倡邪说以害正论，而欲祫飨虚东向。今若稽之《六经》典礼、三代之制度，定艺祖为受命之祖，则三年一祫，当奉艺祖东向，始尊开基创业之祖。其太庙常飨，则奉艺祖居第一室，永为不祧之祖，若汉之高祖；其次奉太宗居第二室，永为不祧之宗，若周之武王。若僖、顺、翼、宣，亲尽而祧，别议迁祔之所，则臣亦尝考之：祔于德明、兴圣之庙，唐制也；立太公、南顿君别庙，汉制也。前日王普既用德明、兴圣之说，而欲祔于景灵宫、天兴庙，朱震亦乞藏于夹室。今若别建一庙为四祖之庙，或祔天兴殿，或祗藏太庙西夹室，每遇祫飨，则四祖就夹室之前别设一幄，而太祖东向，皆不相妨。庶得圣朝庙制，尽合典礼。"诏礼部、太常寺讨论。旋别建四祖庙，正太祖东向之位，从礼部侍郎李焘议也。

秋，七月，丁亥，复以郑闻为参知政事。罢四川宣抚使，以成都府路安抚使薛良朋为四川安抚制置使。

戊子，诏曰："朕惟天下治乱，系乎风俗之媺恶，风俗媺恶，系乎士夫之好尚。盖士夫者，风俗之表，而天下所赖以治者也。故上有礼义廉耻之风，则下有忠厚醇一之行；上有险怪媮薄之习，则下有乖争陵犯之变。朕尝戢奸贪，黜浮靡，躬节俭以示天下，而历纪逾久，治效未进，意在位者未能率德改行，以厚风俗，故廉士失职，贪夫长利，将何以助朕兴化致理，无愧于古乎？部使者、郡守，其为朕察郡邑廉吏来上，朕将甄奖，待以不次。其或持禄养交，崇饰虚誉，应诏不以实，使积行之君子壅于上闻，时汝之辜，必罚无贷！"

壬辰，复以曾怀为右丞相兼枢密使。

甲午，有司言："乾道元年灾伤，倚阁钱物，浙东路自淳熙元年为始，作三年带纳；江东路候丰熟，作两年带纳。"帝曰："既是灾伤，即与倚阁，税赋亦无从出，可与蠲放。"

丁酉，诏罢诸路州县市令司官司及在任官收买物色，并依民间市价支钱，不得科抑减克。

癸卯，中书、门下省奏关外四州、沿边诸路及金州上津皆有归正人，诏四川安抚制置司下都统司常切存抚，毋令失所。

甲辰，诏沿江被水之家，守臣胡与可躬亲巡问。既闻被水贫乏者六百馀家，于左藏南库每家支钱五贯，仍许于沿江地指射盖屋。

戊申，江东提举潘甸言："被旨，所部州县措置修筑浚治陂塘，今已毕工，计九州、军，四十三县，共修治陂塘沟堰凡二万四千四百五十一所，可灌田四万四千二百四十二顷有奇。"诏札下诸路，依此具闻。

己酉，姚宪责南康军居住。

八月，己未，知枢密院张说罢，以徽猷阁学士杨倓签书枢密院事。

帝廉知说欺罔数事，命侍御史范仲芑究之，遂以太尉提举隆兴府玉隆观。

庚辰，帝曰："密院差除，切须公当，如亲旧有乞差遣者，须明具资格，待朕处置。"

壬午，帝谕宰执曰："朕用人才，初不因其荐引之人而为之去留，惟其当而已。若荐者偶以罪去，被荐者相与为奸，则当并逐。若初不阿附，而有才能，当依旧用之。"又曰："鲧之为人，初不害禹之成功。"杨倓曰："此诚尧、舜之用心矣。"

九月，乙酉朔，以曾觌开府仪同三司。

丁亥，金主还都。

戊子，帝谓曾怀等曰："前日诣德寿宫，太上饮酒乐甚。太上年将七十，步履饮食如壮年，每侍太上行苑囿，登降皆不假扶掖。朕见太上寿康如此，回顾皇太子侍侧，三世同此安荣，其乐有不可形容者。"怀等称贺。

壬辰，诏："江西、湖南路累经灾伤，上供米斛逐年已减放外，今年虽丰，尚虑民力未苏，所有第四等、五等人户合纳淳熙元年秋苗，特与蠲放一半。"

乙未，淮东安抚司奏榷场安静，杨倓因言金主本无它，其臣下或妄生事，帝曰："不可以此为喜。于理固当安静，然非我君臣之志也。"

知随州蔡戡奏论唐太宗《贞观谏录》，帝曰："从谏正是太宗所长。此书置之座右，可为规鉴。"

丁未，以张荐受贿，追三官，勒停，郴州居住。右武大夫、果州团练使李川私通馈遗，降授武功大夫、吉州刺史。右武大夫、楚州团练使王公述辄以财请求军职，降授武功大夫、贵州刺史，放罢。左武大夫、贵州刺史宋受，降授右武大夫，修武郎、阁门祗候刘士良，降授保义郎，并放罢。荐系武经大夫、文州刺史，特于遥郡阶官上追三官。

冬，十月，乙卯朔，金图画功臣于衍庆宫。金主思太祖、太宗创业艰难，求当时群臣勋业最著者二十一人，图画于衍庆宫圣武殿之左右庑：辽王杲，金源郡王萨哈，辽王宗干，秦王宗翰，宋王宗望，梁王宗弼，金源郡王实布纳，金源郡王鄂啰，金源郡王希尹，金源郡王洛索，楚王宗雄，鲁王栋摩，金源郡王尼楚赫，随国公鄂兰哈玛尔，金源郡王实古讷，豫国公富嘉努，金源郡王杲，兖国公刘彦宗，特进鄂噜哈齐，齐国公韩企先，特进迪实。

壬戌，诏："自今违法卖易恩泽及荐举授赂之人，因事败露，有司定罪外，更取特旨，重作行遣。"

癸亥，以积雨命中外决系囚。

丙寅，参知政事郑闻薨。

戊辰，命绍兴府上供米与蠲放，以守臣张宗元言诸县旱伤故也。

壬午，皇(于)〔子〕判宁国府魏王恺徙判明州。恺在治二十年，甚有恩惠。

十一月，甲申朔，日有食之。

丙戌，杨倓言："近因奏事，论及时政，蒙谕曰：'待敌当用诡道，在朝当用诚实。百馀年来，尝患敌国强而中国弱，正缘反是。待敌既无奇策，动则为敌所窥。在朝以术数相倾，以躁竞取进，风俗之弊，当救正之。'圣谟切中时宜，望宣付史馆。"从之。

戊戌，以礼部侍郎龚茂良参知政事。杨倓罢，以叶衡兼权知枢密院事。

甲辰，帝召衡及茂良，赐座，曰："两参政皆公议所与。"衡等起谢。帝复从容曰："自今诸事不可徇私，若乡曲亲戚，且未须援引。朕每存公道，设有未是，卿等宜力争，君臣之间，不可事形迹。《房、杜传》无可书之事，盖其辅赞弥缝，不见于外，所以能然。"衡曰："皋陶、稷、契在唐、虞之朝，其见于后世者，都、俞、吁、咈数语而已。"茂良曰："大臣以道事君，遇有不可，自当启沃，岂当使迹见于外！"

金主谕尚食局使曰："大官之食，皆民脂膏。日者品味太多，徒为虚费，自今进可口者数品而已。"

丙午，曾怀罢，除职奉祠，怀以疾自请也。

戊申，以叶衡为左丞相兼枢密使。衡由知县不十年至宰相，进用之骤，人谓出于曾觌云。

己酉，著作佐郎郑侨言祖宗朝每日召见讲读官，至仁宗朝，始有间日一讲之制，帝曰："自太宗、真宗始置侍读讲官，于圣学尤为留意。"

壬子，江西漕臣钱佃等奏："兴国军以公使库酸败酒抑勒百姓高价收买，臣等虽已禁止，请严行禁约。"帝语叶衡、龚茂良曰："奉行法令，在下不可不严。事既上闻，却当从宽，然后各得其宜。今属郡违戾，监司已置不问，而请朝廷严行禁约，事体不顺。"乃诏本路监司开具散酒当职官吏姓名申尚书省。

十二月，丁巳，以吏部尚书李彦颖签书枢密院事。

甲子，以盐官县旱，减放苗租。

丙寅，罢铁钱，改铸铜钱。

壬申，叶衡等上《真宗玉牒》。

以资政殿学士、知荆南府沈夏加大学士，为四川宣抚使；新四川制置使范成大，改管内制置使。

戊寅，金以平章政事完颜守道为右丞相，枢密副使图克坦志宁为平章政事。

是月，修吏部七司法。龚茂良言："官人之道，在朝廷则当量人才以擢用，在选部则宜守成法以差注。盖法者一定不易，如规矩、权衡，不可私以方圆、轻重也。夫法本无弊，而例实败之。法者，公天下而为之者也；例则因人而立，以坏天下之公者也。昔者之患，在于用例破法；而比者之患，在于因例立法。今吏部七司法者，自晏敦复裁定，有司守之以从事，可以无弊。缘臣僚申明冲改，前后不一，率多出私意，循人情。向者陛下深知其弊，尝加戒敕，毋得用例破条，然有司巧于傅会，多作条目。臣谓用例破法者其害浅，因例立法者其害大。宜诏有司讲求本末，将新旧法相与参考。旧法非大有所牴捂者，弗可轻去；新立条制，凡涉宽纵，于旧法有违者，一切刊正；庶几国家成法简易明白，可以遵守。"从之。

是岁，淮南复分为东、西路。

淳熙二年　金大定十五年【乙未，1175】　春，正月，辛巳，前宰相梁克家、曾怀，坐擅改堂除，克家落观文殿学士，怀降观文殿学士。

甲午，废同安、蕲春监。

庚戌，籍诸军子弟为背嵬军。

二月，癸亥，诏："泉州左翼军，去朝廷二千里，每事必申密院、殿司，恐致失机。自今遇有盗贼窃发，一时听安抚〔司〕节制。"

三月，己丑，何澹试馆职，言："堂阙归部，亦有未便。旧法，吏部长贰得以铨量年老不堪厘务之人，今不复有所进退。近来引见选人改官，未闻有不许改官者。"帝曰："恐所言有可采者，不欲遗之。"既而令吏部从实铨量，并引见选人改官，于进卷内具举主所荐事状；如系捕盗人，即详具所得功赏之因。从之。

乙巳，诏："武举第一人补秉义郎，堂除诸军计议官。"

夏，四月，壬子朔，淮东、西两总领各乞以金银兑换会子支遣，帝曰："纲运既以会子中半入纳，何故乃尔阙少？"叶衡、龚茂良对曰："缘朝廷以金银换收会子，桩管不用，金银价低，军人支请折阅，所以思用会子。"帝曰："更思所以阙用之因。"衡复言："户部岁入一千二百万，

其半为会子。而南库以金银换收者四百馀万，流行于外者才二百万，安得不少！”帝曰：“此是户部之数，不知两总领所分数人纳如何？两处且各以三十万与之，兑换金银。”已而钱良臣申到：“民间入纳，阙少会子，并两淮取换铜钱，已支绝会子，请再给降。”帝曰：“会子直如此少？”茂良曰：“闻得商旅往来贸易，仅用会子，一为免商税，二为省脚乘，三为不复折阅。以此观之，大段流通。”帝令应副，因宣谕曰：“卿等讲究本末，思为善后之计。”

乙卯，赐礼部进士詹骙以下四百三十六人及第、出身。

闽人杨甲对策，言恢复之志不坚者二事：一谓“妃嫔满前，圣意几于惑溺”，一谓“策士之始，以谈兵为讳”，帝览对，不悦，置之第五等。

是月，茶寇赖文政起湖北，转入湖南、江西。官军数败，命江州都统皇甫倜招之；旋命鄂州都统李川调兵讨捕。

五月，己丑，诏知县以三年为任，从知饶州王师愈之奏也。

辛卯，宴宰执于澄碧堂。帝曰：“自三代而下，至于汉、唐，治日常少，乱日常多，何也？”叶衡对曰：“正为圣君不常有。如周八百年，所称极治者，成、康而已。”帝曰：“朕常观《无逸篇》，见周公为成王历数商、周之君享国久远，真后世龟鉴，未尝不以此为戒。”衡等曰：“陛下能以《无逸》为龟鉴，诚宗庙社稷无穷之福也。”帝又曰：“陆贽之于唐德宗，不为不遇。朕尝览奏议，喜其忠直，次第见于施行。”龚茂良曰：“苏轼在经筵，缴《奏陆贽奏议表》云：‘人臣献言，正如医者用药。药须进于医手，方多传于古人。’陆贽不遇德宗，今陛下深喜其书，欲推行之，是亦遇也。”帝又曰：“朝廷用人，止论其贤否如何，不可有党。如唐之牛、李，其党相攻，四十馀年不解，皆缘主听不明，所以至此。文宗乃言‘去河北贼易，去朝中朋党难’，朕尝笑之。为人主但公是公非，何缘为党！”衡等曰：“陛下圣明英武，诚非文宗可比。”帝曰：“此所谓坐而论道，岂不胜如丝竹管弦？”皆起谢。帝又曰：“朝廷所行事，或是或非，自有公议。近来士大夫好唱为清议之说，此语一出，恐相师成风，便以趋事赴功者为猥俗，以矫激沽誉者为清高。骎骎不已，如东汉激成党锢之风，殆皆由此。深害治体，岂可不戒！卿等可书诸绅。”

龚茂良与周必大荐宜黄知县刘清之，召入对，首论：“民困兵骄，大臣退托，小臣苟媮。愿陛下广览兼听，并谋合智，清明安定，提要挈纲而力行之。古今未有俗不可变，弊不可革者，变而通之，在陛下方寸之间耳。”又言用人四事：一曰辨贤否，二曰正名实，三曰使材能，四曰听换授。帝深然之。

谕宰相，以朝廷阙失，士民皆得献言。

六月，庚戌朔，定补外带职格，从左司谏汤邦彦之请也。邦彦言：“陛下忧勤万务，规恢事功，然而国势未强，兵威未振，民力未裕，财用未丰，其故何耶？由群臣不力故也。望自今而后，中外士夫，无功不赏，而以侍从恩数待有功之侍从，以宰臣恩数待有功之宰臣，任侍从、宰相无功而退者，并以旧官归班。惟能强国治兵、裕民丰财者，则赏随之，而又视其轻重以为差等。任侍从而功大，与之宰执恩数可也；任宰相而功小，与之侍从恩数可也。其在外者，虽不曾任侍从、宰执，而其所立之功可以得侍从或宰相恩数者，亦视其功而与之。则天下之士，变求进之心为立事之心，而陛下之志遂矣。”帝深然之，遂诏：“自今宰臣、侍从，除外任者，非有功绩，并不除职；在朝久者，特与转官；其外任人，非有劳效，亦不除授。”于是曾逮以权工部侍郎出知秀州，不带职，用新制也。

辛酉，罢四川宣抚，复制置使。

汤邦彦论："西蜀复置宣抚，应于旧属场务，悉还军中；又，除统制司赴宣司审察外，其馀皆俾都统自差，是与其名，夺其实。与其名，则前日体貌如故；夺其实，则前日事势不存。以不存之事势，为如故之体貌，是必上下皆恶，军帅不睦，不惟无益而又害之矣。"帝纳其言。于是沈夏以同知枢密院事召还朝，而宣抚司遂罢。

茶寇势日炽，江西总管贾和仲击之，为其所败。诏以仓部郎中辛弃疾为江西提刑，节制诸军讨之，用叶衡之荐也。

汤邦彦言："蒋芾、王炎，始皆言誓死效力以报君父，及得权位，怀私失职，深负使令。"又劾张说奸赃。丁卯，落芾、炎观文殿学士，芾建昌军、炎袁州居住。说落节度使，抚州居住。

是月，茶寇自湖南犯广东。

秋，七月，乙未，帝谓宰臣曰："会子通行民间，铜钱日多，可喜。"叶衡言："诸处会子甚难得，谓宜量行支降。"帝曰："向来正缘所出数多，致有前日之弊，今须徐议。"

辛丑，有星孛于西方。

丁未，帝谕叶衡等曰："贾和仲合行军法，然其罪在轻率进兵。朕观汉、唐以来，将帅被诛，皆以逗留不进或不肯用命。今和仲正缘轻敌冒进，诛之，恐将士临敌退缩耳。"

八月，丙辰，和仲除名，编管贺州。

丁卯，蠲湖南、江西被寇州县租税。

甲戌，广西经略张栻言："诸郡赋入甚寡，用度不足。近年复行官般卖盐，此诚良法；然官般之法虽行，而诸郡之窘犹在。盖此路诸州，全仰于漕司，漕司发盐，使之自运，除脚之外，其息固有限；而就其息之中，以十分为率，漕收其八，诸州仅得其二。逐州所得既微，是致无力尽行般运，而漕司据已拨之数，责八分之息以为寄桩，则其穷匮何时而已！幸有仅能般到者，高价抑买，岂保其无！乞委本司及提刑郑丙、漕臣赵善政，公共将一路财赋通融斟酌，为久远之计，既于漕计不乏，又使一路州郡有以支吾，见行盐法不致弊坏。"从之。

丁丑，遣汤邦彦使金。

帝尝谕执政选使请河南陵寝地，叶衡言邦彦有口辨，故使之。

九月，乙卯朔，诏："扬、庐、荆南、襄、兴元、金、兴州，依旧分为七路，每路文臣一人充安抚使以治民，武臣一人充都总管以治兵，三载视其成以议诛赏。"从汤邦彦之请也。

辛卯，高丽西京留守赵位宠，以慈悲岭至鸭绿江四十馀城叛附于金。金主曰："朕怀绥万邦，岂助叛臣为虐！"执其使，付高丽。位宠寻伏诛。

乙酉，赈淮南水旱州县。

乙未，叶衡罢。时汤邦彦奉使，入辞，恨衡挤己，因奏衡有讪上语。帝大怒，罢知建宁府。

丁酉，知荆门军黄茂材言："唐李靖六花陈法，出于武侯，尝因陛对，画图以进。比帅司奉诏，令州军见管民兵，以七十五人为一队，正合李靖兵法。遂将本军义勇民兵分为七军，每军旗帜各别色号，置造兵器，俟今冬躬自教习，大陈包小陈，大营包小营，隅落钩连，曲折相对，可以成六花陈。今荆南府差将官前来本军教阅，恐只沿习军中之法，请将本军民兵自教两月，却差荆南将官一员阅视。"从之。

己亥，龚茂良、李彦颖奏省、院各止独员，事皆不便，帝曰："朕以未得其人，故迟之。"因泛

论中外臣僚,帝曰:“为宰臣须胸次大,乃能容物。”茂良对曰:“《坤》之六二,乃大臣爻,其辞云:‘直方大,不习,无不利。’直方之德,须大乃能有容。”帝曰:“居此位安可不大!”彦颖曰:“后之为辅臣者,往往先有忌克之心,以故不能容。”帝曰:“士大夫更历外职任,未见其短,才居(正)〔政〕路,便有此病。”茂良曰:“《秦誓》言有容及媢疾,苏轼为之训传,谓‘前一人似房元龄,后一人似李林甫’。”帝曰:“然。”又曰:“今士大夫能文者多,知道者少,故平时读书不见于用。”

庚子,诏:“阶、成、西和、凤州,当职官以下,令本路帅、漕司于四路在部官同具选辟,并体量见任人委实癃老及不堪倚仗者,并申制置司,申取朝廷指挥。其所辟官,不许辞避。所有边赏,令吏部看详,申尚书省。”以知成都府权四川制置使范成大奏也。

丁未,同知枢密院事沈夏罢。

赠赵鼎太傅,进封丰国公。

闰月,己酉朔,金定应禁弓箭、刀枪之制,惟品官之家奴及客旅等许带弓箭。

金主谓左丞相赫舍哩良弼曰:“今之在官者,须职位称惬所望,然后始加勉力。其或稍不如意,则止以度日为务,是岂忠臣之道耶!”

庚戌,诏:“诸路常平司,每岁于秋成之际,取见所部郡县丰歉,如有合赈粜赈给,即约度所用,及见管米斛或有缺少,合如何措置移运,并预期审度,仍于九月初旬条具奏闻。”

丁巳,以李彦颖参知政事,翰林学士王淮签书枢密院事。

金主谓赫舍哩良弼曰:“武灵时,领省秉德,左丞相言,皆有能名,然为政不务远图,止以苛刻为事。海陵为人如虎,此辈尚欲以术数要之,以至卖直取死,得为能乎!”

未几,济南尹梁肃上疏曰:“刑罚世轻世重,自汉文除肉刑,罪至徒者,带镣居役,岁满释之;家无兼丁者,加杖准徒。今取辽季之法,徒一年者杖一百,是一罪二刑也;刑罚之重,于斯为甚。今太平日久,当用中典,有司犹用重法,臣实痛之。自今徒罪之人,止居作,更不决杖。”不报。

辛酉,浙东提刑徐本中言:“近者州郡,率用私意更易官吏,不申省部,不报监司。移郡之邑,移邑之郡,或以它官而兼摄,或以卑官而任重,往往辞烦就简,拾薄从厚,请求侥觊,惟利是趋,易置纷然,寖乱旧制,理宜戒饬。”从之。

金诏百官(儒)〔傔〕人所服红紫改为黑紫。

壬戌,诏浙东提举监司体访浙西提举薛元鼎措置印给亭户纳盐手历式样,将合支本钱尽数称下支给,毋致积压拖欠。

先是元鼎印给手历,遍给亭户,令赍历就称下支钱,至是复令浙东行之。

丁卯,以浙东旱伤,令转运提举兴修水利。

辛未,淮南转运司请濠州钟离、定远巡检耿成令再任,帝曰:“祖宗成法,惟监司及沿边郡守方许再任。耿成虽有劳效,已经再任,不欲以小官差遣坏祖宗成法。”

甲戌,金主命年老者无注县令;若老而任政,择壮者佐之。

是月,辛弃疾诱赖文政,杀之,茶寇平。遂上疏曰:“比年李金、赖文政等相继窃发,皆能一呼啸聚千百,杀掠吏民,至烦大兵翦灭。良由州以趣办财赋为急,吏有残民害物之状而州不敢问;县以并缘科敛为急,吏有残民害物之状而县不敢问。田野之民,郡以聚敛害之,县以科率害之，吏以乞取害之，豪民以兼并害之，盗贼以剽夺害之，民不为盗，去将安之！夫民为邦本，而贪吏迫使为盗，今年剿除，明年铲荡，譬之木焉，日刻月削，不损则折。望陛下深思致盗之由，讲求弭盗之术，无徒恃平盗之兵；申饬州县，以惠养元元为意。”帝奖谕之。

冬，十月，戊寅朔，诏：“浙东合纳内藏库坊场钱，可依自来立定租额。”

赏平茶寇功。湖南、江西、广东监帅，黜陟有差。

壬午，加上德寿宫尊号曰光尧寿圣宪天体道性仁诚德经文纬武太上皇帝，寿圣齐明广慈太上皇后。

乙未，金主冬猎。

壬寅，帝谕执政曰：“李川按劾统制官解彦详等不能平贼，此甚可喜。风俗委靡，务为姑息以徇人情，此弊非一日。朕每见有能举职者，须与激励。李川昨曾降官，今可与复元官，更转一官。”

丁未，金主还都。

十一月，庚戌，丽正门火。

初，金唐古部族节度使伊喇穆敦之子杀其妻而逃，金主命捕之。至是梁国公主请赦之，金主谓宰臣曰：“公主妇人，不识典法，罪尚可恕。穆敦请托至此，岂可贷宥！”不许。

时命福建造海船，起两淮民兵赴合肥训练。李彦颖言：“两淮州县，去合肥远者千馀里，近亦二三百里。今民户三丁起其二，限三月而罢，事未集，民先失业矣。”帝作色曰：“卿欲尽撤边备耶！”彦颖曰：“今不得已，令三百里内，家起一丁诣合肥。三百里外，就州县训习，日增给钱米，限一月罢。庶不大扰。”从之。

戊午，提点坑冶王楫，乞进宽剩钱以裨庆赉，帝曰：“此不可受，令就本处桩管，制造军器。”

癸亥，臣僚言：“祖宗时有会计录，备载天下财赋，出入有帐，一州以司法掌之，一路以漕属掌之。绍兴七年，臣僚有请仿本朝三司之制，专（举）〔置〕提举帐司，总天下帐状，以户部左曹郎官兼之，积习既久，视为文具。请诏户部条画申严措置，俾天下财赋有所稽考，不致失陷。”从之。

戊辰，知静江府张栻奏：“保伍之设，诚戢盗之良法。臣自到官以来，讲究措置，施行于静江境内，颇得其效，近复行于一路。请下有司考订斟酌，申严而行之。”帝曰：“张栻颇留意职事。”

栻寻又奏：“本路备边之郡九，而邕管为最重；邕之所管，辐员数千里，而左右两江为重。自邕之西北有牂牁、大理、罗甸，西南有白衣、九道、安南诸国，皆其所当备者。然邕之戍兵不满千人，所恃以为篱落者，惟左右两江，谿洞共八十馀处，民兵不下十万，首领世袭，人自为战，如古诸侯民兵之制。则去邕管近者馀三百里，远者近千里，所恃以维持抚驭之者，惟提举盗贼都巡检使四人，各以戍兵百馀为谿洞纲领，其职任可谓不轻矣，可不遴选其人，谨护其土，以为南方久远之蔽！乞依大观指挥，许本司奏辟。”从之。

己巳，提举江东潘甸，提举淮东叶翥，权发遣平江府陈岘，言修治陂塘事，帝曰：“昨委诸路兴修水利以备旱干，今岁灾伤，乃不见有灌溉之利，若非修筑灭裂，即是元申失实。江东被伤分数尤甚，潘甸特降一官，落职；叶翥降两官，陈岘一官。”

甲戌，诏："大臣日见宾客，有妨治事，累有指挥。如侍从、两省官、三省、枢密院属官，有职事，于聚堂取禀；私第，除侍从外，其馀呼召取覆等官，每日各止许接见一次。"

十二月，丁亥，诏："近来赴朝臣僚，于殿门内辄行私礼，朝仪不肃，令阁门弹劾。"

甲午，行上皇庆寿礼。以太上皇帝来年圣寿七十，预于立春日诣德寿宫行庆寿礼。大赦。

是月，更定强盗赃法，比旧法增一倍定罪。

并左藏南库、封桩库。

提领左藏封桩库颜度言："今相度，欲将南上、下库及封桩上、下四库并为二库，以左藏南库、左藏封桩为名，将两处钱物各行就便对兑，并不用上下二字，不须添置官吏，就用各库官吏合干人等。"从之。遂以左藏南上库充左藏封桩库对兑。

时内旨取拨南库缗钱，色目寖广，龚茂良言："朝廷所急者财用，数十年来讲究措置，靡有遗馀，而有司乃以窘匮不给为言。臣因取其籍，披寻本末源流，具见积年出入之概。大抵支费日广，所入不足以当所出之数。至绍兴十七年，所积尽绝，每岁告缺不过二百万缗；至二十四年以后，阙至三百万缗；而乾道元年、二年，阙六百馀万缗。尔后却有增收鹾钱色目，粗可支吾。有司失职，无以为计，专指南库兑贷给遣。臣复讲求南库起置之因，其间经常赋入，盖亦无几，而属者支费浩瀚，约计仅可备二三年之用。若继自今撙节调度，可无仓卒不给之患。"因条具以闻，帝感悟。

是岁，江西转运副使李焘上神、哲两朝《续资治通鉴长编》，自治平四年三月，尽元符三年正月。

以王梋为都大提点坑冶；其合差官，令梋奏辟。寻移司饶州，岁铸以十五万缗为额。

【译文】

宋纪一百四十四　起甲午年(公元1174年)正月，止乙未年(公元1175年)十二月，共二年。

淳熙元年　金大定十四年(公元1174年)

春季，正月，庚子(十二日)，宋孝宗因为衢州安排发行会子比其他州迟缓，提刑赵彦端被特降两级官职。曾怀说："赏罚必讲信用，理当如此。"宋孝宗说："有功不赏，有罪不诛，即使是唐尧、虞舜也不能教化天下。"

己酉(二十一日)，诏令："已下令殿前司主帅于二月在茅滩集中训练各军。听说原来每当遇到大阅兵，主帅照例设置酒食，如待客之礼，可专文下达王友直，不要让他因循旧习，务必令军容整齐严肃。"

庚戌(二十二日)，交趾人入朝进贡，宋孝宗称赞他。不久下诏赐国名为安南，封南平王李天祚为安南国王。

二月，戊午朔(初一)，江西安抚司上奏："遵照绍兴三十年指令，将各路禁军，以十分为比率，选取五分专门训练弓弩手，帅司每年春秋季选择将官前往各州训练检阅。乾道年间的新法在按阅条目中对此不曾修订，应当令敕令所修订成法。"宋孝宗说："各路选中的禁军上军弓弩手，必须经常令他们训练，由守臣负责。如有违反规定，应当治他的罪。"

辛酉(初四),没收平江府将官魏寿卿的家产,因为他做无为军巢县知县,将军中的钱财转为私有。

壬戌(初五),金国因为完颜璋前往宋国,使臣住宿馆舍后,宋国派人夺走了他带的国书并用重礼贿赂他,杖责完颜璋一百五十,免去官职,并将所接受的礼物充入官府。

庚午(十三日),金国任命太尉、尚书令李石为太保,离职退休。

朝廷商议想将沿海制置司干当使臣的职位改作文臣干办公事,以曹冠充任;因为曹冠原来有差遣,多次受到批评,宋孝宗很怜悯他。宋孝宗说:"这样却不行。古代为了官职选择人,不曾为了人选择官职。现在却因为曹冠而改变官职,近乎于为了人选择官职。可另外找空缺的官职安置他。"

玉"秋山"饰　金

癸酉(十六日),四川宣抚使、雍国公虞允文去世。在此之前宋孝宗曾对虞允文说:"丙午年间的耻辱,应当与丞相共同洗雪。"虞允文答应宋孝宗完成收复失地的事业,在蜀任职一年,未能决定进兵时间。宋孝宗秘密诏令催促他,虞允文说军需不齐备,宋孝宗不高兴。到此时派遣两个使者手持御书赐给他,而虞允文已经去世,不知信中所说的话。后来宋孝宗大阅兵,见到军中都是少壮之兵,感叹说:"这是虞允文施行淘汰的功效!"不久追赠为太傅,谥号忠肃。

庚辰(二十三日),诏令:"州郡沿袭以前的弊端,巧立名目赠送钱财,以及虚报兵卒数额,以接送为名,多索要钱财,并以代理、权摄名义支取、供给等类,又听说各司与各郡胥吏、牙校每月都有摊派,伤财害民,令各路监司、帅臣注意监察。"

辛巳(二十四日),在金州为郭浩立庙。

三月,辛卯(初四),召步军司中军弓弩手射击铁垛莲,调赴京城内训练。

臣僚陈述用人之弊:"一是上下的名分不严,二是义利的解释不明。任贤使能,是君主的权力;帮助君主引进贤能斥退不肖之人,是大臣的职责。近来一旦官位有空缺,自我推荐的人纷纷而至,开始时就全力谋求官位,不行就想方设法争取官位;宣示好恶标准而无人肯谦退,限定任职资格而取求不止,未听说朝廷对此有所惩戒。身居官位就想到自己的职责,这就是义;违背国家利益经营私利,这就是利。现在朝廷内外求官之人,只计较职务是繁忙还是简单,俸禄是丰厚还是微薄,得到官位后,就屈指计算而盼望升迁,援引成例而想快速升迁,官府的公务,不曾有十月半月的计划。希望明诏大臣,深深思考导致弊端的原因,共同寻找改革弊端的方法,使士风稍振,百官尽其职守。"宋孝宗同意了。

浙西转运使奏报进士施浦等人各自献出五千石米赈济灾民,提议按规定补授官职,宋孝

宗说："朕不出卖官爵以清正入仕之源。现在因为赈济灾民而补授官职，只是为百姓着想。"

甲午（初七），金国主对大臣说："海陵王单纯注重具体事务，当时的宰执大臣，只以处理案头工作为职责。你们应当思考经邦济国的办法，不可拘泥于成规。"

丙申（初九），任命参知政事郑闻为资政殿大学士、四川宣抚使。

甲辰（十七日），金国主改名为完颜雍，诏令告谕中外。

金国完颜璋获罪，群臣纷纷议论，说午年必定用兵。金国主就此事询问宰相，赫舍哩良弼回答说："太祖在甲午年讨伐辽国，太宗在丙午年战胜宋国。现在宋人夺我国书，也正好在午年，所以有了这一说法，未必正确。"于是派遣刑部尚书梁肃为出使宋国的详问使。国书大致说："盟书所记载的，只在'帝'前加'皇'字，免去奉表称臣、称名、再拜等，减少岁币数量，使用原来的礼仪，亲自接受国书。此礼仪确定后，至今十年。现在得知庆贺正旦节的国信使到达你国，不依照定例引见，却让人在馆舍强制取走国书。侄国的事体应当像这样吗？派人前往询问详情，应当以诚心答复。"

癸丑（二十六日），梁肃入宫朝见，宋孝宗仍然站着接受国书，梁肃返回时，附上信表示道歉。金国主大喜，打算任命梁肃为执政大臣，赫舍哩良弼说："梁肃可以做宰相，但是出使宋国返回就任命他，宋人因此会轻视我们。"就停止了。

建隆年以来，沿用唐朝旧制，区分门第等级，不相混淆，所以有出身、无出身及进士上三名，贤良方正、曾任馆阁、省府之类的名目，升迁转任都不相同，贪赃犯及流外官、纳粟买官者，尤其不能使他们污染士人的名声，所以不仅仅区分为左右两种官员。元丰年间官制推行，开始统一官名，然而还有同一官职而区分左右的，只是以此稍稍优待进士出身的人。到元祐年间，就从金紫光禄大夫到承务郎，都根据有出身、无出身来区分左右，至于犯贪赃罪的人就都去掉左右字眼，评论者尤其认为恰当。绍圣年以后，又停止了左右官制度。绍兴初年，才致力于推行元祐年间的制度，所以左右之制也又一次推行了。到这时赵善俊提议，认为这是源本于范纯仁偏激的言论，请求再省去，宋孝宗同意了。

丙辰（二十九日），太白星、岁星同时出现，经过天际。

这个春季，有人弹劾："淮南安抚使王之奇，好说大话，居官位而无功业，想做脱身的打算，就奏请朝廷让他出任将帅。淮上饱经战火摧残之后，他首先创建招诱之制，开垦荒田，大量申请官钱、空名委任状前去任职。所招诱的人，有人妄用已开垦的熟田，计入新开垦的田地数额，以求任命官职。"就免了他的职。王之奇免职之后，淮南又分为东、西路。

夏季，四月，乙丑（初九），金国主告谕宰执大臣说："听说愚民祈祷福禄，大量兴建佛寺，虽已下令禁止，还多有违犯。应当重申禁令加以控制，不要让他们白费钱财。"

戊辰（十二日），金国在太庙举行祭祀礼仪，让皇太子代行礼仪。

乙亥（十九日），金国主对太子、各封王说："人的品行莫大于孝敬父母友爱兄弟。自古以来兄弟之间，大多因妻妾挑拨离间，导致互相背离。况且妻子只是外人，如果只听从妻子之言而兄弟因此相互背离，很不符合道理！"太子回答说："《思齐》这诗首中说：'示范于正妻，推及到兄弟，以此统治国家。'臣等虽然愚昧，愿意相互勉励而修炼品行。"还引用《常棣》篇中花萼相互依存，脊令水鸟相互救难的大义，写了一篇文章表达主题，以告诫兄弟要互相友爱。

己卯(二十三日),任命姚宪为参知政事,户部尚书叶衡为签书枢密院事。

戊子(疑误),金国任命枢密副使图克坦克宁兼任大兴尹。

宗正寺奏请训示宗室名:翼祖之下“广”字辈,其子连“继”字太祖之下“与”字辈,其子连“孟”字,太宗之下“必”字辈,其子连“良”字,亲贤宅“多”字辈,其子连“自”字,棣华宅“茂”字辈,其子连“中”字,魏王之下“时”字辈,其子连“若”字。

诏令举行制科考试。

这个月,命工部尚书张子颜等人前往金国回访,仍请修改接受国书的礼仪。金国主与大臣商议,左丞相赫舍哩良弼说:“宋国免称臣为侄,免奏表为书,恩赐也很多了。现在又乞请免除亲自接受国书的礼仪,这是贪得无厌。必不能同意。”平章政事完颜守道、参知政事伊喇道同意赫舍哩良弼的观点。右丞相石琚,右丞唐古安礼,认为不同意宋国的请求,必然导致用兵,金国主对石琚等人说:“你们的观点错了,如果宋人请求比这个更重大的事情,也同意吗?”于是采纳了赫舍哩良弼的观点,回信要求遵守原定的名分,国书授受礼仪仍不改。

五月,甲午(初九),金国主前往金莲川。

丙申(十一日),臣僚说:“伏见六部及各寺监官,共同讨论诉讼文字时,大多临时办理,于是导致不能彻底研究,上报迟缓。奏请今后令其所辖之下的官员首先集中讨论。”宋孝宗说:“这是引用西汉的制度,很为得体。”

己亥(十四日),叶衡说:“兵权掌握在将帅手里,民命寄托在守臣身上,二者的祸患,常在于多次更换。希望今后精心加以选择,使选用的人才称其职,然后极力推行守臣长期任职的做法,以破除多次更换的祸害。”宋孝宗同意了。

甲寅(二十九日),著作郎木待问说:“士大夫气节没有建立,只能由陛下培养形成。如竞相钻营的风气,最破坏气节,不可不改。”宋孝宗说:“应当像你所说的那样,必须赏罚分明,使竞相钻营的人受到惩戒。”

六月,丙辰朔(初一),诏令说王友直、吴挺,自身很廉洁,治军严整有方,凡所统御的军队,原有弊端顿时可除,可都授给节钺仪仗。武功大夫、荣州刺史、提举台州崇道观秦琪,身为帅臣,破坏军政,专门从事阿谀攀附,贪得无厌,可贬责授任舒州团练副使、在漳州接受安置处分。

戊午(初三),诏令:“多次颁降指令,已经有差遣的人不得要求调换职务。近来约束渐渐松弛,钻营之风日益严重。今后可依照已颁降的指令,三省将钻营之人的姓名奏报朝廷,应当议定给予贬降。已经授任差遣的人,入朝辞行完毕后,限定半月之内离开都城。”

任命兴州都统制吴挺为定江军节度使。

癸酉(十八日),改江陵府为荆南府。

戊寅(二十三日),右丞相曾怀免职。

在此之前御史台官员詹亢宗、季棠谈论国事,乘机中伤曾怀,曾怀于是请求免职,而且乞请辨明诬谤之实。大理寺追查对曾怀的诬谤失实,就贬黜詹亢宗及季棠。有人追查到参知政事姚宪,与詹亢宗等人同谋,陷害曾怀以谋夺相位,就罢免姚宪。甲申(二十九日),姚宪被免职授予宫观官。任命叶衡为参知政事。

这个月,诏令商议祫祭礼仪中东向之位的事宜。

当初,吏部侍郎赵粹中说:“前代天子的七庙不同宫,举行合祭祖先的祫祭时就以太祖居东向之位。绍兴五年,董弅提出建议,请端正太祖东向而立的尊位,说:‘太庙七世的世数已经齐备,而太祖还居于第四室。乞请遵照典章礼仪,端正宗庙制度,每逢祫祭时就东向之位以尊。’传令侍从、台谏集中商议。不久王普也提出这样的奏请。当时参加集议的人,如孙近、李光、折彦质、刘大中、廖刚、晏敦复、王俣、刘宁止、胡交修、梁汝嘉、张致远、朱震、任申先、何榖、杨晨、庄必强,李弼直,都认为他提议的内容都符合于礼制。当时臣的叔父赵涣任将作监丞,奏陈更加有力,据引《诗经》《仪礼》的原文,乞请参考汉太公建造万年庙、南顿君建造章陵庙的典故,另外建造一庙,安奉僖、顺、翼、宣四祖,在举行禘祭、祫祭、烝祭、尝祭时,都进行祭祀;而太祖皇帝神主,自然应当正位东向,那么受命的君主,不失去其尊位,远祖的神灵,永远享有日常的祭祀。光尧皇帝认为很对,就提升董弅为侍从,叔父赵涣为御史。这时赵沛是谏议大夫,认为这个建议不是出自自己,宣扬邪说以损害正论,而想在举行祫祭时让东向之位空着。现在如果考察《六经》中的典章礼仪、夏商周三代的制度,确定太祖为受命之祖,那么每三年举行一次的祫祭,应当安奉太祖东向之位,才算是尊重开基创业的祖宗。在太庙的日常祭祀中,就安奉太祖神位居第一室,永远作为不祧之祖,就像汉高祖一样;其次安奉太宗神位居第二室,永远作为不祧之宗,就像周武王一样。至于僖、顺、翼、宣的神位,在各自传了五世之后就从宗庙中迁出,另议迁祔之所,臣也曾考证过:迁祔于德明、兴圣之庙,这是唐代的制度;另建太公庙、南顿君庙,这是汉代的制度。前日王普已引用了迁祔于德明庙、兴圣庙的制度,而想迁祔于景灵宫、天兴庙,朱震也乞请存藏在夹室中。现在如果另建一庙作为四祖之庙,或者迁祔于天兴殿,或者存藏于太庙西夹室,每遇举行祫祭,那么就将四祖神位在夹室之前另设一个祭祀堂幄,而太祖就东向之位而尊,都不互相妨碍。这样就使圣朝的宗庙制度,都符合典章礼仪。”诏令礼部、太常寺讨论。不久另建四祖庙,正太祖居东向之位,这是采纳礼部侍郎李焘的建议。

秋季,七月,丁亥(初二),再次任命郑闻为参知政事。罢免郑闻四川宣抚使职务,任命成都府路安抚使薛良朋为四川安抚制置使。

戊子(初三),诏令:“朕思考天下的治乱,取决于风俗的好坏,风俗的好坏,取决于士大夫的偏爱时尚。所以士大夫,是风俗的表率,是天下大治的依赖。所以上面有知礼义讲廉耻的风气,那么下面就有忠厚纯朴的品行;上面有险怪轻薄的风气,那么下面就有乖争冒犯的变乱。朕曾下令禁止奸贪,制止浮华奢靡,自我节俭以为天下人做表率,而历时很久,没有得到治理的功效,估计是在位者未能提高道德改善品行,以醇厚风俗,所以廉洁之士失耻,贪婪之徒赢利,将如何辅助朕振兴教化达到天下大治,无愧于祖宗呢?各部使、郡守,能为朕物色郡邑中的廉洁官吏前来奏报,朕将选拔奖赏,对他们破格使用。如有人利用职权结党营私,伪造虚誉,推举不符合诏令的人,使有才德的君子受阻不能上闻,是你们的过错,必定惩罚不宽恕。”

壬辰(初七),重新任命曾怀为右丞相兼枢密使。

甲午(初九),有关官员说:“乾道元年因为灾害,暂时停止征收的钱物,浙东路从淳熙元年开始,分三年补交;江东路等到丰收之年,分两年补交。”宋孝宗说:“既然遭受灾害,就暂时停止征收钱物,税赋也无从可出,可给予免征。”

丁酉(十二日),诏令撤销各路州县的市令司机构及在职官员购买物品,都依照民间市价付款,不能摊派克扣。

癸卯(十八日),中书、门下省奏报关外四州、沿边境各路及金州上津都有前来归正的人,诏令四川安抚制置司传令都统司经常亲切抚慰,不要让归正人流离失所。

甲辰(十九日),诏令长江沿线遭受水灾的民户,由守臣胡与可亲自巡视慰问。后来听说遭受水灾生活贫困的有六百多家,从左藏南库每家支钱五贯,仍允许在长江沿岸指定的地点盖建房屋。

戊申(二十三日),江东提举潘甸说:"奉旨令,所管辖的州县负责安排修筑疏浚治理池塘,现已完工,总计九个州、军,四十三个县,一共修治池塘沟堰等水利设施二万四千四百五十一所,可灌溉农田四万四千二百四十二顷有余。"诏令将奏章传发各路,依照此法奏报。

己酉(二十四日),姚宪贬责到南康军居住。

八月,己未(初五),知枢密院张说免职,任命徽猷阁学士杨倓为签书枢密院事。

宋孝宗查知了张说欺君罔上的几件事,命侍御史范仲芑追究他,就让他以太尉职衔提举隆兴府玉隆观。

庚辰(二十六日),宋孝宗说:"枢密院任命官员,必须公正,如果亲人旧友中有人乞请差遣,必须明确申报资格,待朕处置。"

壬午(二十八日),宋孝宗对宰执说:"朕任用人才,本来不因为推荐人的情况而决定是否任用,只要求推荐得当。如果推荐人偶尔因为犯罪离职,被推荐人与他狼狈为奸,就应当一同贬逐。如果被推荐人本来就不阿谀依附,又有才能,应当依旧任用他。"又说:"鲧的为人,根本不妨碍禹获得成功。"杨倓说:"这确实是尧、舜的用心。"

九月,乙酉朔(初一),任命曾觌为开府仪同三司。

丁亥(初三),金国主返回京都。

戊子(初四),宋孝宗对曾怀等人说:"前日前往德寿宫,太上皇饮酒很高兴。太上皇年将七十,步履饮食如同壮年人,每次侍陪太上皇在苑囿中散步,登高下坡都不需要扶持。朕看到太上皇如此长寿健康,回顾皇太子陪侍在侧,三代人同享这样的安乐荣耀,其中的快乐无法用言语来形容。"曾怀等人表示称贺。

壬辰(初八),诏令:"江西、湖南路多次遭受灾害,除了上供的粮食逐年已经减免外,今年虽然丰收了,还考虑到民力未恢复,所有第四等、第五等人户应该缴纳的淳熙元年的秋苗钱,特给予减免一半。"

乙未(十一日),淮东安抚司奏报边境榷场安静,杨倓于是说金国主本来没有其他念头,他的臣下或许有人妄生事端,宋孝宗说:"不可以此为喜。按理说本来应当安静,然而这不是我们君臣的志向。"

知随州蔡戡上奏谈论唐太宗《贞观谏录》,宋孝宗说:"善于纳谏正是唐太宗的特长。此书放置座位右面,可以作为借鉴。"

丁未(二十二日),因为张荐受贿,追夺三官,勒令停职,贬责郴州居住。右武大夫、果州团练使李川私下馈赠,降任武功大夫、吉州刺史。右武大夫、楚州团练使王公述常用钱财请求军职,降任武功大夫、贵州刺史,随即免官。左武大夫、贵州刺史宋受,降任右武大夫、修武

郎，阁门祗侯刘士良，降任保义郎，都随即免官。张荐是武经大夫、文州刺史，特从遥郡阶官上追夺三官。

冬季，十月，乙卯朔（初一），金国在衍庆宫描绘功臣画像。金国主思念太祖、太宗创业艰难，寻找当时群臣中功勋最卓著的二十一人，描绘在衍庆宫圣武殿的左右廊：辽王完颜杲，金源郡王萨哈，辽王完颜宗干，秦王完颜宗翰，宋王完颜宗望，梁王完颜宗弼，金源郡王实布纳，金源郡王鄂啰，金源郡王希尹，金源郡王洛索，楚王完颜宗雄，鲁王栋摩，金源郡王尼楚赫，随国公鄂兰哈玛尔，金源郡王实古讷，豫国公富嘉努，金源郡王完颜杲，兖国公刘彦宗，特进鄂噜哈齐，齐国公韩企先，特进完颜迪实。

壬戌（初八），诏令："从今以后违法买卖官位及荐举受贿之人，因别的事而败露，除了有关机构定罪外，再等朕特下旨令，加重处罚。"

癸亥（初九），因为阴雨连绵命令中外官府迅速判决在押囚犯。

丙寅（十二日），参知政事郑闻去世。

戊辰（十四日），命令绍兴府的上供米给予免收，因为守臣张宗元奏报各县发生旱灾的缘故。

壬午（二十八日），皇子、判宁国府魏王赵恺调任判明州。赵恺在任二十年，很有恩惠于民。

十一月，甲申朔（初一），发生日食。

丙戌（初三），杨倓说："近来因为奏事，谈到时政，承蒙陛下告谕：'对待敌人应当使用诡计，在朝做官应当使用诚实。百余年来，曾因敌国强而中国弱造成患乱，正是因为违反了这个原则。对待敌人既无奇策，动辄被敌人所窥探。在朝做官以权术互相倾轧，以积极钻营谋取晋升，这种风俗的弊病，应当加以挽救匡正。'圣上的谋划切中时宜，希望宣付史馆予以记载。"宋孝宗同意了。

戊戌（十五日），任命礼部侍郎龚茂良为参知政事。杨倓免职，任命叶衡兼权知枢密院事。

甲辰（二十一日），宋孝宗召见叶衡和龚茂良，赐坐，说："两位参政都是公议选定的。"叶衡等起身致谢，宋孝宗又从容地说："从今以后各种事情不可徇私情，像乡里亲戚，也不要荐引。朕常主张公道，假设有不当之处，你们应当极力争辩，君臣之间，不可将事情宣扬出去。《房玄龄传》《杜如晦传》没有可记载的事情，大概因为他们辅佐君主弥补过失，没有被外人知道，所以能这样。"叶衡说："皋陶、稷、契在唐尧、虞舜的朝代任职，他们留给后世的，只有'都'、'俞'、'吁'、'咈'数语而已。"龚茂良说："大臣根据道义侍奉君主，遇有不能做的事，自然应当竭诚忠告，岂能使外人知道这些事！"

金国主对尚食局使说："大官署准备的食物，都是民脂民膏。每天品种太多，只是白白浪费，从今以后送来几种可口的饭菜就行了。"

丙午（二十三日），曾怀免职，任命为宫观官，这是因为曾怀因病而自己奏请的。

戊申（二十五日），任命叶衡为左丞相兼枢密使。叶衡从知县不到十年升到宰相，提升很快，大家说超出了曾觌。

己酉（二十六日），著作佐郎郑侨说祖宗朝代时每天召见讲读官，到仁宗朝代时，开始每隔一天侍讲一次的制度，宋孝宗说："从太宗、真宗时开始设置侍读官、讲读官，对圣学尤其专心。"

壬子（二十九日），江西转运使钱佃等奏报："兴国军将公使库中已变质的酒强制勒令百姓高价购买，臣等虽已禁止，请朝廷严令禁止。"宋孝宗告诉叶衡、龚茂良说："奉命执行法令，对下不可不严格。事情既已上报，却应当从宽处置，然后各得其宜。现在属郡官员违反法令，监司却置之不问，而请朝廷严令禁止，与事体不相符。"就诏令本路监司开列负责卖酒的官吏姓名申报尚书省。

十二月，丁巳（初四），任命吏部尚书李彦颖为签书枢密院事。

甲子（十一日），因为盐官县发生干旱灾害，减少向农民发放苗租钱。

丙寅（十三日），停止铸铁钱，改铸铜钱。

壬申（十九日），叶衡等进呈《真宗玉牒》。

加封资政殿学士、知荆南府沈夏为大学士，出任四川宣抚使；新任四川制置使范成大，改任管内制置使。

戊寅（二十五日），金国任命平章政事完颜守道为右丞相，枢密副使图克坦志宁为平章政事。

这个月，修订吏部七司法。龚茂良说："任人之道，对朝廷来说就应当量其才能加以重用，对于选部来说就应当遵照成法加以派遣。因为法令一旦确定不能更改，如同圆规方矩、秤杆秤砣，不能私自改变方圆、轻重的标准。法令本无弊端，而例实际上破坏了法令。法令，是为天下人确定的标准；例则是因人而立，因此破坏了天下人所遵守的公正。过去的祸患，在于用例破坏法令；而现在的祸患，在于依据例而建立法令。现在吏部七司法，由晏敦复裁定，有关官员遵守它来处理事情，可以无弊。后来因为臣僚申请修改，前后不统一，大概多出自私心，徇人情。向来陛下很了解其弊端，曾加以告诫，不得用例破坏条令，然而有关官员善于牵强附会，巧立名目。臣认为用例破坏法令的害处浅，而依据例建立法令的害处大。应当诏令有关官员研究法令的本末，将新旧法令相互参考。旧法中如果不是有很大的错误，不能轻易删除；新立的条文制度，凡是涉及宽纵，与旧法有矛盾的地方，全部加以修正；这样国家成法才能简易明白，便于遵守。"宋孝宗同意了。

这一年，淮南又分为东、西路。

淳熙二年　金大定十五年（公元 1175 年）

春季，正月，辛巳（疑误），前任宰相梁克家、曾怀，因为擅自改变政事堂的任职，梁克家免去观文殿学士之职，曾怀降为观文殿学士。

甲午（十一日），废止同安监、蕲春监。

庚戌（二十七日），征调各军子弟组建背嵬军。

二月，癸亥（十一日），诏令："泉州左翼军，远离朝廷两千里，每件事必申报枢密院、殿前司，恐怕导致失去机会。从今以后遇有盗贼兴乱的情况，暂时听从安抚司指挥。"

三月，己丑（初八），何澹担任试馆职官员，说："由政事堂负责的任命官员补阙的职责归属吏部，也有不便之法。根据旧法，吏都的尚书和侍郎能够考核年老不能承担政事的人，现在吏部不再考核加以进退。现在推荐候选官员改任官职，不曾听说有吏部不同意改官的。"

宋孝宗说："恐怕所提建议有可以采纳之处，不要忘了这件事。"不久又奏请令吏部从实考核官员，所有推荐候选官员改任官职的，在呈进的卷宗内写明推荐人所推荐人的事迹；如果是缉捕盗贼的人，就详细说明所得功赏的原因。宋孝宗同意了。

乙巳（二十四日），诏令："武举考试第一名补授秉义郎，由政事堂任命各军的计议官。"

夏季，四月，壬子朔（初一），淮东、淮西两位总领各自乞请用金银兑换会子用于支付，宋孝宗说："纲运费用中既然以会子中的一半交纳，为什么就你们缺少？"叶衡、龚茂良回答说："因为朝廷用金银兑换回收会子，储存不使用，金银比价降低，军人支领军饷有亏损，所以想使用会子。"宋孝宗说："更要考虑会子缺乏的原因。"叶衡又说："户部每年收入一千二百万，其中一半为会子。而南库用金银兑换回收的会子有四百多万，在外流通的会子才二百万，怎能不缺少！"宋孝宗说："这是户部的数目，不知两位总领所分别缴纳的数额如何？两处暂且各自给三十万会子，用金银兑换。"不久钱良臣申报："民间缴纳赋税，缺少会子，加上两淮地区换用铜钱，已支付完了会子，奏请再次拨给。"宋孝宗说："会子竟然如此缺少？"龚茂良说："听说商人往来贸易，只用会子，一是因为免缴商税，二是因为携带方便，三是因为不再贬值。由此观之，可以大量流通。"宋孝宗下令支付，于是宣谕说："你们要研究会子的本末变化，思考善后之计。"

乙卯（初四），赐礼部进士詹骙以下四百三十六人进士及第、进士出身。

闽人杨甲在对策试卷中，谈到恢复失地志向不坚定的两件事：一是"妃嫔满前，圣意接近于沉溺"，一是"策士一开始，就把谈论兵事作为忌讳"，宋孝宗审阅了对策试卷，不高兴，放入第五等。

这个月，茶寇赖文政起兵湖北，转入湖南、江西。官军多次失败，命令江州都统皇甫倜招降他；不久命令鄂州都统李川调兵讨伐缉捕。

五月，己丑（初九），诏令知县以三年为任职期限；这是采纳饶州知州王师愈的奏请。

辛卯（十一日），在澄碧堂宴请宰执大臣。宋孝宗说："从三代以下，至于汉、唐，天下大治的时间常少，而天下混乱的时间常多，为什么？"叶衡回答说："正因为圣君不常有。如周代历时八百年，能称得上天下大治的，只有成王、康王。"宋孝宗说："朕常看《无逸篇》，见到周公为成王历数商、周之君享国久远的原因，真是后世的宝鉴，未尝不以此为戒。"叶衡等说："陛下能以《无逸》为宝鉴，的确是宗庙社稷无穷的福泽。"宋孝宗又说："陆贽对于唐德宗来说，不能说是未受到赏识。朕曾看他的奏议，喜欢他的忠诚正直，逐步施行他的建议。"龚茂良说："苏轼在经筵，进献《奏陆贽奏议表》说：'人臣进献谏言，正像医生用药。药必须经过医生的手，药方大多是古人流传下来的。'陆贽不受德宗赏识，现在陛下很喜欢他的书，想推行他的意见，这也是赏识啊。"宋孝宗又说："朝廷用人，只论其是否贤良，不能有党派偏见。如唐代的牛党、李党，两党相互攻击，四十多年不停止，都因为君主决断不明，所以才如此。唐文宗就说：'消灭河北的贼容易，消灭朝中的朋党困难'，朕曾笑他。作为君主只要公正判断谁是谁非，怎能结为朋党！"叶衡等说："陛下圣明英武，的确不是唐文宗所能比的。"宋孝宗说；"这就是所谓坐而论道，难道不胜过听丝竹管弦的音乐？"都起身致谢。宋孝宗又说；"朝廷所推行的政事，是对是错，自有公议。近来士大夫喜欢倡导清议之说，此语一出，恐怕互相效仿成风，便认为认真办事的人是庸俗，而以矫揉造作沽名钓誉的人为清高。迅疾不

已,如东汉激成党锢之风,大概都是因为这个原因。深害治国事体,岂可不引以为戒!你们可以将它写在自己的衣带上。"

龚茂良与周必大推荐宜黄知县刘清之,宣召入宫应对,首先谈道:"民困兵骄,大臣托词请退,小臣苟且敷衍。希望陛下广泛听取意见,集思广益,清明廉正,安定天下,提纲挈领地极力推行。古往今来没有不可改变的风俗,没有不可革除的弊端,变通改革,在于陛下的一念之间。"又谈到用人的四种方法:一是辩白其是否贤良,二是判定是否名实相符,三是发挥其才能,四是听从调遣。宋孝宗很同意他的观点。

告谕宰相,对于朝廷的缺点,官民都能提出谏言。

六月,庚戌朔(初一),确定任命京外地方官附加朝官职衔的制度,这是采纳左司谏汤邦彦的奏请。汤邦彦说:"陛下日理万机,规划恢复失地的功业,然而国势未能强盛,兵威未能振奋,百姓财力未能富裕,国家财政未能丰厚,是什么原因呢?因为群臣不努力的结果。希望从今以后,中外官员,无功劳就不给奖赏,而以侍从官员的优待标准对待有功的侍从,以宰相的优待标准对待有功的宰相,担任侍从、宰相的官员没有功劳而卸任的人,都以原来的官职回归原来的官位。只有能强国治兵、裕民丰财的人,则随时奖赏,还要视其功劳大小划分不同的奖赏级别。担任侍从官的人立了大功,给予他宰执的优待标准也行;担任宰相的人功劳不大,就给予他侍从的优待标准也行。在地方任职,即使不曾担任侍从、宰执,但他所立的功劳足以得到侍从或宰相的优待标准,也要视其功劳加以赏赐。那么天下之士,变追求晋升之心为立功之心,而陛下的志向就可以实现了。"宋孝宗很同意他的话,就诏令:"从今以后宰臣、侍从,任命为地方官,没有建立功绩,都不授朝官职衔;在朝任职时间长的人,特许给予调动;地方官员,没有建立功劳的,也不授朝官职衔。"于是曾逮由权工部侍郎出任秀州知州,不带朝职,这是采用新的制度。

辛酉(二十四日),撤销四川宣抚使,恢复制置使。

汤邦彦说:"西蜀重设宣抚司,应将原来所管辖的事务,全部归还军中;另外,除了统制司到宣抚司接受审察外,其余的都由都统自行差遣,这样是给了他名分,夺了他的实权。给了他名分,那么以前的礼仪如故;夺了他的实权,那么以前的权势不再存在。以不存在的权势,来维持原来的礼仪,这样必定导致上下互相讨厌,军帅之间不和睦,不仅无益处反而有害处。"宋孝宗采纳了他的建议。于是沈夏以同知枢密院事的职衔奉召回朝,而宣抚司就撤销了。

茶寇势力日盛,江西总管贾和仲打击他们,被其打败。诏令任命仓部郎中辛弃疾为江西提刑,指挥各军征讨茶寇,这是采用叶衡的举荐意见。

汤邦彦说:"蒋芾、王炎,开始都说要誓死效力以报君父,等到获得权位,怀私心失职守,深深辜负了陛下对他们的任用。"又弹劾张说贪赃。丁卯(十八日),免去蒋芾、王炎观文殿学士职衔,贬责蒋芾建昌军居住、王炎袁州居住。张说被免去节度使,贬责抚州居住。

这个月,茶寇从湖南进犯广东。

秋季,七月,乙未(十六日),宋孝宗对宰臣说:"会子通行民间,铜钱日益增多,可喜。"叶衡说:"各地方会子很难求得,臣认为应当酌量给予支付。"宋孝宗说:"过去正因为会子发行量过多,导致了前日会子贬值的弊端,现在必须缓议此事。"

辛丑(二十二日),有异星在西方天空出现。

丁未(二十八日),宋孝宗告谕叶衡等人说:"贾和仲应该依军法处死,然而他的罪行在于轻率进兵。朕观汉、唐以来,将帅被杀,都是因为逗留不进或不听指挥。现在贾和仲只是因为轻敌冒进,杀了他,恐怕将士会临敌退缩。"

八月,丙辰(初八),贾和仲被除名,到贺州接受编管处分。

丁卯(十九日),免征湖南、江西遭受茶寇抢掠的州县租税。

甲戌(二十六日),广西经略张栻说:"各郡赋税收入很少,财政费用不足。近年又实行由官府搬运买卖食盐,这的确是好办法;然而由官府搬运的办法虽然实行了,而各郡的困窘还存在。因为本路各州,全部仰赖于转运司,转运司批发食盐,让各州军自行运销,除了运输费用之外,其利润本来就很有限;而就在这有限的利润中,以十分为比率,转运司收去其中的八成,各州仅得其中的二成。各州所得利润很少,这样导致了无力将批发的盐全部搬运,而转运司根据已拨出的食盐数量,索要八成的利润作为寄存,那么州郡的贫困匮乏何时才能结束!有幸尽全力搬运回的食盐,高价强制百姓购买,这样的事怎能保证没有!乞请责成本司及提刑郑丙、转运司赵善政,共同将全路的财赋收支通盘考虑,制定长远之计,既能使转运司的经费不缺乏,又能使本路州郡有支付的财力,使现行盐法不至于遭到破坏。"宋孝宗同意了。

丁丑(二十九日),派遣汤邦彦出使金国。

宋孝宗曾告谕执政大臣挑选出使金国的使者前往请求归还河南祖宗陵寝地,叶衡说汤邦彦善于争辩,所以派他出使。

九月,乙卯朔(初一),诏令:"扬州、庐州、荆南府、襄阳府、兴元府、金州、兴州,依旧分为七路,每路文臣一人充任安抚使以治理百姓,武臣一人充任都总管以治理军队,任期三年视其政绩以议赏罚。"这是采纳汤邦彦的奏请。

辛卯(十三日),高丽国西京留守赵位宠,以慈悲岭至鸭绿江四十多个城的地盘背叛高丽国归附金国。金国主说:"朕心怀万邦的安宁,岂能助叛臣为虐!"捉了赵位宠的使臣,交付高丽国,赵位宠不久被依法处死。

乙酉(初七),赈济淮南遭受水旱灾害的州县。

乙未(十七日),叶衡免职。当时汤邦彦奉命出使金国,入宫辞行,憎恨叶衡排挤自己,乘机奏报叶衡有诬蔑皇上的言论。宋孝宗大怒,将他罢职改任建宁府知府。

丁酉(十九日),知荆门军黄茂材说:"唐朝李靖的六花阵法,出自诸葛武侯,曾借入宫应对的机会,将六花阵法画成图形呈进。近来帅司奉诏,令州军现有管辖的民兵,以七十五人为一队,正符合李靖的兵法。于是将本军义勇民兵分为七军,每军旗帜颜色各不相同,制造兵器。等到今年冬天亲自加以训练,大阵中包容小阵,大营中包容小营,角落互相钩连,曲折相对,可以排成六花阵。现在荆南府派遣将官前来本军教练,恐怕只是沿袭军中的阵法,请将本军民兵由臣自己教练两个月,再差荆南将官一名前来检阅。"宋孝宗同意了。

己亥(二十一日),龚茂良、李彦颖奏报省院机构各自只有一名长官,办事都不方便,宋孝宗说;"朕因为没有物色到合适人选,所以耽误了。"于是就泛论中外臣僚的情况,宋孝宗说:"做宰臣必须心胸宽大,才能容纳别人。"龚茂良回答说:"《坤》卦的六二爻,是大臣的爻位,爻辞说：‘正直心胸博大，即使不熟悉，也不会不利。’正直的德行，必须心胸博大才能容纳人。”宋孝宗说：“身居宰相之位怎能心胸不博大！”李彦颖说：“后世做宰相的人，往往事先怀有嫉妒之心，因此不能容纳人。”宋孝宗说：“士大夫担任另外职务时，没有表现出他的短处，刚刚位居执政官员，便有了这个毛病。”龚茂良说：“《秦誓》说到宽容和嫉妒，苏轼为它做了注释，说‘前一种人像房元龄，后一种人像李林甫。’”宋孝宗说：“对。”又说：“现在的士大夫能写文章的多，知道治国之道的人少，所以平时读书很多却不能运用到实际中。”

庚子（二十二日），诏令：“阶州、成州、四和州、凤州，从职官以下的官员，令本路的安抚使、转运司从四路在职官员中挑选任用，并考核现任人员确实衰老和不能胜任的人，都申报制置司，等候朝廷的指令。所任命的官员，不允许推辞。所有边境的奖赏，令吏部仔细研究，申报尚书省。”这是采纳知成都府权四川制置使范成大的奏请。

丁未（二十八日），同知枢密院事沈夏免职。

追赠赵鼎为太傅，进封丰国公。

闰九月，己酉朔（初一），金国制定禁止携带弓箭、刀枪的制度，只有正式官员的家奴和旅行在外的人允许携带弓箭。

金国主对左丞相赫舍哩良弼说；“现在的在职官员，必须职位符合他的愿望，然后才开始努力。如果稍不如意，则只是以混日子为事务，这难道是忠臣之道！”

庚戌（初二），诏令：“各路常平司，每年在秋收之际，考察现在所管辖郡县是丰收还是歉收，如有应该赈粜救济的，就大致估计所需数量，和现有库存的粮食或许有缺少，应该如何安排调运，都预先审核估算，仍在九月上旬详细开列奏报。”

丁巳（初九），任命李彦颖为参知政事，翰林学士王淮为签书枢密院事。

金国主对赫舍哩良弼说：“武灵帝在位时，领省事完颜秉德，左丞相完颜言，都有能干的名声，然而执政不从远计议，只以苛刻行事。海陵王为人如虎，他们还想以权术取得他的赏识，以至于叛卖正直而取死，称得上能干吗？”

不久，济南尹梁肃上疏说：“刑罚有时轻有时重，自从汉文帝废除肉刑，犯罪而被判刑的人，戴着镣铐服役，刑期届满就释放；家中没有另外的青壮年人，加以杖刑抵作徒刑。现在参考辽代的刑法，判一年徒刑的再杖打一百，这是一罪二刑；刑罚之重，在此最为厉害。现在天下太平很长时间了，应当使用适中的法典，有关部门还在使用重刑，臣实在痛惜。从今以后犯了罪判徒刑的人，只服刑役，不再判决杖打。”没有回复意见。

辛酉（十三日），浙东提刑徐本中说：“近来州郡官员，大多根据私心改换官吏，不申报尚书省和吏部，不报知监司。将州郡一级官员调往县级机构任职，将县一级官员调往州郡一级机构任职，或者用其他官员来兼任、代理某职，或者给小官委任重职，往往辞去烦繁的官职就任清闲的官职，舍弃待遇低的官职求取待遇厚的官职，到处求请，心怀侥幸，唯利是图，变动频繁，渐渐扰乱旧制，理应加以训诫。”宋孝宗同意了。

金国诏令百官侍从所穿的紫红色衣服改为紫黑色衣服。

壬戌（十四日），诏令浙东提举监司仿照浙西提举薛元鼎创设印给亭户缴纳食盐的凭证式样，将应该支付的本钱如数支付，不要导致积压拖欠。

在此之前薛元鼎印发凭证，发给全部的亭户，让他们携带凭证就支付本钱，至此又命令

浙东推行这种办法。

丁卯（十九日），因为浙东发生旱灾，下令转运司负责兴修水利。

辛未（二十三日），淮南转运司奏请让濠州的钟离、定远巡检耿成连任，宋孝宗说："根据祖宗成法，只有监司及沿边的郡守才允许连任。耿成虽有功劳，已经连任一次了，不要因为小官的任用破坏了祖宗成法。"

甲戌（二十六日），金国主命令年老者不任命为县令；如果年老者还在职，选择壮年人辅佐他。

这个月，辛弃疾诱捕赖文政，杀了他，茶寇被平定。于是上疏说："近年李金、赖文政等相继起兵，都能一声呼啸而聚集千百人，杀害吏民掠夺钱财，以至于烦劳出动大兵加以消灭，确实是因为州官将催办财赋视为当务之急，官吏有残害百姓掠夺钱财的行为而州官不敢过问；县官将乘机征收赋税作为当务之急，官吏有残害百姓掠夺钱财的行为而县官不敢过问。田野的百姓，州官以聚敛损害他们，县官以征收赋税损害他们，官吏以索要钱财损害他们，富豪以兼并土地损害他们，盗贼以剽夺损害他们，百姓不去做强盗，能到哪里安身！百姓是国家的根本，而贪官污吏迫使他们做强盗，今年剿除，明年扫荡，就像树木一样，日刻月削，不是被损害就是被折断。希望陛下深思导致盗贼产生的原因，研究消灭强盗的对策，不要只依靠平定强盗的军队；告诫州县，以厚爱百姓为宗旨。"宋孝宗称赞他的话。

冬季，十月，戊寅朔（初一），诏令："浙东应该缴纳的内藏库坊场钱，可依照原来确定的租金数额缴纳。

奖赏平定茶寇的有功人员。湖南、江西、广西监帅，给予了不同等级的贬黜或晋升。"

壬午（初五），给居住在德寿宫的太上皇和太上皇后加上尊号曰光尧寿圣宪天体道性仁诚德经文纬武太上皇帝，寿圣齐明广慈太上皇后。

乙未（十八日），金国主举行冬猎。

壬寅（二十五日），宋孝宗对执政大臣说："李川弹劾统制官解彦详等人平定盗贼，此事很可喜。风俗萎靡不振，只知姑息以徇私情，这种弊端并非一日之久。朕每当发现有能称职的官员，必须给予激励。李川以前曾被降官，现在可以给予恢复原官，再转升一官。"

丁未（三十日），金国主返回京都。

十一月，庚戌（初三），丽正门发生火灾。

当初，金国唐古部族节度使伊喇穆敦之子杀了他的妻子逃跑了，金国主下令捕捉他。至此梁国公主请求赦免他，金国主对宰臣说："公主是妇道人家，不懂典章法令，她的罪还可饶恕。伊喇穆敦请托关系到了这种地步，岂能饶恕。"不同意他的请求。

当时命令福建路制造海船，调遣两淮民兵前往合肥训练。李彦颖说："两淮州县，离合肥远的有一千多里，近的也有二三百里。现在每月民户三丁中征调二丁，限期三个月内训练完毕，事情尚未成功，百姓先已失业了。"宋孝宗改变脸色说："你想全部撤出边备力量吗！"李彦颖说："现在是万不得已，命令三百里内，每家征调一丁到合肥。三百里外的，就在州县训练，每天增加发给钱米，限期一个月内训练完毕。这样就不会重扰百姓。"宋孝宗同意了。

戊午（十一日），提点坑冶王楫，乞请进献宽剩钱以支助庆赏经费，宋孝宗说："这钱不能接受，下令在本地保存，用来制造军器。"

癸亥(十六日),臣僚说:“祖宗在位时有《会计录》,详细记载国家的财赋,支出收入都记账,一州的由司法掌管,一路的由漕属掌管。绍兴七年,臣僚中有人奏请仿照本朝三司的制度,专门设立提举帐司,总管天下账务,以户部左曹郎官兼任提举帐司的长官,积习已久,视为空文。请诏令户部制定严格措施,使天下财赋有记载可查,不致失落。”宋孝宗同意了。

戊辰(二十一日),静江府知府张栻奏报:“保甲制度的设立,的确是防止盗贼的好办法。臣自到任以来,研究措施,在静江境内加以施行,很有成效,最近又在一路推行。请传令有关官员考订斟酌,严格施行这种办法。”宋孝宗说:“张栻很留心职责内的事。”

张栻不久又奏报:“本路有边防任务的州军九个,而邕州的管辖区为最重要;邕州的管辖区,幅员数千里,其中左右两江最为重要。从邕州向西北有牂牁、大理、罗甸,西南有白衣、九道、安南各国,都是邕州应当设立边防的地方。然而邕州的戍守军队不满一千人,能依恃作为屏障的,只有左右两江,这里居住的土著部落共有八十多处,民兵不下十万,首领实行世袭,各自为战,能依恃以维持抚慰驾驭的人,只有提举盗贼都巡检使四人,各率领一百多名驻防军队领导土著民兵,他们的职责可谓不轻,怎可不挑选适当人选,谨慎保持这片土地,作为南方长久的屏障!乞请依照大观年间的指令,允许本司奏报征召。”宋孝宗同意了。

己巳(二十二日),提举江东潘甸,提举淮东叶翥,权发遣平江府陈岘,谈到修治陂池塘坝的事,宋孝宗说:“以前责成各路兴修水利以防备发生干旱,今年发生了灾害,却没有发现有灌溉的便利,如是不是修筑的水利工程毁坏了,就是原来申报的情况失实。江东遭受干旱的情况最严重,潘甸特降一级官,免去职名;叶翥降二级官,陈岘降一级官。”

甲戌(二十七日),诏令:“大臣每天会见宾客,妨碍政务,对此多次下达禁令。如侍从两省官、三省、枢密院下属官员,有公务,在聚堂禀报办理;大臣在私宅里,除侍从外,其余请求大臣接见的官员,每天各自只允许接见一次。”

十二月,丁亥(初十),诏令:“近来入朝的臣僚,在殿门内随意私自行礼,使朝廷礼仪不整肃,令阁门官对他们加以弹劾。”

甲午(十七日),举行太上皇庆寿的仪式。因为太上皇帝明年是七十圣寿,预先在立春之日到德寿宫举行庆寿礼仪。大赦天下。

这个月,重新修订强盗赃法,比原有法令增重一倍定罪。

合并左藏南库和封桩库。

提领左藏封桩库颜度说:“现在计划,想将南库的上、下库及封桩库的上、下库这四库合并为两库,以左藏南库、左藏封桩为名,将两处钱物各自进行就便兑换,都不用上下二字,不须添置官吏,就用各库原有官吏和应役人员。”宋孝宗同意了。就以左藏南上库充作左藏封桩进行了兑换。

当时皇帝直接调拨南库缗钱,名目渐渐增多,龚茂良说:“朝廷所着急的是国家的财政费用,数十年来研究措施,不遗余力,而有关官员仍说是困窘匮乏无法供给。臣就拿来账簿,寻找本末源流,查阅了多年来财政收支的概况。大致是支出费用日益增多,所收入的数额不够支出的数额。到绍兴十七年,所有积蓄都用完了,每年上报的亏空不过二百万缗;到绍兴二十四年以后,亏空达三百万缗;而乾道元年、二年,亏空六百多万缗。此后却有增收盐钱等名目,大致可以应付。有关官员失职,无以为计,专门指望南库兑贷供应。臣又研究设置南库

的起因，其中经常性的财赋收入，大概也没有多少了，而近来支出费用浩瀚繁多，约计仅可备用二三年。如果从现在开始节省开支，就可避免仓促之间无法供应的忧患。”于是详细奏报，宋孝宗醒悟了。

这一年，江西转运副使进呈神、哲两朝《续资治通鉴长编》，起于治平四年三月，止于元符三年正月。

任命王楫为都大提点坑冶；应该任命的官吏，让王楫奏报任用。不久将官署迁到饶州，每年铸钱数额为十五万缗。

续资治通鉴卷第一百四十五

【原文】

宋纪一百四十五　起柔兆涒滩【丙申】正月，尽强圉作噩【丁酉】九月，凡一年有奇。

孝宗绍统同道冠德昭功　哲文神武明圣成孝皇帝

淳熙三年　金大定十六年【丙申，1176】　春，正月，甲寅，以常州旱，宽其逋负之半。赈淮东饥，仍命(赈)〔贷〕贫民种。金亦以是日免去年被水旱路分租税。

甲子，金诏："宗属未附玉牒者，并与编次。"

丙寅，金主与亲王宰执论古今兴废事，曰："经籍之兴，其来久矣，垂教后世，无不尽善。今之学者，既能诵之，必须行之，然知而不能行者多矣。女直旧风，最为纯直，虽不知书，然其(察)〔祭〕天地，敬亲戚，尊耆老，接宾客，信朋友，礼义款曲，皆出自然，其善与古书所载无异。汝辈当习学之，旧风不可忘也。"

戊辰，金宫中火。

二月，辛巳，帝阅两浙、福建士兵。帝曰："军士皆好身手，教阅甫三数月，事艺已精熟，弓弩手自可比殿司之数。"因谕辅臣曰："向来乌珠南下，陈思恭邀截于平江，官军乃用长枪不能及，乌珠遂以轻舸遁。韩世忠江上之战亦然。今次州郡起发禁军、土军极整肃，兹及时遣归，更加激犒，它时调发，必易集也。"

甲申，赐韩世忠谥忠武。

庚寅，金沈王妃图克坦氏，以奸伏诛。妃，平章政事克宁之女也。克宁坐是罢。

端明殿学士汪应辰卒。

应辰接物温逊，而遇事特立不回，流落岭峤十七年，秦桧死，始还朝，正直敢言。

三月，丙午朔，日有食之。是日为金万春节，改明日朝贺。

戊申，金临潢雨土。

辛亥，进《上皇日历》。

戊午，金主御广仁殿，太子、亲王皆侍。金主从容训之曰："大凡资用，当务节省，如其有馀，以周亲戚，勿妄费也。"因举所御服曰："此服已三年未尝更换，尚尔完好。汝等宜识之。"

夏，四月，戊寅，四川总领所请再借四路职田租课十年，充拣汰人请给。帝曰："昨借诸路职田，寻已给还。四川自当一体，岂可再借！"龚茂良、李彦颖曰："圭田所以养廉，诚不当借。"帝曰："卿等可契勘别拨，其职田便与给还。"

龚茂良等缴进令侍从、台谏、两省官荐（与）〔举〕监司、郡守指挥。帝曰："荐举本欲得人，又恐干求请托，却长奔走之风。"茂良等言："天下事未有无弊，虽三代良法，久亦不免于弊。今陛下既欲精选监司、郡守，非荐举何由知之！"帝曰："若令杂举，则须众论佥允，庶几近公。况又经中书考察而后除授，亦足见朕于人材，博采遴选，非苟然也。"乃诏："侍从、台谏、两省官，参照资格，不以内外，杂举监司、郡守，岁各五人。"

辛巳，两浙运判吴渊请诸路州郡输纳秋苗，加耗不得过三分。龚茂良等言近年州县纳苗，加耗太重，甚者两石以上方可纳一石，帝曰："如此则民力安得不困！吴渊既为漕臣，自当觉察奏劾，重作行遣。"

靖州猺寇边，遣兵讨捕之。

丙戌，金京府设学养士，及定宗室、宰相子程试等第。

戊子，金制："商贾舟车不得用马。"

金以东京留守崇尹为枢密副使。

己丑，叶衡责居郴州，以言者追论其沈湎于酒，徇私背公也。

壬寅，金主如金莲川。

初，汤（彦邦）〔邦彦〕敢为大言，虞允文深器之。允文出为四川宣抚也，辟邦彦以行。允文殁，邦彦还朝，上亦喜其敢言，既，以荐充申议使使金，求陵（寝）〔寝〕地。邦彦至金，金人拒不纳，既旬馀，乃命引见，夹道皆控弦露刃之士，邦彦大怖，不能措一词而出。及还，帝大怒，诏流新州。帝谕宰臣曰："敌人既不受本朝礼币，邦彦乃受敌人所赐。辞受之际，理亦易晓，乃不顾名节，辱命如此！"邦彦既斥不复用，自是河南之议始息，不复遣泛使矣。

己亥，诏诸路提刑，岁五月理囚。

五月，戊申，权知隆兴府吕企中上言："本路钤辖钱卓，初到官，权借印记，愠怒形于公移。"龚茂良等言："祖宗朝，分道置帅以任一面之寄，事权至重。平时分守严，则缓急号令得行。一路兵官，于帅臣自有阶级，岂容如此！"帝曰："祖宗立法，具有深意。"卓降一官。

金南京宫殿火，留守、转运两司官皆抵罪。

癸亥，王淮言步军司宜相度牧马，帝曰："前日朕戒牧马官，以牧马当如爱身，饥饱劳佚，各随时调节。若身所不能堪者，马亦不能堪，但马不能言耳。"龚茂良曰："陛下曲尽物情，仁不可胜用矣。"

帝以张默为秀王夫人之亲，欲与一添差监当。龚茂良言："近制，惟宗室、戚里及归正人方得添差。"帝曰："朕正不欲先自废法，可勿行。"遂除国子监书库官。

金翰林学士图克坦子温进所译《史记》《西汉书》《贞观政要》《白氏策林》，金主命颁行之。遂选诸路学生三十馀人，令编修温特赫吉达教以古书，习作诗、策。

癸丑，合利州东、西路为一。

安南国王李天祚卒，子龙（翰）〔翰〕嗣。

是月，以柴瑾为殿中侍御史。瑾入对，帝曰："惟卿不求进，所以有此除。"

六月，乙酉，四川制置使范成大奏："四川酒课，折沽虚额钱四十七万馀缗，请自淳熙三年为始减放。"诏以湖广总领所上供钱内拨还。

甲午，龚茂良言："近奉诏奖用廉退之士，朱熹操行耿介，屡召不起，宜蒙录用。"诏除秘书郎。熹以改官之命，正以嘉其廉退，乃蒙进擢，力辞。会有言虚名之士不可用者，再辞。即命主管冲祐观。

帝谓执政曰："魏掞之安在？"龚茂良等言已物故。帝曰："其人直谏，方欲稍加擢用，不谓已死。朝廷不可无直谅之士，近有郑鉴，议论亦甚切直，观其所言，似出肝胆，非矫伪为之者。因看郑鉴札子，颇思魏掞之。"时鉴为太学正，遂命召试。又曰："掞之虽死，宜少加旌别，可赠宣教郎、直秘阁。"

除吕祖谦秘书郎、国史院编修官，以修撰李焘荐重修《徽宗实录》也。

是月，金山东两路蝗。

秋，七月，壬子，金夏津县令伊喇珊珠，坐赃伏诛。

乙丑，禁浙西围田。

是月，以郑鉴为校书郎。帝语执政曰："鉴试馆职，议论切直可取，除校书郎以赏其尽言。"因曰："策中所言，或是或非，大率剀切不易。"

诏奖刘珙。珙时知建康府，以江东荒歉，赈济有方也。

八月，乙亥，以王淮同知枢密院事，礼部尚书赵雄签书枢密院事。

庚辰，立贵妃谢氏为皇后。后，丹阳人，幼孤，鞠于翟氏，冒其姓。及长，选入宫，侍太上皇后，后以赐帝，累位贵妃。夏后崩，中宫虚位，妃侍帝过德寿宫，太上谕帝立之，遂复姓。

先是诏御史台六察，许随事弹奏，至是诏："近日纠察各扬乃职，台纲益振，各进二官。"

戊戌，靖州猺寇平。

九月，乙巳，金主还都。

己酉，金主谓赫舍哩良弼曰："西边自来不备储蓄，其令所在和籴，以为缓急之备。"癸丑，又谕之曰："海陵非理杀戮臣下，甚可哀悯，其遗骸仰逐处访求，官为收葬。"

癸丑，侍读周必大进读《三朝宝训》，至真宗尝择广南转运使，因谓左右曰："交、广去朝廷远，当选操心平允，能安远人者任之。"帝曰："于所不闻之处，尤当留意。"

是月，召宰执，宣示中宫袆衣，帝云："珠玉之属，乃就用禁中旧物，所费不及五万缗。"龚茂良等曰："不因宣谕，无由得知支用之俭。"帝曰："朕安肯妄有所费！"因问："近来风俗奢侈如何？"对曰："辇毂下似稍侈，皆由贵近之家仿效宫禁，以故流传民间。彼若知圣意崇朴，亦必观感而化。"帝曰："革弊当自宫禁始。"茂良等复言："仁宗尝以南海没入大珠赐温成皇后，后时为贵妃，以充首饰，戚里靡然效之，京城珠价至数十倍。仁宗禁中内宴，望见贵妃首饰，不复回顾，曰：'满头白纷纷，岂无忌讳！'贵妃惶恐易去。仁宗大喜，命剪牡丹遍赐妃嫔。不数日间，京城珠价顿减。"帝闻之，甚喜。

提举玉隆万寿观李浩卒。浩忠愤激烈，言切时弊，以此取忌于众；帝察其衷，始终全之。为大郡，廉洁，奉养如布衣时。尝论风俗不美者八事，其略曰："陛下求规谏而臣下专务迎合，贵执守而臣下专务顺从，惜名器而侥幸之路未塞，重廉耻而趋附之门尚开，儒术可行而有险诐之徒，下情当尽而有壅蔽之患，期以气节而偷惰者得以苟容，责以实效而诞慢者得以自售。"帝嘉其直谏云。

初，钱良臣以太府少卿为淮东总领，龚茂良闻户部岁拨有浮额，总领悉充馈遗，奏遣户部员外郎马大同、著作佐郎何万、军器少监耿延年，分往升、润、鄂三总司驱磨钱物。会良臣以

岁用不足请于朝廷,茂良请并令万等驱磨。而近习恐赇赂事觉,极力救之,茂良不顾。既而万奏总所侵盗大军钱粮累数十万,茂良以闻,其事中止。俄中旨召良臣赴阙,渐见柄用,其后茂良之贬,良臣与有力焉。延年亦言湖广总所有别库,别历所收,已行改正,故延年、万并迁官,卒坐茂良党罢去;大同独无所举,后得补外。盖三总司苞苴贿赂,根株盘结,一时不能改云。

是秋,彭州奏:"本州三县,诏减课额,民间作佛会以报上恩,请以功德疏随会庆节表疏同进。"帝勿许,令守臣谕以国家裕民之意,并谕执政曰:"前日蠲减蜀中折估钱,人情欢感已如此。若异时兵革偃息,数十年来额外横赋,尽蠲除之,民间喜可知也。"龚茂良言:"陛下躬行节俭,所不获已者,养兵之费,势未能去尔。"帝曰:"自渡江后所增税赋,比旧如何?"茂良曰:"如茶、盐、榷酤,皆数倍元额。其最可念者,折帛、月桩等钱,为江、浙数路之害。陛下念念不忘,若一旦恢复旧疆,则轻徭薄赋,且有日矣。"帝曰:"然。"

台、婺等州水。

冬,十月,丙子,御文德殿,册皇后。

帝尝与侍臣言及中宫辞合得恩数,平居常服浣濯之衣,宰执闻之,进言:"中宫俭德,见陛下齐家之效。"帝曰:"本朝家法,远过汉、唐,独用兵不及。"龚茂良对曰:"国家自艺祖开基,首以文德化天下,列圣相承,深仁厚泽,有以固结天下之心。盖治体似成周,虽似失之弱,然国祚绵远,亦由于此。汉、唐之乱,或以母后专制,或以权臣擅命,或以诸侯强大,藩镇跋扈,本朝皆无之,可见祖宗家法,足以维持万世。"帝曰:"然。大抵治体不可有所偏,正如四时,春生秋杀,乃可以成岁功,若一于肃杀,则物有受其害者。亦犹治天下者,文武并用,则为长久之术,不可专于一也。"

乙酉,令临安守臣禁逾侈。帝曰:"今日习为奢侈者,在民间绝少,多是戚里、中官之家。指挥内须添入'有官者违犯,取旨重作施行'。"

庚寅,罢鬻爵之令。诏曰:"鬻爵,非古制也。夫理财有道,均节出入足矣,安用轻官爵以益货财!朕甚不取。自今除歉岁,民愿入粟赈饥,有裕于众,听取旨补官,其馀一切住罢。"

丁酉,吴渊言秀州十年收支,钱数多寡不同,帝曰:"此系累政守臣任内事,不欲深究,今后痛加撙节。大抵州郡用度不节,必至掊敛,惟先能节用,即年例违法妄取之数,可以蠲减,少宽民力。"

庚子,帝谓宰臣曰:"出令不可不审。《书》云:'屡省乃成事。'至于屡省,何患不成!凡天下事,朕与卿等立谈之间,岂能周尽事情,须是再三详熟思虑,方为尽善。前此正缘不审,故出令多反汗,无以取信于天下,比来甚悔也。"

十一月,壬寅朔,金参知政事王蔚罢。

癸丑,合祀天地于圜丘,大赦。

建康都统制郭刚言车船多坏损,合依海船样造多桨飞江船,帝曰:"车船,古之艨冲,辛巳用以取胜,岂用改造!可令郭纲约束沿流诸军,遇有损坏,随即修葺,不得擅有更易。其多桨船,止许逐军自行创造,不得充新管车船数。"

庚申,金以吏部尚书张汝弼为参知政事。汝弼,元妃之弟也。

十二月,壬申朔,金诏:"诸科人出身,四十年方注县令,年岁太远。今后仕及三十二年,别无负犯赃染追夺,便与县令。”

丙子,金诏:“诸流移人老病者,官与养济。”

金主谕宰臣曰:“凡经奏断事有未当,卿等勿谓已行,不为奏闻改正。朕以万几之烦,岂无一失!卿等但言之,朕当更改,不可吝也。”

乙酉,龚茂良等言:“昨者中宫奏,检照皇后亲属恩泽,裁减外尚馀一十八人,更请裁减八人。臣等检绍兴三年指挥,皇后受册,亲属与恩泽三十人,十三年与二十五人。近制减作十八人,比旧例几镌其半,皇后仍谦冲辞免。以中宫之贵而犹务节约,则为臣下者当如何!望陛下明诏有司,申严法禁,凡侥幸冒滥者,必务革去;又诏侍从近臣,各思所以清入仕之源。”从之。

己丑,黎州蛮寇边。官军失利,蛮亦遁去。

是月,以袁枢所编《通鉴纪事》赐东宫,令与《陆贽奏议》熟读,曰:“治道尽于此矣。”

禁监司交遗及因行部辄受诸郡折送,计所受悉以赃论。

是冬,旌蕲州黄梅县方甫门闾,以三世同居,本路漕臣以其事来上也。

减徽州税绢额。

淳熙四年 金大定十七年【丁酉,1177】 春,正月,丙午,金有司奏高丽所进玉带,乃石似玉者,金主曰:“小国无能辨识者,误以为玉耳。且人不易物,惟德其物,若却之,岂礼体耶?”

戊申,诏自今内外诸军岁一阅试。

金于衍庆宫西建世祖神御殿,东建太宗、睿宗神御殿。

金主欲徙斡罕遗党,散置之辽东,赫舍哩良弼曰:“此辈已经赦宥,徙之恐生怨望。”金主曰:“此目前利害,朕为子孙后世虑耳。”遂徙之。

庚申,诏:“沿江诸军,岁再习水战。”

壬戌,金主以海陵时大臣无辜被戮,家属籍没者,并释为良。辽豫王、宋天水郡王被害子孙,各葬于广宁、河南旧茔。其后复诏:“天水郡王亲属于都北安葬外,咸平所寄骨殖,官为葬于本处。辽豫王亲属未入本茔者,亦迁祔之。”

丁卯,行《淳熙历》。秘书省言:“昨为《纪元》《统元》《乾道》三历交食不密,令太史局别造新历。今来测验,新历稍密。”帝曰:“自古以来,历未有不差者;况近世此学不传,士大夫无习之者,访求草泽,又难得其人。新历比旧,所谓彼善于此。其以淳熙为名。”

户部侍郎韩彦古言:“今日国家大政,如两税之入,民间合输一石,不止两石,纳一匹,不止两匹,自正数之外,大率增倍,然则是欺而取之也。谓宜取州县大都所入,稍仿唐制,分为三等,视其用度多寡而为之制。自上供为始,上供所馀,则均之留州,留州所馀,则均之送使,送使所馀,则派分递减,悉蠲于民,朝廷不利其赢焉,然则自朝廷至于郡县,取于民者皆有成数。整齐天下之帐目,外而责在转运使,内而责在户部,量入以为出,岁考能否而为之殿最,州县不得多取于民,朝廷亦不多取于州县。上下相恤,有无相通,无废事,无伤财,贡籍之成,太平之基立矣。”帝曰:“彦古所陈,周知民隐,可择一才力通敏者,先施行一郡,俟已就绪,当颁降诸路,仿而行之。”寻令吏部郎官薛元鼎前赴秀州,依此将钱绢、米斛等数具帐闻奏。

其后元鼎奏:“驱磨本州财赋,惟凭赤历,难以稽考。望委户部行下本州,将州县应干仓

库场务,每处止置都历一道,应有收到钱物,并条具上供、州用实数,各立项目抄转。仍从户部,每岁委转运司差官,遇半年一次,索历检照,如有虚支妄用,本司按劾。其它州郡,亦乞依此施行。"从之。

二月,帝将幸太学,臣寮言祖宗朝幸学,皆命儒臣讲经,帝曰:"《易》《诗》《书》,累朝皆曾讲。如《礼记·中庸篇》言'凡为天下国家有九经',最关治道,前此却不曾讲。"龚茂良等曰:"此于治道包括无遗,圣学高明,深得其要。"

大宗正丞刘溥,言近年诸郡违法预催夏税,民间苦之。龚茂良、李彦颖曰:"往年谏官曾论其事,方施行间,户部长贰执奏不行。今年春,言者又及此,版曹复申前说,拘回录黄,其说谓'递年四月、五月合到行在及折帛钱共六十一万贯,指拟支遣,若不预催,恐至期阙误'。"帝曰:"既违法病民,朝廷须别法处置,安可置而不问!"茂良等因言:"户部每年八月于南库借六十万缗应付支遣,次年正月至三月措还。今若移此六十万缗于四月、五月支借,则户部自无阙用,可以禁止预催之弊。"帝曰:"知此措置,不过移后就前,却得民力稍宽,于公私俱便。"于是诏:"诸路转运司行下所部州县,今后须管依条限催理,如有违例,监司觉察按劾。"

甲(中)〔申〕,臣僚言:"今日之郡守为民害者,掊克惨酷是也。赋税有定制,而掊克之吏专意聚敛。下车之初,未问民事,先令所属知县均认财赋,且多为之数,督责峻急。国家法令之设,所以与天下公共者也,而残酷之吏,非理用刑,或残人之肢体,或坏人之手足,或因微罪而陨其性命,或罹非辜而破其家业。请诏守臣丁宁戒饬,其取民有定制,毋得掊克以竭人之力;犯法者自有常刑,毋得惨酷以残民之生。"从之。

乙亥,幸太学,释菜于先圣,命国子祭酒林光朝讲经,赐光朝三品服。

遂幸武学,著作郎傅伯寿上言:"武成之庙,所从祀者出于唐开元间,一时铨次,失于太杂。太祖皇帝尝见白起之像,恶其诈杀已降,以杖画而去之,神武不杀之仁,垂训深矣。太上绍兴间,亦以议者之请,黜韩信而升赵充国,黜李勣而升李晟,去取之间,皆所以示臣子之大节也。然王翦佐秦,骋狙诈之兵,盖无异白起;而彭越之臣节不终,亦同韩信。至于王僧(辨)〔辩〕虽能平侯景,然反连和于齐;吴明彻虽能因北齐之乱以取淮南,然败于吕梁,为周所俘,不能死节;韦孝宽拒尉迟之义兵;杨素开隋室之祸败;慕〔容〕恪、长孙嵩、慕容绍宗、宇文宪、王猛、斛律光、于谨,或本生边陲之裔,或屈节僭伪之邦,纵其有功,岂足多录!若尹吉甫之伐猃狁,召虎之平淮夷,岂有周中兴之名将;陈汤之斩单于,傅介子之刺楼兰,冯奉世之平莎车,班超之定西域,皆为有汉之隽功;在晋则有祖逖、谢安,在唐则王忠嗣、张巡,忠义谋略,卓然冠于一时,垂于后代。阙而不录,似有所遗,宜并诏有司,讨论历代诸将,为之去取,然后以本朝名将绘于殿庑,使天下士皆晓然知朝廷激义勇而尚忠烈。"起居郎钱良臣亦请取建隆、建炎以来功烈显著者,参陪庙祀。

幸秘书省,赐省官宴。

己卯,诏:"诸军毋以未补官人任军职。"

己丑,知临安府赵潘老进两学修造图,于西北隅建阁安顿太上御书《石经》。帝曰:"碑石可置之阁下,其上奉安墨本,以'光尧御书石经之阁'为名。朕当亲写。"龚茂良等曰:"自古帝王,未有亲书诸经及传至数千万言者。不惟宸章奎画照耀万世,其所以崇儒重道,可谓至矣。"

壬辰,太常少卿颜度言:“籍田合得千亩。自绍兴十五年给到五百七十馀亩,以备亲耕,续因玉津园等题占拨目,即只二百馀亩。今又踏逐御路,将来或举行典礼,委是窄狭。”帝曰:“御路止是时暂经由,可将见管步亩专充籍田,它司不得亲占。”其后,籍田令赵监言御路系在二百一十亩之内,请依旧令人佃种,从之。

癸巳,知福州陈俊卿乞宫观,帝曰:“前宰执治郡,往往不以职事为念。如俊卿在福州,刘珙在建康,于职事极留意,治状著闻,未可换易,可令学士院降诏不允。”

戊戌,以新知荆南府胡元质为四川安抚制置使兼知成都府。

四川总领所乞降度牒措置备边,龚茂良言:“四川降牒,自乾道四年至淳熙元年,降过万馀,不惟失丁口,为异时患;官卖不行,必至押配与折估之害。名异实同,请不须更降。”

召史浩于明州。三月,乙巳,以为少保、观文殿大学士、醴泉观使,兼侍读。时龚茂良以参知政事行宰相事,因求去,帝曰:“朕以经筵召浩,卿不须疑。”

丙午,范成大奏关外麦熟,倍于常年,缘朝廷免和籴一年,民力稍舒,得从事于耕作。帝曰:“免和籴一年,民间已如此,乃知民力不可以重困也。”王淮曰:“去岁止免关外,今从李蘩之请,尽免蜀中和籴一年,为惠尤广。”

己酉,龚茂良等上《仁宗玉牒》《徽宗实录》《皇帝玉牒》。

编修官吕祖谦上言曰:“陛下以大臣不胜任而兼行其事,大臣亦皆亲细事务而行有司之事,外至监司守令职任,率为其上所侵而不能令其下,故豪猾玩官府,郡县忽省部,掾属凌长吏,贱人轻柄臣。平居未见其患,一旦有急,谁与指挥而伸缩之耶?陛下于左右苟玩而弗虑,则声势寖长,趋附寖多,过咎寖积,内则惧为陛下所谴而益思壅蔽,外则惧为公议所疾而益肆诋诽。愿陛下虚心以求天下之士,执要以总万事之机,勿以图任或误而谓人多可疑,勿以聪明独高而谓智足偏察,勿详于小而忘远大之计,勿忽于近而忘壅蔽之萌。”旋迁著作郎,即以疾请祠归。

辛亥,金免河北七路去年旱蝗租税,赈东京三路。金主谓赫舍哩良弼曰:“尧有九年之水,汤有七年之旱,而民不病饥。今三年不登而人民乏食,何也?”良弼对曰:“古者地广民淳,崇尚节俭,而又惟农事是务,故蓄积多而无饥馑之患。今地狭民众,又多弃本逐末,耕之者少,食之者众,故一遇凶岁而民已病矣。”金主深然之,命有司惩戒荒纵不务生业者。

壬子,贷随、郢二州饥民米。

甲寅,修韶州城。

辛酉,楚州捕贼赏内,随从捕获者请支钱三十贯,帝曰:“与五十贯如何?”王淮曰:“凡支折资钱,每一资折三十贯。今若随从者支五十贯,亦不足惜,但喜者不过被赏数厚,而不平者千万人也。”帝曰:“此论甚善。亦如朝廷与人官爵,尽归至公,人谁敢怨!若徇私轻与,得者固喜而怨者必多。惟至公可以无怨,朕与卿等交修,当谨守此法。密院事少,三省事多,卿等见三省,宜以此意宣谕。”

乙丑,金尚书省奏三路之粟不能周给,金主曰:“朕尝语卿等,遇丰年即广籴以备凶歉,卿等皆言天下仓廪盈溢,今欲赈济,乃云不给。自古帝王,皆以蓄积为国家长计,朕之积粟,岂欲独用之耶!既不给,可于邻道取之以济。自今当预备以为常。”

司谏萧燧请节浮费。戊辰,户部具岁用经常及用度之数,龚茂良言其间有合节省者,欲

仿宝元、庆历故事，命台谏同户部详定，帝曰："今日用度，多费于养兵。朕常览户部所具支费，可裁节者不过数千缗，无使台谏论议。果有节省件目，卿等可自奏陈。"

是春，閤门舍人应材言："台谏之官，在于言天下之大利害，不在于(据)〔捃〕遮细故，区区止于言人之短长也。大奸大恶，固不可不为天下国家诛锄之，若夫有用之才，岂可以细故而轻坏之！一陷讥议，遂为废人，急缓之际，欲人为用，无复有矣。神宗以程颢为御史，颢曰：'使臣拾遗补阙，裨赞朝廷则可，使臣掇臣下短长以沽直名则不能。'神宗叹赏，以为得御史体。刘安世尝言祖宗之时于人才，长养成就之甚勤也，故其在台谏，未尝以细故而轻坏人才。乞令刻之御史台、谏院，永为台谏官之戒。"帝深然之。

夏，四月，戊寅，金主谕宰臣曰："郡县之官，虽以罪解，一二岁后，亦须再用。明安、穆昆，当太祖创业之际，皆勤劳有功，其世袭之官，不宜以小罪夺免。"

曾觌用事，欲以文资录其孙，龚茂良以文武官各随本色荫补格缴进。茂良入堂，觌令直省官贾光祖等当道不避，街司叱之，光祖曰："参政能几时！"茂良上言："臣固不足道，所惜者朝廷大体。"帝谕觌往谢，茂良正色曰："参知政事者，朝廷参知政事也。"觌惭退。帝谕茂良先遣人于觌，冲替而后施行，茂良批旨，取光祖辈下临安府挞之。诏宣问施行太遽，茂良待罪，帝遣使谕复位。

五月，癸卯，利州提刑、权金州史俣奏："金州都统司，例私贩茶盐，月科与军人每名三斤，高立价直，于请粮处克除。"帝曰："蜀中军人贫甚，岂宜更有克剥！可令契勘。"

金主如姚村淀，阅七品以下官及宗室诸局承应人射柳，赏有差。

己酉，宗正少卿程叔达请宣示《敬天图》，帝顾左右取图至，叔达进观，帝亦相与诵读，每至前代王者或不能敬畏修省，则曰："此图美恶并著，亦欲以之儆戒。"又至《无逸》篇，则曰："《无逸》一篇，言人君所以享国久长，皆由严恭畏敬所致，尤当以为法。"叔达曰："此圣德所由日新也。"

甲子，盱眙军报淮北多蝗，淮南却仍岁丰稔。帝曰："近世士大夫多耻言农事。农事乃国之根本，士大夫好为高论而不务实，却耻言之。"王淮等曰："士大夫好高，岂能过孟子！孟子之论，必曰'五亩之宅，植之以桑；百亩之田，勿夺其时'。"帝曰："今士大夫微有西晋风，岂知《周礼》与《易》言理财，周公、孔子未尝不以理财为务。且不独此，士大夫讳言恢复。不知其家有田百亩，内五十亩为人所据，亦投牒理索否？士大夫于家事则知之，至于国事则讳言之，何哉！"

户部员外郎谢廓然，赐出身，除殿中侍御史。廓然，曾觌之党也。命自中出，中书舍人林光朝不书黄。光朝寻改权工部侍郎，力求去，除知婺州。

六月，丁丑，龚茂良罢。

谢廓然甫入台，即劾茂良矫传敕旨，断遣曾觌直省官。而林光朝与茂良同里，光朝既去，茂良引疾求罢，帝曰："朕不忘卿，俟议恢复，卿当再来。"因出知建康府，即令内殿奏事。茂良手疏六事，曰天意，曰人事，曰赋财，曰将帅；而所以用之者，曰谋，曰时。帝曰："卿五年不说恢复，何故今日及此？"退朝，甚怒，曰："福建子不可信如此！"

己卯，以王淮参知政事。

谢廓然言："自龚茂良擅权植党，故朝廷朋比之习未革。望敕臣下合谋辅治，毋党同以求异，毋阿比以害公，使忠良蹇谔之士尽言而不疑，奸险倾巧之徒知退而有惧。”从之。

金主谓宰臣曰：“朕年老矣，恐因一时喜怒，处置或不当，卿等当执奏，毋为面从，成朕之失。”

癸未，升蜀州为崇庆府。

甲申，诏：三省、枢密院所得之旨，朝退即具奏审，再承画降，方可施行。”犹以龚茂良为矫旨也。自是每奏用人，复以黄纸贴签封入，或有改易，遂为故事。

是夏，东宫官请增读范祖禹《唐鉴》，从之。

秋，七月，庚子，右正言葛邲，请令二广帅臣、监司，将见任郡守每岁精加考察，守倅见阙去处，元系堂除或部阙，亦请早赐差注，或人所不愿，就令广南诸司公共辟差一次，其已差未到者，催促之任。帝曰：“郡守不得其人，则千里被害。可令二广帅臣、监司，限两月体访所部守臣臧否以闻。”

己酉，诏：“文宣王从祀，去王雱画像。武成王庙，升李晟于堂上，降李勣于李晟位次，仍以曹彬从祀。”

时内批屡出，以阁门舍人黄夷行与郡守，赵雄等言其资历尚浅，帝曰：“须用资历，庶免人言。”辛亥，内批：“添差浙西准备将王守忠，任满日特与再任。”雄曰：“守忠系潜邸祗应，即非随龙，依指挥不应添差。”帝曰：“如此则难行。”雄曰：“圣意欲与之，特令依随龙人例可也。”帝曰：“不若且已。”雄曰：“潜(底)〔邸〕旧恩，不肯假以添差，臣下何敢用私。”帝曰：“不如此则法不行。”

壬子，金尚书省奏岁以羊三万赐西北路戍兵，金主问如何运致，宰臣不能对。金主曰：“朕每退朝，留心政务，不遑安宁。卿等勿谓细务非帝王所宜问，以卿等于国家之事未尝用心，故问之耳。”

谢廓然复论龚茂良四罪，言：“茂良行宰相事首尾三年，臣僚奏对，有及边防利害，必遭讥骂；陛辞之日，方有所论，凡数百言，此其可诛一也。陛下孝诚笃至，两宫上寿与册立中宫，驾幸二学，皆断自圣心，茂良乃自谓出其建明，诞谩如此，可诛二也。以己所言，驾为天语，掠圣训为己言，可诛三也。其荐察官以妻党林虙为首，拟除后省则用乡人林光朝，可诛四也。”癸丑，茂良责宁远军节度副使，英州安置，父子卒于贬所，皆曾觌所使也。觌前虽预事，未敢肆，至是窜逐大臣，士多侧目重足矣。

甲寅，郭刚申权统领陈镗，乞落权字。赵雄言：“在外诸军统领，却无密院审察，法须从统领拣选，则统制何忧不得人？”帝曰：“善。”雄又曰：“昨闻王友直言，须从训练官不轻授，则准备将至统制官方皆得人。臣答之云：惟将帅体国者乃肯如此，使人人似殿帅之言，则军中何患无人？”帝曰：“此方是澄其源，然非体国者不能也。”

乙卯，吏部言内侍李裕文合转归吏部，帝曰：“昨与在京宫观，元不曾降转归吏部指挥。”赵雄曰：“从来内侍寄资官罢内侍差遣，须转归吏部。”帝然之。

戊午，赵雄言蜀中五月得雨。帝曰：“世以凤凰、芝草、甘露、醴泉为佳瑞，是皆虚文，不若使年谷屡丰，公私给足，此真瑞也。”

吏部郎阎苍舒言：“马政之弊，不可悉数。今欲大去其弊，独有贵茶。盖敌人不可一日无茶以生，祖宗时，一驮茶易一上驷。陕西诸州，岁市马二万匹，故于名山岁运二万驮。今陕西

未归版图，西和一郡，岁市马三千匹尔，而并用陕西诸郡二万驮之茶，其价已十倍，又不足而以银绢绸及纸币附益之。茶既多，则人遂贱茶而贵银绢绸，而茶司之权遂行于它司。今宕昌四尺四寸下驷一匹，其价率用十驮茶；若其上驷，则非银绢不可得。祖宗时，禁边地卖茶极严，自张松大弛永康茶之禁，因此诸蕃尽食永康之茶，而宕昌之茶贱如泥土。且茶愈贱，则得马愈少，而并令洮、岷、叠、宕之土蕃，逐利深入吾腹心内郡，此路一开，其忧无穷。今后欲必支精好茶而渐损其数，又严入蕃茶之禁，则马政渐举，而边境亦渐安矣。"诏令朱佺严行禁止。

金赫舍哩良弼以疾辞相位，不许。告满百日，屡使中使问疾。良弼在告既久，省多滞事，金主以问宰相，参知政事张汝弼对曰："无之。"金主曰："岂曰无之！自今疑事久不能决者，当奏以闻。"

是月，金大雨，河决。

八月，辛未，诏："今后职事、厘务官，并见阙方许差除。"

壬申，枢密院言："前令诸州军，有御前屯驻或分屯军马去处，将见教阅禁军，差官部辖，附大军一就教阅，所有不系驻劄并分屯军马州军，其禁军自合逐州教阅，或恐因而废弛，理宜申饬。"诏："委兵官将见管禁军精加教阅。倘差官前试，如有武艺退惰，具当职官姓名按劾。"

金以监察御史体察东北路官吏辄受讼牒为不称职，笞之五十。金主旋谓御史中丞赫舍哩邈曰："台臣纠察吏治之能否，务去其扰民，且冀其得实也。今所至辄受讼牒，听其妄告，使为政者如何则可也！"

庚辰，金主谓宰臣曰："今之在官者，同僚所见，事虽当理，亦以为非，意谓从之则恐人谓政非己出。如此者，朕甚恶之。今观大理所断，虽制有正条，理不能行者，别具情见，朕惟取其所长。夫人能取它人之善者而从之，斯可谓善矣。"又曰："今下僚岂无人材！但在上者不为汲引，恶其材胜己故耳。"

九月，丁酉朔，日有食之。

己亥，命修海塘。

辛丑，金封皇子永德为薛王。

戊申，金主秋猎。

己酉，御经筵，侍读史浩读《三朝宝训》，进曰："圣人之言远如天，贤人之言近如地。观真宗与王旦之言，可以见圣贤之远近也。王旦为相，欲坐缪举者之罪，此贤人之言也。真宗以为拔十得五，纵使徇私，然朝廷由此得人亦不少矣，此圣人之言也，其言包含广大，岂不如天之远耶！"帝曰："孟子之言最切近，其视孔子之言，则气象尤大不相侔，此贤圣之分也。"

戊午，阅球于选德殿。

甲子，金主还都，改东京留守图克坦克宁为南京留守兼河南统军使，遣使谕之曰："统军使未尝以留守兼之，此朕意也。可过京师入见。"金主将复相之，故有此谕。

【译文】

宋纪一百四十五　起丙申年（公元1176年）正月，止丁酉年（公元1177年）九月，共一年有余。

淳熙三年　金大定十六年(公元1176年)

春季,正月,甲寅(初八),因为常州发生旱灾,宽免其拖欠税赋数额的一半。赈济淮东饥民,并命令赈贷贫民粮种。金国也在这一天免除去年遭受水旱灾害的各路分租税。

甲子(十八日),金国主诏令:"宗属未编入玉牒的,都给与编入。"

丙寅(二十日),金国主与亲王、宰执大臣谈论古今兴亡故事,说:"经书典籍的兴起,时间已经很长了,垂教后世,无不尽善。现在的学者,既然能读懂它,必须实践它,然而能懂却不能运用于实践的人很多。女真族古老的风俗,最为纯朴正直,虽然不读书,然而祭拜天地,孝敬亲戚,尊重老人,接待宾客,对朋友讲信义,礼义周到,都出于自然,其善良的风俗与古书所记载的没有区别。你们应当学习它,原有的风俗不能忘记。"

戊辰(二十二日),金国宫殿内发生大火。

二月,辛巳(初五),宋孝宗检阅两浙、福建土兵。宋孝宗说:"军士都是好身手,训练不过三个多月,武艺已经精通熟练,弓弩手的射箭水平可与殿前司的弓弩手相比。"于是告谕辅臣说:"以前乌珠南下侵犯,陈思恭在平江阻截,官军使用的长枪无法远距离杀敌,乌珠才乘轻舟逃跑。韩世忠江上之战也是如此。现在各州军组建的禁军、土军很整肃,此次及时放归,再加上激励犒赏,今后调遣,必定容易调集。"

甲申(初八),追赐韩世忠谥号忠武。

庚寅(十四日),金国沈王的妃子图克坦氏,因为与人通奸依法处死。妃子是平章政事图克坦克宁的女儿。图克坦克宁也因此被免职。

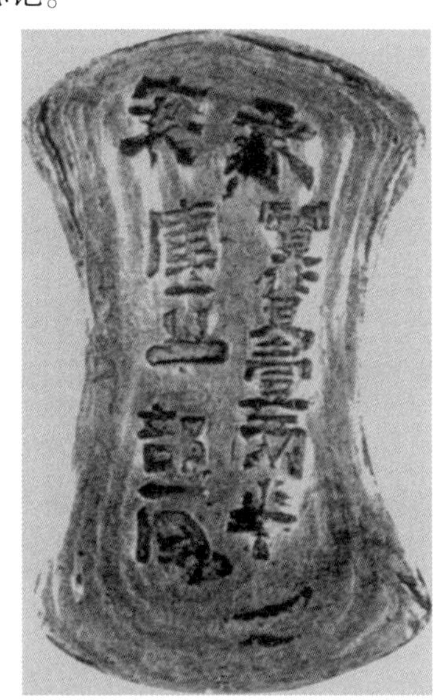

"承安宝货"银锭　金

端明殿学士汪应辰去世。

汪应辰待人接物温和谦逊,而遇到事情时坚持自己的意见不轻易改变,流落岭峤达十七年,秦桧死后,才还朝,仍然正直敢言。

三月,丙午朔(初一),发生日食。这一天是金国的万春节,改在第二天举行朝贺。

戊申(初三),金国的临潢地区天降尘土。

辛亥(初六),进呈《上皇日历》。

戊午(十三日),金国主亲临广仁殿,太子、亲王都侍陪。金国主从容训示他们说:"所有的资财费用,应当致力于节省,如果有节余,用来周济亲戚,不要随便浪费。"还指着所穿的御服说:"这件衣服已经三年不曾更换,现在还完好无损。你们应当记住这件事。"

夏季,四月,戊寅(初三),四川总领所奏请再借给四路职田的租税十年,充作裁减人员的供给。宋孝宗说:"以前借给各路的职田,不久都已经归还。四川自然应当一样,岂能再借!"龚茂良、李彦颖说:"圭田是用来培养廉洁的,的确不应当借。"宋孝宗说:"你们可以加以核实后另外拨出钱财给四川,四川的职田就可归还。"

龚茂良等人进呈命令侍从、台谏、两省官荐举监司、郡守的公文。宋孝宗说:"荐举本来想选择人才,又担心托关系走后门,反而助长了钻营的不良风气。"龚茂良说:"天下事情都无法没有弊端，即使是三代的良法，时间长了也不免有弊端。现在陛下既然想精心挑选监司、郡守，不荐举通过什么途径了解他们！”宋孝宗说：“如果令官员杂举，则必须大家的议论都认可，这样才接近公正。况且又经过中书省考察然后任命，也足见朕对人材，是广泛寻求精心挑选，不是敷衍了事。”于是诏令：“侍从、台谏、两省官员，参照任职资格，不分内外，杂举监司、郡守，每年每人荐举五名。”

辛巳（初六），两浙运判吴渊奏请诏令各路州郡缴纳秋苗税粮，增收的加耗不能超过三成。龚茂良等人说近年州县缴纳秋苗税粮，加耗太重，严重的两石以上的加耗才能缴纳一石秋苗税粮，宋孝宗说：“像这样民力怎能不困乏！吴渊身为漕臣，自然应当对此进行监察弹劾，重加处罚。”

靖州有瑶民进犯边境，派兵讨伐捕捉他们。

丙戌（十一日），金国在京城、府城设立学校培养士人，并确定宗室、宰相的儿子考试的等级标准。

戊子（十三日），金国下达制书：“商人使用的车船禁止用马。”

金国任命东京留守崇尹为枢密副使。

己丑（十四日），叶衡贬居郴州，因为监察官进一步弹劾他沉湎于酒、徇私背公。

壬寅（二十七日），金国主前往金莲川。

当初，汤邦彦敢说大话，虞允文很器重他，虞允文出任四川宣抚使，征召汤邦彦同行。虞允文去世后，汤邦彦还朝，皇帝也喜欢他敢于说话。不久，因为受推荐充任申议使出使金国，请求归还祖宗陵寝地。汤邦彦到达金国，金人拒不接纳，十多天后，才下令引见，通道两旁都是剑拔弩张的军士，汤邦彦大为恐怖，不能说一句话就退出了。等到还朝后，宋孝宗大怒，诏令流放新州。宋孝宗对宰臣说：“敌人既然不接受本朝的礼币，汤邦彦却接受敌人的赏赐。在拒绝赏赐的时候，道理也容易说清楚，却不顾名节，如此有辱朝廷命令！”汤邦彦被斥退后不再任用，从此有关归还河南的提议才开始停下来，不再派一般的使臣了。

己亥（二十四日），诏令各路提刑，每年五月审案判刑。

五月，戊申（初四），权知隆兴府吕企中上奏说：“本路钤辖钱卓，刚刚到任，暂时借用印记，愠怒之情表现在往来的公文中。”龚茂良说：“祖宗朝代，分道设置帅臣以担任一方重托，权力最重大。平时遵守名分严格，在有紧急情况时号令才能通行。一路的兵官，对帅臣自然有等级之分，岂能容忍如此无礼！”宋孝宗说：“祖宗创立法令，具有很深的意义。”钱卓降一级官职。

金国南京宫殿发生火灾，留守、转运两司的官员都被治罪。

癸亥（十九日），王淮说步军司应该计划放牧战马，宋孝宗说：“以前朕训诫牧马官，认为喂养战马应当视同爱护自己的身体，饥饱劳逸，都要随时调节，就像自己的身体有不能承受的时候，马也有不能承受的时候，只是马不会说话。”龚茂良说：“陛下周到地考虑人情事理，仁义之心是用之不尽了。”

宋孝宗因为张默是秀王夫人的亲戚，想给他一个添差监当官。龚茂良说：“近来的制度规定，只有宗室、外戚及归正人才能够得到添差之职。”宋孝宗说：“朕正是不想首先自己破坏法令，可不执行。”于是就任命为国子监书库官。

金国翰林学士图克坦子温进献他翻译的《史记》《西汉书》《贞观政要》《白氏策林》,金国主下令颁布发行。于是就在各路挑选了三十多名学生,命令编修官温特赫吉达教他们学古书,练习写作诗和策论文章。

癸丑(疑误),利州东、西路合并为一路。

安南国王李天祚去世,他的儿子李龙翰继位。

这个月,任命柴瑾为殿中侍御史。柴瑾入宫应对,宋孝宗说:"只有你不钻营以求晋升,所以有这样的任命。"

六月,乙酉(十二日),四川制置使范成大奏报:"四川的酒税,折买酒钱的实际数不足四十七万余缗,请从淳熙三年开始减征。"诏令从湖广总领所上供的钱内拨还给四川。

甲午(二十一日),龚茂良说:"近来奉诏奖赏任用廉洁清退之士,朱熹操行耿直,多次征召都不出任,应当承蒙录用。"诏令任命他为秘书郎。朱熹认为改官的任命,正是为了表扬他廉洁谦退,却得到了提拔,极力推辞。正好有人说只有空名的人士不能任用,朱熹再次推辞。就任命他主管冲祐观。

宋孝宗对执政大臣说;"魏掞之如今在哪里?"龚茂良等说已经去世了。宋孝宗说:"这个人正直敢谏,正打算稍加重用,不料已死。朝廷不能没有正直敢谏的人,近来有个郑鉴,议论也很切直,分析他所说的话,似乎出自肝胆,不是矫揉虚伪的做作。因为看郑鉴的奏章,很思念魏掞之。"当时郑鉴是太学正,于是命令召他入朝考试。又说:"魏掞之虽然去世了,应当稍加表彰,可追赠宣教郎、直秘阁。"

任命吕祖谦为秘书郎、国史院编修官,因为修撰李焘推荐他参加重修《徽宗实录》的缘故。

这个月,金国山东两路发生蝗虫灾害。

秋季,七月,壬手(初九),金国夏津县令伊喇珊珠,因为贪赃罪被依法处死。

乙丑(二十二日),禁止浙西围占田地。

这个月,任命郑鉴为校书郎。宋孝宗告诉执政大臣说:"郑鉴试授馆职后,议论恳切正直有值得采纳的地方。任命他为校书郎是奖赏他知无不言。"接着说:"他在策试中所陈述的观点,无论肯定还是反对,大多切中事理。"

诏令奖赏刘珙。刘珙当时知建康府,因为江东发生灾荒歉收,刘珙赈济得力而受到奖赏。

八月,乙亥(初三),任命王淮同知枢密院事,礼部尚书赵雄为签书枢密院事。

庚辰(初八),立贵妃谢氏为皇后。皇后,丹阳人,幼年成为孤儿,由翟氏抚养,冒姓翟氏。等到成年后,选入皇宫,侍奉太上皇后,皇太后将她赐给宋孝宗,多次提升地位直到贵妃。夏皇后驾崩后,皇后位空缺,谢贵妃陪侍宋孝宗拜访德寿宫,太上皇帝谕告宋孝宗立她为皇后,就恢复了原姓。

在此之前诏令御史台的六察司官员,允许随时对违法官员进行弹劾奏报,到这时诏令:"近来监察弹劾各自尽了你们的职责,御史台的作用更加增强,各晋升两级官职。"

戊戌(二十六日),靖州瑶寇被平定。

九月,乙巳(初三),金国主返回京都。

己酉(初七),金国主对赫舍哩良弼说:“西部边境从来不储备积蓄,下令所在地区官员征购粮食,作为发生意外情况时的准备。”癸丑(十一日),又告谕他们说:“海陵王无辜杀戮的臣下,很值得哀悯,他们的遗体希望各处访求,官府负责安葬。”

癸丑(十一日),侍读周必大进读《三朝宝训》,读到真宗曾选择广南转运使时,就对皇帝左右的大臣说:“交州、广州距离朝廷很远,应当挑选用心公允,能安抚远方百姓的人担任。”宋孝宗说:“在无法了解情况的地方,尤其应当注意。”

这个月,召见宰执大臣,宣示中宫皇后的祭服,宋孝宗说:“祭服上的珠玉,是用的禁中旧物,所有费用不到五万缗。”龚茂良等人说:“不是宣谕,无法得知皇宫支出费用的节俭。”宋孝宗说:“朕怎肯随便占用钱财!”就问:“近来奢侈的风俗怎么样?”回答说:“京城内似乎稍为奢侈,都是因为权贵近臣之家仿效宫禁的风俗,因此流传到了民间。他们如果知道皇上崇尚俭朴,也必定受到感化。”宋孝宗说:“革除奢侈的弊病应当从宫中开始。”龚茂良等又说:“仁宗曾将南海没收的大珍珠赐给温成皇后,皇后当时还是贵妃,把大珍珠充作首饰,外戚纷纷效仿她,京城的珍珠价格上涨数十倍。仁宗在宫中与嫔妃们设宴,望见贵妃的首饰,不再回头看她,说:‘满头白纷纷,难道没有忌讳!’贵妃很惶恐地卸下了大珍珠首饰。仁宗大喜,命令剪下牡丹花赐给每一位妃嫔。几天之间,京城珍珠价格大减。”宋孝宗听说这件事,很高兴。

提举玉隆万寿观李浩去世。李浩愤世嫉俗,言辞切中时弊,因此受到了众人的忌恨;宋孝宗了解他的真心,始终保全他。他出任大郡的官员,很廉洁,生活起居如同未做官时。曾谈论八种不良风俗,大致说:“陛下要求臣下规劝进谏而臣下专门进行迎合,陛下重视坚持自己的意见而臣下一味顺从,陛下要求珍惜名誉地位而侥幸升官的路没有被堵塞,陛下要求以廉耻为重而趋炎附势的门还开着,儒家学说可以推行而有阴险之人盗用儒学之名,民情应当全部上闻而有被壅塞隐蔽的祸患,期望坚守气节而偷懒的人能够自在无事,责成建立实绩而荒诞散漫的人却自吹自擂。”宋孝宗称赞他直言相谏。

当初,钱良臣以太府少卿的身份担任淮东总领,龚茂良听说户部每年拨发机动钱财,总领全部充作馈赠送礼,奏请派户部员外郎马大同、著作佐郎何万、军器少监耿延年,分别前往升州、润州、鄂州三个总领所清查钱财收支情况。正好钱良臣以每年财政费用不够为由向朝廷奏请,龚茂良奏请同时令何万等人清查此事。而皇帝的近臣担心接受总领所贿赂的事情败露,极力挽救,龚茂良不顾。不久何万奏报总领所侵吞大军钱粮累计达数十万,龚茂良将此事奏报皇帝,这件事就中止了。不久皇帝直接宣召钱良臣入朝,逐渐得到重用,后来龚茂良受贬,钱良臣起了一定作用。耿延年也说湖广总领所另有仓库,另外存放所收钱财,已行令改正,所以耿延年、何万都升了官,最终因为是龚茂良同党而被免职;只有马大同没有弹劾总领所,后来得以补授为地方官。因为三个总领所送礼行贿,关系盘根错节,一时无法改正。

这年秋季,彭州奏报:“本州三县,诏令减少租赋,百姓举行佛会以报答皇上恩德,请允许将歌颂恩德的奏疏随同庆贺会庆节的奏疏一同呈进。”宋孝宗未同意,下令守臣宣谕朝廷让百姓富裕的心意,并对执政大臣说:“前日减免蜀中地区的折估钱,百姓欢呼感激已如此。如果将来战争停止,数十年来额外的税赋,全部免除,百姓的喜悦可想而知。”龚茂良说:“陛下躬行节俭,所不能停止的,是养兵的费用,看形势还不能减省。”宋孝宗说:“自从渡江以来所

增加的税赋,比过去的如何?"龚茂良说:"像茶、盐、榷酤,都比原来的数额增长了数倍。其中最可虑的是,折帛、月桩等钱,成了江、浙数路的灾害。陛下对此念念不忘,如果有朝一日恢复了失地,那么减轻徭役减征税赋,将有日可待了。"宋孝宗说:"对。"

台州、婺州等地发生水灾。

冬季,十月,丙子(初五),宋孝宗登临文德殿,册立皇后。

宋孝宗曾与侍臣谈到皇后辞谢应得到的恩赏,平日里常穿换洗过的衣服,宰执大臣听说了这件事,进奏说:"皇后节俭的美德,表现了陛下治理家庭的成效。"宋孝宗说:"本朝家法,远远超过汉、唐,只是用兵不如他们。"龚茂良回答说:"国家自从太祖开基创业,首先以文德教化天下,虽然似乎失之软弱,然而享国长远,也是因为这个原因。汉、唐之乱,有的是因为母后专权,有的是因为权臣擅命,有的是因为各诸侯强大,藩镇专横跋扈,本朝都没有发生这些现象,可见祖宗家法,足以维持万代。"宋孝宗说:"对。大凡治理国家的事体不能有所偏废,正如四季,春天生长秋天肃杀,如果一味肃杀,那么万物就会受到伤害。也犹如统治天下,文武并用,才是国家长治久安的办法,不可专用一种办法。"

乙酉(十四日),下令临安守臣禁止过于奢侈的风尚。宋孝宗说:"现在习惯奢侈的人,在民间很少有,大多是外戚、官员之家。在禁令中必须加上'做官的人违犯禁令,奏报皇帝批准从重处罚。'"

庚寅(十九日),废止出售官爵的政令。诏令说:"出售官爵,不符合古代制度。理财有道,均量入为出就行了,怎么用贬低官爵的办法以增加钱财!朕很不赞成。从今以后除非歉收,百姓自愿交纳粟米赈济饥民,有益于众,允许奏报批准补授官职,其余一律禁止。"

丁酉(二十六日),吴渊奏报秀州十年来的收支,钱数多少不同,宋孝宗说:"这是因为历任守臣职责内的事,不想深究,今后严加节制。大凡州郡财政费用不节省,必然导致加倍征敛,只有先能节省费用,就能将每年违法征敛的数目,加以减免,稍微减轻民力。"

庚子(二十九日),宋孝宗对宰臣说:"颁布命令不可不审慎。《尚书》说:'多次思考才能成就事业。'能做到多次思考,还担心不成功!大凡天下的事情,朕与你们短暂的交谈,岂能周全地考虑事情,必须再三详熟思虑,才能尽善尽美。在此之前正因为不审慎,所以颁布的政令大多被反悔,无法取信于天下,近来很悔恨。"

十一月,壬寅朔(初一),金国参知政事王蔚免职。

癸丑(十二日),在圜丘合祀天地,大赦天下。

建康都统制郭刚说车船大多损坏了,应该依照海船的式样制造多桨飞江船,宋孝宗说:"车船,是古代的艨冲战舰,辛巳年用它取得了胜利,哪里用得着改造!可下令郭刚命令长江沿线的各军,遇有损坏的车船,随时随地修理,不得擅自改造。多桨船,只允许各军自行创造,不能充作新管车船数。"

庚申(十九日),金国任命吏部尚书张汝弼为参知政事。张汝弼是元妃的弟弟。

十二月,壬申朔(初一),金国诏令:"各种正规出身为官的人,四十年才任县令,年岁太长。今后做官达三十二年,另外没有犯贪赃罪而被夺官的,就给以县令之职。"

丙子(初五),金国诏令:"各种流浪人年老有病的,由官府给予供养。"

金国主对宰执大臣说:"凡是经过奏报裁定而处置有不妥之处,你们不要认为诏旨已下

达，不再奏报加以改正。朕日理万机，岂能万无一失！你们只要说出来，朕自当更改，不能吝惜。”

乙酉（十四日），龚茂良等人说：“以前皇后奏报，检查皇后亲属受恩泽而任官的人数，裁减后还剩一十八人，又奏请裁减八人。臣等核查绍兴三年的指令，皇后册立时，亲属中给予官职的三十人，绍兴十三年给予官职的二十五人。近来的制度减作十八人，比以前的规定几乎减少一半，皇后仍然谦逊地请求裁减。以皇后的尊贵还致力于节俭，那么作为臣子应当怎么办！希望陛下明确诏令有关机构，严申禁令，凡是侥幸滥竽充数的人，一定要清除；又诏令侍从近臣，各自考虑如何使入仕的源头清廉。”宋孝宗同意了。

己丑（十八日），黎州蛮民进犯边境。官军失败，蛮民也逃跑了。

这个月，将袁枢所编的《通鉴纪事本末》赐给东宫太子，命令与《陆贽奏议》一同熟读，说：“治国之道全都在这里了。”

禁止监司互相送礼及利用巡视的机会随意接受各郡的送礼，总计所有接受的礼物数量以贪赃罪治罪。

这年冬季，下令在蕲州黄梅县的方甫家门前立牌坊以示表彰，因为他们三代同堂，本路转运司将此事上报朝廷的缘故。

减少徽州税绢的数额。

淳熙四年　金大定十七年（公元1177年）

春季，正月，丙午（初五），金国有关官员奏报高丽国所进献的玉带，却是像玉的石头，金国主说：“小国没有能辨识真假的人，误以为是玉罢了。况且人不改变一件东西，只有德能使这件东西赋予新的含义，如果退归他们，难道符合礼仪的规定吗？”

戊申（初七），诏令从今以后各军每年举行一次检阅演习。

金国在衍庆宫西边建造世祖神御殿，东边建造太宗、睿宗神御殿。

金国主打算迁徙斡罕的余党，将他们分散安置在辽东，赫舍哩良弼说：“这些人已经得到赦免，迁移他们恐怕产生怨恨。”金国主说：“这只是眼前的利害关系，朕是为子孙后代考虑。”就迁移了他们。

庚申（十九日），诏令：“沿江各军，每年两次演习水战。”

壬戌（二十一日），金国主将在海陵王时被无辜杀害的大臣的被没入官府为奴的家属，都释放为良民。辽豫王、宋天水郡王被害的子孙，各自安葬在广宁、河南的祖坟中。此后又诏令：“天水郡王的亲属除了在都北安葬外，咸平所寄存的遗骨，由官府在本地安葬。辽豫王的亲属没有葬在祖坟的，也迁到祖坟中安葬。”

丁卯（二十五日），颁行《淳熙历》。秘书省说：“以前因为《纪元》《统元》《乾道》三种历法日食月食交替不精密，令太史局另造新历。现在经过测验，新历稍为精密。”宋孝宗说：“自古以来，历法没有不出现差错的；况且近代历学没有流传下来，士大夫中没有人研究它，在民间访求，又难以找到这样的人才。新历相比于旧历，也可谓前者善于后者。就以淳熙作为历法名。”

户部侍郎韩彦古说：“现在国家重大政令，如两税的征收，民间应该缴纳一石，实际上不止两石，应该缴纳一匹，实际上不止两匹，在正常数额之外，大多增倍征收，这样就是骗取百

姓的赋税。认为应当根据州县的大致收入，稍微仿效唐朝制度，分为三等，视其财政费用的多寡来做出规定。从上供朝廷为开始，上供朝廷后剩余的，就平均留存到各州；留存州中后剩余的，就平均送到转运使；送给转运使后剩余的，就分派递减数目，全部免征于民。朝廷不从中赢利，那么从朝廷直到郡县，从民间征收的赋税都有固定数额。使天下的账目整齐划一，地方上的责任在转运使，朝廷的责任在户部，量入为出，每年考核官吏是否贤能而做出优劣判定，州县不能从民间多征收赋税，朝廷也不从州县多征收赋税。上下相互体贴，有无相通，不废政事，不伤民财，上贡数额一旦确定，天下太平的基础就建立了。"宋孝宗说："韩彦古所陈述的，是全面了解民间隐痛，可选择一名有才能办事敏锐的人，首先在一郡施行，等到准备就绪，应当颁布各路，仿照执行。"不久命令吏部郎官薛元鼎前往秀州，依此办法将钱绢、米斛等数额编成账目奏报朝廷。

此后薛元鼎奏报："核查本州财赋，仅凭赤历，难以核实。希望委托户部下令本州，将州县所属的仓库场务，每处只设置一份都历文书，将所有收到的钱物，都具体写明上供、州用的实际数目，各自建立项目抄清转报。仍由户部，每年责成转运司派遣官员，每半年一次，索取都历给予核查，如果有虚支滥用钱财的行为，由本路转运司调查弹劾。其他州郡，也乞请依照此办法施行。"宋孝宗同意了。

二月，宋孝宗将亲临太学，臣僚说祖宗时亲临太学，都命令儒臣讲授经典，宋孝宗说："《易》《诗》《书》，历朝都曾讲授。如《礼记·中庸篇》说'凡为天下国家有九经'，与治国之道最为关切，在此之前却不曾讲授。"龚茂良等人说："这段话将治国之道包括无遗，圣上学问高明，深得其要领。"

大宗正丞刘溥，说近年来各郡违法预先催收夏税，百姓为此困苦。龚茂良、李彦颖说："往年谏官曾谈论到这件事，正准备实行措施时，户部长官、副长官坚持原奏不推行新措施。今年春天，谏官又谈到此事，版曹又重申前说，追回录黄文书，其理由是：'每年四月、五月应该运到行在临安的夏税钱及折帛钱共六十一万贯，用以计划开支，如果不预先催交，恐怕到期会有失误。'"宋孝宗说："既然违法伤害百姓，朝廷必须另外设法处置，怎能置之不问！"龚茂良等人就说："户部每年八月从南库借六十万缗钱应付支出，次年正月到三月归还。现在如果将这六十万缗钱移到四五月支借，那么户部自然不会缺少费用，可以禁止预先催交的弊病。"宋孝宗说："如此处置，不过将后面的提到前面，却使民力稍稍宽松，于公于私都是便利。"于是诏令："各路转运司下令所辖州县，今后必须严格依照条令的期限催交办理夏税，如果有人违反条令，由监司调查弹劾。"

甲申(十四日)，臣僚说："现在的郡守给百姓造成伤害的，就是残酷的聚敛克扣。赋税有规定的制度，而搜刮之吏专门聚敛钱财。到任之初，不关心民事，首先命令所属知县认领所交财赋的数额，而且增加应交之数，督促要求严厉急切。国家设立法令，是为天下人共同遵守的，而惨酷之吏，无理用刑，有的使人肢体残废，有的毁坏人的手足，有的因小罪而丢了性命，有的遭受无辜之罪而使家业破产。奏请诏令守臣叮咛告诫，征收于民有规定的制度，不得搜刮钱财以竭民力；犯法的人自有规定的刑罚来处置，不得用残酷的刑罚来残害百姓的生命。"宋孝宗同意了。

乙亥(初五)，宋孝宗亲临太学，举行了祭祀先圣的释菜典礼，命令国子祭酒林光朝讲授

儒家经典，赐给林光朝三品官服。

接着亲临武学，著作郎傅伯寿上疏说："武成之庙，享受陪祭的人出自唐开元年间，当时的选择，失于太杂。太祖皇帝曾见到白起的画像，憎恨他用欺诈的手段杀害已投降的人，用手杖将白起的画像戳掉了，神武不杀无辜的仁意，对后世的教训深远。太上皇在绍兴年间，也因为议者的奏请，罢黜了韩信而将赵充国升为陪祭，罢黜了李勣而将李晟升为陪祭，取舍之间，都显示了臣子的大节。然而王翦辅佐秦朝，统帅狡诈的军队，大概与白起没有什么不同；而彭越的臣节不能善始善终，也如同韩信。至于王僧辩虽能平定侯景之乱，然而反与北齐相勾结；吴明彻虽然能乘北齐内乱之机攻取淮南，然而败于吕梁，被北周所俘，不能以死守节；韦孝宽抵御尉迟之义兵；杨素导致了隋朝的祸败；慕容恪、长孙嵩、慕容绍宗、宇文宪、王猛、斛律光、于谨，有的本来是边境之民的后裔，有的屈节在僭伪之国任职，纵然他们有功劳，怎值得过多记录！如尹吉甫讨伐猃狁，召虎平定淮夷，都是使西周中兴的名将；陈汤斩首单于，傅介子刺杀楼兰国王，冯奉世平定莎车，班超平定西域，都为汉朝立下大功；在晋朝则有祖逖、谢安，在唐朝则有王忠嗣、张巡，忠义谋略，卓越的功劳领先一时，名垂后代。缺漏他们而不录，似乎有所遗憾，应当诏令有关部门，讨论历代各位将领的功劳，重新做出取舍，然后把本朝名将的画像描绘在殿廊的墙上，使天下之士都明白地知道朝廷激励义勇而崇尚忠烈。"起居郎钱良臣也奏请选取建隆、建炎年间以来功烈显著的功臣，陪享武成庙的祭祀。

宋孝宗亲临秘书省，赐给秘书省官员饮宴。

己卯（初九），诏令："各军不能让未授官职的人担任军官。"

己丑（十九日），知临安府赵潘老进呈太学和武学的修造图纸，在西北角修建楼阁安置太上皇帝亲笔书写的《石经》。宋孝宗说："碑石可立在楼阁下面，楼阁上妥善安放墨本，以'光尧御书石经之阁'为名。朕应当亲自题写。"龚茂良说："自古以来的帝王，没有亲笔书写各种经典和作注达数千万言的。不仅墨宝手笔照耀万世，而且推崇儒学尊重王道，可谓到了极点。"

壬辰（二十二日），太常少卿颜度说："籍田应该有一千亩。自从绍兴十五年拨给了五百七十多亩籍田，以备皇帝亲耕，后因玉津园占用了所拨的籍田，就只有二百多亩了。现在又勘探修建御路，将来如果要举行亲耕典礼仪式，确实土地狭窄。"宋孝宗说："御路只是临时经过，可将现在管辖的土地专门充作籍田，其他机构不得占用。"此后，籍田令赵监说御路本来在二百一十亩之内，奏请依旧令人租种，宋孝宗同意了。

癸巳（二十三日），知福州陈俊卿乞请担任宫观官，宋孝宗说："以前宰执大臣治理地方，往往对政事不尽心。像陈俊卿在福州、刘珙在建康，对政事极为专心，政绩卓著，不能改任调动，可令学士院下诏不同意陈俊卿的奏请。"

戊戌（二十八日），任命新任荆南府胡元质为四川安抚制置使兼知成都府。

四川总领所乞请拨给度牒筹备边防军政费用，龚茂良说："四川拨给的度牒，从乾道四年到淳熙元年，拨给了一万多道，不仅仅失去了丁壮人口，成为将来的隐患；而且官府卖不出去，必然导致摊派与征收折估钱的祸害。名义不同而实质相同，奏请不必再拨给。"

孝宗宣召史浩从明州回朝。三月，乙巳（初五），任命他为少保、观文殿大学士、醴泉观使，兼侍读。当时龚茂良以参知政事的身份行使宰相的职权，于是请求离职，宋孝宗说："朕宣召史浩在经筵任职,你不必多疑。”

丙午(初六),范成大奏报关外麦子丰收,比常年增收一倍,因为朝廷免除和籴一年,民力稍稍舒张,能够从事于农业生产。宋孝宗说:“免除和籴一年,百姓已如此,才知道民力不可以有沉重的负担。”王淮说:“去年只免除了关外的和籴,现在采纳李蘩的奏请,全部免除蜀中和籴一年,施行恩惠更广。”

己酉(初九),龚茂良等进呈《仁宗玉牒》《徽宗实录》《皇帝玉牒》。

编修官吕祖谦上疏说:“陛下因为大臣不胜任职守而代理他们的政务,大臣也亲自做具体的工作而代理了有关官员的事务,以至于地方上监司、守令的职权,都被上司侵夺而不能命令自己的下属,所以豪强狡猾之人玩弄官府,郡县官员忽视三省六部,一般官吏欺凌长官,卑贱之人轻视权臣。平常之时没有表现出它的祸患,一旦发生紧急情况,谁来指挥并调度他们呢?陛下对左右近臣苟且敷衍不假思虑,那么他们的声势渐渐增长,趋附他们的人渐渐增多,过失渐渐积累,对内则害怕陛下谴责而更加设法堵塞视听,对外则害怕公众的批评而更加放肆的诋毁。希望陛下虚心寻求天下之士,执掌机要以总揽万事的关键,不要因为前任有误而以为别人大多可疑,不要因为聪明才智独高而以为自己的才智足以遍察天下,不要重视小事而忘记了长远之计的策划,不要忽视近臣而忘记受蒙蔽的起因。”不久升任著作郎,就以有病为由乞请担任宫观官。

辛亥(十一日),金国免征河北七路去年遭受旱灾蝗灾地区的租税,赈济东京三路的百姓。金国主对赫舍哩良弼说:“尧时有九年发生水灾,汤时有七年发生旱灾,而百姓没有发生饥荒。如今三年不丰收而人民就缺少粮食,为什么?”赫舍哩良弼回答说:“古时土地广袤民风淳朴,崇尚节俭,又专门从事农业生产,所以蓄积的粮食多而无饥馑的忧患。现在土地少人口众多,又大多弃农从商,耕种粮食的人少,而吃粮食的人多,所以一旦遇到灾年百姓就受到困苦了。”金国主很同意这种分析,命令有关官员惩戒那些放纵不从事生产的人。

壬子(十二日),借贷粮食给随州、郢州两州饥民。

甲寅(十四日),修筑韶州城。

辛酉(二十一日),楚州捕贼的奖赏标准规定,随从别人捕获者奏请支给钱三十贯,宋孝宗说:“给五十贯怎么样?”王淮说:“凡是支付折资钱,每一资折合三十贯。现在如果随从别人的人支付五十贯,也不值得吝啬,但高兴的人不过是被奖赏的钱数增加了,而让千万人感到了不公平。”宋孝宗说:“这个观点很对。也如同朝廷授予人官爵,尽量做到最公正,谁还敢产生怨恨!如果徇私情轻易授予官爵,得到官爵的人固然喜悦而因此怨恨的必然很多,只有最公正才可以无怨,朕与你们互相提醒,应当谨守这一法则。枢密院事情少,三省事情多,你们见到三省官员,应当将此意宣谕他们。”

乙丑(二十五日),金国尚书省奏报东京三路的粮食无法满足供给,金国主说:“朕曾对你们说,遇到丰年就扩大和籴以准备应付灾年歉收,你们都说天下粮仓米库盈溢,现在要赈济了,却说不能供给。自古以来的帝王,都以蓄积粮食作为国家的长远计划,朕要求蓄积粮食,难道想自己独享吗!既然供给不足,可从邻近的地区调拨粮食以满足供给。从今以后应当将预先储备粮食作为常规。”

司谏萧燧奏请节省不必要的费用。戊辰(二十八日),户部奏报每年的财政费用及支出

费用的数目，龚茂良说这些费用中有应该节省的地方，想仿照宝元、庆历的成例，命令台谏同户部详细议定，宋孝宗说："现在的财政费用，大多花费在养兵上。朕常看户部呈报的开支费用，可以裁省的不过数千缗，不必让台谏论议。果真有能节省的开支项目，你们可以自行奏报。"

这年春季，阁门舍人应材说："台谏官员的职责，关键在于议论天下的重要利害关系，不在于搜集细枝末节，仅仅只在于议论别人的长短。大奸大恶，本来不可不为天下国家而诛灭他们，如像有用的人才，岂能因为一些小毛病而轻易地毁掉他们！一旦陷入批评之中，就成为无用之人，发生紧急情况，急需用人时，却不再有可用的人才了。神宗任命程颢为御史，程颢说：'让臣拾遗补阙，辅佐朝廷还可以，让臣搜集臣下的长短以获取正直的名声则不行。'神宗感叹赞赏，认为他履行了御史的事体。刘安世曾说祖宗在位时对于人才，培养成就他们很用心，所以当时他任台谏官时，不曾因为小毛病而轻易毁掉人才。乞请将这句话刻石立在御史台、谏院，永远作为台谏官的借鉴。"宋孝宗很同意这个意见。

夏季，四月，戊寅（初九），金国主对宰臣说："郡县的官员，虽然因罪被免职，一二年后，也可重新任用。明安、穆昆户，在太祖创业的时候，都勤劳有功，其世袭的官职，不应当因为小罪而剥夺。"

曾觌执政，想按文官录用他的孙子，龚茂良以文武官员各随本来的行当照顾子孙任职的规格进献皇上加以反对。龚茂良进入政事堂时，曾觌令直省官贾光祖等人挡住道不避让，街司斥责他们，贾光祖说："参知政事还能做得几时！"龚茂良说："臣本来微不足道，所珍惜的是朝廷大体。"宋孝宗让曾觌前去道歉，龚茂良严肃地说："我做的参知政事，是朝廷的参知政事。"曾觌惭愧地退下。宋孝宗告诉龚茂良先派人与曾觌联系，经过缓冲后再进行处置，龚茂良在旨令上批注，将贾光祖等人押往临安府笞挞。诏令责问处置太严厉，龚茂良等待问罪，宋孝宗派人告诉他仍任原职。

五月，癸卯（初四），利州提刑、权金州史俣奏报："金州都统司，照例私贩茶盐，每月摊派给军人每名三斤，高定价格，在领军饷的地方扣除。"宋孝宗说："蜀中军人很贫困，岂能再增加克扣！下令调查核实。"

金国主到达姚村淀，检阅七品以下官员及宗室各局承应人的射柳表演，并给以不同奖赏。

己酉（初十），宗正少卿程叔达奏请宣示《敬天图》，宋孝宗示意左右侍从取图来，程叔达走近观看，宋孝宗也与他一起诵读，每当读到前代帝王有的不能敬畏天神修省自己时，就说："此图将美事恶事都记载下来，也是想以此作为借鉴。"另外读到《无逸》篇，就说："《无逸》这篇文章，说君主之所以能享国长久，都是因为严肃恭敬地敬畏天神所致，尤其应当作为治国的法则。"程叔达说："这是圣德之所以日新月异的原因。"

甲子（二十五日），盱眙军奏报淮河以北蝗虫很多，淮河以南却连年取得丰收。宋孝宗说："近世士大夫大多耻于谈论农业生产。农业是国家的根本大计，士大夫喜欢高谈阔论而不致力于实践，却以谈论农业为耻。"王淮等人说："士大夫喜欢高谈阔论，岂能超过孟子！孟子论事，必说'五亩大的宅园里，要种植桑树；一百亩大的田地，不能耽误了农时。'"宋孝宗说："现在的士大夫稍微有些西晋的清谈之风，岂知《周礼》与《易》谈论理财之道，周公、孔子

未曾不以理财作为政务。况且不仅如此,士大夫还忌讳谈到恢复失地。不知如果他家有一百亩田,其中的五十亩被人所占据,也投递告状书索要不?士大夫对于家事就知道该怎么办,对于国事则忌讳谈论它们,为什么!”

户部员外郎谢廓然,被赐给进士出身,任命为殿中侍御史。谢廓然,是曾觌的党羽。任命由内廷传出,中书舍人林光朝不办理书黄文书。林光朝不久改任权工部侍郎,极力请求离职,任命为婺州知州。

六月,丁丑(初九),龚茂良免职。

谢廓然刚进御史台,就弹劾龚茂良矫传圣旨,断然发遣曾觌的直省官。而林光朝与龚茂良是同乡,林光朝免职后,龚茂良称病请求免职,宋孝宗说:“朕不会忘记你,等到议定恢复失地的时候,你应当再入朝。”于是外调为建康府知府,就命令他在内殿奏报政事。龚茂良亲笔书写六件事,一是天意,二是人事,三是赋财,四是将帅;而所依靠的,一是谋略,一是时机。宋孝宗说:“你五年来不谈恢复失地的事,什么缘故今天谈到这个问题?”退朝之后,宋孝宗很生气,说:“福建人如此不可信赖!”

己卯(十一日),任命王淮为参知政事。

谢廓然说:“自从龚茂良执掌大权培植党羽,所以朝廷拉帮结派的习俗未能革除。希望敕令臣下同心同力辅佐国政,不要结党派以制造分歧,不要互相偏袒以损害公正,使忠良正直之士畅所欲言而不疑惧,使奸险巧诈之徒知道收敛而心怀惧怕。”宋孝宗同意了。

金国主对宰执大臣说:“朕年纪老了,恐怕因为一时的喜怒无常,处置或许不当,你们应当争辩奏报,不要当面顺从,促成朕的过失。”

癸未(十五日),将蜀州升为崇庆府。

甲申(十六日),诏令:“三省、枢密院所收到的旨令,退朝后就写成书面文字奏审,再次得到批复后,才可施行。”还认为龚茂良是矫传圣旨。从此每当奏报任用人选,都用黄纸贴签密封进呈,皇帝有时有改动,就成为定制。

这年夏季,东宫官员奏请为太子增讲范祖禹的《唐鉴》,宋孝宗同意。

秋季,七月,庚子(初三),右正言葛邲,奏请下令二广帅臣、监司,对现任郡守一级官员每年精心加以考察,守臣之职现有空缺的地方,原由政事堂任命或者是吏部的空缺,也请提早赐给任命,如果有人不愿意前往任职,就下令广南各司共同征召一次,其中已经任命尚未到任的,催促他到任。宋孝宗说:“郡守官员选择不当,使千里受害。可令二广帅臣、监司,限期两个月内查访所部的守臣的优劣并奏闻朝廷。”

己酉(十二日),诏令:“从文宣王的陪从祭祀中,去掉王雱的画像。武成王庙,将李晟升到庙上,将李勣降到李晟原来的位置,仍以曹彬陪从祭祀。”

当时皇帝的内批多次发出,任命阁门舍人黄夷行任郡守,赵雄等人说他的资历尚浅,宋孝宗说:“必须按资历任用,这样才能避免别人批评。”辛亥(十四日),内批:“任命王守忠添差浙西准备将,任职期满后特许他连任。”赵雄说:“王守忠是陛下即位之前王宫的祗应,不算是随陛下登基入朝的,依照规定不应做添差官。”宋孝宗说:“如果这样则难行任命。”赵雄说:“圣意想任命他,特令依照随陛下登基入朝的成例就可以了。”宋孝宗说:“不如就算了。”赵雄说:“过去的老部属,陛下都不肯借机添差,臣下怎敢徇私情。”宋孝宗说:“不如此做那

么法令就无法执行。"

壬子(十五日),金国尚书省奏请每年赐给西北路的驻防军队三万只羊,金国主问如何运到,宰执大臣无言回答。金国主说:"朕每当退朝后,专心政务,无暇安宁。你们不要认为具体事务不是帝王所应当过问的,因为你们对国家大事不曾用心,所以才问这件事。"

谢廓然又弹劾龚茂良的四罪,说:"龚茂良行宰相事务历时三年,臣僚奏报或对答时,有的谈到边防的利害关系,必定遭到讥讽辱骂;入宫辞行的那天,才谈到恢复失地的事,总共数百言,这是他该杀的第一条罪状。陛下孝顺诚实至极,给太上皇帝和太上皇后举办寿礼和册立中宫皇后,驾幸太学和武学,都由圣心决断,龚茂良却自称是出自他的建议,如此荒谬放肆,这是他该杀的第二条罪状。将自己所说的话,说成是皇帝的话,剽窃圣训作为自己的话,这是他该杀的第三条罪状。他推荐监察官首先推荐他妻子的同宗林虙,拟定后省官员就任用同乡林光朝,这是他该杀的第四条罪状。"癸丑(十六日),龚茂良贬为宁远军节度副使,到英州接受安置处分,父子二人死于被贬之地,这都是曾觌操纵的。曾觌以前虽然参与政事,但不敢放肆,到这时他驱逐大臣,官员们大多对他侧目而视、重足而立。

甲寅(十七日),郭刚奏报权统领陈镗,乞请在官名中除去"权"字。赵雄说:"地方上的各军统领,却不经过枢密院的审察,依法必须从统领官中选择统制官,那么还担忧找不到统制官的合适人选吗?"宋孝宗:"对。"赵雄又说:"以前听王友直说,必须从训练官开始就不轻易授予,那么从准备将到统制官才都能找到合适的人选。"臣回答他说:"只有体谅国家的将帅才肯如此,假使人人都像王殿帅所说的那样,那么军中还担忧没有人才?"宋孝宗说:"这才是正本清源,然而不体谅国家的也不能做到这一点。"

乙卯(十八日),吏部说内侍李裕文应该转归吏部管辖,宋孝宗说:"以前授予内侍为在京宫观官,从来不曾下达转归吏部管辖的指令。"赵雄说:"历来内侍寄资官只要停止了内侍的差遣,必须转归吏部管辖。"宋孝宗同意了这个意见。

戊午(二十一日),赵雄说蜀中在五月得到降雨。宋孝宗说:"世人以凤凰、芝草、甘露、醴泉作为祥瑞,这些都是虚文,不如使年年五谷丰登,官府、百姓都富足,这才是真正的祥瑞。"

吏部郎阎苍舒说:"马政的弊端,不可胜数。现在想大革马政的弊端,只有抬高茶的价格。因为敌人的生活中不可一日无茶,祖宗时代,一驮茶交换一匹上等马。陕西各州,每年交易二万匹马,所以从名山每年运出二万驮茶。现在陕西尚未回归我国版图,在西和这一郡,每年交易的马只有三千匹,却用了当初陕西各州二万驮茶的数量,马价已上涨了十倍,茶价还不足而以银绢绸及纸币来补助。茶叶很多之后,那么民间就降低茶价而提高银绢绸价格,而茶司的权力就转到了其他机构。现在宕昌地区一匹四尺四寸的下等马,其价格相当于十驮茶;如果是上等马,那么不用银绢不能买到。祖宗时代,禁止边境地区卖茶极严,自从张松大幅度放松对永康茶的禁令,因此各部的蕃人都食用永康之茶,而宕昌之茶贱如泥土。况且茶价越贱,获得的马就越少,而致使洮、岷、叠、宕的土著蕃人,为了追逐利益深入我国腹地州郡,此路一开,其害无穷。今后要必须支付精致好茶而渐渐减少茶叶数量,又严格禁止茶叶流入蕃人地区,那么马政渐渐走上正轨,而边境也渐渐安宁了。"诏令朱佺严格执行有关私贩茶叶的禁令。

金国赫舍哩良弼称病辞谢相位，不同意。告假期满百日，金国主多次派宦官去询问病情。赫舍哩良弼告假时间很长了，尚书省积压了很多政事，金国主就此询问宰相，参加政事张汝弼回答说："没有积压的事。"金国主说："岂能说没有！从今以后很久没有决断的疑难事，应当奏报朕知。"

这个月，金国天降大雨，黄河缺口。

八月，辛未（初四），诏令："今后职事官、厘务官，都必须在出现空缺时才允许任命。"

壬申（初五），枢密院奏报："以前命令各州军，有御前屯驻军马或分屯军马的地方，将现有教阅禁军，差遣官员管辖，与大军一道进行训练，所有不属于驻扎军马和分屯军马的州军，其禁军自然应该逐州训练，担心有的州军松弛荒废了训练，理应重申告诫。"诏令："责成统兵官将现在所管辖的禁军精心加以训练。倘派官员前往测试，如果有武艺退步的情况，写明任职官的姓名加以弹劾。"

金国因为监察御史考核东北路的官吏时常常接受诉讼文书认为这是不称职，笞打五十。金国主不久对御史中丞赫舍哩邈说："御史台官员纠察官吏的政绩好坏，务必不能扰乱百姓，而且期望得到实情。现在所到处往往接受诉讼文书，听任人们的胡乱告状，让治理地方的官员如何办才行呢！"

庚辰（十三日），金国主对宰执大臣说："现在在职的官员，对于同僚的见解，即使事情符合事理，也认为是错的，心想如果采纳了同僚的建议恐怕别人说政令不是出自自己。这样的人，朕很讨厌他们。现在看大理寺的断案虽然制定了明确的规定，但按理却行不通的地方，另外写明情况上报，朕只取其所长。一个人如果能采纳他人的长处而加以学习，这样才可以说是有长处。"又说："现在下级官员中岂无人才！只是在于上级官员不加以推荐，忌恨他们的才能胜过自己的缘故。"

九月，丁酉朔（初一），发生日食。

己亥（初三），命令修筑海塘。

辛丑（初五），金国封皇子完颜永德为薛王。

戊申（十二日），金国主举行秋猎。

己酉（十三日），宋孝宗听讲授经史，侍读官史浩讲读《三朝宝训》，进言说："圣人之言远如青天，贤人之言近如大地。看真宗与王旦的言论，可以发现圣人贤人的远近区别。王旦为相，想治罪于荐举失实的人，这是贤人的言论。真宗认为推荐十人其中五人推荐得当，即使是徇私情，然而朝廷也因此得到了不少人才，这是圣人的言论，其言论含义深远，岂不如同青天一样深远吗！"宋孝宗说："孟子的言论最切近，看了孔子的言论，那么两者的气象尤其不大相同，这就是贤与圣的分别。"

戊午（二十二日），宋孝宗在选德殿看踢球。

甲子（二十八日），金国主返回京都，改任东京留守图克坦克宁为南京留守兼河南统军使，派人告诉他说："统军使不曾让留守兼任，这是朕的意思。可路过京师入宫朝见。"金国主准备再任命他为宰相，所以这样告谕他。

续资治通鉴卷第一百四十六

【原文】

宋纪一百四十六　起强圉作噩【丁酉】十月，尽屠维大渊献【己亥】四月，凡一年有奇。

孝宗绍统同道冠德昭功　哲文神武明圣成孝皇帝

淳熙四年　金大定十七年【丁酉，1177】　冬，十月，戊辰，金州副都统制李思齐请官军择有才略智勇人，不次升擢，帝曰："专用年限，则才者无以自见；许躐次升差，则兵官得人矣。"

己巳，夏国进百头帐于金，金主诏却之境上。其使因边臣求人，乃许之。

丙子，诏："阴雨多日，大理寺、临安府并属县及两浙西路诸州县见禁罪人，在内委台官，在外委提刑，躬身检察决遣；如路远分委通判。杖已下并干系等人，日下并行疏放。"

丁丑，金制："诸明安，父任别职，子年二十五以上，方许承袭。"

己卯，赵雄言："湖广总领所岁有给降度牒定数，不知绍兴年间不曾给降，亦自足用。岂绍兴三十年创制以万人为额之前，度牒初未行也！"帝曰："朕甚不欲给降度牒，当渐革之。"

庚辰，诏幸茅滩。上抽摘诸军人马按教，宰执、管军、知阎、御带、环卫官，自祥曦殿戎服起居从驾，馀免。

辛巳，金主谓宰臣曰："今在位不闻荐贤，何也？昔狄仁杰起自下僚，力扶唐祚，使即危而安，延数百年之永。仁杰虽贤，非娄师德，何以自荐乎！"

癸未，金主谓宰臣曰："近观上封章者，殊无大利害。且古之谏者，既忠于国，亦以求名，今之谏者，为利而已。如户部尚书曹望之，济南尹梁肃，皆上书言事，盖觊觎执政耳，其于国事，竟何所补！达官如此，况馀人乎！昔海陵南伐，太医使祁宰极谏，至戮于市，本朝以来，一人而已。"

十一月，乙亥，金州管内安抚司，申本州管保胜军见阙衣甲。帝曰："衣甲不可不理会。旧来主帅，令义士赤肉当敌，此何理也！"

丁酉，诏两淮归正人为强勇军。

戊戌，金复以图克坦克宁为平章政事。金主欲以制书亲授克宁，主者不知上意。及克宁已受制，金主谓克宁曰："此制朕欲授与卿，误授之外也。"又曰："朕欲尽徙卿宗族在山东者，居之近地。卿族多，官田少，无以尽给之，乃选其最亲者。"

庚子，以赵雄同知枢密院事。

枢密院进内外诸军缴申逃亡事故付身，帝曰："近来军中之弊，以渐而革。如逃亡事故付身，有家累者批凿，无家累者焚毁，数年之间，免冒滥者多矣。”赵雄曰：“如军中升差与拣汰离军之人，令赴密院审〔察〕，皆有去取。”帝曰：“行之稍久，主帅自不敢用私，喜怒有所升黜也。”

丙午，李川言：“近不许管军官接见宾客，川自准圣训，不敢妄见一人，遂敛众怨，动生谤议。”帝曰：“李川能如此遵守，诚不易得。可与再行约束，仍奖谕李川，将帅能如此执守，共副朕意，勿恤众怨，谤议虽起，不足虑也。”

戊申，郭钧乞将右军统(领)制田世雄改充中军统制，缘止系改移，非创行升差，请免赴枢密院审察。帝曰：“初除统制时，曾经审察乎？”赵雄言旧来止是宣抚司升差，未经审察，帝曰：“审察之法，岂辄可废！若以为正当防秋，可令至来年中春准法赴枢密院审察，给降付身。”

庚辰，金以尚书左丞石琚为平章事。

金主谓宰臣曰：“朕尝恐重敛以困吾民，自今诸路差科之烦细者，亦具以闻。”

十二月，戊辰，金以渤海旧俗，男女婚娶多不以礼，必先攘窃以奔，诏禁绝之，犯者以奸论。

壬申，金以尚书右丞唐古安礼为左丞，殿前都点检富察通为右丞。金主谕宰执曰：“朕今年五十有五，若逾六十，虽欲有为而莫之能也。宜及朕康强，凡国家政事之未完与法令之未一者，皆修举之。卿等开陈，朕不敢怠。”

甲戌，臣僚言：“农田之有务假，始于中春之初，终于季秋之晦，法所明载；州县不知守法，农夫当耕耘之时而罹追逮之扰，此其害农一也。公事之追邻保，止及近邻足矣；今每遇乡村一事，追呼干连，多至数十人，(经动)〔动经〕旬月，吏不得其所欲，则未肯释放，此其害农二也。丁夫工伎，止宜先及游手，古者所谓夫家之征是也；今则凡有科差，州下之县，县下之里胥，里胥所能令者，农夫而已，修桥道，造馆舍，则驱农为之工役，达官经由，监司巡历，则驱农为之丁夫，此其害农三也。有田者不耕，而耕者无田，农夫之所以甘心焉者，犹曰赋敛不及也；其如富民之无赖者不肯输纳，有司均其数于租户，吏喜于舍强就弱，又从而攘肌及骨，此其害农四也。巡尉捕盗，胥吏催科，所至村疃，鸡犬为空，坐视而不敢较，此其害农五也。”有诏：“州县长吏常切加意，毋致有妨农务。”

乙亥，大阅殿、步两司诸军于茅滩。帝登台，殿帅王友直、步帅田卿奏人马成列。举黄旗，诸军统制已下呼拜已，乃奏发严。举白旗，声四鼓，变方陈，次变四头八尾陈，以御敌之形，次变大陈方。次举黄旗，声五鼓，变圆陈。次举皂旗，声二鼓，变曲陈。次举青旗，声三鼓，变直陈。次举绯旗，声二鼓，变锐陈。管车奏五陈教毕。帝甚悦，因谕友直等曰：“器甲鲜明，纪律严整，皆卿等留心军政，深可嘉尚。”犒赐将士有差。

戊寅，前浙东提举何称言：“本路措置水利，创建湖浦塘埭斗门二十处，增修开浚溪浦埂堰六十三处，计灌溉民田二十四万九千二百六十六亩。”诏浙东提举姚宗之核实具奏。

是岁，知遂宁府杜莘老举布衣聂山行义，召不至。赐出身，添差本府教授。寻乞致仕。

乾道初，定节度使至正任刺史除上将〔军〕，横行遥郡除大将军，正使除将军，副使除中郎将，使臣以下除左右郎将。正任，谓承宣使至刺史也；遥郡，谓以阶官领刺史至承宣使也；正使，谓武义大夫以上也；副使，谓武翼郎以上也；使臣以下，谓训武郎以下也。至是诏：“今后环卫官、节度使除左右金吾卫上将军、左右卫上将军，承宣使、观察使为诸卫上将军，防御使

至刺史、通侍大夫至右武大夫为诸卫大将军，武功大夫至武翼大夫为诸卫将军，正侍郎至右武郎、武功郎至武翼郎为中郎将，宣赞舍人、敦武郎以下为左右郎将。"

四川制置使胡元质言："为蜀民之病者，惟茶、盐、酒三事为最；酒课之弊，近已损减。蜀茶，祖宗时并许通商，熙宁以后，始从官榷，当时课息，岁过四十万。建炎军兴，改法卖引，比之熙宁，已增五倍。绍兴十七年，主管茶事官增立重额，逮至二十五年，台谏论列，始蒙蠲减。当郑霭为都大提举，奉行不虔，略减都额，而实不与民间尽蠲前官所增逐户纳数。又越二十馀年，其间有产去额存者，有实无茶园，止因卖零茶，官司抑令承额而不得脱者，似此之类不一，逐岁多是预俵茶引于合同官场，逐月督取。张松(如)〔为〕都大提举日，又(许)〔计〕兴、洋诸场一岁茶(页)〔额〕，直将茶引俵与园户，不问茶园盛衰，不计茶货有无，止计所俵引数，按月追取岁息，以致茶园百姓愈更穷困。欲行下茶马司，将无茶之家并行停阁，茶少额多之家即与减额。"诏元质与茶司及总领司措置。

元质又言："盐之为害，尤甚于酒。蜀盐取之于井，山谷之民，相地凿井，深至六七十丈，幸而果得咸泉，然后募工以石甃砌。以牛革为囊，数十人牵大绳以汲取之，自子至午，则泉脉渐竭，乃缒人于绳令下，以手汲取，投之于囊，然后引绳而上。得水入灶，以柴茅煎煮，乃得成盐。又有小井，谓之'卓筒'，大不过数寸，深亦数十丈，以竹筒设机抽泉，尽日之内，所得无几。又有凿地不得咸泉，或得泉而水味淡薄，煎数斛之泉不能得斤两之盐。其间或有开凿既久，井老泉枯，旧额犹在，无由蠲减；或井大井损，无力修葺，数十年间，空抱重课；或井筒剥落，土石湮塞，弥旬累月，计不得取；或夏冬涨潦，淡水入井，不可烧煎；或贫乏无力，柴茅不继，虚失泉利；或假贷资财以为盐本，费多利少，官课未偿，私债已重；如此之类，不可胜计。欲择能吏前往，逐州考核盐井盈亏之数。先与推排等第，随其盈亏多寡而增损之，必使上不至于重亏国计，下实可以少舒民力。"诏元质与李蘩共措置条具奏闻。

元质又言："简州盐额最为重大，近蒙蠲减，折估钱五万四千馀缗。但官司一时逐井除减，使实惠未及下户。富厚之家，动煎数十井，有每岁减七千缗者；下等之家，不过一二十井，货则无人承当，额徒虚欠，官司不免督责。望委制置司，再将向来已减之数，重行均减。其上户至多者，每数不得减过二千贯，其馀类推，均及下户。"

淳熙五年 金大定十八年【戊戌，1178】 春，正月，辛丑，侍御史谢廓然言："近来掌文衡者，主王安石之说，则专尚穿凿；主程颢之说，则务为虚诞。虚诞之说行，则日入于险怪；穿凿之说兴，则日趋于破碎。请诏有司公心考校，无得徇私，专尚王、程之末习。"从之。

庚戌，金修〔起〕居注伊喇杰言朝奏屏人议事，虽史官亦不与闻，无由记录，金主以问宰相石琚、右丞唐古安礼，琚等对曰："古者史官，天子言动必书，以儆戒人君，庶几有畏也。周成王剪桐叶为圭，戏封叔虞，史佚曰：'天子不可戏言，言则史书之。'以此知人君言动，史官皆得记录，不可避也。"金主曰："朕观《贞观政要》，唐太宗与群下议论，始议如何，后竟如何，此正史官在侧记而书之耳。若恐漏泄机事，则择慎密者任之。"朝奏屏人议事，记注官不避，自此始。

庚申，金免中都、河北、河东、山东、河南、陕西前年被灾租税。

壬戌，金主如春水。

是月，永康陈同诣阙上书曰："吴、蜀，天地之偏气；钱塘，又三吴之一隅。当唐之衰，钱镠以闾之雄，起主其地，自此不能独立，常朝事中国以为重。及我宋受命，假以全家入京师而自献其土，故钱塘终始五代，被兵最少，而二百年之间，人物日以蕃盛，遂甲于东南。及建炎、绍兴之间，为六飞所驻之地，当时论者固疑其不足以张形势而事恢复矣。秦桧又从而备百司庶府，以讲礼乐于其中，其风俗固已华靡；士大夫又从而治园圃、台榭，以乐其生于干戈之馀，上下宴安，而钱塘为乐国矣。一隙之地，本不足以容万乘，而镇压且五十年，山川之气，亦发泄而无馀。故谷粟桑麻丝枲之利，岁耗于一岁；禽兽鱼鳖草木之生，日微于一日；公卿将相，大抵江、浙、闽、蜀之人，而人才亦日以凡下，场屋之士以十万数，文墨稍异，已足称雄于其间矣。陛下据钱塘已耗之气，用闽、浙日衰之士，而欲鼓东南习安脆弱之众，北向以争中原，臣有以知其难也。荆、襄之地，东通吴、会，西连巴、蜀，南极湖、湘，北控关、洛，左右伸缩，皆足以为进取之机。今诚能开垦其地，洗濯其人，以发泄其气而用之，使足以接关、洛之气，则可以争衡于中国矣。

"今世之儒者，自以为得正心、诚意之学者，皆风痹不知痛痒之人也。举一世安于君父之仇，方且低头拱手以谈性命，不知何者谓之性命乎？陛下接之而不任以事，臣于是服陛下之仁。今世之才臣，自以为得富国强兵之术者，皆狂惑以肆叫呼之人也。不以暇时讲究立国之本末，而方扬眉伸气以论富强，不知何者谓之富强乎？陛下察之而不敢尽用，臣于是服陛下之明。陛下厉志复仇，足以对天命，笃于仁爱，足以结民心，而又明足以照临群臣一偏之论，此百代之英主也。今乃委任庸人，笼络小儒，以迁延大有为之岁月，臣不胜愤悱，是以忘其贱而献其愚。"

同，即陈亮更名。书奏，帝感动，欲榜朝堂以励群臣，用种放故事，召令上殿，将擢用之。曾觌知之，将见亮，亮耻为觌所知，逾垣而逃，觌不悦。大臣尤恶其直言，交沮之，乃命都堂审察。宰相以上旨问以所欲言，落落不少贬，又不合。待命十日，复诣阙上书者再。帝欲官之，亮笑曰："吾欲为社稷开数百年之基，宁用以博一官乎！"遂归。

二月，戊辰，臣僚言："郡县之政，最害民者，莫甚于预借。盖一年税赋支遣不足，而又预借于明年，是名日借，而终无还期。前官既借，后官必不肯承。望严戒州县。"从之。

己巳，臣僚言于税二弊："一丁之税，人输绢七尺，此唐租庸调所自出也。二十岁以上则输，六十则止，残疾者以病丁而免，二十以下者以幼丁而免，此祖宗之法也。比年乡司为奸，托以三年一推排，方始除附，乃使久年系籍与疾病之丁，无时销落，前添之丁，隐而不籍，皆私纠而窃取之，致令实纳之人无几，而官司所入，大有侵弊，此除附之弊也。若其输纳，则六丁之税，方凑成绢一匹。官司狃于久例，利其重价，及头子勘合、市例(縻)〔糜〕费之属，必欲单名独钞，其已纳者，又不即与销簿，重叠追呼，此输纳之弊也。今欲县委丞置丁税一司，遇岁终，许民庶之家长或次丁，自陈其家实管丁若干，老病少壮，悉开列于状。将旧簿照年实及六十与病废者悉除之；壮而及令者，重行收附。如隐年者，许人首告。每岁纳足，即与销簿。给钞计钱绢，从便送纳。"从之。

辛未，申严武官程试法。

丁丑，禁解盐入京西界。

己丑，金主还都。左丞相赫舍哩良弼以疾乞致仕，金主慰留；请益力，乃许之，授明安，给丞相俸傔。金主谓宰臣曰："卿等非不尽心，乃才力不及良弼，所以惜其去也。"

庚寅,威州蛮寇边,讨降之。

三月,丁未,李彦颖罢为资政殿学士、知绍兴府。

金主谓宰执曰:“县令最为亲民,当得贤才用之。比在春水,见石城、玉田两县令,皆年老,苟禄而已。畿甸尚尔,远县可知。”平章政事石琚言:“良乡令焦旭、庆都令李伯达皆能吏。”金主曰:“如卿言,当擢用之。”

己酉,金禁民间创兴寺观。

壬子,以史浩为右丞相兼枢密使。帝谓浩曰:“自叶衡罢,虚席以待卿久矣。”

己未,以王淮知枢密院事,赵雄参知政事。

辛酉,四川制置使胡元质言:“蜀折科之额,视东南为最重。如夏秋税绢,以田亩所定税钱为率,凡税钱仅及三百,则科绢一匹;不及三百者,谓之畸零,其所输纳,乃理估钱,则准时值。当承平时,每缣不过二贯,兵兴以来,每缣乃至十贯,是一缣而取三倍也。陛下轸念远民重困,每缣裁定作七贯五百,蜀民欢呼鼓舞。然独成都,自淳熙五年为额减放,其他州县,尚仍旧估,请付下约束。”诏:“四川总领所逐同路转运司,取见诸州军未尽数,减放裁减。”

是春,诏会子以一千万缗为一界;寻又诏如川钱引例,两界相会行。

夏,四月,丙寅,以礼部尚书范成大参知政事。

己巳,金主谓宰臣曰:“朕巡幸所至,必令体访官吏臧否。向于玉田,知主簿舒穆噜沓乃能吏也,可授本县令。”

辛未,知绍兴府张律奏支用剩钱四十万贯,应副御前激赏支用,诏令将所献钱为人户代纳今年和买身丁之半。

赐礼部进士姚颖〔等〕四百十有七人及第、出身。

己卯,以赵思奉使不如礼,罢起居舍人,仍降二官。

丁亥,诏:“给事中专立一司,看详奏状、札子及陈乞敷奏者;如有利国便民事,并先参订祖宗法,委无违戾,方许上籍。”

五月,甲午朔,知静江府张栻除秘撰,令再任。以栻久任帅阃,绩效有闻也。

庚子,置武学国子员。

右丞相史浩奏:“臣蒙恩俾再辅政,惟尽公道,庶无朋党之弊。”帝曰:“宰职岂当有朋党!人主亦不当以朋党名臣下。既以名其为党,则安得不结为朋党!朕但取贤者用之,否则去之。且如叶衡既去,人以王正己为其党,朕固留之。以王正己虽衡所引,其人自贤,则知朕不以朋党待臣也。”浩曰:“陛下心如止水,如明镜,贤否皆不得遁,故奸邪不敢名正人以朋党。汉党锢、唐白马之祸,皆人君不明,为郡邪所惑,遂至于此。”帝曰:“汉、唐朋党之祸,大抵皆由主听不明,而其原始于时君不知学。”浩言:“《说命》三篇,专论圣学,如‘终始典于学’,如‘学古训’之类。帝王要道,无先于此。”帝称善。

丙午,金主如金莲川。

丁未,修临安城。

是月,诏:“诸路州县创立场务者,皆罢之。”

六月,庚午,新知南剑州曾植言:“近日公正之道微,请托之风盛。省部之理诉,仓库之出纳,刑狱之决谳,州县之争讼,无一不用关节,而望百司举职,难矣。请戒饬百官内外,皆用公道，毋徇私情。其有不悛，行法自近始。庶几百官各扬乃职。”从之。

金右丞相赫舍哩良弼薨，谥诚敏。

良弼性聪敏忠正，善断决，虽起寒素，致位宰相，朝夕惕惕，尽心于国，荐举人材，常如不及。居位几二十年，辅成太平之治，号贤相焉。

乙亥，范成大罢职奉祠，以言者论之也。

甲申，诏翰林学士、谏议大夫、给事中、中书舍人，各举堪御史者二人。

以给事中钱良臣签书枢密院事。

壬辰，诏侍御史举堪任御史者。

闰月，丙申，赠强霓、强震观察使，(乃)〔仍〕于西和州立庙，赐额旌忠，以知兴州吴挺言霓守环州，震为军官，并死节不屈也。

丁酉，湖广总领周嗣武奏："蜀为今日根本之地，自屯兵蜀口，五十年间，竭全蜀之力，仅足供给军食。目今历尾虽管钱引八百万道，望轸念蜀民力已疲困，乞存留在蜀，以备非常急阙之需。"帝曰："甚善。"又奏："蜀中钱引，自天圣间创始，每界初只一百二十五万馀道，至建炎间，依元符之数，添印至三百七十馀万道，尚未为多。目今见行两界道共四千五百馀万道，较之天圣之初，何啻数十倍！今四川总领所，又有别造钱银会子，接济民间贸易，比折成贯钱引，自是六十三万道。倘岁岁添印，一旦价例减落，则于四川钱引，所系非轻。"帝曰："蜀中钱引已多，岂可更有增添！"并从之。

大理卿吴交知等奏狱空，奖之。

淮东总领言："高邮、宝应田，岁被水涝者，昔元祐间发运张论兴筑长堤二百馀里，为涵洞一百八十所，石堰、斗门三十六座，以时疏泄，下注射阳湖，流入于海，故年谷屡登。自残扰之后，尽皆废坏，湖水漫流。请专委官司守令，于农隙之地，官给米募夫，择湖水冲要，建石堰、斗门，并管察堤岸之损缺，修筑填补。"旋命淮东领总叶翥核实以闻。

戊戌，兴州都统吴挺言："今阶、成、西和、凤州并长举县营田，以三年计之，所得才四万九千馀缗，而所费乃百七万缗。请以其田召民耕佃，将军兵抽还教阅。"从之。

己亥，利州路复分东、西，以吴挺(率)〔帅〕西路兼知兴州，知兴元府程价充东路安抚。

辛丑，金赈西南、西北两路饥。

壬寅，置镇江、建康府转般仓。

秋，七月，甲子，太尉、提举万寿观李显忠薨，谥忠襄。

丙子，金主谓宰臣曰："职官始犯赃罪，容有错误。至于再犯，是无改过之心。自今再犯，不以赃数多寡，并除名。"

八月，甲午，诏曰："近年谷丝丰收，尚念耕夫蚕妇，终岁勤动，(买)〔卖〕钱不足以偿其劳，而郡邑或勿加恤，使倍蓰以输其直，甚亡谓也！其令诸路监司，严戒所部，应民间两税，除折帛折变自有常制外，当输本色者，毋以重价强之折钱。若有故违，按劾置法，可令临安府刻石遍赐诸路监司、帅臣、郡守。"

复制科旧法。

国子博士钱闻诗言："今日登用武臣，不过于武臣中用有文采者，欲以此激励武勇，恐反怠其素习。将见将帅子弟，必有习文墨，弄琴书，趋时好尚以幸进用者。"帝曰："若如此，朕安

能得人!”

丁酉,诏关外(西)〔四〕州增募民兵为忠勇军。

乙巳,金主还都。丙辰,以右丞相完颜守道为左丞相,平章政事石琚为右丞相。

戊午,增铨试为五场,呈试为四场。

九月,壬申,幸秘书省,赐秘书监陈骙、少监郑丙紫章服。

戊寅,赐岳飞谥曰武穆。

癸酉,金以左丞唐古安礼为平章政事。乙亥,以右丞富察通为左丞,参知政事伊喇道为右丞,刑部尚书钮祜禄额特勒为参知政事。

陈俊卿入对。时曾觌以使相领京祠,王抃知阁门事,枢密都丞旨甘昪为入内押班,三人相与盘结,士大夫无耻者争附之。于是郑鉴为馆职,袁枢为宗正,因转对,数为帝言之。俊卿判建康,因过阙,论“觌、抃招权纳赂,荐进人材,而皆以中批行之,此非宗社之福。”且曰:“陛下信任此曹,坏朝廷之纲纪,废有司之法令,败天下之风俗,累陛下之圣德。”帝感其言。

俊卿之在建康也,御前多行白札子,率用左右私人赍送,俊卿因奏曰:“号令出于人主,行于朝廷,布于中外,古今之所同也。间有军国机密文字或御前批降,则用宝行下,所以信示防伪也。今乃直以白札处分事宜于数百里之外,其间亦有初非甚密之事,自可附之省部。今白札既信于天下,则它时缓急,或有支降钱物,调发军马,处置边防,干国家大利害事,其间岂能保其无伪!若严重知体之人,必须奏审,则往来之间,或失事机;若庸懦无识之人,即便施行,则真伪不分,岂不误事!况批禀文字,只付差来人,或令回申元承受处,到之与否,不可得知,此于事体尤为非便。”帝降札奖谢之。

冬,十月,戊戌,史浩等上《三祖下第六世仙源类谱》《仁宗玉牒》。

先是历官推九月庚寅晦,既颁历矣。而金使来贺生辰者,乃以为己丑晦,盖小尽也,于是会庆节差一日。接伴检详官邱崈调护久之,金使乃肯用正节日上(节)〔寿〕。盖历官荆大声妄改甲午年十二月为大尽,故后一日也。

乙卯,奉国节度使、殿前都指挥使王友直,以募兵扰民,降为武宁军承宣使,统制以下夺官有差。军民欢呶者,执送大理寺鞫之。

戊午,封皇孙扩为英国公。

十一月,庚申朔,史浩言:“陛下事亲之懿,如朔望驾朝德寿宫,与夫圣节、冬至、正旦上寿,或留侍终日,或恭请宴游,凡所以尽子之道,以天下养者,皆极其至。宜大书于策,以为万世法。然自陛下登位以来,至是凡十有七年,其间岂无亲闻太上圣训与夫陛下问对玉音!外庭不得而知,史官不得而书。望陛下以前所闻及自今以后所得太上圣训,陛下问对玉音,许令辅臣随时奏请,俾之登载日历,或宣付史馆,别为一书,则圣子神孙,得以遵承家法。”从之。

金尚书省奏拟同知永宁军节度使事阿克为刺史,金主曰:“阿克年幼,于事未练,授佐贰官可也。”平章政事唐古安礼曰:“臣等以阿克宗室,故拟是职。”金主曰:“郡守系千里休戚,可不择人,而私其亲耶!若以亲亲之恩,赐与虽厚,无害于政,使之治郡而非其才,一境何赖焉!”

丙寅,诏:“大理寺所鞫军民喧哄者,并从军法。”史浩言民不可律以军法,不听。复再降王友直为宣州观察使、信州居住。于是浩请罢政,甲戌,罢为少傅,还旧节,充醴泉观使兼侍读。

乙亥，以钱良臣参知政事。

丙子，金尚书省奏："崇信县令石安节，买车材于部民，三日不偿其直，削官一阶，解职。"金主因言："凡在官者，但当取其贪污与清白之尤者数人黜陟之，则人自知惩劝矣。夫朝廷之政，太宽则人不知惧，太猛则小玷亦不免于罪，惟当用中典耳。"

丁丑，以赵雄为右丞相，王淮为枢密使。

王希吕缴奏："浙、闽州县推排物力，至于牛畜，亦或不遗。旧法，即无将舍屋、耕牛纽充作家业之文。"敕令所看详："人户租赁牛畜，虽系营运取利，缘亦便于贫民。乞依所奏，将应民户耕牛、租牛，依绍兴三年五月六日指挥，并与免充家力，行下诸路州县遵守施行。"帝曰："国以农为本，农以牛为命，牛多则耕垦者广，岂可指为家力，因而科扰？监司常切觉察，如有违戾，按劾闻奏。"

戊寅，诏："成都一路十六州，除成都自有飞山军及威、茂、黎、雅、嘉州、石泉军系沿边去处兵备不可抽摘外，自馀诸州，各选兵官前去，逐州按试勇壮有武力人，抽摘团结，共取一千人作二队，如李德裕雄边子弟，以雄边军为名。"从胡元质请也。

先是金曹王文学赵承先以奸被杖，除名，既而复用。金主诘之，宰臣言："由曹王遣人言其干敏，故再任之。"金主曰："官爵拟注，虽由卿辈，予夺之权，当出于朕。曹王之言尚从之，假皇太子有所谕，则其从可知矣。此事因问始知，所不知者更复几何？且卿等公然受请属，可乎？"金主又尝谕宰臣曰："往者丞相良弼拟注差除，未尝苟与不当得者，而荐举往往得人，钮祜禄额特勒、伊喇慥、费摩馀庆皆是也；至于私门请托，绝然无之。"

庚辰，复监司互举法。

丙戌，金吏部尚书乌库哩元忠为御史大夫。元忠尝知大兴府，有僧犯法，皇姑梁国大长公主属使释之，元忠不听。金主闻之，召元忠谓曰："卿不徇，甚可嘉也。治京如此，朕复何忧！"

十二月，辛卯，宰臣进监司、郡守除目，帝曰："郡守得人，则千里蒙福；监司得人，则一路蒙福。卿等遴选其人，不可轻授。"

壬辰，赵彦逾请以南康军诸鱼池为放生池，帝曰："沿江之民，以鱼为生，今禁之，恐妨民也。"

庚戌，金封皇孙玛达格为金源郡王。

壬子，金群臣奉上大金受命万世之宝。

乙卯，知临安府吴渊请复置西溪栏税，帝曰："关市讥而不征。去城五十里外，岂可复置栏税！"

是岁，前知雷州李茆奏："广西盐已行者，曰钞商兴贩也，曰官自搬卖也，然二者利害不可究。且官自搬卖，旧系本路转运司主其事，行之既便，岁课自充，诸州亦无阙乏。自绍兴八年改行钞法，转运司所得仅二分，不能给诸州岁计，至于高折秋苗，民被其害。逐年卖钞所亏之数甚多，陛下灼见其弊，仍旧拨还转运司，均于诸州官搬官卖，尽罢折米招籴之为民害者，止令转运司岁认息钱三十一万贯，自当确守此法，为永久之利。"诏："户部将广西官搬官卖盐法，申严行下，常切遵守。"

刘珙以属疾请奉祠，未报，请致仕。帝以珙病亟，遣中使挟侍医视之。珙知疾不可为，亟上遗表，首引恭、显、伾、文以为近习用事之戒，且曰："今以腹心耳目寄此曹，故士大夫倚之以媒其身，将帅倚之以饥其军，牧守倚之以贼其民；朝纲以紊，士气以索，民心以离，咎皆在是。愿亟加黜退，以幸天下。"卒，后谥忠肃。

知庐州舒城县余永锡，坐赃，特贷命，编管封州，仍籍其家。

淳熙六年 金大定十九年【己亥，1179】 春，正月，丁卯，金主如春水。

戊辰，赈淮东饥。

庚午，太社令叶大廉言："内侍省遇有取索库务物，请依旧法，结合同凭由二本，一本付传宣使臣取索，一本令本省画时实封，差人置历付所取库务官勘验支供，仍将合同缴奏。"帝从之，曰："此良法也。"

壬申，蠲夔州上供金银。

癸未，赵雄等请光州复置中渡榷场官，御前如有曾在榷场干事之人，可以差充监官。帝曰："自来不曾遣人淮上购物，如淮白、北果之属，(官)〔宫〕中并无之。刘度前守盱眙，尝献淮白，却而不受。近蒙太上赐得数尾，每进膳，即食一小段，可食半月。"雄曰："陛下岂独奉养俭素！如珠玉、图画之珍，皆不得其门而入。"帝曰："亦天性不好耳。"

甲申，内批："登仕郎张闻礼，系太上〔皇〕后侄女夫，特添差浙东安抚司干办公事。"赵雄等言："在法，虽戚里，文臣未经铨试，武臣未经呈试，并不许陈乞添差。"帝曰："岂可以戚里而废公法！今后有似此，须执奏。"

四川制置胡元质、夔路运判韩唤奏："夔路之民最贫，而诸州科买上供金银绢三色，民力重困。所有大宁监盐课委有增羡。臣今与总领所及本路转运司公共措置，已将盐课(趱)〔攒〕剩之钱买金银，发纳总领所及茶马司，尽蠲免九州民间岁买之币外，有馀剩钱，可尽免今年夔路诸州一年今科民间买绢之数，馀钱又可与民间每岁贴助之费，民力可以少苏。"帝曰："监司、郡守，兴利除害，实惠及民，要当如此。"并从之。赵雄曰："韩唤为漕臣，措置此钱以免科扰，宣力甚多。"帝曰："不可不赏。"寻加唤直秘阁。

是月，郴州贼陈峒等连破道州桂阳军诸县。集英殿修撰、知潭州王佐请发荆、鄂精兵三千，诏以本路兵进讨，命佐节制。

二月，己丑朔，幸佑圣观，即帝储宫也。皇太子从。帝御讲宫，顾瞻栋宇，初无改造，顾谓皇太子曰："近日知《通鉴》已熟，别读何书？"对曰："经、史并读。"帝曰："先以经为主，史亦不可废。"

庚寅，参知政事钱良臣，以失举茹骧改官，自劾。诏："良臣所奏，乃欲以身行法。国有常宪，朕不敢私，可镌三官。"

癸巳，诏："户部侍郎陈岘，待制张宗元，新知秀州徐本中，饶州居住赵磻老，各降三官。"亦以保举茹骧也。

先是骧知湖州长兴县，侵盗官钱入己，事发，决台州编管，籍其家，故有是命。

甲午，太学博士高文虎，论前宰执、侍从带观文殿大学士至待制在外者，皆有论思献纳之责，帝曰："此奏尤为得体，朕亦有听纳之益，且知州郡问民情。"丙申，诏："前宰(职)〔执〕、侍从带观文殿大学士至待制及大中大夫以上守郡、奉祠之人，今后如有所见，不时以闻。其责降官，不在此限。”

丁酉，殿前副都指挥使郭棣言：“每遇宣押打球或蒙赐酒，其诸军正额、额外统制官内，有于马上率尔奏事者，及赐酒之际，无指挥宣唤，辄诣榻前奏事，甚失臣子事君之礼。请自今后遇宣押，从本司押束。”从之。

癸卯，帝曰：“朕欲将见行条法，令敕令所分门编类，如律与《刑统》、敕、令、格、(试)〔式〕及续降指挥，每事皆聚载一处，开卷则尽见之，庶使胥吏不得舞文。”赵雄等曰：“士大夫少有精于法者，临时检阅，多为吏辈所欺。若分门编类，则遇事悉见，吏不能欺。”乃诏敕令所，将见行敕、令、格、式，仿《吏部七司条法总类》，随事分门修纂，别为一书。若数事共条，即随门厘入，以《淳熙条法事类》为名。

丙午，诏：“逃军犯强盗者无拟贷。”

己酉，金主还都。

乙卯，诏：“自今归正官亲赴部授官，以革冒滥。”

金免去年被水旱民田租税。

吕祖谦诠择《圣宋文海》成编，奏御，赐名《文鉴》，并赐祖谦银绢。

三月，乙丑，金尚书省奏亏课院务官颜葵等六十八人，各合削官一阶，金主曰：“以承荫人主榷沽，此辽法也。法敝则当更张，唐、宋法有可行者则行之。”

丙寅，录岳飞、赵鼎子孙，赐京秩。

己巳，金主与宰臣论史事。金主曰：“朕观前史多溢美。大抵史书载事贵实，不必浮词谄媚也。”

己巳，置广西义仓。

庚午，知镇江司马伋言用石修砌湖闸门，浚海鲜河，使船有舣泊之所，帝曰：“司马伋浚河修闸，惠利甚厚，可除宝文阁待制。”

丁丑，帝谕宰执曰：“诸路漕臣，职当计度，欲其计一道盈虚而经度之也。今则不然，于所部州郡，有馀者取之，不足者听之，逮其乏事，从而劾之，吾民已被其扰矣。朕今以手诏戒谕之，俾深思古谊，视所部为一家，周知其经费而通融其有无，廉察其能否而裁抑其耗蠹，庶乎郡邑宽而民力裕也。”赵雄等曰：“责任漕臣，尽于此矣。”于是出手诏以戒诸道转运，曰：“分道置台，寄耳目于尔漕臣，职在计度，欲计其一道盈虚而尽度之也。职在按察，欲其蚤正吏治，毋使至于病民。厥或异此，朕何赖焉！”命两浙转运司刻石，遍赐诸路漕臣。

辛未，金主谓宰臣曰：“奸邪之臣，欲有规求，往往私其党与，不肯明言，托以它事，阳不与而阴为之力。朕观古之奸人，当国家建储之时，恐其聪明，不利于己，往往以阴事破其议，惟择昏懦者立之，冀它日可弄权为功利也。如晋武欲立其弟，而奸臣沮之，竟立惠帝，以致丧乱，此其明验也。”

己卯，金制：“纠弹之官，如犯法而不举者，减犯人罪一等，关亲者许回避。”

金主谓宰臣曰：“人多奉释、老，意欲徼福，朕早年亦颇惑之，旋悟其非。且上天立君，使治下民，若盘乐怠忽，欲以侥幸祈福，难矣！果能爱养下民，上当天心，福必报之。”

乙酉，钱良臣言：“新除太府丞李峄，为臣妻之兄弟，恐外人疑臣私于亲戚，乞与外祠。”帝曰：“峄因论荐得擢，不由卿荐。卿既引嫌，可与近见阙知军差遣。”

是月，以高邮、通、泰等州去年田鼠为灾，赈之。

夏，四月，己丑朔，金赈西南路招讨司所部民。

丁酉，帝曰："州郡间近日添差员数颇多。今后宗室、戚里、归正官等添差通判、职官等，每州各不得过一员，帅司参议官、诸属官等此。"

己酉，金升祔闵宗于太庙，加谥曰宏基缵武庄靖孝成皇帝。

金主将如金莲川，有司具办。薛王府掾绛人梁襄上疏极谏，其略曰："金莲川在重山之北，气候殊异，仲夏降霜，一日之间，寒暑交至，与上京、中都不同，非圣躬将摄之所。凡奉养之具，无不远劳飞挽，其费数倍。至于顿舍之处，车骑填塞，主客不分，马牛风逸，臧获逋逃，夺攘蹂躏，未易禁止。公卿、百官、卫士，富者车帐仪容，贫者穴居露处，舆台皂隶，不免困踣，饥不得食，寒不得衣，一夫致疾，染及家人，夭殇无辜，何异刃杀！此特细故耳，更有大于此者。臣闻高城浚池，深居邃禁，帝王之藩篱也；壮士健马，坚甲利兵，帝王之爪牙也；今行宫之所，非有高殿广宇城池之固，是废其藩篱也。挂甲常坐之马，日暴雨蚀，臣知其必羸瘠；御侮待用之军，寒眠冷啖，臣知其必疲瘵；卫宫周庐，才容数人，一旦霖潦，衣甲弓刀，沾湿柔脆，岂堪为用！是失其爪牙也。秋杪将归，人已疲，马已弱矣，裹粮已空，褚衣已敝，犹且远幸松林，以从畋猎，行于不测之地，往来动逾数月。设烈风暴至，尘埃涨天，宿雾四塞，跬步不辨，以致翠华有崤陵之避，襄城之迷，百官狼狈于道途，卫士参错于队伍。所次之宫，草略尤甚，殿宇周垣，惟用毡绨。押宿之官，上番之士，终日驱驰，加之饥渴，已不胜倦，更使彻曙巡警，露坐不眠，精神有限，何以克堪！陛下悦以使人，劳而不怨，岂若不劳之为愈也！

议者谓北幸已久，每岁随驾大小，前歌后舞而归，今之再出，宁遽有不可！臣愚以为患生于不测者多矣，狃于无虞，往而不止，臣甚惧焉。

议者又谓前世守文之主，生长深宫，畏见风日，弯弓上马，皆所不能，志气销懦，筋力拘柔，临难战惧，束手就亡。陛下监其如此，不惮勤身，远幸金莲，至于松漠，名为坐夏打围，实欲服劳讲武。臣愚以为战不可忘，畋猎不可废，宴安鸩毒亦不可怀，事当适中，不可过当。今过防骄惰之患，先蹈万有一危之途，何异无病而服药也！况欲习武，不必度关，涿、易、雄、保、顺、蓟之境，地广且平，畋猎以时，谁曰不可？乞发如纶之旨，回北辕之车，安巡中都，不复北幸，则社稷无疆之休，天下莫大之愿也。"

金主纳之，遂为罢行。襄由是以直声闻。

王佐受命讨陈峒，念将校无可用者，惟流人冯湛以勇闻，乃许其湔雪，檄权湖南路兵马钤辖。选潭州厢禁军及忠义寨得八百人，命诸县屯兵悉听调发。佐以擅发自劾，诏弗问。

贼闻湛将至，即遁归巢穴。转运使欲缓攻，佐以为贼巢在宜章，旁接三路七郡，林箐深阻，出入莫测，峒不诛，湖广忧未艾也，遂亲赴宜章，移湛屯何卑山。夜半，发兵分五路进，突入其隘口。贼仓卒出战，即溃走。进夺空冈寨，斩峒等，郴州平。

【译文】

宋纪一百四十六　起丁酉年(公元1177年)十月，止己亥年(公元1179年)四月，共一年有余。

淳熙四年　金大定十七年(公元1177年)

冬季,十月,戊辰(初二),金州副都统制李思齐奏请在官军中选择有才略智勇的人,破格提拔,宋孝宗说:"专用年限作晋升标准,那么有才能的人就无法表现出来;允许破格提拔,就会得到合适的统兵官。"

己巳(初三),夏国向金国进贡百头帐,金国主诏令在边境上拦截他们。夏国使臣通过金国边界官员请求入朝进贡,才同意了。

丙子(初十),诏令:"阴雨连绵,大理寺、临安府和所属各县以及两浙西路各州县在押的罪人,在京城内的委任御史台官员,在京城外的委托各路提刑官员,亲自审理案件做出判决;如果路程太远分别委托各地通判负责审理案件。判为杖责以下以及受牵连的在押人员,近期都给予从宽释放。"

丁丑(十一日),金国下达制书:"各明安户,父亲担任另外的职务,其子年龄在二十五岁以上的,才允许承袭明安的封号。"

己卯(十三日),赵雄说:"湖广总领所每年都有拨给度牒的固定数额,不知道绍兴年间不曾拨给,也能自给自足。难道绍兴三十年创立以万人为额度拨给度牒的制度之前,度牒还没有开始施行吗!"宋孝宗说:"朕很不赞成拨给度牒,应当渐渐取消这种办法。"

庚辰(十四日),宋孝宗下诏驾临茅滩。皇上抽调各军人马检查训练情况,宰执、管军、知阁门事、御带、环卫等官员,从祥曦殿身穿戎装护驾出行,其余的人免于从行。

辛巳(十五日),金国主对宰臣说:"现在在位的官员没有听到他们举荐贤良之才,为什么?过去狄仁杰是从下等官员中起用的,尽力扶持唐朝的江山,使唐朝转危为安,延续了数百年的天下。狄仁杰虽然贤良,如果不是娄师德,他如何自我推荐呢!"

癸未(十七日),金国主对宰臣说:"近来观看进呈的密封奏章,根本没有有关利害关系的重要事情。而且古代的进谏者,既忠于国家,也同时追求名声,现在的进谏者,只是为了利益。如户部尚书曹望之,济南尹梁肃,都上奏疏谈论政事,大概是觊觎执政官的位置,他们对于国事,究竟有什么补益?达官贵人都这样,何况其他人呢!过去海陵王南下伐宋,太医使祁宰极力劝谏,以至被杀戮在市井,本朝以来,只他一人能以忠诚相谏。"

十一月,乙亥(疑误),金州管辖区的安抚司,申报本州管辖的保胜军现在缺少衣甲。宋孝宗说:"衣甲不能不配备。过去的主帅,下令义士赤膊迎敌,这是什么道理。"

丁酉(初二),诏令征召两淮地区的归正人组建强勇军。

戊戌(初三),金国重新任命图克坦克宁为平章政事。金国主想以制书的形式亲自授予图克坦克宁官职,主办的人不知道皇帝的意思。等到图克坦克宁已经接受制书,金国主对图克坦克宁说:"这道制书朕想亲自授给你的,误交给了外廷。"又说:"朕打算将你在山东的宗族全部迁移,安排居住在京城附近的地方。你的宗族大,官田少,无法全部供应田地,就选择其中最亲近的人迁移到京城附近来。"

庚子(初五),任命赵雄为同知枢密院事。

枢密院进呈京城内外各军缴送的逃亡和去世官员的'付身'文书,宋孝宗说:"近来军中存在的弊端,正渐渐革除。如逃亡和死亡的官员'付身'文书缴送回来后,有家属的给予明确的批注,无家属的将'付身'文书焚毁,多年之后,避免了很多冒名顶替的人。"赵雄说:"如军中升任的与淘汰离军的人,让他们到枢密院接受审察,都有离军或晋升的决定。"宋孝宗说:

"此办法施行稍稍长久后,主帅自然不敢徇私情,根据自己的喜怒而对部下进行提升或者贬黜了。"

丙午(十一日),李川说:"近来不允许管军官接见宾客,李川自己遵守圣训,不敢妄自接见一人,于是招致了众人的怨恨,生出了许多诽谤的言论。"宋孝宗说:"李川能如此遵守戒令,确实不容易。可以再重申禁令,并奖励李川,将帅都能像李川一样坚守禁令,都符合朕的意愿,不要顾念众人的怨恨,诽谤的议论即使兴起,也不值得忧虑。"

戊申(十三日),郭钧乞请将右军统制田世雄改任中军统制,因为只是改任,不是晋升职务,奏请免除赴枢密院审察。宋孝宗说:"当初任命为中军统制时,曾经经过审察吗?"赵雄说以前只是由宣抚司提升,没有经过枢密院审察,宋孝宗说:"审察的法令,岂能随便废止!如果认为是正处在秋季防御的时刻,可令到明年春天依法赴枢密院接受审察,发给'付身'文书。"

庚辰(疑误),金国任命尚书左丞石琚为平章事。

金国主对宰臣说:"朕曾担心因为征收过重使我国百姓困苦,从今以后各路征收赋税过于烦细者,也奏报朕知。"

十二月,戊辰(初三),金国因为渤海的老风俗,男女婚娶大多不按礼节举行,必定先抢走女子私奔,诏令禁绝这种风俗,违犯的人以强奸罪论处。

壬申(初七),金国任命尚书右丞唐古安礼为左丞,任命殿前都点检富察通为右丞。金国主对宰执大臣说:"朕今年五十五岁,如果超过了六十岁,虽然想有所作为也无力做到了。应当趁朕健康强壮的时候,凡是国家政事没有完备与法令不一致的地方,都进行修订完善。你们提出建议,朕不敢懈怠。"

甲戌(初九),臣僚说:"农业生产有必须遵守的假期,从二月初一开始,到九月三十日为止,法令有明确的记载;州县官员不知守法,农夫正忙于耕种之时却遭受了传讯逮问的烦扰,这是妨害农事的一种行为。因为公事追究互相担保的邻居责任,只追究到近邻就够了;现在每当遇乡村的一件公事,互相牵连,多到数十人,需要用十天或一个月的时间,官吏得不到他所想要的东西,则不肯释放,这是妨害农事的第二种行为。丁夫和征用有技术的工人,只应当首先从游手好闲的开始,也就是古人所说的夫家之征;现在只要有征役,州府下达给县府名额,县府下达给胥吏名额,胥吏能指令的,只有农夫,修造桥梁,建造馆舍,就驱使农夫作为工役,达官贵人过往,监司官员巡视,就驱使农夫为丁夫,这是妨害农事的第三种行为。拥有田地的人不耕种,而耕种的人没有田地,农夫之所以甘心租种田地,还认为赋税收不到自己头上;如果有钱的无赖之人不肯缴纳税赋,有关官员就将税赋平摊给租户,胥吏乐于避开豪强而征收于软弱的租户,又从中敲诈勒索,这是妨害农事的第四种行为。巡尉缉捕盗贼,胥吏催交税赋,所经过的村庄,鸡犬为之一空,百姓坐视抢掠而不敢计较,这是妨害农事的第五种行为。"宋孝宗为此下诏:"州县长官经常注意考察,不要导致妨害农事的事情发生。"

乙亥(初十),在茅滩举行大规模检阅殿前司、步军司各军的仪式。宋孝宗登上检阅台,殿帅王友直、步帅田卿奏报人马已经排列完毕。举起黄旗,各军统制以下将士都呼万岁叩拜行礼完毕,就奏报发令演习。举起白旗,鼓响四声,变成方阵,再变成四头八尾阵,显示出御敌的阵形,接着变成大方阵。再举起黄旗,鼓响五声,变成圆阵。再举起黑旗,鼓响二声,变成曲阵。再举起青旗，鼓响三声，变成直阵。再举起红旗，鼓响二声，变成锐阵。管车官员奏报五阵演练完毕。宋孝宗很高兴，就告谕王友直等人说："器甲鲜明，纪律严整，都是你们用心军政的结果，很值得奖赏。"犒劳将士，给予不同等级的赏赐。

戊寅（十三日），前任浙东提举何称说："本路安排水利建设，创建各种水渠斗门二十处，增修、疏浚渠道堰坝六十三处，总计能灌溉民田二十四万九千二百六十六亩。"诏令浙东提举姚宗之核实后奏报。

这一年，知遂宁府杜莘老推举布衣聂山有义行，宣召入朝不去。赐给进士出身，添差本府教授。不久乞请退休。

乾道初年，确定节度使至正任刺史封为上将军，横行遥郡刺史封为大将军，正使封为将军，副使封为中郎将，使臣以下分为左右郎将。正任，指的是承宣使到刺史的官员；遥郡，指的以阶官领刺史至承宣使职衔的官员；正使，指的是武义大夫以上的官员；副使，指的是武翼郎以上的官员；使臣以下，指的是训武郎以下的官员。至此诏令："今后环卫官、节度使封为左右金吾卫上将军、左右卫上将军，承宣使、观察使封为诸卫上将军，防御使至刺史、通侍大夫至右武大夫封为诸卫大将军，武功大夫至武翼大夫封为诸卫将军，正侍郎至右武郎、武功郎至武翼郎封为中郎将，宣赞舍人、敦武郎以下封为左右郎将。"

四川制置使胡元质说："造成蜀民贫困的原因，只有茶税、盐税、酒税三件事最为严重；酒税的弊病，近来已经有所减轻。蜀地的茶叶，祖宗时代都允许通商贸易，熙宁年间以后，才开始由官府营销，当时茶税，每年超过四十万。建炎年间战争爆发，改为由官府出卖茶引给茶商营销的办法，与熙宁年间相比，茶税已增加了五倍。绍兴十七年，主管茶事官增加征收茶税的数额，到了绍兴二十五年，因为台谏官批评，才承蒙朝廷减少税额，当时郑霭任都大提举，奉行命令不虔诚，稍微减少了总额，而实际上没有给百姓全部免除前任官员所增加给各户的纳税数额。又过了二十多年，其中有失去田产而茶税数额存在的，有实际无茶园，只因为零售茶叶，官府强制让他承担税额而无法逃脱的，类似这样的问题不能一一列举，每年大多是预先在合同官场分领茶引，每月催交茶税。张松任都大提举的时候，又总计兴、洋各场一年的茶税数额，直接将茶引分给茶园民户，不过问茶园的盛衰，不统计茶叶的有无，只统计所分发的茶引数额，按月索要当年的茶税，以致使茶园百姓更加穷困。想下令茶马司，对无茶园的百姓都停止向他们征税，茶少税额多的百姓立即给予减少税额。"诏令胡元质与茶司及总领司负责办理。

胡元质又说："盐税的危害，比酒税还严重。蜀地的食盐从井中采取，山谷的百姓，选择地点凿开盐井，深至六七十丈，有幸真的得到咸泉，然后招募工人用石块砌井。用牛皮作袋子，数十人牵拉大绳来汲取咸泉，从子时到午时，咸泉水源就渐渐枯竭，就用绳子系人吊到井下，用手捧盐卤，放入牛皮袋中，然后用绳子拉上来。将盐卤倒入锅内，用茅柴煎熬，就成了盐。另有一种小井，称为'卓筒'，井口不过数寸，井深也数十丈，用竹筒设置机关抽取咸泉，一天之内，所得到的盐很少。还有凿井而得不到咸泉，有的得到泉水而水味不咸，煎熬数斛泉水得不到一斤几两的盐。其中有的盐井开凿很久后，井老泉枯，原来的盐税还存在，无法得到减免；有的盐井损害，无力修补，数十年间，凭空承受沉重的盐税；有的井筒剥落，土石堵塞，过了几十天几个月，也得不到咸泉；有的因为夏冬之间雨水上涨，淡水流入盐井，无法煎

熬成盐;有的贫困缺乏财力,茅柴不够熬盐,白白地丢失了咸泉带来的钱利;有的借贷资财作为盐本,成本高利润少,官税未缴,私债已重;像这样的事情,数不胜数。打算挑选有能力的官吏前往,逐州考核各盐井盈亏数目。首先给予排列盐井等级,依据盐井的盈亏多寡状况来决定增加或者减少盐税,必使对上不至于严重减少国家税收,对下确实可以稍稍舒缓民力。"诏令胡元质与李蘩共同负责办理并写成具体文字奏报。

胡元质又说:"简州的盐税数额最为巨大,近来承蒙朝廷减免折估钱五万四千余缗。但官府一时逐井减免,使朝廷的实惠没有落实到下等民户。富豪之家,动则煎熬数十井的盐,有的每年减少缴纳七千缗钱;下等之家,不过一二十口盐井,所产的食盐无人承销,税额只有亏欠,官府还不免催促责问。希望责成制置司,再将以前已减免的数额,重新进行均衡减免。其中上户减免最多的,每户不得超过减免二千贯,其余类推,均分到下户。"

淳熙五年　金大定十八年(公元1178年)

春季,正月,辛丑(初六),侍御史谢廓然说:"近来掌握判定科举考试成绩的官员,主张王安石学说的人,就专门推崇穿凿附会的文风;主张程颢学说的人,则致力于倡导虚妄怪诞的文风。虚妄怪诞的文风流行,就会一天天地流入险怪的境地;穿凿附会的文风兴起,就会一天天地趋向于支离破碎。奏请诏令有关官员以公心评判成绩,不得徇私情,专门推崇王安石、程颢的恶习。"宋孝宗同意了。

庚戌(十五日),金国修起居注伊喇杰说上朝奏报时隔开其他人秘密议事,即使是史官也不能参与其中,无法记录,金国主就此询问宰相石琚、右丞唐古安礼,石琚等人回答说:"古代的史官,天子的一言一行都必记录,以此警诫君主,以使君主有所畏惧。周成王将梧桐叶剪成圭形,开玩笑地封叔虞为侯,史佚说:'天子不可说玩笑话,说了史官就会记录下来。'由此可知君主的一言一行,史官都应记录,不能回避。"金国主说:"朕看《贞观政要》,唐太宗与群臣议论国事,开始议论如何,最后究竟如何,这些正是史官在一旁记录后而编成书的。如果担心泄露机密,就选择谨慎能严守秘密的人担任史官。"上朝奏报隔开其他人秘密议事,记注官不加回避的制度,从此开始。

庚申(二十五日),金国免征中都、河北、河东、山东、河南、陕西去年受灾地区的租税。

壬戌(二十七日),金国主举行春水游猎。

这个月,永康人陈同到朝廷上书说:"吴、蜀,是天地的偏僻之地;钱塘,又是三吴的一角。正当唐朝衰败的时候,钱镠以平民百姓雄略,起兵主宰当地,从此不能独立为国,常常事奉中原朝廷以稳定自己的地位。等到宋朝受命开国,钱俶率领全家人进入京师而自愿献出领土,所以钱塘在整个五代时期,遭到的战争灾难最少,而在这二百年间,人才与物产一天比一天兴盛繁荣,于是称甲于东南。到了建炎、绍兴年间,成为皇帝驻驾之地,当时议者本来怀疑这里不足以壮大国势而致力于恢复失地。秦桧又进一步配备各种官府机构,在其中讲求礼乐,这里的风俗本来已经浮华奢靡;士大夫又进一步修园圃、建台榭,准备在经受战争之后享受生活,上下欢乐平安,而钱塘变成了乐园。一小块的地方,本不足以容纳万乘之国,而且皇帝统治这里将近五十年,山川之气,也发掘利用得没有剩余了。所以谷粟桑麻线枲的利益,一年比一年少;禽兽鱼鳖草木的出产,一天比一天少;公卿将相,大多是江、浙、闽、蜀之人,而人才也日益变得平庸,参加科举考试的人多达几十万,文笔稍有不同,已足以在其中称雄了。

陛下凭借钱塘已经耗尽的山川之气，任用闽、浙一带日益衰颓的士人，而想鼓舞东南一带习惯于安逸的已经变得脆弱的民众，与北方争夺中原，臣有理由相信这是很困难的。荆州、襄阳之地，向东通吴、会，向西连巴、蜀，向南达湖、湘，向北控关、洛，左右能进能退，都足以作为进取天下的契机。现在如果确实能开垦那里的土地，激励当地的百姓，挖掘资源加以利用，使之足以连接关、洛之气，就可以争衡于中国了。

当代的儒士，自以为得到正心、诚意之学的人，都是患了风痹不知痛痒的人。一代人面对君父之仇心安理得，他们却正在低头拱手以谈性命，不知什么称之为性命？陛下容纳他们而不任用他们，臣由此钦佩陛下的仁慈。当代有才能的大臣，自以为得到富国强兵之术的人，都是狂妄迷惑以大声叫嚷的人。不在闲暇之时研究立国的根本大计，而正扬眉吐气以论富强，不知什么称之为富强？陛下洞察他们而不敢重用，臣由此钦佩陛下的英明。陛下念念不忘复仇，足以上对天命；忠诚于仁爱，足以下结民心，而又英明足以洞察群臣的偏颇言论，这是百代以来少见的英明君主。现在却委任庸人，笼络小儒，耽误了大有作为的岁月，臣不胜悲愤感叹，因此忘记了自己的卑贱而进献愚见。”

陈同，就是陈亮改用的名字。此书上奏后，宋孝宗很感动，想把它张贴在朝堂上激励群臣，引用种放的成例，召令上殿，准备提拔重用他。曾觌知道这件事后，准备去拜访陈亮，陈亮耻于被曾觌重用，跳墙逃跑，曾觌不高兴。大臣尤其憎恶陈亮的直言，轮流败坏他的名声，就命都堂审察陈亮。宰相根据皇上的旨意询问他将提出什么建议，落落大方不稍为卑谦，也不迎合。待命十天，又两次到朝廷上书。宋孝宗想让他做官，陈亮笑着说：“我想为社稷开出数百年的根基，难道是用上书来换得一个官吗！”就回归故里了。

二月，戊辰（初三），臣僚说：“郡县的政令，最损害百姓的，没有比预借更为严重。大概一年的税赋不够一年的开支，而又从明年的税赋中预借，这在名称上说借，而始终没有归还之期。前任官员预借之后，后任必定不肯承认。希望严格禁止州县官府预借。”宋孝宗同意了。

己巳（初四），臣僚陈述丁税的两种弊端：“一丁之税，每人缴纳七尺绢，这是唐朝租庸调制所规定的。二十岁以上开始缴纳丁税，六十岁就停止纳税，残疾人按病丁的待遇免交，二十岁以下按幼丁的待遇免交，这是祖宗的法令。近年乡司官吏狼狈为奸，托词说每三年进行一次推排，到那时才能注销或者加附。这样就使已故在籍的人与残疾生病的人，不能及时注销，在推排之前已达到注册年龄的应添的成丁，隐瞒不加登记，都私下征收丁税窃为己有，致使实际缴税丁税的人没有多少，而官府的丁税收入，大量被侵吞，这是注销、加附成丁的弊端。如果成丁缴纳丁税，则六丁之税，才凑成一匹绢。官府习惯于引用成例，想加重价格从中渔利，在缴纳丁税以及头子钱、勘合钱、市例钱等各种税收时，必定要单独列名缴纳税钱，其中已经缴纳的人，又不及时在名册上注销，重复追缴税钱，这是缴纳丁税的弊端。现在想让各县责成县丞设置专门的丁税机构，每到年终，允许百姓的家长或者次丁，自己陈述家中实有成丁多少，将老、病、少、壮的情况，都写明在文书上。根据旧簿对照年龄确实已到六十岁以及生病，残废的人都加以注销；长成人而达到规定年龄的人，另外进行收录加附。如果隐瞒年龄的，允许别人告发。每年交够了丁税，就给予注销名籍。缴纳实物绢或者钱钞，随百姓的方便进行缴纳。”宋孝宗同意了。

辛未(初六),重申严格执行武官程试法。

丁丑(十二日),禁止解州食盐进入京西境内。

己丑(二十四日),金国主返回京都。左丞相赫舍哩良弼因病乞请退休,金国主安慰他挽留他;他奏请更加坚决,就答应了他,授封明安封号,供给丞相的俸禄。金国主对宰臣说:“你们不是不尽心,而是才能比不上赫舍哩良弼,所以舍不得他离职。”

庚寅(二十五日),威州蛮民侵犯边境,出兵征讨降伏他们。

三月,丁未(十三日),李彦颖降职任资政殿学士、知绍兴府。

金国主对宰执大臣说:“县令最接近百姓,应当任用贤良有才能的担任此职。近来在春水游猎期间,见到石城、玉田两县县令,都年老,苟且贪图俸禄而已。京城附近都如此,偏远之县可想而知。”平章政事石琚说:“良乡县令焦旭、庆都县令李伯达都是能干的官员。”金国主说:“如果真像你说的那样,应当重用他们。”

己酉(十五日),金国禁止民间兴建佛寺道观。

壬子(十八日),任命史浩为右丞相兼枢密使。宋孝宗对史浩说:“自从叶衡免职后,虚位以待你很长时间了。”

己未(二十五日),任命王淮为知枢密院事,赵雄为参知政事。

辛酉(二十七日),四川制置使胡元质说:“蜀地征收赋税的数额,看来东南地区最重。如夏秋两季征收的税绢,以田亩所确定的税钱为比例,凡是税钱刚到三百,就征绢一匹;不到三百的,称为畸零,其所缴纳的税绢,就算作折估钱,就依照当时的价格折算。当天下太平时,每匹绢价格不超过二贯,爆发战争以来,每匹绢价格涨到十贯,这样一匹绢的价格比原来上涨了三倍。陛下顾念偏远百姓负担沉重,每匹绢的价格裁定为七贯五百,蜀民欢呼鼓舞。然而只有成都,从淳熙五年确定数额予以减价,其它州县,还按原来的价格折算,奏请下令禁止。”诏令:“四川总领所与本路转运司,将现在各州军还没有全部征收的税赋,加以减免征收。”

这年春季,诏令会子的发行以一千万缗为一界;不久又诏令按照四川的钱引成例,两界会子同时流通。

夏季,四月,丙寅(初二),任命礼部尚书范成大为参知政事。

己巳(初五),金国主对宰臣说:“朕巡幸所到之处,必定下令考察当地官吏政绩优劣。前不久在玉田,得知主簿舒穆噜沓是一名能干的官员,可任命为本县县令。”

辛未(初七),知绍兴府张律奏请支用本府剩钱四十万贯,作为皇上奖赏的费用,宋孝宗诏令将所献钱作为百姓代缴今年的买身丁钱的一半。

赐给礼部进士姚颖等四百一十七人为进士及第、进士出身。

己卯(十五日),因为赵思奉命出使不守礼仪,免去起居舍人的职务,并降官二级。

丁亥(二十三日),诏令:“给事中专门设立一个机构,审阅奏状、札子及请求上奏的文书;如果其中有利国便民的事,都首先参考核对祖宗法令,确实没有违背的地方,才允许登记进呈。”

五月,甲午朔(初一),知静江府张栻任命为秘阁修撰,让他连任知府职务。因为张栻长期担任知府,政绩很闻名。

庚子(初七),设置武学国子员。

右丞相史浩奏报:“臣蒙恩能再次辅政,只尽力维护公道,绝不会有结党营私的弊端。”宋孝宗说:“宰相的职位岂能有朋党!君主也不应当以朋党的名称去说臣下。既然说他们是结党怎能不结成朋党!朕只选择贤良之人加以任用,不是贤良的就加以罢免。就像叶衡离职后,大家认为王正己是他的同党,朕坚持留用他。因为王正己虽然是叶衡所引荐的,但此人自身贤良,由此可知朕不以朋党偏见来对待大臣。”史浩说:“陛下的心如静止的水面,如明亮的镜子,大臣的贤良与否都无法隐瞒,所以奸邪之人不敢诬陷正派大臣结为朋党。汉代党锢、唐代白马之祸,都是因为君主不英明,被奸邪小人所迷惑,就导致了祸乱的发生。”宋孝宗说:“汉、唐朋党之祸,大致都是由于君主不英明,其原因始于当时的君主不知道学习。”史浩说:“《说命》三篇,专门谈论圣人学说,如‘终始典于学’,如‘学古训’之类。帝王治国的重要关键,没有先于此的。”宋孝宗称赞他说得好。

丙午(十三日),金国主到达金莲川。

丁未(十四日),增修临安城。

这个月,诏令:“各路州县设立的场务机构都撤销。”

六月,庚午(初七),新任南剑州知州曾植说:“近期公正之道衰微,请托之风盛行。三省和各部处理纠纷,仓库出纳财物,案件的审理判罪,州县受理的诉讼,无一不需打通关节,而指望各机构履行职责,难哪。奏请告诫朝廷内外的所有官员,都要秉公办事,不徇私情。如有不知悔改,从近臣开始依法治罪。这样所有官员才能各自履行自己的职责。”宋孝宗同意了。

金国右丞相赫舍哩良弼去世,谥号诚敏。

赫舍哩良弼聪明敏锐忠诚正直,善于决断,虽然出身平民,达到了宰相高位,朝夕谨慎,对国事尽心尽力,荐举人才,经常像来不及一样,在职将近二十年,辅佐君主成就了太平盛世的功业,号称贤相。

乙亥(十二日),范成大免职担任宫观官,因为有监察官弹劾他。

甲申(二十一日),诏令翰林学士、谏议大夫、给事中、中书舍人,各自荐举两名能够胜任御史职务的人。

任命给事中钱良臣为签书枢密院事。

壬辰(二十九日),诏令侍御史官员荐举能胜任御史职务的人。

闰六月,丙申(初四),追赠强霓、强震为观察使,并在西和州建庙,赐给‘旌忠’的匾额,因为兴州知州吴挺说强霓驻守环州时,强震为军官,都以死殉节不屈不挠。

丁酉(初五),湖广总领周嗣武奏报:“蜀地是当今国家的根本重地,自从屯兵蜀口,五十年来,竭尽全蜀的财力,仅仅只能满足供给军粮。目前虽有历年节余的钱引八百万道,希望轸念蜀地百姓力已疲惫,乞请存留在蜀地,以防备非常时期时的急需。”宋孝宗说:“很好。”又奏报:“蜀中钱引,从天圣年间创始,每界开始只有一百二十五万多道,到建炎年间,依照元符年间的数额,增印到三百七十多万道,还不算多。目前正在发行的两界钱引共四千五百多万道,与天圣年间当初的数额相比较,何只数十倍!现在四川总领所,又另外印造会子钱用于民间贸易,等折合成钱引,自然相当于六十三万道。倘使年年增印,一旦会子比价降低,对

于四川的钱引来说,影响会不轻。”宋孝宗说:“蜀中钱引已经很多,岂能再有增添!”都同意了他的建议。

大理卿吴交知等奏报监狱空无一人,宋孝宗奖赏他们。

淮东总领说:“高邮、宝应的田地,每年都遭受水涝的地方,以前元祐年间发运使张论兴筑长堤二百多里,设立涵洞一百八十所,石堰、斗门三十六座,及时排泄洪水,下泄到射阳湖,流入大海,所以粮食连年丰收。自从遭受战争摧残之后,都被废坏,湖水漫流。奏请专门委任地方官员,在农业生产清闲的地区,由官员供应粮食招募农夫,选择湖水流经的重要地方,修建石堰、斗门,并负责检查堤岸的损缺,加以修筑填补。”立即命令淮东总领叶翥核实情况后奏闻。

戊戌(初六),兴州都统吴挺说:“现在阶州、成州、西和州、凤州和长举县的营田,统计三年的收入,所得才四万九千多缗,而所花费的却达一百零七万缗。奏请将其营田召募百姓租种,将官兵抽调回军营进行训练。”宋孝宗同意了。

己亥(初七),利州路又分为东、西两路,任命吴挺为利州西路安抚使兼任兴州知州,兴元府知府程价充任利州东路安抚使。

金代的人物砖雕

辛丑(初九),金国赈济西南、西北两路饥民。

壬寅(初十),设置镇江府、建康府运输中转仓库。

秋季,七月,甲子(初三),太尉、提举万寿观李显忠去世,谥号忠襄。

丙子(十五日),金国主对宰臣说:“官员初次犯贪赃罪,还可以容忍这样的错误。至于第二次犯了贪赃罪,这就属于无悔过之心。从今以后再次犯了贪赃罪的,不论贪赃数额多少,都除名。”

八月,甲午(初三),诏令说:“近年粮食蚕丝取得丰收,尚念耕夫蚕妇,终年勤奋劳作,卖的钱不够用来补偿他们的劳动,而郡邑有的对他们不加抚恤,反而加倍征收税赋,很没有道理!命令各路监司,严厉告诫所属部下,所有民间两税,除了折帛钱折变自有常制外,应当缴纳本地实物,不要以高价强迫百姓折变成钱再缴纳。如有故意违反,考察弹劾依法治罪,可

令临安府将这道诏令刻在石上分赐给各路监司、帅臣、郡守。”

恢复制科考试的原有制度。

国子博士钱闻诗说：“现在选用武臣，不过在武臣中选用有文学才能的人，想以此激励武勇，恐怕反而懈怠了武臣原有的技艺。就会看到将帅的子弟，必定有练习文墨，抚琴吟诗，追赶时髦迎合风尚以求侥幸进用的人。”宋孝宗说：“如果像这样，朕怎么能选拔人才！”

丁酉（初六），诏令关外四州增加招募民兵为忠勇军。

乙巳（十四日），金国主返回京都。丙辰（二十五日），任命右丞相完颜守道为左丞相，平章政事石琚为右丞相。

戊午（二十七日），将铨试增加为五场，将呈试增加为四场。

九月，壬申（十二日），宋孝宗驾临秘书省，赐给秘书监陈骙、少监郑丙紫色官服。

戊寅（十八日），赐给岳飞谥号为武穆。

癸酉（十三日），金国任命左丞唐古安礼为平章政事。乙亥（十五日），任命右丞富察通为左丞，参知政事伊喇道为右丞，任命刑部尚书钮祜禄额特勒为参知政事。

陈俊卿入宫应对。当时曾觌以使相的资格总领在京宫观官，王抃任知阁门事，枢密都承旨甘昪担任入内押班，三人相互勾结，士大夫中的无耻之人争相趋附他们。这时郑鉴为馆职官员，袁枢为宗正，趁着轮番进对的机会，多次对宋孝宗说这件事。陈俊卿判建康，趁入宫朝见的机会，弹劾“曾觌、王抃玩弄权术接受贿赂，推荐进用人才，都以皇帝的名义进行，这不是国家的福分。”并且说：“陛下信任这些人，破坏了朝廷的纲纪，废止了有司的法令，败坏了天下的风俗，连累了陛下的圣德。”宋孝宗被他的话感动了。

陈俊卿在建康府任职时，御前大多使用白札子，大多由左右亲随携带传送，陈俊卿乘机奏报说：“号令由君主发出，由朝廷颁行，向中外臣民公布，从古到今都相同。偶尔有军国机密文书有时由皇帝直接批示，就盖上玉玺下发，这样就可以显示真实防止伪造。现在却直接以白札子文书处理数百里之外的事情，其中也有本不是很机密的事情，自然可以交付给中书省和各部办理。现在白札子取信天下后，那么将来发生紧急情况时，如果需要下令支拨钱物，调发军马，处理边防事务，有关国家重大利害关系的事情，其中岂能保证没有伪造的文书！如果是严谨慎重识大体的人，必须奏报核实，那么文书往来之间，或许就泄露了机密；如果是平庸懦弱无见识的人，接到文书就随便执行，这样真伪不分，岂不误事！况且批示过的上奏文书，只交付给派来送信的人，或许让他回去报告原来的派出机构，皇帝批示过的文书是否送到，不可得知，这样的方法对于国家事体尤为不便。”宋孝宗下达手札奖励并感谢他。

冬季，十月，戊戌（初八），史浩等进呈《三祖下第六世仙源类谱》《仁宗玉牒》。

在此之前历算官推算九月庚寅为当月的最后一天，已经颁布了历法。而前来庆贺生辰的金国使臣，却以为九月己丑是当月的最后一天，因为九月是小尽月，于是两国推算的会庆节相差一天。接伴检详官邱密调解周旋了很久，金国使臣才肯在正节的那天上寿。因为历算官荆大声妄自改定甲午年十二月为大尽月，所以推后了一天。

乙卯（二十五日），奉国节度使、殿前都指挥使王友直，因为征募士兵烦扰百姓，降为武宁军承宣使，统制官以下官员也给予不同的降职处分。军民有欢叫喧嚣的人，押送大理寺审讯。

戊午(二十八日),封皇孙赵扩为英国公。

十一月,庚申朔(初一),史浩说:“陛下事奉亲人的美德,如逢初一、十五驾临德寿宫朝拜,以及在圣节、冬至、正月初一为太上皇上寿,有时候留在宫中侍奉一整天,有时候恭请太上皇宴游,凡是能够尽儿子的孝道,用天下奉养太上皇的行为,都做得最好。应当在书籍中重点记载,作为万世效法的榜样。然而从陛下登位以来,至此总共十七年,在这期间难道没有人亲耳听到太上皇圣训以及陛下答问的玉音!外庭不得而知,史官不得而书。希望陛下将以前所听到的以及从今以后所得到的太上皇圣训,陛下答问玉音,允许让辅政大臣随时奏请,使之记载到日历中,或者宣付史馆,另成一书,那么圣子神孙,得以遵承家法。”宋孝宗同意了。

金国尚书省奏报准备任命同知永宁军节度使阿克为刺史,金国主说:“阿克年轻,对政事不通达,授命为副职就行了。”平章政事唐古安礼说:“臣等因为阿克是宗室子弟,因此准备任命这个职务。”金国主说:“郡守关系到千里百姓的悲欢,能不选择人才,而为亲人谋私吗!如果根据亲近亲人的古训给予恩赏,即使给予丰厚的赏赐,对国政没有妨害,让他治理郡邑而没有具备治理的才能,郡境内的人依赖谁呢!”

丙寅(初七),诏令:“大理寺所审讯的喧嚣哄闹的军民,都依军法论罪。”史浩说对百姓不能以军法论罪,不采纳。又再次贬降王友直为宣州观察使、贬谪信州居住。因此史浩乞请免去辅政大臣的职务,甲戌(十五日),免去职务改任少傅,还旧节,充任醴泉观使兼侍读。

乙亥(十六日),任命钱良臣为参知政事。

丙子(十七日),金国尚书省奏报:“崇信县令石安节,在他管辖的百姓中购买做车的木材,三天后不偿还木材的价值,削官一级,解除县令的职务。”金国主就说:“凡是现任官员,只应当选择少数最贪婪与少数最清白的人加以贬黜与提拔,那么别人自然明白惩罚与激励的意思。朝廷的政令,太宽则大众不知道畏惧,太严则小过失也不免被治罪,只应当使用宽严适中的法令。”

丁丑(十八日),任命赵雄为右丞相,王淮为枢密使。

王希吕进呈奏章:“浙、闽州县推排百姓物力,至于牛畜,也有不遗漏的。原来的法令,就没有将舍屋、耕牛总计充作家业的条文。”敕令所仔细审察:“百姓租赁牛畜,虽然是营运获利,因为也方便于贫民。乞请依照奏章,将所有民户耕牛、租牛,依照绍兴三年五月六日的指令,都免充家产,下令各路州县遵守施行。”宋孝宗说:“国家以农业为根本,农民以耕牛为生命,耕牛多那么耕种开垦田地的人就多,怎能把牛视为家产,趁机征税烦扰百姓?监司要经常注意检查,如有违背规定的,弹劾奏闻。”

戊寅(十九日),诏令:“成都一路共十六州,除了成都府自有飞山军以及威州、茂州、雅州、嘉州、石泉军是沿边地区兵备不能抽调外,其余各州,各自选择统兵官前去各州考察测试勇壮有武力的人,抽调组编,共选一千人组建二队,像李德裕组建雄边子弟一样,以雄边军来命名。”这是采纳胡元质的奏请。

在此之前金国曹王的文学官赵承先因为犯罪遭到杖责,免官除名,之后又被任用。金国主追问此事,宰臣说:“因为曹王派人来说他能干敏锐,所以又任用他。”金国主说:“官职爵位的拟定任命,虽然经过你们负责,但定夺的权力,应当由朕做出决定。曹王的话尚且听从,假如皇太子有所谕旨,那么你们的顺从就可想而知了。这件事因为追问才知道,所不知道的该又有多少?况且你们公然接受请托,行吗?”金国主又曾告谕宰臣说:“过去丞相赫舍哩良弼拟定任命人选,不曾苟且将官职给予不应当得的人,而荐举的往往是合适的人才,钮祜禄额特勒、伊喇慥、费摩余庆都是他推荐的;至于私下接受请托,绝对没有这样的事。”

庚辰(二十一日),恢复监司互举法。

丙戌(二十七日),金国吏部尚书乌库哩元忠升任御史大夫。乌库哩元忠曾任大兴府知府时,有僧人犯法,皇姑梁国大长公主派人让他释放,乌库哩元忠不听从。金国主听说了这件事,召见乌库哩元忠对他说:“你不徇私情,很可嘉。能如此治理京城地区,朕还有什么忧虑!”

十二月,辛卯(初二),宰臣进呈监司、郡守任命名单,宋孝宗说:“任命了合适的郡守,那么千里百姓蒙受福泽;任命了合适的监司,那么全路百姓蒙受福泽。你们精心挑选人选,不能轻易任命。”

壬辰(初三),赵彦逾奏请将南康军各鱼池改为放生池,宋孝宗说:“长江沿线的百姓,以鱼为生,现在加以禁止,恐怕妨害百姓生计。”

庚戌(二十一日),金国封皇孙玛达格为金源郡王。

壬子(二十三日),金国群臣奉上“大金受命万世”的宝玺。

乙卯(二十六日),临安府知府奏请恢复在西溪设置收税税卡,宋孝宗说:“对关口、市场应该稽查而不是征税。西溪离京城只有五十里,岂可又设置税卡!”

这一年,前任雷州知州李茆奏报:“广西盐法已经推行的有两种,一种是由盐商贩运销售,一种是由官府自办搬运和销售,然而这二种办法的得失利弊无法研究。况且官府自办搬运销售,原来是本路转运司主持的事情,实行此法很便利,每年的税收自给自足,各州也没有缺乏经费。从绍兴八年改行盐钞法,转运司所得仅二成,不能满足供给各州每年的财政经费,以至于提高征收秋苗钱,百姓身受其害。每年卖钞盐所亏损的数额很多,陛下明察其中的弊端,仍旧拨还转运司,均分到各州由官府运输官府销售,全部免除了折米招籴等损害百姓利益的做法,只令转运司每年认缴利息三十一万贯,自然应当确守此法,成为永久之利。”诏令:“户部将广西实行的官府搬运官府销售的盐法,严令颁布下发,日常切实遵守。”

刘珙因为生病请求担任宫观官,不答复,又奏请退休。宋孝宗因为刘珙病重,派宦官带御医来探视他。刘珙知道病情无法医治,立即奉上遗表,首先引用汉代弘恭、石显、唐代王伾、王叔文作为近臣亲信弄权误国的警戒,而且还说:“现在将心腹耳目的重任寄托在这一类人身上,所以士大夫依靠他们以谋取自身利益,将帅依靠他们以侵吞军饷,地方长官依靠他们以残害百姓;朝纲因此紊乱,士气因此低落,民心因此背离,其根源都在这里。希望对他们立即加以黜退,以造福天下。”刘珙去世,后来赠谥号忠肃。

庐州舒城县知县余永锡,因为犯贪赃罪,特免其死罪,贬谪封州接受编管处分,还没收了他的家产。

淳熙六年　金大定十九年(公元1179年)

春季,正月,丁卯(初八),金国主举行春水游猎。

戊辰(初九),赈济淮东饥民。

庚午（十一日），太社令叶大廉说："内侍省遇到有人支领库存物品，奏请依照旧法，发给相同的凭证两份，一份交付传宣使臣前去支领物品，一份由内侍省注明时间加以密封，派人按文书的方式交付所支付物品的仓库的库务官，审察两份凭证相吻合后支付，并将两份凭证缴还朝廷。"宋孝宗同意了，说："这是一个好办法。"

壬申（十三日），减免夔州上供金银。

癸未（二十四日），赵雄等人奏请在光州重新设置边境榷场官，御前如果有曾在榷场公干的人，可以派出充任监官。宋孝宗说："从来不曾派人到淮河沿岸购物，如淮白、北果之类宫中都没有。刘度以前驻守盱眙军时，曾进献淮白，拒绝而没有接受。近来承蒙太上皇赐给数尾淮白，每次进膳，就吃一小段，可吃半月。"赵雄说："陛下岂止生活俭朴，如珠玉、图画等珍宝，都无法进入宫门。"宋孝宗说："也是天性不喜欢罢了。"

甲申（二十五日），宋孝宗直接发出批示："登仕郎张闻礼，是太上皇后侄女婿，特添差为浙东安抚司干办公事。"赵雄等说："根据法令，即使是外戚，文臣未经过铨试，武臣未经过呈试，一律不允许申请添差为官。"宋孝宗说："岂能因为是外戚就破坏公正的法令！今后有类似的事情，必须坚持奏报。"

四川制置使胡元质、夔州路运判韩唤奏报："夔州路的百姓最贫穷，而各州强制购买上供的金银绢三种物品，致使民力更加贫困。所有大宁监征收的盐税确实有剩余。臣现在与总领所及本路转运司共同安排筹划，已将盐税的剩余钱用于购买上供金银，交纳给总领所及茶马司，全部免征九州百姓本年购买金银的费用外，还有剩余钱，可以全部免除今年夔州路各州一年向百姓征收用于买绢的钱数，还有剩余钱又可以发给百姓作为每年的补贴费用，民力可以稍稍复苏。"宋孝宗说："监司、郡守，兴利除害，让百姓得到实惠，关键应当这样做。"都同意了。赵雄说："韩唤是转运司官员，安排这些剩余钱以免除百姓的赋税烦扰，花费了很多力气。"宋孝宗说："不能不奖赏。"不久将韩唤加官为直秘阁。

这个月，郴州叛贼陈峒等连续攻破道州桂阳军各县。集英殿修撰、潭州知州王佐奏请调发荆州、鄂州三千精兵，诏令以本路兵进讨叛贼，命令王佐任指挥。

二月，己丑朔（初一），宋孝宗驾临佑圣观，即宋孝宗做太子时居住的宫室。皇太子陪从。宋孝宗来到讲宫，观看房屋，还是当初的样子没有改变，回头对皇太子说："近日知道你已熟读《通鉴》，另外读了什么书？"回答说："经、史都读过。"宋孝宗说："先以读经书为主，史书也不可荒废。"

庚寅（初二），参知政事钱良臣，因为推荐茹骧改官失当，自行弹劾。诏令："钱良臣的奏请，就是为了以身作则执行法令。国家有稳定的宪法，朕不敢徇私情，可降官三级。"

癸巳（初五），诏令："户部侍郎陈岘，待制张宗元，新任秀州知州徐本中，贬谪饶州居住的赵磻老，各降官三级。"也是因为举荐茹骧的缘故。

在此之前茹骧在湖州任长兴县知县，将官钱侵吞为己有，事情败露，判决到台州接受编管处分，没收他的家产，所以有了这道诏令。

甲午（初六），太学博士高文虎，谈论前任宰执官员、侍从官员而现在带有观文殿大学士以至待制职衔在外任职的人，都有为朝廷献计献策的责任，宋孝宗说："这个奏请很为得体，朕也可得到采纳建议的益处，而且了解州郡各地的民情。"丙申（初八），诏令："前任宰执官

员、侍从官员现在带有观文殿大学士以至待制职衔以及大中大夫以上的地方官、宫观官,今后如有高见,随时奏闻。其中受到贬谪降职的官员,不在此列。"

丁酉(初九),殿前副都指挥使郭棣说:"每当遇到宣召随从侍卫打球或承蒙赐酒,其中正式的、非正式的统制官员,有的人在马上随便地奏报事情,等到赐酒的时候,没有人指令宣召,往往直接到御榻前奏事,很失臣子事奉君子的礼仪。奏请从今以后遇到宣召侍卫时,由本司管束。"宋孝宗同意了。

癸卯(十五日),宋孝宗说:"朕想将现行的条例法令,下令敕令所分门编类,比如律条与《刑统》、敕、令、格、式及后来颁布的指令,每一门事都汇集记载在一起,打开书卷就可以一目了然,使经办胥吏不得舞弊。"赵雄等人说:"士大夫中精通法律的人很少,临时查阅,大多被胥吏们欺骗。如果分门编类,那么遇事就能见到全部相关法令,胥吏无法欺骗。"就诏令敕令所,将现行的敕、令、格、式,仿照《吏部七司条法总类》,随事分门修纂,另成一书。如果数事都涉及相同法令,就随门类分别编入,以《淳熙条法事类》为书名。

丙午(十八日),诏令:"从军中逃跑犯强盗罪的人不得提议宽赦。"

己酉(二十一日),金国主返回京都。

乙卯(二十七日),诏令:"从今以后归正官员亲自到吏部接受任命,以防止冒名顶替。"

金国免除去年遭受水旱灾害的民田租税。

吕祖谦编选《圣宋文海》成编,奏报皇帝,赐书名《文鉴》,并赐吕祖谦银绢。

三月,乙丑(初七),金国尚书省奏报亏损赋税的院务官颜葵等六十八人,各自应该降官一级,金国主说:"以承荫人主持征税事务,这是辽国的制度。法令出现弊端就应当更改,唐、宋法令中有可以实行的就加以实行。"

丙寅(初八),录用岳飞、赵鼎子孙为官,赐给京朝官的官位。

己巳(十一日),金国主与宰臣谈论史事。金国主说:"朕发现前代的史书对君主大多有溢美之词。大抵史书记载史事贵在真实,不必要用浮华的词语来谄媚君主。"

己巳(十一日),宋设置广西义仓。

庚午(十二日),知镇江司马伋说用石料修砌湖水闸门,浚海鲜河,使船有停泊的地方,宋孝宗说:"司马伋浚疏河流修建闸门,很实惠便利,可任命他为宝文阁待制。"

丁丑(十九日),宋孝宗对宰执大臣说:"各路转运司,职责就在于统计调度,要求他们统计全路的财政盈余或亏损情况而加以统一调度。现在就不一样了,对所管辖的州郡财政,有剩余的钱就征取,财政不足的就听任它,等到因此误事,接着就弹劾他,而我的百姓已经遭到侵扰了。朕现在以手诏告谕他们,让他们深思古代为官之义,视所辖州县为一家,全面了解他们的经费情况而在他们之间通融有无,考察州郡官员的贤能与否而制止他们浪费钱财,这样不久郡邑就会宽裕而百姓的财力也富裕了。"赵雄等说:"转运司的责任,全部包含在这里了。"于是颁布手诏以告诫各路转运司,说:"分路设置官署,将耳目重任寄托在你们这些转运司身上,你们的职责在于统计调度,要求统计本路财政的盈余或亏损情况从而全面加以调度。职责还在于监察官员,要求及早端正吏治,不要让他们发展到坑害百姓。如果有人不这样做,朕还依赖你们什么呢!"命两浙转运司将这道手诏刻在石上,赐给各路的转运司。

辛未(十三日),金国主对宰臣说:"奸邪之臣,如果有谋求,往往暗中任用党羽,不肯明

说,借口其他的事情,表面上不重用而暗中为他出力。朕看到古代的奸人,正当国家确立太子的时候,恐怕太子太聪明,不利于己,往往策划阴谋破坏确立太子的议定,只想选择昏庸懦弱的人立为太子,期望将来可以弄权谋取功利。如晋武帝想确立他的弟弟为继承人,而奸臣阻挠,竟然立了晋惠帝,以致国家丧乱,这是一个明显的验证。"

己卯(二十一日),金国下达制书:"监察官员,如果有人犯法而不举报,按比犯人罪轻一等的罪处置,相关到亲属的允许回避。"

金国主对宰臣说:"人们大多信奉佛教、道教,意在求福,朕早年也很受迷惑,不久领悟了这种行为的荒谬。而且上天设立君主,是让他治理百姓,如果享乐而怠懈政事,想通过佛道来侥幸祈请福祐,难啊!如果真能爱护百姓,与天心相吻合,上天必用福祐回报他。"

乙酉(二十七日),钱良臣说:"新任太府丞李峄,是臣妻的兄弟,恐怕外人怀疑臣对亲戚徇私任用,乞请担任宫观官。"宋孝宗说:"李峄因为有人推荐才得以提升,不是由你推荐的。你既然避嫌,可授予近来空缺的知军职务。"

这个月,因为高邮军、通州、泰州等地去年田鼠成灾,给予赈济。

夏季,四月,己丑朔(初一),金国赈济西南路招讨司所管辖的百姓。

丁酉(初九),宋孝宗说:"州郡官府近日添差官员的人数很多。今后宗室、外戚、归正官员等添差为通判、职官等职,每州各不得超过一人,帅司参议官、各属官等按此执行。"

己酉(二十一日),金国把金闵宗的神位升祔到太庙,加谥号为"宏基缵武庄靖孝成皇帝。"

金国主准备前往金莲川,有关机构负责办理。薛王府掾绛州人梁襄上疏极力谏阻,大致说:"金莲川在崇山峻岭之北,气候很特殊,仲夏之季降霜,一日之内,寒暑交至,与上京中都不同,不是圣上亲自前往的地方。所有奉养的东西,无不用马远途运输,费用超出原来的几倍。至于安顿住宿的地方,车马堵塞,主客不分,马牛惊奔,追捕逃跑的奴仆,抢夺钱财,蹂躏百姓,这些不容易禁止。公卿、百官、卫士,富有的只能容身车辆帐篷,贫穷的只能穴居山洞露宿野外,奴仆皂隶,不免困苦,饥不得食,寒不得衣,一人得了病,传染给他的家人,使无辜夭折死亡,与用刀杀人有什么不同!这只是小事情,更有比这严重的事情。臣闻高城浚池,深居禁宫,是帝王的藩篱;壮士健马,坚甲利兵,是帝王的爪牙;现在行宫之地,没有高殿广宇、城墙浚河作为坚固的防御,这是废除了藩篱护卫。身挂铠甲经常乘坐的马匹,日晒雨淋,臣知道它必定会瘦弱;防御欺侮待命而动的军队,在寒冷中睡眠,吃冰凉的食物,臣知道他们必定会疲惫生病;护卫宫殿的周围庐舍,才容纳几人,一旦阴雨淋漓,衣甲弓刀,被水浸湿后变得柔软脆弱,怎经得起使用!这是失去了爪牙的护卫。秋末将要返回,人已疲惫,马也瘦弱,粮食已空,褚衣已破,还将远幸松林,举行围猎,在不测之地行进,往来超过数月。假设狂风骤至,尘埃蔽天,浓雾四罩,半步之外无法辨认,以致皇上车驾有如周文王在崤陵避风雨,周襄王在襄城迷方向,百官在道途狼狈不堪,卫士在队伍中掺杂。所驻扎的地方,草率简略更严重,房屋周围的墙,只用毡布围成。随从的警卫官,轮流值班的卫士,整日驱驰,加上又饥又渴,已不胜疲倦,再让他们通宵巡逻,坐在野外不能睡眠,一个人的精神有限,如何能够承受!陛下差遣的人乐于从命,劳而不怨,哪比得上不劳累他们为好呢!

有人说皇上北幸的做法已经很久了,每年随从护驾的大小官员,前歌后舞而归,现在再

次出外，怎能突然有不可！臣愚以为祸患发生在意料之外的事情很多，由于以前没有发生危险，前往而不加停止，臣对此很恐惧。

有人又说前代遵守规定的君主，生长在深宫，害怕见到狂风烈日，射箭骑马，都不能做到，意志消沉懦弱，身体柔弱，面临困难战栗恐惧，束手待毙。陛下鉴于这种教训，不怕劳累，远幸金莲川，以至于到达松漠，名义上是消夏打猎，实际上想锻炼身体训练武备。臣愚以为战争不可忘记，游猎不可废止，宴乐如同毒酒也不可贪恋，事情应当适可而止，不能过度。现在过于防患骄逸懒惰，就首先踏上万一有危险的征途，与无病服药有什么不同！况且想演习武备，不必远渡关外，涿州、易州、雄州、保州、顺州、蓟州境内，地广而且平坦，按季节游猎，谁说不行？乞请发出回宫的旨令，调回北行的车马，安然地巡幸中都，不再北幸，则社稷无比美好，是天下百姓莫大的愿望。”

金国主采纳了他的建议，就因此停止了北行。梁襄因此以直言闻名。

王佐接受命令讨伐陈峒，想到将校军官中无可用之人，只有流放人冯湛以勇敢闻名，就许诺为他洗涮罪名，檄令他代理湖南路兵马钤辖。在潭州厢禁军及忠义寨中挑选得到八百人，下令各县屯驻的兵力全部听从调发。王佐因为擅自发兵自行弹劾，诏令不予追究。

叛贼听说冯湛率兵将到，立即逃归巢穴。转运使想暂缓进攻，王佐认为贼巢在宜章，连接三路七郡，竹林茂密地势险阻，出入莫测，陈峒不杀，湖广地区忧患没有翦除，就亲自赶赴宜章，调遣冯湛屯兵何卑山。夜半时分，发兵分五路进攻，突入那里的险要隘口。叛贼仓促出兵迎战，很快就逃跑了。进攻夺取空冈寨，斩杀陈峒等人，郴州叛乱平定。

续资治通鉴卷第一百四十七

【原文】

宋纪一百四十七　起屠维大渊献【己亥】五月，尽上章困敦【庚子】十二月，凡一年有奇。

孝宗绍统同道冠德昭功　哲文神武明圣成孝皇帝

淳熙六年　金大定十九年【己亥，1179】　五月，甲子，提领封桩库阎苍舒言封桩库钱贯断烂之数，乞对阅支遣，帝曰："钱积之久，必致贯朽。"赵雄曰："陛下未尝一毫妄取于民，而府库充足。"帝曰："朕不敢妄取，所以有此，待缓急之用也。"

戊辰，秘书省言："故事，明堂大礼，太史局合差奏祥瑞官一员。"帝曰："丰年为上瑞，不必遣官。"

庚午，蠲四川盐课十万缗。

丙戌，帝曰："王佐以帅臣亲人贼巢，擒捕诛剿，与向来捕贼不同，书生中不易得也。"赵雄曰："今日成功，皆出宸算。佐初止恃荆、鄂大军，陛下令将本路将兵、禁军、义丁、土豪，以之破敌，佐遂专用本路乡兵。非陛下明见万里，则佐成功必不如此之速。陛下必欲旌赏之，宜俟佐保明立功之人，先下准赏，然后及佐也。"旋擢佐显谟阁待制，徙知扬州。冯湛复元官。

是月，臣僚言："诸路州郡截用上供钱物，初令度支点对驱磨，既而复令关帐司驱磨。然而关防渗漏之弊终不能革者，缘其间窠目不一，失于参照，州郡得以容奸。重叠申部，而逐部只是照应大案合催名色，径行销豁。今请令度支每岁置簿，如遇承降指挥截使名色钱物之数，所隶部分，候请州申到帐状，即关会度支回报，方许关帐司驱磨销豁。"从之。

六月，戊子朔，金诏更定制条。

甲午，建丰储仓。

丙申，诏特奏名毋授县令、知县。

戊戌，蠲郴州运粮丁夫今年役钱之半。

临安府勘到李显忠诸子师说等无礼于继母，其继母王氏，令其子师古行财，倾陷异母兄弟。帝曰："师说兄弟呼母为侍婢，可谓悖礼。其母出财以倾之，亦岂为母之道！母子皆当抵重罪。朕念显忠昔日归朝，颇著劳效，今殁未久，不忍见其家门零落。朕欲悉赦罪，听其自新，庶几全母子之情。后或不悛，即置典宪。"己亥，诏有司一无所问。临安府追集师说等，宣奉恩旨保全显忠门户之意。王氏母子感泣，见者亦以手加额。帝曰："此非独保显忠门户，亦有补于风教。"

辛亥，广西妖贼李接破郁林州，守臣李端卿弃城遁，遂围化州。命经略司讨捕之。端卿除名勒停，梅州编管。

是月，求四川遗书，以其不经兵火，所藏官书最多也。

秋，七月，癸亥，籍郴州降寇隶荆、鄂军。

荆、鄂副都统郭杲奏："唐、邓自来积谷不多，襄阳自汉江以北，四向美田，民多蓄积。请密行措置，于秋成收储，以备缓急。"诏周嗣武、刘邦翰广行收籴，其合用仓廒，相度措置。

辛未，金有司奏拟赵王子实古纳人从，金主不许，谓宰相曰："儿辈尚幼，若奉承太过，使侈心滋大，卒难节抑，此不可长。诸儿入侍，当其语笑娱乐之际，朕必渊默，莅之以严，庶其知朕教诫之意，常畏惧而寡过也。"

中书舍人郑丙言："近来卿监丞、簿，悉除史官、馆职，学馆、书局，员数颇多；监司、郡守差至三政，参议、通判添差相踵，归正、使臣养老将息，填满诸郡。东宫徹章，秘书省进书、讲官、官僚及预修官吏，赏之可也，下至杂流厮役、监门逻卒，亦皆沾赏，曰就龙日久，曰应奉有劳；开一河道，修一闸堰，横被酞赏。欲行裁抑。"诏曰："丙之言是也。赏行除授，积累既多，不即以闻，岂所望于忠益耶！可札付给、舍。"给事中王希吕、兼权中书舍人李本等皆以失职待罪，帝曰："谓无罪则不可，放罪则丙不自安，令依旧供职。"

金密州民许通等谋反，伏诛。

甲申，臣僚言："旧制，凡内外官登对者，许用札，其馀则前宰职、大两省官以上许用札，以下并用奏状。近年它司内郡应用奏状者，或以札子上尘乙览，其间往往诋讦前政，陈说己能，不知大体。请申严有司，应帅、漕、郡守、主兵官，如事涉兵机，许用札子；其馀若不如式，则令退还。并稽考臣僚章奏，如于公事之外辄以私事渎听者，略赐施行，则人知儆畏，各安其分。"从之。

是月，赵雄等上《会要》。

沿海制置司参议官王日休进《九丘总要》，送秘书省看详；言其间郡邑之废置，地理之远近，人物所聚，古迹所在，物产所宜，莫不详备。诏特迁一官。

八月，戊子，重修敕令〔所〕言旧时驮马、舟船契书收税，帝曰："此等不可删，删之，恐后世有筭及舟车之害。"

庚寅，罢诸路监司、帅守便宜行事。

壬辰，金右丞相石琚致仕。诏以一孙为閤门祗候。琚即命驾归乡里。久之，金主谓宰臣曰："知人最为难事。近来左选多不得人，惟石琚为相时，往往举能其官；左丞伊喇道，参政钮祜禄额特勒，举右选颇得之。朕常以不能遍识人材为不足，此宰相事也。左右近侍虽常有言，朕未尝轻信。"

先是湖南漕臣辛弃疾，奏官吏贪求，民去为盗，乞先申饬，续具案奏，帝手诏付弃疾曰："凡所言在已病之后而不能防于未然之前，其原盖有三焉：官吏贪求而帅臣、监司不能按察，一也；方盗贼窃发，其初甚微，而帅臣、监司漫不知之，坐待猖獗，二也；当无事时，武备不修，务为因循，兵卒例皆占破，一闻啸聚，而帅臣、监司仓(库)〔皇〕失措，三也。国家张官置吏，当如是乎！且官吏贪求，自有常宪，无贤不肖皆共知之，岂待喋喋申谕耶！今已除卿帅湖南，宜体此意，行其所知，无惮豪强之吏，当具以闻。朕言不再，第有诛赏而已。"

戊戌,金以大观钱当五用。

辛丑,敕令所言绝户之家财,许给继绝者以三千贯,如及二万贯奏裁,帝命删之,曰:“国家财赋,取于民有制。今若立法,于继绝之家,其财产及二万贯者裁奏,则是有心利其财物也。”

壬寅,以知楚州翟畋过淮生事,夺五官,筠州居住。

丙午,金济南民刘溪忠谋反,伏诛。

九月,庚申,徐存乞宫观,帝曰:“徐存胸中狭隘,不耐官职。向因轮对,尝识其人,可与宫观。”赵雄等曰:“陛下知人之明,臣下经奏对者,辄知其为人,一字褒贬,无不曲尽。”帝曰:“立功业,耐官职,须有才德福厚者能之。荀卿曰:‘相形不如论心,论心不如择术。’朕每于臣下,观其形以知其命,听其言以察其心。相形论心,盖兼用之。”

癸亥,金主秋猎。

丙寅,敕令所言捕盗不获,应决而愿罚钱者听,帝曰:“捕盗不获,许令罚钱而不加之罪,是使之纵盗受财也。”

丁卯,进监司及知、通纳无额上供钱赏格。帝曰:“祖宗时,取于民止二税而已。今有和买及经总制等钱,又有无额上供钱,既无名额,则是白取于民也。又立赏以诱之,使之多取于民,朕诚不忍,可悉删去。”帝又曰:“朕不忘恢复,欲混一四海,效唐太宗为府兵之制,国用既省,则科敷民间诸色钱务,可悉蠲免,止收二税以宽民力耳。”

辛未,大飨明堂,复奉太祖、太宗配。自乾道以后,议者以德寿宫为嫌,止行郊礼。至是用李焘等议,复行明堂之祭,遂并侑焉。从祀百神,并依南郊礼例。

先是礼部奏:“前礼部侍郎李焘请行明堂礼,并录(连)〔进〕典故:一,熙宁五年,神宗问王安石曰:‘宗祀明堂如何?’安石曰:‘以古言之,太宗当宗祀,今太祖、太宗共一世,若迭配明堂,于事体为当。’神宗曰:‘今明堂乃祀英宗,如何?’安石曰‘此乃误引严父之道故也。若言宗祀,则自前代已有此礼。’神宗曰:‘周公宗祀,乃在成王之世。成王以文王为祖,则明堂非以考配,明矣。’一,治平元年,知制诰钱公辅、知谏院司马光、吕诲之议曰:‘《孝经》曰:“严父莫大于配天,则周公其人也。”孔子以周公有圣人之德,成太平之业,制礼作乐,而文王适其父也,故引以证圣人之德莫大于孝,以答曾子之问;非谓夫凡为天子,皆当以其父配,然后为孝也。近世祀明堂者,皆以其父配五帝,此乃误认《孝经》之意而违先王之礼,不可为法也。’一,天章阁待制兼侍读李受,天章阁侍讲傅卞言:‘臣等以为严父者,非专谓考也。《孝经》曰:“严父莫大于配天,则周公其人也。”下乃曰:“郊祀后稷以配天,宗祀文王于明堂以配上帝。”夫所谓天者,谓郊祀配天也;夫所谓帝者,谓五帝之神也;故上云“严父配天”,下乃云“郊祀后稷以配天”,则父者,专谓后稷也。且先儒(为)〔谓〕祖为王父,则知父者不专谓乎考也。’一,乾道六年,李焘为秘书少监兼权侍立官,奏:‘昊天四祭,在春曰祈谷,在夏曰大雩,在秋曰明堂,在冬曰圜丘,名虽不同,其实一也。太祖尝行大雩之礼于开宝,太宗再行祈谷之礼于淳化、至道,其礼并于圜丘。独明堂之制,皇祐二年,仁宗始创行之,嘉祐、熙宁、元丰、元祐、绍圣、大观、政和又继行之。太上建炎二年,既祀圜丘,绍兴元年,即祀明堂,以太祖、太宗并配,天地神祇并飨,统祚绵永。陛下临御之三年,既亲祈谷,七年祀圜丘。窃谓明堂之礼,合宜复行,远稽祖宗故事,近遵太上慈训,实为当务之急。’淳熙三年三月,焘因转对,又申前

请。”是岁，遂诏礼官、太常群议而举行之。

癸未，诏：“福建、二广卖盐，毋擅增旧额。”

金主还都。

冬，十月，乙酉朔，蠲连州被寇民租。

安南国王李龙(翰)〔𣉙〕，加食邑封、功臣号。

辛卯，金西南路招讨使哲典，以赃罪伏诛。

庚子，四川行当二大钱。再蠲四川盐课十七万馀缗。

辛丑，除绍兴府逋赋五万馀缗。

戊申，广西妖贼平。

十一月，乙卯朔，帝制《用人论》，深原用人之弊及诛赏之法，赵雄等乞宣示，帝曰：“此论欲戒饬臣下趋事赴功而已，岂为卿等设耶！”

辛酉，裁宗子试法。

壬戌，金改葬昭德皇后于坤厚陵，诸妃袝焉。

初，金主自济南改西京留守，过良乡，使鲁国公主葬后于宛平县之土鲁原。至是改葬大房山，太子允恭徒行挽灵车。是日，大赦。

癸亥，帝曰：“义仓米专备水旱以济民，今连岁丰稔，常平米正当趁时收籴。可严行，以先降指挥催诸路以常平钱尽数籴米。”时诸路未尽申到故也。

壬申，金主如河间冬猎。

癸酉，帝谕曰：“近蒙太上赐到倭松，真如象齿，已于选德殿侧盖成一堂。”赵雄等曰：“陛下不因太上赐到良材，亦未必建此堂也。”帝曰：“朕岂能办此！木植乃太上之赐，近尝谢太上，因奏来春和暖，欲邀请此奉觞，太上已许临幸。”雄曰：“陛下平时，一椽、一瓦未尝兴作；及蒙太上皇帝赐到木植，即建此堂，此谓俭而孝矣。”

戊寅，右正言黄洽论赏罚必欲当理，帝曰：“赏罚自是欲当。然朕有一言：夫矫枉而过直，则复归枉矣；故矫枉至于直可也，过于直亦不正也。猛本所以济宽，然过于猛则不可，盖过于猛则人无所措手足；济宽(然)〔而〕过于猛，犹矫枉而过其直也。惟立表亦然，所立正则其影直，所立过中则影亦随之。朕守此甚久，一赏一罚，决不使之过。”赵雄等曰：“执其两端，用其中于民，此舜事也。”帝曰：“中者，朕朝夕所常行。譬之置器适当，乃合于中，若置之失宜，则非中矣。朕之于臣下，初无喜怒好恶。尝于禁中宣谕左右曰：‘朕本自无赏罚，随时而应，不得不赏罚耳，初无毫发之私也。’又常守‘爱而知其恶，憎而知其善’两语，故虽平日所甚亲信，苟有过失，必面戒之。而疏远小臣，或有小善寸长，则称奖之。”雄曰：“雨露之所生成，雪霜之所肃杀，天岂有心于其间哉！”

壬午，诏：“宗室有出身人，得考试及注教授官。”

癸未，金主还都。

十二月，丙戌，颁《重修敕令格式》。

己亥，刑部尚书谢廓然奏：“二广缘去朝廷既远，旧多烟瘴，又见摄官官差之文，县或有阙，监司、守臣辄差校、副尉摄，参军、助教权摄。”帝曰：“远方用此曹权县，细民何负！可令按劾。”

诏:“自今鞫赃吏,后虽原贷,毋以失入坐狱官。”

辛亥,蠲临安征税百千万缗。

知舒州赵子濛,奏本州支使邹如愚、司理赵善劬荒废职事,帝曰:“官无高卑,皆当勤于职事。”又曰:“朕于机务之暇,只好读书。惟读书则开发智虑,物来能名,事至不惑,观前古之兴衰,考当时之得失,善者从之,不善者以为戒。每见叔世之君,所为不善,使人汗下,几代其羞。且如唐季诸君,以破朋党、去宦官为难,以朕思之,殊不难也。凡事只举偏补弊,防微杜渐,销患于冥冥,若待显著而后治之,则难矣。”

是月,臣僚请会计财用之数为《会计录》,帝曰:“向者欲为此录,缘户部取于州县为经总制钱者,色目太多,取民太重。若遽蠲则妨经费,须它日恢复之后,使民间只输二税,其馀名色乃可尽除之。”

赵雄荐太学正安阳刘光祖试馆职。光祖对策,论科场取士之道,帝批其后,略曰:“用人之弊,患君不能择相而相不能择人,每除一人,则曰此人中高第,真佳士也,终不考其才行。国朝以来,过于忠厚,宰相而误国,大将而败军,未尝诛戮。要在君心审择相,相必为官得人,懋赏立乎前,严诛设于后,人才不出,吾不信也。”

御笔既出,中外大耸,议者谓曾觌视草,为光祖甲科及第发也。帝遣觌持示史浩,浩曰:“唐、虞之世,四凶止于流窜,而三考之法,不过黜陟幽明。诛戮大臣,乃秦、汉法耳。太祖制治以仁,待臣下以礼,迨仁宗而德化隆洽,此祖宗良法也。圣训则曰‘过于忠厚’,夫忠厚岂有过哉!臣恐议者以陛下颁行刻薄之政,归过祖宗,不可以不审也。”赵雄亦为帝言:“宰相如司马光,恐非懋赏能诱,严诛能胁。”帝悔之,乃改削其词,宣付史馆。

淳熙七年 金大定二十年【庚子,1180】 春,正月,甲寅朔,临安尹进府城内外及诸县放免牧税及用内帑等钱对补之数。帝曰:“朕于内帑无毫发妄用,苟利百姓,则不惜也。”

戊午,金定试令史(馆)格。

乙丑,刘焞以平李接功,擢集英殿修撰,将佐、幕属吏士进官、减磨勘年有差。

己巳,金主如春水。

丁丑,金以玉田县行宫之地偏林为御林,大淀泺为长春淀。

己卯,诏:“京西州军并用铁钱及会子,民户铜钱,以铁钱或会子偿之;二月不输官,许告赏。”

庚辰,蠲淮东民贷(赏)〔常〕平钱米。

二月,癸未朔,知镇江府曾逮言开新河以便行舟,帝曰:“扬子江至险,不可舣舟。”赵雄言:“镇江舟船辐凑,前此纲运客船漂溺不少。”帝曰:“多开河道,诚善政也。”

辛卯,魏王恺薨于明州,年三十五。恺宽慈,为帝深爱,虽出于外,心每念之,赐赉不绝。及薨,帝泫然曰:“向所以越次建储者,正为此子福气差薄耳。”谥惠宪。恺治邦有仁声,明州父老乞建祠立碑以纪遗爱。

乙未,诏广西兵校五百人隶提刑司。

乙巳,封子栋为安定郡王。

丙午,帝谓宰臣曰:“察官迩来所察甚有补于事。”赵雄曰:“事之大者论之,小者察官察之,则吏治毕举,官邪悉去矣。”

丁未，金主还都。

（是月）〔甲申〕，右文殿修撰张栻卒。栻病且死，犹手疏劝帝亲君子，远小人，信任防一己之偏，好恶公天下之理。邸吏以庶僚不得上遗表，却之，帝讫不见也。

栻勇于从义，每进对，必自盟于心，不以人主意向，辄有所随顺。帝尝言仗节死义之臣难得，栻对："当于犯颜敢谏中求之。若平时不能犯颜敢谏，它日何望其仗节死义！"帝又言难得办事之臣，栻对："陛下当求晓事之士，不当求办事之臣。若但求办事之臣，则它日败陛下事者，未必非此人也。"帝后闻其殁，嗟悼之。

三月，丙辰，兵部措置武（官）举补官差注格法。帝曰："武举本欲举将帅之才。今前名皆令从军，以七年为限，则久在军中，谙练军政，将来因军功擢为将帅，庶几得人。"

己未，金主诏："有罪犯被问之官，虽遇赦不得复职。"

壬辰，诏举贤良。

乙丑，金诏免中都、西京、河北、山东、河东、陕西路去年租税。

庚午，驾诣德寿宫，迎太上皇、太上皇后至大内，开宴于凌虚阁下。帝再拜，捧觞上寿。从至翠寒堂，栋宇不加丹雘。帝曰："凡此巨材，一椽已上，皆由赐畀，且莹洁无节目，所以更不彩饰。"酒数行，至堂中路石桥少憩，帝捧觞，太上、寿圣皆釂饮，帝亦满引。帝奏曰："苑囿池沼，久已成趣，仰荷积累之勤，臣何德以堪之！"上皇曰："吾儿圣孝，海内无事垂二十年，安得为无功！"

癸酉，臣僚言："今京西路均、房州水陆入川商旅、军兵，附带铜钱入金州、利州甚多。金州为川口，与川商接境，旧止用交子、铁钱，今乃兼用铜钱。乞下四川总所委利路漕臣置场于金州，给以交子，兑换官私铜钱，发赴湖广总所桩管。"从之。

丁丑，诏："诸州招补军籍之阙，自今岁以为常。"

己卯，帝问："《三朝宝训》几时进读终篇？"史浩、周必大等曰："陛下日御前后殿，大率日旰方罢朝，只日又御讲筵，恐劳圣躬。"帝曰："朕乐闻祖宗谟训，日尽一卷，亦未为多。虽只日及休暇，亦当特坐。"自是每讲读，帝必随事咨询，率漏下十刻无倦。

辛巳，金以图克坦克宁为右丞相，乌库论元忠为平章政事。

克宁在相位，持正守大体，至于簿书期会，不屑屑然也。

夏，四月，丙戌，赵雄等上《仁宗、哲宗玉牒》。

丁亥，金定冒荫罪赏。

己亥，金太宁宫火。

癸卯，知南康军朱熹疏言："天下之大务，莫大于恤民；恤民之本，又在人君正心术以立纪纲。"

今民贫赋重，若不讨理军实，去其浮冗，则民力决不可宽。惟有选将吏，核兵籍，可以节军费；开广屯田，可以实军储；练习民兵，可以益关备。今日将帅之选，率皆膏梁子弟，厮役凡流，所得差遣，为费已是不赀，到军之日，惟事裒敛刻剥以偿债负。总馈饷之任者，亦皆倚附幽阴，交通货赂，其所驱催东南数十州之脂膏骨髓，名为供军，而辇载以输权幸之门者，不可以数计。然则欲讨军实以舒民力，必令反前所为，然后可革也。军籍既核，屯田既成，民兵既练，州县事力既舒，然后禁其苛敛，责其宽恤，庶几穷困之民，得保生业，无复流移漂荡之

患也。

"所谓其本在于正心术以立纪纲者,盖天下之纪纲不能以自立,必人主之心术公平正大,无偏党反侧之私,然后纪纲有所系而立;君心不能以自正,必亲贤臣,远小人,讲明义理之归,闭塞私邪之路,然后乃可得而正。今宰相、台、省、师傅、宾友、谏诤之臣,皆失其职,而陛下所与亲密谋议者,不过一二近习之臣。此一二小臣者,上则蛊惑陛下之心志,使陛下不信先王之大道而说于功利之卑说,不乐庄士之谠言而安于私亵之鄙态;下则招集天下士大夫之嗜利无耻者,文武汇分,各入其门,所喜则阴为引援,擢置清显,所恶则密行訾毁,公肆挤排。交通货赂,则所盗者皆陛下之财;命卿置将,则所窃者皆陛下之柄;陛下所谓卿、相、师傅、宾友、谏诤之臣,或反出入其门墙,承望其风旨。其幸能自立者,亦不过龌龊自守,而未尝敢一言斥之;其甚畏公议者,乃略能警逐其徒党之一二,既不能深有所伤,而终亦不敢明言以捣其囊橐窟穴之所在。势成威立,中外靡然向之,使陛下之号令黜陟,不复出于朝廷,而出于此一二人之门;名为陛下之独断,而实此一二人者阴执其柄。盖其所坏,非独坏陛下之纪纲,乃并为陛下所以立纪纲者而坏之,则民又安可得而恤,财又安可得而理,军政何自而复,宗庙之仇又何时而可雪耶!"

帝读之,大怒,谕赵雄令分晰。雄言于帝曰:"士之好名者,陛下疾之愈甚,则人之誉之者愈众,无乃适所以高之!不若因其长而用之,彼渐当事任,能否自见矣。"帝以为然,乃置不问。

甲辰,黎州五部蛮犯盘陀砦,兵马都监高晃以绵、潼大军与战,败走。蛮人深入,大掠而去。

乙巳,金主谓侍臣曰:"女直官多谓朕食用太俭,朕谓不然。夫一食多费,岂为美事!贵为天子,能自节约,正自不恶也。朕服御或旧,常使浣濯,至于破碎,方用更易。向时帐幕长用涂金为饰,今则不尔。但使足用,何事纷华也!"

己酉,芮辉言:"吏部选法,小使臣遭丧不解官,给假百日。请除沿边职任及杂流出身人仍依旧限,此外如荫补子弟,宜守家法;取应宗室、武举出身之数,皆自科举中来,合遵三年之制。"帝从之,曰:"小使臣多是从军或杂流出身及沿边职任,所以不以礼法责之。其荫补子弟、取应宗室、武举人,岂可不遵三年之制!"

庚戌,金主如金莲川。

五月,丙寅,金中都地震,生黑白毛。

戊辰,以吏部尚书周必大参知政事,刑部尚书谢廓然签书枢密院事。

帝谓必大曰:"执政于宰相,固当和而不同,前此宰相议事,执政更无语,何也?"必大对曰:"大臣自应互相可否。自秦桧当国,执政不敢措一词,后遂以为当然。陛下虚心无我,人臣乃欲自是乎!惟小事不敢有隐,则大事何由蔽欺!"帝深然之。

己卯,申饬书坊擅刻书籍之禁。

六月,壬辰,五部落再犯黎州,制置司钤辖成光延战败,官军死者甚众,提点刑狱、权州事折知常弃城遁。甲午,制置司益兵,遣都大提举茶马吴总任平之。

诏:"监司、郡守,所属官或身有显过而政害于民者,即依公按刺;或才不胜其任而民受其弊者,亦详其不能之状,俾改祠禄,不得务从姑息。至有民讼方行按劾,若廉察素明而的知其兴讼不当者，则当为别白是否，以明正其妄诉之罪，不得一例义具举觉。"从太府丞钱象祖请也。

乙未，帝谕赵雄等曰："大臣能持公道，思其艰，图其易，斯尽善矣。"雄等曰："居常以尽公相告戒，若曲徇亲旧之情，不过得其面誉，安能胜众人之毁也！"帝曰："曲徇于人，所悦者寡，不悦者众，及招人言，亲旧虽能致力，不惟无益于国，亦殊不利于身。岂若一意奉公，保无后患！较其利害，孰得孰失耶？"

壬寅，秘书郎李巘言："太平兴国元年，诏学究兼习律令而废明法科，至雍熙二年，复设明法科，以三小经附，则知祖宗之意，未尝不使经生明法，亦未尝不使法吏通经也。宜略仿祖宗旧制，使试大法者，兼习一经及小经义共三道为一场。"帝曰："古之儒者，以经术决疑狱，若从俗吏，必流于深刻，宜如所奏。然刑与礼相为用，且事涉科举，可令礼部条具来上。"既而礼部请第四场经义，大经一，小经二，从之。

丁未，三省言："去岁丰稔，今岁米贱，所在和籴告办，仓廪盈溢。其江东诸路(土)〔上〕供米，初令就近赴金陵、镇江仓，今两处守臣，皆云无可盛贮，乞依旧发赴行在丰储西仓。"帝曰："丰年蒙天祐，惟当增修德政耳。"

是月，秘书郎赵彦中疏言："士风之盛衰，风俗之枢机系焉。且以科举之文言之，儒宗文师，成式具在；今乃祖性理之说，以浮言游词相高。士之信道自守，以《六经》、圣贤为师可矣，今乃别为洛学，饰怪惊愚，外假诚敬之名，内济虚伪之实，士风日敝，人材日偷。望诏执事，使明知圣朝好恶所在，以变士风。"从之。

秋，七月，癸丑，诏："二广帅臣、监司，察所部守臣臧否以闻。"

壬申，移广西提刑司于郁林州。

甲戌，杜民表乞罢总领漕司营运，帝曰："朕欲罢此久矣。内外诸军，添给累重之人，每岁不过三十馀万缗，别作措置支给。"于是诏："两淮、湖广、四川总领所，两浙、四川转运司营运并罢。"

是月，以旱，决系囚，分命群臣祷雨于山川。金地亦旱。

八月，甲申，以祷雨未应，诏职事官以上各实封言事。是夕，雨。

校书郎罗点上封事言："今时奸谀日甚，议论凡陋。无所可否，则日得体；与时浮沈，则曰有量；众皆默，己独言，则曰沽名；众皆浊，己独清，则曰立异。此风不革，陛下虽欲大有为于天下，未见其可也。自旱暵为虐，陛下祷群祀，赦有罪，曾不足以感动天心；及朝求谠言，夕得甘雨，天心所示，昭然不诬。独不知陛下之求言，果欲用之否乎？如欲用之，则愿以所上封事反核详熟，当者审而后行，疑者咨而后决，如此，则治象日著而乱萌自消矣。"

初，求言之诏将下，宰相谓此诏一下，州县必乞赈济，何以应之，约周必大同奏止其事，必大曰："上欲通下情，而吾侪阻隔之，何以塞公论！"乃止。

梁李珩乞宫观，帝曰："此人不正，近尝贻书内侍，啖之以利，内侍以其书缴。"赵雄曰："垫御之官，皆知精白，不敢徇私，化行之效也。"

辛巳，金主秋猎。

己丑，臣僚言沿边人盗贩解盐，私入川界侵射盐利，诏兴州、兴元府都统司，开具禁止事件以闻。既而吴挺言已立赏钱，出榜行下沿边屯戍统兵官，严行缉捕，从之。

辛卯，臣僚言："执政、台谏之臣，身居要地而子孙从仕远方，监司、郡守趋承从风而靡于四方，观瞻所损甚大。请今后见任执政、台谏子孙，并与祠庙差遣，特许理为考任。"从之。

己亥，帝谓辅臣曰："漕河犹未通行，闻平江府月供阙米，皆雇夫陆运，当此秋旱，深恐劳民。可权于百司内支供，虽糙无害，它时水生，却令并输。"

甲辰，五部落犯黎州，左军统领王去恶拒却之。折知常重赂蛮帅，使之纳款。

（是月）〔庚寅〕，端明殿学士致仕黄中卒，谥简肃。中病革，遗表犹以山陵钦宗梓宫为言，以人主之权不可假之左右为戒。

置湖南飞虎军，帅臣辛弃疾所创也；寻诏拨隶步军司，遇盗贼窃发，专听帅臣节制，仍以一千五百人为额。

九月，壬戌，金主还都。

癸亥，诏："每日常朝，可同后殿之仪，不必称丞相名。"赵雄辞曰："君前臣名，礼也，臣岂敢当此！"帝曰："苏洵尝论此，谓名呼而进退之，非体貌大臣。丞相不须多辞。"续又诏："除朝贺并人使在庭依议，其馀并免宣名；内枢密使日参，如遇押班，亦免宣名。"

丙寅，诏："知县成资，始听监司荐举。"

壬申，禁诸路遏籴。

诏："印会子百万缗，均给江、浙，代纳旱伤州县月桩钱。"是岁，二浙、江东、西、湖北、淮西伤旱，检放并（贩）〔赈〕济，计合二百万缗斛。

先是帝谕宰执曰："近来会子与见钱等。"赵雄等曰："曩时会子轻矣。圣虑深远，不复增印，民间艰得之，自然贵重。又缘金银有税钱，费携带，民间尤以会子为便，却重于见钱也。"帝曰："朕若不爱惜会子，散出过多，岂能如今日之重耶！"

冬，十月，庚辰朔，金诏："西北路招讨司，每进马驮鹰鹘等，辄率敛部内，自是并罢之。"

壬午，金主谓宰臣曰："山后之地，皆为亲王、公主权势之家所占，转输于民，皆由卿等察之不审。朕亦知察问细微非人君之体，以卿等殊不用心，故时或察问；卿等当尽心勤事，无令朕之烦劳也。"

明州观察使张说卒。拟赠承宣使，与恩泽。帝曰："前日给事陈岘驳其致仕转官，今得毋再致人言乎？"赵雄言："朝廷行事，与台谏不同。朝廷须稍从宽，台谏当截然守法，不可放过，乃为称职。"帝以为然。

乙未，胡元质言黎州五部落蛮纳降。赵雄等曰："昨降旨谕，以彼如未屈伏，毋汲汲市马，使权常在我，自无能为，所谓明见万里。"帝曰："蛮人欲进马三百匹并献珊瑚等乞盟。朕已令密院发金字牌却其献，止许其互市。"

戊戌，金主谓宰臣曰："凡人在下位，欲冀升进，勉为公廉，贤不肖何由知之！及其通显，观其施为，方见本心。如招讨泽恬，初任定州同知，继为都司，所至皆有清名，及为招讨，即不能固守。人心险于山川，诚难知也。"

壬寅，金主谓宰臣曰："近读《资治通鉴》，编次累代废兴，甚有鉴戒。司马光用心如此，古之良史，何以过也！"

甲辰，金以殿前都点检表为御史大夫。

十一月，丁巳，金右丞伊喇道乞致仕，金主曰："卿通习法令、政事，虽逾六十，心力未衰，未可退也。”乃除南京留守。

己未，知隆兴府张子颜言：“曩乾道之旱，江西安抚龚茂良有请，欲明谕州县，于赈济毕日按籍比较，稽其登耗而为守令赏罚，以此流移者少。今岁旱伤，欲乞许臣依茂良所请以议守令赏罚。”从之。

癸亥，黎州戍军伍进等作乱，折知常遁去。王去恶诱进等，诛之。

壬申，知南康军朱熹，请将今年苗米除检放外，有合纳苗米九千九百石，拨充军粮，帝曰：“南康旱伤，已拨米赈济矣。可更依所请。”赵雄曰：“圣德简俭，惟利百姓，则不惜内帑。”帝曰：“向来于内帑无妄用，上以奉二亲，下以犒军而已。”

癸酉，金以御史大夫襄为右丞。

乙亥，金主谓宰臣曰：“郡守选人，资考虽未及，廉能者则升用之，以励其馀。”

十二月，辛巳，金主谓宰臣曰：“岐国用人，但一言合意，便升用之，一言之失，便责罚之。凡人言辞，一得一失，贤者不免。自古用人，咸试以事，若止于奏对之间，安能知人贤否！朕取人，为众与者用，不以独见为是。”

庚寅，赵雄等上《神宗、哲宗、徽宗、钦宗四朝国史志》。

壬辰，以四川制置使胡元质不备蕃部，以致猖獗，夺四官，罢之。

丙申，嗣濮王士輵薨。

戊戌，以新除成都府路提点刑狱禄东之权四川制置使，应黎州边事，随宜措置。

己亥，金河决卫(川)〔州〕及延津京东埽，弥漫至于归德府。诏南北两岸增筑堤，以捍湍怒。

癸卯，金授衍圣公孔总曲阜令，封爵如故。

是月，户部郎赵师弄言：“绍兴以来，赋入纲目寖多，中间虽将头子等窠名五十二项并入经总制起发，造帐供申，其后复添坊场宽剩、增添净利等窠名钱一十三项，又皆随事分隶户部五司；其为赋财则一，而所隶者五，莫相参照。乞于本部置总计司，以五司所隶钱物并归一处。”赵雄等寻请户部置总计辖司，帝曰：“五司分治而长贰总之，既有催辖司，若更立总计司，徒重复，无益也。”

是岁，江、浙、淮西、湖北旱，蠲租，发廪贷给；趣州县决狱，募富民赈济补民；故岁虽凶，民无流殍。

【译文】

宋纪一百四十七　起己亥年(公元1179年)五月，止庚子年(公元1180年)十二月，共一年有余。

淳熙六年　金大定十九年(公元1179年)

五月，甲子(初七)，提领封桩库阎苍舒说，封桩库中的拴钱的线断烂很多，乞请清点后用于支付，宋孝宗说：“钱存放时间长了，必然导致拴钱的绳子腐朽。”赵雄说：“陛下不曾从民间随便征取一毫钱，而府库充足。”宋孝宗说：“朕不敢随便征取，所以才有这样的积蓄，以待发生意外时使用。”

戊辰(十一日)，秘书省奏报：“根据成例，在明堂举行盛大典礼，太史局应当差派奏报祥

瑞的官员一名。”宋孝宗说：“丰年是最好的祥瑞，不必派遣奏报祥瑞的官员。”

庚午（十三日），免征四川盐税十万缗。

丙戌（二十八日），宋孝宗说：“王佐身为帅臣亲入贼巢，擒捕剿灭叛贼，与过去捕贼的帅臣不同，在书生中不易得到这样的人才。”赵雄说：“今日的成功，都出于皇帝的谋划。王佐当初只是依靠荆州、鄂州大军，陛下令他率领本路将兵、禁军、义丁、土豪，依靠他们攻破叛贼，王佐于是专用本路乡兵。不是陛下明见万里，那么王佐必定不能如此快速地取得成功。陛下必定想奖赏他，应当等王佐奏报立功人员，首先颁布奖赏标准，然后对王佐进行奖赏。”不久提拔王佐为显谟阁待制，调任扬州知州。冯湛恢复原官。

这个月，臣僚说：“各路州郡截用上供钱物，当初下令度支官员清点追查，不久又令关账司追查。然而防范有遗漏的弊病始终未能革除，是因为其中名目不统一，失之于参照，州郡得以容奸。逐级申报到部，而各部只是照应大案应该催交的名目，径直给予注销。现在奏请下令度支官每年建立账簿，如遇到朝廷指令截用各种钱物的数量，所属部分，等候各州申报的账目送到后，就通告度支官员回复，才允许关账司核查注销。”宋孝宗同意了。

六月，戊子朔（初一），金国诏令修订法令。

甲午（初七），建立丰储仓。

丙申（初九），诏令特奏名恩科进士不得任命为县令、知县。

戊戌（十一日），免征郴州运粮丁夫今年一半的役钱。

临安府查到李显忠的儿子李师说等人对继母无礼，其继母王氏，让她的亲生儿子李师古行贿，倾轧诬陷异母兄弟。宋孝宗说：“李师说兄弟称继母为侍婢，可以说是有悖于礼。其继母出钱行贿以排挤他们，也难道是为母之道！母子双方都应当判处重罪。朕顾念李显忠过去归附朝廷，功劳很卓著，现在去世不久，不忍心看见他家门零落。朕想将他们全部免罪，允许他们改过自新，以便保全母子之情。以后如果不知悔改，就依法处置。”己亥（十二日），诏令有关机构对此案一律不加审问。临安府召集李师说等人，宣奉恩旨保全李显忠门户的意思。王氏母子感动得流泪，见到的人额手相庆。宋孝宗说：“这不仅仅是保全李显忠的门户，也对风俗教化有所补益。”

辛亥（二十四日），广西妖贼李接攻破郁林州，守臣李端卿弃州城逃跑，就包围化州。命令经略司讨伐缉捕妖贼。李端卿勒令停职，贬谪梅州接受编管处分。

这个月，收集四川遗存的书籍，因为四川未经过战火洗劫，所收藏的官府书籍最多。

秋季，七月，癸亥（初七），将郴州投降的盗寇编入荆州、鄂州的军队。

荆州、鄂州副都统郭杲奏报：“唐州、邓州从来积蓄的粮食不多，襄阳从汉江以北，四处都是肥沃的田地，百姓多有蓄积。请秘密下令安排，在秋天收购粮食贮存，以防备发生意外情况。”诏令周嗣武、刘邦翰大量收购粮食，其应该使用仓库的，应考虑设立。

辛未（十五日），金国有关官员奏报准备将赵王的儿子实古纳送入宫中做侍从，金国主不同意，告诉宰相说：“儿辈尚年幼，如果过分奉承，使奢侈之心滋生漫延，最后难以控制，此风不可助长。各儿入侍，当他们笑语欢乐之时，朕必沉默，对他们要严格要求，让他们知道朕教诫之意，常怀畏惧而少犯过失。”

中书舍人郑丙说：“近来卿监丞、簿，都任命为史官、馆职、学馆、书局的人数很多；监司、郡守连任二届，添差为参议、通判的官员接连不断，归止人、使臣养老将息，填满各郡，东宫太子上呈奏章，秘书省进书、讲官、官僚及预修官吏，奖赏他们可以，下至各种仆役、门卫、警卫，也都沾光奖赏，说跟随皇上时间长，说应奉有功劳；开挖一条河道，修建一座闸堰，横加重赏。希望下令制止。”诏令说：“郑丙的意见很对。因为行赏任命官员，积累已经很多，不及时奏闻，难道是朕所期望的忠心补益吗！可将札子交付给事中、中书舍人。”给事中王希吕、兼权中书舍人李本等人都以失职待罪，宋孝宗说：“说无罪是不行的，治罪则郑丙会感到不安，令你们依旧担任原职。”

金国密州的百姓许通等人谋反，依法处死。

甲申（二十八日），臣僚说：“根据旧制，凡是朝廷内外官员能登殿应对的人，允许使用札子，其余的是前任宰职、门下省和中书省五品以上官员允许使用札子，其余官员都用奏章。近年来其他官署和内郡官员应当使用奏章的，有人以札子上呈皇帝御览，其中往往诋毁前任，陈述自己的才能，不知大体。奏请严告有关机构，所有帅、漕、郡守、主兵官，如果事情涉及军事机密，允许使用札子；其余的人不符合规定，就勒令退还。并检查臣僚奏章，如果在公事之外常常用私事干扰视听的，略施处罚，那么大家知道敬畏，各安本分。”宋孝宗同意了。

这个月，赵雄等人进呈《会要》。

沿海制置司参议官王日休进献《九丘总要》，送秘书省审察；说本书对郡邑的建制沿革，地理位置的远近，著名人物的旧居，名胜古迹的位置，各地的土特产品，无不详细记载。诏令特许晋升一级官职。

八月，戊子（初三），重新修订敕令所所奏报的过去对驮马、舟船买卖契约收税，宋孝宗说：“这样的条令不能删除，删除后，恐怕后代有将赋税算到舟车头上的祸害。”

庚寅（初五），停止各路监司、帅守见机行事的权力。

壬辰（初七），金国右丞相石琚退休。诏令任命他的一名孙子为阁门祗候。石琚就乘车回归故乡。很久以后，金国主对宰臣说：“了解人是最为困难的事。近来尚书左选官员大多选人不当，只有石琚做丞相时，往往能举荐能胜任职责的官员；左丞伊喇道，参政钮祜禄额特勒，推举尚书右选官员会获得一些称职的官员。朕常以不能全面了解人才为不足，这是宰相的职责。左右近侍虽然常有议论，朕不曾轻信。”

在此之前湖南漕臣辛弃疾，奏报官吏贪婪索要，百姓逃亡成为盗贼，乞请首先告诫，接着上奏弹劾贪官，宋孝宗亲笔书写诏令交付辛弃疾说：“凡所说的都是在已经发生问题之后而不能防患于未然，其原因大致有三种：官吏贪婪索要而帅臣、监司不能监察弹劾，这是一种；在盗贼暗中产生时，刚开始势力很小，而帅臣、监司茫然不知，坐待盗贼势力猖獗，这是第二种；正当太平无事的时候，不修武备，只知因循守旧，兵卒一律都成了私人的役卒，一旦听说有人聚众造反，而帅臣、监司仓皇失措，这是第三种。国家设置官吏，应当如此吗！况且官吏贪婪索取，自有常法惩治，不贤不肖之徒人皆知之，岂待喋喋不休的告诫，现在已经任命你为湖南帅臣，应当体谅此意，推行自己想到的政令，不要害怕豪强官吏，应当对贪官进行弹劾。朕的话不再说第二遍，只有使用诛杀或奖赏而已。”

戊戌（十三日），金国规定大观钱使用时以一当五。

辛丑（十六日），敕令所说没有继承人的绝户的家财，允许将三千贯家财给予过继来作为

继承人的人,如果家财达到两万贯就奏报朝廷裁定,宋孝宗命令删除此条,说:“国家财赋,取之于民有制度。现在如果订立法令,对过继给绝户的人,规定原有家财达到两万贯的奏报裁定,则是故意贪图绝户的家财。”

壬寅(十七日),因为楚州知州翟畋渡过淮河滋生事端,削夺五级官职,贬谪筠州居位。

丙午(二十一日),金国济南百姓刘溪忠谋反,依法处死。

九月,庚申(初五),徐存乞请担任宫观官,宋孝宗说:“徐存心胸狭隘,不能胜任官职。以前因为轮流应对,曾了解了这个人,可授予他宫观官。”赵雄等人说:“陛下知人之明,臣下经过奏事应对,就了解他的为人,一字褒贬,无不全面深刻。”宋孝宗说:“建立功业,胜任官职,必须有才德福厚的人才能做到。荀卿说:‘观察人的外表不如研究他的内心,研究他的内心不如选择办法。’朕平常对待臣下,观察他的外表来推测他的命运,听取他的言论来考察他的内心。观察外表考察内心,都兼而用之。”

癸亥(初八),金国主举行秋猎。

丙寅(十一日),敕令所说缉捕强盗而没有捕获,应当判罪而自愿罚款的人可以同意,宋孝宗说:“捕捉盗贼而不获,允许让他罚款而不加治罪,这是让他们放纵盗贼接受钱财。”

丁卯(十二日),进呈监司及知府知州、通判缴纳额外上供钱的奖赏标准。宋孝宗说:“祖宗时代,向百姓征收的只有两税。现在有和买及经总制等钱,又有额外上供钱,既是额外,则是无偿地向百姓征收。又设立奖赏来诱惑官员,使他们更多地向百姓征收,朕确实不忍心,可全部删去。”宋孝宗又说:“朕不忘恢复失地,希望统一四海,仿效唐太宗建立府兵制度,国家费用既可节省,那么向百姓征收的各种钱物,可以全部免征,只征收两税以减轻百姓负担。”

辛未(十六日),举行明堂大飨祭祀,复奉太祖、太宗配祭。从乾道年以来,议者因为德寿宫中太上皇的原因,只举行郊祀祭仪。至此采用李焘等人建议,恢复举行明堂祭祀,于是太祖太宗都配享于明堂。陪从祭祀的百神神位,都依照南郊祭礼的成例。

在此之前礼部奏报:“前任礼部侍郎李焘奏请举行明堂祭礼,并择录典故:一,熙宁五年,神宗问王安石说:‘宗祀明堂如何安排?’王安石说:‘按照古代的说法,太宗应当享受宗祀,现在太祖、太宗共一世,如果并列配享明堂,对礼制来说很妥当。’神宗说:‘现在明堂却以英宗皇帝为配享,为什么?’王安石说:‘这乃是错误地引用尊重父亲之礼的缘故。如果说到宗祀,那么前代已有了这样的礼仪。’神宗说:‘周公作为宗祀,却是在周成王时代。周成王奉周文王为祖先,那么明堂祭祀时不以父亲作配享,很明确了。’二,治平元年,知制诰钱公辅,知谏院司马光、吕诲的奏议说:‘《孝经》说‘尊重父亲莫大于让父亲配享上天,而周公就是这样的人。’孔子认为周公有圣人之德,成就天下太平功业,制礼作乐,而周文王恰恰是周公的父亲,所以引用此例来证明圣人之德莫大于孝,以回答曾子的提问;并不是说凡是君主,都应当奉其父亲为配享。然后才算孝子。近世祭祀明堂的皇帝,都奉父亲配享五帝,这就是错误理解《孝经》的本意而违背了先王的礼制,不能作为法令。’三,天章阁待制兼侍读李受,天章阁侍讲傅卞说:‘臣等认为尊重父亲,并不专指去世的亲生父亲。《孝经》说:‘尊重父亲莫大于奉父亲配享上天,而周公就是这样的人。’接着却说:’举行郊祀时后稷配享上天,宗祀周文王在明堂祭祀时配享上帝。‘这里所说的上天,是指郊祀所祭祀的上天;这里所说的五帝,是指

五帝的神位；所以上面说‘尊重父亲配享上天’，接着却说‘举行郊祀时以后稷配享上天”，那么父亲，是专指后稷。况且先儒称祖父为王父，那么知道父亲不专指去世的亲生父亲。’四，乾道六年，李焘任秘书少监兼权侍立官，奏报：‘昊天四祭，在春季称祈谷，在夏季称大雩，在秋季称明堂，在冬季称圜丘，名称虽然不同，其实质一样。太祖曾在开宝年间举行大雩祭礼，太宗又在淳化年间、至道年间举行祈谷祭礼，其礼仪与圜丘祭祀相同。只有明堂祭祀的制度，皇祐二年，仁宗才开始创立推行，嘉祐、熙宁、元丰、元祐、绍圣、大观、政和年间又相继举行。太上皇建炎二年，举行祭祀圜丘的礼仪后，绍兴元年，就举行祭祀明堂的礼仪，以太祖、太宗同时配享上天，天地神祇都接受祭礼，国运长久。陛下即位三年，亲自举行祈谷祭祀礼仪之后，第七年举行圜丘祭祀礼仪。臣窃以为明堂之礼，应当恢复举行，远查祖宗故事，近遵太上慈训，实为当务之急。’淳熙三年三月，张焘利用转官应对的机会，又提出以前的奏请。”这一年，于是诏令礼官、太常寺官员共同集议而举行了明堂祭祀。

癸未（二十八日），诏令：“福建、二广官府卖盐，不得擅自增加原来的数额。”

金国主返回京都。

冬季，十月，乙酉朔（初一），免征连州遭到强盗抢掠的百姓的租税。

安南国王李龙翰，加封食邑封号和功臣封号。

辛卯（初七），金国西南路招讨使哲典，因为贪赃罪被处死。

庚子（十六日），四川发行以一当二的大钱。再次免征四川盐税十七万余缗。

辛丑（十七日），免除绍兴府拖欠的税赋五万余缗。

戊申（二十四日），广西妖贼被平定。

十一月，乙卯朔（初一），宋孝宗写成《用人论》，深入探讨用人的弊病及诛杀、奖赏的法令，赵雄等人乞请宣示，宋孝宗说：“此论是想告诫臣下办事立功而已，岂为你们所写吗！”

辛酉（初七），裁减宗室子弟应举法。

壬戌（初八），金国在坤厚陵改葬昭德皇后，其他妃嫔随葬在此。

当初，金国主从济南改任西京留守，路过良乡，让鲁国公主将皇后葬在宛平县的土鲁原。至此改葬大房山，太子完颜允恭徒步挽引灵车。这一天，大赦天下。

癸亥（初九），宋孝宗说：“义仓本是专门准备用来赈济遭受水旱灾害的百姓的，现在连年丰收，常平米正应当趁时收购。可严令执行，依据原先下达的指令催促各路用常平钱全部用来籴买粮食。”因为当时各路没有全部申报籴米情况的缘故。

壬申（十八日），金国主到河间举行冬猎。

癸酉（十九日），宋孝宗告谕说：“近来承蒙太上皇赐给倭松，真如象牙一样，已在选德殿侧盖成一堂。”赵雄等人说：“陛下不是因为太上皇赐给良材，也未必修建此堂。”宋孝宗说：“朕岂能办这样的事！木材乃太上皇所赐，近来曾感谢太上皇，顺便奏请来年春天和暖的时候，打算邀请太上皇来此向他敬酒，太上皇已答应到时光临。”赵雄说：“陛下平常时候，一椽、一瓦不曾兴建；等到承蒙太上皇帝赐给木材，就修建此堂，这可以称为又节俭又孝顺啊。”

戊寅（二十四日），右正言黄洽谈论赏罚必定要符合情理，宋孝宗说：“赏罚自然是要恰当。然而朕有一言相告：矫枉而过正，则又回归弯曲了；所以矫枉到正直就行了，过正也是不正了。严厉本来是为了补充宽大的，然而过于严厉则不行，因为过于严厉那么大家就会手足无措；为了补充宽大而超过了严厉，就如同矫枉过正一样。就是树立标杆也是这样，所立的标杆正，那么它的影子就直，所立的标杆超过了正中那么影子也随着它偏斜。朕长期遵守这条原则，一赏一罚，决不让它们超过限度。”赵雄等人说：“掌握住两个极端，用中道来治理百姓，这是舜所办理的事情。”宋孝宗说：“中道，是朕所朝夕奉行的。譬如要使放置的器具稳当，就应符合中道，如果放置失当，就不符合中道了。朕对于臣下，本来就没有喜怒好恶。曾在宫中宣谕左右大臣说：‘朕本来没有赏罚之心，根据当时的情况做出反应，不得不赏罚罢了，当初没有丝毫的私心。’又常常谨守‘爱他也要了解他的缺点，恨他也要了解他的优点’两句话，所以虽然平日很亲近信任，假如有过失，必定当面告诫他。而疏远的小臣，如果有微小的长处，就奖励他。”赵雄说：“雨露之所以生成万物，而雪霜之所以肃杀万物，上天难道在其间有所用心吗！”

壬午（二十八日），诏令：“宗室中有科举出身的人，可以参加考试及任命为教授官。”

癸未（二十九日），金国主返回京都。

十二月，丙戌（初三），颁布《重修敕令格式》。

己亥（十六日），刑部尚书谢廓然奏报：“二广地区因为离朝廷很远，过去有很多传染病，现在又见到请代理官职或任命官职的文书，县级官员如有空缺，监司、守臣往往派校尉、副尉摄理职务，或派参军、助教临时摄理职务。”宋孝宗说：“远方之地用这些人代理县级职务，百姓如何能承受！可以命令对他们检查弹劾。”

诏令：“从今以后审讯贪赃官吏，后来即使得到宽恕。不得以审判不当追究审案官的职责。”

辛亥（十八日），免除临安府征税百千万缗。

知舒州赵子濛，奏报本州支使邹如愚、司理赵善仂荒废职事，宋孝宗说：“官无论高低，都应当勤于职事。”又说：“朕在公务之余，只好读书。认为读书能开发智能，遇到东西能叫出名字，遇到事情不被迷惑，观看前代国家的兴衰，考察当时政令的得失，好的方面就学习它，不好的方面就引以为戒。每见末世之君，行为不善，令人汗下，几乎替他感到羞辱。譬如唐末的各君主，认为破除朋党、驱逐宦官很困难，以朕来思考这件事，根本不难。凡事只要重视曾被忽略的问题，补救现存的弊病，防微杜渐，让祸患消失在冥冥不觉中，如果等待弊病已经显著后再加以治理，就困难了。”

这个月，臣僚奏请将会计财用之数编为《会计录》，宋孝宗说：“过去想编此录，因为户部向州县征收的经总制钱，名目太多，向百姓征收的数量太重。如果立即减免就会妨碍经费的使用，必须将来恢复失地之后，使民间只缴纳二税，其余名目的税收就可以全部免除了。”

赵雄举荐太学正安阳人刘光祖试任馆职。刘光祖在对策中，谈论通过科举考试选择人才的原则，宋孝宗在策卷后做了批注，大致说：“用人之弊，就担心君主不能正确地选择宰相而宰相不能正确地选用人，每当任命一个人，就说此人考试成绩很好，真是佳士，始终不考察他的才能品行。国朝以来，过于忠厚，宰相执政误国，大将统兵败军，不曾加以诛杀。关键在于君主用心审慎地挑选宰相，宰相必定任命胜任职责的人，在前面设立奖赏，在后面设有严诛，如此人才不出现，我不相信。”

御笔批注公布后，朝廷内外舆论哗然，议论的人说是曾觌起草的，针对刘光祖甲科及第而发的。宋孝宗派曾觌拿亲笔御批给史浩看,史浩说:“唐尧、虞舜的时代,对四凶的处罚只是流放,而对官吏的三次考绩制度,不过是明者升迁,暗者贬退。诛杀大臣,是秦、汉时的法令。太祖以仁治国,对臣下以礼相待,到仁宗而德化隆盛,这是祖宗良法。陛下则说‘过于忠厚’,忠厚难道有限度吗!臣担心议沦的人因为陛下颁行刻薄政令,而将过失归咎于祖宗,不可以不审慎。”赵雄也对宋孝宗说:“宰相如司马光,恐怕不是奖赏所能诱导,严诛所能胁迫的。”宋孝宗对此事很后悔,于是修改了批注的言辞,传令交付史馆。

淳熙七年 金大定二十年(公元1180年)

春季,正月,甲寅朔(初一),临安尹奏报府城内外及各县免收的牲税及用内帑等钱对补的数目。宋孝宗说:“朕对内帑钱没有丝毫妄用,假如有利百姓,则在所不惜。”

戊午(初五),金国制定试任令史官职的法令。

乙丑(十二日),刘焞因为平定李接有功,提升为集英殿修撰,其将佐、幕属吏士给予升官、减少磨勘转官的年限等不同的奖赏。

己巳(十六日),金国主举行春水游猎。

丁丑(二十四日),金国将玉田县行宫所在地的偏林划为御林,改大淀泺为长春淀。

己卯(二十六日),诏令:“京西州军都使用铁钱及会子钱,百姓家的铜钱,以铁钱或会子钱兑换;二月内不缴纳官府,允许告请奖赏。”

庚辰(二十七日),减免淮东百姓借贷的常平钱米。

二月,癸未朔(初一),知镇江府曾逮说开挖新河以便行船,宋孝宗说:“扬子江很险,不可停泊船只。”赵雄说:“镇江舟船来自四面八方,在此之前纲运船和客船沉船淹死人不少。”宋孝宗说:“多开挖河道,的确是善政。”

辛卯(初九),魏王赵恺在明州去世,年仅三十五岁。赵恺宽厚仁慈,为皇帝所深爱,虽然在外地任职,皇帝心中常常思念他,赏赐不断。等到他去世后,宋孝宗潸然泪下地说:“过去之所以越过次序确立太子,正是因为这个儿子福气稍薄。”谥号惠宪。赵恺治理地方有仁慈的名声,明州父老乞请建祠立碑以纪念他留下的仁爱。

乙未(十三日),诏令广西兵校五百人归属于提刑司。

乙巳(二十三日),封立赵子栜为安定郡王。

丙午(二十四日),宋孝宗对宰臣说:“监察官近来所监察的事情对国事很有补益。”赵雄说:“事情严重的给予弹劾,事情轻微的由监察官给予监察,那么吏治都完善了,官吏中的奸邪之人都消除了。”

丁未(二十五日),金国主返回京都。

甲申(初二),右文殿修撰张栻去世。张栻病重快死时,还亲笔书写奏疏,劝宋孝宗亲近君子,疏远小人,信任官员要防止自己一个人的偏见,对官员的喜恶要符合天下公理。邸吏因为庶僚不能上奏遗表,拒绝接受奏疏,宋孝宗最终没有见到这份遗表。

张栻勇于仗义直言,每次进对,必然自盟于心,不因君主的意向,而有所顺从。宋孝宗曾说仗节死义之臣很难得到,张栻回答:“应当在冒犯龙颜敢于直谏的人中寻找。如果平日不能冒犯龙颜敢于直谏,将来如何期望他仗节死义!”宋孝宗又说难得找到会办事的大臣,张栻回答说:“陛下应当寻找通晓事理的人,而不应当寻找办事的大臣。如果只是寻找会办事之

臣，那么将来害陛下的，未必不是这些人。”宋孝宗听说张栻去世后，感叹悼念他。

三月，丙辰（初四），兵部起草武举补官任职的法令。宋孝宗说：“武举本来想选拔将帅之才。现在前几名都让他们从军，以七年为期限，那么长期在军中，熟练军政事务，将来因军功提拔为将帅，这样就能得到人才。”

己未（初七），金国主诏令：“因犯罪而受审的官员，即使遇到赦免也不得恢复官职。”

壬辰（疑误），诏令举荐贤良之才。

乙丑（十三日），金国主诏令免征中都、西京、河北、山东、河东、陕西路去年的租税。

庚午（十八日），宋孝宗驾临德寿宫，迎接太上皇、太上皇后到皇宫内，在凌虚阁下设宴。宋孝宗再拜，捧酒上寿。陪侍到翠寒堂，宫宇不加装饰。宋孝宗说：“所有这里的巨材，一椽以上，都由太上皇帝赐给，而且莹洁没有疤痕，所以不再加以装饰。”饮酒数巡，到堂中路的石桥稍事休息，宋孝宗捧酒，太上皇、圣寿太上皇后都一口饮完，宋孝宗也满杯而饮。宋孝宗奏报说：“苑囿池沼，久已形成意趣，仰赖太上皇辛勤积累的成果，臣有什么德行来享受！”太上皇帝说：“吾儿圣孝，海内太平无事将近二十年，怎能是没有功德！”

癸酉（二十一日），臣僚说：“现在京西路均州、房州从水路陆路进入四川的商旅、军兵，附带铜钱进入金州、利州的人很多。金州是四川的入口，与四川的商人接境，过去只使用交子、铁钱，现在却兼用铜钱。乞请下令四川总领所委托利州路转运使在金州设置贸易场所，拨给交子，兑换官府和私人的铜钱，将铜钱发运湖广总领所封存保管。”宋孝宗同意了。

丁丑（二十五日），诏令：“各州招募补充军兵的空额，从今以后每年成为常制。”

己卯（二十七日），宋孝宗问：“《三朝宝训》几时进读完毕？”史浩、周必大等人说：“陛下每天登临前后殿，大多傍晚才罢朝，单日又到讲筵听讲，恐怕圣体劳累。”宋孝宗说：“朕乐于听到祖宗谟训，每天讲完一卷，也不为多。即便单日及休息时间，也应当前来听讲。”从此每次讲读，宋孝宗必定随事提出咨询，常常到漏下十刻都没有倦意。

辛巳（二十九日），金国任命图克坦克宁为右丞相，任命乌库论元忠为平章政事。

图克坦克宁担任宰相，自身端正遵守朝廷大体，对于文书期会等事务，不屑一顾。

夏季，四月，丙戌（初四），赵雄等进呈《仁宗、哲宗玉牒》。

丁亥（初五），金国制定冒名顶替享受恩荫的治罪及揭发奖赏。

己亥（十七日），金国太宁宫发生火灾。

癸卯（二十一日），知南康军朱熹上疏说：“天下之重大政务，莫大于体恤百姓；体恤百姓的根本，又在于君主端正心术以建立纪纲。”

“现在民贫赋重，如果不讨论军队的实情裁减其中的浮华多余之人，那么百姓的财力决不可以得到宽缓。只有选择将官，核查军队名册，可以节省军费；扩大屯田，可以充实军事储备；训练民兵，可以增强边关守备。现在选择的将帅，大都是富家子弟，杂役奴仆等人，能得到一个差遣，花费已经不少，到军之后，只知聚敛刻剥来偿还债务。总管军饷任务的人，也都私下互相依附，结交行贿，他们所急催的东南数十州的民脂民膏，名义上是供应军需，而实际上用车装载钱财送给权幸之家的，无法统计。既然这样那么想讨论军队实情以舒缓民力，必定让他们改变以前的所作所为，然后可以革除弊端。军队名册既已核实，屯田既已开垦，民兵既已训练，州县的压力既已舒缓，然后禁止官府苛敛百姓，要求官府宽恤安抚百姓，这样贫

困的百姓,得以保谋生之业,不再有流离失所的祸患。”

“所谓其根本在于君主端正心术以建立纪纲,是因为天下的纪纲不能自行建立,必须君主的心术公平正大,没有偏党反侧的私心,然后纪纲有所依托而建立;君主的心术不能自行端正,必定要亲近贤臣,疏远小人,讲明义理的归属,堵塞私邪的门路,然后才可以得到端正。现在宰相、御史台、三省、师傅、宾友、谏诤之臣,都失其职守,而陛下能够与他们亲密谋议的人,不过一两个亲近大臣。这一两个小臣,上则蛊惑陛下的心志,使陛下不相信先王的治国大道而乐于接受急功近利的肤浅主张,不喜欢庄重之士的直言而安于接受私亵的媚态;下则招集天下士大夫中嗜利无耻之徒,文武汇聚分类,各入其门,所喜欢的就暗中出力,提拔到清闲显贵的位置上,所厌恶的就暗中诋毁,公开加以排挤。结交行贿,则所偷盗的都是陛下的钱财,任命各卿安置将帅,则所窃取的都是陛下的权柄;陛下所谓卿、相、师傅、宾友、谏诤之臣,有的反而出入这些人的家门,承望他们的旨意。其庆幸能洁身自立的人,也不过是在龌龊之中自守洁净,而不曾敢出一言以斥责他们;其中最害怕公众舆论的人,才略能警告驱逐他们的一两个党羽,既不能狠狠打击,最终也不敢公开说明以直捣他们窝藏的窟穴。他们势力形成,威信建立后,中外臣民都归附他们,使陛下的号令及对官员的贬降或提升,不再出自朝廷,而出自这一两个人的门下;名义上是陛下独断专行,而实际上是这一二个人暗中掌握了权力。因为他们所破坏的,不仅仅是破坏陛下的纪纲,而且把陛下用来立纪纲的公正之心都破坏了,那么百姓又怎么可以得到宽恤,财政又怎么可以得到治理,军政从何得以恢复,宗庙之仇又何时可以得到洗雪呢!”

宋孝宗读了这篇奏疏后,大怒,告谕赵雄加以驳斥。赵雄对宋孝宗说:“读书人中喜欢追逐名声的人,陛下恼火得越厉害,那么称赞他的人愈多,不就正好提高了他的声望吗!不如利用他的长处而任用他,他逐渐承担了事务,是否有才能就自然会表现出来了。”宋孝宗认为说得对,就置之不问。

甲辰(二十二日),黎州五部蛮人进犯盘陀砦,兵马都监高晃派遣绵州、童川府的大军与其交战,官军败逃。蛮人深入内地,大肆抢掠后离开。

乙巳(二十三日),金国主对侍臣说:“女真官员大多说朕饮食太节俭,朕认为不对。一顿饭花费很多,岂是美事!贵为天子,能自行节约,正不是坏事。朕的衣服有的旧了,经常换洗,以致破碎,才重新更换。过去帐幕一直用涂金来装饰,现在则不这样。只要能满足使用,何必追求华丽!”

己酉(二十七日),芮辉说:“根据吏部选官法令,小使臣遭到丧亲不免职,给丧假一百天。奏请除沿边职任及杂流出身人仍依照原来的规定外,此外如继承父兄余荫而任职的荫补子弟,应当遵守家法;取应宗室、武举出身的人,都从科举中来的,应遵守为父母守丧三年的制度。”宋孝宗同意了,说:“小使臣多是从军或杂流及沿边职任,所以不以礼法要求他们。其荫补子弟、取应宗室、武举人,岂能不遵守为父母守丧三年的制度!”

庚戌(二十八日),金国主前往金莲川。

五月,丙寅(十五日),金国中都发生地震,生长出黑白两色的毛。

戊辰(十七日),任命吏部尚书周必大为参知政事,任命刑部尚书谢廓然为签书枢密院事。

宋孝宗对周必大说："执政官员与宰相，本来应当协调而不盲目附和，此前宰相议事，执政官员从来不说话，为什么？"周必大回答说："大臣自然应当互相肯定或否定所提意见。自从秦桧掌握国政，执政官员不敢说一句话，后来就成为理所当然。陛下虚心纳谏不自以为是，臣下却想自以为是吗！只有小事不敢有隐瞒，那么大事怎么可能蒙蔽欺骗君主！"宋孝宗认为很对。

己卯（二十八日），告诫书坊严禁擅自刻印书籍。

六月，壬辰（十一日），五部落的蛮人再次进犯黎州，制置司钤辖成光延出战失败，官军战死很多，提点刑狱、权州事折知常弃城逃跑。甲午（十三日），制置司增加兵力，派遣大提举茶马吴总任平定蛮人。

诏令："监司、郡守，所属官员如果本身有明显的过失，而且为政害民，就依公法给以处置；如果才能不能胜任职责而百姓受到损害，也详细奏报他无能的情况，让他改任宫观官，不得依从姑息。至于因为有百姓控诉才进行审查弹劾的，如果考察到这位官员一直清明而确实搞清楚控诉的人起诉失当，则应当替他辩白是非，以公开惩治上告人的妄诉之罪，不得一律诉文具备就弹劾。"这是采纳太府丞钱象祖的奏请。

乙未（十四日），宋孝宗告谕赵雄等人说："大臣能主持公道，思考事情的艰辛，图谋容易解决的办法，这样就尽善尽美了。"赵雄等人说："平常的时候用尽心为公，互相告诫，如果曲意徇私，照顾亲朋旧友的人情，不过得到他们的当面称赞，怎能抵得住众人的指责！"宋孝宗说："曲意徇私照顾人情，所高兴的人少，不高兴的人多，等到招到大家的批评，不仅对国家无益，也很不利于自身。哪里比得上一意奉公，保证没有后患！比较其中利害，谁得谁失呢！"

壬寅（二十一日），秘书郎李巘说："太平兴国元年，诏令学究同时学习律令而废止明法科目考试，到雍熙二年，恢复设立明法科目考试，以三部小经加入明法科的考试中，就知道祖宗的本意，未尝不是使经生明晓法令，也未尝不是使法官通晓经典。应当大致仿照祖宗旧制，使参加大法考试的人，兼习一部经典及小经书的经义共三道作为一场的考试内容。"宋孝宗说："古代的儒生，用经义判决疑难案件，如果任凭俗吏执法，必定流于严峻刻薄，应当按奏报的意见办理。然而刑与礼相互为用，并且事情涉及科举取士，可下令礼部详列条目奏报上来。"不久礼部奏请在第四场考试经义，考试项目是大经一部，小经二部，宋孝宗同意了。

丁未（二十六日），三省奏报："去年丰收，今年的米价便宜，各地和籴数额都申报完成，仓库盈溢。江东各路的上供米，原来下令就近运送金陵、镇江的仓库，现在两处的守臣，都报告说不能存贮，乞请依旧将上供米发运行在的丰储西仓。"宋孝宗说："丰年是承蒙上天的保佑，今后只当增修德政。"

这个月，秘书郎赵彦中上疏说："士人风尚的盛衰，是关系风俗变化的关键。就以科举考试的文章来说，儒宗文师，成式都在；现在却崇尚性理学说，以浮言游词相标榜。士人如能自守儒学之道，以《六经》、圣贤为师就行了，现在却另外创立洛学，饰怪惊愚，表面上假借诚敬的名义，实际上传播虚伪的风气，士风日下，人才日益浮薄。希望诏令执事官员，使士人明确知道圣朝好恶所在，以改变士风。"宋孝宗同意了。

秋季，七月，癸丑（初三），诏令："二广帅臣、监司，考察所部属的守臣的贤能与否奏报朝廷。"

壬申(二十二日),将广西提刑司迁移到郁林州。

甲戌(二十四日),杜民表乞请停止总领漕司营运,宋孝宗说:"朕想停止此事很久了。朝廷内外各军,增添给受累百姓的负担,每年不过三十余万缗钱,另外筹措支给。"于是诏令:"两淮、湖广、四川总领所。两浙、四川转运司营运都停止。"

这个月,因为旱灾,判决在押囚犯,命令群臣分别向山川祈祷雨水。金国境内也发生旱灾。

八月,甲申(初四),因为祈祷雨水没有应验,诏令职事官以上官员各自进呈密封的谈论国事失误的奏章。这天傍晚,下了雨。

校书郎罗点进呈密封奏章说:"现在奸谀之风日益严重,议论都平庸。无所可否,则称为得体;与时尚沉浮,则称为有器量;大家都沉默,唯独自己说话,则称为沽名钓誉;大家都同流合污,自己独自清高,就称为标新立异。这种风气不革除,陛下即使想大有作为于天下,未见得就可以。自从干旱成灾,陛下向群神祈祷,赦免有罪之人,曾不足以感动天心;等到早上征求正直的谏言,傍晚得到甘雨,所显示的天意,明明白白毫不含混。只不知陛下征求的谏言,果真想采纳吗?如果想采纳,则期望将进呈的密封奏章反复细看,对的审查后就推行,有疑问的咨询后做决定,如果这样,那么天下大治的气象日益显著而动乱的萌芽就自行消失了。"

当初,征求谏言的诏令准备颁布,宰相认为此诏一下,州县必定乞请赈济,用什么来应答他们,约周必大共同上奏制止此事,周必大说:"皇上想通下情,而我们从中阻止这件事,以什么来阻止公论!"就停止了上奏。

梁李珩乞请担任宫观官,宋孝宗说:"此人不正派,近来曾送信给内侍宦官,以利相诱,内侍将他的信缴进。"赵雄说:"皇上左右近臣,都知道保持清白,不敢徇私情,这是德化推行的成效啊。"

辛巳(初一),金国主举行秋猎。

己丑(初九),臣僚奏报沿边境一带的人私自贩卖解州食盐,私入川境侵夺盐利,诏令兴州、兴元府都统司,开列禁止私贩解盐的文书奏闻朝廷。不久吴挺奏报说已制定了赏钱制度,颁布榜文下达沿边屯戍统兵官,严行缉捕私贩解盐的人,宋孝宗同意了。

辛卯(十一日),臣僚说:"执政、台谏之臣,身居要位而子孙在远方任职,当地监司、郡守趋附奉承望风顺从而使四方奢靡,严重损害观瞻。奏请今后现任执政、台谏官员的子孙,都给以宫观官之类的差遣,特许按理应试任职。"宋孝宗同意了。

己亥(十九日),宋孝宗对辅政大臣说:"漕河还未通行,听说平江府月供缺米,都雇佣民夫从陆路运输,正当此秋旱之时,生怕烦扰百姓,可暂时在各官府内支付供应,即使是糙米也没有妨害。将来河水涨了,再下令一起运输。"

甲辰(二十四日),五部落蛮人进犯黎州,左军统领王去恶阻击了他们。折知常用重礼贿赂蛮人首领,让他归顺朝廷。

庚寅(初十),端明殿学士致仕黄中去世,谥号简肃。黄中病危,在遗表中还谈到祖宗陵寝及钦宗梓宫未归的事,以君主的权力不可转借给左右亲信为告诫。

设置湖南飞虎军,这是帅臣辛弃疾所创建的;不久诏令将飞虎军拨归步军司管辖,遇到盗贼突然发生,专门听从帅臣节制,并以一千五百人为定额。

九月，壬戌（十三日），金国主返回京都。

癸亥（十四日），诏令："每日正常的上朝，可与后殿议事的礼仪相同，不必称呼丞相的名字。"赵雄辞谢说："君主面前称臣的名字，是礼仪，臣岂敢接受此待遇！"宋孝宗说："苏洵曾对此事发表议论，说呼唤大臣的名字而让他进退，不尊重大臣。丞相不须多推辞。"接着又诏令："除朝贺及外国使臣在场时依照原有礼仪，其余的场合都免宣丞相名字；内枢密使每日参见，如遇押班，也免宣丞相的名字。"

丙寅（十七日），诏令："知县任期届满，才允许监司荐举。"

壬申（二十三日），禁止各路阻止籴米。

诏令："印制会子一百万缗，均给江、浙地区，代为缴纳遭受旱灾的州县的月桩钱。"这一年，二浙、江东、江西、湖北、淮西遭受旱灾，审核减免税收并给以赈济，总计用了二百万缗斛钱粮。

在此之前宋孝宗对宰执大臣说："近来会子与现钱等价。"赵雄等说："过去会子不值钱。圣虑深远，不再增印，民间难以得到，自然就贵重了。又因为金银要交税钱，不便携带，民间尤其认为会子方便，就比现钱更贵重了。"宋孝宗说："朕如果不珍惜会子，发行过多，岂能像现在这样贵重！"

冬季，十月，庚辰朔（初一），金国主诏令："西北路招讨司，经常进献良马飞鹰等，大都是向当地百姓聚敛征收的，从此都废止。"

壬午（初三），金国主对宰臣说："山后的土地，都被亲王、公主等有权势的家族所占领，转租给百姓耕种，都是因为你们审察不严密。朕也知道查问小事不是君主的事体，因为你们很不用心，所以经常查问；你们应当尽心勤于政事，不要让朕烦劳。"

明州观察使张说去世。拟定追赠为承宣使，赐给他子孙官职。宋孝宗说："以前给事中陈岘批驳他因致仕而转官，现在能不再招致人们的批评吗？"赵雄说："朝廷行事，与台谏不同。朝廷必须稍为从宽，台谏应当截然守法，不可放过，才为称职。"宋孝宗认为说得对。

乙未（十六日），胡元质奏报说黎州的五部落蛮人表示归降。赵雄等说："前不久降下圣旨说，如果他们还未降伏，不要急于买马，使控制权常在我方，他们自然无能为力，这就是所谓的明见万里。"宋孝宗说："蛮人想进献三百匹马并进献珊瑚等乞请订立盟约。朕已下令枢密院发出金字牌拒绝他们的进献，只允许他们互市贸易。"

戊戌（十九日），金国主对宰臣说："大凡人在低位时，希望得到晋升，极力做到公正廉洁，从哪里了解他贤与不贤！等到他显贵后，观察他的行为，才看到他的本来面目。如招讨使泽恬，开始担任定州同知，接着担任都司，所到之处都留下清廉的名声，等到做了招讨使，就不能坚守清廉了。人心比山川还险恶，的确难于了解。"

壬寅（二十三日），金国主对宰臣说："近来读《资治通鉴》，编排历代废兴的过程，很有鉴戒作用。司马光如此用心，古代的良史，如何超过他！"

甲辰（二十五日），金国任命殿前都点检完颜表为御史大夫。

十一月，丁巳（初九），金国右丞伊喇道乞请退休，金国主说："你精通法令、政事，虽然年逾六十，心力不衰，不能退休。"就任命为南京留守。

己未（十一日），知隆兴府张子颜说："过去乾道年间发生旱灾，江西安抚龚茂良提出奏请,希望明确告谕州县官府,在赈济完毕的那天核实检查登记表,考查耗费的多少而对守令给予奖赏或惩罚,因此流离失所的人少。今年的旱灾,想乞请允许臣依照龚茂良所奏请的办法,来议定对守令的奖赏或惩罚。”宋孝宗同意了。

癸亥(十五日),黎州戍军中伍进等人造反,折知常逃跑。王去恶诱捕伍进等人,杀了他们。

壬申(二十四日),知南康军朱熹,奏请将今年苗米除去减免外,应缴纳苗米九千九百石,拨充军粮,宋孝宗说:“南康发生旱灾,已拨米赈济了。可以再批准他的奏请。”赵雄说:“圣上有简俭的德行,只要有利于百姓,则不惜花费内帑钱财。”宋孝宗说:“一向对内帑钱财不妄用,对上奉养双亲,对下犒劳军队而已。”

癸酉(二十五日),金国任命御史大夫完颜襄为右丞。

乙亥(二十七日),金国主对宰臣说:“郡守的选拔,资历虽然未到,廉洁能干的人则提拔任用,以鼓励其他人。”

十二月,辛巳(初三),金国主对宰臣说:“岐国用人,只要一言符合心意,就提拔任用,一言失误,就严责惩罚他。大凡人的言辞,一得一失,贤者也不能避免。自古以来任用人才,都是用事务测试,如果只在奏对之间,怎能了解人是否贤良!朕选择人才,被大家肯定的人就用,不认为自己的见解就是正确的。”

庚寅(十二日),赵雄等人进献神宗、哲宗、徽宗、钦宗《四朝国史志》。

壬辰(十四日),因为四川制置使胡元质不对蕃部设防,导致了蕃人猖獗,剥夺四级官职,免去职务。

丙申(十八日),嗣濮王士輵去世。

戊戌(二十日),任命新任成都府路提点刑狱禄东之代理四川制置使,所有黎州边境事务,随机处理。

己亥(二十一日),金国黄河在卫州及延津京东一带决口,大水漫到归德府。金国主诏令在南北两岸增筑堤坝,以防御凶猛的洪水。

癸卯(二十五日),金国授予衍圣公孔总为曲阜县县令,封爵如旧。

这个月,户部郎赵师转羿说:“绍兴年间以来,赋税的名目渐渐增多,其间虽然将头子钱等名目的五十二项税并入经总制钱征收,造账申报,其后又增添坊场宽剩钱、增添净利钱等名目的十三项税,又都随事分别隶属户部的五司管理;其作为赋税是相同的,却归属五个机构,无法互相参照。乞请在本部设置总计司,将五司所管理的钱物并归一处。”赵雄等人不久奏请在户部设置总计司辖管各司,宋孝宗说:“五司分别管理而由正副长官总管,既然有催辖司,如果再设立总计司,只是重复,没有益处。”

这一年,江、浙、淮西、湖北发生旱灾,免征租税,开仓贷给;催促州县判决案件,奖励富裕家庭赈济补助灾民;所以本年虽然年成不好,但百姓没有流离饿死的情况。

续资治通鉴卷第一百四十八

【原文】

宋纪一百四十八　起重光赤奋若【辛丑】正月，尽昭阳单阏【癸卯】六月，凡二年有奇。

孝宗绍统同道冠德昭功　哲文神武明圣成孝皇帝

淳熙八年　金大定二十一年【辛丑，1181】　春，正月，壬子，金以夏国请互市，复绥德军榷场。

金主闻山东、大名等路明安、穆昆之民，骄纵奢侈，不事耕作，诏："阅实计口授地，必耕地有馀而力不赡者，方许招人佃种，仍禁农时饮酒。"

癸丑，权给事中赵汝愚言："陈源转官差遣。陈源系内侍，而得参预一路军政，事体重大，渐不可长。建炎三年诏书：'自崇宁以来，内侍用事，循习至今，自今内侍不许与主管兵官交通、假贷、馈遗、借役禁兵。'当是时，内侍与兵官交通、借役禁兵且犹不可，今乃假以一路总戎之任，臣恐非太上所以防微杜渐之意也。"帝然之。

甲寅，停折知常官，汀州居住。

丙辰，诏："陈源与在内宫观，免奉朝请。其内侍见带兵官者，并与在内宫观。著为令。"

金追贬海陵炀王为庶人。

先是闵宗既祔庙，有司奏曰："晋赵王伦废惠帝自立，惠帝反正，伦废为庶人。今炀王罪恶过于伦，不当有王封，亦不当在诸王茔域。"至是诏废为海陵庶人，改葬于山陵西南四十里。宗干去帝号，复为辽王。

甲午，金主如春水。

戊辰，宰相进诸军赏格。帝曰："向来诸军只习右手射，近又教习左手射颇精，各支犒设以示激劝。"

庚午，知台州唐仲友言鳏寡孤独老幼疾病之人，请依乾道九年例，取拨常平、义仓赈给。帝曰："常平米令低价出粜。若义仓米，则本是民间寄纳在官以备旱潦，既遇荒岁，自合还以与民。况台州自有义仓米，可令赈济。"

乙亥，起居郎兼太子左谕德木待问言事，因曰："近(官)〔宫〕僚对太子贺雪，太子谓芝草不足为瑞，惟年丰民安乃国之上瑞。"帝曰："东宫有识。"待问又言："近讲《周礼》太府，论国家用度当与百姓同其丰歉，皇太子曰：'人君但当以节俭为本。'此乃言外之意，非人思虑所及者。"帝曰："恭者不侮人，俭者不夺人。恭俭者修身之本，朕尝以此语东宫也。"

诏："福建岁拨盐丁邵武军，市军粮。"

丙子，金主次永清县。居民有伊喇特尔额，契丹人也，有一妻、一妾，妻之子六，妾之子四。妻死，其六子庐墓下，更宿守之。妾之子曰："是嫡母也，我辈独不当守坟墓乎？"于是亦更宿，三岁如一。金主因猎，过而闻之，赐钱五百贯，仍令县官积钱于市以示县民，然后给之，以为孝子之劝。

二月，庚辰，知福州梁克家乞宫祠，复观文殿学士，依旧知福州。

壬午，诏："去岁江、浙、湖北、淮西路郡县，间有旱伤，已令多出桩积等米赈粜。今虽闻诸路米价低平，其间鳏寡孤独贫乏不能自存之人，仍无钱收籴。可令州县镇寨乡村，将义仓米赈济，至闰三月半止，务实惠及民。州县奉行不虔，本路漕臣及提举常平官觉察以闻。"

黎州土丁张百祥等，以不堪科役为乱，统领官刘大年引兵逆击之，土丁遁去。大年坐诛。

戊子，禁浙西民因旱置围田。

裁童子试法。

金元妃李氏薨。

己丑，禁广西诸州科买(停)〔亭〕户食盐。

戊戌，以保宁军节度使士歆为嗣濮王。

庚子，金主还中都。

壬寅，金以河南尹张景仁为御史大夫。

乙巳，金主以元妃李氏之丧，致祭兴德宫，过市肆，不闻乐声，谓群臣曰："岂以妃故禁之耶？细民日作而食，若禁之，是废其生计也，其勿禁。朕前将诣兴德宫，有司请由蓟门，朕恐妨市民生业，特从它道。顾见街衢市肆或有毁撤，障以帘箔，何必尔也！自今勿复毁撤。"

三月，丁未朔，金主如长春宫。

初，金主闻蓟、平、辽等州民乏食，命有司发粟粜之，贫不能籴者贷之。有司恐贫民不能偿，止贷有户籍者，金主闻之，更遣人阅实赈贷。以监察御史舒穆噜元礼、郑大卿不纠举，各笞四十。前所遣官皆论罪。

戊午，以潮州贼沈师为乱，趣赵师宪讨之。

乙丑，金主命山后冒占官地十顷以上者，皆籍入官，均给贫民。

金西北路招讨使完颜守能，性贪黩。时诏徙斡罕馀党于临潢，民有当徙者，诈言已死，以马赂守能，得不遣；又求赇补人通事、镇边明安。尚书省奏其事，金主曰："守能由通州刺史超擢至此，敢恣贪墨！乡者招讨司官多进良马、橐(驮)〔驼〕、鹰、鹘等物，盖假此以率敛尔，自今并罢之。"因责其兄守道曰："守能躐迁招讨，外官之尊，无以逾此。前招讨泽恬以贪墨伏诛，守(道)〔能〕岂不知之，乃敢如此！尔之亲弟，何不先训戒之也？"

会宗州节度使锡萨布杖杀无罪，事觉。金主谓宰臣曰："监察职司纠弹。节度使锡萨布初至官，途中侵扰百姓，到官，举动皆违法度；完颜守能为招讨使，贪冒狼藉。凡达官贵要，监察未尝举劾，乃于卑秩细事，即便弹奏，谓之称职，可乎？自今监察御史职事修举，然后迁除。不举职者，大则降罚，小则决责，仍不许去职。"

闰三月，辛巳，诏："诸路监司、帅臣，岁终，各以所部郡守分三等，治效显著者为臧，贪利庸谬者为否，无功无过者为平，详考加察，各具事实来上。考察不公，御史台弹劾。"

戊子，赐礼部进士黄由等三百七十有九人及第、出身。

庚寅，修扬州城。

乙未，金主谓宰相曰："朕观自古人君，多进用谗谄，其间蒙蔽，为害非细，若汉明帝，尚为此辈所惑。朕虽不及古之明君，然近习谗言，未尝入耳，至于宰辅之臣，亦未尝偏用一人私议也。"

癸卯，金以尚书左丞相完颜守道为太尉、尚书令，尚书左丞富察通为平章政事，右丞襄为左丞，参知政事张汝弼为右丞，彰德军节度使梁肃为参知政事。

夏，四月，戊申，金以右丞相图克坦克宁为左丞相，平章政事唐古安礼为右丞相。安礼辞曰："臣备位宰相，无补于国家。惟陛下择贤于臣者用之。"金主曰："朕知卿正直，与左丞相克宁无异，且练习故事，无出卿之右者，其毋多让。"

金增筑泰州、临潢府等路边堡。

庚戌，金奉安昭祖以下三祖、三宗御容于溢庆宫。

金主谓宰相曰："朕之言行，岂能无过？常欲人直谏，而无肯言者。使其言果善，朕从而行之，又何难也？"

癸丑，修湖南诸州城。

帝谓群臣曰："昨临安取到诸县茧甚薄，已令宫中缫丝验之。"既而枢密使言及今岁雨昄，帝曰："今岁雨旸以时，而茧反薄，大麦亦穗短，宫中所养蚕亦如此，殊不可晓。适谕三省，令王佐体访。"王淮等言："陛下爱民，轸念及此，天下之幸。"庚申，大雨。帝曰："雨恐妨麦，已祈晴矣。"又曰："曾(闻)〔问〕王佐蚕茧今年何薄？"赵雄等言佐方取验茧缫，遍询诸郡续闻。帝曰："闻今年民间养蚕甚多，叶既艰得，又食湿叶，所以茧薄。孟子谓'五亩之宅，植之以桑，勿失其时，则可以衣帛矣'。诚哉是言也！"

癸酉，立郴州宜章、桂阳军临武县学，以教峒民子弟。

甲戌，诏经筵读真宗《正说》。史浩进读《正心篇》，论黄帝无为天下治，帝曰："所谓无为者，岂宴安无所事事之谓乎？"浩又读《刚断篇》，至汉武帝知郭解能使将军为言，其家不贫，帝曰："武帝可谓洞照事情。"浩又读《大中篇》，论为政之道本乎大中，帝曰："勿浑浑而浊，勿察察而明，即此理也。"

五月，丙子，帝曰："近日都下销金、铺翠，复行于市，可谕王佐严加禁戢。若有败露，京尹安能逃责耶！朕以宰耕牛、禁铜器及金翠等事刻之记事板，每京尹初上辄示之。"

戊寅，诏："监司、守令课劝农桑，以奉行勤怠为赏罚。"

乙卯，芮烨言："凡是集议，惟强有力者是从，不若令各为议状。如论科举，则礼部、秘书省、国子监官皆预之类。"帝曰："如此则废集议矣。"赵雄等言："烨所论，乃汉所谓杂议也，恐不可从。"帝曰："今后遇事旋降指挥。"

壬午，诏："诸路转运使趣民间补葺经界籍簿。"

戊子，金尚书省奏："招讨使完颜守能所犯两赃，俱不至五十贯，应抵罪。节度使锡萨布应解见居官，并解世袭穆昆。"金主曰："此旧制之误。居官犯除名者，与世袭并罢之，非犯除名者勿罢。"遂著于令。守能杖二百，除名。

辛卯，以久雨，减京畿及两浙囚罪有差，贷民稻种钱。

壬寅，以史浩为少师。

是月，以读《真宗正纪》终篇，赐宰执、侍读、侍讲、说书、修注官宴于秘书省。

六月，己酉，诏放殿前司平江府牧马草场二万亩，听民渔采。

戊午，户部言去年两浙、江东、西、湖北、淮西旱伤，共检收米一百三十七万馀石，诏与蠲放。庚申，户部乞拨还去年旱伤无收经总等钱二十六万馀缗，帝曰："可尽与之。"

辛卯，罢诸路坊场监官承买。

秋，七月，癸未，复以许浦水军隶殿前司。

永阳郡王居广薨，追封永王。

辛卯，赏监司、守臣修举荒政者十六人。始定上雨水，限诸县五日一申州，州十日一申帅臣、监司，类聚闻奏。

丁酉，金枢密使赵王永中改判大宗正事。永中自以皇子解枢务，意颇不悦，太子谓之曰："宗正之职，自亲及疏，自远及近，此亲贤之任也。且皇子之尊，岂以官职闲剧为计耶！"永中乃喜。

己亥，金以左丞相图克坦克宁为枢密使。

先是克宁请致仕，金主曰："汝立功立事，乃登相位，朝廷是赖，年虽及，未可去也。"既又与完颜守道并乞骸骨，金主曰："上相坐而论道，不惟其官，惟其人，岂可屡改易之耶！"至是克宁改枢密，金主难其代。辛丑，复以守道为左丞相，太尉如故，虚尚书令不置。谕守道曰："宰相之位，不可虚旷，须用老成人，故复以卿处之。卿宜悉此意。"

是月，诏录范质后。

绍兴府、徽州、严州大水，命赈之。

除朱熹直秘阁；再辞，不许。

著作郎兼国史院编修官吕祖谦卒。

八月，丙午，谕云："朕缘久旱不雨，晓夕思所以宽恤，无事不在念。今且将诸路节次泛抛招军并与蠲免。"

庚戌，右丞相赵雄罢，为观文殿学士、四川制置使。

故事，蜀人未尝除蜀帅，御史王蔺论之，雄乞免，改知泸州安抚使。

壬子，帝谕侍从官王希吕等曰："朕谓侍从之臣，当以论思献纳为任。今后事有过举，政有阙失，卿等即宜尽忠极言，或求对，或入奏，务在于当理而后已。各思体此，称朕意焉。"

癸丑，以知枢密院王淮为右丞相兼枢密使。甲寅，以谢廓然同知枢密院事。

丙辰，更后殿幄次为延和殿。

壬戌，淮西运判赵彦逾，言本路归正人约二千人馀，强壮者欲委官总辖教阅，以讥察其动息，帝曰："归正日久，皆能耕凿居止，自安生业。若遽差官总辖，乃所以扰之不安也。"不听。

戊辰，臣僚请自今歉岁蠲减，经费有亏，令户部据实以闻，毋得督趣已蠲阁之数。

初，赵雄在相位，有言其多私里党者，于是命大臣进拟，皆以名姓下注本贯封人，遂为故事。已而陈岘为四川制置使，王渥为茶马，制皆从中出；雄不自安，故乞外。雄既罢，蜀士在朝者皆有去志，王淮曰："此唐季党祸之胎也。"乃于蜀士进迁数人，蜀士乃安。

改除朱熹提举浙东常平茶盐。时浙东荐饥，王淮荐熹，即日单车就道。

九月,辛巳,参知政事钱良臣罢。庚寅,以谢郭然兼权参知政事。

以江、浙、湖北旱,出爵募民赈济。

冬,十月,辛酉,录黎州战殁将士四百三人。

罢雪宴。先是年例贺雪即赐宴,以连岁荒歉艰食,故权罢。

十一月,甲戌,臣僚言:“在法,诸因饥贫以同居缌麻以上亲与人若遗弃而为人(牧)〔收〕养者,仍从其姓,不在取认之限,听养子之家申官附籍,依亲子孙法。今灾荒寒冷,弃子或多,请令灾荒州县,以上件法镂板晓谕,使人人知之,则人无复识认之虑而皆获收养矣。”从之。

辛卯,吏部侍郎赵汝愚言:“广招徕之路,绝朋比之嫌,莫若用故事令侍从、两省、台谏各举所知若干人,须才用兼备而未经擢用者,陛下以其姓名付中书籍记。候职事官有阙,则选诸所表,以次用之;其有不如所举,则坐以误举之罪。”诏如所请举行。

浚行在至镇江府运河。

己亥,赈临安府及严州饥。

浙东提举常平朱熹入对,言:“陛下临御二十年间,水旱盗贼,略无宁岁,意者政之大者有未举而小者无所系与?刑之远者或不当而近者或幸免与?君子有未用而小人有未去与?大臣失其职而贱者窃其柄与?直谅之言罕闻而谄谀者众与?德义之风未著而赃污者骋与?货赂或上流而恩泽不下究与?责人或已详而反躬者有未至与?夫必有是数者,然后可以召灾而致异。”

又言:“陛下即政之初,盖尝选建英豪,任以政事,不幸其间不尽得其人,是以不复广求贤哲,而姑取软熟易制之人以充其位。于是左右私亵使令之贱,始得以奉燕闲,备驱使,而宰相之权日轻;又虑其势有所偏而因以壅己也,则或听外庭之论,将以阴察此辈之负犯而操切之。陛下既未能循天理,公圣心,以正朝廷之体,则固已失其本矣;而又欲兼听士大夫之公言以为驾驭之术。则士大夫之进退有时,而近习之从容无间;士大夫之礼貌既庄而难亲,其议论又苦而难入;近习便嬖侧媚之态,既足以蛊心志,其胥吏狡猾之术,又足以眩聪明;恐陛下未及施其驾驭之术而先堕其数中。是以虽欲微抑此辈而此辈之势日重,虽欲兼采公论而士大夫之势日轻;重者既挟其重以窃陛下之权,轻者又借力于所重以为窃位固宠之计。中外相应,更济其私,日往月来,浸淫耗蚀,使陛下之德业日坠,纪纲日坏,邪佞充塞,货赂公行,兵愁民怨,盗贼兼作,灾异数见,饥馑荐臻,群小相挺。人人皆得满其所欲,惟于陛下了无所得,而国家顾乃独受其弊。”

因论浙东救荒事,帝曰:“连年饥歉,朕甚以为忧。州县检放,多是不实。”熹乞劝谕推赏,帝曰:“至此却爱惜名器不得。”又乞拨赐米斛,帝曰:“朕并无所惜。”又乞预放来年身丁钱,帝曰:“朕方欲如此宽恤。”熹又奏星变事,帝曰:“朕见灾恐惧,未尝不一日三省吾身。”

复白鹿书院,从朱熹之奏也。

十二月,癸卯朔,以徽、饶二州民流者众,罢守臣官。

出南库钱三十万缗,付朱熹赈粜。

丁未,禁诸州营造。

辛亥,蠲诸路旱伤州军明年身丁钱。

丙辰,诏:“县令有能举荒政者,监司、郡守以名闻。”

甲子，范成大进上元县所种二麦。王淮等谓春麦惟郭纲能言之，盖北人谓之劫麦，帝曰："此间人亦不知，已令宫中种试矣。"

下朱熹社仓法于诸路。

葛邲言荒政二事："一，诸经总制钱，如遇州县荒年，权免比较赏罚；其课利场务，并令依所放灾伤分数免比，本州不得抑勒县道陪备。一，荒歉州县，且专以救荒为务；宴会之类，理合节损，所有诸处迎新送旧兵卒公吏借请及供帐从物之属，亦合裁减。兵卒仍宜存留，以防缓急。"并从之。

金使贺正旦者至，争起坐受书旧仪，帝遣枢密都承旨王抃往解之。抃擅许用起立旧仪，帝意不怿，然不能改也。

是月，广东安抚巩湘诱潮贼沈师出降，诛之。

是冬，淮东提举赵伯昌奏："通、泰、楚州沿海旧有捍海堰一道，东拒大海，北接盐城，计二万五千六百馀丈，始自唐黜陟使李承宝所建，遮护民田，屏蔽盐灶，历时既久，颓圮不存。本朝天圣改元，范仲淹为泰州西溪盐官，方有请于朝，凡调夫四万八千，用粮三万六千有奇，而钱不与焉，一月而毕，遂使海潮沮洳舄卤之地，化为良田。自后渐失修治，宣和、绍兴以来，屡被其患，每一修筑，必申明朝廷，大兴功役，然后可办。望专委淮东盐司，今后捍海堰如遇坍损去处，不以功役大小，即委官相视计料，随坏随葺，勿令寖淫，以至大有冲决，务要坚固，可以永久。"从之。

是岁，诏："舒州、蕲州铸铁钱，并以十五万贯为额。"

诏："久任四川监司、郡守之人，令更迭与东南差遣。其在任未久者，即有任满前来奏事指挥，候到阙始得别与除授。"从臣僚之请也。

淳熙九年　金大定二十二年【壬寅，1182】　春，正月，丁丑，命两淮戍兵岁一更。

癸未，枢密都承旨王抃，予在外宫观。

抃久为帝所亲信，吏部侍郎赵汝愚亟攻之，帝亦悟其奸，出之于外。因罢诸军承奉枢密院文书关录两省旧法，以文臣为都承旨。自是抃不复召。

戊子，籴广南米赴行在。

庚寅，诏："江、浙、两淮旱伤州县，贷民稻种，计度不足者，贷以桩积钱。"

内出正月所种春麦，并秀实坚好，与八九月所种无异。诏降付两浙、淮南、江东、西漕臣，劝民布种。

二月，庚戌，遣使访问二广盐法利害。

三月，丁丑，金主申敕西北路招讨司，勒明安、穆昆官督部人习武备。

甲申，金主谕户部："今岁行幸山后所须，并不得取之民间，即所用人夫，并以官钱和雇。违者，杖八十，罢职。"

戊子，臣僚言："监司、帅臣臧否所部，深得考功课吏之法。然郡守更易，则人有幸、不幸；监司、帅臣好恶不一，则言有当、不当。有已去而不及臧否者，有近到而已遇臧否者，此人有幸、不幸也；或取其办事而不言其害民，或喜其弥缝而不言其疏谬，或畏其强有力而不议，或以其疏远无援而见斥，此言有当、不当也。且就一路言之，则其数宽；就数人而言之，则其数窄；计一岁而论之，则其能否为已见；计数月而论之，则其能否未可知；而遽臧否焉，此人所以

幸、不幸，言所以当、不当也。请诏诸路监司、帅臣。自今臧否所部，必须总计一岁人数，不问已去、见在，就其中区别之。或臧者朝廷已加擢用，亦须用臧之次者；或否者朝廷已行罢黜，亦须具否之次者。其或臧否不当，必令具析以闻。"诏："除初到任人外，馀从之。"

癸巳，金颁重修制条。以吏部尚书张汝霖为御史大夫。

甲午，罢诸路寄招军兵三年，就拣军子弟补其阙。

是春，召对杨甲，寻除太学录。甲献书万言，大略谓："人主之职，不过听言、用人，分别邪正。而近岁以来，权幸用事，其门如市，内批一出，疑谤纷然，谓陛下以左右近习为心腹而不专任大臣，以巡逻伺察为耳目而不明用台谏。今中外文武，半为权门私人，亲交私党，分布要近，良臣吞声，义士丧气。至于民兵之害，两淮百姓，如被兵火；西南诸戎，乘间出没。而马政日急，高直厚币以骄戎心，臣恐陛下今日所少者，非特马而已。又，有司理财，一切用衰陋褊隘之策，至于卖楼店，沽学田，鬻官地，而所主在献羡馀，此风日炽，恐陛下赤子无宁岁矣。"

赈忠、万、恭、涪四州及镇江府，复遣使淮南、江、浙赈济。

夏，四月，甲辰，诏："自今盗发，所在守帅、监司议罚；平定，有劳者议赏。"

乙卯，诸路提刑文武臣通置一员。

癸亥，帝览陆贽《奏议》，谕讲读官曰："今日之政，恐有如德宗之弊者，卿等言之，无有所隐。"

甲子，金主如金莲川。

五月，丙子，谕宰相王淮等曰："朕惟监司、郡守，民之休戚系焉，察其人而任之，宰相之职也。苟选授之际，惟计履历之浅深，不问人材之贤否，则政治之阙，孰甚于斯！今后二三大臣，宜体国爱民，精加考选，既按以资格，又考其才行，合是二者，始可进拟，夫然后事得其宜，用无不当。故传曰：'为政在人。'卿等其慎之毋忽！"

六月，壬寅，诏："侍从、台谏各举操修端亮、风力强明、可任监司者一二人。"

甲寅，以汀、漳二州民为沈师所蹂践，除其赋。

丁巳，同知枢密院事谢廓然致仕，以周必大知枢密院事。

金右丞相致仕石琚薨，谥文宪。琚最为金主所知。故事，内宴惟亲王、公主、驸马得与；一日，特召琚入，诸王以下窃语，心易之。金主觉之，即语之曰："使我父子家人辈得安然无事而有今日之乐者，此人力也。"乃备举近事数十，显著为时所知者以晓之；皆俯伏谢罪。金主尝欲立元妃为后，以问琚，琚屏左右曰："元妃之立，本无异词，如东宫何？"金主愕然曰："何谓也？"琚曰："元妃自有子。元妃立，东宫摇矣。"金主悟而止，其善启沃类此。

戊午，谢廓然卒。未几，龚茂良家投匭讼冤，帝曰："茂良本无罪。"遂复资政殿学士，谥庄敏。

庚申，临安蝗。诏守臣亟加焚瘗。

甲子，太白经天。

提举浙东常平朱熹以前后奏请多见抑，幸而从者，率稽缓后时，又以旱蝗相仍为忧，疏言："为今之计，独有断自圣心，沛然发号，责躬求言，然后君臣相戒，痛自省改。其次惟有尽出内库之钱，以供大礼之费，为收籴之本，诏户部无得催理旧欠，诸路漕政遵依条限检放租税，诏宰臣沙汰被灾路分州军监司、守臣之无状者，遴选贤能，责以荒政，庶足以下结人心，消

其乘时作乱之意。不然，臣恐所忧者不止于饿殍而在于盗贼，蒙其害者不止于官吏而上及于国家也。”

秋，七月，甲戌，以常平、义仓及桩官米四十万石付诸司预备赈粜。

辛巳，出南库钱三十万缗付朱熹备赈粮。

金宰臣奏事，金主颇有疾，宰臣请退，金主曰：“岂以朕之微爽于和而倦临朝之大政耶！”使终其奏。

壬辰，以资政殿学士李彦颖参知政事。彦颖病羸，艰拜起，力辞，帝曰：“老者不以筋骨为礼。孟享礼繁，特免卿。”

诏：“发所储和粜米百四十万石，补淳熙八年赈济之数，于沿江屯驻诸州桩管。”

甲午，金主秋猎。

八月，庚子，侍从、台谏集议，奏曰：“自宰相、执政、侍从、卿监、正郎员分为五等，除致仕遗表已议裁减外，将逐郊荫补恩泽，每等降杀，以两酌中，定为止数；武臣比类施行。宰相十人，开府以上同；执政八人，太尉同；侍从六人，观察使至节度、侍御史同；中散大夫至中大夫四人，右武大夫至通侍大夫同；带职朝奉郎至朝议大夫三人。职事官寺长贰、监长至左右司谏、开封少尹，厘务及一年，须官至朝奉郎并朝奉郎元带职人，因除在京职事官而寄职者同，武翼大夫至武功大夫同；非侍从官无遗表外，见行条格致仕、遗表，通减三分之一，馀分不减。”绍兴初，中书舍人赵思诚上任子限员之议，诏从官集议。至是始用廷臣集议行之。

淮东、浙西蝗。壬子，定诸州捕蝗赏罚。

除朱熹直徽猷阁，以其赈济有劳也。

戊辰，太白经天。

九月，庚午，以王淮为左丞相，梁克家为右丞相。

时成都阙帅，帝问孰可者，淮以留正对。帝曰：“非闽人乎？”淮曰：“立贤无方，汤之执中也。必曰闽有章惇、吕惠卿，不有曾公亮、苏颂、蔡襄乎？必曰江、浙多名臣，不有丁谓、王钦若乎？”帝称善，遂用正。

丙子，封子彤为安定郡王。

戊寅，金主还都。

辛巳，大享于明堂，大赦。召史浩、陈俊卿陪祀，辞不至。

辛卯，封伯圭为荥阳郡王。

甲午，淮南运判钱冲之言：“真州之东二十里有陈公塘，周围百里，本司近已兴修塘岸，建置斗门、石抵各一所于东、西湫口二处。请于扬子县知县、县尉衔内带入‘兼主管陈公塘’六字，庶责有所归。”从之。

乙未，禁蕃舶贩易金银。著为令。

金榷场副使韩仲英等，以受商赂，纵禁民出界，诛之。

冬，十月，辛丑，金徙河间宗室于平州。

庚戌，金袷享于太庙。

辛亥，塞四川沿边支径。

甲子，蠲诸路旱伤州军淳熙七年、八年逋赋。

十一月，戊辰朔，禁臣庶之家妇饰僭拟。

庚午，赈夔路饥。

金皇统逆党先后诛死，惟图克坦贞与大邦基尚在。邦基废不用，贞以世姻藉恩宠，虽夫妇已降削爵号，仍徙为临潢尹。金主虑久远，终不以私恩曲庇，丙子，诏诛贞，其妻永平县主、子慎思并赐死；寻命磔邦基于思陵之侧。于是皇统逆党始尽。

庚辰，金主冬猎。

十二月，庚子，金主还都。

淳熙十年 金大定二十三年【癸卯，1183】 春，正月，丁丑，以给事中施师点签书枢密院事。

师点入辞，帝曰："卿靖重有守，识虑深远，朕欲用卿久矣。"

金参知政事梁肃请老，金主谓宰臣曰："梁肃知无不言，正人也。卿等知而不言，朕实鄙之。虽然，肃老矣，宜从其请。"遂致仕。

壬午，金主如春水。诏："夹道三十里内被役之夫，与免今年租税，仍给佣直。"

甲申，参知政事李彦颖罢职奉(祀)〔祠〕，以谏官论其子殴人至死也。

戊子，复广盐客钞法。

诏曰："盐者，民食所资。向也官利其赢而自鬻，久为民病，朕既遣使谕之，得其利害以归，复谋诸在廷，佥言惟允，始为之更令，许通商贩而杜官鬻，民固以为利矣。然利于民者，官不便焉；何者？盐之息厚，凡官与吏之所为妄费以济其私者，一出于此。一旦绝之，无所牟取，必胥动以浮言，将毁我裕民之政。且朕知恤民而已，浮言奚恤！矧置监司、守令，皆以为民。朕有美意，弗推而广之，顾挠而坏之，可乎？其罢官般官卖，通行客钞法。"

以黄洽为御史中丞。自乾道五年以后，不除中丞者十四年。洽尽言无隐，然所论列，未尝摭拾细故。尝奏言："因言固可以知人，轻听亦至于失人。故听言不厌其广，广则无壅；择言不厌其审，审则无误。"帝然之。

壬辰，枢密院进呈镇江军兵三年加减之数。帝曰："养兵费财，国用十分，几八分养兵。"周必大曰："尚不啻八分。"帝曰："今民间未裕，江东、浙西寄招镇江诸军及武锋军岁额人数，可并权免三年。所有诸州日前未足之数，特与蠲免。"

先是朱熹行部至台州，知州唐仲友为其民所讼，熹按得其实。而仲友与王淮同里，且为姻家，已降江西提刑，未行，而熹论之。淮以论章及仲友辩疏并进，且微为仲友解，帝以为然。熹论益力，前后章六上，帝不欲穷其事，夺仲友江西新命以授熹。熹辞不拜，遂归，旋予祠。

二月，癸卯，用黄浩言，罢内侍陈源宫观，建宁府居住。

先是源罢德寿宫提举，诏与落阶官，臣僚言其过恶，请寝成命，与一在外宫观，从之。至是浩又言其罪状灼然，当赐窜责，故有是命。既而台察又疏其党与皆一时之巨蠹，于是武略大夫徐彦达，除名，道州编管，家财籍没，进纳德寿宫，其子必闻等三人并追官勒停；甄士昌追进武校尉；李庚追官勒停，仍送筠州编管。士昌，源之厮役，以违法迁转；庚本临安府都吏，与源交通补官；彦达尝充德寿宫阁子库书写，专一为源管家务，官至正使，职至路钤，皆源之力也。

乙巳，金主还都。

戊申，金以右丞张汝弼摄太尉，致祭于至圣文宣王庙。

甲戌，金以户部尚书张汝愈为参知政事。

三月，丙寅朔，建康都统制郭刚言："去岁合拣汰效用军义兵一百八十五人，自言愿得逐便，乞拣汰。"帝曰："正恐离军失所，所以留之。如此，与放逐便。"

丙子，金始制宣命之宝，金玉各一。

金主将如会宁，右丞相乌库哩元忠谏，不听，出知真定府。

己丑，知福州赵汝愚，奏海贼姜太獠寇泉南，兵马都监姜特立以一舟先进，擒之，已诛其凶党，释其馀。帝曰："汝愚处置甚善。古者置刑，王者言宥而有司执法。若有司但务姑息，何以示惩！"特立旋召见，献所为诗百篇，除阁门舍人，命充太子宫左春坊并皇孙平阳王伴读，由是得幸于太子。特立，丽水人也。

是月，诏举制科。

夏，四月，丙申，诏："临安府系驻跸之地，本府属县民户身丁钱，可自淳熙十一年为始，更与蠲放三年。"

监司、帅臣奏到所部臧否。

先是帝曰："监司、帅臣奏守臣臧否而不行黜陟，何以劝惩！"是日，以王去恶有平黎之功，又通晓郡事，召赴行在。范仲圭、韩璧任满，与监司差遣，汤莺罢新任。

癸卯，大理寺丞张抑言："浙西诸州豪宗大姓，于濒湖陂荡各占为田，名曰塘田。于是旧为田者，始隔绝水出入之地。淳熙八年，虽有旨令两浙运司根括，而八年之后，围裹益甚。请自今，责之知县，不得给据；责之县尉，常切巡捕；责之监司，常切觉察。令下之后，尚复围裹者，论如法。"从之。

是月，广西运判王正己上言："陛下加惠远方，恐官卖科扰，民无所告，复行客钞以救其弊，德至渥也。陛下本以宽裕远民，而今来两路通行，却成发泄东钞。借使两路分画界分，西路漕计不亏，诸郡可以支吾，亭户不致贫乏，岂非陛下之本意！顾闻阙乏之端，有如二十馀州，上下煎茶，倘有申请，朝廷岂能坐视！必须应副，则东路虽有赢馀，亦是朝三暮四，恐徒纷扰。"又云："顷年章潭为广东提举盐事，力主两路通行之议。及就移西路运判，客钞不敷，漕计大窘，寝食俱废，又得东路二十八万缗，遂以少宽，即同帅臣范成大乞行官卖；此则易地而不可行者，岁月未久，可以覆按。"又云："绍兴间，通行客钞能三十馀年者，以西路有折科招徕之类；后既住罢，漕计遂窘，因有官卖之法。其后更易不定，大概以东钞通行、西钞不登为患。万一必须通行，则西路漕计或阙，亦须预作指画，不可临期阙误，然不若分路为允也。"

五月，甲寅，以潭州飞虎军隶江陵都统司。

金主命："应部除官，尝以罪废而再叙者，遣使按其治迹，如有善状，方许授县令；无治状者，不论任数多少，并不得授。"

臣僚言："祖宗用人，初无清浊之别。韩琦第二人进士及第，未免监左藏库，后为度支判官，皆号称职。请明诏大臣，如行在左藏库之类，稍重其选，与免待阙，遇馆学有缺，却于此取之，以广得人之路。"从之。

鄂州都统郭杲言："襄阳屯田二十馀年，虽微有所获，然未能大益边计；非田不良，盖人力有所未至，且无专任责者。或谓战士屯田，恐妨阅习，而不知分(蕃)〔番〕耕作，乃所以去其

骄；或谓耕作劳苦，恐其不乐，而不知分给谷米，人自乐从。以乐从之人，为实边之计，可谓两便，请给耕牛、农具，俾屯军开垦荒田。”辛卯，诏疏襄阳水渠，以渠旁地为屯田。寻诏民间侵耕者就给之。

废舒州宿松监。

六月，丙申，王淮等言：“时方酷暑，圣躬得无烦郁？”帝曰：“朕自有道以处之，但念闾阎之民不易度耳。往在潜邸，尝有诗云：‘闾阎多悖郁，方愧此身闲。”’淮曰：“真古帝王之用心也！”

己酉，太府寺丞勾昌泰言：“蜀中制置使，关六十州之安危，或有疾病迁动，自朝廷除授，动经年方到。请于从臣中尝储一二人于蜀中，令作安抚使，一旦有制置使阙，便可就除。其于思患预图，最系国家大事。”帝谕宰执曰：“此正在卿等留意，今后欲除蜀帅，须是选择可备制置使之任者，庶临时不致缺事。”

诏经理屯田。

建康府御前诸军都统制司奏：“契勘淮西荒闲田土，如和州兴置屯田五百馀所，庐州管下亦有三千六围，皆濒江临湖，号称沃壤，自后废罢，拨还逐州，召人请佃，寻许承买，今多为良田。自馀荒地，亦有豪强之户冒耕包占。”诏令淮西帅、漕司同取见系官田亩实数闻奏。都统郭刚，寻奏和州历阳县荒圩五百馀顷，可以开耕，每田一顷，三人分耕，合用官兵一千五百人；建康留守钱良臣，亦奏上元县荒圩并寨地五百馀顷，不碍民间泄水，可以修筑开耕。

壬子，金有司奏右司郎中段珪卒，金主曰：“是人甚明正，可用者也。”因叹：“臣下诡随委顺，相习成风。南人劲挺，敢言直谏者多，前一人见杀，后复一人继之，真可尚也。”

辛酉，诏曰：“朕恻怛在心，惟吏或不良，无以宣德明恩。若乃贪饕无餍，与货为市，渔夺百姓，侵牟下民，有一于此，足秕邦政。天下之大，郡邑之众，假势放利，实烦有徒。若此，朕虽有爱民勤政之诚，焦劳于上，仁恩利泽，何由而下究哉！朕嗣服之初，盖尝考法祖宗，严赃吏之禁，其持心不移，复出为恶者，既已逮治一二，厉在位矣。岁月既久，法以渐缓，赃过之吏，忸习宽政，日甚岁剧。今列官处职，奸法不忌，是与盗无异也。国有宪法，朕不敢废。今后命官犯自盗、枉法赃罪抵死者，籍没家财，取旨决配，并依隆兴二年九月已降诏书施行，必无容贷。”

王淮以唐仲友故怨朱熹，欲沮其见用，于是吏部尚书郑丙上疏，言近世士大夫有所谓道学者，欺世盗名，不宜信用，帝已惑其说。淮又以太府丞陈贾为监察御史，贾因首论曰：“臣窃谓天下之士，所学于圣人之道者，未始不同。既同矣，而谓己之学独异于人，是必假其名以济其伪者也。邪正之辩，诚与伪而已。表里相副，是之谓诚；言行相违，是之谓伪。近世士大夫有所谓道学者，其说以谨独为能，以践履为高，以正心诚意、克己复礼为事。若此之类，皆学者所共学也，而其徒乃谓己独得之；夷考其所为，则又大不然，不几于假其名以济其伪者耶？愿陛下明诏中外，痛革此习，每于听纳除授之间，考察其人，摈弃勿用，以示好恶之所在。庶几多士向风，言行表里一出于正，无或肆为诡异以干治体。”帝从之。由是道学之名，贻祸于世。

其后直学士院无锡尤袤言于帝曰：“道学者，尧、舜所以帝，禹、汤、文、武所以王，周公、孔子所以设教。近立此名诋訾士君子，故临财不苟得，所谓廉介；安贫守道，所谓恬退；择言顾

行,所谓践履;行己有耻,所谓名节;皆目之为道学。此名一立,贤人君子欲自见于世,一举足且人其中,俱无所免,岂盛世所宜有?愿循名责实,听言观行,人情庶不坏于疑似。”帝曰:“道学岂不美之名?正恐假托为名,真伪相乱耳。”

郑丙后知泉州,为政暴急,或劝之尚宽,丙曰:“吾疾恶有素,岂以晚节易所守哉!”闻者哂之。

是月,两浙水,命赈之。

【译文】

宋纪一百四十八　起辛丑年(公元1181年)正月,止癸卯年(公元1183年)六月,共二年有余。

淳熙八年　金大定二十一年(公元1181年)

春季,正月,壬子(初五),金国因为夏国请求互市贸易,恢复绥德军榷场。

金国主听说山东、大名等路的明安、穆昆之民,骄纵奢侈,不从事耕种,诏令:“检查核实按人口分地,必须是耕地有余而人力不足的人家,才允许招募别人租种,仍禁止在农忙时饮酒。”

癸丑(初六),权给事中赵汝愚说:“陈源已经转官差遣。陈源是内侍,而能够参预一路的军政,事关重大,这种事不能助长。建炎三年诏书:‘从崇宁年间以来,内侍掌权,循习至今,从今以后内侍不允许与主管兵官结交、借贷、馈赠、借用役使禁兵。’在那时,内侍与兵官结交、借用役使禁兵尚且还不允许,现在却交付他总领一路军队的重任,臣担心这不是太上皇用来防微杜渐的本意。”宋孝宗肯定了他的建议。

甲寅(初七),折知常停职,贬谪汀州居住。

丙辰(初九),诏令:“陈源授予在京宫观官,免奉朝请。其内侍现任带兵官的,都授予在京宫观官。特此为令。”

金国追贬海陵炀王为庶人。

当初金闵宗被奉入宗庙,有司奏报说:“晋朝赵王司马伦废晋惠帝自立为皇帝,晋惠帝重归正位时,司马伦被废为庶人。现在炀王的罪恶超过了司马伦,不应当有王爵的封号,也不应当葬在诸王的墓地里。”至此诏令废为海陵庶人,改葬在山陵西南四十里的地方。完颜宗干削去帝号,复称辽王。

甲午(疑误),金国主进行春水游猎。

戊辰(二十一日),宰相进呈各军奖赏标准。宋孝宗说:“过去各军只教习右手射箭,近来又教习左手射箭很精通,各给奖赏以示勉励。”

庚午(二十三日),知台州唐仲友说鳏寡孤独老幼疾病之人,请依照乾道九年的成例,拨出常平米、义仓米赈济他们。宋孝宗说:“常平米下令降价出售。如果说义仓米,则本来是民间寄存在官府以防备发生水旱灾害时使用的,既然遇到荒年,自然应该还给百姓。况且台州自身就有义仓米,可下令赈济百姓。”

乙亥(二十八日),起居郎兼太子左谕德木待问谈论国事,就说:“近来官僚向太子祝贺天降瑞雪,太子说灵芝草不值得成为祥瑞,只有年成丰收百姓安乐才是国家最好的祥瑞。”宋

孝宗说："东宫太子有见识。"木待问又说："近来讲授《周礼》的太府部分，谈论国家的财政费用应当同百姓的丰年荒年相适应，皇太子说：'人君只应当以节俭为根本。'这是言外之意，不是一般人思考后能得出的结论。"宋孝宗说："恭敬的人不侮辱别人，节俭的人不剥夺别人。恭敬节俭是修身的根本，朕曾将此话告诉东宫太子。"

诏令："福建每年拨盐给邵武军，购买军粮。"

丙子（二十九日），金国主驻扎永清县。居民中有一名叫伊喇特尔额，契丹人，有一妻一妾，妻子生有六个孩子，妾生有四个孩子。妻子死后，他的六个儿子在墓地搭起庐舍，轮流日夜守丧。妾的儿子说："她是嫡母，我们难道不应当在墓地守丧吗？"于是也日夜轮流守丧，三年如一日坚持下去。金国主因为游猎，路过这里听说了这件事，赐给五百贯钱，还令县官将钱堆积在积市上展示给县里的百姓观看，然后赐给孝子家，作为对孝子的鼓励。

二月，庚辰（初三），知福州梁克家乞请担任宫观官，恢复观文殿学士职衔，依旧任福州知州。

壬午（初五），诏令："去年江、浙、湖北、淮西路各郡县，多处发生旱灾，已下令大量拨出存积的粮食低价出售赈济灾民，其中鳏寡孤独贫困不能生存的人，仍无钱购粮。可下令州县镇寨乡村，用义仓米赈济他们，至闰三月十五日止，务必将实惠带给百姓。州县官员执行不认真，本路漕臣及提举常平官发觉后奏报朝廷。"

黎州土丁张百祥等，因为无法忍受徭役而造反，统领官刘大年率兵迎战，土丁逃跑。刘大年被处以死刑。

戊子（十一日），禁止浙西百姓因干旱而设置围田。

裁撤童子举科试法。

金国元妃李氏去世。

己丑（十二日），禁止广西各州强行购买亭户食盐。

戊戌（二十一日），任命保宁军节度使赵士歆为嗣濮王。

庚子（二十三日），金国主返回中都。

壬寅（二十五日），金国任命河南尹张景仁为御史大夫。

乙巳（二十八日），金国主因为元妃李氏去世，前往兴德宫祭祀，路过街面店铺，听不到欢笑声，对群臣说："难道是因为妃子去世的缘故禁止他们开业吗？百姓每日劳作才能谋生，如果禁止他们，是破坏了他们的生计，不能禁止。朕以前想到兴德宫，有司奏请经由蓟门前往，朕担心妨碍市民的生意，特改走它道。看见街道两旁的店铺有的撤毁，以帘箔挡住，何必如此！从今以后不再因为朕出巡而撤毁店铺。"

三月，丁未朔（初一），金国主前往长春宫。

当初，金国主听说蓟州、平州、辽州等州的百姓缺乏粮食，命令有关部门调拨粮食卖给百姓，贫穷无力购买的人就借贷给他们。有关官员担心贫民不能偿还，只贷给有正式户口的人，金国主听说了这件事，再派人检查核实赈贷情况。因为监察御史舒穆噜元礼、郑大卿对失职官员不加弹劾，各人杖笞四十。先前所派遣的官员都被治罪。

戊午（十二日），因为潮州叛贼沈师造反，催促赵师宪率兵讨伐叛贼。

乙丑（十九日）'金国主命令山后冒占官府土地十顷以上的，都没收入官，均给贫民耕种。

金国西北路招讨使完颜守能，本性贪婪。当时诏令将斡罕余党迁移到临潢，百姓中有应当迁移的，诈称已死，用马贿赂完颜守能，得以不迁移；又索取贿赂任命行贿人为通事、镇边明安。尚书省奏报了这件事，金国主说："完颜守能从通州刺史越级提拔到这个位置，竟放肆贪婪受贿，以前招讨司官员大量进献良马、骆驼、鹰、鹘等物，大概假借进献的名义而大肆征敛罢了，从今以后都停止进献。"于是批评完颜守能的哥哥完颜守道说："完颜守能越级提拔为招讨使，地方官员的尊贵，没有超过这个职务的。前任招讨使泽恬因为贪污受贿依法处死，完颜守能难道不知道，竟敢如此！你的弟弟，为什么不首先训导告诫他呢？"

正逢宗州节度使锡萨布杖杀无罪之人，事情败露。金国主对宰臣说："监察官的职责在于监督弹劾。节度使锡萨布刚上任时，沿途侵扰百姓，到任后，一举一动都违反法度；完颜守能作为招讨使，贪污受贿声名狼藉。所有的达官贵要，监察官不曾提出弹劾，而对小官的小过失，即便弹劾了，说他们称职，行吗？从今以后监察御史尽职尽责，然后才能提升。不尽职责的人，过失大的就给予处罚，过失小的就给以严责，并不允许离职。"

闰三月，辛巳（初五），诏令："各路监司、帅臣，在年终时，各自将所管辖的郡守分为三等，政绩显著的为好，贪婪平庸的为坏，无功无过者为平，详加考察，各自罗列事实奏报。考察不公平的地方，由御史台官员弹劾。"

戊子（十二日），赐礼部进士黄由等三百七十九人进士及第、进士出身。

庚寅（十四日），修筑扬州城。

乙未（十九日），金国主对宰相说："朕观察自古以来的君主，大多任用进谗、谄媚之人，其中受到的蒙蔽，为害不小，如汉明帝，还被这些人所蛊惑。朕虽然比不上古代的英明君主，然而亲近大臣的谗言，不曾入耳，至于宰相辅政大臣，也不曾片面地采纳某个人的意见。"

癸卯（二十七日），金国任命尚书左丞相完颜守道为太尉、尚书令，任命尚书左丞富察通为平章政事，任命右丞完颜襄为左丞，任命参知政事张汝弼为右丞，任命彰德军节度使梁肃为参知政事。

夏季，四月，戊申（初三），金国任命右丞相图克坦克宁为左丞相，平章政事唐古安礼为右丞相。唐古安礼辞谢说："臣位居宰相，无益于国家。希望陛下选择比臣贤能的人加以任用。"金国主说："朕知道你正直，与左丞相图克坦克宁没有不同，况且熟悉典章制度，没有超出你之上的人，不要过多推让。"

金国增筑泰州、临潢府等路边界城堡。

庚戌（初五），金国将昭祖以下三祖、三宗的御容画像供奉在溢庆宫。

金国主对宰相说："朕的言行，岂能无错？经常希望大家直言相谏，而无人肯提出意见。假如他的意见果真很好，朕采纳后加以推行，又是什么难事呢？"

癸丑（初八），修筑湖南各州城。

宋孝宗对群臣说："前不久临安收到各县的蚕茧很薄，已下令宫中缫丝查验质量。"不久枢密使说到今年下雨和天晴的情况，宋孝宗说："今年天气正常，而蚕茧反而薄，大麦也穗短，宫中所养蚕也是如此，很不可理解。刚才谕告三省，命令王佐调查。"王淮等说："陛下爱惜百姓，辗转思念此事，是天下的大幸。"庚申（十五日），天降大雨。宋孝宗说："大雨恐怕妨害麦子，已祈祷天晴了。"又说："曾询问王佐蚕茧今年为什么薄？"赵雄等说王佐正在检验蚕丝，

向各州郡询问情况并要求继续奏报情况。宋孝宗说："听说今年百姓养蚕的人很多，桑叶很难找到，又吃湿叶，所以茧薄。孟子说：'五亩的宅地，种上桑树，不错过时节，就可以穿丝绸衣服了。'这句话很确切啊！"

癸酉（二十八日），在郴州宜章县、桂阳军临武县设立学校，以教育峒民子弟。

甲戌（二十九日），诏令在经筵上讲读真宗皇帝的《正说》。史浩进读《正心篇》，论述黄帝实行无为政策治理天下，宋孝宗说："所谓无为，难道说的是安乐而无所事事吗？"史浩又讲读《刚断篇》，读到汉武帝知道郭解能让将军为他说话，判断他家中不贫，宋孝宗说："武帝可称得上洞察人情世故。"史浩又讲读《大中篇》，论述执政的关键本源于博大中庸，宋孝宗说："不要浑浑噩噩糊里糊涂，不要清清白白过分精明，就是这个道理。"

五月，丙子（初一），宋孝宗说："近来都城中销金、铺翠的服饰，又流行于市场，可下令王佐严加禁止和惩处。如果禁而不止，京尹怎能逃脱罪责呢！朕将宰杀耕牛、禁止铜器及金丝翠羽等事刻在记事板上，每当京尹初次上朝就拿给他看。"

戊寅（初三），诏令："监司、守令催促勉励百姓种桑养蚕，根据奉行命令的勤奋和懒怠来决定奖赏或惩罚。"

乙卯（初四），芮辉说："凡是百官集议，只是顺从强有力的人的意见，不如命令各自写意见书。如讨论科举，那么礼部、秘书省、国子监官都参与提供意见。"宋孝宗说："如果这样就废止了集议。"赵雄等说："芮辉所谈的，就是汉代所称的杂议，恐怕不能采纳。"宋孝宗说："今后遇到事情迅速下达指令。"

壬午（初七），诏令："各路转运使督促民间补充修改经界籍簿。"

戊子（十三日），金国尚书省奏报："招讨使完颜守能所犯的两起贪赃罪的赃物，都不到五十贯，应当治罪。节度使锡萨布应解除现任官职，并解除世袭的穆昆封爵。"金国主说："这是原来制度的错误。官员犯罪被除名的，与世袭封爵都废止，没有除名免职的人不废止封爵。"就编为政令。完颜守能杖责二百，除名免官。

辛卯（十六日），因为长期降雨，对京畿地区以及两浙的在押囚犯给以不同的减刑，借贷给百姓稻种钱。

壬寅（二十七日），任命史浩为少师。

这个月，因为讲读《真宗正纪》完毕，在秘书省赐宴，宴请宰执、侍读、侍讲、说书、修注官。

六月，己酉（初四），诏令开放殿前司平江府牧马草场二万亩，听凭百姓渔猎采樵。

戊午（十三日），户部奏报说去年两浙、江东、江西、湖北、淮西发生旱灾，共少收米一百三十七万多石，诏令免收。庚申（十五日），户部乞请拨还去年因为旱灾没有收成的地区经总制钱等税收二十六万余缗，宋孝宗说："可以全部拨还他们。"

辛卯（疑误），废止各路坊场监官承买宫中物品。

秋季，七月，癸未（初九），又将许浦水军隶属于殿前司。

永阳郡王赵居广去世，追封永王。

辛卯（十七日），奖赏监司、守臣中救荒政绩突出的十六人。开始确定上报降雨情况的制度，限定各县每五天向州府申报一次，州府每十天向帅臣、监司申报一次，分类归总奏报朝廷。

丁酉(二十三日),金国枢密使赵王完颜永中改判大宗正事。宗颜永中自认为身为皇子解除枢密院的职务,心中很不乐意,太子对他说:“宗正的职务,从亲到疏,从远到近,这是亲近贤能的人才能担任的职务。况且尊为皇子,难道还计较官职的清闲或繁忙吗!”完颜永中才高兴了。

己亥(二十五日),金国任命左丞相图克坦克宁为枢密使。

在此之前图克坦克宁奏请退休,金国主说:“你建功立业,才登上相位,是朝廷的依赖,虽然到了退休的年龄,也不能离职。”接着又与完颜守道同时乞请退休,金国主说:“上相坐而论道,不只在官职,而在担任官职的人,岂可多次换人吗!”至此图克坦克宁改任枢密使,金国主难于找到接替他的人。辛丑(二十七日)又任命完颜守道为左丞相,太尉职务如故,将尚书令的职位空着不任命。告谕完颜守道说:“宰相之位,不可虚空,必须任用老成持重的人,所以又任命你担任这个职务。你应当了解此意。”

这个月,诏令录用范质的后代。

绍兴府、徽州、严州发生大水,命令赈济灾民。

任命朱熹为直秘阁;再三辞谢,不同意。

著作郎兼国史院编修官吕祖谦去世。

八月,丙午(初二),宋孝宗告谕说:“朕因为久旱不雨,日夜思索宽恤百姓的办法,没有一事不挂念。现在就将各路依次下达的招军数额都给予免除。”

庚戌(初六),右丞相赵雄免职,担任观文殿学士、四川制置使。

根据成例,蜀人不曾任命蜀帅,御史王蔺谈到此事,赵雄乞请免职,就改任泸州安抚使。

壬子(初八),宋孝宗告谕侍从官王希吕等说:“朕认为侍从大臣,应当以献计献策进谏为己任。今后办事有过失,政令有缺失,你们就应当尽忠心极力直言,或者申请当面对答,或者入朝奏报,务必使事情合理才停止。各自思考体会这件事,以满足朕的心意。”

癸丑(初九),任命知枢密院王淮为右丞相兼枢密使。甲寅(初十),任命谢廓然同知枢密院事。

丙辰(十二日),将后殿殿名改为延和殿。

壬戌(十八日),淮西运判赵彦逾,说本路归正人大约有二千多,其中强壮的人准备委托官员对他们进行管理和教练,用来侦察金国的动向,宋孝宗说:“归正时间已久,都能耕种定居,自谋生计。如果突然派官管理,就会烦扰他们使他们不安心。”不采纳。

戊辰(二十四日),臣僚奏请今后歉年减免赋税,财政费用不足,令户部据实奏闻,不得督催已减免的赋税数额。

当初,赵雄任丞相时,有人说他大量私用同乡,于是宋孝宗命令大臣进呈拟定的人选,都在姓名下注明籍贯密封进呈,就成为定例。不久陈岘任四川制置使,王淮任茶马司长官,任命制书由皇帝直接发出;赵雄感到不安,所以乞请担任地方官。赵雄离职之后,在朝任官的四川人都有离开京城的打算,王淮说:“这就是唐代末年党祸的萌芽。”于是在四川籍的官员中晋升了几人,四川籍官员才安定。

改任朱熹提举浙东常平茶盐。当时浙东再次发生饥荒,王淮推荐朱熹,当天就独自坐车启程。

九月,辛巳(初八),参知政事钱良臣免职。庚寅(十七日),任命谢廓然兼权参知政事。

因为江、浙、湖北发生旱灾,悬赏官爵招募富民赈济灾民。

冬季,十月,辛酉(十八日),登录黎州之战中战死的四百零三人的姓名。

停止赏雪赐宴。在此之前每年庆贺降雪就赐宴,因为连年荒歉粮食缺乏,所以暂时停止。

十一月,甲戌(初二),臣僚说:"根据法令,所有因为饥饿贫困将五服以内的亲人送人如同遗弃后被人收养,仍随收养人姓氏,不在认亲索取的范围内,允许收养的人家向官府申报户口,依照亲生子孙的法令办理。今年发生灾荒天气寒冷,遗弃孩子的或许很多,请下令灾荒州县,将上述法令刻板印刷张贴晓谕,让人人知道此事,那么人们就没有收养孩子后又被索要回去的顾虑,而遗弃的孩子都能得到收养了。"宋孝宗同意了。

辛卯(十九日),吏部侍郎赵汝愚说:"扩大招徕士人的门路,杜绝朋党营私的嫌疑,不如采用成例命令侍从、两省、台谏官员各自荐举所了解的若干人,必须是德才兼备而未经任用的人,陛下将他们的姓名交付中书省登记在案。等到职事官有空缺,就在登记在案的人中选择,依次任用他们;其中如果与所荐举人的评价不符合,就将荐举人以误举的罪名治罪。"诏令按照所奏请的办法施行。

疏浚行都临安至镇江府的运河河道。

己亥(二十七日),赈济临安府及严州的饥民。

浙东提举常平朱熹入宫应对,说:"陛下在位二十年间,水旱灾害强盗叛贼,大致没有一年安宁,猜想可能是重大的政令没有推行而具体事情缺乏依托吧?惩罚疏远的人或许不当而亲近的人或许幸免受到惩罚吧?君子没有受到任用而小人没有受到驱逐吧?大臣丧失职权而贱人窃取了他们的权力吧?正直之言很少听到而阿谀奉承的人很多吧?德义之风没有流行而贪官污吏公然横行吧?贿赂或许上流而恩泽没有下达百姓吧?要求别人或许已经很周详而能自我反省的人还没有出现吧?必定有这几种原因,然后才可能招来灾难导致异变。"

又说:"陛下执政之初,大概曾选择英豪,将政事交付他们,不幸其间不全部是英豪人才,因此不再广求贤哲,而姑且选择软弱容易控制的人充任官位。于是皇帝左右私亵使令的贱臣,才得以奉陪陛下安乐,接受驱使,而宰相的权力日益削弱;又考虑他们势力有所偏离而因此妨害自己,就偶尔采纳外庭的建议,用来暗中考察这些人的不法行为而严格控制他们。陛下既不能遵循天理,公正圣心,以端正朝廷大体,则本来已经丧失了治国的根本了;而又想兼听士大夫的公正言论作为驾驭近侍宦官的方法。但是士大夫进退有时限,而近侍宦官与陛下从容无间;士大夫的礼仪既然庄重而难于亲近,其建议用心良苦而难于被接受;近侍宦官恭顺谄媚的姿态,既足以蛊惑陛下的心志,其胥吏狡猾的手段,又足以蒙蔽陛下的耳目;担心陛下未来得及施行驾驭他们的方法而先掉进他们的圈套中了。所以陛下虽然打算稍微抑制他们而他们的势力日益增大,虽然打算同时采纳公正的议论而士大夫的势力日益减弱;势力大的就凭借他们的势力窃取陛下的权力,势力弱的又凭借势力大的一方的权势作为窃位固宠的方法。朝廷中外相互策应,共同满足私欲,天长日久,潜移默化,使陛下的德业日益衰落,使朝廷纪纲日益败坏,奸佞小人充满朝廷,贿赂公然横行,兵愁民怨,盗贼同时兴起,灾异

多次出现,饥馑灾荒接连相至,成群小人互相依托。人人都能满足自己的私欲,只有陛下一无所得,而国家反而要独自承受他们造成的弊害。”

接着谈论浙东地区救荒的事情,宋孝宗说:“连年饥荒歉收,朕很为此忧虑。州县检查灾情赈济灾民,大多不符合实情。”朱熹乞请奖赏救荒有功的官员,宋孝宗说:“到这种时候就不能吝啬官位了。”又乞请拨赐米斛,宋孝宗说:“朕都在所不惜。”又乞请预先减免明年身丁钱,宋孝宗说:“朕正想如此宽恤百姓。”朱熹又奏报星象变异的事,宋孝宗说:“朕见到灾害就心怀恐惧,未曾不在一日内多次反省自己的过失。”

恢复白鹿书院,这是采纳朱熹的奏请。

十二月,癸卯朔(初一),因为徽州、饶州两州的百姓流浪的人很多,罢免知州的官职。

拨出南库钱三十万缗,交付朱熹买粮赈济饥民。

丁未(初五),禁止各州大兴土木工程。

辛亥(初九),减免各路遭受旱灾的州军百姓明年的身丁钱。

丙辰(十四日),诏令:“县令中如果有能办理荒政的人,监司、郡守奏报他们的姓名。”

甲子(二十二日),范成大进呈上元县所种的冬麦和春麦。王淮等说春麦只有郭纲能说明它,因为北方人称它为“劫麦”,宋孝宗说:“这里的人也不知道,已下令在宫中试种了。”

向各路下达实施朱熹创设的社仓法。

葛邲谈论有关救荒的二件事:“一,所有经总制钱,如遇州县荒年,就暂时免除比较多少而加以赏罚的做法;其上缴财利的场务,都下令依照受灾减免比例而免除比较多少,本州不得强迫各县补齐原定数额。二,受灾歉收的州县,暂且专门以救荒为当务之急;宴会之类的开支,要合理节省,所有地方对官员的迎新送旧而兵卒公吏的借请及供应物品之类事,也应当裁减。兵卒仍应当保留,以防备意外事变。”宋孝宗都同意了。

金国贺正旦使前来,双方争论是站着还是坐着接受国书的礼仪,宋孝宗派枢密都承旨王忭前往调解这件事。王忭擅自答应用起立接受国书的旧有礼仪,宋孝宗心中不高兴,然而不能改变。

这个月,广东安抚使巩湘招诱潮州叛贼沈师出城投降,杀了他。

这年冬季,淮东提举赵伯昌奏报:“通州、泰州、楚州沿海原有一道捍海堰,东面阻挡海水,北面连接盐城,总计长二万五千六百多丈,开始由唐代黜陟使李承宝所建,保护民田,保护盐灶,历时已经很久,颓坏不存。本朝改年号为天圣时,范仲淹担任泰州西溪盐官,才向朝廷奏请,总共征调民夫四万八千人,花费粮食三万六千多石,而钱不统计在内,用了一月时间修复完毕,就使海潮时常淹没的盐碱之地,变成良田。此后渐渐失于修理整治,宣和、绍兴年间以来,多次遭受海水的破坏,每次修筑,必定申报朝廷,大规模征募民夫,然后才能办理。希望专门委托淮东盐司,今后捍海堰如遇塌崩损害的地段,不论工程大小,就派官员实地估算所需物料,只有要损坏就随时修复,不要让它渐渐扩大,以至于导致严重决口,一定要坚固,才可以永久发挥作用。”宋孝宗同意了奏请。

这一年,诏令:“舒州、蕲州铸造铁钱,都以十五万贯为定额。”

诏令:“长期担任四川监司、郡守一级官员的人,让他们轮流担任东南地区的差遣。其中任职时间不长的人,即有在任期届满之前接受朝廷指令的,等到有官缺时才能另外任命。”这

是采纳臣僚的奏请。

淳熙九年 金大定二十二年(公元 1182 年)

春季,正月,丁丑(初六),命令两淮地区驻守的军队每年轮换一次。

癸未(十二日),枢密都承旨王忭,给予在外宫观官。

王忭长期受到宋孝宗的亲信,吏部侍郎赵汝愚激烈攻击他,宋孝宗也悟出了他的奸邪,调出京城之外。于是废止各军承奉枢密院文书而报知两省官员的旧法,任命文臣为都承旨。从此王忭没有再受到召用。

戊子(十七日),收购广南米运往行都临安。

庚寅(十九日),诏令:“江、浙、两淮地区遭受旱灾的州县,借贷给百姓稻种,估计经费不足的人,贷给官府储存的钱。”

宫内出产的正月所种的春麦,都秀实坚好,与八九月所种的冬麦没有不同。诏令交付两浙、淮南、江东、江西漕臣,鼓励百姓播种。

二月,庚戌(初九),派使臣调查二广盐法的利弊得失。

三月,丁丑(初七),金国主下令西北路招讨司,勒令明安、穆昆官员督促部下的人练习武备。

甲申(十四日),金国主告谕户部:“今年巡幸后山所需费用,都不得从民间征收,就是所用的民夫,都用官钱招募雇佣。违令者,杖责八十,免职。”

戊子(十八日),臣僚说:“监司、帅臣评价部属官员的优劣,深得考功课吏之法。然而郡守一级官员经常调动,就有人侥幸、有人不幸;监司、帅臣好恶不一样,那么评价下属就会有的正确、有的不正确。有已经调走而没有遇到评价优劣,有的刚上任就已经遇到评价优劣,这是下属中有人侥幸、有人不幸;有的看重某人的办事能力而不谈他残害百姓,有的喜欢某人能掩饰漏洞而不谈他的疏忽荒谬,有的害怕某人强有力而不加评价,有的因为某人关系疏远无援而加以排斥,这就是评价有正确、也有不正确。况且就全路来说,评价的人数是宽的;就受到评价的人来说,人数是窄的;总计一年的情况加以评价,那么某人是否有才能已经表现出来了;总计几个月的情况而加以评价,那么某人是否有才能还无法了解;而突然评价优劣,这就是人之所以有侥幸、有不幸,评价之所以有正确,有不正确的原因。请诏令各路监司、帅臣,从今以后评价部属的优劣,必须首先统计已任职一年的官员人数,不管是已调离、还是现任在职,就在其中加以区别和评价。如果评价为优秀的官员朝廷已经加以晋升,也必须排出他在优秀中的次序;如果评价为劣等的官员朝廷已经进行贬黜,也必须排出他在劣等中的次序。如果有评价优劣不恰当的,必须让他们写成报告上奏。”诏令:“除初次到任的官员外,其余官员都按以上方法考核。”

癸巳(二十三日),金国颁布重新修订的制书条令。任命吏部尚书张汝霖为御史大夫。

甲午(二十四日),停止各路在外地招募军兵三年,就从军士子弟中补充兵员空额。

这年春季,召杨甲入宫应对,不久任命为太学录。杨甲进献万言奏疏,大致说:“君主的职责,不过是听取建议、任用官员,分别邪恶小人与正人君子。而近年以来,弄权的亲近大臣执掌大权,其门庭若市,皇帝直接发出的指令一经颁布,人们纷纷怀疑、批评,指责陛下将左右近习大臣视为心腹而不专心任用大臣,将巡逻侦察的人视为耳目而不公开任用台谏。现

在朝廷内外的文武官员，一半是权幸之臣的私人关系，亲信之间互相结党营私，分布在要职和皇帝身边，良臣忍气吞声，义士丧失义气。至于民兵之害，两淮地区的百姓，就像遭受战火摧残一样；西南各地的少数民族，乘机出入进犯。而购买马匹的事日益急迫，高价购买使少数民族的人心更加骄纵，臣担心陛下现在所缺少的，不仅仅是马吧。另外，有关官员掌理财政，全部使用衰陋狭隘的办法，以至于出售楼店，出售学田，出售官地，而官员所重视的是向朝廷进献余羡，这种风气日益盛行，恐怕陛下忠实的百姓没有安宁的日月了。”

赈济忠州、万州、恭州、涪州等四州及镇江府灾民，又派使臣前往淮南、江、浙赈济灾民。

夏季，四月，甲辰（初四），诏令：“从今以后发生盗贼，对本地的守帅、监司议定惩罚；平定盗贼，对有功人员议定奖赏。”

乙卯（十五日），各路提刑文武大臣都设置一人定额。

癸亥（二十三日），宋孝宗阅读陆贽《奏议》，告谕讲读官说：“今日的政局，恐怕存在像唐德宗年间的弊病，你们说出来，不要有所隐瞒。”

甲子（二十四日），金国主前往金莲川。

五月，丙子（初七），告谕宰相王淮等说：“朕认为监司、郡守一级官员，关系到百姓的悲欢，考察合适的人选而任用他，是宰相的职责。如果在选择任命的时候，只计较履历的深浅，不关心人才的贤能与否，那么政治的失误，有什么比这还严重！今后你们几位大臣，应当关心国事爱护百姓，精心加以考察选择，既要考察任职资格，又要考察才能品行，符合这两个条件的，才可以进呈拟定人选，然后才能事得其宜，用人恰当。所以古人说：‘执政的关键在人。’你们要谨慎办事不可疏忽！”

六月，壬寅（初三），诏令：“侍从、台谏官员各自荐举一二名操行端正、高风亮节、可以胜任监司职责的人。”

甲寅（十五日），因为汀州、漳州两州的百姓被沈师等盗贼蹂躏践踏，免除他们的赋税。

丁巳（十八日），同知枢密院事谢廓然退休，任命周必大为知枢密院事。

金国已经退休的右丞相石琚去世，谥号文宪。石琚最被金国主赏识。根据成例，内宴时只有亲王、公主、驸马能够参加；一天，特召石琚入宫赴宴，诸王以下的人窃窃私语，心中轻视他。金国主发觉了，就告诉他们说：“让我们父子家人们得以安然无事而有今天的欢乐的，这个人的功劳啊。”就详细列举了近来数十件为当世所知的显著事情告诉他们；都跪伏地上道歉认罪。金国主曾想立元妃为皇后，就此事询问石琚，石琚让左右的侍从离开后说：“元妃立为皇后，本来没有不同意见，只是东宫太子怎么办？”金国主惊愕地问：“这是什么意思？”石琚说：“元妃自己有儿子。如果元妃立为皇后，东宫太子的地位就动摇了。”金国主醒悟而停止了立元妃为皇后的想法，石琚就是如此善于启发君主。

戊午（十九日），谢廓然去世。不久，龚茂良家向朝廷投书申冤，宋孝宗说：“龚茂良本来就无罪。”于是恢复资政殿学士职衔，谥号庄敏。

庚申（二十一日），临安发生蝗灾，诏令守臣迅速加以焚烧深埋。

甲子（二十五日），太白星横过天际。

提举浙东常平官朱熹，因为前后奏请多次被压抑，有幸采纳的，大多拖延错过时节，又因为旱灾蝗灾相继发生担忧，上疏说：“策划现在的对策，只有出自圣心的决断，毅然发出号令，

自责己过征求直言，然后君臣相互告诫，痛切地自我反省改正过错。其次只有全部拿出内库钱财，以供应大礼的费用，作为购粮的本钱，诏令户部不得催办以前拖欠的赋税，各路转运司依照条例检查减免部分赋税，诏令宰臣淘汰遭灾各路州军监司、守臣中不称职的官员，精心选择贤能之人，要求他们救荒，这样就足以下结人心，消灭他们乘机造反的念头。不然，臣恐怕所担忧的不只在饥饿的百姓而在盗贼，蒙受其害的不只在官吏而对上危及国家。"

秋季，七月，甲戌（初六），将常平米、义仓米及保存在官府中的米共四十万石交付各司预备低价出售赈济灾民。

辛巳（十三日），拨出南库钱三十万缗交付朱熹准备买粮赈灾。

金国宰臣奏事，金国主经常生病，宰臣请求退朝休息，金国主说："难道因为朕身体稍有不适而懈怠临朝的大政吗！"让宰臣将事奏报完毕。

壬辰（二十四日），任命资政殿学士李彦颖为参知政事。李彦颖有病身体衰弱，很难起身跪拜。极力辞谢，宋孝宗说："老年人不以身体行礼。每季首月的祭祀礼仪繁杂，特免卿参加祭礼。"

诏令："调发所储存的和籴米一百四十万石，补齐淳熙八年赈济的数额，由沿江驻守各州的军队保管。"

甲午（二十六日），金国主举行秋猎。

八月，庚子（初二），侍从、台谏官员集议，奏报说："从宰相、执政、侍从、卿监、正郎员分为五等，除退休官员临终前进呈遗表的事已议定裁减外，将每次郊祀时任用的荫补官员的人数，每一等给予减少，根据两端的数量酌取适中的人数，确定为固定的数额；武臣比照这一规定施行。宰相的子孙任用十人为官，开府仪同三司以上官员与此相同；执政大臣子孙任用八人为官，太尉官员与此相同；侍从官员的子孙任用六人为官，观察使至节度使、侍御史与此相同；中散大夫至中大夫的子孙录用四人为官，右武大夫至通侍大夫与此相同；带职朝奉郎至朝议大夫的子孙任用三人为官，职事官府的长官副长官、监长至左右司谏、开封少尹，任职满一年，必须官至朝奉郎及原为朝奉郎的带职官员，因任命为在京职事官而成为寄职官的人与此相同，武翼大夫至武功大夫与此相同；不是侍从官不交遗表外，现行条例规定退休、进呈遗表的官员范围，都减少三分之一，其余的不减。"绍兴初年，中书舍人赵思诚奏报任用荫补子弟应该限定名额的建议，诏令侍从官员集议。到这时才采用廷臣集议的意见加以施行。

浙东、浙西发生蝗灾。壬子（十四日），确定各州捕杀蝗虫的赏罚标准。

任命朱熹为直徽猷阁，因为他赈济救灾有功劳。

戊辰（三十日），太白星横跨天际。

九月，庚午（初二），任命王淮为左丞相，梁克家为右丞相。

当时成都缺帅臣，宋孝宗问谁能胜任此职，王淮推荐了留正。宋孝宗说："不是福建人吧？"王淮说："任用贤良不拘一格，这是商汤坚持的中道方法。必定说福建有章惇、吕惠卿这样的小人，不也有曾公亮、苏颂、蔡襄这样的贤臣吗？必定说江、浙多名臣，不也有丁谓、王钦若这样的小人吗？"宋孝宗称赞他说得好，就任用了留正。

丙子（初八），封皇子赵彤为安定郡王。

戊寅（初十），金国主返回京都。

辛巳(十三日),在明堂举行大享祭祀,大赦天下。宣召史浩、陈俊卿陪同祭祀,推辞不来。

辛卯(二十三日),封赵伯圭为荥阳郡王。

甲午(二十六日),淮南运判钱冲之说:"真州东面二十里有陈公塘,周围长达百里,本司近来已兴修塘岸,在东、西两处低洼点设立了斗门、石挞各一所。奏请在扬子县知县、县尉的官衔内加入'兼主管陈公塘'六个字,这样职责就有所归属。"宋孝宗同意了。

乙未(二十七日),禁止蕃人用船只贩卖金银。编为政令。

金国榷场副使韩仲英等,因为接受商人贿赂,放纵百姓偷越国境,杀了他们。

冬季,十月,辛丑(初四),金国将河间的皇族宗室迁移到平州。

庚戌(十三日),金国在太庙举行祫祭仪式。

辛亥(十四日),堵塞四川沿边境的小路。

甲子(二十七日),减免各路遭受旱灾州军在淳熙七年、八年拖欠的赋税。

十一月,戊辰朔(初一),禁止臣民之家的妇女装饰超过名分。

庚午(初三),赈济夔州路饥民。

金国皇统年间的逆党先后诛杀,只有图克坦贞与大邦基还活着。大邦基被免职不再任用,图克坦贞因为世代与皇帝的姻缘关系得到恩宠,虽然夫妇已被降削爵号,仍调任为临潢尹。金国主思考久远之计,终不能因为私情曲意包庇,丙子(初九),诏令杀图克坦贞,其妻永平县主、儿子慎恩都赐死;不久命令在思陵的旁边将大邦基用磔刑处死。至此皇统年间的逆党才杀光了。

庚辰(十三日),金国主举行冬猎。

十二月,庚子(初四),金国主返回京都。

淳熙十年 金大定二十三年(公元 1183 年)

春季,正月,丁丑(十一日),任命给事中施师点为签书枢密院事。

施师点入朝辞谢,宋孝宗说:"你稳重有操守,能深思远虑,朕想任用你很长时间了。"

全国参知政事梁肃请求退休,金国主对宰臣说:"梁肃知无不言,是正直之人。你们知而不言,朕实在鄙视这种行为。虽然如此,梁肃老了,应当同意他的奏请。"就退休了。

壬午(十六日),金国主举行春水游猎。诏令:"沿途两旁三十里内被征役的民夫,给予免除今年的租税,仍然付给佣钱。"

甲申(十八日),参知职事李彦颖免职担任宫观官,因为谏官弹劾他的儿子殴打人致死。

戊子(二十二日),恢复广盐客钞法。

诏令说:"盐是百姓生活的必需物资。过去官府为了赢利而自己销售食盐,长期对百姓造成损害,朕已经派人告诉他们,搜集利害得失的情况带回朝廷,又与朝廷的大臣们谋议,都说建议很正确,才对盐法做了修改,允许通商贩盐买卖而杜绝官府售盐,百姓确实认为很有利。然而对百姓有利,对官员便不利;为什么?盐的利润高,所有官员和胥吏所随意挥霍以济私用,全都出自这里。一旦断绝官府售盐,无法牟取高额利润,必定制造流言蜚语,打算破坏我朝富民政策。况且朕知道宽恤百姓罢了,流言蜚语为什么宽恤?本来设置监司、守令,都是为了百姓,朕有美意,不加以推广执行,反而阻挠破坏它,行吗?停止官运官卖食盐,全

部实行客钞法。"

任命黄洽为御史中丞。从乾道五年以后,有十四年没有任命御史中丞。黄洽知无不言毫无隐瞒,而且他所论到的事情,不曾搜罗细枝末节的小事。曾上奏说:"通过言论固然可以了解人,轻信人言也导致失去人。所以听取言论不厌其广泛,广泛就没有壅塞;采纳言论不厌其审慎,审慎就没有失误。"宋孝宗同意他的观点。

壬辰(二十六日),枢密院进呈镇江军军兵三年来增减的数额。宋孝宗说:"养兵费财,国家财政费用有十分,养兵将花费八分。"周必大说:"还不止八分。"宋孝宗说:"现在百姓没有富裕,在江东、浙西等外地招募的镇江各驻军及武锋军每年定额的人数,可都暂免三年。所有各州目前未招足的数额,特许免招。"

在此之前朱熹巡视所部到达台州,台州知州唐仲友受到百姓的控告,朱熹调查百姓的控告情况属实,而唐仲友与王淮是同乡,而且是婚姻亲家,已任命为江西提刑,没有赴任,而朱熹弹劾了他。王淮将朱熹的弹劾奏章及唐仲友的辩解奏疏同时进呈,并且巧妙地为唐仲友辩解,宋孝宗认为他说得对。朱熹的弹劾更加激烈,前后进呈六份弹劾奏章,宋孝宗不想彻底弄清这件事,削夺了唐仲友刚任命的江西提刑的职务而将这一职务授予朱熹。朱熹推辞不接受任命,于是回归故里,不久被任命为宫观官。

二月,癸卯(初八),采纳黄浩的建议,罢免内侍陈源宫观官的职务,贬谪建宁府居住。

在此之前陈源免去德寿宫提举的职务,诏令免去他的阶官官衔,臣僚奏报他的过失、罪行,请求收回成命,任命为在外宫观官,宋孝宗同意了。到这时黄浩又说他罪行昭著,应当赐予流放贬责,所以有了这样的诏命。不久台察官又弹劾陈源的党羽都是当时罪大恶极的人,于是武略大夫徐彦达,被除名,到道州接受编管处分,没收家产,进献德寿宫,其子徐必闻等三人都削官勒令停职;甄士昌削去进武校尉的职务;李庚削官勒令停职,并送筠州接受编管处分。甄士昌是陈源的仆役,陈源违背法令给他升官;李庚本来是临安府都吏,与陈源结交被补任官职;徐彦达曾充任德寿宫阁子库书写,专门为陈源管理家务,官位达到正使,职务达到一路的兵马钤辖,都是陈源出力的结果。

乙巳(初十),金国主返回京都。

戊申(十三日),金国任命右丞张汝弼代理太尉职务,到至圣文宣王庙举行祭祀。

甲戌(疑误),金国任命户部尚书张汝愈为参知政事。

三月,丙寅朔(初一),建康都统制郭刚说:"去年应淘汰效用军义兵一百八十五人,自己说希望得到从便行事,乞请给予淘汰。"宋孝宗说:"正因为担心他们离军后流离失所,所以留下他们。如果这样,就允许他们从便行事。"

丙子(十一日),金国开始制作宣布诏命的宝印,金质玉质的宝印各一枚。

金国主准备前往会宁,右丞相乌库哩元忠谏阻,金国主不听从,乌库哩元忠调出京城任真定府知府。

己丑(二十四日),知福州赵汝愚,奏报海盗姜太獠进犯泉南,兵马都监姜特立率领一艘战船首先进击,活捉姜太獠,已诛杀其凶党,释放了其余的人。宋孝宗说:"赵汝愚处置得很妥当。古人用刑,君主谈论宽赦而有关官员执行法令。如果有关官员只知对罪犯进行姑息,用什么来显示惩罚!"姜特立不久被召见,进献了自己创作的一百首诗,任命为阁门舍人,命令他充任太子宫左春坊及皇孙平阳王的伴读官,由此得到太子的信任。姜特立,是丽水人。

这个月,诏令举行制科考试。

夏季,四月,丙申(初二),诏令:“临安府是皇帝驻驾的地方,本府所属各县百姓的身丁钱,可从淳熙十一年开始,再给予免征三年。”

监司、帅臣将对部属官员评价优劣的结果奏报到朝廷。

在此之前宋孝宗说:“监司、帅臣奏报守臣的政绩优劣而不对他们进行贬黜或提升,用什么来表示勉励或惩罚!”这一天,因为王去恶有平定黎州蛮人的功劳,又通晓地方政务,召赴行在临安。范仲圭、韩璧任期届满,给予监司的差遣,汤莺被免去了新任职务。

癸卯(初九),大理寺丞张抑说:“浙西各州的豪宗大姓,在湖边坡塘各自占地为田,称为塘田。于是原来的田地,就被隔绝了灌水排水的地方。淳熙八年,虽有旨令让两浙转运司彻底查办,但淳熙八年之后,围地成田的现象日益严重。奏请从现在起,责成当地知县,不得给这种田地发放凭证;责成当地的县尉,时常严加巡捕;责成当地监司,时常严加检查。诏令下达之后,还有再围地成田的人,依法论罪。”宋孝宗同意了。

这个月,广西运判王正己上书说:“陛下将恩惠传播远方,担心官府卖盐强行摊派烦扰百姓,百姓无法控告,又推行客钞法来补救官府卖盐的弊端,德泽极深厚。陛下本来想使远方的百姓宽裕,但现在两路通行客钞法,却成了发泄东路的钞票。假使两路划分界线,西路转运司经费不足,各州郡可以支付,亭户的生活不至于贫乏,难道不是陛下的本意!只听说缺乏经费的一方,有如二十多州,上下经受煎熬,倘如提出申请,朝廷岂能坐视不管!必须设法供给,那么东路即使有盈余,也是朝三暮四,恐怕只是增添烦扰。”又说:“前几年章潭任广东提举盐事,极力主张两路通行客钞法的建议。等到他改任西路运判,客商支付的钱钞入不敷出,转运司财政费用很窘迫,废寝忘食,又从东路得到二十八万缗钱,才稍为宽松,就同帅臣范成大乞请施行官府卖盐的办法;这就是易地而不可实行的例子,时间不长,可以复核调查。”又说;“绍兴年间,通行客钞法能长达三十多年的原因,是因为西路有折变、科配之类的收入;后来被废止后,转运司财政费用立即窘迫,因此才有了官府卖盐的办法。再后来盐法变化不定,大概是以东路盐钞通行而西路盐钞不足为忧患。万一必须通行盐法,那么西路转运司财政经费如果缺乏,也必须预先做出安排,不可临期亏空误事,然而不如分路经办为好。”

五月,甲寅(疑误),将潭州飞虎军隶属江陵都统司。

金国主命令:“所有吏部任命官员,曾因犯罪免官而准备再次起用的,派人调查他的政绩,如果有好的表现,才允许任命为县令;没有政绩的,不论任职多长时间,都不得任命为官。”

臣僚说:“祖宗任用人才,本来没有清浊之分。韩琦是第二名进士及第,不免去任监左藏库的官职,后来担任度支判官,都说他称职。请明确诏令大臣,像行在左藏库之类的官职,稍为重视其人选,给予免待空缺的地位,遇到馆职官员有空缺,就在这些人中选拔,以扩大选择人才的道路。”宋孝宗同意了。

鄂州都统郭杲说:“襄阳屯田二十多年,虽然稍微有些收获,然而不能对边境财政带来很大补益;不是田地不好,因为人力投入有所不足,况且没有专门负责的人。有人说战士屯田,

恐怕妨碍军事训练,而不知道分批轮流耕种,正可以去掉战士的骄横之气;有人说耕种劳苦,恐怕战士不乐意,而不知道分给他们谷米,人们自然乐于服从。用乐于服从的人,来充实边备的财力,可谓两全其美,奏请供给耕牛、农具,让屯田军队开垦荒田。"辛卯(二十八日),诏令疏浚襄阳水渠,将水渠两旁的土地作为屯田。不久诏令百姓侵占耕种的屯田就送给百姓。

撤销舒州宿松监。

六月,丙申(初三),王淮等说:"现在正当酷暑,圣体有没有感到烦郁?"宋孝宗说:"朕自有办法对待酷暑,只是想到乡间的百姓不容易度过酷暑罢了。过去做太子时,曾写了首诗说:'闾阎多悖郁,方愧此身闲。'"王淮说:"真是古代帝王的用心啊!"

己酉(十六日),太府寺丞勾昌泰说:"蜀中制置使,关系到六十州的安危,如果制置使有病或者调动,由朝廷任命官员,动身后一年才能到达蜀中。奏请从侍从大臣中时常储备一二人在蜀中,让他们担任安抚使,一旦发生制置使空缺,便可以就地任命。这样能居安思危预先计划,是国家最重大的事。"宋孝宗告谕宰执大臣说:"这件事正需要你们留心,今后要任命蜀帅,必须选择可以备用制置使职务的人,这样事到临头不至于误事。"

诏令办理屯田事务。

建康府御前各军统制司奏报:"勘察淮西荒闲的土地,如和州兴设屯田五百多处,庐州管辖区内也有三千零六处围田,都靠近长江、濒临湖水,号称沃土,自从后来停止屯田后,拨还各州,召人租种,不久允许购买屯田为私有,现在大多成为良田。其余的荒地,也有豪强之户冒耕包占。"诏令淮西帅臣、漕司共同将现有官属田亩的实际数目奏闻朝廷。都统郭刚,不久奏报和州历阳县荒芜的圩田五百多顷,可以开垦耕种,每一顷田地,三人分别耕种,应用官兵一千五百人;建康留守钱良臣,也奏报上元县荒芜的圩田和寨地五百多顷,不妨碍百姓排水,可以修筑开垦耕种。

壬子(十九日),金国有关官员奏报右司郎中段珏去世,金国主说:"这个人很清明正直,是可以任用的人。"于是感叹:"臣下诡诈顺从,相习成风。南人强劲正直,敢于直言相谏的人多,前一个被杀,后面又有一个人继承他,真是值得推崇。"

辛酉(二十七日),诏令说:"朕心中忧虑的,只有官吏如果不贤良,就无法宣传德政显明恩惠。如果他们竟然贪得无厌,公开受贿,渔利百姓,侵逼贫民,有一种这样的行为,就足以破坏国家的政令。天下广大,郡邑众多,凭借权势谋取利益,实在厌烦这种人。如果这样,朕虽有爱民勤政的诚意,焦虑勤劳于上,仁慈、恩惠、利益、德泽,通过什么途径下达到百姓呢!朕继位之初,曾考察效法祖宗旧制,严禁官吏贪赃枉法,其本性不改,又出来为非作歹的人,已经逮捕审判了一批,以警告在职的官员。时间一久,法令渐渐宽缓,犯贪赃罪的官吏,习惯了宽松的政令,就日益放肆。现在各位官员任职,以法为奸,毫不忌惮,这与强盗没有什么区别。国家制定的宪法,朕不敢废止。今后朝廷命官犯自盗、贪赃枉法罪判处死刑的人,没收家财,领取旨意判决流配,都依照隆兴二年九月已下达的诏书施行,必定不得宽恕。"

王淮因为唐仲友的缘故怨恨朱熹,想阻止朱熹被朝廷任用,这时吏部尚书郑丙上疏,说近来士大夫中有所谓道学者,欺世盗名,不应当信任并任用,宋孝宗已被郑丙的言论迷惑。王淮又推荐太府丞陈贾担任监察御史,陈贾于是首先谈论到:"臣私下认为天下之士,所学的圣人之道,本来没有不同。既然相同,而声称自己的学问独特与众不同,这一定是假借圣人之名以抬高其伪学的人。邪恶与端正的区别，只在于诚实与虚伪。表里相副，这就是诚；言行相违，这就是伪。近来士大夫中有所谓道学者，他的学说以慎独为贤能，以亲身实践为高明，以正心诚意、克己复礼为事业。像这类学问，都是学者所共同学习的内容，而他们竟说是自己独有的心得；详细考察他们的行为，则又与他们的学说很不一样，这不几乎是假借圣人之名以抬高其伪学吗？希望陛下公开诏令朝廷内外，严厉革除这种风气，每当在听取采纳建议任命官员之际，考察这种人，摒弃他们不加任用，以显示朝廷提倡什么反对什么。这样一来许多士人闻风而动，言行表里都出自端正，没有人敢制造诡异奇特的说法来干扰治国大政。"宋孝宗同意了他的建议。从此道学之名，遗祸于后世。

其后直学士院无锡人尤袤对宋孝宗说："所谓道学，是尧舜所以称帝，大禹、商汤、周文王、周武王之所以称王、周公、孔子之所以设立教化的基础。近来创立道学的名称来诋毁士人君子，所以遇到钱财不苟且获取，就是所谓的清廉正直；安贫守道，就是所谓的恬淡谦退；采纳建议注意施行，就是所谓的亲身实践；自己的行为讲究廉耻，这是所谓的名节；都视之为道学。这个名称一旦确立，贤人君子想在世上表现自己的才干，一举足将会陷入道学的名称中，都无法避免，难道盛世应当有这样的现象？希望遵循名称责求实际行动，听取言论观察行为，这样人心才不至于模棱两可。"宋孝宗说："道学难道是不好的名称？正担心有人假托道学为名，真假道学相互混乱了。"

郑丙后来任泉州知州，为政苛暴，有人劝他执政崇尚宽缓，郑丙说："我一向疾恶如仇，岂能因为晚节改变自己坚守的原则！"听到这话的人讥笑他。

这个月，两浙地区发生水灾，命令赈济灾民。

续资治通鉴卷第一百四十九

【原文】

宋纪一百四十九　起昭阳单阏【癸卯】七月，尽阏逢执徐【甲辰】十二月，凡一年有奇。

孝宗绍统同道冠德昭功　哲文神武明圣成孝皇帝

淳熙十年　金大定二十三年【癸卯，1183】　秋，七月，乙丑，知广州巩湘以任帅阃，备著效劳，除龙图阁，令再任。

庚午，礼部太常寺言："开宝通礼，州县水旱则祈社稷，典礼具存。见今朝廷或遇水旱，亦行祈祷。今欲依臣僚所陈，遇有水旱，令州县先祈社稷，请朝廷指挥行下。"诏从之。

先是臣僚言："州县遭水旱，神祠、佛宫，无不遍走，而社稷坛壝，阒然莫或顾省。彼五土、五谷之神，百代尊奉，岂应祈报独不得与群祀同享精纯！"于是下礼寺看详而有是命。

甲戌，以旱，诏求直言。

尤袤上言："天地之气，宣通则和，壅遏则乖；人心舒畅则悦，抑郁则愤。催科峻急而农民怨，关征苛察而商旅怨，差法留滞而士大夫有失职之怨，禀给朘削而士卒有不足之怨，奏谳不时报而久系者怨，幽枉不获伸而负罪者怨，强盗杀人多特贷命，使已死者怨，有司买纳不即酬价，使负赃者怨。人心抑郁，所以感伤天和者，岂特一事而已！方今救荒之策，莫急于劝分，输纳既多，朝廷吝于推赏，乞诏有司检举行之。"

户部尚书韩彦直请广籴为备，且言冤滥为致旱之由，乞追究部曲曾诬陷岳飞者以慰忠魂。

乙亥，诏："曾任知州而为郎官、卿监，曾任卿监、郎官而复出为监司之人，陈乞关升者，依两任无人荐举条例，特与免用举主，理为资序。"

丁丑，诏除灾伤州县淳熙八年税。

癸未，宰相王淮、梁克家，知枢密院事周必大，签书枢密院兼权参知政事施师点，以旱乞避位，不许。帝曰："数日群臣应诏言事，并无及朕过失，但多言刑狱事；然刑狱自有成法也。"

甲申，雨。

乙酉，金平章政事伊喇道、参知政事张仲愈并罢。

以道为咸平尹。金主曰："数年前尝乞致仕，朕不许卿。卿今老矣，卿故乡地凉事少，老者所宜。"赐通犀带，复遣近侍慰劳之。

金御史大夫张汝霖，坐失纠举，降棣州防御使。

八月，乙未，金以女直字《孝经》千部分赐护卫亲军。

甲辰，帝与宰臣论人才曰："平平无才略者不难得，须有材而不刻，慈善而不谬。"王淮对曰："大抵有材者多失之刻，慈善者多失之谬。"

乙巳，杨安诚札言："请尊仁宗之制，采用司马光之言，核实浮费，量加撙节。"帝曰："近日臣僚言，多用司马光撙节之说，盖仁宗时亦自乏用，故司马光有是言。朕尝见老内臣云：'哲宗极爱惜钱物，不肯多赏。'"王淮等曰："节用，裕民之本。陛下常以祖宗为法，天下之幸也。"

金以户部尚书程辉为参知政事。金主谕之曰："卿年虽老，犹可宣力，事有当言，毋或隐默。"

一日，辉侍朝，金主曰："人尝谓卿言语荒唐，今遇事辄言，过于王蔚。"顾谓宰臣曰："卿等以为何如？"皆曰："辉议政无隐情。"辉曰："臣年老耳聩，第患听闻不审，或失奏对。苟有所闻，敢不尽心！"

戊申，诏："侍从、两省、管军、知阁、御带及在内观密使以上，于武官中各举有威仪、善应对、堪充奉使、接送伴者一人闻奏；其已被差人，不许荐举。"

以施师点参知政事兼同知枢密院事，以御史中丞黄洽参知政事。

庚戌，以史浩为太保、魏国公，致仕。

庚申，诏："左藏南库拨隶户部，提领所事务，限五日结局。"

先是户部具南库收支项目，帝谓辅臣曰："见在钱三十五万馀贯，尽拨付户部。其馀金银等物，令陈居仁点检，具数以闻。"帝又曰："欲并南库归左藏，令版曹自理会，朕亦省事。卿等可细具南库五年间出入帐，亲自检点。"故有是诏。

南库者，本御前桩管激赏库也。休兵后，秦桧取户部窠名之所取者尽入此库，户部阙乏则予之，桧死，属之御前，由是金帛山积。帝即位之始，纳右正言袁孚之请，遂改为左藏南库，专一桩管应副军期，然南库移用，皆自朝廷，非若左帑直隶于版曹而为经费也，至是始并归户部。

既而尚书王佐言："南库归版曹，无益而有损，请就拨归封桩库支，朝廷年例合还户部钱，却于封桩库支。"不从。

佐又言："经总制钱岁额一千五百万贯，年来寖生奸弊，或偶无收，则便于帐内豁除，而创生窠名，更不入帐分隶，递年积压，直待赦放，恐暗失经费。"诏："淳熙八年以前，并特除放，自今收起亏额，其知、通并提刑司官属，委本部觉察，依条施行。"

是月，宰执奏封桩库见管钱物已及三千馀万缗，帝曰："朕创此库以备缓急之用，未尝敢私也。"

封桩库者，帝所创也；其法，非奉亲，非军需不支。先是六年夏四月，提领本库言共管见钱五百三十贯，其后往往以犒军或造军器为名，拨入内库或睿思殿或御前库或修内司，有司不敢执。

寻又奏内外桩积缗钱四千七百馀万，帝曰："《易》曰'何以聚人曰财'，周以冢宰制国用，《周礼》一书，理财居其半。后世儒者尚清谈，以理财为俗务，可谓不知本矣。祖宗勤俭，方全盛时，财赋亦自不足，至变更盐法，浸及富商。朕奉亲之外，未尝一毫妄取，亦无一毫妄费，所

以帑藏不至空虚，缓急不取之民，非小补也。"

先是帝以诸路财赋浩烦，令两侍郎分路管认，王佐请于次年四月，将诸路监司、守卒所起上供钱比较，以定赏罚，自是罕有逋欠。

九月，己巳，金译经所进所译《易》《书》《论语》《孟子》《（孝）〔老〕子》《扬子》《文〔中〕子》《刘子》及《新唐书》。金主谓宰臣曰："朕所以令译《五经》者，正欲女直人知仁义道德所在耳。"命颁行之。

辛未，金主秋猎。

壬午，诏："诸路州军拖欠内藏库诸色窠名钱物，自淳熙九年以前并除放，以后常切催纳，不得违慢。"遂蠲六十万缗。

癸未，兴元都统制吴挺上言："同安抚司增置赏钱，募人告捉盗贼、解盐入界。见系出戍官兵把截搜捕。其不系戍地，请令沿边州郡督捕盗官司搜捕。"诏："利路安抚、提举，各申严阶、成、西和、凤州，毋得透漏。"

丁亥，禁内郡行铁钱。

冬，十月，癸巳，金主还都。

乙未，右正言蒋继周言："自范成大倡为义役之说，处州六邑之民，扰扰十有六年。夫使乡民贫富相助，以供公上之役，是特乡里长厚之情。成大张大其事，标以义民，且欲改赐县名，行之诸路，朝廷固已察其情状不可行矣；成大再有所陈，嘱其代者使遂其说。至陈孺知处州，亲受其弊，乃始备言其实，陛下即可其奏，于是处州之民始获息肩。三两年来，旧说复作，一二布衣之上书，未必公言，朝廷令省臣李翔看详，盖欲其详酌可否；翔不能参照案牍，博询民言，辨范成大、陈孺所奏之虚实，乃从而附会其说，断以己见。官民僧道，出田一等，它日贫富，置之不问，人以为重扰。望特降旨，将处州及两浙有见行助役去处，听从民便，官司不得干预其间。仍乞罢翔以谢处州、两浙十五六年义役之扰。"从之。

丁未，大理寺奏，内侍之子贾俊民等代笔事觉，俊民当降一官勒停。帝初欲贷其勒停而更降一官，又恐馀人亦援此为比，乃曰："人有私心，法便不行。"遂令如奏。次日，王淮等言："陛下用法至公。"帝曰："不怕念起，惟恐觉迟。然所以念起者，正以行有未到。"淮曰："陛下每言'唐太宗未尝无过，只是觉得早'，陛下可谓早觉矣。"帝曰："凡事顺其自然，无容私其间，岂不心逸日休！"

先是诏广盐复行钞法，罢官搬官卖。是月，广东提举常平茶盐韩璧奏："广西民力至贫，岁入至薄，官兵备边之费，尽取办于搬卖，犹惧弗给。今一年住卖，束手无策，全仰给于漕司。往年改行钞法，自是有漕司应副，逐州取拨，窠名数目，可举而行。又，朝廷颁降祠部及会子钱计四十万，下西路漕司，通融为十年支遣，及诸州各有漕司寄桩钱，以此随其多寡，应副诸州阙乏之数，使足以供公上，赡官吏，养兵备边，则可以坚客钞之行，上副陛下改法裕民之意。"寻诏于支降四十万数内权支二万贯，付静江府五万贯，分给诸州军，充淳熙十一年岁计支遣一次。续又从诸司申请，拨广东增卖盐钞剩钱五万贯及令封桩库支会五万贯，充广西十二年分岁计。

十一月，壬戌朔，日有食之。

敷文阁学士兼侍讲李焘条上古今日食于是月者三十四事，因奏曰："心，天王位，其分为宋；十一月，于卦为《复》；方潜阳时，阴气乘之，故比它月为重。宜察小人害政，兼修边备。”

丙寅，金平章政事富察通罢。壬申，以枢密副使崇伊为平章政事。

癸酉，帝阅犒赏例，命就内库支钱，谕廷臣曰：“士气须激厉，朕尝戒主将云：‘卒伍遇战，未可便用大陈，且以小陈试之。每一捷，即加实赉，将见人人自奋。’”

甲戌，帝幸龙山教场，大阅，厚犒之。

是月，赈京西饥。

闰月，甲午，金以尚书左丞襄为平章政事，右丞张汝弼为左丞，参知政事钮祜禄额特喇为右丞，礼部尚书张汝霖为参知政事。

金主谓宰臣曰：“帝王之政，固以宽慈为德，然如梁武帝专务宽慈，以至纲纪大坏。朕尝思之，赏罚不滥，即宽政也，馀复何为！”

乙未，帝曰：“诸军近日教阅，间得钱甚喜，多买柴作岁计。”王淮等曰：“缘此街上见钱甚多。”帝曰：“闻外间米面甚平，街上多有醉人。朕得百姓欢乐，虽自病亦何害！所谓吾虽瘠，天下肥矣。”

壬寅，广西经略安抚使奏安南进象，帝曰：“象乃无用之物，经由道路，重扰吾民，其弗受。”

戊午，金主谓宰臣曰：“女直进士，可依汉儿进士补省令史。夫儒者操行清洁，非礼不行。以吏出身者，自幼为吏，习其贪墨，至于为官，性不能迁改。政道兴废，实由于此。”又曰：“起身刀笔者，虽有才力可用，其廉介之节，终不及进士也。”

十二月，丙子，车驾诣德寿宫，行庆寿礼。大赦。

丁亥，金召真定尹乌库哩元忠，复为右丞相。

是月，敷文阁直学士致仕李椿卒。

椿尝为枢密院检讨文字，时张说为签书，会小吏有持南丹州莫酋表来，求自宜州市马者，因说以闻，椿曰：“邕远宜近，人所知也，故迂之者，岂无意哉！莫氏方横，奈何道之以中国地理之近！请治小臣引致边事之罪。”说又建议募民为兵，以所募多寡定赏罚格，以劝沮州郡，椿白说：“若此，则恐有以捕为募而致惊扰者，愿毋限额。”为司农卿日，尝言于制国用者曰：“今仓庾所用，一月营一月之聚；帑藏所给，一旬贷一旬之钱。朝廷之与户部，遂分彼此；告借之与索价，有同市道；此阳城所以恶裴延龄者，愿革而正之。”

椿又论渡江以来茶法之弊，谓官执空券，市之园户，州县岁额，配之于民，卒有赖文政之寇。

初，广西盐法，官自鬻之，后改钞法，漕计大窘，乃尽以一路田租之米，二十二万斛令民户折，而输钱至五倍。其估米既为钱，二十馀州吏禄兵稍无以给，则又损其估以市于民，曰“和籴”，曰“招籴”，民愈病而钞亦弗售。椿请改法从旧，除民折苗，和籴、招籴，官民俱便。

权知和州钱之望言：“历阳含山县有麻、澧二湖，灌溉民田，为利甚溥。乾道二年，守臣胡昉凿千秋涧以设险，涧既开通，而二湖之水始泄入江，积十馀年，涧水日泄，灌溉之利遂废。今欲于千秋置斗门以防湖水之泄，遇大浸则启之以出外，遇旱暵则用之以潴水，俾二湖可资灌溉，又不妨千秋涧之险。”从之。

是岁，知遂宁府李焘上《续资治通鉴长编》，至靖康，全书共九百八十卷，《举要》六十

八卷。

淳熙十一年　金大定二十四年【甲辰,1184】　春,正月,辛卯朔,雨土。

戊戌,金主如长春宫春水。

辛丑,诏:“浙东提举司将开过白马湖田,并立板榜,每季检举,自后不得侵占,监司仍加觉察。”

安化蛮蒙光渐等犯宜州思立砦,广西兵马钤辖沙世坚讨之,获光渐。

丙午,监察御史谢谔言:“去年臣僚因处州守臣不合将义役置册,假以藉手干求差遣,力陈其弊,得旨依奏。其所奏系两事:一云‘将处州及两浙有见行助役去处,听从民便,官司不得干预’;二云‘其民间自难久行,不能息争讼者,州县依见行条法,照民力资次从公差募’。其一项是行义役,其二〔项〕是行差役也。言者之意,欲差役、义役二者并行。原不曾言尽罢义役;亦但言两浙之弊,不曾言及别路也。近闻江东、西诸路,民间有便于义役之处,官司乘此颇有摇动。盖民间旧因差役,吏缘为奸,当差之时,枚举数名,广行追扰,望其脱免,邀求货赂,使之争讼,至有累月而不定者,缘行义役,遂颇便之。自此法之行,胥吏缩手无措,日夕伺隙,思败其谋,近日饶州德兴县、吉州吉水县人户,赴台控诉。请饬诸路监司州县,应有义役当从民便外,其不愿义役及自有争讼,乃行差役。两项并合遵守,违者许提举司按奏。其德兴县人户并赍到本县旧刊义役石碑,可见经久之计,民情所甚便,正不必挠其成法也。”帝曰:“前蒋继周言处州专行义役之弊,今谢谔欲义役各从民便,法意更为完善。”

是月,户部上去岁旱伤减放之数,帝初欲下漕臣核实,既而曰:“若尔,则来年州郡必怀疑,不与检放矣。”

二月,甲子,宰臣进卿寺差除,帝曰:“今后有正卿不除少卿,有少卿不除正卿,所谓官不必备。”又谕:“今后蜀中监司,不可专差蜀人,恐人情宛转,甚非法度。”

壬申,金主还都。

癸酉,帝谓宰臣曰:“熊克赴台州,卿等当以朕意宣谕。克为人性缓,古人有韦弦之戒,缓者勉之,急者缓之,全在抑扬之道。”

诏:“前以温、台被水,守臣王之望、陈岩肖不即闻奏,赈恤迟缓,之望特降一官,岩肖落职放罢;近台州获海贼首领,温州获次首领,王之望、陈岩肖各有捕贼之劳,以功补过,之望放罢,岩肖与宫观。”

甲申,枢密院奏:“两淮、京西湖北路民兵万弩手,始自淳熙七年,后不曾拘集教阅。请令逐路安抚司行下所部州军,常令不妨本业,在家阅习,俟农隙,照年例拘集比试。其有材武者,每州许解发一二人,从帅司津发赴枢密院,依四川义士条例试授,以示激劝。”从之。

三月,辛卯,耿延年进铸钱样,帝曰:“且用旧样,不必频改。”

刑部侍郎曾逮,请依乾道九年指挥,令刑部长贰、郎官及监察御史每月通轮录囚,具名件闻奏,庶得纠察之职。帝曰:“可令每仲月录囚。”

甲午,金尚书省以金主将如上京,奏定太子守国仪:其遣使祭享,五品以上官及利害重事,遣使驰奏;六品以下官,其馀常事,悉听裁决,每三日一次于集贤殿受尚书省启事。京朝官遇朔望,具朝服问候。车驾在路,每二十日一遣使问起居;已达上京,每三十日一问起居。

丙申,尚书省进太子守国宝。金主召太子授之,且谕之曰:“上京,祖宗兴王之地,欲与诸王一到，或留二三年，以汝守国。譬之农家种田，商人营财，但能不坠父业，即为克家子。况社稷任重，尤宜畏慎。常时观汝甚谨，今日能纾朕忧，乃见中心孝也。"太子对曰："臣在东宫二十馀年，过失甚多，陛下以明德皇后之故，未尝见责。臣诚愚昧，不克负荷，乞备扈从。"金主曰："凡人养子，皆望投老得力。朕留太尉、左右丞相辅汝，彼皆国家旧人，可与商议。且政事无难，但用心公正，无纳谗邪，久之自熟。"太子流涕，左右皆为之感动。太子乃受宝。

丁酉，金主如山陵。己亥，还都。

壬寅，如上京，太子允恭守国。癸卯，宰执以下奉辞于通州，金主谓枢密使图克坦克宁曰："朕巡省之后，脱或有事，卿必亲之。毋忽细微，大难图也。"又顾六部官曰："朕闻省部文字，多取小不合而驳之，苟求自便，致累年不能结绝，朕甚恶之。自今可行则行，可罢则罢，毋使在下有滞留之叹。"

时诸王皆从，以赵王永中留辅太子。初，太子在东宫，或携诸侍中步于芳苑，诸侍中出入禁中，未尝限沮；及太子守国，诸从游者皆自得意。太子知之，谓诸侍中曰："我向在东宫，不亲国政，日与汝辈语。今既守国，汝等有召然后得入。"

乙巳，诏知福州赵汝愚除敷文阁待制，再任，以汝愚在福州甚宣力也。

丙午，诏知泉州司马伋除龙图阁待制，再任；两浙运判张(杓)〔枃〕除〔直〕徽猷阁、(运)〔擢〕副使，再任。

丁未，禁淮民招温、处州户口。

除职田、官田八年逋租。

知太湖县赵杰之，有言其不丁继母忧者，帝谕宰臣曰："士大夫一被此名，终身不可赎。行遣中稍为宛转，不须明言其罪。"乃降一官，放罢。

夏，四月，己未朔，金咸平尹伊喇道薨。金主道过咸平，遣使致祭，擢其子光祖为阁门祗候。

辛酉，诏："金州依见行盐法，听从便买卖，不得依前置场拘榷。"

甲子，以兴元义胜军移戍襄阳。

丙寅，金主次东京；丁卯，朝谒孝宁宫。东京百里内给复租税一年，曲赦徒以下罪，赐高年爵。

戊辰，赐礼部进士卫泾以下三百九十四人及第、出身。

癸酉，诏："广西经略詹仪之、运判胡庭直，开具到见行盐钞，已为详细，可恪意奉行。"

先是知容州范德勤奏广西卖盐不便，诏仪之、庭直共详议具奏。于是仪之等条析奏议："静江府等一十六州，官卖盐以救一十六州之害，住罢高、化等五州敷卖二分食盐，令转运司置铺出卖，从便请买，以为五州之利，所有五州岁计，令转运司计度抱认应副。如是，则一路二十五州，无不均被圣泽，折苗科敷之弊，可以永革，而民力裕。"又言："淳熙十年七月改行客钞，至今年三月已招卖过盐钞六万二千箩，见今客人不住搬贩，措置自有次序。"故有是诏。

高、化、雷、廉、钦五州产盐地，客钞不行，寻又奏："钦州白皮盐场，事体与雷、廉、高、化一同，请依旧兴复，以备本司取拨作钞盐支付客旅搬请。"

丙子，定进士习射日分。

王淮曰："孔子射于矍相之圃，观者如堵墙。古人以射为重，后世乃废而不讲。"帝曰：

“古者有文事必有武备，后世不知其意，所以朕举行之。”

癸未，重颁《绍兴申明刑统》。

乙酉，权知均州何惟清言：“解盐除京西客贩外，更有均、房界入川者甚多，皆是取马官兵附带，请严约束。”从之。

金主(觀)〔观〕渔于混同江。

五月，己丑，金主至上京。居于光兴宫；庚寅，朝谒庆元宫。

辛卯，知龙州张熹以廉吏见举，帝曰：“廉吏最难得，屡有惩戒而贪黩甚多。张熹果如何？”王淮等对曰：“蜀士皆称其操履。”帝曰：“可与提刑差遣，乃报行所荐札子以厉士俗。”

乙未，权知和州钱之望奏屯田事，帝谓王淮等曰：“之望言课耕无法，士卒惰者无以励而勤者无所劝，卿等可详议。”旋令淮西总漕同建康副统制详议以闻。

戊戌，金主宴于皇武殿，赐诸王、妃、主、宰执、百官、命妇各有差。宗戚皆沾醉起舞，竟日乃罢。

右正言蒋继周言：“比朝议监司、守(卒)〔倅〕接送等物，严为制限，所以节浮费，宽民力也。其有诸路藩府及列郡暂差监司或它州通判等兼摄，上下马馈送并借诸公用，亦已约束。而偏方小垒，间有违戾，或权官被差而不就，或已权不便而求归，须申上司又别差官；年岁之间，接送数次，郡计有限，诚何以堪！请诏远郡阙守处，令监司选差，以次官兼权，庶免将迎之责，以苏郡计。”从之。

丙午，蒋继周言：“温、处流民，丁籍尚存，诸县催科，无人供纳；或其家丁壮既去，老弱独留，监系输填，急如星火；因而多纠未成丁人，名为充代，追扰不能安居。请令温、处守臣，将属县流移人户核实，除落丁籍，不得存留抑勒陪顿，如违，监司觉察以闻。”从之。

甲寅，诏：“四川驻劄御前诸军将士，戍边滋久，常轸朕怀，可令总领所管特与犒设一次。傅钧、彭杲，守边累年，军政修举，钧与升都统制，杲可带吉州刺史。”

乙卯，以建康、太平、宁国、池、饶、广德、南康、建昌被水，各支常平钱米赈恤之。

金太子谓图克坦克宁曰：“车驾巡幸，以国事见属，刑名事重，人之死生系焉。凡有可议，当尽至公，比主上还都，勿有废事。”自是凡启禀刑名，太子自披阅，召都事委曲辨正，常至移晷。

六月，戊午朔，诏：“诸军升差，盖择将之根本，必有智勇劳效，乃能服众，今后宜精选，毋得循习苟且。仍令枢密院，自准备将以上至统制官，每全军各为一籍，逐月揭帖进入，朕当间点二三人，审观识略事艺，随其能否，议主帅之赏罚。”从知枢密院周必大之请也。

臣僚言：“诸州军受纳夏税，闻官吏邀阻，间有将好绢强退却置场，用低价收买，不恤民病，利其赢馀，望与严禁。”从之。

蠲建宁府二税逋缗。

庚申，以周必大为枢密使。帝谓必大曰：“若有边事，宣抚使惟卿可耳，它人不能也。”

辛酉，敕令所上《编类宽恤诏令》，乞颁降，帝曰：“凡事在人，斟酌轻重，尽之矣。”

金主幸安春水临漪亭。

壬戌，校书郎奚商衡，请制科取士勿拘三岁之制，帝曰：“贤良得人，国家盛事。可令学士院降诏，有合召试人，举官即以名闻。”

金主阅马于绿野淀。

甲子,王淮奏小路蛮击虚(狼)〔恨〕事,帝论及恩威之意,且曰:“国家兵威,不及汉、唐远甚,所恃者其天乎!澶渊之役,辛巳之役,匪天而何!”王淮曰:“人君平时仁心厚泽,固结民心,我无失德,而天之所助者顺,盖以理胜,不以力胜。”帝曰:“汉武帝时,兵威震慑万里之外,又何可当!但失之已甚。”

丙寅,诏:“诸路总领各密举偏裨将校可为将帅者,不限员数,列其所长,密院籍记考察,不如所举,坐缪举之罚。”

是日,赵汝谊言屯田事,遇一圩水退,诸圩兵卒并力耕种,秋成谷熟,施工力者皆预分谷之数。帝曰:“若将来所收不多,朕不惜给米,使之亦如丰年,则更相劝勉。”

己巳,诏:“雨泽稍愆,屡降宽恤指挥,其人户夏税,和买,催纳起纲,自有条限。闻官司趣辨追扰,致伤和气,监司严行禁止;尚或违戾,御史台弹劾。”

丙子,鄂州江陵都统制郭杲言:“昨蒙降钱措置屯田,除节次收买牛具,创造寨舍,请于上件钱内存留三分之一,付牛僎准备接续,馀钱回纳。”诏:“郭杲将回纳会子付牛僎贴充犒军,馀钱就行桩留,准备屯田支用。”

庚辰,知临安府张(杓)〔枃〕请蠲浙西、江东诸县钱米,从之。

癸未,户部韩彦质言:“各郡财赋场务、县道所入财谷,皆有名色,在法不得移易。而守臣不惮竭公帑之储以快私欲,至于终更席卷而去,不恤后人。请令后守臣任满,将所留诸色钱谷交割,不正其数,申户部置籍。”帝曰:“须令后政限一月具数申户部照会。”王淮言:“前政只言数赢,后政只言数缩,合令前后政各具数申。”帝曰:“过限不申,令户部以闻。”

是夏,知婺州洪迈言:“负郭金华县,田土多沙,势不受水,五日不雨,则旱及之,故境内陂湖最当缮治。而本县丞江士龙,独能以身任责,深入阡陌,谕使修筑,令耕者出力,而田主出谷以食之。凡为官私圹堰及湖,总之为八百三十七所,田之被泽者二千馀顷,皆因其故迹,葺而深之,于官无所费,于民不告劳,三二十年之中,度亦未至隳废。士龙上不因官司之督责,下不因邑民之诉请,自以职所当为,勇于立事,乞加奖激,以为州县小吏赴功趋事之劝。”从之。

秋,七月,戊子,右正言蒋继周言诸军将佐屯驻,宜禁其私置田宅、房廊、质库、邸店及私自兴贩营运,从之。

己丑,郭杲言:“木渠下荒田,实有堪耕种者百馀顷,已差拨官兵开荒。自馀不通水利高低田,亦令耕种官兵差去。合诸钱米,就屯田官所管稻谷内借支,将来收子课折还。”诏:“郭杲将高低田段更切措置开耕,毋致荒闲,馀依所乞。”

校书郎罗点言:“比年以来,所在流配人甚众,强盗之狱,每案必有逃卒,积此不已,为害不细。欲戢盗贼,不可不销逃亡之卒,欲销逃亡之卒,不可不减刺配之法。望诏有司,于见行刺配情轻者,从宽减降,别定居役或编管之令。其应配者,检会淳熙元年五月指挥,其强壮刺充屯驻大军,庶几州郡黥配之卒渐少。”帝曰:“近岁配隶稍多,后当如何?”王淮等曰:“如杂犯死罪,犹可从轻,至如劫盗六项,指挥之行,为盗者莫不知之。故将为盗,必先虚立为首之名,杀人奸滥之罪皆归之,以故为首者不获而犯者免死,盗何由惩!”帝令刑寺集议。

既而刑部、大理寺奏上,帝曰:“朕夜来思配法,杂犯死罪只配本州守城;犯私茶盐之类,

不必远配，只刺充本州厢军，令著役；若是劫盗已经三次，便可致之死。可以此谕刑寺官。”

乙未，金主谓宰臣曰：“巡狩所至，当举善罚恶。凡有孝弟姻睦者举用之，无行者教戒之，不悛则加惩罚。”

丙午，金主猎于勃野淀。

乙卯，金主谓宰臣曰：“今时之人，有罪不问，则谓人不及知；有罪必责，则谓寻求其罪。风俗之薄如此，不以文德感之，安能复于古也。”

甲寅，筑黎州要冲城。

是月，以泉、福、兴化饥，兴元旱，并赈之。

金太子遣子金源郡王玛达格，奉表请金主还都。

八月，辛酉，诏：“浙西诸州府，各将管下围田明立标记，仍谕官民不得于标记外再有围裹。”

戊辰，赵汝谊奏贩米不得阻遏，其以喝花为名，故作留滞者，许赴监司、台部越诉，重置典宪，从之。

帝闻陇、蜀军陈，向用纯队，近易为花装，令利州三路都统制条具二者孰便。既而兴州吴挺奏：“行军用师，惟尚整肃，其花装队，未战先已错杂。”兴元府彭杲奏：“四川诸军，昨自绍兴之初，团结皆为纯队，以五十六人为队，止是教习纯队事艺，兵刃相接，取便应用。”金州傅钧奏：“陇、蜀山川，平陆少而险阻多，两军相遇，或我高而彼下，必须纯用弓弩；狭隘相遇，则纯用干戟。遇有缓急，全队呼索，易于应集。”九月，戊子，诏并依旧纯队。

辛丑，帝谕宰臣曰：“每月财赋册，今后便令进入，欲加增减。”

戊申，勘会诸路州军义仓米，合随正苗交纳，诏：“诸路提举常平官行下所部，随乡分丰歉，依条收纳入仓，不得侵隐它用。岁终，具数申尚书省。”

是月，敷文阁学士致仕李焘卒。

焘性刚大，特立独行，著书外无嗜好。帝闻其卒，嗟悼，谓侍臣曰：“朕尝许焘大书‘续资治通鉴长编’七字，且用神宗赐司马光故事，为序冠篇，不谓其遽(止)〔亡〕。”

冬，十月，甲子，初举改官人犯赃者，举主降二官。

乙丑，侍读张大经等言：“陛下因讲《泰》之九二，有曰：‘君子以其类进而为善，小人以其类进而为恶。未有无助也。’讲《萃》之上六，有曰：‘盛极则衰，乱极则治。’皆深得《大易》之旨，乞宣付史馆。”

丙寅，吏部奏宾州三县请通差文武臣，帝曰：“武臣中极难得人，小使臣尤不历练，委以一县，是害及一县也。”

丙子，盱眙军言得金人牒，以上京地寒，来岁正旦、生辰人使权止一年。

时金主保境息民，非有它意，而一时闻金人却使，人情大骇。边境奸民，因妄传边报以觊多得金帛，或云金人内乱，或云有边部之扰，或又云缮汴京城，开海州漕渠，河南、北签兵且南下矣。朝野自相恫吓，迄无定论，而金人晏然不知也。及次年，金主还都，浮言始息。

辛巳，诏：“宇文虚中特更与恩泽二人，令曾孙承受。”

太常博士归安倪思言：“举人轻视史学，今之论史者，独取汉、唐混一之事，以三国、六朝、五代为非盛世而耻谈之。然其进取之得失，守御之当否，筹策之疏密，区处兵民之方，形势成败之迹，若加讨究，有补国家。请谕春官，凡课试命题，杂出诸史，无所拘忌，考核之际，请以论策为重，毋止以初场定去留。”从之。

十一月，丙戌朔，宰执谢赐太上皇《稽山诗》石刻。帝曰：“太上诗‘属意种、蠡臣’，卿等当仰体此意，勿分别文武，当视之如一，择才行兼备者用之。”

戊子，知婺州洪迈请蠲丰储仓积欠米，从之。

利州路帅奏知凤州余永弼、知文州邓枢政绩，帝曰：“边郡政要得人，永弼、枢各转一官，候任满与再任。”

辛卯，置万州南浦县渔阳井盐官一员。初以主簿兼监，于是始专置官。

辛亥，淮西总领赵汝谊奏和州屯田所收物斛未曾均给，帝曰：“可令总领所、都统司将屯田力耕官兵，斟量工力多寡，拘今年收物斛实数，分作三等，次第均给。”

是月，两浙运副刘敏士，运判姚宪，并降官落职；新江东提刑王彦洪，别与差遣；并以温、台二州灾涝，失于按劾守臣也。

十二月，丁巳，修湖南府城。

两浙运判钱冲之言：“奉诏相视开浚常、润等运河，请令诸州将运河两岸支港地势卑下泄水之处，牢筑堰坝，仍申严启闭之法，令守臣措置。”从之。

己未，诏秘阁修撰、知隆兴府程叔达除集英殿修撰，再任。

丁卯，帝阅知府军除目，谓宰臣曰：“选择人才，治道之急者；州郡若不得人，虽谆谆日降诏令，亦是徒然。卿等今后每遇一阙，须是遍选，终竟有得。”因言：“今之议者，多言边郡太守须是久任，今边郡无兵，虽久任何益！大军皆在江南，若是创置，又费衣粮。却是万弩手、民兵，无养兵之费，有养兵之实，缓急亦可用。”

己卯，解元振乞令光州依舒州、蕲州置监铸钱，帝不许，命俟铸到铁钱时，令分二三万与光州。

是月，知台州熊克上《九朝通略》。

是岁，知镇江耿秉奏：“三县岁额畸零欠钱，今以公库所节浮费代解，若非得旨，恐后人敛之于民。”帝曰：“以宽剩钱为民代纳，固善；后人若无馀，则必别作名色科配。此事州郡自行则可，朝廷难为施行。”

金主欲甃上京城，右丞相乌库哩元忠谏曰：“此邦遭正隆军兴，百姓凋敝，陛下休养二十馀年，尚未完复。况土性疏恶，甃之恐难经久。风雨摧坏，岁岁缮完，民将益困矣。”乃止。

【译文】

宋纪一百四十九　起癸卯年(公元1183年)七月，止甲辰年(公元1184年)十二月，共一年有余。

淳熙十年　金大定二十三年(公元1183年)

秋季，七月，乙丑(初三)，知广州巩湘因兼任将帅，政绩显著，任命为龙图阁待制，令他在广州连任。

庚午(初八)，礼部、太常寺奏报：“根据《开宝通礼》记载，州县发生水旱灾害就向社稷祈祷，典章礼仪都加以记载。现在国家如果遇到水旱灾情，也举行祈祷礼仪。现在准备依照臣

僚的陈请,遇到水旱灾害,令州县首先向社稷祈祷,请朝廷批准颁行。"诏令依此办理。

在此之前臣僚说:"州县遭到水旱灾害,神祠、佛宫,无不全部派人祈祷,而社稷神坛,安安静静没人去光顾。五土神、五谷神,百代尊奉,难道在祈祷中唯独不得与各神同享精纯的贡品!"于是转交礼部、太常寺研究后颁布了这道诏命。

甲戌(十二日),因为旱灾,诏令征求直言批评。

尤袤上书说:"天地之气,宣泄通顺则和,壅塞遏止则乖;人心舒畅则悦,抑郁沉闷则愤。催征赋税峻急而农民怨恨,关卡收税苛刻而商旅怨恨,任命官员拖延而士大夫有失去职务的怨恨,克扣军饷而士卒有生计不足的怨恨,案件不及时申报处理而长期在押的人怨恨,冤枉没有得到平反而承担罪名的人怨恨,强盗杀人大多被宽赦,使已死的冤魂怨恨,有司购买物品不立即按价付款,使承受债务的人怨恨。人心抑郁,是败坏天地和气的根源,岂止是哪一件事!目前救荒的对策,比劝人献粮赈灾更急迫,献粮赈灾的人既然很多,朝廷舍不得给予奖赏,乞请诏令有关机构检查核实后进行奖赏。"

户部尚书韩彦直奏请扩大和籴数额以备灾荒,而且说冤案太多是导致旱灾的原因,乞请追究岳飞部下诬陷岳飞的罪行以告慰忠魂。

乙亥(十三日),诏令;"曾经担任知州而现任郎官、卿监,曾经担任卿监、郎官而又出外担任监司的人,申请考核晋升,依照两任无人荐举的条例,特许免用举主,按资历次序办理。"

丁丑(十五日),诏令免除受灾州县淳熙八年的赋税。

癸未(二十二日),宰相王淮、梁克家,知枢密院事周必大,签书枢密院兼权参知政事施师点,因为旱灾乞请免官,宋孝宗不同意。宋孝宗说:"几天来群臣响应诏令谈论政事,都不涉及朕的过失,只大量谈论有关刑狱的事情;然而刑狱自有成法。"

甲申(二十三日),降雨。

乙酉(二十四日),金国平章政事伊喇道、参知政事张仲愈都免官。

任命完颜道为咸平尹。金国主说:"几年前你曾乞请退休,朕不同意你的奏请。你现在老了,你的故乡气候凉爽事务不多,适合老人生活。"赐予他通犀带,又派近侍慰劳他。

金国御史大夫张汝霖,因为纠举失职,降任棣州防御使。

八月,乙未(初三),金国将女真文《孝经》一千部分别赐给护卫亲军。

甲辰(十二日),宋孝宗与宰臣谈论人才时说:"平平常常无才略的不难找到,必须既有材而又不苛刻,既慈善而不失去原则。"王淮回答说:"大抵有材的人大多失之苛刻,慈善的人大多失之差错。"

乙巳(十三日),杨安诚上书说:"请求尊重仁宗的制度,采用司马光的意见,核实不必要的费用,酌量加以裁省。"宋孝宗说:"近来臣僚奏事,大多引用司马光节省开支的观点,大概仁宗时也缺乏财政费用,所以司马光提出了节约的建议。朕曾听老宦官说:'哲宗非常爱惜钱物,不肯多给奖赏。'"王淮等说:"节省费用,是使百姓富裕的根本。陛下常常效法祖宗,是天下的大幸。"

金国任命户部尚书程辉为参知政事。金国主告谕他说:"你年纪虽老,还可以效力,有应当批评的国事,不要隐瞒沉默。"

一天,程辉在朝,金国主说:"别人曾说你言语荒唐,现在遇事就发表意见,胜过王蔚。"回头对宰臣说："你们认为是这样的吗？"都说："程辉议论国政毫无隐瞒。"程辉说："臣年老耳聋，只担心听不清楚，有时候失去了奏对的机会。假如听到了，岂敢不尽心尽力！"

戊申（十六日），诏令："侍从、两省、管军、知阁、御带及内观密使以上官员，请在武官中各自举荐一名仪表威严、善于应对、能承担外交使臣、陪伴外国使臣的人奏闻朝廷，其已得到差遣的人，不允许荐举。"

任命施师点为参知政事兼同知枢密院事，任命御史中丞黄洽为参知政事。

庚戌（十八日），封史浩为太保、魏国公，让他退休。

庚申（二十八日），诏令："左藏南库拨归隶属户部，有关提领所事务，限五日内移交完结。"

在此之前户部上报左藏南库的收支项目，宋孝宗对辅政大臣说："将现有的三十五万余贯钱，全部拨付给户部。其余金银等物，命令陈居仁清点，统计数目并奏闻。"宋孝宗又说："想左藏南库并归到左藏库，由户部自己管理，朕也省事。你们可详细上报南库五年间的收支账目，朕亲自清点。"所以下了这道诏令。

南库是原御前桩管激赏库。战争停止后，秦桧将户部的正常名目的收入都归入南库，户部经费缺乏时就拨给，秦桧死后，南库归属御前，因此黄金丝帛堆积如山。宋孝宗即位之初，采纳右正言袁孚奏请，就改名为左藏南库，专门桩管所有军事开支，然而左藏南库的开支，都由朝廷决定，不像左藏库直接隶属于户部而作为经费，到这时才都归属户部。

不久尚书王佐说："南库归属户部，没有益处反而有害处，请将左藏南库拨归封桩库，朝廷每年照例应支还户部的钱，改由封桩库支还。"宋孝宗不采纳。

王佐又说："经总制钱每年数额有一千五百万贯，近几年来渐渐产生弊病，如果偶尔没有收入，就随便在账目中消除，而创立的科目，又不分类入账，连年积压，一直等待朝廷下令免除，担心国家经费暗中流失。"诏令："淳熙八年以前的欠款，都特许给予免除，从今以后收缴不足数额的，对其知州、通判及提刑司官员，委托户部检查追究责任，依照条令施行惩罚。"

这个月，宰执大臣奏报封桩库现管钱物已达到三千余万缗，宋孝宗说："朕创立此库是为了准备在发生意外情况时使用的，不曾敢私自挪用。"

封桩库是宋孝宗创设的；其制度是，不是供奉宋高宗，不是军事费用不支用。在这之前的淳熙六年夏季四月，提领本库官员说共管现钱五百三十贯，其后往往以犒军或制造军器的名义，拨入内藏库或睿思殿或御前库或修内司，有关官员不敢执行。

不久又奏报京城内外储存缗钱四千七百余万贯，宋孝宗说："《易》说'用什么聚集人群？用财聚集人群'，周朝任命冢宰管理财政，《周礼》一书中，有关理财的内容占了一半。后代儒士崇尚清谈，认为理财是庸俗的事情，可以说是不知道治国的根本。祖宗勤俭治国，正当全盛时代，财赋也自然不足，以至于变更盐法，侵害到富商。朕除了供奉太上皇帝、太上皇后之外，不曾随意支取一毫，也没有随意浪费一毫，所以国库不至于空虚，发生紧急情况时不取之于民，这对国家补益不小。"

在此之前宋孝宗因为各路财赋名目浩繁，命令两名侍郎分路管认，王佐奏请在次年四月，将各路监司、守卒所起运的上供钱进行比较，以决定赏罚，自此以后很少有拖欠。

九月，己巳（初七），金国译经所进呈翻译的《易》《书》《论语》《孟子》《老子》《扬子》《文

中子》《刘子》及《新唐书》。金国主对宰臣说："朕之所以下令翻译《五经》，正是为了让女真人知道仁义道德的所在。"下令颁行这些书。

辛未（初九），金国主举行秋猎。

壬午（二十日），诏令："各路州军拖欠内藏库的各种名目的钱物，自淳熙九年以前的都免收，以后要经常切实催促缴纳，不得违令怠慢。"于是就免除了六十万缗钱。

癸未（二十一日），兴元都统制吴挺上奏说："同安抚司增加置办赏钱，招募人告发捉拿盗贼、贩运解盐入界，现在由驻守的官兵拦截搜捕。其中没有驻军的地方，请命令边境州郡监督捕盗官署搜捕。"诏令："利州路安抚司、提举茶盐司，分别严令阶州、成州、西和州、凤州，不得让他们漏网"。

丁亥（二十五日），禁止内地州郡使用铁钱。

冬季，十月，癸巳（初二），金国主返回京都。

乙未（初四），右正言蒋继周说："自从范成大倡导义役的主张，处州六县百姓，纷纷扰扰十六年了。让乡里百姓贫富互助，以供给公家的劳役，这只是乡里百姓的深情厚谊。范成大夸大其事，以义民相标榜，并且要求改赐县名，将义役推行到各路，朝廷本来已经发觉他的主张不能推行；范成大再次陈述他的主张，嘱咐代理者推行他的主张。到了陈孺担任处州知州，亲自感受了义役的弊病，才开始全部说明义役的实情，陛下立即认可了陈孺的奏请，于是处州的百姓才获得休息。三两年来，原来的主张又兴起，一两个百姓的上书，未必是公论，朝廷命令三省官员李翔审阅，大概让他详细斟酌可否；李翔不能参照档案资料，广泛地征求百姓的意见，分辨范成大、陈孺所奏的虚实，就顺从地附会范成大的主张，以一己之见断决。官户民户僧寺道观，献出一样的田地，将来贫富变化，置之不问，人们认为是严重的扰乱。希望特别降下旨令，将处州及两浙地区现已推行助役法的地方，听从百姓的便利，官府不得干预其间。还乞请罢免李翔以向十五六年来受到义役烦扰的处州、两浙地区百姓表示歉意。"宋孝宗同意了。

丁未（十六日），大理寺奏报，内侍宦官的儿子贾俊民等请人代笔考试的事败露，贾俊民应当降一级官并勒令停职。宋孝宗当初想免除他的勒令停职而再降一级官，又担心其他人也援用此例作攀比，就说："人如果有私心，法令便无法执行。"就命令按照奏报施行。第二天，王淮等人说："陛下执法很公正。"宋孝宗说："不怕念头兴起，只怕觉醒迟缓。然而念头之所以兴起，正是因为修行不到功夫。"王淮说："陛下往往说'唐太宗不曾没有过失，只是觉醒得快'，陛下可以称得上是觉醒快啊。"宋孝宗说："凡事顺其自然，不在其中夹杂私心，岂不每天心神闲逸！"

在此之前诏令广盐重新推行盐钞法，停止官运官卖。这个月，广东提举常平茶盐韩璧奏报："广西百姓财力很贫困，每年收入很少，官兵边备的费用，全部取办于官府运卖的盐利，还害怕不能供给。现在一年停止官卖食盐，就束手无策，全部依赖转运司供给。往年改行钞法时，自然是有转运司供应，各州领取调拨，名目数额，可以参考推行。另外，朝廷颁发度牒及会子钱总共四十万贯，转给广西路转运司，通融为十年费用，加上各州各自有转运司寄桩钱，用此钱根据各州费用所需多少，来供给各州所缺乏的数额，使各州足够供给公家的开支，赡养官吏，养兵备边，就可以坚持推行客钞，对上符合陛下更改钞法富裕百姓的心意。"不久诏

令在朝廷支付的四十万贯的数额内权且拨出二万贯，付给静江府，五万贯分别付给其他各州军，充作淳熙十一年当年费用开支一次。接着又采纳各官署的申请，调拨广东增卖盐钞剩钱五万贯并令封桩库支出五万贯，充作广西路淳熙十二年年度财政费用。

十一月，壬戌朔（初一），发生日食。

敷文阁学士兼侍讲李焘献上古往今来日食发生在本月的三十四件事例，就此上奏说："心宿，天王的位置，它的对应位置是宋国；十一月，在卦文上是'复'；正当太阳下潜时，阴气乘机而上，所以十一月比其他月重要。应当防止小人危害国政，同时加强边境战备。"

丙寅（初五），金国平章政事富察通被免职。壬申（十一日），任命枢密副使崇伊为平章政事。

癸酉（十二日），宋孝宗审阅犒赏条例，命令就在内库支钱，告谕朝廷大臣说："士气必须激励，朕曾告诫主将说：'军队遇到战争，不能开头就使用大阵，暂且用小阵试敌。每取得一次胜利，就加以实在的赏赐，将见到人人自奋的场面。'"

甲戌（十三日），宋孝宗驾临龙山教场，隆重地检阅，丰厚地犒劳官兵。

这个月，赈济京西饥民。

闰十一月，甲午（初三），金国任命尚书左丞完颜襄为平章政事，右丞张汝弼为左丞，参知政事钮祜禄额特喇为右丞，礼部尚书张汝霖为参知政事。

金国主对宰臣说："帝王治国，本来以宽大仁慈为德，然而像梁武帝专门追求宽大仁慈，以至于国家纲纪遭到严重破坏。朕曾思考这个问题，赏罚不滥，就是宽大仁慈的政治，其余的又何必做！"

乙未（初四），宋孝宗说："各军近日训练检阅，其间得到赏钱很高兴，多买一些柴作过年的准备。"王淮等说："因此街上现钱很多"。宋孝宗说："听说市面上米面价格很便宜，街上多有醉人。朕能使百姓欢乐，即使自己病痛又有什么妨害！这就是所说的我虽瘦，但天下肥吧。"

壬寅（十一日），广西经略安抚使奏报安南国进献大象，宋孝宗说："大象是无用之物，经由的道路上，严重干扰我国百姓，不要接受。"

戊午（二十七日），金国主对宰臣说："女真进士，可依照汉族进士补任三省令史。儒者操行清洁，非礼不行。以胥吏出身的人，自幼作胥吏，习性贪婪，等到做了官，秉性不能更改。政道兴废，实在是因为这个原因。"又说："出身刀笔吏的人，虽然有才干可以任用，其廉洁正直的节操，终究比不上进士。"

十二月，丙子（十六日），宋孝宗前往德寿宫，举行庆寿大礼。大赦天下。

丁亥（二十七日），金国宣召真定尹乌库哩元忠，又任命为右丞相。

这个月，敷文阁直学士、退休官员李椿去世。

李椿曾担任枢密院检讨文字，当时张说任签书枢密院事，正巧小吏拿着南丹州莫氏酋长的表章来献，请求从宜州购马，通过张说奏报朝廷，李椿说："邕州远宜州近，人所共知，之所以迂回绕道，难道是无意吗！莫氏正骄横，怎么能告诉他我国地理的捷近！请将引惹边境纠纷的小吏治罪。"张说又建议招募百姓为兵，以招募数量的多少来确定赏罚标准，以勉励各州郡，李椿说："如果这样，就担心有以追捕代替招募而导致惊扰百姓的事发生，希望不要规定

限额。”李椿担任司农卿的时候,曾对管理财政的人说:“现在粮仓的供应,是当月筹集当月的粮食;钱库的供给,一旬借贷一旬的钱。朝廷与户部之间,于是互分彼此;告借与索还,如同交易关系;这就是阳城之所以讨厌裴延龄的原因,希望对此加以纠正。”

李椿又议论宋室渡江以来茶法的弊端,说官员凭着一纸白条,到园户买茶,州县每年的定额,摊派给百姓,最后导致了赖文政的暴乱。

当初,广西盐法,由官府自办销售,后来改为钞法,地方财政严重困窘,就将全路的田租米二十二万斛全部让百姓折算成钱缴纳,而缴纳的钱数是田租米价钱的五倍。其田租米既然换成了钱,二十多州官吏的俸禄军队军饷所需的粮食无法供给,则又降低米价向百姓购买,称为“和籴”,称为“招籴”,百姓更加贫困而盐钞也卖不出去。李椿奏请改行旧法,免除百姓折苗、和籴、招籴的负担,官府百姓都便利。

权知和州钱之望说:“历阳含山县有麻湖、澧湖两个湖,灌溉民田,获得利益很大。乾道二年,守臣胡昉凿挖千秋涧以设置险阻,千秋涧开通后,而二湖的水开始泄入长江,积十多年来,涧水每日流泄,灌溉之利就废弃了。现在准备在千秋涧设置斗门以防止湖水外泄,遇到洪水就打开斗门泄放湖水,遇到干旱就利用斗门蓄水,使二湖可以发挥灌溉的作用,又不妨碍千秋涧成为险阻。”宋孝宗同意了。

这一年,知遂宁府李焘进呈《续资治通鉴长编》,到靖康年为止,全书共九百八十卷,《举要》六十八卷。

淳熙十一年 金大定二十四年(公元 1184 年)

春季,正月,辛卯朔(初一),天降尘土。

戊戌(初八),金国主到长春宫游览春水。

辛丑(十一日),诏令:“浙东提举司将白马湖内开挖成田的地方,都立了标志,每季检察,此后不得侵占湖面,监司还要加以检察。”

安化蛮人蒙光渐等进犯宜州思立砦,广西兵马钤辖沙世坚讨伐他们,捉住蒙光渐。

丙午(十六日),监察御史谢谔说:“去年有的官员因为处州守臣不该将义役编成册,作为资本谋求差遣,极力陈述义役的弊端,得到旨意依奏施行。其所奏包括两件事:一件是‘将处州及两浙地区现已推行义役的地方,听从民便,官府不得干预’;二件是‘其民间自难长期推行,不能停止争执诉讼的,州县依照现行条法,按照百姓的实力大小次序公正的差募’。第一项说的是推行义役,第二项说的是推行差役。言者之意,是想将差役、义役二者同时施行,原本不曾说全部停止义役;也只是说两浙地区义役的弊病,不曾谈到其他路的义役。近来听说江东、江西各路,民间有便于推行义役的地方,官府乘机很想动摇义役的推行。大概因为民间过去实行差役,胥吏因此作弊,当派差的时候,列举多人的姓名,广泛地进行催捉骚扰,希望他们请求逃脱免除差役,而好向他们敲诈勒索,让他们发生争执诉讼,以至于有几个月都不能确定差役人选的情况,因为推行义役,就很便利百姓。自从义役的办法推行,胥吏束手无措,日夜伺机行事,想破坏义役的推行,近日饶州德兴县、吉州吉水县百姓,赴御史台控诉此事。请告诫各路监司州县,有推行义役的地方应当听从民便,那些不愿意实行义役及有争执诉讼的地方,就推行差役。两种办法同时遵守,违令者允许提举司调查弹劾。德兴县百姓都携带了本县过去刊刻的义役石碑,可见经过长期的策划,人心认为义役很便利,这正是

不必阻挠推行义役成法的理由。"宋孝宗说以前蒋继周说处州专行义役的弊病，现在谢谔希望推行义役，各从民便，法令含意更为完善。"

这个月，户部上报去年因为旱灾减免赋税的数额，宋孝宗一开始想下令漕臣核实，后来又说："如果这样做，那么来年州郡必定心怀疑虑，不给百姓检查灾情减免赋税了。"

二月，甲子（初五），宰臣进呈寺卿的任免人选，宋孝宗说："今后有正卿就不任命少卿，有少卿就不任命正卿，这就是所谓官职不必齐备。"又告谕："今后蜀中监司，不能专门任命蜀人，恐怕人情复杂，很不符合法度。"

壬申（十三日），金国主返回京都。

癸酉（十四日），宋孝宗对宰臣说："熊克赴台州，你们应当向他宣谕朕意。熊克为人性情缓慢，古人有韦弦的警戒，缓慢的人激励他，急躁的人缓解他，全在于抑扬之法。"

诏令："以前因为温州、台州遭受水灾，守臣王之望、陈岩肖不及时奏闻，赈恤百姓迟缓，王之望特降一级官，陈岩肖落职免官；近来台州捉获海贼首领，温州捉获第二首领，王之望、陈岩肖各有捕贼的功劳，以功补过，王之望只罢知州，陈岩肖给予宫观官职务。"

甲申（二十五日），枢密院奏报："两淮地区、京西湖北路民兵万弩手，始于淳熙七年，后来不曾召集训练。请下令各路安抚司行文到所部州军，经常让他们不妨碍农业，在家练习，等到农闲季节，依照每年的惯例集中比试武艺。有才能武艺的人，每州允许选送一二人，通过帅司安排食宿送往枢密院，依照四川义士条例考试授官，以示激励。"宋孝宗同意了。

三月，辛卯（初二），耿延年进呈铸钱式样，宋孝宗说："就用原来的式样，不必频繁改动。"

刑部侍郎曾逮，奏请依照乾道九年的指令，让刑部尚书、侍郎、郎官及监察御史每月轮流审讯囚犯，写明案名案情奏闻，这样才能履行纠察的职责。宋孝宗说："可让他们每季度的第二个月审讯囚犯。"

甲午（初五），金国尚书省因为金国主准备前往上京，奏报确定太子守国的礼仪：太子派使者祭祀，五品以上官员的事及利害大事，派人快马奏报；六品以下官员的事，其他平常的事，都听从太子裁决，每三天一次在集贤殿接受尚书省奏报政事。京朝官逢每月初一、十五，穿朝服问候。国主在路途期间，每二十天太子派出使者问候起居生活；到达上京以后，每三十天问候一次起居生活。

丙申（初七），尚书省奏报太子守国期间使用的宝玺。金国主召见太子授给他宝玺，并告谕他说："上京是祖宗兴起王业的地方，想与各亲王都到那里，或许居留二三年，派你守国。就像农家种田，商人经营钱财，只要能不衰败父业，就是好儿子。何况社稷重任在身，尤其应当心怀敬畏小心谨慎。平时看你很谨慎，现在能解除朕心中的忧虑，才能表现内心的孝敬。"太子回答说："臣在东宫二十多年，过失很多，陛下因为明德皇后的缘故，未曾责备我。臣的确愚昧，不能承担重任，乞请充当随从"。金国主说："凡人养子，都期望年老时得到儿子的出力相助。朕留下太尉、左右丞相辅佐你，他们都是国家的老臣，可与他们商议国事。而且处理政事没什么难的，只要用心公正，不接受谗言奸邪，时间一长自然就熟练了。"太子流泪，左右大臣都为之感动。太子于是接受宝玺。

丁酉（初八），金国主视察皇陵。己亥（初十），返回京都。

壬寅(十三日),金国主前往上京,太子完颜允恭守国。癸卯(十四日),宰执以下官员在通州送别金国主,金国主对枢密使图克坦克宁说:“朕外出巡视之后,如果有事,你一定亲自处理,不要忽视细小事情,事情大了就难于图谋了。”又看着六部官员说:“朕听说尚书省各部处理文件,大多因为小差错就驳回,苟且只求自己方便,以致累年不能了结,朕很讨厌这种行为。从今以后可行则行,可罢则罢,不要使下面有滞留的感叹。”

当时各亲王都随金国主前往上京,让赵王完颜永中留下辅佐太子。当初,太子在东宫,有时带着各贴身侍从在芳苑散步,各贴身侍从出入宫中,不曾受到限制;等到太子守国,各跟随太子游乐的人都自鸣得意。太子知道了这件事,对各贴身侍从说:“我过去在东宫,不亲自处理国政,每天与你们谈话,现在已经守国,你们今后得到召唤,然后才能入宫。”

乙巳(十六日),诏令知福州赵汝愚任敷文阁待制,连任福州知州,因为赵汝愚在福州很努力。

丙午(十七日),诏令知泉州司马伋任龙图阁待制,连任泉州知州;两浙运判张杓任直徽猷阁、提升为转运副使,连任转运司职务。

丁未(十八日),禁止淮地百姓诱招温州、处州人口。

免除职田、官田在淳熙八年的欠租。

太湖知县赵杰之,有人说他母亲死了不丁忧休假,宋孝宗对宰臣说:“士大夫一旦披上不孝之名,终身不可赎罪。处理时稍为宛转一些,不须公开说明他的罪过。”就降一级官,免职。

夏季,四月,己未朔(初一),金国咸平尹伊喇道去世。金国主路过咸宁时,派使者前往祭祀,提拔他的儿子伊喇光祖为阁门祇候。

辛酉(初三),诏令:“金州依照现行盐法,听任自由买卖,不得像以前那样设场专卖。”

甲子(初六),调遣兴元义胜军移往襄阳戍守。

丙寅(初八),金国主到东京;丁卯(初九),金国主朝拜孝宁宫。东京方圆百里内免除租税一年,尽赦徒以下罪犯,赐高年者提升爵位。

戊辰(初十),赐礼部进士卫泾以下三百九十四人进士及第、进士出身称号。

癸酉(十五日),诏令:“广西经略詹仪之、运判胡庭直,开列奏报了现行盐钞,已经很详细,可谨慎奉行。”

在此之前知客州范德勤奏报广西卖盐办法不便利,诏令詹仪之、胡庭直共同详细讨论提出意见奏报。于是詹仪之等分条奏报讨论意见:“静江府等一十六州,官府卖盐以补救一十六州旧盐法造成的损害,停止高州、化州等五州摊卖二分食盐,命令转运司设置店铺出卖这部分食盐,百姓自由购买,作为五州的财利,所有五州每年的财政费用,令转运司核算包干供给。如果这样做,那么全路二十五州,无不都接受了圣上的恩泽,折苗钱、摊派的弊病,就可以永远革除,而百姓财力富裕。”又说:“淳熙十年七月改行客钞,到今年三月已招卖盐钞六万二千箩,目前客商不停地搬运贩卖,安排得井井有条。”所以下了这道诏令。

高州、化州、雷州、廉州、钦州等五州出产食盐的地方,客钞不通行,不久又奏报:“钦州白皮盐场,情况与雷州、廉州、高州、化州一样,请依旧恢复生产食盐,以备本司调拨作为钞盐支付客商搬运贩卖。”

丙子(十八日),确定进士习射日期。

土淮说："孔子在矍相的菜园里习射，观看的人围成了一堵墙。古人重视射箭，后代才废止而不讲究。"宋孝宗说："古时有文事必有武备，后世不了解其中的意义，所以朕举行习射。"

癸未（二十五日），重新颁布《绍兴申明刑统》。

乙酉（二十七日），权知均州何惟清说："解盐除京西客商外，还有从均州、房州地界入川的很多，都是由领取马匹的官兵顺路携带，请加严厉限制。"宋孝宗采纳了。

金国主在混同江观看捕鱼。

五月，己丑（初二），金国主到达上京，居住在光兴宫；庚寅（初三），朝拜庆元宫。

辛卯（初四），知龙州张熹被推授予举为廉吏，宋孝宗说："廉吏最难得，多次惩戒而贪污的人很多。张熹果真清廉吗？"王淮等回答说："蜀中的人士都称赞他的节操。"宋孝宗说："可授与提刑的差遣，并通报推荐他的奏札以激励士俗。"

乙未（初八），权知和州钱之望奏报屯田事务，宋孝宗对王淮等说："钱之望说课耕没有法令，士卒懒惰无法激励而勤奋无法勉励，你们可详细商议。"不久命令淮西总漕同建康副统制详细讨论并奏闻。

戊戌（十一日），金国主在皇武殿设宴，赐给诸王、妃子、公主、宰执、百官、命妇各自不同物品。宗室外戚都乘兴起舞，终日才罢。

右正言蒋继周说："前不久朝廷议论监司、知州通判迎来送往的物品，严格地加以限制，是为了节省不必要的开支，减轻百姓负担。有关各路藩府及列郡暂时派监司或者其他州的通判等兼任代理，馈赠的上下马钱及借用的公物，也已做出了限制。而偏远的小镇，偶尔违反制度，有的被任命为代理官员也不就职，有的已任代理但觉得不便利就请求回归，须申报上司又另外派遣官员；一年之间，迎来送往多次，州郡的财政费用有限，确实无法承受！请诏令偏远州郡缺少守臣的地方，让监司选派，任命本州的第二位长官兼任代理，这样将免除迎接的责任，以缓和州郡的财政状况。"宋孝宗同意了。

丙午（十九日），蒋继周说："温州、处州流民，丁籍尚存，各县催收赋税，无人交纳；或者家里的丁壮已经离开，只留下老弱之人，关押他们强迫纳税还账，急如星火；于是大量抓获未成丁人，名为充代，追查骚扰使百姓不能安居。请下令温州、处州守臣，将所属各县流动人口加以核实，注销他们的丁籍，不得存留在借以强行勒索百姓赔偿纳税，如违令，由监司负责调查奏报朝廷。"宋孝宗同意了。

甲寅（二十七日），诏令："四川驻扎御前各军将士，戍守边疆时间长久，朕常常牵挂在心，可让总领所负责特别举行犒劳宴会一次。傅钧、彭杲，多年守边，军政治理得好，傅钧升任都统制，彭杲加授吉州刺史官衔。"

乙卯（二十八日），因为建康府、太平府、宁国府、池州、饶州、广德军、南康军、建昌军遭受水灾，各支给常平钱米赈恤百姓。

金国太子对图克坦克宁说："皇帝出外巡幸，将国事嘱托于我，刑名事关重大，关系到一个人的生死。凡有可以议论的，应当尽量做到公正，等到国主返回都城，不要有败坏的事。"从此凡是禀报的有关刑名的事，太子亲自披阅，召都事详细辩证，常常过了时辰。

六月，戊午朔（初一），诏令："各军晋升官员，都是选择将帅的根本，必须有智有勇有成

绩，才能使众人信服，今后应当精心选择，不得因循旧习苟且行事。又下令枢密院，从准备将以上至统制官，每个完整的军各自登记成册，每月将名单进呈朝廷，朕应当间或点二三人，审查他们的胆识武艺，根据他们的才能与否，确定对主帅的赏罚。”这是采纳知枢密院周必大的奏请。

臣僚说：“各州军接受百姓缴纳的夏税，听说官吏从中阻挠，有时将好绢强行退回置场，用低价加以收买，不体恤百姓的痛苦，从盈余中得利，希望加以严禁。”宋孝宗同意了。

免征建宁府百姓拖欠的二税钱。

庚申（初三），任命周必大为枢密使。宋孝宗对周必大说：“如果发生边境战事，宣抚使只有你可以担任，其他人都不能担任。

辛酉（初四），敕令所进呈《编类宽恤诏令》，乞请颁布，宋孝宗说：“凡事在人，斟酌轻重，法令才尽善尽美。”

金国主前往安春水临漪亭。

壬戌（初五），校书郎奚商衡，奏请制科取士不要局限于三年考试一次的旧制，宋孝宗说：“得到贤良之人，是国家盛事。可令学士院颁布诏令，有应该召试的人，荐举官员就将姓名奏报，”

金国主在绿野淀检阅马匹。

甲子（初七），王淮奏报小路蛮攻击虚恨的事，宋孝宗谈到施用恩威的意义，就说：“国家军威，远远赶不上汉代、唐代，所依恃的就是上天啊！澶渊之战，辛巳之战，不是天意是什么！”王淮说：“君主平时仁心厚泽，牢固团结民心，我不失德，而上天保佑的顺利，大概是以理取胜，不以力取胜。”宋孝宗说：“汉武帝时，军威震慑万里之外，又有什么可以相当！只是失之过分了。”

丙寅（初九），诏令：“各路总领各自密举偏裨将校中可作为将帅的人，不限定名额，列举他的优点，枢密院登记在册加以考察，如果不像荐举人所说的那样，荐举人因为谬举受处罚。”

这一天，赵汝谊说屯田事务，遇到一圩洪水退后，各圩田兵卒都努力耕种，秋季丰收，出工出力的人都是参预分谷的人数。宋孝宗说：“如果将来所收成的粮食不多，朕不惜供给粮米，让他们也与丰年一样，就会更加互相勉励耕种。”

己巳（十二日），诏令说：“雨水稍多，多次颁降宽恤百姓的指令，各户百姓的夏税，和买，催纳起发，自有条例限制。听说官府催办追逼骚扰，导致伤害和气，各路监司要严格实行禁止；还有人违背，御史台弹劾。”

丙子（十九日），鄂州江陵都统制郭杲说：“以前承蒙拨钱安排屯田事务，除几次收买耕牛农具，兴建军寨房舍外，请在上述钱内存留三分之一，付牛僎准备继续支用，剩余的钱交还国库。”诏令：“郭杲将应交还国库的会子钱交付牛僎补贴犒军费用，剩下的钱就地保管，准备屯田支用。”

庚辰（二十三日），知临安府张杓奏请免除浙西、江东各县钱米，宋孝宗同意了。

癸未（二十六日），户部韩彦质说：“各郡财赋场务、县邑所缴纳的钱财粮食，都有名目，依据法令不得挪用。而守臣不害怕法令将公府的储备用来满足自己的私欲，以至于最后又将钱粮席卷而去，不体恤后来的继任。奏请今后守臣任职期满，将所存留的各种钱粮交割给继任者，不正其数，申报户部登记在册。”宋孝宗说：“必须让继任者在一个月的限期内开列钱财数目申报户部知晓。”王淮说：“前任只说钱粮数目有盈余，继任只说钱粮数目不足，应该让前后任各自开列数目申报。”宋孝宗说：“超过期限不申报，让户部奏闻。”

这年夏季，知婺州洪迈说：“州府所在地金华县，田地土质多沙，势不受水，五天不下雨，则干旱又接着发生，所以县境内陂塘湖泊最应当修治。而本县丞江士龙，独能亲身负责，深入田间，劝谕百姓让他们修筑，让耕种者出力气，而田主出粮供应他们生活。总共修治官私塘堰及湖泊，统计为八百三十七所，获益的土地二千多顷，都是按照原先的痕迹，修理并使之加深，对官府来说没有花费，对百姓来说不算辛劳，三二十年之中，估计也不至于毁坏。江士龙上不因官府督促要求，下不因本县百姓申诉请求，自己认为这是职责内所应当做的，敢于立事，乞请给予奖励，作为州县小吏建功立业的劝勉。”宋孝宗同意了。

秋季，七月，戊子（初二），右正言蒋继周说各军将佐屯驻，应当禁止他们私自置办田宅、房廊、质库、邸店及私自兴贩营运，宋孝宗同意了。

己丑（初三），郭杲说：“木渠下的荒田，实际上有能够耕种的土地百余顷，已调遣军兵开荒。其余不具备水利条件的高低田，也命令负责耕种的官兵前去。应该供应的钱米，就在屯田官所管的稻谷内支付，将来收获后折算偿还。”诏令：“郭杲将高低田要更切实地负责开垦耕种，不要导致荒芜，其余的依照奏请办理。”

校书郎罗点说：“近年以来，各地流放发配的人很多，涉及强盗的案子，每件中都有逃亡的士卒，累积不停止，为害不小。要消除盗贼，不能不消除逃亡的士卒，要消除逃亡的士卒，不能不减免刺配的法令。希望诏令有关官员，对现将刺配中情节较轻的，从宽减免，另外制定居役或者编管的法令。那些应该刺配的，核查淳熙元年五月指挥文书，那些强壮的刺字补充屯驻的大军，差不多各州郡刺字充军的士卒逐渐减少。”皇帝说：“近年刺配的较多，以后怎么办？”王淮等人说：“像杂犯处死罪的，还可以从轻，至于劫盗等六项罪行，指挥文书下达，作盗贼的人没有不知道的。所以将要作盗贼，必定先假立首领的姓名，杀人奸滥的罪行都归到首领名下，因此为首人没有抓获而犯罪的人免予处死，盗贼怎么能得到惩处！”皇帝命令刑部、大理寺集中商议。

接着刑部、大理寺上奏，皇帝说：“朕夜间考虑刺配法，杂犯处死罪的只配到本州守城；犯私卖茶盐等罪的，不必配往远方，只刺配到本州厢军中，让他服劳役；如果犯劫盗罪三次，就可以处死。可以将此向刑部、大理寺官员宣布。”

乙未（初九），金国主对宰相大臣说：“巡猎所到之处，应当扬善罚恶。凡是有孝睦友爱行为的，推举任用他，没有德行的，教育惩戒他，为恶不改的就加以惩罚。”

丙午（二十日），金国主在勃野淀打猎。

乙卯（二十九日），金国主对宰相大臣说：“现在的人，有罪不追究，就认为人们还不知道；有罪必定处罚，就认为是找他的罪状。风俗如此之薄，不用文德感化他们，怎么能够复古呢。”

甲寅（二十八日），在黎州要冲筑城。

本月，因为泉州、福州、兴化军出现饥荒，兴元府出现旱灾，都给予赈济。

金国太子派遣儿子金源郡王玛达格，带着表章请求金国主回都城。

八月，辛酉（初五），诏令："浙西各州府，各将管属下的围田明确设立标记，仍然宣谕百姓不得在标记外再有围造。"

戊辰（十二日），赵汝谊上奏不得阻止贩米，其中有以喝花为名，故意滞留的，允许赴监司、御史台、刑部越级上诉，依法从重处理，同意了。

皇帝听说陇、蜀军队布阵，向来用纯队阵，近来变为花装阵，命令利州三路都统开列二者哪种有利。接着兴州吴挺上奏："行军用兵，只是崇尚整肃，那些花装队，没有作战已经先乱。"兴元府彭杲上奏："四川各军，先前从绍兴初年，集结都用纯队，以五六十人为队，只是教练纯队技艺，兵刃相接，选取方便的应用。"金州傅钧上奏："陇、蜀是山川之地，平地少而险阻多，两军相遇，或者我军高而敌军低，必须纯用弓弩；狭路相逢，就纯用盾牌和枪戟。遇有紧急情况，全队呼喊调用，便于应声集合。"九月，戊子（初三），诏令都按过去纯队布阵。

辛丑（十六日），皇帝向宰执大臣宣布说："每月的财赋册，今后令送入，要加以增减。"

戊申（二十三日），核查各路州军义米仓，应该随正苗税交纳，皇帝下诏："各路提举常平官下文给所属，按各乡丰歉，依照条令收纳入仓，不得侵占隐藏作他用。年终，全数申报给尚书省。"

本月，敷文阁学士致仕李焘去世。

李焘性情刚直远大，特立独行，除著书外没有其他爱好。皇帝听说他去世，哀叹，对侍臣说："朕曾经答应李焘用大字书写'续资治通鉴长编'七个字，而且按神宗赐司马光的旧事，为他作序放在前面，不想他突然去世了。"

冬季，十月，甲子（初九），初次举荐任职的人犯贪赃罪的，举荐的人降二级官阶。

乙丑（初十），侍读张大经等人说："陛下在听讲《泰》之九二时，说'君子因为同类进用他而为善，小人因为同类进用他而作恶。没有无助的。'听讲《萃》之上六时，说：'盛极而衰，乱极而治'。都是深得《大易》的要义，请求宣布交付给史馆。"

丙寅（十一日），吏部上奏宾州三县请求通派文武官员，皇帝说："武臣中极难得到人才，小使臣尤其没有经验，委任以一个县，是危害一县。"

丙子（二十一日），盱眙军说收到金人文牒，因为上京地区寒冷，来年正旦、生辰时使者停派一年。

当时金国主保境安民，没有其他意思，而一时听说金国拒绝使者，人情大为恐惧。边境的奸人，因此妄传边情以企图多得金帛赏赐，或者说金人内乱，或者说边境有侵扰，或者说修缮汴京城，开海州漕渠，黄河南北征兵将要南下了。朝廷草野自相恐吓，最终没有定论，而金人安然不知道此事。等到次年，金主返回都城，谣言开始平息。

辛巳（二十六日），诏令："宇文虚中特再给恩泽二人，让他的曾孙接受。"

太常博士归安人倪思说："举人轻视史学，现在谈论历史的人，只取汉代、唐代而混为一事，认为三国、六朝、五代不是盛世而耻于谈论。然而那时进取的得与失，防守恰当否，策略谋划的周密，处理百姓军民的方法，形势成败的事迹，如果加以研究，考核之际，请以论策为重，不要只以第一场考试决定去留。"同意了。

十一月，丙戌朔（初一），宰相执政大臣感谢赐下太上皇《稽山诗》石刻。皇帝说："太上

皇诗‘属意种蠡臣’，卿等应当体察其中的意思，不要分别文武，应当一视同仁，选择才行兼备的人任用。”

戊子（初三），知婺州洪迈请求宽免丰储仓拖欠的米，同意了。

利州路帅上奏知凤州余永弼、知文州邓枢的政绩，皇帝说：“边郡政事要用人得当，余永弼、邓枢各转升一官，候任满让他们再任。”

辛卯（初六），设置万州南浦县渔阳井盐官一员。当初，由主簿兼监官，在此时专门设置官员。

辛亥（二十六日），淮西总领赵汝谊上奏说和州屯田所收粮物未曾平均分配，皇帝说：“可以命令总领所、都统司将屯田出力耕种的官兵，考核出工力的多少，合计今年收粮物的实数，分作三等，依次平均分配。”

本月，两浙转运副使刘敏士，转运判官姚宪，都降官落职；新任江东提刑王彦洪，另与差遣；都是因为温州、台州二州发水灾，未能弹劾该州守臣的缘故。

十二月，丁巳（初二），修建湖南府城。

两浙转运判官钱冲之说：“奉诏命考察开通常州、润州等地的运河，请求令各州在运河两岸支港地势低下泄水的地方，牢固地修筑堰坝，并申明严格启闭的制度，命令守臣安排处置。”

己未（初四），诏令秘阁修撰、知隆兴府程叔达任命为集英殿修撰，再次任职。

丁卯（十二日），皇帝阅览知府知军的任命名单，对宰相大臣说：“选择人才，是治理之道中最紧急的，即使恳切地每天降下诏令，也是徒劳。卿等以后每遇到一个缺职，必须遍选人才，最后终会有所得。”并说：“现在议论的人，多说边郡的太守必须长久留任，现在边郡没有兵力，即使长久任用又有什么益处！大军都在江南，如果创立设置，又耗费衣服钱粮。倒是万弩手、民兵，不要养兵的费用，有养兵的实际效用，紧急时可以使用。”

己卯（二十四日），解元振请求命令光州依照舒州、蕲州的办法设置铸钱监铸钱，皇帝不同意，命令铸好铁钱时，分二三万贯给光州。

本月，知台州熊克呈上《九朝通略》。

本年，知镇江耿秉上奏：“三县每年的零欠钱，现在用公库所节约的浮费代缴，如果不是得到旨意，恐怕后来的人向百姓征收。”皇帝说：“用宽剩钱为百姓代缴，固然很好；后来的人如果没有剩余，那么必然另作名目征收。此事州郡自己施行还可以，朝廷却不便统一施行。”

金国主想在上京城外筑一道砖墙，右丞相乌库哩元忠劝谏说：“这里正遭受正隆年间的战事，百姓凋弊，陛下休养生息二十多年，还没有完全恢复。况且土质不好，筑砖墙难以持久。风雨摧损，每年修缮，百姓将更加贫困了。”于是作罢。

续资治通鉴卷第一百五十

【原文】

宋纪一百五十　起旃蒙大荒落【乙巳】正月，尽柔兆敦牂【丙午】十二月，凡二年。

孝宗绍统同道冠德昭功　哲文神武明圣成孝皇帝

淳熙十二年　金大定二十五年【乙巳，1185】　春，正月，乙酉，金太子以金主在上京，免群臣贺礼。

太子自守国，深怀谦抑，宫臣不庭拜，启事时不侍立，免朔望礼；京朝官朔望日当具公服问候，并停免。至是群臣当贺，亦不肯受。

丁亥，金主宴妃嫔、亲王、公主、文武从官于光德殿，宗室、宗妇及五品以上命妇与坐者千七百馀人，赏赉有差。

己丑，广西提举胡廷直言："邕州卖官盐，并缘绍兴间一时指挥，于江左永平、太平两寨置场，用物帛博买交趾私盐，夹杂官盐出卖，缘此溪洞之人，亦皆贩卖交盐。近虽改行钞法，其本州尚仍前弊。"诏经略司及知邕州陈士英措置闻奏。既而经略司言："初置博易场，以人情所便；而博易交盐，亦祖宗成法。请只严禁博贩等不得贩鬻交盐，搀夺官课，馀仍旧。"从之。

户部言："明州东钱湖溉田五十馀万亩，昨缘茭草延蔓，开淘茭葑，堆积沿湖山湾，遂成葑地，资教院僧承佃，垦成田三百馀亩。恐有人户以增租承佃为名，培叠增广，有妨积水。请将彼处葑地不许请佃，仍开为湖，庶免向后堙塞。"诏勾昌泰相视开湖。

宰执言诸州狱案有督促十馀而未报者，帝曰："自今不须催促，多则愈玩，只择其怠慢者惩之。"辛卯，潼川运司以岳霖稽缓，特降一官。

初，青羌努儿结，越大渡河，据安静砦，侵汉地几百里。龙图阁直学士、四川制置使留正，密授诸将方略，壬辰，擒努儿结以归，尽俘其党，青羌平。进正敷文阁学士。

癸巳，王淮等请汤思谦与六院差遣，帝曰："思退退缩，其弟不可与在内差遣。"淮等言："思谦作两郡皆有可称，不知与提举何如？"帝曰："在外不妨。编修官汤硕，亦与外任。"

甲寅，金太子如春水。

二月，庚申，金太子还都。

丁卯，帝语王淮等曰："自唐、虞而下，人君知道者少；唯汉文帝知道，专务安静，所以致富庶。自文帝之外，人君非唯不知道，亦不知学。"淮等曰："道从学中来。"帝曰："知学者未必尽知道，但知学者亦少。"淮等曰："若唐太宗末年，寝不克终，岂是知道！"帝曰："人君富有天下，易得骄纵。”淮等曰：“若治安日久，每事留意，则是愈久愈新。”

帝又曰：“天下全赖良监司，若得良监司，则守令皆善。”淮等曰：“监司、郡守，皆在得人。”帝曰：“先择监司为要，若郡守亦当选择。卿等今后除授监司须留意。”又曰：“近日来郡守亦胜如已前。若是资序已到，其人不足以当监司、郡守，则监司且作郡守，郡守且作通判，亦何害！”

淮等因问兴居，帝曰：“朕寻常饮食亦不敢过。”淮等曰：“《易》于《颐卦》称谨言语，节饮食。”帝曰：“观颐，观其所养也。”

壬申，吉州乞将旱伤最重太和、吉水、庐陵县见欠夏税，并与蠲放，从之。

癸酉，金主以东平尹乌库哩思列怨望，杀之。

丙子，殿中侍御史陈贾言：“财计之人，率费于养兵，然所得常不能赡给；而自将佐等而上之，则有至数十倍之多。姑取殿、步两司言之，殿司额外，自统制而至准备将，凡一百二十员，而数内护圣步军全添统制三员，步司额外，自统制而至准备将，亦一十八员；两司岁支，除逐官本身请俸外，供给茶汤犹不下一千万缗。养军之须，固已不訾，而额外重费，又复如此，无惑乎财计之不裕也。且以增创额外，谓可储养将材耶？然诸将或有阙员，未见取之于此；若谓其人不足以备采择，则高廪厚俸，自不宜轻以与之。请轸虑国计，责实政，将内外额名色一切住差；其在冗食之人，宜赐甄别。如有可备军官之选，则存留以俟正官有阙日补之；或其人不任使令，亦请随宜沙汰，勿使浑杂，无补国事。”从之。

丁丑，金主如春水。

三月，乙酉，进封皇孙扩为平阳郡王。

辛卯，禁习渤海乐。

是春，诏制举免出注疏。

夏，四月，丙辰，侍读萧燧言：“广西最远，其民最贫。在法，民年二十一为丁，六十为老。官司按籍计年，将进丁或人老疾应免课役者，县役亲观颜状注籍，知、通案丁簿，考岁数，收附销落，法非不善。奈并海诸郡，以身丁钱为巧取之资，有收附而无销落。输纳之际，邀求亡艺，钱则倍收剩利，米则多量加耗。一户计丁若干，每丁必使之折为一钞，一钞之内，有钞纸钱，息本钱，縻费公库钱，是以其民苦之，百计避免，或改作女户，或徙居异乡，或舍农而为工匠，或(乏)〔泛〕海而逐商贩，曾不得安其业。请令帅臣、监司措置行下，从收附销落之制，革违法过取之害。如或仍前科扰，即令按劾。”从之。

己未，金主仍至上京。

右丞相乌库哩思忠曰：“銮舆驻此已阅岁，仓储日少，市买渐贵，禁卫暨诸局署多逃者，有司捕置诸法，恐伤陛下仁爱。”金主纳之。

辛未，右正言蒋继周言：“南库拨付户部，于今二年，而南库之名尚存，官吏如故。请令户部将南库废并，其官吏并从省罢。案太宗分左藏北库为内库，并以讲武殿后封桩库属焉，又改封桩库为景福内库。近年南库分为上、下，寻并上库入封桩库。今所存南库，系前时下库。”帝曰：“尽废必至淆乱，可以左藏西上库为名，官吏可与裁减。”于是诸路岁发南库窠名钱一百九十八万馀缗，改隶本库。后又改称封桩下库，仍隶户部焉。

壬申，金主曲赦会宁府，放免今年租税。百姓年七十以上者，补一官。甲戌，以会宁府官

一人兼大宗正丞，以治宗室之政。

金主谓群臣曰："上京风物，朕自乐之；每奏还都，辄用感怆。祖宗旧邦，不忍舍去，万岁之后，当置朕于太祖之侧，卿等毋忘朕言。"丁丑，宴宗室、宗妇于皇武殿，赐官赏赉有差，曰："寻常朕不饮酒，今日甚欲成醉，此乐不易得也。"宗室、宗妇女及群臣、故老，以次起舞进酒。金主曰："吾来数月，未有一人歌本曲者，吾为汝等歌之。"其词道王业艰难及继述之不易，至慨想祖宗，宛然如睹。歌毕，泣下，群臣宗戚捧觞上寿，皆称万岁。诸夫人更歌本曲，如私家之会。既醉，金主曰："太平岁久，国无征徭，汝等皆奢纵，往往贫乏，朕甚怜之。当务俭约，无忘祖宗艰难。"因泣下数行，宗室亲属皆感泣而退。

是月，边谍言西辽假道于西夏以伐金。帝密诏吴挺、留正议之，周必大劝帝持重，勿轻动。既而所传果妄，帝谓必大曰："卿真有先见之明。"

五月，丁亥，臣僚言："诸处夏税和买，止有折帛、折钱二色；惟安吉县独多折丝、折帛、折绫，民间困于输纳。朝廷以其既纳绸绢，又以细丝织绫，许以粗丝织绢，谓之屑绢；自前任颜度申请改屑绢为丝绢，遂使此邑重困。续经邑民诣阙陈诉，已仍许纳屑绢，而夏税产绢，犹用细丝。乞令产绢亦依旧用粗丝织造。"从之。

庚寅，地震。

尚书左司郎官杨万里应诏上书曰："南北和好，逾二十年，一旦绝使，敌情不测。或谓金主北归，可为中国之贺；臣以中国之忧，正在乎此。将欲南之，必固北之，或者以身填抚其北，而以其子与婿经营其南也。论者或谓缓急淮不可守，则弃淮而守江，是大不然。既弃淮矣，江岂可得而守！陛下以今日为何等时耶？金人日逼，疆埸日扰，而未闻防金人者何策，保疆埸者何道，但闻某日修礼文，某日进书史，是以乡饮理军，以干羽解围也。

"臣闻古者人君，人不能悟之，则天地能悟之。今也国家之事，敌情不测如此，而君臣上下，处之如太平无事之时，是人不能悟之矣。故天见灾害，春正月日眚无光，若两日相摩者，兹不曰大异乎？然天犹恐陛下不信也，春日载阳，复有雨雪杀物，兹不曰大异乎？然天恐陛下又不信也，五月庚寅，又有地震。天变频仍，而君臣不闻警惧，朝廷不闻咨访，臣不知陛下悟乎否乎？

"古者足国裕民，惟食与货。今之所谓钱者，富商、巨贾、阉宦、权贵，皆盈室以藏之，至于百姓、三军之用，惟破楮券耳。万一如唐泾原之师，因怒粝食，蹴而覆之，出不逊语，遂起朱泚比之乱，可不为寒心哉！

"古者立国，必有可畏，非畏其国也，畏其人也。故苻坚欲图晋，而王猛以为不可，谓谢安、桓冲江左之望，是存晋者二人而已。异时名相如赵鼎、张浚，名将如岳飞、韩世忠，此金人所惮也。近时刘珙可用则早死，张栻可用则沮死，万一有缓急，不知可以督诸军者何人？可以当一面者何人？而金人之所素畏者又何人也？

"愿陛下超然远览，勿以天地之变异为适然，勿以臣下之苦口为逆耳，勿以近习之害政为细故，勿以仇雠之包藏为无它。以重蜀之心重荆襄，使东西形势之相接；以保江之心保两淮，使表里唇齿之相依。姑置不急之务，唯专备敌之策，庶几上可消夫天变，下不堕于敌奸。

"然天下之事，有本根，有枝叶。臣前所陈，枝叶而已；所谓本根，则人主不可以自用。人主自用，则人臣不任责。《传》曰：'水木有本源。'圣学高明，愿益思其所为本源者。"

时帝临御久，事皆上决，宰执唯奉旨而行，臣下多恐惧顾望，故万里丁疏末言之。

太常丞徐谊亦谏帝曰："人主日圣，则人臣日愚，陛下谁与共功名乎？"帝不能用。

辛卯，以福州地震，命帅臣赵汝愚察守令，择兵官，防盗贼。

壬寅，金主次天平山好水川。

癸卯，金遣使临潢、泰州劝农。

庚戌，帝谓王淮等曰："闻总司籴米，皆散在诸处，万一军兴而屯驻处却无米，临时岂不误事？可便契勘。大抵赈籴可逐岁循环备荒，若桩积米，须留要害屯军所在，庶军民皆有其备。"

六月，甲寅，金主猎近山，见田垅不治，命笞田者。

庚申，金皇太子允恭薨。金主命太子妃及诸皇孙服丧，并用汉仪。

太子天性仁厚，尝奏曰："东宫贺礼，亲王及一品皇族皆北面拜伏，臣但答揖。望圣慈听臣答拜，庶敦亲亲友爱之道。"金主从之，遂为定制。

一日，侍宴于常武殿，典食进粥。将食，有蜘蛛在粥碗中，典食恐惧失措。太子从容曰："蜘蛛吐丝，乘空忽堕此中耳，岂汝罪哉！"在东宫十五年，恩德浃人者深。及卒，侍卫军士争入临于承华殿下，声应如雷，百姓皆于市门巷端为位恸哭。时诸王妃主入临，多从奴婢，奴婢颇喧杂不严，枢密使图克坦克宁遣出之，身护宫门，严饬禁卫如法，然后听入，从者有数。谓东宫官属曰："主上巡幸未还，太子不幸至于大故，汝等此时以死报国乎？吾亦不敢爱吾生也！"辞色俱厉，闻者肃然敬惮。

皇孙金源郡主玛达格哀过甚，克宁谏曰："哭泣，常礼也。身居冢嗣，岂以常礼而忘社稷之重乎？"召太子侍读完颜匡谓曰："尔侍太子日久，亲臣也。郡王哀毁过甚，尔当固谏。谨视郡王，勿去左右。"金主闻克宁严饬宫卫，谨护皇孙，喜其忠诚，愈重之。

壬戌，淮东总领吴琚奏："欲将镇江都（督）统司诸军官兵日前所欠激赏铺、军须子铺布帛钱并与除放，庶几官兵得其全请赡家。此令一下，足以感士心，足以正师律，足以戒掊克，足以示陛下知行伍之微，恤士卒之至。"帝曰："军政刻削，杨存中以来便如此，可依琚所奏。"仍降指挥，其它有无似此去处及别有侵刻营运钱等，并诏还之。

丙寅，金乌库哩元忠罢为北京留守。金主责之曰："汝强愎自用，觊权而结近密，汝心叵测，其速之官！"

己巳，臣僚言："臣闻一定不易之谓法，循习引用之谓例，故昔人尝守法以废例，未尝用例以废法。今天官诸选，条目猥多，法例参错，吏奸深远，法无已行而或废，例有已行而必得，此其为弊，固非一日。请诏铨部，凡七司所行之事，条法具载分明，可以遵用；而偶无已行者，并令长贰、郎官据法施行，若于法窒碍而偶有已行之例，并不得引用。"从之。

丁丑，帝谓宰执曰："秋季在近，狱案有稽缓者，可择数事议行遣。今州郡职事，弛慢不一，难为一例，须知宽猛相济，政是以和。前此岳霖降官印榜，行下已久，诲尔谆谆，听我藐藐，岂可不明赏罚！使赏罚不明，朝夕谆谆，无益也。"是日，诸路监司、帅臣以所部郡守考察臧否上，惟浙东未具闻，帝曰："近来废弛事多，须当惩戒，帅臣郑丙、提举勾昌泰各降一官。"

秋，七月，壬午朔，金赐太子谥曰宣孝。

癸未，臣僚言："淮上州军，逐处皆有桩管米斛，建康、镇江大军屯驻，又有总司钱粮。惟

太平州、采石镇沿江要害去处，去岁民间艰食，州郡必无储备，闻淮上去秋成熟，淮人多有载米入浙中出粜不行。今来秋成在近，望先支降本钱付总领所，及时和籴。”诏：“赵汝谊于建康务场见桩管会子，委官就采石仓措置。”

诏罢荆门军浰河、武宁、黄泥税场，以前知军陆洸言豪民买扑扰民故也。

壬寅，内藏库奏和州、无为军、常德府所欠分钱，乞再限一季起发。帝曰：“近日和州却以三千缗赂内侍求免。事觉，所免只五千缗，却用三千缗属托，谓何？”王淮等对曰：“其意以为可长久得免，故不惮一时之费。”帝曰：“守臣张士儋、张临、赵公颐，各展二年磨勘，更与展限半年，须管发纳数足。”

吏部言：“二广考试补摄官人，请依本部铨试出官指挥，将考校到合格人，以十分为率取五分。”从之。

先是广东提举韩璧言：“二广两荐之士，许试摄官，谓之‘试额’；二年再试，谓之‘待次’；累至三试，谓之‘正额’；然后就禄，或任盐税，或受簿尉，至有阙官之处，虽待次亦得以滥授。其试摄程度，大略如铨试之五场，自非杂犯，虽文辞鄙俚，亦在所录，侥幸太甚。请自今一如铨试法，下吏部勘当。”而有是请。

甲辰，罢常德府、复州税场，从提举赵善誉之请也。乙巳，罢江都、泰兴、山阳、天长、高邮税场，从提举赵不流之请也。帝曰：“此皆有益于民之事，日行一事，岁计则有馀矣。”

臣僚言：“窃见浙运耿秉，近因属邑版帐钱额太重，乞与属郡评议，将额重处量减，诏从其请。两浙版帐钱额之重，实与江西之月桩相似，二浙州郡亦自窘匮，就诸县之额太重者与之斟酌，县有毫厘之减，则民有毫厘之惠。若诸路得一贤转运使，则不待冠盖交驰，而裕民之说行矣。望出此疏付版曹，行之浙运，更令耿秉与诸郡守臣悉心讲究，次第行之，诸路得为楷式；更愿陛下不惜少裨版曹，以苏民力。”从之。

戊申，金主发好水川。

八月，甲寅，监察御史冷世光言：“监司岁出巡阅，吏卒诛求，所过骚然，一县之中，凡数百缗仅能应办，否即(据)〔捃〕摭生事。请明诏诸路监司，今后巡阅，力革此弊，所用随行吏卒，各于州郡差拨，逐州交替。”从之。

丁巳，帝谕宰执，二广盐事当并为一司。王淮等曰：“外议，并司后恐广西漕既不预盐事，即无通融钱物，或至支吾不行。”帝曰：“如此，须更商量。盖天下事全在致思，思之须有策。穷则变，变则通。譬如弈棋，视之如无著，思之既久，著数自至。”

辛酉，诏：“提领封桩库所支降会子，付淮东、淮西、湖广总领所，并充今年和籴桩管米本钱支用。”

壬戌，诏：“封桩库支降会子，委浙西提举罗点和籴。”

乙丑，诏曰：“朕惟差役之法，为日盖久；近年以来，又创限田之令，可谓备矣。然州县奉行不公，豪贵兼并太甚，隐寄狭户，弊端益滋。一乡之中，上户之著役者无几，贫民下户，畏避弃鬻，至不敢蓄顷亩之产。莫若不计官民户，一例只以等第轮差，如此，则不惟贫富均一，且税籍之弊不革而自去。可令户部、给舍、台谏详议闻奏。”

丙寅，提举常平茶盐公事赵巩朝辞，帝曰：“盐事利害稍重，凡事可亲临，勿容官吏滋弊。至赃吏，不可不按。”

癸酉，知建康府钱良臣奏："秋教按阅禁军，路钤、训武郎胡斌，恃酒无礼，望赐罢黜。"帝曰："胡斌素多口，以旧在潜邸，故略假借，乃敢辄犯阶级，可降两官，放罢。"

甲戌，秦焴奏德安府巡检张革，慢弃本职，于公所詈前任守臣，乞罢黜。帝曰："此风不可长。放罢轻典，更降两官。"

丙子，诏蠲会稽借贷官米。

九月，甲申，诏兰溪借过常平钱收买稻种，并蠲放。

金主次辽水，召见百二十岁女真老人，能道太祖开创事，金主嘉叹，赐食，并赐帛。

(乙)〔己〕酉，还中都，临宣孝太子于熙春园。

丙戌，国子祭酒颜师鲁请奖进节义之士，帝然之。

辛卯，礼部言："太史局与成忠郎杨忠辅所陈历法异同，请差监视杨忠辅同太史局不干碍官测验施行。"帝曰："日月之行有疏数，故历久不能无差。大抵月行道远，多是不及，无有过者。至日可遣台官并礼部官看验。"乃命礼部侍郎颜师鲁监视测验。

先是忠辅言："南渡以来，尝改造《统元》及《乾道》二历，皆未三年，已不可用。目今见行《淳熙历》，乃因陋就简，苟且傅会而已，验之天道，百无一合。《淳熙历》朔差者，自戊戌以来，今八年矣。忠辅因读《易》，粗得(太)〔大〕衍之旨，创立日法，撰衍新历，凡日月交会，气候启闭，无不契验。今己巳岁九月望，月蚀在昼，而《淳熙历》法当在夜。在昼者蚀晚而不见，在夜者蚀早而见，若以昼夜辨两历之是非，断可决矣。"故有是诏。寻命官测验。是夜，阴云，不见。

壬辰，臣僚言："吏部差注知州，请并令长贰同共铨量其人材堪与不堪应选，保明闻奏。或前任有过犯者，亦酌其轻重，为之去取，其人材不堪应选者，即予报罢，庶几不致冒滥。"诏："自今吏部差注知州，同共铨量，先次保明闻奏。"

癸巳，起居舍人李巘言："郊禋之际，命官行事，皆所以尊天礼神；赞导之吏，利于速集，往往先引就位以待行礼。立俟既久，筋力有限，徙倚疲顿，或至倒侧，及当行礼，多不如仪，肃敬之诚，何从而生！"帝曰："此说诚然。朕往在潜邸为亚献时，催班亦早，时风紧帘疏，颇觉难待。况百官既无幕次，又立班太早，所谓虽有肃敬之心，皆倦怠矣。盖引班吏只欲早毕它事，宁顾时之未可。今只须先二刻催班。"

丁酉，郭杲申襄阳府木渠下屯田二麦数，帝曰："下种不少，何所收如此之薄？可令郭杲细具因依。"帝又曰："所在屯田，二麦于六月终，稻谷于十月终，可具数闻奏，仍先申尚书省。"继以湖广总领赵彦逾、知襄阳府高夔、京西运判刘立义、鄂州江陵副都统制阎世雄奏襄、汉之间麦稻熟时，乃诏二麦于七月终，稻谷于十一月终，具数闻奏。

中书门下省言前知绵州史祁，得替之日，将本州见在钱指为羡馀，献总领所，希求荐举，诏史祁特降一官，放罢。

冬，十月，丙辰，谕建康府副都统制阎仲曰："朕惟将帅之弊，每在蔽功而忌能，尊己而自用，故下有沈抑之叹，而上无胜筭之助。殊不知兼收众善，不掩其劳，使智者献其谋，勇者尽其力，迨夫成功，则皆主帅之功也。昔赵奢解阏与之围，始令军中有谏者死，及许历进北山之策而奢许诺，卒败秦师。卿当以奢为法。"仍刊石给赐殿帅以下。

金尚书省奏亲军数多，宜稍减损，诏定额为二千。宰臣退，金主谓左右曰："宰相年老，艰

于久立,可置小榻廊下,使少休息。”

庚申,诏:“两淮并沿边州军归正人请占官田,昨累降指挥与免差税赋;今限满,理宜优恤,可自淳熙十三年为始,更与展免三年。”

甲子,金主谓宰臣曰:“护卫年老,出职而授临民,字尚不能书,何以治民!人胸中明暗,外不能知,精神昏耄见于外,是强其所不能也。天子以兆民为子,不能家家而抚,在用人而已。知其不能而强授之,百姓其谓我何!”

乙亥,知隆兴府程叔达请将淳熙十年分百姓未纳税苗蠲放,其上供及分隶之数,自行管认。帝曰:“不亏公家,又有利于百姓,可依奏。仍令出榜晓谕。”王淮曰:“以此观之,州郡若得人,财赋自不至匮乏。”帝曰:“此须守臣自不妄用。若妄用,何以表率胥吏,使财赋有馀!”

十一月,甲申,司农少卿吴燠言:“宜令有司集议,冗食之吏散在百司者,务从减省,先自省部始。若夫不急之官,宜汰之兵,亦可以次第省废,其于大农岁计,不为小补。”帝曰:“遽然省罢,人必怨惧。可行敕令所参照条法,合省减人数,且令依旧,俟离司或事故,更不作阙。其合减兵卒,亦许存留,如事故更不差拨。”

前将作监朱安国言:“文思院制造,有物料未到者,转移以应急切之须。愿明诏,自今文思院制造,不得转料。又,皇城司差亲从官二人充本院监作,动辄胁持,邀取常例,宜罢差。”帝曰:“然。亲从官诚宜罢之。”

以知漳州黄启宗清廉律己,抚字有劳,除秘阁,再任。

庚寅,金葬宣孝太子于大房山。

金主欲加以帝号,问于群臣,翰林修撰赵可对曰:“唐高宗追谥太子宏为孝敬皇帝。”左丞张汝弼曰:“此盖出于武后。”遂止。乃建庙于衍庆宫。

戊戌,金以皇子曹王永功为御史大夫。

辛丑,冬至,郊。先是诏史浩、陈俊卿陪祠,皆辞。

十二月,庚戌朔,加太上皇尊号“绍业兴统明谟盛烈”八字,皇太后“备德”二字。壬子,王淮等贺册宝礼成。帝曰:“前日慈颜甚欢。”淮曰:“陛下奉亲至诚,载籍所未闻。”帝曰:“太上赐朕销金背子一领,但色差浅,此便是昔人斑衣。来岁庆寿日,更服以往。”淮等曰:“洵盛事也。”

癸丑,尚书右司郎中何万言:“今之风俗,视旧日侈,此家给人足不能如往时也。本朝自淳化后,已号极治,仁宗深虑风俗易奢,景祐二年诏:‘天下士庶之家,非品官无得起门屋;非宫室寺观毋得彩绘门宇;器用毋得纯金及表里用朱;非三品以上及宗室、戚里家毋得金棱器及用玳瑁器;非命妇毋得金为首饰及真珠装缀首饰、衣服;凡有床褥之类,毋得用纯锦绣;民间毋得乘檐子,其用兜子者,舁无过四人;非五品以上毋得乘闹装银鞍。违者,物主、工匠并以违制论。’今请考其违戾于礼法者,开具名件,严立禁戢,始自中都,以至四方,则用度有制,民力自宽。”诏礼部参照景祐诏书并见行条令讨论闻奏。

甲寅,茶马司言宕昌马场岁额所管,皆是远蕃人中,其间多蹄黄怯瘦之类,若行排拨,必致损毙。令于西和州置丰草监,并宕昌良马监,务应歇养。

金枢密使图克坦克宁请立金源郡王为皇太孙,以系天下之望,曰:“此事贵果断,不可缓也。缓则起觊觎之心,来谗佞之言,岂惟储位久虚,而骨肉之祸恐自此始矣。”金主以为然。

戊午，诏起复皇孙金源郡王玛达格判大兴尹，进封原王。

庚申，知成都府留正以病告，帝曰："留正病，可即择人知成都。"王淮等荐赵汝愚，帝曰："朕亦思之，无如汝愚，其处事不偏，可任也。"

癸亥，权发遣简州丁逢朝辞，论今日财赋，窠名之数多，养兵之费重，民力有限，而州县之吏，并缘名色，巧计侵移，重困民力，请严行禁止。帝曰："卿到简州，当遵守所言。"

丙寅，金左丞相完颜守道，左丞张汝弼，右丞钮祜禄额特喇，参知政事张汝霖，坐擅增东京诸皇孙食料，各削官一阶。

丁卯，湖北提举赵善誉言："江陵府高陂河渡，请尽废官课，听从近便居民各以舟船渡载，庶几豪民不得专其利，而民力无迫胁阻滞之患。"从之。

甲戌，金主谓宰臣曰："太尉守能，论事止务从宽，犯罪罢职者多欲复用。若惩其首恶，后来知畏；罪而复用，何以示戒！"

金主闻有司市面，不时酬直，怒监察不举劾，杖之，以问参知政事程辉，辉曰："监察君之耳目，所犯罪轻，不赎而杖，亦一时之怒也。"金主曰："职事不举，是故犯也。杖之何不可？"辉曰："往者不可谏，来者犹可追。"

乙亥，忠翊郎、殿前司左翼军统制盛雄飞，特降两官，送隆兴府居住。以不亲临教阅，添置回易，泉州以其事来上，故有是诏。

丙子，金主谓宰臣曰："原王大兴行事如何？"额特喇对曰："闻都人皆称之。"金主曰："朕令察于民间，咸言见事甚明，予夺皆不失常，曹、豳二王弗能及也。又闻有女真人诉事，以女真语问之，汉人诉事，汉语问之。大抵习本朝语为善，不习则淳风将弃。"张汝弼对曰："不忘本者，圣人之道也。"额特喇曰："以西夏小邦，崇尚旧俗，犹能保国数百年。"金主曰："事当任实。一事有伪，则丧百真，故凡事莫如真实也。"

金主尝与宰臣议古有监军之事，平章政事襄曰："汉、唐初无监军，将得专任，故战必胜，攻必克。乃叔世始以内臣监军，动为所制，故多败而少功。若将得其人，监军诚不必置。"金主嘉纳之。

是岁，知龙州王偁上《东都事略》。

诏舒、蕲二州铁钱监岁铸并以二十万贯为额。

淳熙十三年　金大定二十六年【丙午，1186】　春，正月，庚辰朔，帝诣德寿宫行庆寿礼。大赦，推恩。

戊戌，诏："淮东、淮西、湖广总所并江、池州、襄阳、江陵府大军库见在金银钱会，并限半月具申尚书省。"

甲辰，金主如长春宫春水。

二月，庚戌，诏："潼川运判岳霖职事修举，除直徽猷阁，再任。"

知静江府詹仪之为通判沈作器乞宫观，帝曰："此门亦不可开。监司按通判则可，知州于通判按举皆不可。若通判只是随州，焉用通判！其改差别处通判。"

乙卯，步军都虞候梁师雄，奏射铁帘合格官兵人数，帝曰："闻射铁帘诸军，鼓跃奋励，可作士气。"周必大对曰："兵久不用则气惰。今陛下以此激劝，将见人人皆胜兵矣。"

癸酉，帝谓侍臣曰："朕观唐世大将，得人颇多，盖缘内讨方镇，外有吐蕃、回纥，无时不用兵,所以人皆习熟。国朝仁厚,不动兵革馀三五十年,故名将少。”王淮曰:“人材遇事乃见。但中外多事,用兵不已,亦非美事也。”

金主还都。乙亥,诏曰:“每季求仕人,问以疑难,令剖决之。其才识可取者,仍察访政迹,如其言行相符,即加升用。”

丙子,帝曰:“自古人主读书,少有知道,知之亦罕能行之。且如‘与人不求备’、‘检身若不及’二语,人君岂不知之!然所行不至。陆贽论谏谆复不已者,正欲德宗知而行之;如魏征于太宗,则言语不甚谆复。且德宗之时何时也?而与陆贽论事,皆是使中人传旨。且事有是非,当面反覆诘难,犹恐未尽,投机之会,间不容发,岂可中人传旨!朕每事以太宗为法,以德宗为戒。”

三月,丙戌,淮东、淮西总所具到军库见钱、会子及务场钱数。诏:“就本府认数桩管,非朝旨,不得擅行支使。”

己丑,金尚书省拟奏除授,金主曰:“卿等在省,未尝荐士,止限资级,安能得人!古有布衣入相者,闻宋亦多用山东、河南流寓疏远之人,皆不拘于贵近也。以本朝境土之大,岂无其人!朕难遍知,卿又不举,自古岂有终身为相者!外官三品以上,必有可用之人,但无故得进耳。”左丞张汝弼曰:“下位虽有才能,必试之乃见。”参政程辉曰:“外官虽有声,一旦入朝,却不称任,亦在沙汰而已。”

辛卯,以福建运判王师愈职事修举,除直秘阁,再任。

夏,四月,庚戌,帝读陆贽奏议《论度支折税事状》,萧燧言:“自古聚敛之臣,务为欺诞以衒已能,未有不先纷更制度者。”帝曰:“天下本无事,庸人自扰之耳。”读贽所论裴延龄书,燧言:“人君未尝不欲去小人,然尝为小人所胜,如萧望之为恭、显所胜,张九龄为李林甫所胜,裴度为皇甫镈所胜。”帝曰:“皇甫镈亦延龄之徒也。”

诏:“没官田产,合拘收租入常平,违者科罪。”

壬子,金主谓侍臣曰:“朕常御膳务从简省,若欲丰腆,虽日用五十羊亦不难,然皆民之脂膏,不忍为也。辽主闻民间乏食,谓何不食干腊,盖幼失师保之训,及即位,遂不知民间疲苦。想前代之君,享富贵而不知稼穑艰难者甚多,其失天下,皆由此也。”又曰:“隋炀帝时,杨素专权行事,乃不慎委任之过。与正人同处,所知必正道,所闻必正言,不可不慎也。今原王府属,当选纯谨秉性正直者充之,勿用有权术之人。”

戊午,金左丞张汝弼罢。汝弼奏事阿顺,金主谓左右曰:“卿等每事多依违苟避,不肯尽言,高爵厚禄,何以胜任!如乌库哩元忠,刚直敢言,义不顾身,诚可尚也。”于是徙元忠知真定尹。

壬戌,金太尉、左丞相完颜守道致仕,为咸平尹,封华国公。

金主遣人谕之曰:“咸平自斡罕乱后,民业尚未复旧。朕听卿归乡里,所以安辑一境也。”

五月,己卯,萧燧奏读陆贽《奏议》圣语,帝曰:“朕每见贽论德宗事,未尝不寒心,正恐未免有德宗之失,卿等言之。”又曰:“德宗不肯推诚待下,虽更奉天离乱,终不悔悟,此以知其不振也。”

甲申,金以大兴尹原王玛达格为尚书右丞相,赐名璟,以司徒、枢密使图克坦克宁为太尉、尚书左丞相,判大宗正事赵王永中复为枢密使。

参知政事程烨致仕。烨喜杂学，凡好论医。神童常添寿者，方数岁，烨召与语，因书"医非细事"。添寿涂"细"字，改作"相"字，烨大惭。

戊子，卢沟决于上阳村，金主命集议。先是决显通寨，发中都三百里内民夫塞之；至是复决，议者恐枉费工物，遂弗治。

庚寅，金御史大夫曹王永功罢，以豳王永成为御史大夫。

戊戌，金以尚书右丞钮祜禄额特喇为左丞，参知政事张汝霖为右丞。

六月，己未，臣僚言："临安守臣将本府胥吏除合存留外，罢逐百馀人，更有不曾根括不得姓名人，尽行汰斥，亦几二百馀。临安在辇毂之下，而吏辈额外增置，私自存留，如此其众，况四方郡邑之广，胥徒之冗，何可胜计！请令提举将此县人吏，照绍兴二十六年指挥存留正额外，其馀尽行罢逐。其合存留之人，不系过犯，不经断勒，方许存役。"从之。

己巳，金主谓宰执曰："朕与卿等皆老矣，荐举人才，当今急务，人之有干能固不易得，然不若德行之士最优也。"

秋，七月，丙申，金以御史中丞马惠迪为参知政事。

是月，诏："诸路州县并以见钱、会子中半交收。"帝因言："闻军民不要见钱，却要会子，朕闻之甚喜。但会子不可更增见在之数。"

闰月，己酉，令淮、浙提盐约束逐州主管官："遇亭户纳盐，在官须管，即时称下，支还本钱，不得纵容官吏掊克。如听用花带等钱及上户兜请折除等事，并严觉察按劾，仍许亭户越诉。"

戊申，以敷文阁学士留正签书枢密院事。

己酉，施师点乞免兼同知枢密院事，许之。

八月，乙亥朔，日月五星聚轸。

丁丑，金主谓宰臣曰："亲军虽不识字，亦令依例出职，若涉赃贿，必痛绳之。"图克坦克宁曰："依法则可。"金主曰："朕于女真人未尝不体恤，然涉赃罪，虽朕子弟亦不能恕。太尉之意，欲姑息女真人耳。"

戊寅，金尚书省奏河决卫州，城坏，命户部侍郎王寂、都水少监王汝嘉徙卫州于胙城县。寂驰传视被灾之处，不为拯救，乃专集众以网鱼、取官物为事，民甚怨之。金主闻而恶之，遣户部刘玮往行部事，从宜规画，黜寂为蔡州防御使。

辛巳，诏："集英殿修撰、知隆兴府程叔达，久任阃寄，治行有闻，除敷文阁待制，再任。"

壬午，新筑江陵城成。

甲午，金主秋猎。庚子，次蓟州。

九月，甲辰朔，金主如盘山，因遍阅中盘诸寺。庚申，还都。

丙寅，金主谓宰臣曰："呼喇台叛亡，已遣人讨之，可益以甲士，毁其船栈。"马惠迪曰："得其人不可用，有其地不可居，恐不足烦圣虑。"金主曰："朕亦知此类无用，所以毁其船栈，欲不使再窥边境耳。"

庚午，江西安抚等请将上供米折纳价钱。帝曰："是何言也！食与货自不同，本是纳米，今教纳钱，可乎？"

辛未，知静江府詹仪之，言知宜州王侃尽心边备，蛮猺知畏，请优加旌别，仍令再任，诏王

侃特转一官,减三年磨勘,令再任。

是月,诏求遗书。

诏裁有司冗食。

冬,十月,甲午,金诏增河防(御)军数。

金图克坦克宁,以原王未正太孙之位,屡请于金主。时诸子赵王永中最长,而克宁又与永中有连,金主叹曰:“克宁真社稷臣也!”

戊戌,金宁昌节度使崇肃,行军都统忠道,以讨呼喇台不待见敌而还,崇肃杖七十,削官一阶,忠道杖八十,削官三阶。

十一月,辛亥,中书舍人陈居仁札言乞略细务,帝曰:“其言甚当。今之要务,不过择人材,正纪纲,明赏罚。多降指挥,徒见繁碎。”

甲寅,司农寺言已分委西仓籴事,帝谓宰臣曰:“此等便可自札下。凡指挥须教人信畏,若是玩渎,何补于事!当取其大者、要者留意,至于小事,姑从阔略。如除授监司、太守,卿等须反覆留意。”帝又曰:“少降指挥,不唯事简,又且人信,所谓一举而两得之。”

庚申,金立右丞相原王璟为皇太孙。

甲子,王淮等上《仁宗、英宗玉牒》《神、哲、徽、钦四朝国史列传》《皇帝会要》。

金主谓宰臣曰:“朕闻宋军自来教习不辍,今我军专务游惰。卿等勿谓天下既安,而无预防之心,一旦有警,兵不可用,顾不败事耶?其令以时训练!”

丙寅,右丞相梁克家罢,为观文殿大学士、醴泉观使兼侍读。

庚午,金主谓宰臣曰:“朕方前古明君,固不可及;至于不纳近臣谗言,不受戚里私谒,亦无愧矣。朕尝自思,岂能无过!朕之过,颇喜兴土木之工,自今不复作矣。”

辛未,敕令所进审定裁减吏额。帝曰:“革弊以渐,且依旧存留,只是将来不做额,最为良法,亦不至咈于人情。”

十二月,辛巳,臣僚言汀州科盐之害,诏漕臣赵彦操、王师愈同提举应孟明措置闻奏。彦操等寻奏:“汀州六邑,长汀、清流、宁化则食福盐,上杭、连城、武平则食漳盐,亦各从其俗耳。夫食盐者既异,则钞法难于通行。今欲将旧欠盐钱尽与蠲放及减盐价,其所蠲旧欠与所减盐价,本司却多方措置那充,应补其数。如此,则州县之力即日可纾,立价即平,买盐者众,私贩遂息,官卖益行,价虽裁减,用无所亏。是汀州与六邑岁减于民者三万九千缗有奇,减于官者一万缗有奇,所补州用与所放旧欠又在此外。加以利源不壅,财力自丰,救弊之本,无以尚此。”并从之。

甲申,金左谏议大夫黄久约言递送荔枝非是,金主曰:“朕不知也,今令罢之。”丙戌,谓宰臣曰:“有司奉上,惟沽办事之名,不问利害如何。朕尝欲得新荔枝,兵部遂于道路特设铺递,比因谏官黄久约言,朕方知之。夫为人无识,一旦临事,便至颠沛。宫中事无大小,朕尝观览者,以不得人故也;如便得人,宁复它虑!”

甲午,少师致仕陈俊卿薨,命诸子勿祈恩泽,勿请谥碑。帝闻,嗟悼,谥正献。

丙申,金主谓宰臣曰:“比闻河水泛溢,民罹其害者,赀产皆空。今复遣官于彼推排,何耶?”右丞张汝霖曰:“今推排皆非被灾之处。”金主曰:“虽然,必其邻道也。既邻水而居,岂无惊扰迁避者!计其资产,岂有馀哉,尚何推排为!”

戊戌，大理寺奏狱空。

是月，利州路饥，赈之。

【译文】

宋纪一百五十　起乙巳年（公元1185年）正月，止丙午年（公元1186年）十二月，共二年。

淳熙十二年　金大定二十五年（公元1185年）

春季，正月，乙酉（初一），金国太子因为金世宗在上京，让群臣免行贺年礼。

金太子自从执掌国政以来，显得十分谦恭，臣子上朝时不必在朝堂跪拜，启禀奏事时不必在朝中侍立，并且免去了每月初一、十五的礼仪；在京的官员本应在每月初一和十五这两天穿着朝服请安，现一并停免。元旦这一天群臣本当前往拜贺，也不肯接受。

丁亥（初三），金世宗在光德殿宴请妃嫔、亲王、公主、文武侍从官，还有宗室、宗妇以及五品以上的命妇，在座的共有一千七百多人，并且按不同的等级给予赏赐。

己丑（初五），广西提举胡廷直上奏说："邕州官府卖官盐，起初由于绍兴年间的一时诏令，在江左的永平、太平两寨设置盐场，用等物帛交换买进交趾的私盐，夹杂在官盐中一并出卖，因此溪洞之人，也大都贩卖交趾私盐。近来虽然改行盐钞法，但邕州依旧存在着先前的弊病。"诏令经略司和邕州知州陈士英采取措施并上报朝廷。不久经略司上奏说："起初设置交易场，是为了人们交易的方便；而买卖交趾盐，也是先皇定下的法规。请只严禁商贩等不许贩卖私盐，以免侵夺官府收入，其余一切照旧。"孝宗准奏。

户部上书说："明州东钱湖可以灌溉农田五十多万亩，前段因为茭草蔓延，清除出来的茭葑等杂草，都堆放在沿湖的山湾，遂使这些地方成了葑地，资教院的僧人承租开垦，开出了三百多亩田。恐怕有的人户以增租承佃为名，堆积加高，妨碍湖中积水。现请将那里的葑地不许租佃，仍旧开掘成湖，也许可不致以后堙塞湖面。"诏令勾昌泰考察开湖的事。

宰相上奏说各州刑狱案件有督促了十多次而仍旧没有上报的，宋孝宗说："从今以后不必催促，催多了反而不重视，只需选几个办事拖沓迟缓的人加以惩治就行了。"辛卯（初七），潼川运司因为岳霖办案迟缓，特降一级官职。

起初，青羌努儿结率兵越过大渡河，占据了安静寨，侵占宋朝几百里疆土。龙图阁直学士、四川制置使留正，秘密向各位将领交代作战方略，壬辰（初八），活捉了努儿结，把他的部下全部俘虏了，青羌被平定。晋升留正为敷文阁学士。

癸巳（初九），王淮等请求让汤思谦到六院供职，宋孝宗说："汤思退遇敌退缩，他的弟弟汤思谦不能在京中供职。"王淮等又说："汤思谦做过两任知州政绩都可称道，不知让他担任提举怎么样？"宋孝宗说："在京外任职不妨。还有编修官汤硕，也让他到京外去任职。"

甲寅（三十日），金太子举行春水游猎。

二月，庚申（初六），金太子回到都城。

丁卯（十三日），宋孝宗对王淮等说："自从尧、舜以来，国君知道治国之道的很少；只有汉文帝懂得治国之道，专门致力于休养生息，所以实现了国家的富庶。除了汉文帝以外，其余的国君不只是不知晓治国之道，也不知道治学。"王淮等人说："治国之道是从治学中来

的。"宋孝宗说:"知道治学的人未必全都通晓治国之道,不过知道治学的人也少。"王淮等说:"比如唐太宗晚年,渐渐地不能善始善终,难道是知晓治国之道!"宋孝宗说:"国君拥有天下,容易变得骄傲放纵。"王淮等又说:"如果国家长期安定,每遇事又小心在意,像这样就能越久气象越新。"

金太定二十五年(1185),金世宗为追述先帝创业功绩,建筑了大金得胜陀颂碑。

宋孝宗又说:"天下安定全靠好的监察官吏,如果能选得好的监察官员,那么知州县令也都会恪尽职守。"王淮等说:"监察官员、知州县令都在于要选拔合适的人才。"宋孝宗说:"先选择好监察官员是最主要的,至于知州自然也要选择好。你们今后任命监察官员时务必留意。"宋孝宗又说:"近日来知州的人选比以前的强。如果这人资历已到,但这人又不能够当监察官员、知州,那么是监察官吏的暂且降做知州,是知州的暂且降作通判,又有什么妨害呢!"

王淮等随着问起宋孝宗的起居情况,宋孝宗说:"我平常饮食也不敢过度。"王淮等说:"《易经》的《颐卦》篇中讲到要出言谨慎,节制饮食。"宋孝宗说:"看一个人的面容,就可以知道他的饮食状况。"

壬申(十八日),吉州请求将受旱灾最严重的太和、吉水、庐陵三县现在拖欠的夏税,全部免除,孝宗准奏。

癸酉(十九日),金世宗因为东平府府尹乌库哩思列对朝廷不满,处死了他。

丙子(二十二日),殿中侍御史陈贾上奏说:"如今国家的财政收入,大都耗费在养兵上,导致收入往往不足支出;而且从将佐算起,将佐以上的官员往往有将佐人数的几十倍还多。姑且拿殿前司、侍卫步兵司来说,殿前司的额外人员,从统制官到准备将,共有一百二十人,而其中护圣步军额外增加了三名统制,步兵司除正额外,从统制到准备将,也有一十八人;这两个司每年的开支,除各位官佐的俸禄外,供给的茶汤钱尚且不下一千万贯。养军的费用,本来就已经难以估算,而额外的开支,又是这么多,难怪国家的财政这么不宽裕哩。而且拿额外委任军官这点来说,能够说是储养将才吗?而且各级将官中有时出现空缺,并未见从这些人中选拔;如果说某人不够资格供选用,那么这么优厚的俸禄,就不应该随便给予。请考

虑国家的财政状况，务实政，将内外额名日中一切吃闲饭的官员，予以甄别。如果其中有可以选作军官的，就留下来等正式军官职位有空缺时让他们补上；如果那人不能胜任，就请随即淘汰，别让他们混杂其中，于国事无益。”孝宗准奏。

丁丑（二十三日），金世宗举行春水游猎。

三月，乙酉（初二），宋孝宗进封皇孙赵扩为平阳郡王。

辛卯（初八），禁止演习渤海乐。

这年春季，诏令科举时免出注疏方面的题目。

夏季，四月，丙辰（初三），侍读萧燧上奏说：“广西地方偏远，那里的百姓最贫困。根据法律规定，男子二十一岁为丁，六十岁为老。官府按照户籍计算年龄，对成丁或者入老应免除课税赋役的人，县役亲自观看他的身体状况然后注销册籍，知州、通判根据男丁的册籍，考核岁数，予以收录或注销，这个办法并不是不好。怎奈沿海各州，把身丁钱作为欺诈巧取的资财，只收录而不注销。交纳身丁钱的时候，勒索苛求没有止境，收钱时就加倍征收贪图余利，收米时就加量多收名为增加损耗。一户如果有几个男丁，每个男丁必须立一张收据，一张收据之内，有收据纸钱，息本钱，糜费公库钱，因此百姓对这种做法深感痛苦，千方百计加以逃避，有的将丁户改成女户，有的迁居异乡，有的弃农而从事手工业，有的出海去做生意，不能安居乐业。请诏令帅臣、监司采取措施责令下级执行，从整顿成丁的收录和注销制度入手，革除违反国法苛求勒索的弊端。如果还有人像从前一样扰害百姓，则令检举弹劾。”孝宗准奏。

己未（初六），金世宗又到了上京。

右丞相乌库哩思忠说：“皇上驻节上京已有一年了，府库的储备日渐减少，市场上的物价逐渐上涨，禁卫军中和各衙门中有许多人逃跑，有司又把他们抓回绳之以法，这样恐怕有损陛下仁爱的名声。”金世宗采纳了他的意见。

辛未（十八日），右正言蒋继周上奏说：“左藏南库划归户部管辖，至今已有两年了，但南库的名称还保留着，官吏的设置也同从前一样。请令户部把南库撤销并与有关机构合并，南库的有关官吏全部罢省。据考查在太宗时是把左藏北库分立为内库，并把讲武殿后面的封桩库划归它管，又把封桩库改为景福内库。近年南库分为上、下两库，不久把上库并入封桩库。现在所保留的南库，是从前的下库。”宋孝宗说：“完全撤销南库必然导致混乱，可以用左藏西上库作为名称，有关官吏可予以裁减。”从此以后各路上交南库的一百九十八万多贯钱，改归本库。后来又改称为封桩下库，仍然归户部管辖。

壬申（十九日），金世宗在会宁府实行大赦，免除了当年的租税。百姓中有年过七十的，任命一个官职。甲戌（二十一日），让会宁府的一名官员兼任大宗正丞，以便管理宗室的事务。

金世宗对群臣说：“上京的风光景物，我很喜爱；每当有人奏请还都，我就因此而感伤。对祖宗开创基业的地方，总是不忍心离开，我去世以后，要把我葬在太祖的陵墓旁边，希望你们不要忘了我的话。”丁丑（二十四日），金世宗又在皇武殿宴请宗室、宗妇，并且按等级给予了赏赐，金世宗说：“平常日子我是不饮酒的，今天很想一醉方休，因为这种乐趣是不容易得到的。”于是宗室、宗妇及大臣、故旧长者依次起舞给世宗进酒。金世宗说：“我来这里已经几

个月了，没有听见一个人唱我们本族的传统歌曲的，我给你们唱一曲吧。”世宗唱的是祖宗开创王业的艰难及继承王业的不易，由此想起列祖列宗，宛然如亲自目睹。唱完，世宗落泪了，大臣们和皇亲国戚举杯祝寿，一齐高呼万岁。宗妇们依次唱本族的传统歌曲，像在家里聚会一样。大家已带醉意，世宗说：“太平岁月这么久了，国家没征收赋役，你们都奢侈放纵，往往很贫困，我很怜悯你们。你们应该勤俭节约，不要忘了祖宗创业的艰难。”世宗说完随即流下几行热泪，宗室亲属都感动得流泪告辞了。

这个月，边境谍报说西辽向西夏借道要攻打金国。宋孝宗秘密诏令吴挺、留正商议此事，周必大劝孝宗要沉稳持重，不要轻举妄动。不久得知传闻果然不真实，宋孝宗对周必大说：“你真是有先见之明呀。”

五月，丁亥（初五），有官员上奏说：“各地征收夏税与和买，只有折帛、折钱两种；唯独安吉县额外多折丝、折帛、折绫，百姓难以交纳。朝廷认为他们既然交纳了绸绢，又用细丝织绫，允许他们用粗丝织绢，称之为屑绢；自从前任知县颜度申请改屑绢为丝绢以来，致使这个县的百姓被严重困扰。随后经本县百姓到都城申诉，已仍旧准许交纳屑绢，而夏税用细丝织绢交纳。请诏令该县仍旧用粗丝织的屑绢交纳。”孝宗同意。

庚寅（初八），发生地震。

尚书左司郎杨万里应诏令上奏说：“宋金和好，已有二十多年，一旦绝交，敌国情况难以预测。有人说金国皇帝北归上京，对我国来说是一件值得庆贺的事情；我认为我国的忧患正在这里。金国将要南下，必先巩固北方，或者是金世宗亲自镇守北方，而让他的儿子与女婿经营南面哩。有人说一旦情况紧急淮河就不能设防，要放弃淮河一线而固守长江，这太不应该了。假如放弃了淮河，长江怎么守得住呢！陛下认为现在是什么时候呢？金国人步步进逼，我国的边境经常受到威胁，可是从没有听人说我国将采取什么策略防范金国的南侵，用什么办法保卫我国的疆土，只听某日修撰礼文，某日进呈史书，这是用乡饮礼来治军，用羽扇解围呀。

“我听说古时候的国君，有些事人力不能让他明白觉悟，但天地之力能使他明白。现在我国的情况是，敌国情况这么难以预测，然而陛下和文武百官，像处在太平盛世无事之时一样，这是人力不能使陛下醒悟呀。因此上天出现灾害，春季正月日食无光，像两个太阳互相摩擦的样子，这不是大怪事吗？然而上天还担心陛下不相信，春天开始暖和，却又降雨雪伤害作物，这不是太奇怪了吗？而且上天还担心陛下不信服，五月庚寅（初八），又发生地震。上天的灾变不断发生，但陛下和臣僚们还不警醒，也没听到朝廷问过这方面的事，我不知道陛下明白了没有？

“古时要使国家强盛人民富裕，只有食物与财物。现在的所谓钱，都集中到富商、巨贾、宦官、权贵的手里去了，至于百姓、军队的花费，只有楮皮做的破纸币罢了。万一出现像唐代泾原那样的军队，因恼怒食物粗粝，踢翻饭食，说出不好听的话，随即发生了朱泚之乱，那不是叫人为之心寒吗！

“古时一个国家若要稳固，必须有令人敬畏之处，并不是敬畏这个国家，而且敬畏这个国家的人。因而苻坚要攻打东晋，王猛认为不行，说谢安、桓冲是江南极有声望的人，这就是说保存东晋王朝就是靠他们两人。过去我朝的著名宰相赵鼎、张浚，名将岳飞、韩世忠，这都是金国所敬畏的人。近时的刘珙可堪任用却又早死，张栻可堪任用却又抑郁而死，万一情况紧急，不知让谁去督率三军？又让谁去独当一面？况且金国人平常所敬畏的又是谁呢？

“希望陛下能高瞻远瞩，不要把上天的灾变看得平平常常，不要认为臣下的苦口良言是逆耳之言，不要认为身边亲信扰害国政是平常小事，不要认为仇敌的包藏祸心是没有用心。陛下要像重视蜀那样重视荆襄，使东部和西部的军事形势连成一体；要用保卫长江的决心去保卫淮河两岸，使江淮互为表里唇齿相依。姑且把那些不太紧急的事务放在一边，专门考虑防备敌国进犯的策略，这样也许可以消弭天灾，不致堕进敌国设下的圈套。

“当然天下的事情，有根本性的，有枝叶性的。臣下刚才讲的，只是枝叶性的罢了；所谓根本性的，那就是作为国君不能刚愎自用。国君如果刚愎自用，那么作臣下的就会不负责任。因此《传》上说：‘水有源头树有根本。’皇上学问高明，希望多多考虑那些可称为本源的事情。”

当时宋孝宗在位很久了，一切事务都由自己决断，宰相只是奉令行事罢了，大臣们多畏惧观望，因此杨万里在奏疏的末尾讲到了这个问题。

太常丞徐谊也劝谏宋孝宗说：“陛下一天比一天圣明的话，那么臣子们就会一天比一天愚钝，这样下去，陛下与谁一起共建功名呢？”孝宗不听他的话。

辛卯（初九），因为福州发生地震，诏令帅臣赵汝愚监察知州县令，挑选官兵，严防盗贼。

壬寅（二十日），金世宗到达天平山好水川。

癸卯（二十一日），金世宗派官员到临潢、泰州勉励百姓搞好农业生产。

庚戌（二十八日），宋孝宗对王淮等说：“听说总司籴米，都散放在各地，万一发生战事而驻扎处却又没有粮米，到那时难道不误事？可马上规划审核。大体上赈济购买的粮食可以逐年循环备荒，至于桩积米，必须存留在重要的驻军之地，希望军民都有储备。”

六月，甲寅（初三），金世宗到近山狩猎，看到田垅没有整修，下令鞭打田主。

庚申（初九），金国皇太子去世。金世宗命令太子妃和各位皇孙穿丧服行丧礼，全都用汉人的礼仪。

金太子生性仁厚，曾上奏说：“东宫举行贺礼时，亲王和一品皇族都朝北面跪拜，我只作揖答礼。恳请父皇让我行跪拜礼予以答谢，或许能够加强至亲之间的友爱关系。”金世宗批准了他的请求，从此这样答礼就成了定制。

有一天，金太子在常武殿侍宴，典食献上粥来。将要食用时，见粥碗里有一只蜘蛛，典食恐惧不知所措。太子却十分平静地说：“蜘蛛吐丝，从空中忽然掉到碗里，怎么是你的过错呢！”太子在东宫生活了一十五年，恩德遍及人心。他去世后，侍卫官兵争相前往承华殿哭吊，哭声如雷，百姓都在街市或自家门口设牌位痛哭。当各位王妃进殿哭灵时，带着许多奴婢，奴婢吵吵闹闹队列也很不严整，枢密使图克坦克宁把她们哄出去，亲自把守宫门，依法严厉地整顿秩序，然后才让她们进去，而且每位王妃带的奴婢都有限数。图克坦克宁对东宫的官员说：“皇上巡幸还没有回来，太子不幸以至于去世，你们此时此刻能以死报答国家吗？我也不敢爱惜我的生命啊！”他讲这话时声色俱厉，听的人无不肃然起敬。

皇孙金源郡主玛达格哀伤过度，图克坦克宁劝谏说：“哭吊先皇，这是人之常情。可您身为皇储，怎么能因为常礼而忘了国家的大事呢？”图克坦克宁又召来太子侍读完颜匡并对他

说:“你很久以来一直侍奉太子,是太子的亲信。郡王哀伤过度,你应该极力规劝。谨慎地看护着郡王,不要离开他。”金世宗听说图克坦克宁严厉地整饬宫卫,小心地保护皇孙,喜爱他的忠诚,更加器重他。

壬戌(十一日),淮东总领吴琚上奏说:“想把镇江都统司下属各部官兵以前所欠激赏铺、军需子铺布帛钱一齐免除,或许可以让官兵用这些钱去赡养家属。此令一下,就能够激励军心,就能够严肃军纪,就能够杜绝克扣军饷的现象,就能够显示陛下熟知军中实情,显得陛下非常体恤将士。”宋孝宗说:“军中刻削士卒的现象,自从杨存中以来就是这样,可依照吴琚奏疏中的请求。”孝宗还下了一道诏令,其他类似这种情况和以另外的名目侵夺营运钱等,下令一概退还。

丙寅(十五日),金国的乌库哩元忠被贬为北京留守。金世宗责备他说:“你刚愎自用,希图权势而且纠结私党,你居心叵测,希望你赶快去赴任!”

己巳(十八日),有官员上奏说:“我听说一经确定就不更改了的东西就叫法,沿袭引用的就叫例,因此前人常常遵守法而废弃例,不会引用例而废弃法。现在我朝的法律文本,条目繁多,法与例混杂在一起,胥吏非常奸诈,有法不实行或者有的法还被废除,例被实行并且能从中得到好处,这样地作弊,固然已经很久了。请诏令吏部,凡下属七个衙门所办的事,法令条文有明确记载的,可以遵照执行;但偶然遇到以前没有执行的,下令尚书侍郎、郎官据法实行,如果妨碍法令的执行并且已被引用的例,一概不得引用。”孝宗准奏。

丁丑(二十六日),宋孝宗对宰相说:“秋天来临了,有久拖未决的狱案,可以选几件商议处理。现在州郡官府办事,拖沓迟缓,难以统一,必须深知宽严相济,这样政事才会和谐。这以前关于岳霖贬官的印榜,已经发下去很久了,朕总是谆谆教诲你们,你们听进耳的却很少,怎么能够赏罚不明呢!假使赏罚不明的话,就是从早到晚地告诫你们,也没有什么益处。”这一天,各地的监司、帅臣把所属知州的德行政绩优劣的情况上报朝廷,只有浙东的没有上报,宋孝宗说:“近段荒废政事的现象很多,必须加以惩戒,浙东路的帅臣郑丙、提举勾昌泰各降一级官职。”

秋季,七月,壬午朔(初一),金国赐给太子的谥号是“宣孝”。

癸未(初二),有官员上奏说:“淮河一带的州军,各处都有储存保管的米粮供应,建康、镇江有大军屯驻,又有总司供应钱粮。只是太平州、采石镇等沿江要害之地,去年民间粮食歉收,州郡肯定没有储备多少粮食,听说淮河一线去年秋天丰收,淮上的百姓有许多运载着米到浙中出卖却卖不掉的。今年的秋收又临近了。希望预先支付本钱交给总领所,及时籴买。”朝廷下诏说:“赵汝谊在建康务场提取存在那里的会子,派员到采石仓置办和籴。”

诏令撤除荆门军汊河、武宁、黄泥三处税场,因为前任知军陆洸上奏说当地豪强承包税收扰害百姓。

壬寅(二十一日),内藏库上奏说把和州、无为军、常德府所欠的钱,请求再宽限一个季度起发。宋孝宗说:“近日和州却用三千缗钱贿赂内侍请求免除。事情被发觉,只能免除五千缗钱的上交,却用三千缗钱行贿托人,这是怎么回事呢?”王淮等回答说:“他们的本意是认为就此可以长久免除,因此不在乎这一点花费。”宋孝宗说:“守臣张士儋、张临、赵公颐,各延长两年考核晋级,再宽限半年,必须将所欠的上交钱缴足。”

吏部上奏说:“二广考试担任官职的人,请依照本部铨试后任命官员的法令,将经考试后选出的官员,按十分之五录用。”宋孝宗批准了这个请求。

这以前广东提举韩璧上奏说:“二广凡得到两次推荐的士子,准许考试摄官,叫作‘试额’;两年以后第二次参加考试,叫作‘待次’;第三次考试,叫作‘正额’;然后授予官职,有的担任盐税官,有的担任簿尉,至于有官员出缺的地方,虽然是‘待次’也得以被乱加委派。这种考试摄官,大概与铨试五场的办法相似,只要不违反规则,即使文辞鄙陋粗俗,也能被录用,太过于侥幸了。请求从今以后一律按照铨试法,下令吏部负责考查。”韩璧奏过之后,吏部才提出了上述的这种请求。

甲辰(二十三日),撤销常德府、复州的税场,听从提举赵善誉的请求。乙巳(二十四日),撤销江都、泰兴、山阳、天长、高邮的税场,这是根据提举赵不流的请求。宋孝宗说:“这些都是对百姓有益的事情,每天做一件事,一年下来就很多了。”

有官员上奏说:“臣见两浙转运使耿秉,近日因为下属州县版帐钱税额太重,请求与下属州郡评议,把税额减轻,朝廷批准了他的请求。两浙版帐钱数额之重,实际上与江西的日桩钱相似,两浙州郡自己也困窘匮乏,找各县版帐钱数额大的并与它们商量,如果减免这个县一毫一厘,那么百姓就能得到一毫一厘的好处。如果各路有一个贤明的转运使,那就用不着官吏们忙碌,而能使百姓富裕的想法得到实施。希望把这份奏疏交给户部,下发给两浙转运使司,再下令耿秉与各州郡主官认真研究,依次推行,其他各路都以此作为标准;更希望陛下不惜减少户部的税收,以便使民力得到复苏。”孝宗采纳了这个建议。

戊申(二十七日),金世宗从好水川出发。

八月,甲寅(初四),监察御史冷世光上奏说:“监司每年外出巡视,随从的吏卒苛求勒索,骚扰地方,一县之内,共需几百缗钱才能应付,否则就找岔生事。请求朝廷诏令各路监司,今后监司出巡,一定要革除这种弊端,需要用的随行吏卒,各由所到州郡派遣,每到一州就更换一批。”孝宗批准了他的请求。

丁巳(初七),宋孝宗诏令宰相,二广的盐务应当归并到一个官署管理。王淮等人上奏说:“外面议论,合并后担心广西转运使司因为不参与盐务管理,就没有通融的钱物,或者导致支吾不行。”宋孝宗说:“这样的话,必须再次商量。大概天下的事全在于致力思考,认真思考一定会有办法。穷则变,变则通,就像下棋,看似没有了招数,思考时间一长,招数自然就有了。”

辛酉(十一日),诏令:“提取封桩库支配的会子钱,交付淮东、淮西、湖广总领所,并充作今年和籴与储备米的本钱。”

壬戌(十二日),诏令:“封桩库支付会子钱,交给浙西路提举罗点办理和籴。”

乙丑(十五日),诏令:“朕颁布差役之法,大概有很长时间了;近年以来,又制定了限田的法令,可说是很完备了。然而州县不能秉公执法,豪强权贵兼并土地的现象十分严重,隐瞒田产,弊端越加滋生。在一个乡里,上好的户主去服役的没有几人,贫困的下户,千方百计逃避服役弃卖田产,以至不敢蓄积顷亩田产。不如不分官户民户,一概只按等第轮流服役,这样的话,就不仅贫富均一平等,而且逃避纳税的弊端就会不革自去。可诏令户部、给舍、台谏认真讨论后上报朝廷。”

丙寅(十六日),提举常平茶盐公事赵巩到朝廷告辞后前去赴任,宋孝宗说:“盐务与国计民生的关系越来越密切了,一切事情你都必须亲临处理,不能容许官吏作弊。至于不法赃官,不能不追究查处。”

癸酉(二十三日),建康府知府钱良臣上奏说:“秋季巡视检阅禁军,路钤、训武郎胡斌,依仗酒力放纵无礼,希望朝廷将他罢掉官职。”宋孝宗说:“胡斌平素爱多嘴多舌,因为过去曾在我手下任事,因而略有放纵,这次竟敢冒犯上司,可降两级官职,免去现职。”

甲戌(二十四日),秦焴参奏德安府巡检张革,说他懈怠荒废本职工作,在官署前侮骂前任知府,奏请将他罢黜官职。宋孝宗说:“这种风气不能任其滋长,罢官的处分太轻了,还应该降两级官。”

丙子(二十六日),诏令免除会稽借贷的官米。

九月,甲申(初四),诏令兰溪县过去借贷的常平钱用于购买稻种,现将这笔钱免除。

金世宗驻跸辽水,召见一个一百二十岁的女真族老人,这位老人能讲金太祖开创基业的故事,金世宗听后非常感动,赐给老人食物,还赏赐了帛。

乙酉(二十九日),金世宗回到中都,在熙春园探看了宣孝太子的遗体。

丙戌(初六),国子祭酒颜师鲁请求奖励提拔节义之士,宋孝宗认为这个主意好。

辛卯(十一日),礼部上奏说:“太史局与成忠郎杨忠辅所提出的历法不太相同,请派官监视杨忠辅,会同太史局官员观测验明后颁布施行。”宋孝宗说:“日月的运行有缓有急,因此经历的时间久了不能没有差别;大体上说月亮运行的道远,多是不及,没有超过的。到时可派遣台官和礼部官员查看检验。”于是命令礼部侍郎颜师鲁前往监视测验。

在这之前杨忠辅说:“南渡以来,曾经修订《统元》和《乾道》二部历法,都没用到三年,就已经不能用了。现在使用的《淳熙历》,只不过是因陋就简,勉强凑合罢了,拿它去与天象验证,百次之中没有一次相符合。《淳熙历》中月朔出现误差的情况,从戊戌年以来,至今已有八年了。我因为研读《易》,粗略地悟出了大衍的真谛,创立了日法,编撰出了新的历法,凡属是日月相交相会,气候的开合变化,没有不应验的。今年己巳年九月十五日,白天出现月食,而《淳熙历》的规定却是在晚上出现。在白天发生的月蚀晚上看不到,在晚上发生的月蚀早上可以看到,如果按月蚀在昼夜出现的情况来辨别我制定的历法与《淳熙历》的是与非,就可以断然做出决定。”因此才有上面的这个诏令。不久又命令有关官员测验。这天晚上,天上有阴云,没有看见月蚀。

壬辰(十二日),有官员上奏说:“吏部选派知州,请诏令尚书侍郎共同考核此人的才能够不够候选的条件,推举上报。有的先前任职时有过错的,也考虑所犯过错的大小,决定其去取,如果那人的才能不能入选的话,就予以罢免,这样的话或许不会出现滥竽充数的情况。”诏令:“自今之后吏部选派知州,必须经尚书侍郎共同考核确定,首先保举上报。”

癸巳(十三日),起居舍人李巘上奏说:“郊禋的时候,命令官员行礼,都是为了尊礼上天神灵;用赞导官的目的,为了便于迅速完成礼仪;往往先引导官员们就位以等待行礼。站立等待的时间长了,体力有限,挪动身躯时显得疲惫不堪,有的人甚至歪倒,等到行礼时,大多不符合礼仪规范,肃敬虔诚的心情,又怎么能够产生呢!”宋孝宗说:“你的这种说法确实很对。我过去当太子作亚献时,催班也很早,当时风刮得很紧而帘子又很稀疏,觉得特别难挨。

何况现在百官既没有帐幕遮挡，又很早就站立在那里，所以虽然有肃穆恭敬的心情，也因倦怠而疏慢了。这大概是因为引班的官员只想早点完事，哪里顾得上时间是否合适，今后只需提早二刻催班就行了。”

丁酉(十七日)，郭杲申报襄阳府木渠下屯田二麦收获的数额，宋孝宗说：“下的种子倒不少，为什么收获却这么少呢？可命令郭杲细细找出原因上报朝廷。”宋孝宗又说：“各处屯田，二麦在六月结束，稻谷在十月结束，可开列数额上报，仍旧先申报尚书省。”继而因为湖广总领赵彦逾、襄阳府知府高夔、京西运判刘立义、鄂州江陵副都统阎世雄上奏说襄、汉之间的麦稻成熟的时间晚，于是诏令二麦在七月底，稻谷在十一月底，开列数额上报。

中书门下省上奏说前任绵州知州史祁，离任之时，把本州现有的钱说成是羡余，把这些钱献给总领所，希求得到荐举，朝廷下诏将他降一级官，并且免去现有职务。

冬季，十月，丙辰(初七)，诏令建康府副都统阎仲说：“我想将帅的缺点，往往在于埋没别人的功劳而又忌妒别人的能耐，自尊自用，因此下属因受压抑而怨叹，对上又没有帮助想出克敌制胜的计谋。却不懂得兼采众人的长处，不埋没别人的功劳，使智者献出他们的智谋，勇者献出他们的勇力。及至成功，那就都是主帅的功劳呀。过去赵奢去解除秦军对阏与的包围，开始时下令军中有敢于劝谏的都处死，到后来许历进献北山之策而赵奢采纳了他的计策，终于打败了秦军，你应当效法赵奢。”孝宗又把这个诏令刊刻印出分赐给各级将帅。

金国的尚书省上奏说亲军的人数太多，应当逐渐裁减，金世宗诏令把亲军人数定为二千。宰相退朝后，金世宗对左右近臣说：“宰相年纪大了，难以长久站立，可以在廊下设置一小榻，让他稍微休息一下。”

庚申(十一日)，孝宗下诏说：“两淮和沿边境各州军的自境外来投奔的人请求课占官田，过去多次下令免除差役和税赋；现在已经满了期限，理应加以优恤，可以从淳熙十三年开始，再免除三年的差役和税赋。”

甲子(十五日)，金世宗对宰相说：“护卫亲兵年老的，转业后授予官职让他管理百姓，可有的连字都不能写，怎么能治理百姓呢！人的胸中明白或者糊涂，外人不会知道，可精神昏耄会在外面表现出来，这是勉强别人做他所不能做的事情啊。天子以万民为子，不能一家一家地亲临抚慰，关键在任用贤能的官吏去代替我抚慰百姓。如果明明知道这个人不能治理百姓而勉强让他去做，百姓会怎么说我呢！”

乙亥(二十六日)，隆兴府知府程叔达请求将淳熙十年分推给百姓的尚未交纳的税钱予以免除，其中应上交及分隶各处的税额，本府自行筹措解决。宋孝宗说：“这样做既没有让公家吃亏，又有利于百姓，可依从此奏。而且令隆兴府出榜晓谕百姓。”王淮说：“由此看来，州郡的官吏如果选派得适当，财赋自然不会出现匮乏。”宋孝宗说：“这就必须知府自己不乱开支。如果乱开支，怎么能做胥吏的表率，使财赋有积余呢！”

十一月，甲申(初五)，司农少卿吴燠上奏说：“应该下令有关衙署集中商议，分散在各个部门里的那些吃干饭的官吏，务必进行减省，先从三省六部开始。至于那些可有可无的官员，应该淘汰的兵卒，也可以依次裁减废弃，这对于户部的年度支出，会带来不小的好处。”宋孝宗说：“突然之间裁减，人们一定会怨恨忧惧。可以下令并参照有关法律条文，应裁减的人数，暂且依旧，等到他们离任或者发生了什么变故，再不补充。那些应裁减的兵卒，也允许存

留,如果发生了什么变故再也不差派就是了。”

前任将作监朱安国上奏说:“文思院制造物件时,有些材料未到,就转借挪用以应付紧急需要。希望明下诏令,从今以后文思院制造器物,不能转借挪用材料。还有,皇城司差派到文思院的两个监做官,动不动就威胁逼迫,索取常例钱,应罢免他们的差使。”宋孝宗说:“可以。这两个人确实应该罢免官职。”

耕牧砖雕　金

因为漳州知州黄启宗为官清廉并且严于律己,抚慰百姓有功,加授直秘阁学士,并且连任漳州知州。

庚寅(十一日),金国在大房山安葬宣孝太子。

金世宗想给太子加封帝号,向大臣们征求意见,翰林修撰赵可回答说:“唐高宗曾经加封太子李宏为孝敬皇帝。”左丞张汝弼说:“这大概是武后出的主意。”事情作罢。于是在衍庆宫为太子建庙。

戊戌(十九日),金国任命皇子曹王完颜永功为御史大夫。

辛丑(二十二日),冬至,举行祭祀。在这之前曾诏令史浩、陈俊卿陪祠,两人都推辞。

十二月,庚戌朔(初一),宋孝宗加太上皇的尊号为“绍业兴统明谟盛烈”八个字,加皇太后尊号为“备德”二字。壬子(初三),王淮等庆贺册宝礼成。宋孝宗说:“前天太上皇很高兴。”王淮说:“陛下诚心诚意侍奉双亲,从史册中都没有听说过。”宋孝宗说:“太上皇赐给我一领销金背子,只是颜色浅了点,这就是过去人们说的斑衣。明年太上皇庆寿时,我一定穿着前往。”王淮等说:“那实在是件盛事啊。”

癸丑(初四),尚书右司郎中何万上奏说:“现在的风俗,与过去相比日渐奢侈,这是因为家给人足因而不能像过去一样了。本朝自从淳化年间以来,已经号称极治,仁宗时非常担心风俗变得奢侈,因而在景祐二年时下诏令说:‘天下士子庶民之家,不是有品级的官家不能建门屋;不是宫室寺庙道观不能用彩绘装饰门面房屋;使用的器物不准用纯金或者外面里面涂上红色;不是三品以上的官家以及皇亲国戚家不准用金棱器和玳瑁器;不是朝廷命妇不准用金制首饰以及用真珠装饰点缀首饰、衣服;凡是床铺被褥之类,不准用纯锦绣;民间百姓不准乘轿子,使用滑杆的,抬的人不准超过四人;不是五品以上的官员不准骑珠宝装饰的银鞍的马。违反的,物主、工匠都按违制论罪。’现请考察那些违背礼法的,开列名目,严厉禁止。从都中开始,渐次推广到四方,那么用度就会有所节制,民间就会宽裕。”诏令礼部参照景祐诏书和有关法令条文讨论以后上报朝廷。

甲寅(初五),茶马司上奏说宕昌马场每年定额所购的马,都是从远处的蕃地买来的,其中有很多蹄黄瘦弱的马,如果马上差拨,必然导致马匹死亡。诏令在西和州设置丰草监,会同宕昌良马监,务必让马匹得到歇养。

金国枢密使图克坦克宁请求立金源郡王为皇太孙,以便安定天下的人心,他上奏说:“这件事最好果断地办好,不能拖延。如果拖延就会招引觊觎之心,引来谗佞之言,否则不仅会使皇储的位置长久空虚,而且骨肉相残的祸患恐怕也会由此而产生。”金世宗认为他说得对。戊午(初九),诏令起用皇孙金源郡王玛达格任大兴府府尹,并进封为原王。

庚申(十一日),成都府知府留正因病辞官,宋孝宗说:“留正病了,可马上选派人担任成都府知府。”王淮等保荐赵汝愚,宋孝宗说:“我也想到了他,担任这一官职没有比赵汝愚更合适的了,他处事不偏不倚,可以担任这一官职。”

癸亥(十四日),权发遣简州丁逢上朝辞行,他说现在的财赋税收,名目很多,军费开支很大,民力是有一定限度的,而州县的官吏,假借各种名目,巧取挪用,更加重了百姓的负担,请朝廷严令禁止。宋孝宗说:“你到了简州以后,要照你今天讲的去做。”

丙寅(十七日),金国的左丞相完颜守道,左丞张汝弼,右丞钮祜禄额特喇,参知政事张汝霖,因为擅自增加东京各皇孙的俸禄而获罪,每人降官一级。

丁卯(十八日),湖北提举赵善誉上奏说:“江陵府高陂河渡,请求完全取消官课,听从附近居民用船载人运货,这样或许能使豪强不能专断渡口的利益,而使百姓免受胁迫阻滞的祸患。”朝廷允许了他的请求。

甲戌(二十五日),金世宗对宰相说:“太尉守能,处理政事只力求从宽,把那些因犯罪而免职的人大多又加以任用。如果能够惩处首恶分子,可以使后人知道畏惧;如果犯了罪又把他起用授官,怎么能警戒后人呢!”

金世宗听说有关官衙买了面,不按时付钱,愤恨监察对这种事不纠举弹劾,下令对他施了杖刑,金世宗拿这事去问参知政事程辉,程辉回答说:“监察是陛下的耳目,犯了小罪,不准赎罪而施杖刑,这也是一时的气愤罢了。”金世宗说:“负责这种事而不纠举,这是明知故犯。对他施以杖刑又怎么不行呢?”程辉说:“过去了的已无法挽回了,以后的还可以补救。”

乙亥(二十六日),忠翊郎、殿前司左翼军统制盛雄飞,特降两级官职,送往隆兴府安置,因为他不亲临教场阅兵,而去进行贸易活动贪图私利。泉州官衙把他的事上报朝廷,因此才有上面这个诏令。

丙子(二十七日),金世宗问宰相说:“原王在大兴处理政事的情景怎么样?”额特喇回答说:“听说都中人全都称赞他。”金世宗说:“我派人到民间察访,都说他处事很贤明,赏罚都不违背常规,曹王、豳王都比不上他。又听说凡有女真人前去诉事,他就用女真话问他,汉人诉事,就用汉语问他。不过还是以熟谙本朝语为好,不熟悉的话淳朴的风气将被废弃。”张汝弼回答说:“不忘本,这是圣人一再讲的道理。”额特喇说:“就凭西夏那样一个小国,由于崇尚旧俗,尚且能够保有几百年江山。”金世宗说:“凡事应当务实。只要有一件事不实,则丧百真,因此凡事莫如真实。”

金世宗曾经与宰相一起议论古代设置监军的事,平章政事完颜襄说:“汉、唐开始时没有设监军,将领有自决权,因此每战必胜,每攻必克。到了末年才派内侍当监军,将领动不动就受他牵制,因此常常打败仗,很少立战功。如果将领选派得当,监军确实不必设置。”金世宗表示赞许,并采纳了他的意见。

这一年,龙州知州王偁献上《东都事略》。

诏令舒、蕲二州铁钱监铸造本年度的铁钱,并以二十万贯为限额。

淳熙十三年 金大定二十六年(公元1186年)

春季,正月,庚辰朔(初一),宋孝宗到德寿宫举行庆寿礼。大赦天下,以示推恩。

戊戌(十九日),诏令:"淮东、淮西、湖广总所和江、池州、襄阳、江陵府大军库对库存的金银钱会进行结算,并在半月之内上报尚书省。"

甲辰(二十五日),金世宗到长春宫举行春水游猎。

二月,庚戌(初二),孝宗下诏说:"潼川运判岳霖能恪尽职守,加授直徽猷阁衔,并且连任潼川运判。"

静江府知府詹仪之为通判沈作器乞求宫观,宋孝宗说:"此门也不能开。监司按察通判是可以的,知州对通判纠举都是不行的。如果通判只是附和知州,还用通判做什么!沈作器改派别处任通判。"

乙卯(初七),步军都虞候梁师雄,奏报射铁帘合格的官兵人数,宋孝宗说:"听说射铁帘的各军,鼓跃奋励,可激励士气。"周必大回答说:"兵经久不用就会士气低落。现在陛下用这个办法来激励士卒,将会看到人人都是强兵了。"

癸酉(二十五日),宋孝宗对身边的近臣说:"我观察唐朝的大将中,有将才的很多,可能是因为国内要讨伐叛乱的方镇,境外要防备吐蕃、回纥,经常要用兵,所以人们都熟悉军事。本朝仁爱宽厚,已经有三五十年没发生过战争了,因此名将很少。"王淮说:"人才只是在有紧要的事时才会出现。但如果境内外多事,经常要用兵,也不是什么美事呀。"

金世宗回到首都。乙亥(二十七日),下诏说:"每季度召见一些官员,用一些疑难问题考问他们,让他们分析解决。对那些才能见识可取的,还须考察他的政绩,如果他确是言行一致的话,就加以提拔任用。"

丙子(二十八日),宋孝宗说:"自古以来的君主读书,很少有知道治国之道的,有的就是知晓治国之道但也很少能实行。况且像'对人不必求全责备'、'检查自身唯恐有不足'这两句话,君主难道是不知道吗!然而却做不到。陆贽反复不停地劝谏的目的,正是要让唐德宗知晓治国之道并且实行;至于魏征对唐太宗,劝谏就没有那么谆谆反复。况且唐德宗时那是什么时势呀?德宗同陆贽论事,都是让宦官传达圣旨。况且有些是非曲直,就是当面反复诘难,犹恐未尽,投机契合,是间不容发的事,怎么能教宦官传旨呢!朕每遇到什么问题都是以太宗为楷模,以德宗为戒惧。"

三月,丙戌(初八),淮东、淮西总领所向朝廷申报军库现钱、会子和务场钱的数额。诏令:"就让本府清点封存保管,没有朝廷的旨意,不准擅自开支。"

己丑(十一日),金国尚书省草拟了任命官吏奏疏,金世宗说:"你们这些人一直呆在尚书省里,没有举荐过士子,授官只按资格品级,怎么能找到人才!古代有平民百姓作了宰相的,听说宋朝也任用了很多从山东、河南一带流落到江南去的人,也不全是只用亲近宠幸的人。拿我朝这样一个疆域辽阔的大国来说,难道就没有人才!我难以遍知,你们又不举荐,自古以来哪有终身做宰相的呢!京外三品以上的官员中,一定有可用的人才,只不过是没有机会得以晋见罢了。"左丞张汝弼说:"下级官员虽然有的有才能,但一定要经过试用才看得出来。"参政程辉说:"京外有的官员虽有声望,但一旦入朝做官,却又不称职,也只有被淘汰

罢了。”

辛卯（十三日），因为福建运判王师愈为官有政绩，加授直秘阁，并且连任福建运判。

夏季，四月，庚戌（初三），宋孝宗阅读陆贽的奏议中的《论度支折税事状》那一折，萧燧说：“自古以来的那些贪财聚敛的大臣，必定会用欺骗瞒哄的办法来炫耀自己的才能，没有不是先乱改变制度的。”宋孝宗说：“天下本无事，不过是庸人自扰罢了。”读到陆贽论裴延龄的文章时，萧燧说道：“国君未必不想去除小人，然而却常常为小人所胜，例如萧望之为弘恭、石显所胜，张九龄为李林甫所胜，裴度为皇甫镈所胜。”宋孝宗说：“皇甫镈也是裴延龄之流啊。”

诏令：“没收归官的田产，应当征收租税输入常平仓，违犯的定罪。”

壬子（初五），金世宗对侍臣说：“我经常要求办理御膳务必从简，如果想办得丰盛，即使每天用五十只羊也不难，然而这都是民脂民膏啊，我不忍心这样做。辽朝的皇帝听说民间缺吃的，说为什么不吃干腊肉，大概是因为从小没有得到老师的训导，等到即位后，便不知道民间的疾苦。想想前代的那些国君，只图贪享富贵而不知道稼穑艰难的很多，他们之所以失去天下，都是缘于此呀。”金世宗又说：“隋炀帝时，杨素专权行事，便是用人不慎造成的过失。与正人君子相处，知晓的必定是正经的道理，听到的必定是正经的话，不可不小心啊。现今原王府的属官，应当选拔那些纯正谨慎秉性正直的人担任，不能任用玩弄权术的人。”

戊午（十一日），金国的左丞张汝弼被罢了官。张汝弼上奏言事时阿谀顺从，金世宗对大臣们说：“你们这些人每每遇到什么事只是依违苟且逃避责任，不肯畅所欲言，高官厚禄，你们怎么胜任！像乌库哩元忠，刚直敢言，义不顾身，确实可嘉。”这以后就让乌库哩元忠担任了真定府尹。

壬戌（十五日），金国太尉、左丞相完颜守道告老辞官，被任命为咸平尹，封华国公。

金世宗派人告谕他说：“咸平自从斡罕叛乱以后，百姓还不能像过去那样安居乐业。我听说你辞官归乡，派你到那里去安抚百姓。”

五月，己卯（初二），萧燧献上他记录的孝宗读陆贽的《奏议》时发的议论，宋孝宗说：“我每次看到陆贽论唐德宗的事，没有不寒心的，正担心出现唐德宗那样的过失，你们讲一讲。”宋孝宗又说：“唐德宗不肯对下属推心置腹，虽然经历了奉天离乱，终究没有悔悟，从这件事就可以知道他不会有所作为了。”

甲申（初七），金国任命大兴尹原王玛达格为尚书右丞相，赐名璟，任命司徒。枢密使图克坦克宁为太尉、尚书左丞相，任命判大宗正事赵王完颜永中再次担任枢密使。

参知政事程辉告老还乡。程辉喜好杂学，尤其喜好医学。有个神童叫常添寿，只有几岁，程辉召见他并与他谈话，顺便写了“医非细事”几个字。常添寿涂去“细”字，改作“相”，程辉非常惭愧。

戊子（十一日），卢沟河在上阳村决口，金世宗命令开会商议。这之前卢沟河在显通寨决了口，征发中都附近三百里之内的民夫填上了决口；到这次又决了口，参加议论的人担心白费工夫物料，于是决定不予治理。

庚寅（十三日），金国御史大夫曹王完颜永功被撤职，任命豳王完颜永成担任御史大夫。

戊戌（二十一日），金国任命尚书右丞钮祜禄额特喇为左丞，参知政事张汝霖为右丞。

六月,己未(十三日),有官员上奏说:“临安府知府将本府胥吏除了应该存留的以外,罢逐了一百多人,还有一些没有登记不知姓名的人,全部淘汰,也有将近二百人。临安是在陛下的眼皮底下,而官吏额外增设,私自存留,竟有如此之多,何况从全国范围来看,白吃饭的胥吏,又怎么能计算清楚呢!请令提举将各县官吏,照绍兴二十六年发布的命令除留足正额外,其余的一律淘汰。那些应当留下的人中,没有犯过错误,没有受过处分的,才准许存留。”孝宗准奏。

己巳(二十三日),金世宗对宰相说:“我和你们都老了,荐举人才,是当务之急,一个人有才干固然难得,然而不如德行高尚的人更优秀。”

秋季,七月,丙申(二十一日),金国任命御史中丞马惠迪为参知政事。

这个月,诏令:“各路州县一律用钱、会子各一半交收。”宋孝宗说:“听说军民不要见钱,却要会子,我听了这事很高兴。但会子的发行不可超过现在的数额。”

闰七月,己酉(初四),命令淮、浙提盐约束下属各州的主管官:“凡遇亭户交纳盐,主管官必须亲自经手,按时称量,付给本钱,不准纵容官吏勒索。如遇索取听用花带等钱及富户请求减免等事,一律严加追究,还允许亭户越级上告。”

戊申(初三),任命敷文阁学士留正为签书枢密院事。

己酉(初四),施师点请求免去他的兼同知枢密院事,被批准。

八月,乙亥朔(初一),日月及金木水火土五星聚集轸宿。

丁丑(初三),金世宗对宰相说:“亲军虽然不认得字,也按惯例让他们出京任职,如果涉嫌贪赃受贿,必须痛加惩治。”图克坦克宁说:“依法惩治就行了。”金世宗说:“我对于女真人未必是不体恤,然而如果贪赃受贿,就算是皇室子弟也不能饶恕。太尉的意思,是想要姑息女真人。”

戊寅(初四),金国的尚书省上奏说黄河在卫州决口,冲坏了城墙,诏令户部侍郎王寂、都水少监王汝嘉把卫州州衙迁到胙城县。王寂骑着驰传得快马视察受灾地区,不去拯救灾民,却专门聚集众人用网捕鱼、捞取官物,百姓非常恨他。金世宗听说了很厌恶王寂,派户部的刘玮去执行户部的公务,灵活处置规划,把王寂贬为蔡州防御使。

辛巳(初七),诏令:“集英殿修撰、隆兴府知府程叔达,长期兼任安抚使,政绩显著四方闻名,加授敷文阁待制,继续留任。”

壬午(初八),新筑江陵城筑成了。

甲午(二十日),金世宗举行秋猎。庚子(二十六日),驻扎在蓟州。

九月,甲辰朔(初一),金世宗到达盘山,便将中盘的各个寺庙都观赏了一番。庚申(初七),回到都城。

丙寅(二十三日),金世宗对宰相说:“呼喇台叛亡,已派人去讨伐他,可增派甲士,毁掉他的战船木筏。”马惠迪说:“得到这样的人也不能任用,占有了他的土地也不能居住,此事恐怕不值得陛下操心。”金世宗说:“我也知道呼喇台这种人没有用,所以要毁坏他的战船木筏,就是要使他不能再骚扰边境了。”

庚午(二十七日),江西安抚使等奏请将应上交的米折合成钱交纳,宋孝宗说:“这是什么话呀!米与钱是不相同的,本应纳米,却教纳钱,能行吗?”

辛未(二十八日),静江府知府詹仪之,上奏说宜州知州王侃尽心尽力加强边防,蛮族很畏惧他,请朝廷给予嘉奖,并令连任。诏令特将王侃升官一级,减去三年的勘验期,并继续连任。

这月,孝宗下诏征求遗散之书。

孝宗诏令裁减有关官署的闲杂官吏。

冬季,十月,甲午(二十一日),金国下令增加防守黄河的军队人数。

金国的图克坦克宁,因原王没有被明确定立为皇太孙,屡次向金世宗请求。当时在各位皇子中以赵王永中最长,而图克坦克宁又与赵王永中有特殊关系,金世宗感叹地说:"图克坦克宁真是一心为国的忠臣啊!"

戊戌(二十五日),金国宁昌节度使崇肃、行军都统忠道,因为讨伐呼喇台时还没与敌人遭遇就退回,崇肃受杖刑七十,削官一级,忠道受杖刑八十,削官三级。

十一月,辛亥(初八),中书舍人陈居仁上奏说朝廷要少管琐碎杂事,宋孝宗说:"这话很得当。现在最紧要的大事,不过就是要选拔人才,整顿纪纲,严明赏罚。命令下得太多,只是让人觉得琐碎繁复。"

甲寅(十一日),司农寺上奏说已经派人办理西仓籴粮的事务,宋孝宗对宰相说:"这种事情你们可以自行下达命令。凡是朝廷诏令必须让人信畏,如果让人怠慢轻视,对事情有什么好处呢!应当选取那些大事、要事加以留意,至于小事,姑且从略。比如任命监司、太守,你们必须反复留意。"宋孝宗又说:"尽量少下命令,不只是事情简省,而且又让人相信,可以说是一举两得的事。"

庚申(十七日),金国册立右丞相原王完颜璟为皇太孙。

甲子(二十一日),王淮等人献上《仁宗、英宗玉牒》《神、哲、徽、钦四朝国史列传》《皇帝会要》。

金世宗对宰相说:"我听说宋朝军队一直不停地在操练,而我军却一味游惰。你们不要以为天下安定,不做一点预防,如果一旦出现警报,军队不能作战,岂不坏事吗?一定要下令军队按时训练!"

丙寅(二十三日),右丞相梁克家被免职,改任为观文殿大学士、醴泉观使兼侍读。

庚午(二十七日),金世宗对宰相说:"我与过去的明君相比,固然比不上;至于不听近信的谗言,不接受国戚皇亲的私下请求,我也是问心无愧的。我曾经自我检查,怎能没有过错!我的过错,就是太爱兴建土木工程,从今以后不再这样了。"

辛未(二十八日),敕令申报审定裁减吏额的情况。宋孝宗说:"革除弊政必须循序渐进,暂且依旧存留,只是将来不做正额,这是最好的办法,也不致有悖人情。"

十二月,辛巳(初八),有官员上奏谈到汀州征收盐税的弊病,诏令漕臣赵彦操、王师愈会同提举应孟明处理这个事情,并上报朝廷。赵彦操等人不久就上奏说:"汀州六县,长汀、清流、宁化食用福州盐,上杭、连城、武平则食用漳州盐,也是各从其俗罢了。食用盐的产地既然不相同,钞法就难于通行。现在想要把过去拖欠的盐钱一并免除并且降低盐价,所免除的过去欠的盐钱与减收的盐钱,本司应多方筹措,以便弥补减免的那个数。这样,州县的负担立即可以减轻,盐价也会趋于公平,买盐的人也会多起来,贩卖私盐的现象就会逐渐减少,官

府卖盐就会日益畅行,价格虽然有所降低,收入却不会减少。这样汀州与所属六县每年从百姓那里少收三万九千多缗,从官府地方那里也减收一万多缗,因多卖盐所得的收入与免除旧日所欠的钱又在这之外。加上财源不阻塞,财力自然增强,解除弊端的办法中,没有比这更好的了。”上述各项意见都被采纳。

甲申(十一日),金国左谏议大夫黄久约上奏说让地方贡纳奉送荔枝不对,金世宗说:“我不知道这个事,下诏令停罢。”丙戌(十三日),金世宗对宰相说:“有的官吏侍奉上面,只求办事之名,不问利害关系如何。我曾经想吃荔枝,兵部就在沿途特设铺递,近日因为谏官黄久约讲起,我才知道这事。做人没有识别能力的话,一旦遇事,便会出现难堪。宫中的事无论大小,我都过目,因为没有找到一个合适的人替我操办;如果找到了这样的人,怎么还会有其他顾虑呢!”

甲午(二十一日),以少师衔退休的陈俊卿去世,死前要求儿子们不要向朝廷请求恩泽,也不要请求谥号和碑额。宋孝宗听说,感叹不已,赐谥号“正献”。

丙申(二十三日),金世宗对宰相说:“近日听说黄河泛滥,百姓深受其害,资产都损失光了。现在还派官员到那里推算资产编排户口,这是为什么呢?”右丞张汝霖说:“现在实行推排的都不是受灾的地区。”金世宗说:“虽然这样说,但那一定是邻近灾区的地方呀。既然临近灾区居住着,难道就没有受灾惊扰迁徙避难的呀!计算他们的资产,怎能有多余的,还计算什么!”

戊戌(二十五日),大理寺上奏说现在监狱里空无一人。

这个月里,利州路发生饥荒,诏令赈济百姓。